LA POÉTIQUE

DE

FRANÇOIS VILLON

DAVID KUHN

LA POÉTIQUE
DE
FRANÇOIS VILLON

1967
LIBRAIRIE ARMAND COLIN
103, Boulevard Saint-Michel - Paris 5ᵉ

AVANT-PROPOS

Nous tenons à exprimer ici notre reconnaissance envers ceux qui ont prêté leur secours à l'entreprise et à l'achèvement de notre travail.

Et d'abord, à MM. L.-F. FLUTRE *et* F. DELOFFRE, *naguère professeurs à l'Université de Lyon, qui, depuis quelques années, n'ont cessé de prodiguer, en faveur de nos recherches, leur patience, leur érudition, et l'encouragement de leur exemple.*

Et ensuite, à MM. J.H. HUBERT *et* E. MORRIS, *qui, les premiers, nous ont fait lire Villon, et nous ont orienté dans les voies de ces études.*

Enfin, notre dette est à la fois profonde et patente envers ceux qui ont accepté de lire et de commenter un ou plusieurs chapitres de notre manuscrit. Ce sont MM. Y. BONNEFOY, P. DE MAN, F. GROVER, S. HOFFMANN, R. LATHUILLÈRE, J. ROUGEOT, R.-L. WAGNER, *et* T.M. WOODARD. *Bien d'autres reconnaîtront, à une phrase, à une allusion ou à une idée reprise l'apport de leur amitié généreuse.*

INTRODUCTION

Plus d'un siècle de recherches sur François Villon, sa vie, son milieu et ses œuvres, ont précédé la présente étude. Pour le résumé de ces travaux, nous renvoyons au livre de L. Cons, *Etat présent des études sur Villon*. Il parut en 1936. Depuis lors, notre connaissance de Villon n'a guère avancé. Le dernier ouvrage de quelque ambition publié sur Villon est celui, tendancieux et massif, d'I. Siciliano, en 1934. Depuis, les monographies de W.H. Rice (1941), d'A. Ziwès (1954), de G.A. Brunelli (1961) et de J. Fox (1962) ont éclairé des aspects différents d'un même phénomène. Le lexique d'A. Burger (1957) fournit souvent d'utiles secours. Quantité d'articles ont traité des questions précises. Le lecteur trouvera, à la fin du présent volume, le détail de ces ouvrages et d'autres qui se sont montrés utiles pour la lecture de Villon.

La poétique de Villon n'est pas parmi les sujets de ces recherches. Pourtant, nous sommes redevables à ceux qui ont aidé à établir le texte des poèmes et à en éclaircir le sens. Nous nous sommes efforcés de profiter de leur réussite dans la mesure du possible. Nous avons voulu ne pas perpétuer celles d'entre leurs erreurs qui nous ont paru futiles ou évitables. A trois des éditeurs de Villon surtout va notre reconnaissance. D'abord, remercions Clément Marot d'avoir pris en main les vieilles éditions. Le lecteur s'apercevra vite de ce que nous devons aux remarques, aux corrections, aux retouches de Marot. Avouons ensuite notre dette envers Louis Thuasne. On répète depuis longtemps que son édition critique est criblée de fautes. Elle l'est : de fautes de jugement surtout. Mais ce chercheur infatigable a réuni tous les matériaux des bons jugements avant d'en tirer de faux. Son édition est un véritable répertoire de la langue du siècle de Villon. Le lecteur réfléchi saura faire des trouvailles dans le pêle-mêle d'une érudition vigoureuse. Finalement, rendons son dû à Lucien Foulet. Il a été le dernier, et tout compte fait le plus judicieux des éditeurs de Villon. Sa refonte de l'édition d'A. Longnon a mis entre les mains de tout lecteur sérieux un texte valable. Encore plus fin que son érudition était son discernement. En maints endroits, son intelligence et son sens du texte ont prévalu sur l'évidence philologique ou ont suppléé à son défaut. Ses notes et ses articles sur Villon au nombre d'une bonne douzaine sont éparpillés dans des revues et des mélanges. Réunis et mis en ordre, ils donneraient un commentaire apte à aider le lecteur soucieux du détail. Nous y avons puisé à la fois des suggestions et des encouragements.

*
**

Villon n'est plus lu. La raison en est triple, semble-t-il. Le nom même de Villon la recèle. D'une part, ce nom désigne un homme dont nous ne savons à peu près rien. D'autre part, il recouvre un groupe de poèmes difficiles, dont nous ne lisons qu'une partie. Notre ignorance et cette difficulté ont engendré une légende que nous appelons, elle aussi, Villon. Ainsi ce nom est connu de tous. On l'emploie sans en préciser la référence.

La raison de notre ignorance de l'homme, et de la difficulté des poèmes, est connue. Elle tient au temps, qui nous en éloigne. La légende nous promet un rapprochement magique. Elle opère une mainmise émotive sur nos yeux de lecteurs. Eprouver cette émotion, nous nommons cela « lire Villon ». Le mot « lire » est pour nous encore plus élastique que le nom « Villon ». Panneaux, menus, journaux, visages, billets doux, thèses, poèmes, Villon : chacune de ces lectures est une activité distincte. Ainsi tout le monde lit Villon. Tous s'en réclament, poètes, érudits, écoliers, comme d'une quantité fixe d'émotion. Villon est toujours actuel, comme la nuit.

Partant, il n'existe pas de « problème Villon ». Comment n'être pas d'accord sur ce qu'on s'accorde à ne pas lire ? Tout au plus lit-on sa poésie. La vie de Villon autant que son œuvre est pleine de poésie, entendons-nous dire. Une partie seule de sa poésie, nous permettons-nous de dire, est poétique. Nous sommes d'accord sur le sens de cette poésie parce que le sens des poèmes n'est jamais contesté. Et cela malgré ce fait, connu de tous, que le sens de maint vers et d'une foule de mots nous échappe. Nous parvenons à aimer, chez Villon, notre ignorance. Nous aimons en lui ce que nous aimons en nous-mêmes.

Puisqu'ils ne sont pas lus, les poèmes de Villon ne sont pas discutés. Son œuvre égale-t-elle en importance l'œuvre de Dante, ou de Racine ? de Keats ou de Hölderlin ? Personne ne le sait. Villon est unique. Ses poèmes sont-ils ennuyeux, indécents, illisibles, incendiaires, mystérieux, vides ? Personne ne le dit. Leur conception les rapproche-t-elle de l'œuvre d'Alain Chartier ou de Charles d'Orléans ? de Rimbaud, de Du Bellay, de J.-B. Rousseau ? Comment le savoir, et pourquoi ? En fait, pourquoi lire Villon ?

Cette étude ne prétend pas répondre à de telles questions, mais les soulever. Prenons comme point de départ nous-mêmes. Notre ignorance est un fait accompli. Y échapper par la magie de l'histoire serait nous cloîtrer dans un nouveau mythe. Les poèmes de Villon étaient difficiles pour leurs premiers lecteurs. Nous partons comme tout le monde d'un amour aveugle. Nous aimons les poèmes de Villon, nous ne voulons pas nous contenter d'un tel amour. En voyant plus clair, en vivant avec eux, nous voudrions les aimer mieux. Nous comptons y trouver de l'inconnu, et par là, quelque chose à aimer d'un amour nouveau. Si Villon sait parler d'aimer et de connaître, notre tâche sera simplifiée.

Nous partons aussi d'un parti pris. Il y a, dans les poèmes de Villon, de quoi comprendre. Nous le chercherons. Au départ, écoutons Blaise Cendrars donner l'éveil : « Un savant, François ? Permettez-moi de rire ». Le rire de Blaise Cendrars est celui de l'homme qui, aimant Villon et le savoir, n'aime pas les savants. Gardons-nous de le provoquer en formulant des questions maladroites, moins amusantes que les frivoles, moins utiles que les fausses. Les poèmes de Villon sont différents de ceux de Cendrars. On marque cela d'une façon commode en disant qu'ils sont d'un autre siècle. Chaque siècle a sa propre science et son propre rire. Il peut être dans notre intérêt de ne pas trop les confondre. Tâcher de lire les poèmes de Villon dans leur propre lumière ; tâcher d'y voir ce qui n'est pas encore nous-mêmes. Cela voudra dire souvent agréer des idées qui s'écartent des nôtres. Adopter à cette fin n'importe quel point de vue aurait pu être utile, hormis celui, éblouissant, de la postérité. Nous préférons choisir nos idées, quand nous le pouvons, du côté de chez Villon.

A part cela, nous ne suivrons aucune méthode. Nous accueillerons toute suggestion qui puisse réellement aider notre lecture. Dans les pages qui suivent, on trouvera, d'abord, plusieurs essais de lecture des quelques poèmes de Villon les mieux connus, et du *Lais*, qui est inconnu. Comment lire ces poèmes ? Nous évoquerons à tout moment ce problème. Nous supposerons que chaque poème est capable de nous enseigner comment il faut le lire. Nous lui ferons foi. Si cette foi est bien placée, le poème nous apprendra l'apport de la confiance. Que le lecteur ne s'étonne pas de trouver, dans chaque chapitre, un style ou un point de vue différent. Un poème nouveau l'aura exigé. Nous aurons recueilli avec soin nos premières impressions. Nous épierons toute occasion de les dépasser. Nous supposerons que le poème qu'écrivit Villon sera capable de nous donner une expérience plus féconde et plus valable que celle qu'entrevoit notre ingénuité. Pourtant nous ne nierons pas la valeur de celle-ci. Elle primera toujours par son immédiateté et par son insuffisance.

Ces expériences faites, nous entrerons dans la lecture du *Testament*. La première porte ouverte ne sera pas forcément le premier vers. Nous y mettrons à profit ce que nous venons d'apprendre. Nous nous garderons d'être compromis par des formules et embarrassés par des aperçus qu'il aurait fallu oublier. Le reste de notre étude sera consacré à ce poème. Ne craignons pas d'analyser le beau, ni d'expliquer le mystère. Ils résisteront. Si notre expérience d'eux ne survit pas à la réflexion, c'est celle-là qu'il faudra étayer avant de lâcher celle-ci. Nous espérons lire avec une pénétration toujours plus digne de la pénétration que l'auteur nous laisse deviner. Notre désir n'est-il pas d'apercevoir une intelligence que nous ne devinions pas ? Ainsi nous arriverons, à la fin, à tirer deux ou trois conclusions sur les poèmes que nous aurons étudiés et sur l'art qui semble les avoir conçus.

PREMIÈRE PARTIE

LA LECTURE DE VILLON

LES ÉLÉMENTS LYRIQUES

CHAPITRE I *

LE MONDE A L'ENVERS

1.
Je suis Françoys dont ce me poise
Né de Paris empres Ponthoise
Or d'une corde d'une toise
Saura mon col que mon cul poise [1]

De l'humour noir, bien sûr ; mais ce titre même atteste un paradoxe que le rire complice est loin de dissiper. Notre complaisance devant un tel texte, n'est-elle pas le meilleur témoin d'un certain malaise ? Et le rire pour le poète, si rire il y a, ne lui sert-il pas également d'échappatoire ? D'où ressort-il, sinon du choc entre une affirmation dans le langage de tous les jours et son objet d'un seul jour, c'est-à-dire entre la vie d'une conscience et la mort qui la nie ? Le rire est bien équivoque, voilà toute sa valeur, il traite de frivoles les certitudes qui lui donnent naissance. Le rire ne prend aucun parti, il s'en moque, de tous, et par ce moyen les consacre. Etant donné notre rire, la structure des certitudes derrière le poème reste donc toujours à définir.

2. Le paradoxe de l'affirmation négative se reflète dans le détail des quatre vers, dont chacun constate nonchalamment un renversement, une perversion, ou un illogisme grotesque. Le poème commence par une affirmation d'existence et d'identité, « Je suis Françoys ». Villon ne dit pas, comme il l'aurait pu, « Je m'appelle... » ou « Je me nomme... » Il identifie son être et son nom ; pour le moment il n'existe que publiquement. La seule existence publique de la voix qui nous parle est encore soulignée par le deuxième sens de ce nom, sens politique, qui nous affirme que celui qui se nomme est « françoys » de naissance, c'est-à-dire né dans l'Ile-de-France. Une deuxième constatation limite immédiatement la première : « ...dont ce me poise », locution proverbiale qui veut dire normalement, « ce que je regrette », « ce qui me fait du chagrin », « ce qui me rend misérable ». Que Françoys regrette qu'il soit Françoys, qu'il soit dolent parce qu'il est Françoys, voilà évidemment un renversement inattendu des choses.

* Les notes relatives à ce chapitre sont réunies p. 21-23.

L'être public d'un homme, qui est son nom même, dont il doit être fier en y puisant d'ordinaire l'assurance de sa propre valeur, cela lui est devenu une gêne. L'absence agréée de toute explication ultérieure, et le ton banal qui sert à exprimer ce fait extraordinaire, voilà qui donne de quoi mesurer son illogisme.

Le paradoxe du deuxième vers est encore plus manifeste ; il renverse celui du premier vers. D'abord il s'agissait de deux éléments reconnaissables, l'homme et son émotion, dont le lien était devenu absurde ; ici le lien logique est immuable, tandis que les deux éléments qu'il relie sont transformés. Une espèce de distorsion fait de la ville la plus grande et la mieux connue de France, le simple accessoire d'un petit village de province. Et c'est dans ce Paris, maintenant si ignominieusement déclassé, que le poète se dit né. Paris reste toujours « empres » Ponthoise ; mais le mot signale maintenant un bouleversement des valeurs ordinaires, et « Paris » et « Ponthoise » ont échangé leurs sens pour celui qui nous parle. Le lieu de sa naissance, qui est donc pour lui d'une importance suprême, déchoit en petit bourg inconnu et insignifiant, par rapport au village voisin devenu métropole.

La notion de taille, ou plutôt de proportion, qui a été introduite au deuxième vers, est explicitée au troisième avec la mention « d'une corde d'une toise », c'est-à-dire d'une mesure bien connue. Egalement explicite est devenue la notion des liens : la corde en est un. Et cette notion-ci, n'est-elle pas aussi mise en question par ce vers où le seul mot « de », avec des significations diverses, relie « une corde » à « une toise » et le vers entier au suivant ? C'est le mot qui vient de signaler le rapport ombilical qui relie un homme au lieu de sa naissance : « Françoys » est né « de » Paris. La conjonction « Or » en tête du vers relie la deuxième partie du poème à la première en désignant un moment actuel survenu abruptement depuis le vers précédent, qui nommait le passé. Aussi équivoque que le mot « de », le mot « Or » signale, en tant que terme logique, deux propositions entre lesquelles nous ne décelons à première vue aucune espèce de logique.

Le vers final a pour sujet le renversement final et définitif qui s'appelle la mort. C'est ce renversement — une rupture des liens de la conscience et des objets — qui apportera une révélation : « Saura mon col... » Ici les deux éléments en question, le « col » et le « cul », auront subi une métamorphose qui relève de la caricature. Tout comme Paris et Ponthoise, ils auront échangé leurs rôles pendant que leur situation l'un « empres » l'autre reste fixe. Maintenant personnifiés, ils agissent en duo burlesque : c'est le petit tyran depuis longtemps établi qui tout à coup, par un renversement saugrenu, sent lui-même peser le joug. Sans que la disposition verticale des membres soit changée d'aucune manière, leurs rapports dynamiques seront transposés. Ainsi le quatrième vers achève le poème tout en gardant sa place en dessous des trois autres. C'est dire qu'il y a un dynamisme à déceler à l'intérieur de cette structure rigide.

3.   Voici évidemment un poème fondé sur un seul paradoxe. Mais ce paradoxe, qui est un illogisme, évolue au cours du bref moment qui ne dure que quatre vers. Et cette évolution traverse sa structure linguistique normale de façon à jurer avec elle. Le rapport entre structure et évolution est tout de suite manifeste dans ce que nous appellerons volontiers, pour l'instant, la fin du poème : à savoir, la suite des mots-rime. Plus haut nous avons suggéré que le mot « Or » divise le poème en deux parties égales. Mais cette symétrie est déjà établie par les rimes, qui se reflètent :

> .... *poise*
> .... *thoise*
> .... *toise*
> .... *poise*

A l'intérieur de la réflexion formelle, pourtant, s'affirme une évolution du sens. La simple syllabe, « -thoise » devient un mot entier, et un mot assez concret ; le verbe « poise », d'usage proverbial, métaphorique, abstrait, et morne, devient soudain le mot pour rire qui suffit presque seul à désigner le monde matériel et une dure réalité qui y est incluse. Le témoignage de la seule série, *poise-thoise-toise-poise*, c'est qu'en parcourant le poème, nous nous approchons des objets concrets.

D'autres séries symétriques dans le poème nous livrent le sens de cette progression. Prenons, au « milieu » du poème, la série des *noms :*

> ... *Françoys* ....
> ... *Paris* ....
> ... *une corde* ....
> ... *mon col* ....

Géographiquement, pour ainsi dire, il est évident que le champ devient de plus en plus limité ; depuis l'Ile de France et son chef-lieu au centre nous suivons verticalement une corde qui nous mène au col qu'elle entoure. De même : depuis un simple nom conventionnel que portent nombre de gens, nous descendons à un seul nom propre, moins abstrait, qui nomme une seule réalité à la fois concrète et artificielle ; ensuite à un objet unique quoique composé, commun, indéfini et perceptible ; jusqu'à un seul mince tuyau, qui est possédé, singulier, défini et bien tendre. Autrement dit, nous passons, à travers ces lignes, des noms aux objets conçus à distance, aux objets tenus entre les mains, et enfin aux membres eux-mêmes. Quitter les abstractions pour les objets veut dire délaisser les noms pour gagner les choses qu'ils nomment ; gagner les réalités concrètes veut dire tomber des nues des facultés intellectives jusqu'à la terre des cinq sens.

C'est justement cela que met bien en valeur la première série formelle du poème, celle qui l'introduit et qui semble en résumer le drame :

> *Je suis* ....
> *Né* ....
> *Or* ....
> *Saura* ....

Notons-en d'abord le formalisme des temps, qui comprend toute la vie d'un homme : *présent-passé — présent-futur*. L'évolution ici est moins entre les objets de connaissance, ou les mots qui les désignent, qu'entre les moyens et les modalités de la connaissance. Celui qui nous parle *sait*, par un seul acte d'intuition, qu'il existe, ou plutôt il le *constate* ; il sait aussi, donc, par une logique scientifique, qu'un seul acte dans un passé lointain lui donna naissance. Or, dans ce moment-ci qu'il est en train de vivre dans des circonstances bien immédiates, il *sait* d'une façon bien autrement sûre qu'il sera, par un seul acte dans un proche avenir, à la fois sujet et objet d'une espèce de savoir parfaitement précise et uniquement concrète, au moment de sa mort. Ou plutôt, il sait maintenant que dans un instant il ne saura plus rien, de la manière du moins dont son « Je » a su jusqu'ici ce qu'il a su. Il sait et il dit qu'il ne saura plus rien dire. Ebloui par sa nouvelle compréhension, son « col » aura vite fait d'oublier le langage, la logique et la conscience. Tel que nous le lisons, le mot « saura » se nie.

Si les objets de la conscience se dégradent vers le concret dans la pièce, nous venons d'apprendre que ce mouvement exprime en même temps la déchéance de la raison. En fait, nous assistons à une matérialisation progressive de tous les rapports qu'offre le poème. Son côté grotesque en dépend. Bien sûr, la matérialisation finale de l'homme s'appelle la mort. Mais ce qu'il faut surtout remarquer, c'est qu'au lieu de nommer la mort, Villon évoque une sclérose mortelle qui incarne une inversion absurde. C'est ainsi que le « Françoys » qui est lié à sa société par un nom qu'il regrette, sera prochainement lié à elle par la hart. C'est ainsi que son col subtil et royal, support de sa tête d'homme qui se lève vers les étoiles, sera mortifié de force par le cul crasseux, vulgaire et animal. C'est ainsi, enfin, que le langage poétique se verra déchiré et qu'un mot capable d'exprimer un rapport sentimental assez délicat, finit sur l'échafaud, où la délicatesse n'a aucune place.

Nous parlons de la métaphore, « dont ce me poise », et de ses derniers mots en tant que condamné à mort. Car la matérialisation des rapports qui traverse la symétrie fixe de la pièce touche jusqu'aux liens du langage. Cela, nous l'avons déjà constaté d'une autre façon, en remarquant que le mot « poise » du premier vers *devient* le mot « poise » du dernier. Pour nous, lecteurs, cette transformation a l'effet rétroactif de transformer la première métaphore en une ironie pure et noire. Une fois rappelée la force littérale du mot « poise », nous nous retournons pour le lire, au premier vers, comme un calembour inconscient. Les tristes ruminements d'un qui « est » malheureusement « Françoys » deviennent tout à coup, par la voie d'un jeu de mots insoupçonné, de dures réalités — invraisemblance qui relève à la fois du babil enfantin et du cauchemar. Mais il y a plus ; car le mot « poise » a deux sens concrets qui peuvent jouer dans les deux usages du mot, figuré et littéral. Le premier de ces sens, entièrement concret,

exprime un rapport entre deux objets, l'un qui « pèse sur » l'autre :
le second est moins concret dans la mesure où il exprime un rapport
de la conscience raisonnable avec des objets dont l'un, par une
convention civilisée, « mesure le poids de » l'autre. Dans un poème
dont les éléments et les rapports évoluent vers le concret, c'est évidemment par une inversion brutale que le plus concret des sens du mot
« poise » est employé le premier, dans une délicate locution métaphorique qui désigne un rapport abstrait ; et que son sens qui se rapporte
aux rapports trouve son emploi tout en bas dans un vers qui désigne
le foudroiement de tout rapport semblable.

Ainsi la mort dévore le langage. Au cours de la vie du poème, sa
seule métaphore sentimentale éclate. Quand nous lisons de prime
abord l'expression, « dont ce me poise », elle est douée de plusieurs
nuances ; par exemple, « Je suis triste » ; « Je suis accablé de mon
nom » ; « Je suis prisonnier de mon nom ». En méditant sur le vers,
nous exploitons le sens littéral du mot « poise » qui est à la base de
la métaphore. Nous donnons un antécédent précis au mot « ce ».
L'illogisme mystérieux du vers nous amène donc à *matérialiser un
nom*, si bien que le mot « Françoys », déjà chargé de tout le poids d'un
caractère et d'un rôle public, devient un objet matériel ; il fait l'effet
d'un poids, comme un membre superflu, qui gêne physiquement le
poète. De là, il n'y a qu'un pas à faire pour apercevoir que le poète
a été appréhendé, qu'il est en prison, que son nom est devenu
effectivement un fer aux pieds, une entrave. L'on voit que le mystère
du vers ne s'éclaircit que si l'on prend ses métaphores au pied de la
lettre. La matérialisation du nom « Françoys » une fois réalisée,
l'exploitation ultérieure de la métaphore de la prison attend la clef
qu'apporte un nouveau sens du mot « poise ». Il arrive au dernier
moment — mais en bourreau. Quand nous aurons appris que le mot
« poise » peut impliquer des mesures qui mènent directement à la
potence, nous découvrirons des nuances inattendues de la métaphore
initiale : à savoir, « Mon nom me mesure » (ou bien, « Je n'existe
qu'en appendice à mon nom ») ; « Mon nom est mon juge » ; « Je suis
pendu par mon nom ».

Dans un sens, donc, l'argumentation du premier vers est bien
banale : partant de la prémisse, « Mon existence m'est un fardeau »,
nous arrivons à la conclusion, « Ce monde n'est qu'une prison ». Et
pourtant, nous y parvenons par des chemins pénibles : car ici le
langage cloche, sa logique a été bouleversée. Au lieu de prendre son
essor des objets concrets, la parole y retourne et s'y écrase. Le
désarroi actuel du langage, au premier vers, et sa chute misérable,
au dernier, reflètent un certain désordre dans le monde non-poétique,
en même temps que la perversion manifeste des mots et des faits
signale un ordre normal mais non-existant : à savoir, un ordre *idéal*.
L'idéal perverti et le réel meurtri jurent l'un avec l'autre dans le
dernier vers, où le mot « saura » désigne le néant de la matière, où le
fondement des forces vitales sert à les briser, où le mot « poise »

désigne cette lourde inconséquence, et où jusqu'au petit mot « que »
imprime sur une notion relative de mesure, « combien », un sourd
vocable guttural et pesant. Avons-nous le droit de comprendre, enfin,
« Ce monde n'est qu'une prison » ? Ne faudrait-il pas plutôt, dans
l'esprit du poème, intervertir les mots et jouer sur eux afin de
conclure, « Cette prison est immonde » ?

4. Le poème et son auteur habitent manifestement un monde à
l'envers [2]. Et il ne s'agit pas d'un monde de fantaisie ou d'un monde
à l'écart ; ses éléments restent parfaitement reconnaissables dans la
torture. De plus, la distorsion à laquelle nous assistons a sa propre
logique, que nous appelons l'illogisme. Cette déformation totale des
valeurs nous rend un monde qui se tient, qui montre sa puissance par
son triomphe. Demander son nom revient à chercher les sources de
cette vision, à remonter à la situation que puisse refléter le langage
de disproportion et de paradoxe qui en est sorti. Or le poète a écrit
ces vers au moment — réel ou feint, peu importe — d'être pendu, ou
plutôt, pour parler clair, d'être justicié. Ce n'est donc pas la mort tout
court qui provoqua le poème, mais la mort qu'exige la justice humaine.
Cette terre où les hommes regrettent leur propre identité, où
l'important reste subjugué par le méprisable, où l'on est tué sans
raison — c'est là, dit le poème, le monde de la justice.

Le siège de cette justice a été nommé au deuxième vers ; la justice
elle-même l'est au troisième. Pour nous, les mots « la corde » suffisent
pour dire « justice », de même que « justicier » équivaut à « sup-
plicier ». En était-il ainsi au XVᵉ siècle ? Il est en tout cas certain que
le mot « toise » avait, dans la langue populaire, un sens quasi juridique.
Par une espèce de synecdoque, une mesure était prise pour toutes :
l'on disait « Rendre à chacun sa toise » pour « Donner à chacun son
dû », c'est-à-dire *rendre justice* [3]. Mais quelle est la valeur d'un homme,
et comment la mesurer ? La « corde » et la « toise » étaient toutes deux
des mesures communes de longueur ; elle pourraient servir à juger
de la distance entre deux villes, l'une « empres » l'autre, mais les
emprunter pour mesurer une valeur abstraite, ce serait une ba-
lourdise [4]. Ce que le col « saura » par le moyen d'une corde, donc, c'est
le poids suprême dont jouissent, dans les procédés de la justice
humaine, les considérations concrètes. La justice consiste à traiter les
hommes comme autant d'objets ; la corde apprendra au col que la
justice, loin d'être aveugle, se moque de tout ce qu'elle ne voit pas.

S'il s'agissait uniquement d'apprendre « d'une corde » le véritable
poids du cul, pourquoi se servir d'une corde à la longueur précise
« d'une toise » ? Aucune raison, comme il fallait s'y attendre, dans un
monde à l'envers ; n'importe quelle corde y suffirait, n'importe quelle
confection de liens tordus. Et en fait, la « toise » n'était pas une
mesure fixe au XVᵉ siècle ; chaque métier avait la sienne, d'où vient
probablement que nous disons encore, « mesurer à sa toise », pour
évoquer le tort qu'il y a à se servir d'indices qui ne regardent pas

l'objet à « toiser » [5]. « D'une corde d'une toise », donc, le col apprendra que la justice, même dans le monde concret qu'il a fait sien, est parfaitement arbitraire. Sa « loi » est la loi de la matière, elle s'appelle Hasard.

Cadavérique et sans âme, la justice prétend tout ramener à la perclusion. Ayant oublié tout modèle idéal, elle tend par ses actions à tout assimiler à elle-même ; « Françoys » a raison de le savoir, lui dont le nom indique qu'il est « franc » ou *libre*, et qu'on réduit à la rigueur. Son langage démontre qu'il le sait déjà. Son poème à quatre vers comporte quatre verbes, tous rangés au premier et au dernier vers : « Je *suis* Françoys » et « ce me *poise* » ; « *Saura* mon col » et « que mon cul *poise* ». La première de ces phrases nous donne, au début du poème, le modèle d'une syntaxe selon la norme, où le verbe, en seconde position, relie le sujet et son complément. Au cours du poème, comme il fallait s'y attendre, cette structure est intervertie de façon systématique ; si bien que les quatre phrases verbales aux quatre coins du poème, pour ainsi dire, présentent de gauche à droite un ordre symétrique que traverse de haut en bas une crise d'inversion :

sujet — verbe — complément . sujet — complément — verbe
verbe — sujet — complément complément — sujet — verbe

Toutes ces constructions sont « correctes » ; leur juxtaposition crée le ton des deux vers. Au premier, les deux phrases verbales sont elles-mêmes les éléments dont le lien est devenu illogique. Leur ingénuité fait ressortir le ton perplexe de celui qui trouve des choses très simples devenues soudainement énigme. Au quatrième vers, les inversions appuient la belle symétrie qui est chargée d'exprimer le dernier des renversements :

Saura   poise
        mon col   mon cul
        que

Mais à considérer le poème entier comme étant, par la forme, une seule proposition, ne voit-on pas que l'ordre idéal de la première phrase a été bouleversé sur une grande échelle ? Les deux lignes bien munies de verbes sont liées, au milieu, par deux lignes qui n'en comportent aucun et qui ne parlent que des rapports fixes. Ainsi le langage du poème entier, tout comme celui de chaque vers, montre comment, dans le monde de la justice, le langage lui-même s'est vu tordre le cou. Car le poème entier, n'est-il pas la distorsion d'une formule judiciaire, une déclaration d'état civil, et donc un spécimen du langage légal tel que la justice des hommes vous oblige à le débiter ? « Une corde d'une toise », en tant que paroles qu'il fallait dire, apprendra au pauvre col que la justice a déformé l'ordre naturel du langage de l'homme afin d'en faire l'instrument de sa perte. La syntaxe de la justice représente avec fidélité sa morale sans foi, où les seuls liens de la chair relient une action à l'autre.

5.   Qu'est-ce qui reste debout dans un monde culbuté, et qui triomphe du désordre sinon le langage lui-même ? Quelle est la dernière ressource du condamné à mort, sinon de parler, d'en appeler, et ainsi de nommer ce qui l'écrase ? Le langage semble rester hors d'atteinte, il absorbe toute déformation sans fléchir, même celle qui prétend le renverser. Un peu comme le rire, le langage se moque de ce qui lui donne naissance et de ce qui le nierait. N'est-ce pas la dernière disproportion du poème, et son dernier paradoxe, que tout un monde de violence et de perversion, que toute la naissance et la disparition d'un homme qui en souffre, que tout le détail de sa dernière clair-voyance qui porte sur l'illogisme de sa situation et sur la justice qui s'y complaît, que tout cela se trouve étalé d'emblée par une baliverne de quatre vers ?

Au crédit de qui porter le tour de force ? Le ton désinvolte et la parfaite facilité des vers nous empêcheront de croire que le poète se l'arroge. Il est d'une discrétion entière, lui qui ne cite son nom qu'afin d'y puiser l'énigme et l'équivoque. Pour désigner sa situation extra-ordinaire, il n'a rien dû inventer. Que sa langue connaisse déjà son état, cela renforce l'impersonnalité du poème, souligne l'universalité du dilemme, prouve que la justice corrompue des hommes a tout envahi, et que cette vision lucide ne provient ni d'un éclair de génie ni d'une syncope. Car la pièce a été presque entièrement montée de locutions, de tours proverbiaux, et de vieilles plaisanteries : ainsi en est-il des phrases, « Dont ce me poise », « Né de... empres... », comme du bon mot, déjà fade, du dernier vers [6]. C'est parce que ces phrases sont si banales que Villon peut en faire les chefs d'accusation. De même, c'est parce que la forme définitive qu'il en donna était devenue lieu commun que Rabelais, un siècle plus tard, put en tirer une belle plaisanterie scatologique [7].

En fait, Villon semble ici se fier au langage en tant que structure équivoque, capable d'exprimer en même temps deux réalités. Il lui permet, en quatre vers, d'ordonner d'une façon nouvelle des phrases usées, pour que ressortent les liens qui unissent la structure d'une seule vie à la structure de toute vie. Il lui permet d'écrire un poème unique par le moyen d'un langage commun, afin que nous entendions se mêler une seule voix d'homme au chœur des voix publiques. Il lui permet, enfin, d'accuser la perversion de l'ordre actuel en la juxtaposant à un ordre idéal qu'il trahit et dont il témoigne par son éloignement.

Cette équivoque, que le langage incarne, que le poème exprime, et que son héros subit, est-elle autre chose que celle de la vie et de la mort ? Au moment d'être guindé lui-même, Villon refuse de guinder sa parole. Le poète parle, naturellement, au moment où son langage s'effondre ; il crie « Je suis... » au moment où il cesse d'être. Bien entendu, nous rions de la nature grotesque d'une justice dont le titre juste serait l'Injustice, et d'un langage qui rend frivole cette incon-séquence. Mais notre malaise ainsi caché ne ressemble-t-il pas un peu au vertige ? Car nous sommes déjà en mouvement, déjà loin de l'inertie de la matière et de la rigidité du masque. Nous faisant rire, le poète qui plonge vers l'immobilité nous en éloigne. Sa parole nous rejette, en émotion, hors de l'équivoque, que le rire exprime, hors de l'injustice et de la perversion, vers une syntaxe normative, une expérience logique, et un ordre idéal. Dans les deux sens du mot, il nous divertit.

NOTES DU CHAPITRE I

1. Nous avons préféré le texte que donne Marot (1533) à celui qu'accueille l'édition Longnon-Foulet (Classiques français du Moyen Age, 4ᵉ éd., 1932, p. 95) :

> *Je suis Françoys, dont il me poise,*
> *Né de Paris emprès Pontoise,*
> *Et de la corde d'une toise*
> *Sçaura mon col que mon cul poise.*

Ce texte-ci, d'ailleurs assez valable, a été reconstitué d'après les leçons bien différentes du poème que donnent le ms. de Stockholm (F) et la première édition (I, 1489). C'est le grand mérite de l'édition de Marot d'avoir gardé aux textes leur complexité et leur subtilité, tout en éliminant nombre d'obscurités gratuites dues à l'innocence des scribes, à l'embourgeoisement des imprimeurs, ou au vieillissement naturel de la langue. L'appui que donne THUASNE (*François Villon : Œuvres*, Picard, 1923, t. III, p. 600, que nous appelons ci-après THUASNE) à la leçon de I — le « Qui » à la tête du troisième vers correspondrait au latin *cujus* — nous semble inutile : il faudrait alors que le dernier vers se lise, « Sçaura le col... »

L'effort unanime des éditeurs, à part Marot, a été d'édulcorer ce texte, de lui ôter son amertume raisonnée qui est son sel. Le scribe du manuscrit de Stockholm annonce déjà l'entreprise en corrigeant ainsi le deuxième vers : « Natif d'Ausoir empres Ponthoise », et en mettant les inutiles points sur les i's, « *Et de la* corde... » De même Rabelais, qui joue volontiers le rôle d'exégète bénin de dictons obscurs, déformera au son gré le petit poème de déformation (voir plus loin, note 7). Le président Fauchet publia en 1599, dans son ouvrage : *Origines des chevaliers, armoiries et heraux*, le huitain suivant, qu'il dit avoir trouvé « dans un de mes livres escrit à la main... » (nous suivons le texte qu'en donne LONGNON, *Etude biographique sur François Villon*, Paris, 1877, p. 5-6) :

> *Je sui Françoys, dont ce me poise,*
> *Nommé Corbueil en mon surnom,*
> *Natif d'Auvers emprès Pontoise,*
> *Et du commun nommé Vuillon.*
> *Or, une corde d'une toise,*
> *Sçaurait mon col que mon cul poise,*
> *Se ne fut un joly apel.*
> *Le jeu ne me sembloit pas bel.*

Longnon prétend que Fauchet avait mal copié ce texte, et en donne un autre, qu'il transcrit du manuscrit de Stockholm (*op. cit.*, p. 8) :

> *Je suis Françoys, dont ce me poise,*
> *Nommé Corbeil en mon seurnom*
> *Natif d'Auvars emprez Pontoise,*
> *Et du commun nommé Villon.*
> *Une corde de demye toise,*

Ce ne feust ung joly appel
Sceust bien mon col que mon cul poise,
Le jeu ne me sembloit point bel.

Pour la discussion de ces textes et de notre quatrain, qui constitue la seule tradition critique au sujet de Villon jusqu'au XVIIIe siècle, on peut consulter les notes bibliographiques de l'admirable édition de 1742, *Œuvres de François Villon* ; avec les remarques de diverses personnes, La Haye, Adrien Moetjens ; p. XVIII-XXIV, et 190-91.

2. Le thème du « monde à l'envers » est connu en Europe depuis les troubadours. Pour l'époque de Villon on verrait surtout la ballade de CHAUCER, « Somtyme the world was so stedfast and stable... » ; celle d'Eustache DESCHAMPS, « Comment se puet homs ordonner... » (*Œuvres*, éd. Le Marquis de Queux de Saint-Hilaire et Gaston Raynaud, Paris, S.A.T.F. 1878-1903, t. VII, p. 237, que nous appelons désormais DESCHAMPS) ; et la ballade anonyme qu'a traduite John Lydgate, « Le monde va en amendaunt... » (*The Minor Poems of John Lydgate*, éd. H.N. MacCracken, London, E.E.T.S., 1934, t. II, p. 464-5). Pour des considérations générales, voir E. CURTIUS, *La Littérature européenne et le moyen âge latin*, trad. J. Bréjoux, Paris, P.U.F., 1956, p. 117-22, que nous désignerons ci-après sous le simple nom CURTIUS.

3. GODEFROY, *Dictionnaire de l'ancienne langue française*, s.m. Toise. Selon un exemple de Littré (s.m. Toise), le mot *peser* équivaut à *juger* déjà à l'époque de Villon : « En court les faitz poise, juge il est, à chascun rend sa toise » (*Roman de Perceforest*). D'ailleurs, *peser* et *penser* sont étymologiquement le même mot.

L'on sait l'importance qu'a eue, dans l'iconographie chrétienne, l'image de la balance : au Jugement Dernier, Dieu pèse les âmes. C'est le corps de « Françoys » qui est pesé ici, à l'envers, par sa société. Pour l'histoire de cette image dans la peinture, et son renversement par un contemporain de Villon, voir E. PANOFSKY, *Early Netherlandish Painting*, Cambridge, Harvard University Press, 1958, t. I, p. 270-2 (que nous désignons ci-après par PANOFSKY.)

4. C'est ce que découvre Petit-Jean, à l'acte III, scène 3, des *Plaideurs* de Racine, en ressuscitant notre rime :

...Eh ! faut-il tant tourner autour du pot ?
Ils me font dire aussi des mots longs d'une toise,
De grands mots qui tiendroient d'icy jusqu'à Pontoise.

Petit-Jean joue sur le sens littéral de la locution, « mots longs d'une toise » (Littré), c'est-à-dire des mots difficiles, abstraits, ou érudits (il s'agit de « métempsychose »). On comprend d'une part que ces mots s'étendraient de Paris à Pontoise ; et d'autre part, qu'on pourrait gagner Pontoise tout en prononçant un seul mot. Illettré, il ne voit pas pourquoi la « longueur » d'un mot se mesurerait en toises...

5. Cf. d'autres proverbes que donne Littré, probablement d'origine ancienne : « Mesurer les hommes à la toise, avoir plus d'attention à leur taille, à leur extérieur qu'à leur mérite... On ne mesure pas les hommes à la toise, c'est par leur mérite qu'il faut les apprécier. » (s.m. Toise.)

6. THUASNE, t. III, p. 600-1 ; et Pierre CHAMPION, *François Villon, sa vie et son temps*, 2e éd., Paris, Champion, 1933, t. II, p. 243 (que nous désignerons ci-après CHAMPION).

En fait, Villon ne fait que suivre la pente naturelle de sa langue. La locution, « Dont ce me poise », aussi vénérable que la langue littéraire elle-même, était moribonde à son époque. Voici un de ses premiers emplois : le texte ne laisse aucun doute qu'il s'agit d'une locution délicate et raffinée, témoin la découverte, chez Lancelot et son créateur, d'une nouvelle conscience sentimentale :

Ez vos Lancelot trespansé,
se li respont molt belemant
a meniere de fin amant :
« Dame, certes, ce poise moi,
ne je n'os demander por coi. »

(CHRÉTIEN DE TROYES, *Le Chevalier de la charette*, éd. Mario Roques, Paris, C.F.M.A., Champion, 1958, v. 3960-4.)

Ajoutons que de cette locution, à la mode et assez peu précise, Chrétien fait un usage constant, si bien qu'elle vient à signaler tout sentiment qui n'est pas la colère ou la joie.

Au cours du XVIᵉ siècle, l'expression se perd à la faveur d'autres sens métaphoriques du mot *peser*. Exactement un siècle après Villon, Du Bellay la reprend lors de son retour, dans les *Regrets*, aux rythmes et aux locutions de la langue parlée. Mais ici, c'est le sens littéral du mot « poise » qui est le premier sens ; la découverte, en dessous de celui-ci, de la vieille expression sentimentale fait la pointe dans le dernier vers d'un sonnet satirique :

> Ores au lieu du ciel, je porte sur mon doz
> Un gros moyne Espagnol, qui me froisse les oz,
> Et me poise trop plus que ma premiere charge.
>
> *(Regrets, CVIII, Œuvres poétiques,* éd. H. Cha-
> mard, Paris, S.T.F.M., 1910, t. II, p. 138-9.)

7. C'est au dernier chapitre du dernier ouvrage publié de son vivant que Rabelais relie, dans une seule anecdote, la « frousse » devant la mort et la création de matière fécale. Citées ici, les dernières paroles de « Françoys » deviennent ordurières ; Rabelais a lu le dernier vers du quatrain comme signalant encore un renversement inattendu, qui fait de la mort un acte fertilisant. En vérité, la mort de « Françoys » a engendré un poème. Voici ce que Rabelais fait dire à Villon, qui parle au roi Edouard V d'Angleterre : « Si painctes estoient (les armes de France) en aultre lieu de vostre maison, en vostre chambre, en vostre salle, en vostre chapelle, en vos gualleries, ou ailleurs, sacre Dieu ! vous chiriez partout sus l'instant que les auriez veues. Et croy que si d'abondant vous aviez icy en paincture la grande Oriflambe de France, à la veue d'icelle vous rendriez les boyaulx du ventre par le fondement. Mais, hen, hen, *atque iterum hen !*

> Ne suys je badault de Paris ?
> De Paris, diz je, auprès Pontoise,
> Et d'une chorde d'une toise
> Sçaura mon coul que mon cul poise... »
>
> *(Le Quart Livre,* éd. R. Marichal, Genève, Droz.
> T.L.F., 1947, p. 269.)

BALLADE

Se j'ayme et sers la belle de bon hait
M'en devez vous tenir ne vil ne sot ?
Elle a en soy des biens a fin souhait
Pour son amour sains bouclier et passot,
Quant viennent gens je cours et happe ung pot
Au vin m'en fuis sans demener grant bruit,
Je leur tens eaue frommage pain et fruit
S'ilz paient bien je leur dis, Bene stat
Retournez cy quant vous serez en ruit
En ce bordeau ou tenons nostre estat

Mais adoncques il y a grant deshait
Quant sans argent s'en vient couchier Margot,
Veoir ne la puis mon cuer a mort la hait
Sa robe prens demy saint et surcot
Si luy jure qu'il tendra pour l'escot,
Par les costés se prent, c'est Antecrist
Crie et jure par la mort Jhesucrist
Que non fera, lors j'empoingne ung esclat
Dessus son nez luy en fais ung escript
En ce bordeau ou tenons nostre estat

Puis paix se fait et me fait ung gros pet
Plus enfflé qu'un velimeux escarbot,
Riant m'assiet son poing sur mon sommet
Gogo me dit et me fiert le jambot
Tous deux yvres dormons comme ung sabot
Et au resveil quant le ventre luy bruit
Monte sur moy que ne gaste son fruit
Soubz elle geins plus qu'un aiz me fait plat
De paillarder tout elle me destruit
En ce bordeau ou tenons nostre estat

Vente gresle gelle j'ay mon pain cuit
Ie suis paillart la paillarde me suit
Lequel vault mieulx, chascun bien s'entresuit
L'ung vault l'autre, c'est a mau rat mau chat
Ordure amons ordure nous assuit
Nous deffuyons onneur il nous deffuit
En ce bordeau ou tenons nostre estat [1]

CHAPITRE II *

LA JUSTICE DU "BORDEAU"

1. Quelle doit être notre réaction devant un tel poème ? Mais pourquoi cette question doit-elle se poser, puisque la ballade dite « de la Grosse Margot » nous incite d'emblée à une réaction violente et spontanée ? Sommes-nous offusqués, sommes-nous ravis, ou — comme Théophile Gautier — sommes-nous transportés d'admiration d'avoir été si parfaitement dégoûtés, notre émotion immédiate tranche toute hypothèse, écarte toute réflexion[2]. Qu'il y ait un raisonnement à gagner au-delà de notre émotion, la force de celle-ci rend cette éventualité littéralement inconcevable. Que le poète ait pu compter sur la violence de nos sentiments pour nous amener à une réflexion subtile, la grossièreté de ses moyens nous le fait négliger. Enfin, qu'il y ait une réaction *correcte* aux faits du poème, qui diffère nettement de notre réaction spontanée, et qui n'est accessible que si nous nous éloignons de celle-ci par un regard sur nous-mêmes, nous sommes, pour en tomber d'accord, trop peu enclins à agréer un devoir qui s'oppose à nos émotions les plus satisfaisantes.

La question du devoir est posée par Villon lui-même au début de son poème. Ses premiers vers, tout en constituant une question, supposent deux réactions à ce qui les suit, l'une naturelle et émotive, l'autre réfléchie et correcte :

> *Se j'ayme et sers la belle de bon hait*
> *M'en devez vous tenir ne vil ne sot ?*

D'une part, nous lisons une question rhétorique, qui n'est adressée à personne et qui n'attend vraiment pas qu'on y réponde. D'autre part, que désigne ce « vous » du deuxième vers, sinon nous les lecteurs du poème qui suit ? Notre interlocuteur nous demande aussi une réponse précise : dans le cas où certains faits nous sont connus, *devons-nous* réagir en jugeant leur auteur d'une certaine manière ? Notre dilemme est déjà patent. « Ne vil ne sot » par exemple : ces mots supposent une réaction émotive au jugement moral et raisonné que signalent les mots « devez » et « tenir ». Et comment pourrons-nous employer des mots comme « vil » et « sot » à propos de faits qui comportent les notions d'amour, de service, de beauté et de bonté (« ayme », « sers », « belle », « bon ») — à moins que ces notions, et les faits qu'elles régissent, ne *doivent* s'entendre à rebours ?

---

* Les notes relatives à ce chapitre sont réunies p. 38-41.

Villon nous donne tout de suite l'occasion de mettre à l'épreuve nos réactions spontanées à l'égard de ces faits et de ces notions, et des mots qui les unissent. En mettant nos réactions littéralement en question, Villon a déjà employé un ton interrogatif et un langage syllogistique. Pour nous présenter les faits en question et pour susciter notre réponse, il usera d'un ton désinvolte et d'un langage de conteur, où les mots touchent aux objets. A la fin, pour nous encourager à conclure, il se servira d'un ton décisif et d'un langage proverbial qui énonce des vérités manifestes. Et alors, à nous la parole.

2.   La voix anonyme qui nous interrogeait sur une hypothèse d'une portée toute générale deviendra vite la voix tout individuelle qui nous raconte une série de faits spécifiques. C'est la conversion dont se chargent les deux vers suivants, où s'enchevêtrent le général et le particulier, et où, pour la première fois, les deux personnages hypo- thétiques des premiers vers sont rapprochés de faits précis :

> Elle *a en soy des biens a fin souhait*
> *Pour son amour* sains *bouclier et passot.*

Ce glissement subtil vers le concret, le particulier, et l'intime, établit dès le début la double structure d'un conte et d'une recherche. Avec les mots « bouclier et passot », nous voici déjà loin des abstractions et des émotions, parmi des objets — quoique des objets chevaleresques, qui résonnent quelque peu ironiquement. Le langage dans lequel Villon nous présentera les faits restera objectif et nuancé, sans couleurs pittoresques ou affectives. Là, comme si souvent dans son essai sur Villon, Théophile Gautier a saisi l'essentiel du poème, en comparant la scène qu'il évoque à une eau-forte, c'est-à-dire à une image tracée sans l'aide d'une large palette.

En disant « eau-forte », Gautier a voulu sans doute mettre en relief aussi la précision de la technique. Traits, gestes, et sons, sont notés avec un choix de mots aussi délicat et décisif qu'une pointe-sèche de graveur. Le poète choisit, parmi tout un arsenal de possibilités, un « bouclier et passot » à ceindre ; l'arrivée de clients fait qu'il « happe un pot », et compose pour eux un menu exactement adapté : « eaue frommage pain et fruit ». Plus tard, il choisira dans l'armoire de Margot précisément les vêtements qui tiendront lieu d'« escot » : « Sa robe prens demy saint et surcot ». Les actions décrites sont soigneu- sement limitées : le héros court seulement « quant viennent gens », les invite à revenir seulement « quant (ils seront) en ruit » et seulement « s'ilz paient bien ». Il remplit ses devoirs avec une discrétion fine, « sans demener grant bruit » ; pendant que « grant bruit » se fait, à la grande joie du client, dans la chambre, notre héros travaille silen- cieusement « pour son amour ». De même, la portée des termes est déterminée ; il prendra soin de préciser d'un pet qu'il est « plus enfflé qu'un velimeux escarbot », et quand il se trouvera comprimé « soubz elle », il se dira plat « plus qu'un aiz ».

Villon fait plus que choisir. Afin d'éviter toute imprécision dans son poème-gravure, il écarte toute abstraction. Son poème sera, pour l'essentiel, une combinaison d'objets : des accoutrements personnels (bouclier, passot, robe, demy saint, surcot, sabot), des ustensiles, des mets, et même des animaux de cuisine (pot, vin, eaue, frommage, pain, fruits, ordure, escarbot, chat, rat), ou des morceaux de bois (esclat, sabot, aiz). Les membres du corps humain apparaissent comme des objets quasi-indépendants : cuer, costés, poing, sommet, jambot, ventre, nez, et le fruit qu'il ne gâte [3]. Les quelques abstractions qu'il n'a pas voulu éviter sont transformées en êtres concrets : ainsi en est-il pour les « biens » qui sont possédés par sa dame, la « paix » qui se fait, « l'estat » qui est tenu, le désir de « paillarder » qui est détruit, et l' « onneur » qui « nous deffuit ». Les paroles prononcées sont considérées comme autant de petits cadeaux échangés : à savoir, « Bene stat », « mort Jhesucrist », « Gogo » ; et d'autres bruits éloquents sont également des cadeaux qu'on « fait », par exemple, un « escript » et un « pet ».

Le ton détaché qui domine dans le poème-gravure s'étend même sur ses personnages. Ils agissent, disons même ils bougent, avec une rapidité surprenante. Les mouvements dans le poème sont choisis avec la même précision que les objets concrets. Villon spécifie qu'il court, qu'il happe, qu'il empoigne, qu'il tend, qu'il geint... Les deux personnages semblent plutôt manipulés qu'agissant de leur propre volonté. Ils sautent comme des figures grotesques d'une boîte à surprise ; ils se remuent par petites saccades, mécaniquement, comme des poupées de bois ou des marionnettes. Rien de plus logique ; car Villon est en train de nous présenter un cas, de faire, dans les conditions d'exactitude d'un laboratoire, une étude dont les conclusions puissent donner une réponse à la question posée au début. Le guignol est le laboratoire du drame humain. Là, rien n'arrive que l'inévitable. Les conditions y sont prévues et contrôlées plus même que dans un théâtre ordinaire, puisque la nature inhérente aux personnages ne subit pas les variations entraînées par la personnalité de l'acteur. Polichinelle et Margot sont toujours les mêmes.

3.   Si le théâtre du poème ressemble à un théâtre de marionnettes, cela n'empêche pas, bien entendu, la pièce d'être dramatique. Sans doute les actions y ont-elles la qualité d'une farce, disons plutôt d'une caricature. Mais, chose curieuse, ce drame-ci semblerait plus proche du théâtre classique que de la farce populaire, et ceci non seulement à cause de sa conception intellectuelle. Car le poème possède ses unités de temps, de lieu, et d'action ; celle de lieu est certainement la plus importante, exprimée explicitement comme elle l'est par le refrain, « En ce bordeau ou tenons nostre estat ».

L'unité de temps est patente, au moins quand nous lisons la pièce comme un drame. Le rideau se lève, à la première strophe, sur un matin gai et vif, avant l'arrivée des premiers clients. Ensuite « viennent

gens » et le propriétaire, plein de force et de bonne volonté matinale,
« court » pour happer les instruments de son métier. Pour mieux
transcrire son énergie fringante, il renchérit sur l'expression courante
« aller au vin », et précise « au vin m'en *fuis* »[4]. La nuit venue, dans la
deuxième strophe, après une lourde journée de travail, notre héros
garde toujours assez de force pour se disputer avec son amie, et assez
de bonne humeur pour plaisanter sur sa fortune : « Quant sans
argent s'en vient couchier Margot... » On comprend qu'elle couche avec
lui pour rien les jours où elle n'a rien gagné d'autrui. Ils crient, ils
boivent, ils se battent, leurs ressorts se détendent peu à peu tels des
poupées mécaniques, ils descendent à l'immobilité complète, ils se
couchent. « Et au resveil... » le matin venu, ils ont retrouvé leur force,
la journée recommence sa course de vingt-quatre heures. Nous laissons
nos marionnettes au moment, et au niveau d'activité, où nous les avions
rencontrées au début du poème.

L'unité de temps de la pièce, lue comme un conte, est plus subtile.
Tout se passe au temps présent ; et pourtant, avec un art presque
imperceptible, Villon nous a fait pénétrer d'un temps général jusqu'à
un temps très particulier. La journée du poème est toute journée et
tous les jours ; et aussi n'importe quel jour, ce jour-ci en tant
qu'exemple-type, qui nous permet d'imaginer une kyrielle de jours
semblables. Villon nous mène suavement de l'un à l'autre. Quand nous
lisons « *Quant* viennent gens... » à la première strophe, la généralité du
propos nous permet d'envisager la routine et les conditions de toute
une manière de vivre, un métier, dont nous avons entendu parler, mais
qui ne nous touche pas personnellement. Ensuite nous lisons « *Quant*
sans argent... », et les conditions sont devenues plus limitées, il s'agit
d'un cas spécial mais nullement unique. Arrivés dans notre lecture à
« *Lors* j'empoingne... » et à « *Puis* paix se fait... », nous sommes
impliqués dans l'action, nous assistons à un spectacle dont la violence
et le concret sont uniques. Enfin, la phrase « *Quant* le ventre luy
bruit... » nous met en présence, tout offusqués, d'un fait si intime
et si minutieusement évoqué, qu'il nous est impossible de songer à
autre chose qu'à ce jour-ci, à ce moment-ci dans la vie de ces personnes-
ci, qui est celui, le plus intense, de notre gêne et de leur joie.

En parlant du temps de la pièce, nous avons dû évoquer déjà son
action. Les vingt-quatre heures sont définies en partie par le rythme
de la perte et de la reprise de force chez les deux protagonistes. Ils
s'usent à la vie dans une frénésie, la nuit ils récupèrent leurs énergies
pour recommencer, de nouveau. La nature de cette ronde peut être
définie d'autres façons, pourtant, qui mettent mieux en valeur l'unité
de la pièce. Dans la première strophe, nous voyons Margot et son ami
qui entrent en commerce amoureux avec les « gens » de la ville ; dans
la seconde strophe, l'amour est remplacé par la haine, un « grant
deshait » remplace le « bon hait » du premier vers ; ensuite l'amoureuse
guerre cède à la « paix », au sommeil, et enfin, derechef, à l'amour.
Le rythme des énergies se traduit donc par un rythme des émotions,

et tous les deux expriment le fait rythmique qu'ils amènent, comme fatalement, dans les derniers vers de la troisième strophe. N'oublions pas, toutefois, que ce commerce amoureux est toujours un commerce. L'échange de la première strophe se faisait entre les deux partenaires et le monde de dehors. Dans la deuxième strophe nous voyons ces mêmes lois commerciales, mais « sans argent », régir un échange régulier de coups, de jurements, d'objets concrets et abstraits qui tiennent lieu d'argent (« il tendra pour l'escot »). Et à la troisième strophe, cet échange, toujours parfaitement réciproque et ordonné, est effectué par les membres du corps humain eux-mêmes quasi-indépendants : ce sont les caresses de l'amour, son rythme, son harmonie. Le « bordeau », n'est-il pas le lieu de commerce par excellence, où l'amour même devient une pacotille ?

C'est dans le « bordeau » que se passe l'action entière de la pièce ; « ce bordeau » en est l'unique scène ; et la phrase qui le nomme ne se trouve qu'à un seul endroit, dans l'unique vers qui se répète tout au long du poème, c'est-à-dire le refrain. Rappelons que le mot « refrain » vient du vieux français « refraindre », *briser*. Et quatre fois, en effet, avec une force accrue, la précision détachée des vers se brise comme une vague contre l'ambiguïté du refrain. Car le langage poétique, fondé sur le pouvoir suggestif du paradoxe qu'on appelle la métaphore, ne peut pas rester longtemps scientifique. En disant que le mot « bordeau » se trouve dans un seul vers, mais un vers qui se répète, nous avons déjà suggéré la raison de l'ambiguïté du refrain : c'est que, du fait qu'il est placé dans quatre contextes différents, le vers se charge de sens. Peu à peu, à travers le poème, l'expérience raisonnée de Villon nous apprend la vraie nature d'un « bordeau ». A la fin de l'envoi, le mot est lourd du sens des faits, et chargé du poids de nos émotions à leur endroit. Nous avons appris ce qu'est « *ce* bordeau » en toute sa particularité.

Dans le refrain lui-même, le mot est qualifié d'une phrase qui le rend ambigu même à première lecture : rappelons que la pièce a lieu dans « ce bordeau *ou tenons nostre estat* ». Le mot « tenir », dans la langue de Villon, est bien équivoque : ici, il est évidemment un mot-clef, et Villon l'emploie trois fois au cours de la ballade, chaque fois avec une valeur différente (« M'en devez vous *tenir* ne vil ne sot » ; « Si luy jure qu'il *tendra* pour l'escot » ; et le refrain). Le mot « estat » est encore plus riche de sens. L'un des premiers sens ici est probablement « profession » ou « métier » ; mais il pourrait aussi signaler une « manière de vivre », « train », « pompe », ou « apparat », « condition », ou « rang social ». L'usage et le ton de la phrase entière, pourtant, font de ces sens possibles des nuances sous-entendues ; car la locution « tenir estat » ou « tenir son estat » veut dire « se montrer avec grand éclat », « prendre résidence officielle », « faire audience judiciaire », et ne s'applique d'ordinaire qu'aux personnages royaux [5]. Villon se verrait, donc, lui et sa Margot, comme Prince et Princesse qui exercent leur autorité souveraine sur la vie du « bordeau ». L'un des sens du vers, « En ce bordeau ou tenons nostre estat », est que le bordeau, l'unique scène du poème, est comme un royaume.

Cela, nous le savions déjà, depuis que nous avons vu fonctionner, dans la vie du bordeau, telle que nous la présente l'action de la pièce, des lois du commerce. Mais en suivant pas à pas cette action, et en pénétrant vers un temps et un acte tout particuliers, nous avons vu surgir bien d'autres systèmes légaux : savoir, des conventions sociales, des procédés judiciaires, des lois de la nature, et des usages linguistiques. Peu à peu, au cours du poème, ces systèmes donnent droit de cité à un seul. Ils sont tous présents et en exercice à la fin de la première strophe :

> S'ilz paient bien je leur dis, Bene stat
> Retournez cy quant vous serez en ruit...

A la fin de la troisième, pourtant, ils ont tous cédé au seul système des lois naturelles :

> Soubz elle geins plus qu'un aiz me fait plat
> De paillarder tout elle me destruit...

Aller du temps général au temps particulier, aller d'une action générale à une action unique, cela signifie à la fois pénétrer dans l'unique lieu où se déroule la pièce, et analyser la notion de communauté sur laquelle cette πόλις est fondée. Le « bordeau » est un petit état. L'unité de lieu dans le poème est inséparable d'une notion de droit [6].

Afin d'arriver au centre de cette notion, Villon va la décortiquer ; afin d'arriver au trône, il commence par traiter des relations étrangères de l'état-bordeau. Viennent les « gens » d'autres pays ; le marché se trouve sur le lit de Margot, et Villon fait le douanier. Il les accueille, il contrôle les paiements ; et comme un bon syndicat d'initiative, il les invite à revenir visiter la foire dans la prochaine saison de « ruit ». La formule latine, « Bene stat », indique nettement la fonction diplomatique du poète dans ces premiers vers. Evidemment, si un client ne paie pas bien, il sera déclaré persona non grata.

La nuit tombée, les frontières se ferment. Dans la deuxième strophe, Villon nous fait entrer dans l'état-bordeau pour en étudier le commerce intérieur. Nous avons vu fonctionner entre le bordeau et le monde une organisation de liens réciproques fondés sur des échanges matériels. Va-t-elle fonctionner aussi bien à l'intérieur ? Les bilans d'échange sont en désarroi, mais cette organisation n'en a point souffert. Les rapports demeurent parfaitements réglés, donc parfaitement justes. La situation que nous voyons est le verso de celle des premiers vers. Un « grant deshait » remplace le « bon hait » ; comme le poète a ceint « bouclier et passot » « pour son amour », de même il prent « sa robe... demy saint et surcot » « pour l'escot ». Margot, ironiquement, « sans argent s'en vient couchier ». Il « jure » ; elle « jure » en retour. Il souhaite sa « mort » ; elle évoque la « mort » du Seigneur. Il « pren(d) » ses vêtements ; elle « se prent » « les costés » — qui sont, en fait, par le jeu de mots, « l'escot ». Il la croit « Antecrist » ; elle lui souhaite le sort de « Jhesucrist ». En fin de compte, l'avantage reste au poète dans ce premier échange ; car avant que le refrain ne survienne pour les séparer, il lui donne « ung escript » — ce qui est le cadeau le plus personnel que puisse offrir un poète — bon et beau sur le front.

L'on voit que le commerce est devenu la justice : les torts réparés remplacent la marchandise vendue. D'abord, on faisait du commerce ; maintenant, « paix se fait », comme à la cour du roi pendant qu'il « tient son estat ». Sous prétexte de paix, Margot va redresser le bilan : elle utilise son « poing » pour réparer l'injure de l'éclat « empoingn(é) ». En équivoquant, elle lui « fait ung gros pet » — peut-être aussi son cadeau le plus distinctif — en paiement de l' « escript » qu'il lui avait « fai(t) ». En échange de ses injures, elle le nomme « Gogo » et ajoute un coup sur le « jambot » [7]. Les comptes sont réglés. Injure donnée pour injure reçue, ils dorment ensemble, harmonieusement, « *tous deux* yvres », « comme *ung* sabot » — image d'une précision probante, car la toupie « dort » au moment où, lancée dans sa danse rapide et mécanique, elle reste parfaitement équilibrée [8] :

Nous imitons, horreur ! la toupie et la boule
Dans leur valse et leurs bonds ; même dans nos sommeils...

Dans la deuxième strophe, nous étions entrés dans la chambre de Margot, qui était une salle des ventes et qui devient maintenant la salle du trône. A la troisième, nous arrivons au lit lui-même. Ici, l'ordre intérieur du bordeau — son « estat » — coïncide avec la loi de la nature. Ces marionnettes n'ont plus la moindre volonté, leurs membres agissent indépendamment et dans une parfaite harmonie. Le « ventre » donne le signal, il « gein(t) » en réponse ; elle « monte sur » lui, il gît « soubz elle ». Elle « destruit » ses désirs, il « ne gaste son fruit ». Tout est comme il convient, tout est en ordre ; et l'identité de l'organisation du bordeau et celle de la nature atteint son comble lorsque les deux corps sont devenus des *choses* : « plus qu'un aiz me fait plat ». La scène garde son unité ; nous en gagnons le centre. Nous ne sommes plus simplement dans la chambre, ni sur le lit, mais entre les deux corps qui se frottent et se roulent, dans l'engrenage intime de la nature.

Peu à peu Villon nous a fait pénétrer dans son bordeau-état, jusqu'à l'acte le plus intime que puissent faire deux êtres. La forme de l'étude, tout comme les rythmes de chaque strophe, imite cet acte irréfléchi. Ainsi nous arrivons à la racine de la petite communauté dont parle le refrain, à l'amour-à-deux, à l'association familiale qui, Villon nous l'a montré, est la base d'une communauté de justice et d'une communauté de commerce. Que cette association soit à la source de toute association — que dans les trois communautés en question il faille voir les fonctions diverses d'une seule société — voilà ce qui est prouvé par le fait qu'à la fin de la troisième strophe nous avons pénétré aussi jusqu'aux sources *du langage*. Nous n'avons qu'à relire la pièce en tant que conversation pour nous apercevoir d'une quatrième unité qu'observe le petit drame du poème.

Chaque strophe contient au moins un spécimen de la conversation du bordeau-état ; et ces morceaux choisis ont été rangés dans un ordre dramatique que nous ne saurions méconnaître. Dans la première strophe, le langage cité partage presque toutes les fonctions civilisées, avec une syntaxe souple et logique :

> S'ilz paient bien je leur dis, « Bene stat »
> Retournez cy quant vous serez en ruit
> En ce bordeau ou tenons nostre estat.

Le fait que les premiers mots de notre héros sont dans une langue étrangère attire tout de suite notre attention sur son acte linguistique en tant que tel. Les phrases successives affirment la fonction sociale du langage (« Retournez cy... »), son pouvoir conceptuel (« quant vous serez... »), et sa capacité analogique (« en ruit », qui compare les hommes aux bêtes). Enfin, la puissance métaphorique du langage social est attestée par le vers suivant, avec sa belle plaisanterie, qui est aussi le refrain d'un poème. Nouvelle ambiguïté de ce vers : car, quand nous le lisons dans la première strophe, le refrain est à la fois un bon mot de la langue parlée et le refrain d'un ouvrage écrit.

Bientôt parole parlée et parole poétique s'écartent l'une de l'autre. Lorsqu'il s'agit de la justice et non plus du commerce, nous nous attendons à ce que nous appelons à bon droit des « jurons ». Dans la première strophe, le langage est sorti explicitement d'un équilibre, d'une parfaite réciprocité commerciale : « S'ilz paient bien je leur dis... » Dans la deuxième, ce sont des torts judiciaires qui suscitent des jurements et des injures :

> Si luy jure qu'il tendra pour l'escot,
> Par les costés se prent, c'est Antecrist
> Crie et jure par la mort Jhesucrist
> Que non fera...

La parole est devenue un geste judiciaire, elle a perdu ses fonctions logiques et métaphoriques, il ne lui reste que sa puissance de conjuration. Donc, au lieu de dire, la parole commence à agir. C'est ainsi que le poète ne profère pas délicatement sa poésie, comme dans la première strophe. La poésie est ici une action judiciaire qui tend à réparer le désordre d'un tort commis :

> Dessus son nez luy en fais un escript
> En ce bordeau ou tenons nostre estat.

A la troisième strophe, dans la nature, le langage se désintègre, et se dissout dans ses éléments premiers. C'est l'explosion d'un « pet » qui ouvre, dans la troisième strophe, le catalogue des bruits qui tiennent lieu de langage entre familiers. Ici, le langage est devenu objet, l'expression immédiate des émotions, le porte-parole organique de l'état intérieur du corps et de l'esprit. Margot, « riant », nous donne un beau spécimen de l'onomatopée si expressive et inarticulée des enfants : « Gogo me dit... » Au matin, sans qu'elle exerce même la moindre volonté — comme celle, par exemple, qui a « fait » un « pet » — ses organes lui parlent : « le ventre luy bruit ». Loin maintenant le latin plaisant, la logique, les fonctions multiples d'un langage civilisé, tels que nous les avons vu citer dans la première strophe. Dans l'harmonie des mouvements naturels, le langage n'a plus aucune complexité, aucune composition, aucune utilité : « Soubz elle geins... ». Ce qui a été « destruit » au cours de la petite pièce, pendant vingt-quatre heures et dans un seul « bordeau », ce n'est pas seulement le « paillarder » de notre héros, mais son langage aussi. Alors, son poème se termine.

L'expérience faite et le théâtre de marionnettes démantelé, Villon semble tirer ses conclusions. Après la question quelque peu syllogis-tique des premiers vers, après le langage de conteur qui nous a présenté la petite pièce avec ses quatre unités, voici un langage proverbial dans l'envoi. Et le sujet de l'envoi ne peut être que l'ordre, la réciprocité, l'équilibre, la proportion, de cette série d'antithèses parfaitement accordées. Quand Villon nous demande, « Lequel vault mieulx », la construction du vers lui-même nous livre sa réponse : c'est l'égalité, la question d'un « mieux » ne se pose vraiment pas, là où « chascun *bien* s'entresuit ». Chaque vers ainsi balancé insiste sur la seule valeur relative des deux personnages, de leurs rapports, de l'harmonie de leur vie de bordeau, et de la justice de leurs actes l'un envers l'autre.

Loin d'être une vraie réponse à la question des premiers vers, l'envoi semble continuer la présentation des faits, mais en résumé. La logique toute concrète des vers jure avec la logique toute linguistique de la première question :

> Se j'ayme et sers la belle de bon hait...
> (S'il) Vente gresle gelle j'ay mon pain cuit... [9].

Tout en reflétant le concret de la scène, l'envoi résume sa logique. Car le parallélisme et la symétrie étaient déjà présents dans le langage du milieu du poème : la pénétration systématique du bordeau-état en dépendait. Rappelons que le mot « deshait » au début de la deuxième strophe reflétait le « bon hait » au début de la première ; que la métaphore « fruit » à la fin de la troisième reprend le nom « fruit » à la fin de la première ; et qu'au milieu juste du poème se trouve un vers symétrique qui fait charnière, par la voie d'un calembour, entre la vie de la justice et celle de la nature :

> Puis paix   un gros pet
>   se fait   me fait
>   et

Enfin, l'envoi nous rappelle que la logique et le concret de la vie du bordeau sont ceux de la nature, là où les verbes « être » et « suivre » se confondent :

Ie suis *paillart la paillarde me* suit...
L'ung vault l'autre, c'est a mau rat mau chat...

4. A nous toujours de conclure. Au début de son poème, Villon nous a demandé si nous savions distinguer entre une moralité de convention et une moralité de droit, entre une émotion et une réflexion. Ensuite il nous a présenté un cas typique, une scène de la vie du bordeau, devant laquelle nous pouvions réagir spontanément et à l'égard de laquelle nous devions exercer notre jugement. Enfin, il a pris soin de résumer les traits saillants de son tableau : son concret, sa logique, son naturel. Villon ignore-t-il donc l'effet sur nous de sa petite pièce ? Ou néglige-t-il à bon escient les autres traits de son ouvrage, ceux qui nous ont écœurés ou ravis ? Oublie-t-il qu'à la première lecture nous avons été choqués de trouver dans un ouvrage littéraire, formulés en toutes lettres, noir sur blanc et avec toute précision, la violence, le venin, l'avarice, le cynisme, et la véhémence du plus honteux des métiers ?

Il n'en est rien ; Villon est parfaitement conscient du paradoxe que recouvre la force de notre réaction, paradoxe que Théophile Gautier lui aussi a parfaitement saisi. Car, tout en agréant la logique de la présentation, tout en admettant sa vérité, tout en ressentant jusqu'aux effets infimes de sa rhétorique, nous sommes rebutés et offusqués par le sujet de cette même présentation. Le fait de nous cabrer devant le portrait de Margot est la preuve la plus sûre que nous apprécions l'art du poète. Nous sommes amenés à accepter et à rejeter le poème en tant que récit de honte, en tant qu'éhonté récit. C'est ce paradoxe que Villon met bien en valeur lui-même, aux derniers vers du poème, où deux mots chargés de nuances émotives sont employés dans deux constatations logiques :

Ordure amons ordure nous assuit
Nous deffuyons onneur il nous deffuit...

L'ordre, la symétrie, la perfection logique des deux vers jurent étrangement avec ces notions si évidentes et si peu raisonnables, tout comme l'art si raffiné, si embrouillé, si volontaire, bref si parfaitement syntaxique, jurait avec la violence débridée et sourde de l'égout.

Quelle est la source de ce paradoxe, et quelles réflexions doit-il nous inspirer ? Villon lui-même nous le signale ; car les derniers vers de sa ballade nous renvoient, par leur vocabulaire, aux premiers : « Ordure amons... » « Se j'ayme... » Le mot « aimer » ne se trouve que ces deux fois dans le poème. Villon nous rappelle que le mot peut avoir plusieurs sens, et que la réponse à sa première question dépendrait non pas de l'objet de l'amour en question (par exemple, « la belle » ou « l'ordure »), mais plutôt de sa nature propre, de ses qualités abstraites en tant que relation. Notre première réponse était claire : l'objet de cet amour étant sans beauté, soit physique soit morale, l'épithète « la belle » s'entendait par antiphrase et nous tombions

d'accord qu'à l'aimer Villon était et vil et sot. Depuis, nous avons
appris qu' « aimer » une ordure d'une façon convenable, c'est-à-dire
« de bon hait », peut amener un vie d'ordre, de logique, d'harmonie,
de création — *quel qu'en soit le contenu moral.* Si dans le monde du
bordeau règnent un ordre inébranlable, une fidélité réciproque, un
rythme régulier, un commerce satisfaisant, une justice absolue, et
une harmonie naturelle — ne dirait-on pas que cette vie est « belle » ?
Ce n'est peut-être qu'une moralité de convention qui condamnerait
Villon parce que sa « belle » est Margot, et une prostituée.

Le mot « onneur » de l'avant-dernier vers donne à cette convention
un nom et une réalité sociale, qui ne sont point ceux du « bordeau ».
En fait, les mots « ordure » et « onneur » se dédoublent phonétiquement
et s'opposent moralement autant que les mots « Antecrist » et « Jhesucrist ». Les mots « onneur » et « Jhesucrist » sont les seuls dans le
poème à nommer explicitement une morale autre que celle du bordeau.
Mais le mot « onneur » a également un sens social ; comme le mot
« amons », il nous renvoie aux premiers vers du poème. Car la même
question qui voulait distinguer entre deux réactions possibles à la vie
du bordeau, et ainsi entre deux points de vue moraux, distinguait en
même temps entre deux langages et deux conditions sociales que Villon
aurait appelés deux « estats ». Le vers « Se j'ayme et sers la belle... » reprend une locution réservée à la seule convention de l'amour courtois
et à la classe qui le pratiquait, c'est-à-dire la noblesse et la grande
bourgeoisie. Si nous comprenons les mots « amer », « servir », et
« belle » au pied de la lettre courtoise, et strictement selon la convention, sans aucun doute, alors, nous « tiendrons » Villon pour « vil »
et « paillard » dans le sens moral comme dans le sens social des deux
mots [10]. Mais si nous ne sommes pas de la cour ni les serviteurs de son
dieu, nous saurons apprécier dans ces mots des sens moins limités par
les usages. Nous saurons reconnaître, en tant que lecteurs réfléchis, le
paradoxe qu'il y a à entendre parler un maquereau de son amour pour
une catin dans le langage précieux du galant courtois. Nous comprendrons également l'injustice qu'il y a à juger les mœurs d'un « sot »
d'après les critères d'un galant, au lieu d'évaluer la conduite de l'un
et de l'autre d'après une troisième mesure...

Qui sommes-nous, en effet, et quels sont nos critères ? Encore un
mot des derniers vers renvoie aux premiers : c'est le mot « nous » :

> *Ordure* amons, *ordure* nous *assuit*
> Nous *deffuyons* onneur il nous *deffuit*
> *En ce bordeau ou tenons* nostre *estat.*

Rappelons que les premiers vers ont parlé directement à *nous.*
En même temps qu'ils distinguaient deux espèces de morale, et nom-
maient deux « estats », ils semblaient diviser les êtres provisoirement
en deux camps, d'un côté Villon et sa « belle », de l'autre la foule
anonyme des lecteurs :

> *M'en devez* vous *tenir ne vil ne sot ?*

Au cours de notre lecture, pourtant, cette division se brouillait ;
peu à peu nous entrions dans le monde du bordeau, nous goûtions avec
volupté son rythme, son naturel, sa violence, sa logique propre,
jusqu'à en être profondément dégoûtés. Nous nous associions à la
mécanique des deux marionnettes jusqu'à en être ébranlés nous-
mêmes ; nous accueillions chez nous l'artifice du poème afin de
pénétrer chez eux. Enfin, la franchise de cette prétendue confession
nous amène à admirer et à détester son auteur. Dans ce dilemme et
dans ce désarroi moral, se peut-il que nous soyons nous-mêmes dans
l'un des camps plus que dans l'autre ? Le « nous » des derniers vers
pourrait-il se référer à la totalité de l'espèce, à l'ensemble des humains,
quel qu'en soit le niveau social ? Dans la mesure où nous nous sentons
impliqués par les constatations des derniers vers, la distinction entre
« nous » et les protagonistes le cède à une autre : entre ce que nous
sommes tous, et ce que nous *devons* être.

Certainement c'est le moment de nous rappeler que ce paradoxe
de nos réactions, et des premiers vers qui en parlent, est marqué aussi
par ce que nous avons appelé l'ambiguïté du refrain :

> *Nous deffuyons onneur il nous deffuit*
> *En ce bordeau ou tenons nostre estat.*

Rappelons maintenant que le « bordeau » du poème est une maison
close, et qu'il existe de vrais états politiques. L'existence d'une morale
en dehors du « bordeau » nous a été rappelée par les mots « onneur »
et « ordure ». Mais la vie courtoise est signalée aussi bien par les mots
« tenir nostre estat », que par la phrase « Se j'ayme et sers la belle... ».
Le refrain, comme les premiers vers, comme les derniers vers, évoque
deux mondes, deux manières de vivre, deux cultures, et les oppose
l'un à l'autre : à savoir, l' « estat » courtois, que nous connaissons bien
et que Villon n'a eu qu'à évoquer ; et « le bordeau ou tenons *nostre
estat* », qu'il a dû décrire avec une précision scientifique. Réflé-
chissons : si dans le monde « bas » du bordeau règnent un ordre juste,
une fidélité réciproque et une justice absolue, quels seront l'ordre, la
fidélité, et la justice de l'état courtois ? Villon est roi dans son petit
Etat ; le Roi est-il un paillard dans sa grande maison close ?

Qui sommes-nous pour en juger ? Qui est Villon pour nous le demander ? Dans ce monde à l'envers nous ne pouvons être sûrs de rien. Au
début de notre lecture, il semblait que Villon allât mésusant d'une série
de mots traditionnels à valeur positive : « belle », « bon », « bien »,
« fin »... Depuis, nous avons appris que c'est nous qui les entendions à
rebours, en leur prêtant un sens social et conventionnel, et qu'il n'y a
aucune ironie à en user au sujet d'une honnête prostituée. La valeur
d'un « estat » et de ceux qui le « tiennent » est à juger selon la fidélité,
la réciprocité, le rythme naturel et le commerce fertilisant, dont
aucune classe sociale et aucune moralité conventionnelle n'a le
monopole. Ces vertus d'une vie et des êtres qui la vivent peuvent, au
contraire, régner parmi la franchise et la violence d'une association

qui nous dégoûte. Au demeurant, une telle association plonge ses racines dans un ordre, disons une justice, qui se passe bien de la complexe structure linguistique qui nous l'a fait connaître ; un ordre qui se moque du seul commerce et de la seule loi que nous connaissions. Tout comme l'ordre, disons la logique, de la vie du bordeau était incarné dans une forme toute concrète qui l'exprimait mieux que le contenu « moral », de même l'ordre du bordeau s'incarnait et s'exprimait mieux dans la forme syntaxique du langage, que dans son contenu « moral ». La forme de l'un et de l'autre — c'est-à-dire du bordeau comme du poème — reste près de l'idéal, tandis que les contenus sont transvasés, si l'on peut dire : la « ballade » d'amour courtois parle du bordeau, le bordeau incarne la justice et l'amour.

Et nous, qui pensions au début nous distinguer si clairement, par notre refus, des deux gilles : nous nous sommes trouvés à la fin dans leur bordeau, partageant leur inconscience. Nous sommes, en vérité, parmi les « gens » qui « viennent » découvrir l'amour et l'*engendrer*, comme notre nom l'indique, et ainsi nous engager dans son commerce. La difficulté que nous avions à passer au-delà de nos réactions spontanées, la difficulté que nous éprouvions à répondre à la question des premiers vers, ou à la prendre au sérieux, la difficulté qu'il y a à sonder nos propres difficultés, ce n'est, nous l'avons vu, que la difficulté de tout être à voir l'âme pour l'objet. Enlisés dans les apparences, nous sommes plus loin des objets de la réflexion que Villon et sa Margot, eux qui nagent dans les courants du concret.

Et Villon lui-même, pouvons-nous continuer à l'identifier à son protagoniste ? Pouvons-nous songer que celui qui créa le laboratoire poétique n'en est qu'un des réactifs ? Lui, au moins, a su s'éloigner de ses propres émotions par une objectivation dramatique, fruit d'une réflexion qui lui a permis aussi de poser les multiples distinctions des premiers vers, en fait de style, de morale, de classe sociale, et de lecture poétique. C'est peut-être lui qui nous lance ce premier défi ; mais les deux vers qui suivent, en même temps qu'ils nous mènent suavement vers un monde d'objets et une scène particulière, masquent aussi l'apparition de la voix de Polichinelle, qui se mêle à la sienne et finit par la recouvrir :

> Elle a en soy des biens a fin souhait
> Pour son amour sains bouclier et passot...

La résonance ironique dans ces phrases courtoises n'est autre que la « presque disparition vibratoire » de l'auteur, qui s'éloigne. C'est lui qui nous présente sa doublure ; c'est lui qui pose la première question et qui contrôle les trois styles du poème ; c'est lui qui nous laisse répondre.

Mais Villon ne nous quitte pas sans nous avoir donné, en sourdine, sa propre réponse. Sa poupée, M. Maquereau, n'a rien choisi ; sa vie est un destin proverbial, il est trop près des objets pour les voir. Nous n'entendons que son émotion :

Vente gresle gelle j'ay mon pain cuit,

vers qui évoque toute la satisfaction de l'homme en cuisine chaude, loin du chaos extérieur. Quant à celui qui a écrit ce vers parlé, son monde est le monde d'ordre, d'harmonie et de justice, quel qu'en soit le niveau « moral ». Il le dit en portant au double la complexité harmonieuse, la logique et la perfection formelle de l'envoi, par le fait d'y ajouter son nom en acrostiche. Comme la formule latine « Bene stat », l'acrostiche attire l'attention sur le langage en tant que tel, affirme que l'ordre d'un bordeau et d'un poème sont les mêmes. Comme les derniers vers incorporaient des notions émotives dans des constatations logiques et qualifiaient ainsi l'émotion et son langage, de même l'acrostiche incorpore le mot « vil », que nous connaissons depuis le deuxième vers, et le met à sa place : parmi « nous », dans « ce bordeau ».

Et Margot, enfin, qui est-elle en vérité ? La connaissons-nous encore ?

Ici, plus de grâce touchante,
Mais un attrait vertigineux.
On dirait la Vénus méchante
Qui préside aux amours haineux...

NOTES DU CHAPITRE II

1. Notre texte est celui de l'édition Longnon-Foulet, à l'exception du vers, « Plus enfflé qu'un velimeux escarbot », que nous avons transcrit du manuscrit Coislin (C). Les autres mss. donnent, pour « enfflé », ou « enflambé » (A, H, I) ou « emflambé » (F). Tous les mss. ou font de « velimeux » un mot trisyllabique (A. Burger est ici en erreur, voir son *Lexique de la langue de Villon*, Genève, Droz, 1957 [que nous désignerons ci-après sous le nom de BURGER] ; s.m. Velimeux) ou l'orthographient « venimeux » (I, H) ou déforment le vers (« Que n'est ung chavessot », F). Aucun ms. ne fait rapporter le deuxième mot du vers à Margot. Il n'y a donc aucune raison de corriger, avec Foulet, la « faute de copie » de C et lire, « Plus enflée qu'ung vlimeux escarbot », vers pour lequel il n'y a aucune autorité. Le compilateur du *Jardin de Plaisance*, l'une des sources imprimées de cette ballade, bien postérieur à sa composition (il parut vers 1501), n'a fait que suivre C et la logique de Foulet en mettant, « Plus enflée que n'est ung escarbot », comme il suit C et la logique de Thuasne (voir plus loin, note 4) en mettant, à la première strophe, « au vin m'en vois... »

Il nous semble évident, du reste, que le mot « enfflé » de C est une lecture heureuse d'un mot « enflambé » dans sa source, où la syllabe « -am- » aurait été remplacée par un signe abréviatif. Notre vers n'est donc pas celui de Villon ; mais il est bon, et nous l'avons gardé afin d'esquiver la question de la prononciation de « velimeux ». On serait tenté de lire « scarbot » avec H, mais le mot « escarbot » est trop précis, d'une part, et d'autre part trop bien représentatif de la syllabe thématique de cette partie du poème (*est*at, *esc*ot, *les* *cost*és, Ant*ecrist*, *esc*lat, *escr*ipt) pour être abandonné.

Dans tous les cas, faire rapporter « enfflé » ou « enflambé » à Margot, comme fait Foulet, serait perdre le sel de la plaisanterie et la raison du vers, et introduire dans l'évocation de Margot un jugement qui serait unique dans le poème. Le pet de Margot est un chef-d'œuvre, un énorme pet, « plus enfflé » et plus empoisonnant qu'un scarabée... D'ailleurs, il devient, au cours du vers, un petit animal, né de ses boyaux. L'on connaît la théorie scolastique selon laquelle les êtres monstrueux sont nés de la corruption, et l'usage qu'en fait Rabelais dans son premier livre, Ch. 27 : « Et quoy, dist Panurge, voz petz sont ilz tant fructueux ? » (*Œuvres de François Rabelais*, éd. Abel Lefranc, Paris, Champion, 1922, t. 4, p. 279). A ce sujet voir E. GILSON, *Les Idées et les lettres*, chapitre « Rabelais Franciscain » : « Certaines corruptions, comme celles de l'air ou de la terre, passaient pour pouvoir engendrer des êtres vivants, mais comme aucun principe vital n'était intervenu, les êtres ainsi engendrés ne pouvaient consister qu'en des animaux petits et imparfaits : vermine, mouches, serpenteaux, etc. » Gilson cite à témoin saint Thomas et Descartes (Paris, Vrin, 2ᵉ éd., 1955 ; p. 216-7). Nous avons, en plus, ôté du texte la ponctuation des éditeurs ; les mss. n'en comportent presque aucune. Une ponctuation prosaïque tend fatalement à réduire la fluidité syntaxique du texte, sur laquelle comptait un auteur de cette époque pour ses plus beaux effets. Prenons à titre d'exemple les vers suivants, qui se liraient dans un ms. comme voici :

> Si luy jure quil tendra pour lescot
> Par les costes se prent cest antecrist
> Crie et jure par la mort jhesucrist
> Que non fera

Le texte primitif nous permet de lire « cest » (*i.e.* « cet ») ou « c'est » ; on comprend, en ce cas-ci, que Villon ajoute que Margot devient un Antecrist, en ce cas-là, qu'il note qu'elle l'a toujours été. Les deux mots « cest antecrist » pourraient être vociférés par Margot, ainsi :

> Par les costés se prent : « C'est Antecrist, »
> Crie, et jure...

Ou les mots « cest antecrist » peuvent désigner le sujet du verbe « Crie » ou bien le sujet du verbe « se prent » :

> Par les costés se prent ; cest Antecrist
> Crie et jure...

Bref, ces mots peuvent être dits ou par Villon ou par Margot ; ils peuvent se rapporter ou à Villon ou à Margot. La souplesse des vers traduit évidemment le beau vacarme et la complication de cet engagement naturel et anodin, où les imprécations se suivent de près et se recouvrent symphoniquement. Trop ponctuer ces vers serait non seulement imposer au lecteur un choix là où le choix n'est pas offert, mais fausser aussi le langage poétique, en le détournant de ses buts. Les quelques virgules que nous avons piquées dans le texte arrangeront le lecteur pressé, tout en signalant au lecteur réfléchi les endroits problématiques.

2. L'essai de GAUTIER sur Villon fut d'abord publié en 1834 (*La France littéraire*, XI, p. 39-75) et repris dans son recueil de 1844 intitulé *Les Grotesques* (Paris, Desessart).

3. La phrase, « que ne gaste son fruit » est encore un exemple de la fluidité syntaxique dont notre poème tire profit. Le verbe « gaste » pourrait avoir pour sujet ou le héros, ou Margot. Il pourrait être au subjonctif, en marquant l'intention (« que » voudrait dire alors « afin que »), ou à l'indicatif, en signalant le résultat (« que = « de sorte que »). Il n'est pas question de faire un choix ; les protagonistes ne font désormais qu'une seule chair et une seule volonté. De même le sens du mot « fruit » est ici équivoque, si bien que le vers décrit le processus entier de procréation. On comprend d'abord que le « fruit » désigne les organes génitaux, ou les appas charnels de Margot, qu'elle n'ose pas risquer si tôt dans sa journée par un combat amoureux où elle aurait le dessous. Puis son « fruit » pourrait indiquer son désir matinal que, frais et dispos, elle ne voudrait pas laisser perdre. Enfin, dans une acception bien connue, le « fruit » pourrait dire son enfant, qui risque d'être écrasé si Margot ne « monte sur » son ami. La force littérale du mot nous avait été rappelée dans la première strophe, « Je leur tens eaue fromage et pain et fruit », ce qui explique la métaphore agricole derrière l'expression « gaste(r) son fruit », et nous renvoie à des sens philosophiques et littéraires des deux mots. De même, le mot « pain », compris tout littéralement à la première strophe, nous prépare à lire dans son contexte agricole le vers, « Vente gresle gelle j'ay mon pain cuit ». Pour le symbolisme de la « terre gaste » et du verger — c'est-à-dire de la lutte entre Fortune et Nature — on verrait la belle ballade de Guillaume de Machaut, dont nous parlerons bien plus loin, qui commence ainsi :

De toutes fleurs n'avoit, et de tous *fruits*
En mon vergier fors une seule rose :
Gasté estoit li surplus *et destruis*
Par Fortune, qui durement s'oppose
Contre ceste douce fleur...

(Nous citons de ce texte la version qu'en donne *The Penguin Book of French Verse*, éd. Brian Woledge, t. I, p. 220-1, pour des raisons que nous éclaircirons ailleurs.) Le « bordeau » de Villon est évidemment l'équivalent bourgeois du « vergier », et un *locus* de fertilité.

D'ailleurs, « gaster son fruit » est une locution courante pour « précipiter ou mettre en danger la naissance d'un enfant ». Le seul exemple que nous connaissons a été relevé par F. DELOFFRE, dans l'Introduction à son édition des *Agréables Conférences de deux paysans de Saint-Ouen et de Montmorency sur les affaires du temps*, Paris, les Belles Lettres, 1961, p. 13, qui cite le texte, p. 115 : « Là dessu al sest boutté a braize (braire) si pitiableman que je nai pas evu (eu) le coeuz (cœur) de liaraché m'nepée dantre lé bras *de peur de gasté son frui*, quer al est grousse de cinq mouas & demy é tras jours... »

4. THUASNE (III, 422-3) conclut que, puisque la phrase « aller au vin » était si commune, on ne pouvait guère la modifier, et qu'il faut agréer donc la leçon de C : « Au vin m'en voys », que donne aussi le *Jardin de plaisance*, contre la leçon unanime des autres mss. En fait, la déformation légère de la locution banale est un tic du style burlesque chez Villon. La rime intérieure ici fait la pointe du vers. On comprend que Villon se laisse aller au vin, en tant que consolation ; et qu'il vole chercher de quoi accueillir ses clients. La phrase, « sans demener grant bruit » joue amèrement sur la locution, « faire bruit » pour « faire l'amour », que Villon vient d'employer dans un contexte érotique quelques vers plus haut dans le *Testament* (v. 1565). De même, dans l'autre moitié du vers, le mot « fuis » reprend le vieux calembour sur « fouir », au même sens grivois, que Villon emploie dans le *Lais* (v. 42 ; voir plus loin, notre chapitre sur ce poème). Pour la locution « faire bruit », voir L. THOMAS, *Les Dernières Leçons de Marcel Schwob sur François Villon*, Paris, Psyché, 1906, p. 11-2, qui glose la page 81 du *Parnasse satyrique du XVᵉ siècle*, Paris, Welter, édité par Schwob et publié après sa mort en 1905 (que nous désignerons ci-après *Le Parnasse satyrique*). L'usage innocent de ces phrases normalement grivoises rend parfaitement l'atmosphère surchauffée d'érotisme, comme, plus loin, les mots « paix se fait » et « Gogo », locutions qui désignent également l'acte d'amour.

5. Voir les exemples de GODEFROY (surtout dans le supplément) s.m. Estat, et celui de THUASNE (II, 424), qu'on retrouvera dans son contexte dans *Les Vers de Maître Henri Baude*, éd. Quicherat, Aubry, Paris 1856 (que nous appelons ci-après BAUDE) p. 86. Pour l'importance capitale du mot « estat » dans la pensée juridique et sociale à l'époque de Villon, et pour un résumé de ses multiples ambiguïtés, on verra J. HUIZINGA, *The Waning of the Middle Ages* (London, Arnold, 1924 [Ch. III : « The Hierarchic Conception of Society »]). Le « nous » du verbe et le possessif « nostre » pourraient désigner les deux protagonistes, ou bien le seul héros, qui emploie le « nous » royal à son propre endroit.

6. Selon BLOCH et von WARTBURG, *Dictionnaire étymologique de la langue française* (que nous désignerons ci-après B. & W.), le mot « état » ne gagna son sens politique actuel qu'au cours du XVIᵉ siècle, d'après l'italien *stato*. Mais ils ajoutent que le mot latin *status* avait déjà ce sens à basse époque ; et que Villon ait songé à ce mot est hors de doute (« Bene stat »). Au demeurant, l'image du bordeau-état n'est pas fondée sur un simple jeu de mots, comme nous avons tâché de le démontrer. Le paradoxe du bordeau-état, en tant que réalité émotive, remonte plus loin que Villon, à témoin cette strophe d'une « sotte chanson » qu'il aurait pu connaître, et qui fournit, d'ailleurs, un contraste frappant avec le langage sobre et objectif de notre ballade :

Face meselle, atout teste tengneuse,
Yeuz renversez et le menton rongneux,
Les dens puans, la narine morveuse,
Le col flestry, langaige desdaigneux,
Le sain ridé plus que tripe de vaque
Porte la dame en qui mon cuer se flaque,
Et s'est encore maistraisse du bordel ;

Si m'est adviz que roy suis, par Saint Jaque !
Quant je me puis logier en son hostel.
(Cité par Thuasne, III, 431.)

Sur un ton bien autrement sérieux, l'on connaît le même paradoxe d'un autre siècle :

...et en quelle saison
Revoiray-je le clos de ma pauvre maison,
Qui m'est une province, et beaucoup d'avantage ?

Mais c'est plutôt dans les *Antiquités de Rome* que dans les *Regrets* que Du Bellay s'intéressera aux distinctions qui sont à la base des trois strophes de notre poème, entre *ius gentium, ius civile*, et *ius naturale*.

7. Thuasne (III, 427) donne « membre viril » pour « jambot », et traduit. « Et me fiert le jambot — et *mentulam meam fricat*.» Burger (s.m. Jambot) le reprend, indigné : « *fiert* semble exclure le sens de " membre viril " que donne Th.» En vérité, *fiert* exclut *fricat* mais non point « membre viril ». A notre avis, il faut voir dans « jambot » un diminutif du type frère-frérot, cuisse-cuissot, Charles-Charlot qui pourrait bien désigner ce qu'on appelle le troisième pied, ou le pied du milieu. Voir la note de F. Lecoy dans *Romania*, 80, 1959, p. 505, qui, ayant opté pour « cuisse » (sans arguments convaincants, devons-nous ajouter) conclut ainsi : « La vérité, c'est qu'il s'agit d'un mot exceptionnel (dans la littérature), dont la valeur et le ton exact nous échappe et dont l'interprétation reste, par conséquent, douteuse ».

8. Pour « sabot », voir Littré, sens 15 : « Sorte de toupie. Le sabot dort, se dit quand il tourne si vite, restant sur un même point, qu'il paraît immobile ». C'est au même lieu que Littré enregistre la locution « dormir comme un sabot ». Selon B. & W., s.m. Sabot, ce sens du mot est connu depuis le XIIᵉ siècle : « le sens de " chaussure ", qui est pourtant le sens propre, n'a été relevé par hasard qu'au XVᵉ siècle. »

9. Les verbes « Vente gresle gelle » sont au *subjonctif éventuel*, dont il y a quelques autres exemples chez Villon. Cf. *Test.* v. 313 : « Et *meure* Paris ou Helaine... » et peut-être aussi v. 553-4 : « Car qui belle n'est ne *perpetre*/ Leur male grace mais leur *rie*... » On traduirait : « Même dans le cas où il vente ou grêle ou gèle... »

10. « Aimer et servir » une dame, c'est la locution consacrée par l'usage courtois et devenue déjà à l'époque de Villon un objet de satire. Voir l'exemple dans *Le Parnasse satyrique*, p. 113 :

La leur mercy m'ont sy bien pris au bruyc,
Que j'ayme et sers la belle ric à ric,
Qui mieulx me tient que à cord ne qu'à crocq...

W.G.C. Bijvanck — dans son *Spécimen d'un essai critique sur les œuvres de François Villon* (Leyde, 1882, p. 50), que nous désignerons sous la forme Bijvanck — prétend que ces vers imitent notre ballade ; mais les deux poètes pourraient bien avoir repris la même phrase si connue, qui remonte au XIIᵉ siècle :

Onkes vers li n'oi faus cuer ne volage,
Si m'en devroit per cho mius avenir,
Ains l'aim et serf et aor par usage,
Si ne li os mon penser descovrir...

(le Chastelain de Couci, dans *Origines de la poésie lyrique d'oïl*, éd. Cluzel et Pressouyre, Paris, Nizet, 1962, p. 42.)

Pour « paillard », voir les pages que L. Foulet consacre à ce mot si vague dans *Romania*, 68, 1944-5, p. 87-97. Selon lui, il peut indiquer non seulement un débauché, mais aussi un vagabond, vaurien, mauvais homme ; il suggère la basse condition sociale, « une idée de déchéance ou de misère sociale », et la vile extraction.

BALLADE

Dame du ciel regente terrienne
Emperiere des infernaux palus
Recevez moy vostre humble chrestienne
Que comprinse soye entre vos esleus
Ce non obstant qu'oncques rien ne valus
Les biens de vous ma dame et ma maistresse
Sont trop plus grans que ne suis pecheresse
Sans lesquelz biens ame ne peut merir
N'avoir les cieulx je n'en suis jangleresse
En ceste foy je vueil vivre et mourir

A vostre filz dictes que je suis sienne
De luy soyent mes pechiez abolus
Pardonne moy comme a l'Egipcienne
Ou comme il feist au clerc Theophilus
Lequel par vous fut quitte et absolus
Combien qu'il eust au deable fait promesse
Preservez moy de faire jamais ce
Vierge portant sans rompure encourir
Le sacrement qu'on celebre a la messe
En ceste foy je vueil vivre et mourir

Femme je suis povrette et ancienne
Qui riens ne sçay oncques lettre ne lus
Au moustier voy dont suis paroissienne
Paradis paint ou sont harpes et lus
Et ung enfer ou dampnez sont boullus
L'ung me fait paour l'autre joye et liesse
La joye avoir me fay haulte deesse
A qui pecheurs doivent tous recourir
Comblez de foy sans fainte ne paresse
En ceste foy je vueil vivre et mourir

Vous portastes digne vierge princesse
Iesus regnant qui n'a ne fin ne cesse
Le tout puissant prenant nostre foiblesse
Laissa les cieulx et nous vint secourir
Offrit a mort sa tres chiere jeunesse
Nostre seigneur tel est tel le confesse
En ceste foy je vueil vivre et mourir [1]

CHAPITRE III *

LE "PARADIS PAINT"

1. Rien, ici, qui puisse nous offusquer, rien qui ne nous satisfasse, rien que nous ne sachions déjà. Ces vieilles, en crêpe et dentelles et humble laine noire, agenouillées devant l'autel Notre-Dame où les bougies font miroiter deux ex-voto, les mains nouées sur le prie-dieu rendues bosselées et nerveuses par l'âge et la ferveur, comme si leurs chapelets, si longtemps serrés, s'étaient enfin faits chair... C'est la scène obscure, indécise, usée jusqu'à la corde, que nous connaissons tous. La mère prie. Quel profit pour nous à l'épier, à nous attarder dans l'étroite chapelle pour surprendre ses paroles ? Elles n'ont rien de bien individuel, cette veuve est toute veuve, elle profère des formules rebattues avec une sincérité et un frisson que nous reconnaissons parce que nous nous y attendions.

Rien que nous ne sachions déjà, à tel point qu'on se demande si la prière a été conçue à notre intention. Dans l'église ténébreuse où nous promenons nos sentiments de fils, de chrétien, ou de curieux, nous supposons en fait que la vieille accroupie ne parle point pour nos oreilles, qu'elle est indifférente à notre présence. Mais voici qu'au lieu d'écouter une prière, nous lisons un poème, tout ce qu'il y a de plus artificiel ; cette mère prie en ballade, en vers de dix syllabes, à rimes entrelacées, césures, strophes et refrain. Faut-il supposer que le poème aussi se passe bien de nous ? qu'il exerce sa fonction uniquement en existant ? Ou dans le cas où il s'adresse à nous, ce spécimen de la voix d'un cœur simple a-t-il d'autre but que de nous rassurer, en affirmant à la fois sa propre beauté et la bonté de nos cœurs sensibles ?

L'acrostiche nous met en éveil, en nous avertissant que la voix que nous écoutons est celle d'un personnage dramatique qu'a créé l'auteur du poème. Déjà nous avons été frappés d'entendre s'exprimer la pauvre femme illettrée en strophes et refrain. Est-ce donc du mauvais théâtre ? Le contraste entre la prière et le poème, entre la ballade et la tirade, est renforcé par un autre contraste dans la forme même : au cours des trois strophes, neuf des dix vers se renouvellent chaque fois, et un seul revient toujours. La forme double que prend la voix de la mère, donc, exprime une opposition entre le changeant et l'immuable, une réalité qui dépasse de loin sa conscience bornée et son humble figure. La présence de la vieille est donc déterminée par une autre chose, avec laquelle elle doit partager l'attention, d'un autre élément

* Les notes relatives à ce chapitre sont réunies p. 67-75.

dramatique avec lequel elle est en rapport. Cet élément a un nom, quelqu'un le représente sur la scène du poème, c'est l'interlocutrice muette qui est la Vierge.

Nous l'avons reconnu : les mots de la vieille femme agenouillée, prise dans l'étreinte de son émoi, sont ceux de toute femme pieuse. Et pourtant, dans la chapelle basse que le vague des chuchotements et l'éternel soir des pierres ne réussissent pas à rendre profonde, ces pauvres mots, sans se transformer, et sans se tourner vers nous, s'ouvrent et donnent sur un immense théâtre invisible. Tâcher de voir ceci, sans pour autant détourner les yeux de la misérable femme qui prie, ce serait commencer à lire le poème de Villon. Chercher à concevoir, à travers notre image de cette femme, une gloire qui ne nie pas l'opacité, la platitude et la misère de la fantaisie, ce serait s'approcher tant soit peu du miracle qui est le sujet de la pièce.

2.   Avant de gagner la rue et le soleil, retournons sur nos pas un instant, jetons un dernier coup-d'œil sur la mère qui prie, pour fixer son image dans nos souvenirs. Elle n'a pas bougé, ses lèvres remuent toujours, inlassables, répétant leur musique monotone. La courbe de son dos, la taille tassée et sans élégance, la masse noire de ses jupons, amènent le regard jusqu'aux semelles de bois, comme agrandies par la posture, embarrassées d'être vues de face, dans leur verticalité inhabituelle. La mère se confie au lieu sombre et à son secret, elle se blottit dans sa prière et la jette vers ce qu'elle n'est pas. Et si nous sommes touchés, en nous retournant, notre émotion immédiate naît de quelque chose d'éternel et de parfait dans cette attitude antique, un rappel de l'infini qui est parvenu, dans cet instant, par cette figure lourde, bruissante, benoîte, jusqu'à nous. Cette émotion est bien réelle, nous venons de l'éprouver, mais sa source n'est pas dans le temps. De même, la vieille femme sous nos yeux est le type de toute vieille femme pieuse. En nous éloignant de ce mezzo-tinto, nous admirons son art, franc et pourtant d'une touche ferme ; nous louons la sensibilité qui nous a fait deviner l'éternel dans le périssable.

Mais si en vérité le poème de Villon suivait la démarche inverse, s'il trouvait le périssable au sein de l'éternel, s'il commençait en présupposant l'invisible et ses lois comme nous commençons en présupposant le monde et nos perceptions, alors nous aurions mal lu la pièce. Alors nous aurions lu une prière et non pas un poème, nous aurions pris les pierres pour le mur, les murs pour l'église ; nous n'aurions rien appris. Et ce serait trahir le poème de Villon, en l'appauvrissant. Aux lecteurs du temps de Villon, la ballade aurait bien appris quelque chose. A nous, loin de nous consoler, elle devrait paraître primitive, même barbare.

En fait, la ballade commence non pas avec la vieille femme qui prie devant nous, mais avec l'autre, invisible :

Dame du ciel regente terrienne
Emperiere des infernaux palus...

Ce n'est que bien plus tard que nous arrivons à celle qui parle. L'émotion moderne, cependant, qui est une émotivité, fait toute découverte à partir de l'expérience vécue. Ainsi, pour nous, tout est à découvrir, et n'importe quoi ; ainsi, chez nous, le culte de la sensibilité. Il se peut qu'un lecteur d'une autre époque, d'un autre langage et d'une autre église, n'eût rien vu du tableau qui nous a ému si profondément ; et qu'il ne fût rentré qu'à la fin dans sa propre expérience, y apportant du nouveau. Nous autres modernes, nous appelons belle la scène ou la personne, beau le paysage ou le langage, où semblent se confondre le visible et l'invisible, produisant ainsi un élargissement soudain de notre expérience. La fusion des deux flatte nos sens, leur promettant un champ illimité, et affirmant, par la jouissance, leur valeur. Mais le poème de Villon distingue à tout propos le visible de l'invisible, trace nettement les frontières étroites et absolues de notre expérience, sépare une fois pour toutes la jouissance des yeux d'une autre jouissance, qui n'est qu'entrevue.

3.   Fermons les yeux un instant ; tâchons de les rouvrir sur le texte qu'aurait pu lire un lecteur de l'époque, puisqu'il nous est impossible d'emprunter son regard. Un tel lecteur aurait été frappé par l'absence de drame là où nous l'avons trouvé. Il ne verrait pas la raison d'être du poème ; la vieille femme, pourquoi prie-t-elle ? Villon ne nous dit pas, comme il l'aurait pu, qu'elle prie à un moment décisif, tel que celui qui a poussé Deschamps à crier :

> Secourez moy, douce vierge Marie...
> Je sens ma nef foible...
> Mon voile est roupt...
> J'ay grant paour que plunge ou que m'affonde... [2].

Pas davantage ne tire-t-il profit explicitement de la gratuité de la prière, comme l'avait fait Guillaume de Machaut :

> Contre ce dous mois de may,
> Pour avoir le cuer plus gay,
>   Et plus joli,
> Et pour celle a qui m'ottri,
>   Vueil faire un lay.
> Mais commen je le feray
>   Moult m'esbahi,
> Car trop petit sens en my
>   Pour le faire ay ;
> Ne suis dignes, bien le say,
>   De li loer... [3].

En effet, on sent une disproportion entre la vie et les péchés si ordinaires de celle qui parle et d'autre part les égarements angoissants des saints avec lesquels elle se range, avec la prostituée Marie et le coupable Theophilus. Quoique « ancienne » elle n'est pas au seuil de la mort. Elle n'a pas le besoin pressant de secours que Deschamps met dans la bouche du jeune Charles VI :

> Mon peuple est dur et mes enemis fors
> Qui m'envahint, et Prouesse s'absente...
> Et Lascheté tient mes gens en sa sente...[4].

Enfin, l'aide de la Vierge n'est pas invoquée au sujet d'un problème plus ou moins extérieur au suppliant, comme le fait Charles d'Orléans :

> Priés pour paix, doulce Vierge Marie,
> Royne des cieulx et du monde maistresse,
> Faites prier, par vostre courtoisie,
> Saints et saintes...[5].

En même temps, un lecteur de l'époque de Villon aurait été étonné par l'absence de richesse métaphorique dans l'évocation de la Vierge. Machaut l'avait appelée :

> De bonté racine,
> Flour qu'on doit amer...
> Fruit et medecine
> Pour tous nous curer...
> Rose sans épine...[6].

Et Rutebeuf, dans ses « IX joies Nostre Dame », l'impliquait dans des comparaisons avec un nombre invraisemblable d'éléments concrets de ce monde. Dans le poème de Villon, de tels éléments manquent. La figure de la Vierge est encore moins saisissante que celle de la suppliante ; mais toutes deux sont également « povrettes » en teintes vives. Sa présence dans le poème n'est attestée par rien qu'on puisse voir.

L'absence de drame dans le poème, et l'absence de variété métaphorique dans l'évocation de la Vierge, donnent au langage de la ballade un caractère choisi, voulu, même tendancieux. Si bien que le langage de la pièce exprime une crise. Aucune situation dramatique ne justifie la prière, disions-nous — si ce n'est cette situation-ci, ajoutons maintenant. L'absence d'un rapport immédiat ou spécial entre la Vierge et la mère souligne l'écart énorme et dramatique qui les sépare. De même, l'absence d'images colorées dans la louange de la Vierge signale sa distance de la mère, et le fait dramatique qu'elle ne se mêle pas aux affaires et aux objets concrets.

La « Dame du ciel » et l' « humble chrestienne » se confrontent à travers un gouffre. La mère de Villon manque de tous les attributs nécessaires à la vie courtoise d'une « emperiere ». Elle est « pecheresse », « povrette », et « ancienne ». Elle souligne sa bassesse avec des superlatifs répétés : « Oncques rien ne valus », « Riens ne sçay », « oncques lettre ne lus ». L'opposition entre les deux femmes devient plus aiguë dans les phrases « Preservez moy », « les biens de vous », « comblez de foy » (et non pas, comme disait l'expression courante, « comblez de biens », comme l'est la Vierge). Cette opposition s'étend même aux familles des deux mères. Elles parlent, de femme à femme, de leurs enfants : « A vostre filz dictes... », « Vous portastes digne vierge... » La mère de Villon n'a pas eu la chance de pouvoir enfanter sans péché, comme la « Vierge portant sans rompure encourir ». Et

l'opposition entre les deux familles devient encore plus claire lorsqu'il s'agit des fils, deux hommes qui s'opposent diamétralement :

> *Vous portastes* ....
> *Iesus regnant* ....
> *Le tout puissant* ....
> *Laissa les cieulx* ....
> *Offrit a mort* ....
> *Nostre seigneur* ....

Bref, l'élément de contraste n'est jamais absent. Chaque vers et chaque
phrase pose un écart qui éloigne les deux familles, l'une de l'autre, par
le fait de définir leurs situations.

Mais ce gouffre n'est pas un vide. Entre les deux mères existe un
rapport positif qui n'est pas seulement l'absence de tous rapports.
C'est sur ce rapport que, avec entêtement, le langage du poème insiste,
dans le détail, tout en laissant entendre que c'est le rapport essentiel,
sur lequel doit s'appuyer tout autre. « Paradis paint ou sont harpes et
lus... » : la mère voit « au moustier » l'image même d'un système
d'accords fondé sur des liens fixes. Des lois règlent le gouffre et
assurent son harmonie, comme les cordes de la harpe. En fait, abandonnant toutes ses qualités sentimentales et pathétiques, la Vierge
apparaît ici au seul titre de ses fonctions politiques, celles d'une haute
dame d'une cour féodale. Ce sont ces fonctions que la mère, par le
moyen de sa prière, tient à énumérer.

4.   François Villon écrivait à un moment de crise dans le développement de la langue française, moment où (entre autres événements
linguistiques) une assimilation se produisait des vieilles métaphores
concrètes et conscientes à une nouvelle langue poétique, fondée sur des
usages figurés dont les termes originaux s'oubliaient. L'ancienne
langue pouvait désigner toute espèce de rapport avec le seul langage
politique, c'est-à-dire féodal. Toute une série de comparaisons qui
liaient, dans la langue de Rutebeuf et Jean de Mehun, le « royaume »
de Dieu avec celui d'un roi féodal, étaient en voie d'adoption dans
la structure même du parler commun. C'est ainsi qu'un seul mot dans
notre ballade résume les rapports complexes entre la Vierge et
l'humble femme. Ce mot, nous ne l'entendons maintenant que dans des
sens qu'il n'avait pas encore à l'époque de Villon : c'est le mot « foy ».

Le mot « foy », notons-le, est déjà équivoque du seul fait qu'il est
placé par Villon dans le refrain de sa ballade. En revenant quatre fois
dans des contextes différents, il se charge des sens précis qu'amènent
les vers précédents. De la même façon, nous apprenons peu à peu ce
que c'est qu'un « bordeau » dans la ballade de Margot :

> En ce bordeau *ou tenons nostre estat...*
> En cette foy *je veuil vivre et mourir...*

Cette ambiguïté est la plus évidente dans la deuxième et la troisième
strophe, où les mots « ceste foy » se réfèrent directement à des
synonymes qui précèdent :

> Le sacrement *qu'on celebre a la messe*
> *En* ceste *foy je vueil vivre et mourir.*

> *Comblez de* foy *sans fainte ne paresse*
> *En* ceste *foy je vueil vivre et mourir.*

Mais le mot « foy » est équivoque par lui-même, dans n'importe quel contexte. Les contextes que choisit Villon soulignent tour à tour ses différentes nuances. Avant de les aborder nous-mêmes, mettons de côté les sens que le mot n'avait pas à l'époque, et qu'il n'acquit qu'à la Réforme, ou plus tard. Le mot ne désigne pas la croyance dans les vérités de la religion, idée pour laquelle Villon disait plutôt « créance »[7]. Il ne désigne pas non plus ces vérités elles-mêmes. Il ne désigne pas une religion par rapport à d'autres, comme nous distinguons la « foi chrétienne » et la « foi musulmane ». Il ne désigne pas non plus une série de croyances personnelles et privées. Il ne désigne pas une émotion mystique inexplicable, transcendante et sans contenu ; ni, enfin, notre émotion à nous, de mépris ou d'aspiration, quand nous constatons qu'un autre possède « la foi » que nous n'avons pas. Bref, à l'époque de Villon le mot « foy » ne veut dire ni le fait de croire ni la chose à laquelle on croit. Il ne comporte ni nostalgie ni ironie. Le mot n'avait pas de contenu, pour ainsi dire. Il désignait un rapport, un engagement, un lien de nature bien spécifique, comme nous verrons.

Le sens propre du mot au XVe siècle, c'est un engagement solennel prêté par serment[8]. Son extrême richesse à l'époque venait de deux sources. D'une part, il gardait certaines résonances de son emploi dans le langage technique de la jurisprudence féodale. Là, il désignait le rapport de vassalité liant seigneur et sujet féodal, autant d'un côté que de l'autre. Ce rapport était établi par une cérémonie fixe et comportait des obligations bien définies. Il existe inaltéré, comme le mot qui l'indique, que l'engagement soit bien tenu ou non. C'est-à-dire que le mot « foy » n'indique ni la « bonne foy » ni la « mauvaise foy », mais seulement un rapport pur de fidélité[9]. D'autre part, le mot latin *fides* avait été emprunté par le latin ecclésiastique pour traduire le mot grec πίστις. Bientôt il avait été remplacé dans cet emploi par *credentia*. Mais « foy » aurait pu subir une légère pression toujours du côté du latin de l'Eglise vers un sens de « fidélité à l'engagement religieux », ou « confiance donnée en sa parole », ou bien « volonté et capacité de s'y engager... »[10].

Etant rapport pur, on le voit, la « foy » n'est pas un objet, en ce sens qu'il n'y a aucune relation positive avec la « foy » si l'on est en dehors d'elle. On ne peut pas « posséder » la « foy ». Son existence dépend de quelqu'un d'autre avec qui être en rapport de « foy », exactement comme parler d'une « moitié » ne suppose aucune quantité mais seulement une relation. De même, puisqu'on ne peut pas « avoir » la « foy », on ne peut pas en avoir plus ou moins. On ne peut pas non plus être dans la « foy » par degrés ; ou bien on y est, ou bien

on n'y est pas. Si on y est déjà, il existe — c'est justement l'apport du
latin — une conscience d'y être, une émotion, une responsabilité sentie
que nous appelons « confiance », et que Villon aurait appelée
« fiance »[11]. De là le paradoxe que l'engagement *dans lequel* nous nous
trouvons peut également nous *remplir*, dans la mesure où il remplit
de même notre partenaire et n'existe concrètement que par nous deux.
C'est ce paradoxe qu'affirme Villon vers la fin de son poème :

> Comblez de foy *sans fainte ne paresse*
> En ceste foy *je veuil vivre et mourir*[12].

Partout le langage de la mère insiste sur le sens politique de son
action religieuse, comme sur une logique sous-jacente. Quand la mère
« prie », comme nous disons, elle s'engage dans un lien féodal réciproque[13]. Dans la phrase,

> *A vostre filz dictes que je suis sienne,*

elle comprend par « sienne » précisément « son homme de foy »,
c'est-à-dire son vassal. La « promesse » qu'avait faite « le clerc
Theophilus » est une « promesse » vassale, et le mot avait aussi un
sens juridique[14]. Celui qui « promettait » sa « foy » par le fait de
« faire foy et hommage », « priait » un autre de le « recevoir » en tant
que vassal, comme fait la mère :

> *Recevez moy vostre humble chrestienne*[15].

Celui qu'on priait, s'il vous recevait, devenait ainsi votre « seigneur »,
ce que la mère reconnaît également :

> *Nostre* seigneur *tel est tel le confesse.*

Finalement, la cérémonie où l'on priait son futur seigneur comportait
des devoirs des deux côtés : le seigneur s'engageait à « préserver » son
« homme » de tout danger, à le « garder », et à lui octroyer sa justice
en cour féodale. A cette cour, la mère aurait pu entendre toute une
série de mots qu'elle emploie dans la deuxième strophe, et qui
appartiennent à la langue technique de la jurisprudence. C'est le cas
de « abolir », « pardonner », « quitte et absolus »[16]. Puisque le mot
« sacrement » indiquait le « serment » de fidélité qu'on faisait à cette
cérémonie — on jurait aussi bien « par mon sacrement » que « par ma
foy » — et aussi le « sacre » d'un roi au début de son règne (moment
où le mystère religieux devient un acte politique), elle a dû le définir
par l'expression qu'on « *celebre a la messe* » pour préciser qu'elle
entend dire la cérémonie de la Cène[17].

Enfin, la cérémonie féodale était accompagnée de certains gestes,
ce qui nous aidera à nous former un nouveau tableau de la mère qui
prie. Voici comment Rutebeuf évoque la « promesse » que fit
Theophilus au diable :

> *Li Deables :*
>
> ... Or joing
> Tes mains, et si devien mes hon :
> Je t'aiderai outre reson.

Theophiles :
Vez ci que je vous faz hommage... [18].

Nous avons bien vu la mère prier, elle joignait les mains devant elle, les paumes collées ensemble, les doigts dirigés vers l'autel. Mais ce geste n'est autre que le geste de soumission vassale qui accompagnait le serment de « foy » qu'on faisait, à genoux, devant le nouveau seigneur. Quand le Diable dit « si devien mes hon », il achève la cérémonie en « recevant » celui qui le « priait » par le fait de fermer ses deux mains sur les mains jointes du suppliant [19]. Lue dans ce contexte, la fin de la ballade nous donne un autre tableau, qui prêtera un commencement de vraisemblance théâtrale à la situation et aux paroles de la mère. Quand elle décrit comment son seigneur

Laissa les cieulx et nous vint secourir,

ne faut-il pas voir, comme elle, un baron féodal, armé de pied en cap, à cheval, se ruant par le pont-levis de son château au secours de « ses hommes » menacés ?

5.   Le gouffre qui sépare la bonne vieille de la « Dame du ciel » est traversé par un tissu serré de rapports féodaux. L'opposition entre les deux familles est donc régularisée dans un système de lois. Une cérémonie l'affirme, et le langage cérémonial de la mère l'atteste. Ce système comporte des obligations des deux côtés, de soumission ou de protection, et surtout de devoir. Le système entier, aussi bien que la fidélité à ce devoir, s'appelle la « foy ». Dans la « foy », la famille Villon se lie, en tant que sujets vassaux, à des protecteurs puissants, la famille du Christ, leur suzerain.

Dans les premiers mots de la ballade, pourtant, la hiérarchie politique coïncide avec une autre. La mère qui prie est consciente d'une autre expression du gouffre, à travers lequel elle parle à la Vierge, que les lois féodales qui le règlent :

Dame du ciel regente terrienne
Emperiere des infernaux palus...

La mère nous invite à nous imaginer une reine qui gouverne tout l'univers physique, exerçant un pouvoir qui s'accroît à mesure qu'il descend vers le monde « bas ». Trois royaumes constituent cette hiérarchie universelle, dans chacun desquels la Vierge se revêt d'un nouveau titre. Remarquons le dernier de ces titres, avec son changement de syntaxe. Dans le *Miracle de Theophile*, Theophilus dit à la Vierge :

Portas nostre salu,
Qui toz nous a geté
De duel et de vilté
Et d'enferne palu,
Dame, je te salu ! [20]

vers qui fournissent, d'ailleurs, un contraste frappant avec le langage
de Villon. Cette hiérarchie physique est aussi une hiérarchie morale,
dont le point le plus bas se trouve aux palus d'immoralité sur la terre,
c'est-à-dire, la perdition. Peu après son invocation à celle qu'elle prie,
la mère décrit en termes littéraux cette hiérarchie morale :

> Les biens de vous ma dame et ma maistresse
> Sont trop plus grans que ne suis pecheresse.

Pour comprendre ces vers, il est nécessaire, semble-t-il, de se représenter une structure fixe de valeurs. Dressons une échelle qui mesure
la morale, avec un milieu marqué. La valeur de la Vierge y monte
bien plus haut que la valeur de la mère ne descend. En se penchant,
elle envelopperait la « pecheresse » de sa bonté.

Une autre espèce de hiérarchie — c'est-à-dire une autre mesure de
la distance qui sépare la Vierge de la pauvre femme — est donnée par
l'image du « paradis paint ». Cette hiérarchie est explicitement terrestre, c'est une contrefaçon visible, tracée aux murs du « moustier »,
des hiérarchies politiques, physiques et morales. Tout en reproduisant
les proportions de l'univers hiérarchique, elle en fausse les dimensions.
Elle donne, en termes terrestres, un modèle de l'invisible. Ainsi le
gouffre entre « paradis » et « enfer » est-il exprimé en termes sociaux.
« Harpes et lus », c'étaient des instruments de musique communs à
l'époque, mais propres aux milieux nobles. De même, pendant la vie
de Villon encore, les faux-monnayeurs étaient « boullus » sur les places
de Paris [21]. Des termes concrets montrent comment la nature des
deux mondes donne un contraste physique aussi frappant que celui de
leur valeur sociale. Le bouillonnement bruyant et concentrique du pot-
au-feu s'oppose à la géométrie régulière, linéaire et harmonique de la
harpe. Le « paradis paint », c'est la hiérarchie de l'art. Nous y
reviendrons.

Il existe également des hiérarchies trompeuses parce que partielles,
comme la mère en témoigne dans sa prière. La faute du « clerc
Theophilus » n'était pas de s'engager dans une « foy », d'avoir « fait
promesse », mais plutôt de s'être engagé dans une direction malheureuse, vers le bas, avec le diable. Le pauvre homme a mal choisi. Il a
dressé une hiérarchie fausse. Tout en reproduisant les proportions
de la hiérarchie que préside la Vierge — la hiérarchie vers le haut —
elle offrait un contenu moral inversé. Theophilus s'est laissé tromper
par une illusion, une contrefaçon de la réalité semblable au « paradis
paint » du « moustier ». Chez Rutebeuf, il en tire la morale lui-même :

> Qu'autre gent n'en soit deceüe
> Qui n'ont encore aperceüe
> Tel tricherie [22].

La faute de Sainte Marie, « l'Egipcienne », toujours à en croire
Rutebeuf, c'était précisément de n'avoir pas « aperceüe », avant sa
conversion, l'existence des engagements moraux. Elle ignorait toute
hiérarchie de valeurs. C'est en effet la joie presque enfantine de la

prostituée de se trouver prise, pour la première fois, dans une « foy », qui donne tant d'intérêt à la deuxième partie de la *Vie Sainte Marie l'Egiptienne* de Rutebeuf. La mère de Villon, quant à elle, ayant montré qu'elle a conscience des hiérarchies, saisit chaque occasion de nous dire qu'elle n'est point « deceüe » non plus. Parlant de l'engagement qu'elle a pris avec la Vierge et qui suppose le gouffre entre elles, elle spécifie : « Je n'en suis jangleresse », c'est-à-dire trompeuse en sa description. Elle recourt à la Vierge comme « pecheurs doivent tous », à savoir, sans « fainte » soit déception [23]. Elle connaît la réalité, mais elle nous dit qu'elle la reconnaît aussi : « Tel est tel le confesse ».

En outre, la mère souligne à tout propos qu'elle sait distinguer non seulement les hiérarchies vraies et fausses, mais aussi qu'elle connaît leur fonctionnement, c'est-à-dire leur dynamique interne. Notons la distribution des pouvoirs dont témoignent les vers suivants :

> *A vostre filz dictes que je suis sienne*
> *De luy soyent mes pechiez abolus*
> *Pardonne moy comme a l'Egipcienne*
> *Ou comme il feist au clerc Theophilus*
> *Lequel par vous fut quitte et absolus...*

Pourquoi faut-il que la Vierge rapporte à son fils le fait que la mère est « sienne » ? Pourquoi la mère ne peut-elle pas parler directement au Christ ? C'est que, à la cour de son suzerain, la Vierge remplit la fonction de ce que la langue juridique appelle « procurateur ». Chez le Seigneur, la Vierge agit pour ses fidèles, elle est leur voix et son oreille. Certains pouvoirs ne peuvent pas être exercés directement par la Vierge, et la grammaire de la prière observe cette distinction. Quand la mère dit :

> *Pardonne moy comme a l'Egipcienne,*

on traduirait correctement : « Qu'il pardonne à moi mes péchés comme il les a pardonnés à Sainte Marie ». La phrase « de luy » exprime ici l'action directe. C'est le Christ seul qui peut abolir et pardonner les péchés. Les mots « de luy » s'opposent, dans le langage de la mère, à l'expression « par vous », qui indique l'agent indirect d'une action. La mère précise que c'est « par » l'intervention de la Vierge que Theophilus fut « quitte et absolus », bientôt après, « de » son Fils. Et la mère ajoute encore une distinction d'ordre légal :

> *Ou comme il feist au clerc Theophilus*
> *Lequel par vous fut quitte et absolus*
> *Combien qu'il eust au deable fait promesse...*

A vrai dire, ayant « fait promesse » et ayant été reçu d'un autre suzerain, Theophilus, quoique « clerc », ne devait plus être des « hommes » du Christ. Et néanmoins — c'est la force de l'expression « Combien qu' » — la Vierge est intervenue. Elle a agi pour lui auprès du seigneur supérieur qu'il avait renié. La Vierge est donc sortie de sa juridiction afin de prouver une fois pour toutes que sa juridiction est universelle.

A propos de sa propre personne la mère fait des distinctions du même ordre. Revenons aux vers de la première strophe qui évoquent la hiérarchie morale qui inclut les deux femmes :

> *Que comprinse soye entre vos esleus*
> *Ce non obstant qu'oncques rien ne valus*
> *Les biens de vous ma dame et ma maistresse*
> *Sont trop plus grans que ne suis pecheresse...*

Les mots « ce non obstant » soulignent un paradoxe moral, et un écart hiérarchique, aussi marqué que le paradoxe légal signalé par la locution « combien qu' ». Sur l'échelle qui mesure la valeur, la mère est bien bas : « oncques rien ne valus ». Et pourtant, la Vierge monte plus haut en valeur qu'on ne peut descendre. Il existe au monde bien plus de bonté que de malice. De même, la valeur de la Vierge est à mesurer en termes concrets — c'est le sens propre du mot « biens » — et de quantité (« plus grans »), tandis que celle de la mère se mesure en termes spirituels comme « pecheresse » et de degré (« plus... que ne suis... »).

Dans la hiérarchie morale et politique, il y a quatre pouvoirs principaux : le faire, le valoir, l'être et l'avoir. La mère prend soin de les distribuer avec exactitude. Le faire est partout présent : le vers,

> *Ou comme il feist au clerc Theophilus*

montre bien que les actions principales des seigneurs, c'est-à-dire recevoir, pardonner, abolir, etc., peuvent être réunies sous cette rubrique. Les hommes aussi peuvent faire dans une certaine mesure :

> *Combien qu'il eust au deable fait promesse*
> *Preservez moy de faire jamais ce...*

En disant, « *preservez* moy de *faire* », la mère distingue entre deux pouvoirs, et leur donne leur juste rang hiérarchique.

Quoi qu'ils puissent faire, le pouvoir essentiel des hommes, c'est d'être, et la mère souligne ce fait partout : « Que comprinse *soye* », « que ne *suis* pecheresse », « je n'en *suis* jangleresse », « que je *suis* sienne », « femme je *suis* » etc. Pendant leur vie, les hommes peuvent valoir. Bien que la mère « oncques rien ne valu(t) », elle peut espérer « merir » (mériter) le salut. Mais la mère insiste sur ce que, tant qu'elle vit, elle ne peut rien avoir. Elle ne peut jamais avoir ce que possède la Vierge, ce sont « les biens *de vous* ». Quand elle ajoute,

> *Sans lesquelz biens ame ne peut merir*
> *N'avoir les cieulx,*

elle fait une double distinction, qui joue sur le double sens du mot « ame ». L'expression « sans lesquelz biens » ne veut pas suggérer qu'une « ame » puisse posséder ces biens que la Vierge seule possède. Elle affirme plutôt que, sans l'intervention de la Vierge qui agit « par » ses biens, le chrétien ne peut monter ni dans l'échelle morale, ni dans la hiérarchie physique, vers les « cieulx ». A l'aide de ces biens, et après cette vie, quand l' « ame » n'est plus celle qui vaut (l'homme chrétien) mais celle qui possède (l'âme du chrétien), la mère peut espérer « *avoir* les cieulx ». La même distinction reparaît plus tard, quand nous sommes devant le « paradis paint ». La femme qui est, et qui ne vaut maintenant rien, peut bien souffrir le faire de ce qui l'entoure. Ses propres émotions, pas plus que la « foy », ne sont possédées, mais plutôt subies ; elle est dedans. Ainsi elle distingue entre la « joie » que lui « fait » le modèle du paradis qu'elle peut voir au « moustier » ; et l'autre « joie » qu'elle pourrait un jour « avoir », si la Vierge la luy « fait » posséder, dans le vrai Paradis invisible :

> *L'ung me* fait *paour l'autre* joye *et liesse*
> *La* joye avoir *me* fay *haulte deesse...*

Remarquons que cette dernière distinction joue, elle aussi, sur un mot à double sens. La mère a compris, obscurément peut-être, que le mot « joye » se réfère à deux réalités : savoir, à une émotion subjective. causée par une chose perçue ; et à l'objet aussi bien de l'émotion que de la représentation qui la suscite. Entre les deux, entre l'émotion et l'objet, un seul mot a servi d'intermédiaire — tout comme le tableau du « paradis paint » qui, d'un côté, reflète la Joye qui est le Paradis, et de l'autre provoque la « joye » de la femme. Le mot, ainsi que la fresque, est comme transparent. Exactement de même, la mère a saisi le double sens du mot « plus » dans les vers,

> *Les biens de vous ma dame et ma maistresse*
> *Sont trop plus grans que ne suis pecheresse,*

où l'adverbe se réfère, d'une part, à la quantité qui mesure la Vierge, et d'autre part au degré de bassesse qui définit la femme. Ce sont ces mots comme « ame », « joye », et « plus » qui permettent de lier les deux réalités, et de les distinguer. D'autres mots, en revanche, sont opaques : songeons, par exemple, au mot « paour ». La fresque lui « fait » à la fois « paour » et « joye ». Mais le mot « paour » ne désigne pas, comme l'autre mot, l'objet de l'émotion. « Avoir les cieulx » ou « la joye avoir » veut dire évidemment transcender de telles distinctions, d'après un modèle, le mot, qui les fondent en un seul objet. En enfer, aussi évidemment, on n'aura rien du tout. L'opacité du mot « paour » signale l'absence plus qu'opaque dans laquelle on s'y trouve.

Au dedans des autres hiérarchies, enfin, les distinctions de la mère observent une hiérarchie du temps. Aux trois royaumes de la Vierge correspondent le passé, l'avenir, et le présent. La mère sait qu'il y a eu, dans le temps, une source de la « foy » éternelle :

> *Vous portastes digne vierge princesse*
> *Iesus regnant qui n'a ne fin ne cesse...*

Une fois, au passé, la Vierge enfanta le Roi qui est, à présent, « regnant ». Celui-ci, à un moment donné, « *laissa* les cieulx », « nous *vint* secourir », et « offrist » à mort sa « jeunesse », qui était le signe même de son existence dans le temps. Les impératifs de la mère, en outre, nous font deviner un moment unique dans l'avenir, où elle

pourra « avoir les cieulx », « la joye avoir », être « quitte et absolus »
comme Theophilus.

Pardonne moy comme a l'Egipcienne,

dit-elle, en espérant atteindre un avenir béatifique à travers un présent
qui incarne un passé de péché.

De ce présent, pourtant, il n'y a aucune expression immédiate, sauf
la voix qui nous parle, de même que la Vierge et la mère ne se font
remarquer dans le poème par aucun élément visuel. Chaque verbe
qui aurait pu nous proposer un moment actuel désigne en vérité un
temps général, que nous aurions de la peine à avouer « présent ». « Au
moustier voy... » « l'ung me fait paour » : même avec ces phrases
directes, la mère évoque une expérience qui a lieu toujours et généralement. De même, quand elle demande à la Vierge, « la joye avoir
me fay », elle semble parler d'un moment précis à l'avenir. Mais ce moment n'a de sens que par rapport à une vérité, la « Joye », qui existe
déjà, qui l'attend déjà, qui est déjà présente à son esprit. Pour la mère
— à l'encontre de notre idée du temps — le présent surplombe et passé
et avenir. Il réunit, dans une existence éternelle et contemporaine, les
paroles qui rapportent les faits uniques de l'histoire, et l'espoir qui
surgit d'une vision des faits à venir.

Ainsi, c'est quand elle doit parler du présent que le langage de
la mère confond, au lieu de distinguer, les différentes parties des
hiérarchies qu'elle habite. Vers la fin de sa prière elle disait bien,

Vous portastes ....
Ihesus regnant ....

où l'on pouvait comprendre ou que Jésus alors « regnant » fut, une
fois, porté ; ou bien que le règne du Christ a suivi, dans le temps, son
enfantement. Mais plus haut, à la deuxième strophe, tout se passe
au présent :

Vierge portant sans rompure encourir
Le sacrement qu'on celebre a la messe.

En quel sens l'enfantement unique, au passé, peut-il être vu comme un
mouvement présent et continu, aussi bien qu'une qualité, comme le
suggère le participe ? D'une part la phrase est bien claire. Nous avons
déjà noté le sens politique du mot « sacrement », synonyme de « foy » ;
et le mot « porter » peut bien dire « apporter ». Alors la logique de
la strophe et la clarté des distinctions sont maintenues. La Vierge nous
« préserve » de la « promesse » vers le bas qu'avait faite Theophilus,
en nous en apportant une autre, à savoir la « promesse » ou la « foy »
qui nous engage vers le haut. Ainsi présent répond à passé, salut à
damnation. La hiérarchie du temps est respectée.

Mais si le mot « porter » veut dire toujours « enfanter », alors nous
comprendrons que la Vierge donne naissance, chaque jour, à la messe,
au corps de son Fils. Cet enfantement, toujours répété, ne peut être
que la cérémonie qui nous rappelle l'unique événement divin, d'une
part, et de l'autre l'espoir et la vision auxquels il a donné lieu. La

cérémonie de la Cène, donc, tout comme le mot « joye » ou la fresque du « moustier », agirait en intermédiaire transparent. Elle relierait les deux temps présents, elle nous mettrait en contact avec une réalité qui n'est pas la nôtre. L'Hostie se transforme, sous nos yeux, de chose grossière en chose divine. Que la Vierge nous apporte une nouvelle « foy », ou qu'elle donne naissance chaque jour à une nouvelle Chair, son action est pure, « sans rompure encourir », et donc doublement miraculeuse. L'ambiguïté de la phrase entière tourne autour de ce point fixe, tout comme les distinctions d'autres vers tournaient autour des ambiguïtés des mots « ame », « plus », ou « joye ». Entre les deux sens de la phrase, une constatation concrète et indéniable nourrit une tension invisible et problématique [24].

Quelle que soit cependant la portée d'un cérémonieux accouchement journalier, la simple mention de l'enfantement miraculeux rappelle le gouffre qui sépare la Vierge de la femme humaine. C'est là la seule vraie force du mot « sacrement » compris comme le corps de Dieu. Alors nous voyons que cette tension dans les mots en nourrit une qui est plus que formelle. La vision que donne la première leçon des vers — un élan possible de l'être vers l'ordre divin par le moyen du serment religieux — joue avec la vision plus pessimiste de la leçon alternative. L'humble femme se tend, maintenant, vers une perfection qu'elle ne peut « avoir » qu'une fois qu'elle aura cessé d'être une humble femme. Les cordes qui traversent le gouffre peuvent vibrer, mais à condition que le cadre, la « foy », reste rigide. La mère peut se tendre vers l'idéal de toutes les femmes, mais seulement à condition de rester corrompue. En d'autres termes, la tension qu'a mise Villon dans ces vers reflète une certaine confusion dans l'esprit de son personnage. La bonne femme ne distingue que faiblement entre sa vassalité et la cérémonie qui la sacre, entre l'hostie et le corps de son Seigneur, entre l'enfantement historique et le mystère journalier, entre le vase qui apporte à elle le corps du Christ et le sein qui l'a porté [25].

Les confusions du temps présent, que la mère ressent et que sa langue exprime par le moyen des ambiguïtés, sont plus évidentes dans la phrase « paradis paint ». Le nom, sans article, est suivi d'un participe passé qui fait fonction d'adjectif, adjectif qui a en outre rapport à l'expérience des sens. La phrase en elle-même, donc, nous étale l'entière hiérarchie du temps. L'ambiguïté du mot « paradis » est mise en relief par l'absence d'article. Comme nous avons fait à l'égard du mot « joye », son synonyme, pour faire ressortir un double emploi, songeons au mot qui s'opppose à « paradis » et le complète : c'est le mot « enfer ». Nous lisons : « Paradis paint », tout court ; mais « Et ung enfer... » » La phrase « ung enfer » est opaque. Elle ne peut se référer qu'à la confection de coloris, badigeonnée au mur, que la mère peut voir et qui ressemble par la forme à bien d'autres tableaux qui s'appellent, chacun, « ung enfer ». Mais la phrase « paradis paint » se balance entre « (le) Paradis, paint », et « (ung) paradis-paint » [26]. Remarquons l'absurdité qu'il y aurait — puisque le mot « enfer » est ici évidemment un raccourci pour la notion, « une représentation de l'Enfer » — à dire « ung enfer paint ».

Nous comprendrons aisément que, quand la mère dit, « ung enfer ou dampnez sont boullus », le mot « ou » se réfère au mur de l'église, sur lequel a lieu le supplice des damnés, ce qui consiste précisément à n'exister que matériellement, en deux dimensions et couleurs mates. Que « dampnez » veuille dire « (les) dampnez » ou bien « (des) dampnez », cela ne change rien à l'affaire. Dans la phrase, « paradis paint ou sont harpes et lus », en revanche, le mot « ou » se réfère au mur bigarré et aussi aux « cieulx ». Ici, le mot « sont » indique ce que sait la mère, non pas ce qu'elle voit. De même, le verbe, « sont boullus », suggère l'action soufferte dans l'espace, comme dans le temps présent général du mot « voy » ; tandis que le verbe « sont » de la phrase « ou sont harpes et lus » désigne l'être pur et éternel.

Si la phrase « paradis paint » nous semble plus suggestive que l'autre, c'est qu'elle est plus foncièrement ambiguë. Les mots « paradis » et « paint » sembleraient se contredire. La peinture, n'est-elle pas ce que nous avons l'habitude de considérer le plus fallacieux des arts ? Plus que les paroles d'une prière, les vers d'une ballade, ou la musique des harpes, elle nous renvoie vers autre chose qu'elle-même, que ce soit une tradition, une émotion, ou la conscience du peintre. La peinture ne représente-t-elle pas pour nous en outre ce qu'il y a de plus futile et factice comme revêtement pour cacher ou pour déguiser une réalité [27] ? Même si nous employons le mot « peindre » comme synonyme de « décrire » avec des mots ou des gestes — ce que Villon n'aurait pas fait — nous supposons l'absence irréparable de la chose « peinte ». Villon aurait compris le mot et la chose dans un sens plus favorable. A son époque, la peinture est toujours belle, elle enjolive et orne tout ce qu'elle touche. Le mur « peint » de belles couleurs est sans aucun doute plus beau que le mur nu. Mais en quel sens le « paradis », dont la nature est d'être beauté pure, unique, et invisible, peut-il s'associer à la peinture ? Comment l'un pourrait-il transparaître dans l'autre ?

Nous comprendrons, au besoin, qu'un monde rendu plus beau par l'art soit aux yeux ce que sera le Paradis à l'âme. C'est ce que nous expliquera bientôt la mère quand elle détache la « joie » qu'elle éprouve de la « Joie » qu'elle souhaite posséder. Nous comprendrons aussi que le peintre possède une vision du monde visible qui rapproche celui-ci, et la peinture qui y appartient, du monde invisible ; qu'il a su trouver, dans la peinture, les mêmes principes d'ordre hiérarchique qui règlent le paradis, ainsi que le gouffre entre l'un et l'autre. Par des chemins de lumière et d'ordre, donc, le Paradis entre chez moi, dans l'église même « dont suis paroissienne ». Les mots « paradis paint », comme la fresque du « moustier », nous mettent en présence d'un seul objet, et de deux réalités qui, miraculeusement, parviennent à s'y interpénétrer. Et si chaque mot de notre ballade avait le même pouvoir secret ? C'est le problème que nous avons rencontré tout au début,

quand la vieille ballade éveillait en nous l'image de la veuve qui prie.
Ce problème est le nôtre, non pas le sien. Comment voir ce que nous
ne voyons pas ? Comment le voir, le savoir, surprendre habituellement
cela, le marquer, ce mystère qui se rend à l'emploi des mots, aptes,
quotidiens ? L'œil est l'organe de la vue ; quel est l'organe de la
Vision ?

6.   Après avoir poussé à un point si éloigné de nos premières
perceptions, il sera utile de jeter un regard en arrière pour constater
notre progression. D'abord, nous écoutions une prière. Bientôt après
nous lisions un poème, en strophes et refrain. Ensuite nous assistions
à un drame, et maintenant nous avons découvert que les paroles qui
nous le livrent sont, en outre, celles d'un document d'ordre légal,
un acte juridique en bonne et due forme. Agenouillée et les mains
jointes, l'humble femme prie sa dame et lui fait hommage, tandis que
de sa bouche elle profère un serment de « foy ». A vrai dire, ces traits
pittoresques sont de notre cru. Rien dans le poème ne nous présente
une scène visible, un moment actuel, une femme particulière. Nous
lisons plutôt — comme la mère nous dira elle-même, lors de l'envoi —
la charte qui engage toute femme et tout homme, de par leur nature,
dans un rapport féodal héréditaire à des seigneurs éternels. Ce rapport
fut constitué une fois pour toutes, au passé, et ne peut qu'être confessé
par tel ou tel autre nouveau feudataire. Et il existe dans un gouffre [28].
    En scrutant ce texte de plus près, nous étions frappés par l'absence
de termes concrets ou figurés qui, en louant la Vierge, l'auraient rattachée au monde matériel et humain, qui auraient fait d'elle un esprit
d'amour divin présent en toute chose. C'était un manque de métaphores liant le réel avec l'idéal. Au lieu d'habiter ces métaphores, la
Vierge apparaît dans cette charte comme un seul terme d'une comparaison qui oppose et qui met en contraste le réel et l'idéal, et les place
aux deux pôles d'une hiérarchie de valeurs qui comprend l'univers
moral et physique. Cette hiérarchie est également une hiérarchie de
lois, et par là, une hiérarchie unique, fixe, et statique. Cela est bien mis
en évidence par d'autres hiérarchies limitées, transitoires, et trompeuses : celles du péché, par exemple, ou de l'art.
    Voici qu'une lecture du poème nous a laissé entrevoir quelque
chose qui n'est pas le personnage qui parle, ni son interlocuteur muet
non plus : c'est un vaste univers hiérarchique qu'elles habitent toutes
deux. Très tôt nous avons pu deviner que le contraste entre strophe
et refrain représentait cet univers, par une espèce de syntaxe formelle
à la surface de la ballade. La petite phrase, « paradis paint », autant
que la cérémonie de la Cène et l'image des « harpes et lus », au moyen
de sa syntaxe à elle, lumineuse et secrète, est bien capable de nous
faire entrer dans cet univers. Le langage poétique autant que celui
de la palette et des rites, incarne l'invisible et l'apporte à nous. Chaque
mot de la ballade, partant, doit agir exactement comme la phrase,
« paradis paint », étant doublé d'une seconde réalité qui n'est ni la

prière que nous écoutons, ni le drame auquel nous assistons, ni la
forme poétique que nous voyons, ni le document légal que nous lisons,
et cependant ne se voit qu'à travers eux. Le poème de Villon est aussi
une fresque, peinte sur la page, qui nous étale dans la structure du
propos la structure des choses. Ses strophes sont intitulées « Dame du
ciel... » « A vostre filz... » « Femme je suis... » et

V
I
L
L
O
N.

Celle qui parle nous a déjà préparés à voir cela. Ne tenait-elle pas à
nous avertir, tout au début, « Je n'en suis jangleresse », où le mot
« en » est aussi vague que de pouvoir signaler et ce qui précède et ce
qui suit ? La mère nous assure qu'elle dit vrai, ou, comme sa langue
l'aurait exprimé, avec un calembour bien à propos, qu'elle dit « voire ».
Dès lors, nous aurions pu nous demander : quel est le rapport possible
entre le langage et la vérité ? de même que nous étions amenés à nous
demander quel rapport il pouvait y avoir entre « paradis » et peinture.
En disant « jangleresse », la mère précise qu'elle ne ment pas d'une
certaine façon. C'est-à-dire qu'elle n'est pas bavarde, qu'elle ne parle
pas à la légère, qu'elle n'est pas un trompeur, un charlatan, qu'elle
ne jongle pas avec les mots [29]. Visiblement, le langage peut bien être
employé d'une manière qui n'engage pas ses vrais pouvoirs. Des
poèmes peuvent bien exister qui ne s'efforcent pas de révéler, à travers
la surface des choses, leur structure réelle. Des œuvres peuvent bien
être créées qui, tout en reproduisant une partie de la hiérarchie
universelle, oublient de peindre ses rapports à la somme des
choses. Ces œuvres-là seraient opaques, pour ainsi dire, comme
l'enfer du « moustier » et le mot qui le nomme. Plates et verticales sur
la page, elles nous présenteraient la seule vie de la matière, les « infernaux palus ». Nous les épellerions comme les lettres isolées et sans
logique d'un nom propre ; comme nous épelons le nom

V
I
L
L
O
N.

En fait, la mère connaît au moins un « jangleur » de profession.
Le « deable » a pour métier de tromper les hommes, de les enliser dans
l'enfer de la matière opaque par le moyen de chartes fausses, de cérémonies vraisemblables, de fresques plates, de poèmes bigarrés mais
creux. C'est son art. La mère qui prie sait bien que cet art a pu tromper
jusqu'à un « clerc », au point où il avait « fait promesse ». Et le mot
« promesse », qui rime si savamment avec « la messe », nous enseigne

que le langage faux n'a de sens que par la réflexion du vrai, dans une
densité d'absence qui veut rappeler, en s'en moquant, cette dimension
du réel, rappel que nous nommons ironie. Par la supercherie du plus
grand « jangleur », le mot « promesse » a renversé son sens. Et dans une
ironie encore plus terrible, le nom grec même du « clerc » est devenu
une moquerie : Theophilus, celui qui aime Dieu. Le langage poétique
peut donc rester opaque. Il peut aussi devenir diabolique. A ces deux
façons de parler s'oppose une troisième, adoptée par celle qui n'est
pas « jangleresse », où, à travers chaque particule d'un nom qui nomme
la terre, nous lisons les noms divins, en *acrostiche :*

> *Vous portastes* ....
> *Iesus regnant* ....
> *Le tout puissant* ....
> *Laissa les cieulx*..............
> *Offrit à mort* ....
> *Nostre seigneur* ....

Notre poème inclut, certes, des mots qui ne donnent pas de sens
divin. Il y a, par exemple, des mots opaques comme « enfer » et
« paour », et des mots ironiques comme « deable » ou « promesse ».
Mais leur opacité ou leur ironie est ici créée par le contexte dans lequel
ils se trouvent. Le langage « vrai » est capable d'inclure tous les
langages, puisque son contenu c'est la réalité totale. Ainsi, il n'y a
aucune opacité, aucune ironie à la première strophe, mais une déli-
néation directe et positive des hiérarchies, physique et morale. C'est
le cadre de la « foy ». La mère nous le présente sans se servir ni
d'images ni d'autres tricheries linguistiques, sans en être « jangleresse ». De l'enceinte qui mure sa « foy », elle rentre, dans la deuxième
strophe, dans la cour de ses seigneurs, pour évoquer le fonctionnement
complexe de leur justice. C'est ici qu'elle peut emprunter à sa langue
toutes ses ressources : à savoir, des histoires colorées, des vocables
spécialisés, des ambiguïtés et des ironies. Enfin, elle vient, dans la
troisième strophe, à parler d'elle-même et de son monde. C'est le
royaume du concret, et en images elle nomme les sens de l'homme et
les arts qui y font appel, les lettres, la musique, l'architecture (le
« moustier ») et la peinture. C'est le royaume des émotions, et elle
nous en donne la hiérarchie. C'est le monde du devenir, et elle énumère
ses devoirs de femme envers la nature et l'éternel.

Les trois strophes du poème représentent, par leur contenu, les
trois royaumes que gouverne la Vierge, ainsi que les trois sphères du
temps et les trois parties de toutes les hiérarchies dont la langue de
la mère est consciente. Chaque mot du poème, alors, se lit comme
en acrostiche, puisque chaque mot renvoie, par son usage, à la
structure totale des choses. Que dire des mots du refrain, qui
reparaissent dans les trois parties du poème ? Sa répétition, tout
comme l'harmonie des rimes et la régularité du mètre, en assure la
liaison. Son retour inchangé signifie que cette liaison est immuable.

Mais aussi, son ordonnance intérieure à lui-même rappelle dans chaque strophe qu'il existe un tout à trois membres, et donc que les mots qui précèdent s'y rapportent. Les trois strophes doivent traiter, avons-nous vu, d'abord du cadre de la « foy » et de celle qui la préside d'en haut ; ensuite, de ses rapports internes ; enfin, du monde créé et de celle qui se voue à l'incréé, d'en bas. Ne pourrons-nous pas donner, comme titres des strophes, les trois membres de la phrase,

> *En ceste foy*
> *Je vueil*
> *Vivre et mourir...* [30] ?

La volonté de la mère, on le voit, est comme renfermée par les limites fixes de la « foy », d'un côté, et par le destin irréparable de « vivre et mourir », de l'autre. La phrase « Je vueil » correspond, en fait, au contenu de la deuxième strophe, où nous avons cru voir une discussion de la justice du seigneur féodal. Il faut comprendre que le « vouloir » de la mère est aussi fixe et aussi éternel que cette justice, dont il n'est qu'une autre expression. En disant, « A vostre filz dictes que je suis sienne », la mère évoque un état de fait, non pas un acte de volonté. C'est parce qu'elle est humaine qu'elle « veut » s'engager dans la justice du Christ. Un désir impersonnel et nécessaire, un élan pur et figé, « sans fin ne cesse », c'est la condition qui relie éternellement à leur « foy » ceux qui doivent « vivre et mourir ». C'est le sens « en acrostiche » du mot « vueil ».

De même que le refrain nous a représenté comme graphiquement la liaison des strophes, l'envoi nous représentera la forme de cette liaison, ainsi que son origine. C'est-à-dire que l'envoi en démontre la dynamique. Car, dans la fresque que la mère nous a peinte, il n'y a aucun mouvement. Tous les verbes sont abstraits, et s'orientent selon le niveau hiérarchique où ils se trouvent. Ainsi, à la première strophe, la mère demande à la Vierge de la « recevoir », d'en haut. A la troisième strophe, les pécheurs doivent « recourir » à la Vierge, vers le haut. Au milieu du poème, la mère évoque un va-et-vient qui tient de l'histoire, et un mouvement cérémonial sur terre, c'est la « Vierge portant... » Tous ces mouvements sont spirituels. Jamais, dans les trois strophes, on ne monte ni ne descend. La mère ne se lasse pas d'évoquer et de demander l'intercession des personnages divins dans le bas monde qu'elle habite. Tout au plus peut-elle « avoir » les « cieulx », après sa mort. Pendant sa vie, dans la fresque qu'elle nous donne, rien ne bouge, ciel et terre restent collés là où ils sont, les éléments de la hiérarchie universelle tiennent rigoureusement leur place.

Au passé, pourtant, il n'en fut pas ainsi. A un certain moment, il y a eu interpénétration de la divinité et de la matière :

> *Vous portastes digne vierge princesse...*

La langue de la mère est obligée de distinguer maintenant ce qui fut, une fois, miraculeusement uni. Maintenant elle s'adresse à la « princesse » qui fut, une fois, une humble femme, « Vous... princesse », pour lui dire qu'une fois, étant « vierge », elle enfanta. Un seul mot, au milieu, exprime les deux aspects de ce miracle, c'est le mot « digne ». Ainsi le vers participe, par sa structure, à l'ordre divin des choses dont il s'émerveille :

$$Vous \ldots\ldots\ldots\ldots\ldots\ldots princesse\,^{31}$$
$$portastes \ldots\ldots vierge$$
$$digne$$

De même que le mot « vierge » se rapporte à deux réalités, à savoir qu'il nomme l'état de la « Dame du ciel » autrefois, quand elle était femme, « (une) vierge », et lui donne aussi son titre éternel, « (La) Vierge », ainsi la phrase « Iesus regnant » parle d'un moment historique et aussi d'un état éternel. Les deux verbes, l'un au prétérit, l'autre un participe, soulignent le paradoxe : « Vous portastes... Iesus regnant ». Le mot « regnant » nous rappelle que la Vierge est, maintenant, la « regente terrienne », c'est-à-dire qu'elle y gouverne pour son Fils, qui fut, une fois, sur terre, qui viendra de nouveau y régner, mais qui, à présent, n'est régnant qu'aux cieux. Un moment, au passé, le « tout puissant » qui encore allait « prenant nostre foiblesse », c'est-à-dire l'endossait comme un vêtement ; et encore maintenant il va « prenant nostre foiblesse », c'est-à-dire l'enlevant comme une tare. L'esprit divin a pénétré la matière corrompue par un mouvement dramatique qui rapprocha deux mondes. Le Christ « laissa les cieulx » afin que, désormais, nous puissions espérer « avoir les cieulx ». Et il « vint ». L'Incarnation du Seigneur était exprimée par un verbe concret agissant sur une abstraction, dans la phrase « prenant nostre foiblesse », où le sens de l'action était pourtant à l'inverse, Dieu qui entrait dans la matière ; de même, le Sacrifice du Seigneur : « offrit... sa jeunesse », où le sens est Victoire.

Ainsi, dans la langue de l'envoi comme dans l'histoire qu'il raconte, ciel et terre s'entrelacent. Le comble de ce mouvement est atteint lorsque, pour la première et dernière fois, la mère emploie le verbe « être » avec un sujet divin : « Nostre seigneur tel est... » Et alors elle nomme le seul mouvement dont elle est capable, qui puisse répondre, d'en bas vers le haut, à l'unique intercession divine vers le bas. « Nostre seigneur tel est » : la phrase nomme la constitution originelle de la « foy » par la descente du Verbe dans la chair. « Tel le confesse » : la phrase suivante nomme le seul mouvement possible des hommes dans le sens opposé, une montée de la parole vers Dieu [32].

Comment la parole peut-elle « monter » hors de son enveloppe mortelle ? Evidemment, la mère parle à la Vierge, c'est-à-dire qu'elle parle d'en bas vers la « haute deesse ». Mais nous avons vu ailleurs une expression meilleure pour ce mouvement : c'était, au « moustier », le « paradis paint ». Et n'avons-nous pas vu que le poème de Villon est comme une fresque, où s'associent vérité et langage, comme Paradis et peinture, en acrostiche ? A l'entrée du Verbe dans la chair répond l'action de nommer le Vrai par l'art. Les mots de la mère sont le lieu où se rencontrent et s'entrecroisent la forme et le sens de son élan. Ils sont imbibés d'invisible. Des mots éternels ont rapporté des faits du passé où le Verbe s'est fait chair. Un objet éphémère nous fait voir une vérité éternelle où la chair est sauvée. Tout ceci, nous le contemplons à travers notre image de la mère qui prie, comme en acrostiche. Dans un sens, la forme de notre poème n'est pas la ballade, à strophes et refrain ; mais la croix.

7. Sans doute, les notions générales auxquelles nous sommes arrivés se trouvaient, pour le lecteur de l'époque, sur le chemin de retour, d'une vision plus sûre et moins articulée, vers sa propre expérience. Ce que nous avons découvert, il l'aura supposé. Ainsi, lire, pour lui, ce serait redescendre le versant de sa « foy ». Sans doute aussi supposait-il les réponses aux mille questions qui commenceraient, maintenant, à nous agiter. Par exemple, nous lui demanderions volontiers si l'engagement religieux n'est qu'un exemple des engagements féodaux, si plutôt tout lien féodal est un engagement religieux ; ou si lien politique et lien religieux tombent tous deux sous les lois d'un système féodal supérieur. Faut-il comprendre que toute œuvre d'art est une espèce de prière, ou bien que toute prière est, par sa nature verbale, une œuvre d'art ? Villon fait-il revivre, dans ce style « politique », un sens littéral maintenant perdu dans la vieille métaphore, ou ressent-il dans le flottement du mot « foy » un sens littéral nouveau ? Si tout ouvrage et toute parole « diabolique » nous rappelle la vérité qu'il nie, n'y a-t-il qu'un art « opaque » qui soit faux ? Cette conscience des hiérarchies que nous avons décelée chez la mère, la tient-elle d'une langue liturgique dont elle se sert ici comme inconsciemment, ou la possède-t-elle d'une autre façon ? A quel point faut-il croire à son ignorance ?

Ainsi, plutôt que le miracle, le vrai sens de ce poème est pour nous le mystère. Quel aurait été le sens du poème pour un lecteur du temps de Villon ? Un témoignage d'époque nous aidera à répondre. Ayant supposé toute la matière de nos recherches, le lecteur d'alors aurait été arrêté par un de nos premiers aperçus : à savoir, la gratuité apparente du poème. Pourquoi fut-il écrit ? Et pourquoi, si Villon tenait à dire tout ceci, l'a-t-il dit par la voix d'une vieille femme ? Pourquoi ne nous a-t-il pas parlé directement ? Ce devait être la réaction spontanée des lecteurs d'autrefois, s'ils ressentaient ou non la force dramatique du dilemme. Si bien que le premier éditeur de Villon, Clément Marot, s'inspirant sans doute d'une tradition orale, donna au poème un titre qui mettait fin effectivement aux inquiétudes. Il le nomma « Ballade que Villon feist *a la requeste de sa mere* pour prier Nostre Dame ». On n'a qu'à supprimer les mots en italique pour ressusciter le vieux problème.

Marot ne reprit-il pas simplement le sens du huitain qui précède notre poème dans le *Testament* ? Il n'en est rien ; voici ce huitain, tel qu'on le lit dans les manuscrits :

Item donne a ma povre mere
Pour saluer nostre maistresse
Qui pour moy ot douleur amere
Dieu le scet et mainte tristesse
Autre chastel n'ay ne fortresse
Ou me retraye corps et ame
Quant sur moy court malle destresse
Ne ma mere la povre femme [33].

Le sens du passage est tellement détourné qu'il fait naître de lui-même des inquiétudes. On remarquera du moins qu'il n'est pas question d'une « requeste » de sa mère qui aurait provoqué la composition de la ballade ; que, dans la lettre du texte, il s'agit de « saluer » au lieu de « prier » un personnage qui n'a rien de divin, qui n'est que la « maistresse » féodale de la famille Villon. Rien ne suggère non plus que le poème ait été créé à l'intention de la mère : il est seulement légué à elle. Avouons, enfin, que rien dans le texte du poème lui-même ne nous autorise à croire qu'une mère nous parle, ni que le personnage en question ait un rapport quelconque avec le « VILLON » qui le signa. Tout autant que l'image de la vieille qui prie, agenouillée dans la sombre chapelle, tout autant que l'histoire sentimentale que nous transmet Marot, ce sont des créations commodes de notre fantaisie pour combler le vide que laisse la gratuité du poème. Tout seul, un titre factice n'aurait rassuré que les moins réfléchis des lecteurs.

Ce vide, on le sent de façon plus aiguë à l'endroit où la vieille vient à se peindre, là où elle aurait pu nous dire pourquoi elle prie :

Femme je suis povrette et ancienne
Qui riens ne sçay oncques lettre ne lus...

C'est l'endroit où nous n'entendons que la voix du personnage, où par conséquent la feinte de l'auteur est la plus marquée. Qu'il soit ou non un homme, et encore jeune, nous ne pouvons guère ignorer ici qu'il est savant et lettré, tandis que dans les autres vers le paradoxe est au moins voilé. Pourquoi Villon aurait-il voulu emprunter la voix d'une vieille ignorante ? Une solution se présente, d'après ce que nous avons pu découvrir du poème en tant qu'œuvre d'art. Nous avons vu que chaque vers de la ballade exprime l'écart infranchissable entre la « Dame du ciel » et la pauvre illettrée. L' « humble chrestienne » est l'image même de ce que la Vierge n'est pas. Selon le procédé ironique que nous connaissons, la misère pécheresse de la vieille doit porter au double, dans notre conscience, la splendide pureté de la Vierge. Au lieu de comparer la Vierge à une rose, Villon l'oppose à une vieille sotte.

Et pourquoi Villon aurait-il voulu « saluer » la Vierge ? Nous l'ignorons toujours. Tout au plus pouvons-nous suggérer que la gratuité du poème démontre en termes concrets l'obscur et naturel élan vers le haut, que Villon a vu relier la structure universelle de la « foy » au « vivre et mourir » de chaque être :

En ceste foy je vueil *vivre et mourir.*

Notre poème serait la forme même de cette volonté impersonnelle. Pourquoi Villon choisit-il alors de saluer la Vierge, au lieu, par exemple, du Christ ? C'est que sa volonté à lui est celle d'un poète, et que la forme qu'elle prend reconnaîtra fatalement ce fait. La vision innée du poète est un peu comme la pureté de la « digne » Vierge : toutes deux permettent de réaliser une interpénétration du réel et de l'idéal, de la peinture, par exemple, et du Paradis. Tout comme le poème, le corps de la Vierge est le lieu où se produisit ce croisement. Villon parlera, par son poème, à la Vierge qui a donné au monde le Verbe [34].

Dans ces deux vers, pourtant, nous croyons entrevoir un sens qui aurait frappé leurs premiers lecteurs avec plus de force. Nous avons vu que la vieille qui parle est la prisonnière de sa « foy ». Et elle le sait. Elle comprend bien l'ordonnance rigide des mondes réel et idéal. Elle comprend sa propre position comme représentante de la « foiblesse » de l'homme, séparée du « tout puissant » par un gouffre. Elle a accepté ce rôle de soumission, de fidélité, de devoir et de clarté. Enfin, nous l'avons vue prise dans la nécessité de dire tout ceci, de le « confesser », en fréquentant le seul « moustier » dont elle est « paroissienne », en évoquant les deux saints les plus connus, en éprouvant les sentiments qu'il faut devant un « paradis paint ». Et enfin, elle est prise même dans le vouloir d'être prise. Celui qui a écrit la phrase, « Femme je suis... » nous déclare par ce fait qu'il a pris conscience de tout ceci. La voix de la vieille est une de ses voix. La conscience de la vieille est comprise dans une conscience plus grande et plus lucide. Elle est plus grande non seulement par le fait de posséder, sur la même matière, des renseignements ou des subtilités ultérieurs ; mais par le fait aussi d'inclure d'autres matières, et une matière finale qui a trait à leurs rapports. Bref, le point de vue de l'auteur, comme nous l'affirme l'acrostiche, n'est pas celui de son personnage. Il l'inclut plutôt ; il lui est supérieur ; il le surplombe et le surveille, exactement comme la vision originelle de l'envoi domine celle des trois strophes, déjà complète. L'auteur n'est précisément pas sa création, ce qui lui permet, peut-être, de sympathiser avec elle.

En fait, Villon nous a précisé sa pensée et ses sentiments. En écrivant « Femme je suis povrette et ancienne... » il qualifie de façon absolue le monde, la vision, le langage, la situation entière, en somme tout ce que nous avons découvert à travers la voix de la vieille qui prie. Tout cela, pour Villon, est d'une autre génération. Tout cela, c'est la « foy », le style, la pensée d'un certain passé, peut-être aussi d'un certain milieu. Ce style dépassé, est-il pour autant périmé ? Pas du tout, puisque Villon s'en est servi pour le qualifier de clos, et pour se situer, avec nous, au dehors. Il l'appellerait, peut-être, s'il pouvait se servir de notre vocabulaire, « classique ». La ballade de la vieille qui prie, donc, aurait pu étonner ses premiers lecteurs en jetant la

vision totale de la « foy » dans le vague et l'inconnu d'une conscience
soudainement élargie, qui inclut, peut-être, d'autres visions pareilles.
Ici, au moins, ils auraient découvert ce que nous aurons supposé. Ils
auraient découvert aussi ce que nous découvrons : que la gratuité du
poème signale un dessein plus grand. C'est là seulement qu'il prendra
son plein sens, comme l'humble paquet de chair, à genoux, au sein de
l'invisible. Pour trouver la « foy » de Villon, donc il va falloir chercher
ailleurs. La « foy » de la vieille qui pouvait être sa mère, Villon la
connaissait. Il pouvait nous la faire entrevoir. Bien avant nous, il a
reconnu que « *ceste* foy » n'était plus la nôtre.

NOTES DU CHAPITRE III

1. Notre texte est celui de l'édition Longnon-Foulet. Son établissement n'offre pas d'ailleurs de grandes difficultés. Un seul vers a été longuement discuté : « Preservez moy de faire jamais ce » (v. 889). Tel que nous l'a donné le ms. F il semble manquer d'une syllabe. Les autres manuscrits l'ont fait ainsi :

Preservez moy que ne face jamaiz cesse (C)
Preservez moy que je ne face ce (I)
Preservez moy que n'acomplisse ce (A)

Auguste Longnon a corrigé le vers ainsi :

Preservez moi que ne face jamais ce.

A la suite des critiques de Gaston Paris, cette correction a été abandonnée ; Thuasne et Foulet ayant accueilli le vers de F, Burger nous la propose de nouveau, la qualifiant d' « excellente » (p. 22). Voici le commentaire de Thuasne : « L'enclitique *ce* rimant avec *promesse* compte dans la mesure du vers qui a une syllabe de moins que le vers avec lequel il rime et où la finale *se* ne compte pas. Cette règle est absolue, et lorsqu'il y est dérogé, la faute en est imputable au copiste ou à l'impéritie isolée d'un versificateur » (II, p. 252). Quelle a été « la règle » ? Thuasne et Burger citent chacun une foule d'exemples de pratiques opposées, et de bonnes sources : Alain Chartier se range d'un côté, Arnoul Gréban de l'autre.

Puisqu'on nous donne tant d'exemples de sens opposés, ne faut-il pas conclure que « la règle » — s'il y en avait une — ne suivait pas la pratique, et que, en fait, les deux espèces de vers étaient « correctes » ? Il se peut que la question entière soit artificielle, de la manière dont elle a été posée. Un fait notable vient ébranler les arguments à la fois de Thuasne et de Burger, à notre avis : c'est que, parmi tant d'exemples, on ne nous donne pas un seul vers décasyllabe. Un autre fait vient appuyer notre hypothèse : c'est que, parmi les variantes, il n'y en a pas une seule qui fasse de notre vers un vers « normal », c'est-à-dire un vers de onze syllabes dont dix seulement comptent dans la mesure ; le vers de C est faux, les trois autres copistes ont vraisemblablement suivi une autre règle. Il faut donc conclure, que ce n'est pas la mesure du vers qui a créé la difficulté, qu'il n'y a aucun besoin d'aller jusqu'à le « corriger ».

Ce n'est pas un fait d'ordre scientifique qui viendra nous tirer de notre embarras devant un choix de variantes. Trois des quatre sont recevables. C'est selon le sens, à notre avis, que le choix doit se faire. Il nous semble que le vers de F qu'a accepté Foulet est la bonne leçon, pour les raisons suivantes : 1) Il est la seule des variantes à donner un sens dramatique. Le mot « faire » reprend la note qu'a sonnée le verbe du vers précédent, « eust... fait », et met ainsi en contraste le « il » et le « moy ». Le rythme anormal du vers traduit l'émotion de la vieille femme devant l'acte impensable, et pourtant bien trop croyable, de Theophilus. L'on sait comment cette histoire a saisi l'imagination populaire à l'époque. De quelque façon qu'on le prononce, l'accent tombe lourdement sur le mot « ce », avec horreur et pitié ; l'harmonie des rimes sonne soudainement faux ; la mesure des vers est mise en question, suscitant les inquiétudes que nous avons vues devant une dissonance.

2) Ce vers nous donne la *lectio facilior*, ce qui est, dans le contexte, à accepter. Notre étude du poème nous a amenés à concevoir un personnage dramatique extrêmement soucieux d'une parole précise et correcte. De plus, on est, à la deuxième strophe, au point où cette parole devient la plus colorée et, à la fois, la plus technique. Or, les leçons de I, de A, et de C, même dans la forme « corrigée » de Longnon, nous semblent grammaticalement imprécises, et, du point de vue du sens très strict, impossibles. Prenons à titre d'exemple la plus claire des versions, celle de I. On peut comprendre une seule phrase, où les mots « que je ne face ce » expriment l'intention du verbe, et où le mot « que » veut dire « afin que » ; ou bien, on peut comprendre deux phrases et deux vœux distincts,

en coupant net à la césure : « Preservez moy ; que je ne face ce... » Dans les deux cas, il faudrait comprendre le verbe « preserver » dans un sens absolu, c'est-à-dire, « Conservez-moi dans l'état où je suis actuellement ». Mais, d'une part, la vieille est dans un état de péché, comme elle vient de nous dire, à la première strophe, et de nouveau à la deuxième, où elle demande à être pardonnée, quitte, etc. Il y aurait donc contresens, car dans l'état actuel la vieille est bien capable de tomber dans la faute de Theophilus. D'autre part, l'état actuel de la vieille peut être compris comme étant tout simplement la vie. C'est là le seul sens possible du verbe, compris absolument, étant donné que le mot ne prit son sens général de « sauver » qu'au XVIᵉ siècle ou plus tard ; c'est probablement son sens normal à l'époque ; c'est le sens qu'y a discerné le copiste de C, avec une intelligence habituelle, en refaisant le vers en conséquence du fait.

Une fois le mot « que » ajouté à la phrase « Preservez moy », elle est devenue une pierre d'achoppement. Dès lors, le verbe « preserver » a pris une allure difficile ou technique. Le copiste de A, ayant senti ceci, ayant compris également que la mère est en état de péché, a cru bon de se servir du mot « accomplir », qui maintient et le ton et la logique du vers. La vieille demande son état, déjà grave, n'empire jusqu'au point où... Reste une seule possibilité d'agréer la leçon de I ; c'est que, comme l'aurait senti peut-être l'imprimeur, la phrase « que je ne face ce » désigne le danger dont la mère veut être préservée. Nous ne connaissons aucun emploi pareil de l'expression « préserver que » pour « préserver de ». C'est cette expression-ci qui est la naturelle. Villon s'en sert ailleurs à deux reprises (« m'a preservé de maint blasme », Test. 53 ; « nous preservant de l'infernale foudre, » XIV, 18) ; dans les deux cas il s'agit du Christ, dans le deuxième il s'agit peut-être aussi de la Vierge, comme dans notre vers ; dans les deux cas le mot désigne la fonction d'un seigneur féodal qui « sauvegarde » ses fidèles d'un danger précis. Il se peut toutefois que notre vers soit une exception ou une innovation. Mais le désarroi des copistes et le désaccord des éditeurs nous semblent probants. F, seul, nous a conservé une leçon irréprochable.

Nous avons, d'ailleurs, débarrassé le texte des titres, de la ponctuation, et de la typographie des éditeurs. La question des titres sera reprise plus loin dans notre étude. Quant à la ponctuation, ici elle est inutile plutôt que trompeuse : chaque vers a sa propre unité de sens, de rythme et de musique, à laquelle nous attentons à notre préjudice. Par contre, l'adjonction arbitraire des lettres majuscules fausse le sens et l'atmosphère du texte d'un bout à l'autre, soit en faisant d'un simple nom, ou même un adjectif (e.g. « vierge ») un nom de guerre, soit en dotant d'une dignité conventionnelle et, au fond, banale, des personnes et des objets qui ne le comportent pas. Et enfin, où s'arrêter ? Pourquoi, par exemple, comme Foulet, bailler une majuscule à « Deesse » mais non pas à « deable » ? à « Dame » et « Maistresse » et non pas à « princesse » et « regente » ? A l'époque, on n'en usait pas. Nous nous sommes borné à l'usage neutre de la majuscule devant les noms propres. Il en va de même, c'est entendu, pour les lettres grasses qui, dans nos textes modernes, signalent au lecteur pressé les acrostiches. Ajoutons, enfin, que le numérotage des vers et des strophes est un pur artifice, parfois utile mais souvent arbitraire, et toujours, à notre avis, un inconvénient pour le lecteur.

2. DESCHAMPS, I, pièce CXXXIV.

3. G. MACHAUT, Poésies lyriques, éd. V. Chichmaref, Paris, Champion, 2 vol., 1909 [t. II, p. 397, « Le lay Nostre Dame ».]

4. DESCHAMPS, VII, pièce MCCLIII.

5. Charles d'ORLÉANS, Poésies, éd. P. Champion, Paris, Champion (C.F.M.A.), 2 vol., 1923-1927 [t. I, p. 123]. Nous désignerons cette édition ci-après sous le simple nom « Charles d'ORLÉANS ».

6. MACHAUT, éd. cit., t. II, pièce XV, p. 403. L'on sait que ces métaphores remontent au Cantique des cantiques et au commentaire qu'en fit saint Bernard. Pour leur rôle dans la liturgie et les beaux arts, voir E. MALE, L'Art religieux du XIIIᵉ siècle en France, 8ᵉ édition, Paris, Colin, 1948, p. 232 sqq ; et, du même auteur, L'Art religieux en France à la fin du moyen âge, 2ᵉ édition, Paris, Colin, 1922, p. 206-7. Cet aspect du culte de la Vierge était bien vivant à l'époque de Villon, et allait connaître en fait un nouvel essor.

7. Voir « Le débat du cuer et du corps de Villon », LONGNON-FOULET, p. 94, v. 35-40 :

Voy que Salmon escript en son rolet :
« Homme sage, ce dit il, a puissance
Sur planetes et sur leur influence. » —
Je n'en croy riens ; tel qu'ilz m'ont fait seray. —
Que dis tu ? — Dea ! certes, *c'est ma creance...*

En fait, les mots « foy » et « creance » se distinguent, en s'associant, depuis le XII⁰ siècle :

Bien sai que vos an nule guise
ne voldrïez ma mescheance ;
mes j'ai tel *foi* et tel *creance*
an Deu qu'il me garra par tot...

(CHRÉTIEN DE TROYES, *Le Chevalier de la charette,*
éd. Mario Roques, Paris, Champion, C.F.M.A. 1958,
v. 3082-5.)

Las ! je voy touz vices regner,
Et la *foy* branle et la *creance...*
(DESCHAMPS, VII, 238).

8. Le mot est si commun et apparaît dans une telle variété de contextes, qu'il est inutile d'en énumérer les usages et les nuances. Nous nous bornerons ici à deux citations, à peu près contemporaines de Villon, quitte à revenir plus tard sur des exemples de nuances spéciales. Voici d'abord Pierre de NESSON, qui prie la Sainte Vierge :

Je vous donne mon corps et m'ame
Sy fait pareillement ma femme
Et vous fesons *foy* et homage
De tout nostre petit menage,
En vous promettant feaulté,
Service, *foy* et leaulté.
Aussy, Dame, vous nous devés
Garder se vous nous recevés...

(*La Danse aux aveugles et autres poésies du XV⁰
siècle,* éd. L. Douxfils, Lille, 1748, p. 172.)

Pour un sens bien plus général du mot, voici *Pathelin* :

...Il est tout vray,
Mais il y a si peu de *foy*
Aujourd'huy en plusieurs gens,
Que plusieurs en sont indigens,
Qui se confient en leur promesse.

(« Le nouveau Pathelin », dans *Recueil de farces,
soties et moralités du quinzième siècle,* éd. P.L.
Jacob, Paris, Delahays, 1859, p. 135.)

9. Ainsi on avait soin d'ordinaire d'ajouter l'adjectif :

Mais faictes que Bonne Foy lye
Noz cuers, qu'ilz ne puissent muer...

écrit Charles d'Orléans au Duc de Bourgogne (I, 149), mais sa phrase est aussi un souvenir érudit de la déesse latine Fides, comme le démontre le jeu plaisant sur « lye » et « muer ».

10. Pour la description de l'engagement féodal par la cérémonie d' « hommage » et le serment de « foy », comme pour l'analyse de la terminologie, on verra les études classiques de F.L. GANSHOF, *Qu'est-ce que la féodalité ?* Bruxelles, Office de publicité, 1947, p. 88 sqq. ; et Marc BLOCH, *La Société féodale : la formation des liens de dépendance,* Paris, Albin Michel, 1949, p. 224 sqq. (que nous désignerons désormais GANSHOF et BLOCH.)

Pour l'histoire du mot *fides* et son développement dans le latin ecclésiastique, voir ERNOUT et MEILLET, *Dictionnaire étymologique de la langue latine,* 4⁰ éd., Paris, Klincksieck, 1959, p. 148 [l'article Credo] ; et, sous l'article Fides (p. 223), la phrase capitale qui fixe au moins la zone du mot dans le latin ecclésiastique, si son sens réel reste obscur : « Fides est qua ueraciter credimus id quod nequaquam uidere ualemus. »

Le latin de l'Eglise est également la source de quelques nuances spéciales que pouvait prendre le mot « foy », et qui étaient senties peut-être dans notre refrain. Voici Martin LE FRANC, poète, érudit, homme d'Eglise, et secrétaire du Pape ; le Champion parle de la fin du monde :

Autres redient qu'antecrist
Est ja né de nonnain sacrée
Et s'en vient contre Jhesucrist
Preschier en chescune contrée
Or sera la *foy* dessaulcée
Et crestiens persecutez
Se le vray dieu ne nous recrée
Tantost serons executez.

Bien sçay que le ciel cessera
Son mouvement : c'est nostre *foy*
Mais on ne scet quant se sera
Dieu le scet trestout apar soy...

(*editio princeps*, Lyon, 1485 [composition vers 1440]. Bibl. Nat. Rés. Ye 27, fol. q-iv, V°.)

Le premier usage semble proche du latin ecclésiastique *religio*, dans le sens radical de « lien à la divinité » ; ou peut-être veut-il indiquer l'entière communauté religieuse. Le deuxième usage semblerait proche du mot « creance » s'il ne désignait quelque chose de sûr, qu'on « scet » ; ou s'agit-il plutôt d'une fidélité à cette vérité ?

Mais le sens religieux normal est celui que nous avons indiqué, et qui paraît clairement dans cet exemple de Philippe de VITRY :

Ainsi par le noble lien
De la Foy sont li crestien
A leur createur aliez.
Bien doit perdre et honneur et vie
Qui de tel seigneur se deslie
Par qui les cieulx furent creez.

La tresnoble Foy catholique
Nous a conjoins a Dieu, si que
Nul ne nous en puet separer,
Se la Foy tenons fermement...

(« Le chapel des fleurs de lis », pub. par A. Piaget, dans *Romania* 27, 1898, p. 79.)

11. Voir, dans la ballade, « Hommes faillis bersaudez de raison... » les vers 21-5 :

Que vault piper, flater, rire en trayson,
Quester, mentir, affermer sans fiance,
Farcer, tromper, artifier poison,
Vivre en pechié, dormir en deffiance
De son prouchain sans avoir confiance ?

(LONGNON-FOULET, p. 78-9).

Le mot s'apparente plutôt à « creance » qu'à « foy » :

Dame, ayez pitié de moy,
Car pour vray
J'ay en vous tant de *fiance*
Et *creance*,
Trop seray en mal conroy
Et desroy
Se n'y mectez diligence.

(Jean REGNIER : « Lay a Nostre-Dame », dans *Les Fortunes et adversitez de Jean Regnier*, éd. E. Droz, Paris, Champion, S.A.T.F., 1923, p. 17.)

A la différence de la « foy », la « fiance » émane d'une personne a priori et se met « en » un autre sans que la réciprocité soit supposée. Charles d'Orléans le dit ainsi, toujours à Philippe le Bon, après s'être lié en « Bonne Foy » (voir plus haut, note 9), à propos de lui et sa Duchesse :

Se me vueilliez recommander
A ma cousine ; car *croyés*

Que en vous deux, tant que vivrés,
J'ay mise toute ma *fiance* ;
Et vostre party loyaument
Tendray, sans faire changement...
(I, 141.)

12. L'expression « comblez de foy » est riche en suggestions paradoxales. On peut comprendre le mot « de » comme la préposition marquant l'agent ; en ce cas, la « foy » venant de dehors aurait « comblé » les « pecheurs » par le fait de les compléter. L'engagement féodal vers les seigneurs d'en haut serait compris alors comme le « comble » de la vie, le sommet, un faîte aussi bien qu'un abri. Si on voit le mot « de » comme marquant la matière, la substance qui « comble », plutôt que l'agent, alors on verrait les « pecheurs » comme autant de récipients vides, qui n'existent que pour être « comblez » par un engagement vers le haut qui, mystérieusement, verse ses bienfaits à comble dans le cœur du creux humain. Dans tous les cas, le participe suggère une action qui ne dépend pas du récipient, mais de son devoir en tant que récipient.

Cette confusion est connue : voir la remarque de Littré, s.m. Comble (3). C'est donc à la fin du poème, quoi qu'on puisse croire, que le mot « foy » fait montre de ses nuances les plus concrètes.

Notons que la locution « comblé de foy » s'oppose à celle, plus commune, que Villon emploie plus tard dans le *Testament* (1696), « vuidé de foy » : « Traistres parjurs de foy vuidez », et qui se retrouve dans le poème de Pierre d'AILLY, dont nous parlons plus loin (p. 365, 396 n. 12) :

La vy thirant seant a haulte table...
Plaine de fraude, d'envie et de murmure,
Vuide [*sic*] de foy, d'amour, de paix joieuse,
Serve et subgitte par convoiteuse ardure.

(éd. A. Piaget dans *Romania* 27, 1898, p. 64-5, v. 3-8.)

Dans le contexte de notre ballade, où l'une mère parle à l'autre, l'expression « comblé de foy » contient une nuance de plus. A l'encontre de Celle qui a pu enfanter « sans rompure encourir », la vieille qui prie, totalement sujette à la nature, doit être même *enceinte* de sa « foy ». Cette notion est ancienne dans la poésie religieuse, témoins ces vers de G. de DEGUILEVILLE :

N'est pas relief a garconner
A coquins n'a truans donner,
N'est (pas) relief a fame grosse,
Se de (la) grace Dieu n'est grosse...

(*Le Pèlerinage de la vie humaine* (c. 1335), éd. J.-J. Sturzinger, London, Roxburghe Club, 1893, v. 2539 sqq.)

13. Jusqu'à l'époque de Villon, en fait, le mot « prier » s'employait d'ordinaire avec un objet, de même que le mot « foy » supposait déjà un rapport à quelque chose. En ancien français, on priait toujours quelqu'un ; une activité semblable, mais sans objet, était dite plutôt avec le verbe intransitif « orer ». C'est au XVe siècle qu'on commence à se servir de préférence d'un verbe « prier » intransitif. Voir, *e.g.*, le *Testament de Villon*, strophes 4-7. « Après le XVe siècle, *orer* a cédé la place à *prier*... » B. & W. s.m. Prier).

14. Voir plus haut, notre note 7. « Promettre sa foy » apparaît dès la *Chanson de Roland*.

15. *Idem*, pour « recevoir ». La grammaire de ce vers est éloquente : il s'agit d'un *usage pregnant* de la phrase « vostre humble chrestienne ». D'une part, la vieille est déjà ceci, en souhait et par nature ; d'autre part, elle ne sera « vostre » (comme, du Christ, « sienne ») ni « chrestienne » qu'une fois qu'elle sera reçue de la Vierge. La vieille dit en vérité, « Recevez-moy *en tant que* vostre humble chrestienne », « Recevez-moy *de sorte que je devienne* vostre... », comme on aurait dit, « Recevez-moy vostre vassal ».

16. Pour « abolir », « absoudre », et « quitte », voir, sous ces mots, B. + W.

17. Pour « sacrement » synonyme de « serment », ces vers de Christine de PISAN :

> Estre y doit faire le *sacrement*
> A Dieu et au prince, autrement
> L'eslection a son droit ordre
> Ne seroit faite..

(cité par GODEFROY, VII, 278, s.m. Sacrement). Nombreux sont les exemples de l'expression « Par mon sacrement ! » Le Champion, chez Martin le Franc, met les deux jurons dans un seul octosyllabe.

18. *Œuvres complètes de Rutebeuf*, éd. E. Faral et J. Bastin, Paris, Picard, 1960, t. II, p. 188, v. 239-42. Désormais nous citerons cette édition sous la forme abrégée de RUTEBEUF.

19. GANSHOF, pp. 45, 92, et *passim*.

20. RUTEBEUF, II, 197, v. 470-74.

21. Pour l'association de la musique et du Paradis, voir MALE, *L'Art religieux...* *à la fin du moyen âge*, p. 477-8. Pour les supplices à l'époque de Villon, voir I. SICILIANO, *François Villon et les thèmes poétiques du moyen âge*, Paris, A. Colin, 1934, p. 17 (que nous désignerons désormais sous la forme SICILIANO) ; et THUASNE, III, 452, qui commente *Test.* 1694-5.

22. RUTEBEUF, II, 202, v. 629-31.

23. On traduit généralement « hésitation » (par ex., BURGER, s.m. Fainte). Le mot serait un dérivé de l'ancien verbe réflexif « se feindre ». Mais « feindre » avait donné de bonne heure « feinte », très commun au xv⁰ siècle et orthographié « fainte ». Voici une strophe du *Champion des Dames* où Martin LE FRANC fait rimer les deux mots :

> Erreur n'ay je dit ne diray
> Dit Franc Vouloir qui n'en fait *fainte*
> Et se de celles que dit ay
> Veulz faire querelles ne complainte
> Tantost te monstreray sans *fainte*
> Et ne le pourras ignorer
> Aulcunes qui par vertuz maintes
> L'on deust devant l'omme honnourer.
>   (*éd. cit.* fol. s-vi V⁰.)

On voit que la « fainte » est une espèce de « feinte » et vice versa. Un peu plus haut dans le même livre on trouve un usage du mot bien à propos dans notre ballade :

> Car comme les jengleurs font croire
> Et apparoir ce que n'est mie
> Et dit le fol « C'est chose voire
> Il n'y a *fainte* ne demie »
> Ainsi la meschante endormie
> Veant de l'ennemy les yeulx
> Si cuide aler a l'escarmie...
>   (*ibid.*, fol. r-viii, V⁰.)

Pour « jangleresse », voir plus loin, n. 29.

24. Ces deux vers, et l'expression inusitée qu'ils renferment, ont causé bien de l'émoi. Formey, l'un des savants éditeurs de l'édition de 1742, a noté à leur endroit : « Expression fort singulière, selon laquelle la Vierge n'auroit mis au Monde que les Apparences d'une Oublie : Suite naturelle du Dogme de la Transsubstantiation » (*ed laud.*, p. 94). L'abbé Prompsault, en traduisant le mot « sacrement » (ainsi : « Jésus-Christ, qui se rend présent dans l'hostie durant la messe ») cite la note de Formey et ajoute : « Cette réflexion me paroît plus singulière que ne l'est l'expression du poète. » (*Œuvres de Maistre François Villon*, Paris, 1832, p. 169.)

Ces vers ont été très tôt « corrigés » par les éditeurs, à qui ils devaient sembler obscurs. Ainsi, I donne déjà, « Vierge *pourtant* sans romprure encourir » (*sic*), variante d'origine peut-être orthographique, mais qui n'a pas été relevée par les éditeurs modernes. Dans l'édition de 1532, qui précéda celle de Marot chez son éditeur, Galiot du Pré, on lit plutôt « Vierge me vouilliez impartir... » Marot lui-même met « Vierge portant (sans rompture encourir) ». La Monnoye, lors de la préparation de son édition, a ménagé un compromis fâcheux, en donnant, « Vierge, pourtant, me vouilliés impartir... », leçon qui figure dans l'impression de cette édition publiée par Pierre Jannet chez Picard en 1867.

25. C'est la confusion montrée par une autre bonne fidèle, que connaissait la nôtre, Marie l'Egipcienne, quand Rutebeuf la fait commander à Zozima :

> Adonc t'en is par mi la porte,
> Le cors Nostre Seignor m'aporte
> En un vessel qui moult soit net ;
> Le sainct sanc en un autre met.
> Por ce que tu l'aporteras,
> Plus prés de toi me troveras...
> (RUTEBEUF, II, 49, v. 957-62.)

26. Il se peut qu'on eût senti l'adjectif « paint » comme entraînant l'indétermination. Dans l'ancien français, comme l'on sait, tout article a en réalité une fonction de définition. A l'époque de Villon, l'article indéfini commençait seulement à jouer son rôle moderne. Tout nom abstrait pouvait s'employer sans article — c'est l'usage légèrement archaïque que Charles d'Orléans éleva à la valeur d'une poétique — de même que des noms de royaumes, de provinces, et de tout ce qui était personnifié. Voir à ce sujet les pages lucides de L. FOULET dans sa *Petite Syntaxe de l'ancien français*, Paris, Champion, C.F.M.A., 1930, p. 49-61.

27. Ailleurs Villon distingue soigneusement entre la réalité de la peinture et la réalité de la « char », tout en laissant entendre qu'une troisième réalité, ici le « moy », pouvait se voir chez les deux autres :

> *Item j'ordonne a Sainte Avoye*
> *Et non ailleurs ma sepulture*
> *Et affin que chascun me voie*
> *Non pas en* char *mais en* peinture
> *Que l'on tire mon estature*
> *D'ancre...*
> (LONGNON-FOULET, p. 72, v. 1868-73 ; nous avons ôté la ponctuation des éditeurs.)

La « peinture » est une substance, comme la « char », qui est habitée par le « moy ». Mais pour cela, il faut que « peinture » soit conforme à réalité ; l' « estature » ne sera *le sien* que si on prend soin de choisir des matériaux adaptés à la réalité du corps tout noir...

28. Cf. BLOCH, p. 226 : « A la différence de l'hommage qui, engageant, d'un coup, l'homme tout entier, passait généralement pour incapable de renouvellement, cette promesse, presque banale, pouvait être à plusieurs reprises répétée envers la même personne. Il y avait donc beaucoup d'actes de « foy » sans hommages. Nous ne connaissons pas d'hommages sans foy ». p. 338 : « Puis l'habitude se prit, de plus en plus fréquemment, de faire passer ces stipulations [des devoirs des vassaux], naguère purement traditionnelles, dans l'accord même. Mieux que les quelques mots dont s'accompagnait l'hommage, le serment de foi, que l'on pouvait allonger à volonté, se prêtait, à leur minutie. Ainsi un contrat prudemment détaillé remplaça la soumission de l'homme tout entier. »
La distinction entre la vassalité héréditaire et la vassalité « libre » est au cœur des développements de la féodalité classique : « Car on en était venu à distinguer, de plus en plus nettement, deux façons d'être attaché à un chef. L'une est héréditaire... Surtout, parce qu'elle exclut tout choix dans la sujétion, elle passe pour contraire à ce que maintenant on appelle « liberté ». C'est le servage... L'autre attache, qui se nomme vassalité, ne dure en droit, sinon en fait, que jusqu'au jour où prendra fin l'une ou l'autre des deux vies ainsi liées » (p. 249).
Le servage de la vieille qui prie s'oppose donc à l'espèce de lien que Villon « regnie » au début du *Testament* en la personne de l'évêque Thibault, et qu'il agrée bien volontiers, plus tard, vers le roi Louis XI. Voir plus loin notre IIᵉ partie, « L'œuvre de Villon », livre I, ch. III.

29. Pour « jangleresse », les glossaires donnent « menteuse », à l'unanimité. En fait, le mot a un sens plus précis et, en même temps, une résonance plus large, comme l'on devine aisément. Voir à titre d'exemple, l'usage du mot « jangleur » par Martin le Franc, plus haut, à notre note 23. Ajoutons cet exemple d'Alain CHARTIER :

> Il n'est *jangleur*, tant y meist
> De sens, d'estudie ou de peine,
> Qui si triste plainte feist
> Comme cellui que le mal maine.
> Car qui se plaint de teste saine
> A peine sa *faintise* queuvre,
> Mais pensee de douleur pleine
> Preuve ses parolles par œuvre.

C'est l'Amant qui parle à la « Belle dame sans mercy », et sa voix s'entrelace avec la musique des « menestriers en ung vergier » ; c'est celui qu'on vient de voir par les yeux du triste narrateur qui dit avoir abandonné la poésie :

> De faire chiere s'efforçoit
> Et menoit une joie *fainte*...
> De toutes festoier *faignoit*...
>
> (*La Belle Dame sans mercy*, éd. A. Piaget, Droz,
> T.L.F., 1949, vv. 305-12, 56, 39-40, 105.)

Le mot « jangleresse » s'aligne dans notre poème avec les mots « fainte » et « paint », sur un seul fil conducteur.

La notion de la *tromperie* semble avoir obsédé les esprits à l'époque de Villon, et bien avant ; l'ancien et le moyen français possèdent un vocabulaire énorme pour distinguer les diverses espèces de trompeurs, de tricheurs, de bourdes, de jeux et de ruses. C'est par la tromperie surtout que le mal s'affirme chez les hommes, et c'est à ce titre qu'on le reconnaît. Le « deable » est le charlatan par excellence ; son boniment est la tromperie suprême. Voir plus loin p. 299-300, 450, 463 n. 15.

30. Le refrain entier est une locution juridique bien ancienne. Voir les exemples de THUASNE, II, 254 ; et celui-ci, du *Roman de la Rose*, où l'Amant parle au Dieu d'Amours :

> Car je, pour ma vie amender,
> Si con vous plut a comander,
> *Vueil*, senz jamais Raison ensivre,
> *En vostre lei mourir e vivre.*
>
> (éd. E. Langlois, Paris, Firmin-Didot et Champion
> S.A.T.F., 5 vol., 1914-1924, t. III, v. 10365-8.)

L'usage du mot « lei » à la place de notre mot « foy » est significatif. Notons en outre que le mot « vueil », savamment accentué par son placement chez Jean de Mehun traduit le latin *volo* dans les anciens serments de « foy » (GANSHOF, p. 90-1), où il marque le statut libre de celui qui s'engage. Encore aujourd'hui, c'est la réponse cérémoniale à l'église de celui qu'on élève au rang d'évêque.

31. L'ordre tout artificiel de ce vers a donné quelque difficulté aux copistes, qui ont voulu lui restituer une syntaxe plus claire. Ainsi on lit « digne vierge pucelle », dans F, « doulce vierge princesse », dans I, « vierge digne princesse », dans A. C'est le manuscrit Coislin qui nous a donné la bonne leçon. L'édition de 1742 a ponctué le vers ainsi :

> Vous portastes (vierge digne princesse)

32. En vérité, le mot « confesse » traduit les deux mouvements à la fois. Son sens n'est pas simplement « reconnaître », comme le dit BURGER (p. 46) mais « dire », « proclamer une vérité », « la reconnaître ouvertement et par le langage » (voir la locution « dit et confesse », *Test.* 114). Ici, le mot peut être ou à la première ou à la troisième personne. Le Christ « confesse » être notre Seigneur, dans ses Testaments ; en revanche, la vieille proclame cette même vérité dans son propre langage.

Gardons-nous de lire, dans ce mot, des sens modernes. Il ne s'agit pas ici d'une « confession de foi », et encore moins d'un « credo », comme on l'a dit. Dans la liturgie, la « confession » est plutôt la prière qui s'appelle « Confiteor ». Voir LITTRÉ, s.m. Confession.

33. Notre texte est celui de LONGNON-FOULET, p. 39-40, que nous avons dégarni de ponctuation. De cette manière, on voit plus clairement que le verbe principal, « donne », n'a pas de régime ; la phrase est incomplète. Comme si souvent, l'édition de 1742 signale la difficulté sur laquelle passent les autres éditions :

« Donne à ma Mere pour saluer nostre Maistresse. Cela signifie, Je donne à ma Mere *la ballade suivante,* pour saluër nostre Maistresse, c'est-à-dire la Sainte Vierge, comme on le va bientôt voir » (p. 92).

Le relatif « Qui » à la tête du troisième vers peut se référer soit à « mere » soit à « maistresse ». Jusqu'au dernier vers de la strophe, on peut donc penser que les mots « chastel » et « fortresse » se rapportent à la mère, scellant ainsi la confusion entre les deux femmes. Cette confusion sentimentale, le dernier vers vient la briser dramatiquement, en éloignant la femme mortelle de la femme divine, et en nous préparant à voir, sur la page, leur écart réel et l'objet qui, provisoirement, les relie. Nous lisons :

.... *la pauvre femme.*

BALLADE

Dame du ciel ....

Sous le coup de cette confusion, certains éditeurs et traducteurs modernes ont été jusqu'à « corriger » les derniers vers du huitain, afin de lire,

Autre chastel n'ay, ne fortresse
Ou me retraye corps et ame...
Que *ma mere, la povre femme.*

Voir à ce sujet la note de Siciliano, p. 222 ; et l'article de E.R. Vidal dans *Romance Philology* 12, 1959, p. 251-7.

34. L'action de donner, on le voit, clôt un cercle de réciprocité parfaite. Villon parle à la Vierge par la voix de la mère, tout comme elle parle au Christ par la Vierge. De même, on comprend que la mère parle à la Vierge par la voix de Villon, qui parle au Christ par la voix de la mère, etc.

Et meure Paris ou Helaine
Quiconques meurt, meurt a douleur
Telle qu'il pert vent et alaine,
Son fiel se creve sur son cuer
Puis sue, Dieu scet quelle sueur,
Et n'est qui de ses maux l'alege
Car enfant n'a, frere ne seur
Qui lors voulsist estre son plege.

La mort le fait fremir, pallir,
Le nez courber, les vaines tendre,
Le col enfler, la chair mollir,
Joinctes et nerfs croistre et estendr
Corps femenin qui tant es tendre,
Poly, souef, si precieux
Te fauldra il ces maux attendre ?
Oy, ou tout vif aller es cieulx.

BALLADE

Dictes moy ou, n'en quel pays
Est Flora la belle Rommaine,
Archipiades ne Thaïs
Qui fut sa cousine germaine,
Echo parlant, quant bruyt on maine
Dessus riviere ou sus estan
Qui beaulté ot trop plus qu'humaine,
Mais ou sont les neiges d'antan ?

Ou est la tres sage Helloïs
Pour qui chastré fut et puis moyne
Pierre Esbaillart a Saint Denis ?
Pour son amour ot ceste essoyne ;
Semblablement ou est la royne
Qui commanda que Buridan
Fust geté en ung sac en Saine ?
Mais ou sont les neiges d'antan ?

La royne blanche comme lis
Qui chantoit a voix de seraine,
Berte au grant pié, Bietris, Alis ;
Haremburgis qui tint le Maine
Et Jehanne la bonne Lorraine
Qu'Englois brulerent a Rouan,
Ou sont ilz, ou, Vierge souveraine ?
Mais ou sont les neiges d'antan ?

Prince, n'enquerez de sepmaine
Ou elles sont ne de cest an,
Qu'a ce reffrain ne vous remaine,
Mais ou sont les neiges d'antan ?[1]

CHAPITRE IV *

QUESTIONS DE NEIGE

Il y a à peu près cent ans, Antoine Campaux publia la première étude d'ensemble qui ait été consacrée, en France, à François Villon[2]. Depuis lors, le sens des poèmes de Villon a parfois été compromis à tel point qu'on s'en trouve réduit aujourd'hui à l'insolite nécessité d'un « rétablissement de texte ». Car l'œuvre de Villon est devenue un monument national. Ses vers sont transformés en proverbes, chansons, titres de journaux. Ses ballades ont été recouvertes d'innombrables couches de sentiment et d'associations populaires qui en masquent le sens originel. Prenons à titre d'exemple la « Ballade des dames du temps jadis ». Sans beaucoup exagérer, on peut dire que le poème de Villon n'existe plus, de même que l'Arc de Triomphe, qui n'est plus qu'une carte postale. Il agit simplement comme un signal qui déchaîne automatiquement en nous des émotions prédéterminées. En vérité, le seul titre ou le nom « Villon » y suffirait aujourd'hui.

Cela dit, nous ne nous proposons pas ici de détruire de tels signaux ni de suspecter la sincérité de telles émotions. Nous voudrions simplement retrouver le texte de Villon — c'est-à-dire les sens qu'auraient eus ses mots au XVe siècle. Voyons s'il est possible de justifier un premier jugement : que la ballade qui commence par « Dictes moy ou... » est intéressante, et qu'elle vaut la peine d'être lue avant d'être louée.

1. Avant même que nous puissions considérer le texte de Villon, il sera nécessaire de le débarrasser de quelques couches de vernis traditionnel. Enlevons d'abord son « titre » — « Ballade des Dames du temps jadis ». Car loin d'être un vrai titre qui ajoute au sens de toute une œuvre (tel, par exemple, que *Le Lais* ou *Le Testament*) ce sobriquet que Clément Marot donna au texte ne sert qu'à le simplifier. Même si l'on méconnaît la présence de Pierre Esbaillart, de Buridan, des Englois, du Prince (qui jouera ici un autre rôle que celui de la convention) et celle du poète lui-même, on s'apercevra, une fois ce « titre » éliminé, que les dames de la ballade en fournissent seulement un des intérêts principaux. C'est un intérêt analogue, comme nous le verrons, à celui qu'auront les héroïnes ou les victimes des petits contes polissons échangés entre hommes. De plus, « du temps jadis » est quelque peu inexact pour désigner un groupe qui inclut des person-

---

* Les notes relatives à ce chapitre sont réunies p. 93-97.

nages de légendes toujours actuelles, des esprits de la nature (Echo parle toujours) et au moins une figure, la Vierge, qui est hors du temps.

Otons ensuite du poème l'aspect silencieux et sanctifié qui lui a été imposé par ses admirateurs depuis un siècle. Les suggestions obscènes — dans « essoine », « blanche », et « lis » pour ne citer que les plus évidentes — font souvent étinceler les vers d'une lueur plus franche et plus acérée que celle, confuse, d'une rêverie. Tout le contexte du poème, dans le *Testament*, est sardonique et railleur. Les vers qui le précèdent en fixent le ton. Villon propose à « corps femenin », avec qui il badine, un choix, en apparence, parfaitement libre : Fais ce que tu préfères, dit-il, soit subir la transformation que tu ne peux pas éviter, soit (si tu veux) aller sur-le-champ où il t'est impossible d'aller. Ce même ton se maintient après comme avant la ballade, dans le « Helas ! » narquois, le « Duquel je ne sçay pas le nom » le « Encor fais une question », le « Ont ilz bien bouté soubz le nez ? » Et la ballade elle-même débute dans cet esprit moqueur, ses premiers mots lançant un vrai défi : Eh, vous qui en savez tant, dites-moi... La mélancolie pure et précieuse qui a été prêtée à ces vers les a étouffés.

Ce nettoyage accompli, donnons un premier coup d'œil au poème de Villon. Chaque femme qu'il nomme évoque une histoire ou une situation dans laquelle elle joue un rôle. Et demandons-nous quelle qualité ont en commun ces situations ou ces femmes, c'est-à-dire demandons-nous pourquoi Villon les a choisies. Est-ce pour leur beauté ? Il se peut qu'elles aient été toutes belles, mais Villon ne nous le dit pas. En effet, seules les femmes de la première strophe sont dites belles ; les autres sont explicitement autre chose. Helloïs est « tres sage », Jehanne est « bonne », Berte est difforme, la Vierge est puissante, et l'une des reines est « blanche ». Est-ce plutôt pour leurs noms évocateurs ? On a beau jeu de l'alléguer, mais sans préciser les évocations.

En fait, les noms du poème de Villon auraient suscité au XVᵉ siècle des associations précises, qui seront pour nous d'un intérêt certain : le « rétablissement du texte » en dépend. Presque tous les personnages du poème ont une double identité, dont l'une est historique, l'autre populaire soit mythique, soit littéraire. Ainsi en est-il pour « Flora la belle Rommaine », dont le prototype historique est la fameuse prostituée que mentionne Juvénal (*Satire* II) ou une autre semblable. Pour préciser son identité mythique telle qu'on la concevait au temps de Villon, il suffit de renvoyer au livre qui, plus que tout autre, servait d'encyclopédie à l'époque, le *Roman de la Rose*, où l'on verra une « Flora » non moins active :

> Et quant li airs iert apaisiez,
> Et li tens douz e aaisiez...
> Zephirus e Flora sa fame,
> Qui des fleurs est deesse e dame,

> (Cist dui font les floretes naistre ;
> Fleurs ne quenoissent autre maistre,
> Car par tout le monde semant
> Les va cil e cele ensement,
> E les fourment e les couleurent...)
> De floretes leur estendaient
> Les coutes pointes, qui rendaient
> Tel resplendeur par ces erbages
> Par ces prez e par ces ramages,
> Qu'il vous fust avis que la terre
> Vousist emprendre estrif ou guerre
> Au ciel d'estre meauz estelee,
> Tant iert pour ses fleurs revelee[3].

Cette belle Flora, donc, est celle qui chaque année opère la transformation de la terre froide de l'hiver. C'est elle qui apparaît dans la poésie de Deschamps, avant Villon, comme dans celle de Molinet, après lui[4]. C'est elle qui vivait sans doute dans l'esprit de tous ceux qui, comme Villon, aimaient le *Roman de la Rose* et le connaissaient presque par cœur — c'est-à-dire tous ceux qui allaient lire le *Testament*. La prostituée et la déesse se confondent dans le vers de Villon[5].

Le *Roman de la Rose* nous renseignera également sur Archipiades. Peu après avoir évoqué Flora, Jean de Mehun parle encore de l'amour et des tromperies des femmes :

> Mais s'il (les hommes) eüssent eauz de lins,   [v. 8 931]
> Ja pour les manteaus sebelins...,
> Ne pour leur moes desguisees,
> Qui bien les avrait avisees,
> Ne pour leur luisanz superfices,
> Don eus resemblent artefices,
> Ne pour chapeaus de fleurs nouveles,
> Ne leur semblassent estre beles ;
> Car le cors Alcipiadès,
> Qui de beautez avait adès
> E de couleur e de faiture,
> Tant l'avait bien fourmé Nature,
> Qui dedenz voeir le pourrait,
> Pour trop lait tenir le vourrait ;
> Ainsinc le raconte Boeces,
> Sages on e pleins de proeces ;
> Et trait a tesmoing Aristote,
> Qui la parole ainsinc li note ;
> Car lins a la regardeüre
> Si fort, si perçant e si pure
> Qu'il veit tout quanque l'en li moutre,
> E dehors e dedenz tout outre.

Peu importe si Villon connaissait ou non l'Archipiades historique, c'est-à-dire Alcibiade, car la double nature possible du personnage est assez bien suggérée par les vers de Jean de Mehun. Pour tous ceux qui aimaient le *Roman de la Rose*, l'Archipiades de Villon était la femme au corps luisant, mais aussi la femme au corps déchiré pour

laisser voir la laideur des entrailles, sa nature mortelle[6]. Vue
« e dehors e dedenz » elle illustrait la même situation et la même fatalité de métamorphose que Villon décrit dans les vers qui précèdent
la ballade :

> Corps femenin qui tant es tendre,
> Poly, souef, si precieux
> Te fauldra il ces maux attendre ?

C'était la femme, en somme, qui incarnait dans la tradition littéraire
l'image de la transformation du corps humain passant de la vie à la
mort.

Thaïs est passée sous silence par le Roman de la Rose, mais on
trouvera facilement ses deux figures ailleurs dans la littérature du
temps. Une confusion avait dû s'opérer entre elles deux dans la
langue populaire, qui faisait d'un seul nom le lieu de rencontre de
légendes diverses. Quand Deschamps parle de « la mauvèse Thais »,
qui veut-il signaler ? Est-ce la prostituée amie d'Alexandre, responsable (dit-on) de l'incendie de Persépolis ? Est-ce plutôt la prostituée
que rencontre Dante dans l'Inferno [18,] « Chi là si graffia con l'unghie
merdose, » personnage de Térence que Dante aurait connu, comme
Villon, par le De amicitia de Cicéron ? Ou est-ce la prostituée d'Egypte,
convertie par Paphnuce, devenue ensuite une sainte célèbre au moyen
âge ? Celle qui fut convertie est en tout cas nettement indiquée par
Charles d'Orléans, parlant au « franc royaume de France » :

> Quand les Anglois as pieça envays
> Rien n'y valoit ton sens ne ta vaillance.
> Lors estoies ainsi que fut Tays
> Pecheresse qui, pour faire penance,
> Enclouse fut par divine ordonnance.
> Ainsi as tu esté en reclusaige
> De Desconfort et Douleur de couraige...[7].

Ainsi le nom de Thaïs évoquait non seulement le passage brusque de la
vie pécheresse à la vie sainte, mais aussi la nature inéluctable de la
force qui transforme et qui « enclôt ». Ce qui unit la prostituée à la
Sainte, et l'événement qui les distingue, sont clairement exprimés par
l'ambiguïté grammaticale du vers qui suit dans le poème de Villon. La
double Thaïs « fut » longtemps la « cousine germaine » de l'autre
débauchée ; et — en prenant le verbe avec sa valeur de prétérit
absolu — elle le « fut » autrefois, une fois, avant sa conversion. Le sel
du vers tient à ce que Villon nomme son métier d'autrefois par une
circonlocution fort discrète — mais qui ne trompe personne[8].

Au sujet de la « conversion » d'Echo, le Roman de la Rose est
encore prêt à nous enseigner les associations traditionnelles. Et
notons ici qu'il s'agit d'une transformation produite par la femme
autant que d'une conversion subie par elle :

> Quant ele s'oï escondire,   [v. 1 453]
> Si en ot tel duel e tel ire
> Et le tint a si grand despit

Qu'ele fu morte senz respit.
Mais, tot avant qu'ele morist,
Ele pria Deu e requist
Que Narcisus au cuer farasche,
Qu'ele ot trové d'amor si lasche,
Fust aspreiez encore un jor,
E eschaufez de tel amor
Don il ne peüst joie atendre ;...
E por ce la fist Deus estable ;
Que Narcisus par aventure
A la fontaine clere e pure
Se vint soz le pin ombreier...
Bien li fu lors guerredoné ;
Qu'il musa tant a la fontaine
Qu'il ama son ombre demaine,
Si en fu morz a la parclose :
Ce fu la some de la chose,
Car, quant il vit qu'il ne porroit
Acomplir ce qu'il desiroit,
Et qu'il estoit si pris par fort
Qu'il n'en pooit avoir confort
En nul fin ne en nul sen,
Il perdi d'ire tot le sen,
E fu morz en poi de termine.

La tradition littéraire ne se souciait pas, semble-t-il, de la parenté exacte entre les deux figures d'Echo confondues sous un même nom : le personnage du drame d'amour, et la mystérieuse force de la nature. Rarement on trouve au moyen âge français le mythe classique complet tel que Pétrarque l'a narré dans son « Trionfo d'amore »[9]. Au temps de Villon on parlait seulement de la « belle Echo » historique qui, par sa prière destinée à obtenir vengeance, rendit fou Narcisse et le tua. Et notons que la tradition provençale avait ajouté à cette légende un détail essentiel, souvent reproduit dans la poésie française du moyen âge, et bien connu de Villon et de ses lecteurs[10]. Comme le dit le *Testament* au vers 637 :

> *Et Narcisus, le bel honnestes,*
> *En ung parfont puis s'en noya*
> *Pour l'amour de ses amouretes.*

L'autre « Echo » est la voix sans corps qui aujourd'hui reflète nos paroles « dessus riviere ou sus estan », comme autrefois cette même eau reflétait le visage de Narcise. Encore une fois, le vers qui suit dans la ballade de Villon confond et distingue les deux figures par le moyen d'un verbe ambigu. Celle qui était si belle est l'héroïne de Guillaume de Lorris ; celle qui « ot » une si grande beauté corporelle n'est maintenant qu'un reflet passager des voix des vivants. Le nom seul d'Echo évoque ces deux situations, ainsi que la force obscure de métamorphose qui les relie : une fatalité qui semble ressortir de la seule expression « trop plus qu'humaine ». Notons enfin qu'avec Echo est entré dans le poème un cours d'eau qui va cascader de strophe en strophe.

A l'entrée de la deuxième strophe nous laissons le monde des mythes de source ancienne pour le monde bourgeois et pour la mythologie parisienne. La double nature des personnages est ici plus frappante. Chacun des quatre était à l'époque une personne historique fort connue, à laquelle se rattachait une légende amoureuse, vraie ou fausse, peu importe : Abélard et Buridan, les philosophes, la « royne » de France, et Helloïs la « tres sage ». Helloïs est mentionnée, semble-t-il, parce qu'en tant que femme elle fut la cause de la transformation d'Esbaillart, l'homme brutalement châtré et contraint de se retirer du monde à Saint-Denis, sur la rive droite de la Seine. Le triple jeu sur « essoyne » énumère les actes de la tragédie. Aussi bien que « peine » ou « difficulté », il signifie une mutilation (du verbe *essoiner*) et, au figuré, les parties sexuelles d'une femme (par extension d'*essoine*, plaie ou coupure). C'est parce qu'il « ot ceste essoyne » (qu'il posséda cette femme) qu'Esbaillart « ot cette essoyne » (qu'il subit cette mutilation). Mais autrement les causes du drame ne sont point claires. « Son amour » pourrait désigner Helloïs, ou l'amour d'Helloïs pour Esbaillart, ou l'amour d'Esbaillart pour elle. Le « pour » à la tête du même vers peut suggérer plusieurs sortes de causes ou de punitions, et le « pour » du « Pour qui » est plus ambigu encore. Toute la tragédie s'est-elle déchaînée *parce que* Helloïs était « tres sage » ou *bien qu'*elle le fût, ou pour ces deux raisons [11] ? La vraie source de la transformation reste aussi mystérieuse que celle de la mort de Narcisse, qui se noya, nous l'avons vu, « *Pour* l'amour de ses amouretes ».

Relevons la nature précise de la transformation d'Esbaillart. D'amoureux, il est devenu, « pour son amour », un eunuque. Il a perdu non pas sa vie, mais plutôt sa fécondité. Ainsi le mot « semblablement » qui introduit l'histoire suivante prend une valeur logique. Car l'aventure de Buridan fournit, comme une image dans un étang, la situation exactement inverse. L'homme enfermé dans un sac et jeté dans l'eau est l'image parfaite de la semence fertilisante — rappelons que Flora allait « semant » — et plus exactement du retour mythique de l'homme au sein de la terre pour renaître [12]. Nous le reconnaîtrions même si nous ne savions pas, comme tout lecteur de Villon au XVe siècle le savait, que la légende de Buridan se place dans la Tour de Nesle, puissant symbole utérin sur la rive gauche de la Seine, reconnu comme tel par le jargon militaire-érotique du temps (« tournoyer », « asséer la tour », etc.) ; que le mot « sac » dans la langue populaire voulait dire « ventre », et que « l'eau » signifiait les parties sexuelles d'une femme où l'on « nageait » et parfois « se noyait » ; et que « geter » était parfois un verbe obscène. La « royne » a accompli une double transformation fertilisante. D'abord, elle a séduit Buridan à la Tour. Ensuite, en le tuant — ou en « commandant » qu'il fût tué, car comme l'on sait, l'astucieux amant s'en échappa et aimait à raconter l'histoire en son âge mûr — elle a provoqué une « mort » érotique d'où Buridan va renaître. Elle renouvelait son monde, pour ainsi dire, en « semant » son amant dans la rivière comme un grain de blé dans le sillon.

Pour la figure historique de cette femme, nous avons le choix entre les trois reines qui habitaient la Tour de Nesle ; mais peu importe, puisque Villon nous a si bien renseignés sur sa valeur légendaire. Les changements radicaux qu'elle provoquait font contrepartie à ceux dont était cause Helloïs. Ils complètent le cycle de transformation fertilisante délimité par la strophe, au bord de cette même « riviere » de la strophe précédente [13].

Aussi bien Villon nous a-t-il renseignés sur sa « royne blanche » légendaire dans la troisième strophe, où les mythes sont désormais nationaux. L'adjectif « blanc » au xvᵉ siècle, attaché à une femme, voulait dire « trompeuse », ou simplement « prête à faire l'amour », par suite d'une confusion linguistique, a-t-on expliqué, entre le mot germanique *blanc* et le verbe latin *blandire* et ses dérivés [14]. Le vers sur sa voix nous dit que son métier, en tant que figure légendaire, était la séduction. De telles qualités sont si communes qu'il est douteux, pour le moins, que Villon ait voulu, en omettant ainsi des indications plus précises, ajouter à sa collection de dames et de situations rien de plus qu'une généralité. Cependant, en faisant du mot « blanche » un nom propre, on a voulu présenter des candidates : Blanche de Castille, par exemple, mère de Louis ix, pour laquelle son amant, le poète Thibault de Navarre, composa des chansons qu'elle est supposée avoir chantées [15]. Une candidate plus acceptable est Blanche de Bourgogne, femme de Charles IV, condamnée pour adultère et enfin répudiée par son mari. Le Pape Jean XXII décréta le mariage incestueux, et donc nul, pour cause de parenté spirituelle (la marraine de Charles était la mère de Blanche) [16].

Notons que la « seraine » est celle qui rend les hommes fous, les invitant à *se plonger dans l'eau*. Comme avait écrit Martin le Franc :

> Les perilleuses seraines
> Femmes a tous hommes noier
> Enchanteresses souveraines
> A toute raison regnoier
> Vers vous ne doit on tournoier
> Trop perilleuse est vostre note
> Trop doit elle a cil ennoier
> Qui voz engins et voz ars note [17].

Or, Blanche de Bourgogne était l'une des inculpées des nuits de la Tour de Nesle. Sur son espèce de haut rocher aux bords de l'eau elle aurait attiré ses victimes, y compris Buridan. Son mari, courroucé non sans raison, l'avait fait enfermer dans le Château Gaillard, comme Buridan fut mis en sac, comme Thaïs « enclouse fut », ou comme Esbaillart fut fait moine dedans le cloître de Saint-Denis. Et quelle transformation Blanche aurait-elle produite ? Pour leur crime, selon l'histoire, son amant et celui de sa belle-sœur

> furent escorchiés, et les vits et genitoires coupés ; et après ce incontinent, a un gibet de Pontoise pour eux nouvellement fait furent trainés, et en celuy gibet pendus et encroés... [18].

Mais répétons-le : une identification précise n'est pas nécessaire pour que la « royne blanche comme lis » entre dans le cadre établi par Villon.

Le cas de « Berte au grant pié » est plus net : Villon a pu profiter d'une confusion déjà faite par la langue populaire entre deux femmes. Berte « au grant pié » ou « aus grans piés » — on n'est pas d'accord — était la femme de Pépin le Bref, mère de Charlemagne, héroïne d'un miracle et d'une chanson de geste. Berte « au pied d'oie », femme du roi Robert, était cette malheureuse qui, punie par Dieu pour son mariage incestueux, selon la légende, dut mettre au monde un monstre ayant le cou et la tête d'une oie, et dont le pied droit fut changé en patte d'oie (soit par Dieu soit par l'Eglise) comme signe de sa transgression. Ainsi était-elle souvent représentée aux portails des églises au moyen âge, notamment à Sainte-Bénigne de Dijon. Le nom « Berte au grant pié » au XVe siècle aurait suggéré les deux femmes, et une confusion tout à fait naturelle s'était déjà produite dans la langue proverbiale : on disait, « du temps que la reine Berte filait » à la même époque où l'on jurait « par la quenouille de la reine Pédauque » [19].

Si communs étaient les noms Bietris et Alis dans l'histoire comme dans la littérature du moyen âge qu'il n'est guère opportun de choisir pour eux des répondants historiques. Après tant d'exemples déjà cités, ce sont les associations provoquées par eux dans l'esprit qui s'attachent aux deux noms nouveaux, plutôt que leurs propres suggestions qui s'ajoutent à la série. En vérité, nous trouverons que Bietris et Alis étaient prises souvent au XVe siècle comme types de femmes amoureuses. Deschamps en parle dans le *Miroir de Mariage* :

> Car femme n'a plus grant science
> Fors voulenté pour conscience...
> Nul n'y a, Marson ne Guiote,
> Marguerite, Alison, Bietris,
> Qui ne voulsist que leurs maris
> Fussent cent toises en parfont
> Puis que leurs voluntez ne font [20].

Et encore prenons un vers d'envoi, « Adieu Picart. — Adieu, douce Bietrix », où « Bietrix » est le pendant féminin d'un type d'homme séducteur (dans le jargon érotique, *piquer* voulait dire faire l'amour) [21]. Ou prenons un vers grivois de Coquillart, où « Aliz a si chault qu'elle sue » [22]. Il ne manque pas de preuves qu'au XVe siècle une locution toute faite permettait d'indiquer la généralité des femmes en joignant le nom Bietris à un deuxième nom exigé par la rime. Les emplois qu'on trouve chez Martin le Franc, par exemple :

...getter aultre part ta bille
Ou a Beautrix ou a Mabille...

Se vostre forme ne muez
Pour avoir Betrix ou Collette... [23].

ne diffèrent pas de l'usage qu'en fait Villon dans notre ballade ainsi
qu'ailleurs dans des vers érotiques :

Je congnois cheval et mulet,
Je congnois leur charge et leur somme,
Je congnois Bietris et Belet,

où « Belet » serait le diminutif d'Ysabel [24]. Ce sont bien évidemment
des noms qu'on trouve partout. Car Villon atteint ici au général dans
sa discussion avant de se tourner vers une nouvelle sorte de femmes :
les héroïnes pieuses.

De la figure historique d'Haremburgis, Villon nous indique l'importance avec ce même prétérit ambigu dont il a usé à l'égard de
Thaïs et d'Echo. Car Haremburgis, unique héritière du comte Hélie
du Maine à sa mort en 1110, « tint » le Maine seulement jusqu'à ce
qu'elle le *donnât* en dot à son mari Foulques d'Anjou. Ainsi elle
unissait les deux comtés, mettait fin à la longue série de luttes entre
eux, convertissait son mari à la vie pieuse, fondait une dynastie et
ajoutait les deux provinces au royaume d'Angleterre (par son fils
Geoffroi Plantagenet) [25]. Au XVe siècle, plusieurs légendes curieuses et
macabres à propos de la mère de Geoffroi étaient connues des historiens d'Angleterre. Selon eux, elle aurait été une belle impie, responsable de la castration de Gérard, l'évêque d'Angoulême, et blâmée par
saint Bernard de Clairvaux pour le caractère querelleur de ses
descendants, les premiers rois Plantagenet. Nous ne doutons pas que
ces histoires aient été connues également des lecteurs de Villon, bien
que nous ne les ayons retrouvées dans aucune œuvre littéraire de
l'époque [26].

Pour ce qui est de l'aspect littéraire de cette femme, Deschamps
nous renseigne de nouveau :

Je puis assez comparer no labour
A Turturus qui tous temps traveilla,
.xxxviii. ans servit dame Erambour
Et pour son fait mainte grief nuit veilla ;
Mais en ce temps oncques rien n'acquesta,
Ainçois toudis fut Turturus en place
Vestu d'un sac et d'un pourpoint qu'il a ;
Autel est il de Gillet et d'Eustace.
Ces deux toudis portent la paste au four... [27].

Les expressions érotiques « portent la paste au four », le « sac » dont
nous avons déjà parlé, le « fait » d'amours, le « pourpoint » ou
génitoires (l'acte sexuel au XVe siècle se nommait communément le
« point »), et le nom « Turturus » (le type masculin de la fidélité
amoureuse, du latin *turtur*) éclairent pour nous une histoire que
Villon n'a eu qu'à évoquer.

Nul besoin de gloser sur les transformations variées provoquées et subies par la Vierge et par la « bonne Lorraine », figure déjà légendaire vingt ans après sa mort. Rappelons seulement que Jeanne d'Arc avait connu sa propre transformation dans les flammes ; que le même fleuve qui coulait sous la Tour de Nesle et qui passait par Saint-Denis traversait la ville de « Rouan » ; et que, selon les chroniques du temps, la cendre des os de Jeanne avait été « jettée en Saine » [28]. Explorer ces histoires obscures n'a servi qu'à un rétablissement partiel du texte de Villon. Sans doute chacun de ses lecteurs, même au xve siècle, ne se rendait-il compte qu'en partie des situations liées aux noms choisis par Villon, ou réciproquement en connaissait d'autres. Mais traçons le bilan provisoire :

Trois prostituées
Une fécondation annuelle
Une belle femme déchirée
Une femme « enclouse » pour pénitence
Une jeune fille morte par amour
Un amant rendu fou et noyé
Un homme châtré
Un autre noyé dans un sac
Deux adultères « escorchiés » etc.
Une naissance monstrueuse
Une femme déformée
Deux mariages incestueux
Une dynastie fondée
Un évêque châtré
Un homme devenu taureau par amour
Une guerre libératrice
Une jeune fille brûlée
Une naissance miraculeuse
Un renouveau universel

Mais le texte de la ballade de Villon est à peine « rétabli » lorsqu'on constate que Villon a nommé des *femmes fatales* [29]. Car le poème n'est pas une simple et morne compilation, non plus qu'il n'est une douce rêverie, comme on le considère volontiers de nos jours. Si à partir d'une telle compilation Villon est parvenu à rassurer ses premiers lecteurs, même dans une mesure minime, c'est là un prodige stylistique qui doit attirer notre attention.

2.   La ballade de Villon pose deux question. A propos des femmes qu'il nomme, Villon demande d'abord « Dictes moy ou », et la question a été rattachée par Etienne Gilson à une tradition lyrique qui s'étend de la Bible jusqu'à Apollinaire : l'expression de la vanité du monde par le fait de demander, « Ubi sunt qui ante nos in hoc mundo fuere » [30] ?

L'affirmation au moyen de la question est un mécanisme d'enseignement moral très subtil. D'abord, la question-leçon veut être une simple indication de la certitude. Elle peut susciter plusieurs réponses nuancées, c'est-à-dire plusieurs attitudes envers la question. Mais elle n'autorise aucun doute à l'égard de son sujet (ici, les femmes fatales disparues) ou de ce qu'elle nous enseigne (ici, que la vie humaine est une chose éphémère). Par son imprécision elle prétend englober tout le problème et résumer toutes les questions. C'est-à-dire qu'elle veut montrer que toute question est vaine, tout en insistant sur sa propre valeur. Enfin, en étant sa propre réponse, une telle question semble nous laisser participer à un débat logique, sans que nous puissions arriver à d'autres conclusions que celle qui est déjà présupposée comme logique et universelle. Elle a précisément pour but d'éviter toute discussion sur un problème gênant, et de suggérer que maints mystères menacent l'accord que nous devons à la certitude centrale.

La question « ubi sunt », assez ambiguë, permet en gros trois réponses : « Certainement pas ici — disparus », murmure-t-on tristement ; « On ne saura jamais — vaine question », en haussant les épaules, résigné à l'ignorance des grands mystères ; « Ils pourrissent dans le tombeau, rongés des vers », en frémissant d'horreur et d'effroi. Ce sont en gros les réponses qu'a déjà données Villon à la même question, peu avant notre ballade, à la strophe 29 du *Testament* :

> *Ou sont les gracieux gallans*
> *Que je suivoye ou temps jadis... ?*
> *Les aucuns sont morts et roidis,*
> *D'eulx n'est il plus riens maintenant :*
> *Repos aient en paradis,*
> *Et Dieu saulve le remenant !*

Or, il faut reconnaître que ce n'est pas seulement cette question que pose Villon dans la première ligne de sa ballade. Nous venons de voir que la formule « ubi sunt » aura des sens différents selon le degré d'imprécision aperçu dans le mot « ubi », imprécision dont dépend la fonction rhétorique de toute question-leçon. En se servant de cette formule, Villon a tiré d'elle le sens le plus précis du point de vue linguistique. Il demande des renseignements physiques, il présuppose une réponse exacte, en lançant ce que nous avons appelé plus haut un défi : « Dictes moy ou *n'en quel pays* Est Flora... »

En prenant la question au pied de la lettre, Villon n'en a pas faussé la logique. Il l'a simplement développée jusqu'au bout — en fait, hors de sa généralité. Il a montré qu'à un certain point, une question-leçon à propos d'une femme morte présuppose une réponse qui traite cette même femme comme vivante ; qu'à ce point-là la question se contredit, ne présupposant que la seule réponse, « Cette question est absurde »[31]. De plus, puisqu'elle devient absurde aussitôt qu'on la comprend dans un sens précis — Villon l'a fait — la question-leçon est frappée d'inutilité. Elle ne mène nulle part. Elle n'enseigne vraiment rien — sinon à sourire. Avec les mots « n'en quel pays », Villon met en relief le caractère autoritaire de la question qui n'en est pas une, qui tranche toute discussion, fondée qu'elle l'est sur des sens arbitrairement limités par ses termes mêmes.

La deuxième question de la ballade est celle que pose le refrain, variante de la formule « ubi sunt ». Est-ce la même question que la première, ou une autre ? Nous dirions que les rapports entre les deux questions sont assez complexes, à cause de leurs positions dans les strophes, de leurs syntaxes différentes, et de la différence de leurs termes. Pour qu'on puisse comparer les deux questions il faut savoir ce que veut dire la deuxième question, c'est-à-dire quelles réponses elle présuppose.

Au moyen âge, comme de nos jours, le passage des neiges évoquait le passage du temps et ainsi de la vie humaine. Les proverbes disaient :

> De la neige les flocons
> Sont les papillons de la saison

et de même :

> Toute neige
> Attend une autre neige

ou encore, d'un vieillard :

> Il a pissé en beaucoup de neiges.

Quand nous considérons « les neiges » et la question « où sont » dans leurs portées les plus larges — c'est-à-dire quand nous regrettons le changement en général — alors la question « Mais ou sont les neiges d'antan ? » présuppose les réponses suivantes : « Disparues », avec tristesse ; « Vaine question », en haussant les épaules ; « Fondues sous les coups du soleil », avec étonnement.

Jusqu'ici les deux questions de la ballade paraissent identiques : les réponses générales qu'elles présupposent sont à peu près les mêmes. Or, Villon nous a montré que la première question est d'une utilité relative, puisqu'elle présupposait une réponse qui la nie en tant que question. Ainsi entrait-elle dans la catégorie générale des questions-leçons. Car, comme nous le notions plus haut, une telle question veut être la seule question possible et en même temps veut rendre toute question impossible. Trouver une autre question (ici, « n'en quel pays ») qu'elle autorise elle-même à l'égard de son sujet, c'est supprimer ses prétentions à l'universalité. La distinction entre ce qu'une telle question sur la mort *veut être* et ce qu'elle *pourrait être,* ou simplement entre des façons différentes de discuter le passage de vie en mort, est, comme nous le verrons, la distinction autour de laquelle est organisée la ballade de Villon. Mais revenons à notre enquête. Afin de savoir si en vérité les deux questions de la ballade sont identiques, il s'agit maintenant de chercher si la deuxième question reflète, de la même façon, cette distinction fondamentale : si la deuxième question, à cause de l'absurdité de ses applications spécifiques, est elle aussi d'une valeur limitée.

Or, au moyen âge la neige n'était pas belle. L'idée littéraire de la beauté de l'hiver est, semble-t-il, de formation assez récente [32]. Au temps de Villon la neige évoquait seulement les notions suivantes : la blancheur, souvent d'un visage en proie à la peur, la maladie, ou la mort ; le danger de la « morte saison » ; la transformation merveilleuse de la neige en eau vers le printemps ; la fertilité des champs dans la saison à venir. On supportait les rigueurs de l'hiver parce qu'on savait que la neige « engraissait » la terre, qu'une neige abondante entraînait une récolte abondante. La neige qui tombait et qui fondait était un signe annuel de l'éternelle ronde des saisons. Les proverbes disaient :

> La neige qui tombe engraisse la terre,

ou encore :

> Neige au bled est tel benefice
> Comme au vieillard la bonne pelice.

De même :

> Février qui donne neige
> Belle été nous plège,

ainsi que :

> Année neigeuse
> Année fructueuse.

Et encore de nos jours à la campagne française, les vieillards répètent sagement :

> Neige en février
> Vaut le fumier.

Au moyen âge point de fragiles illusions sur cette dure réalité : « Qui passe un jour d'yver si passe un de ses ennemis mortelz ». A chaque printemps on regardait disparaître la neige avec joie, ou avec étonnement, mais certainement pas avec regret.

Ce qui distingue ces deux questions, ce qui fait qu'elles s'opposent même avec force, c'est que, pour tous ceux — comme les lecteurs du XVe siècle — pour qui la première qualité de la neige est sa capacité mystérieuse de se transformer en eau qui arrose les champs, la question du refrain ne peut jamais devenir absurde, tant que l'on s'en tient à son développement logique. La réponse spécifique à cette question exige ce développement, et sépare donc tout à fait le refrain de la catégorie des questions-leçons. Car elle suscite d'autres questions et d'autres réponses qui ne sont pas présupposées par la question originelle. Demandons-nous exactement, *où* sont les neiges de l'année passée ? Elles coulent dans les fleuves d'aujourd'hui.

Deux réponses coexistent dans le refrain, dont l'une achève et finit par approfondir et dominer l'autre : non seulement « Tout disparaît, rien n'est stable », mais « Rien n'est stable, tout se transforme ; toute chose qui meurt renaît ; toute chose participe au cycle éternel de la fertilité ». Ainsi certainement le comprit Rabelais, le disciple littéraire le plus intelligent de Villon. Dans le quatorzième chapitre de *Pantagruel*, Panurge décrit la façon dont il échappa aux Turcs ; l'un d'eux lui avait donné sa bourse, en disant :

« ...Tien, voy la là. Il y a six cens seraphz dedans, et
quelques dyamans et rubiz en perfection.
— Et où sont ilz ? (dist Epistemon).
— Par sainct Joan ! dist Panurge, ilz sont bien loing
s'ilz vont tousjours :
          " Mais où sont les neiges d'antan ? "
C'estoit le plus grand soucy que eust Villon, le poëte Parisien » [33].

La deuxième question de la ballade, donc, agit d'abord comme écho
de la première, n'évoquant qu'une certitude, avérant qu'une question
inutile sur la mort est la seule réponse possible à une question qui
n'a pas de réponse. Mais elle agit aussi en substituant à un cul-de-sac
rhétorique une question qui aura une suite, qui nous enseignera
davantage sur ce problème-clef de la vie humaine. Ces deux fonctions
du refrain sont celles aussi du petit mot « mais », si ordinaire et si
subtilement équivoque [34]. A la vieille question « Où est Flora », il
ajoute un *car, après tout*, où est la neige ? Au défi sans réponse,
« Dictes moy ou, n'en quel pays », il est prêt à substituer un *plutôt*,
où est la neige ? Dans l'indécision de ce mot, peut-être, est nouée
la beauté de la pièce. Avec ce mot, Villon reconnaît l'existence d'une
impasse angoissante. Et puis il se tourne vers nous pour nous inviter
à considérer que, comme les « seraphz » de Panurge, les neiges d'antan
« vont tousjours ».

3.   Ces deux questions, si semblables, si différentes, se répondent
l'une à l'autre dans chaque strophe de la ballade. En effet, tout le
poème peut être considéré comme un petit drame, un dialogue mimé
par Villon entre le Prince, qui pose toute une série de questions, et son
poète de cour, son fou, qui réplique obstinément par une énigme. Mais
pourquoi toute cette neige convient-elle à une discussion sur les
femmes et la mort ? Si ce n'est pas déjà suffisamment clair, Villon
nous l'explique dans l'envoi.

Nous laisserons de côté les nuances érotiques des mots « enquerez »
et « sepmaine », ainsi que les quelques ambiguïtés syntaxiques de
l'envoi. Car l'ambiguïté et l'érotisme, bien qu'importants, ne sont pas
les éléments les plus significatifs de ce poème, qui n'est sûrement
pas un dédale. Qu'il suffise ici d'indiquer la valeur centrale dans la
notation du temps des mots « de cest an », entre le « sepmaine » de sens
ordinaire, et celui de l'expression « de sepmaine », prise au XVe siècle
pour *jamais* (justement, le tour spirituel des vers consiste à jouer sur
le sens *littéral* d'une locution métaphorique) ; et l'accentuation légère
conférée par leur position aux mots « Ou » et « cest an ». Avec ce
Prince si harcelant, Villon semble perdre patience enfin, et il l'avertit :
Si vous voulez savoir quelque chose sur ces femmes, ne cherchez pas
où elles sont, et ne cherchez pas à l'apprendre de *cette* année-ci ;
plutôt, pour parvenir à de pertinents avis, appliquez mon énigme,
mon refrain, à vos femmes.

Le problème que pose le poète à son mécène dans l'envoi revient à
ceci : en quoi les femmes ressemblent-elles à la neige ? Leur beauté ?

Nous avons vu que toutes ces femmes ne sont pas belles, et qu'au moyen âge la neige ne l'était pas non plus. Mais n'avons-nous pas trouvé que chacune des femmes du poème était aussi une figure mythologique qui provoquait la transformation ? Et que la qualité la plus frappante de la neige était qu'elle se transformait en cette eau qui nourrit les fleurs, ces fleurs semées par Flora ? Villon nous invite à conclure que la femme, comme la neige, est l'agent de changement. Le corps féminin est comme une matrice cristallisante des forces de métamorphose qui règnent dans le monde. L'homme qui la touche est transformé, est « geté en ung sac en Saine », dans ce fleuve de changement d'où, comme Buridan, il renaîtra. Dans le sein de la femme, dit le poème de Villon, est l'essence de la fertilité. Inutile de se demander *où* est telle ou telle femme de telle ou telle autre année. Regardons la suite des ans et les générations des femmes qui, dans leur tâche transformatrice, ont arrosé le sol des plantes humaines et qui, comme les neiges et comme les « seraphz » turcs, « vont tousjours ». Dans un sens, nous le voyons maintenant, le premier vers de la ballade n'est point absurde ; car si *la forme particulière* d'une Flora est disparue, la force *qui forme*, qu'elle portait dans son corps, coule toujours dans tous les pays [35].

Les hommes, eux aussi, transmettent des courants spéciaux de changement, et ce thème Villon l'explorera dans les ballades qui suivent. Mais voici, mise en tête d'un « testament », une ballade sur la transformation. Et comme de juste, Villon en opère une lui-même. D'une vieille et inutile formule rhétorique il a tiré une nouvelle question fructueuse, et il s'efforce de nous persuader qu'elle mérite la préférence. C'est la question qu'il a préférée lui-même. Il nous le dit, et en quel sens, dans la strophe qui clôt cette suite de trois ballades, une strophe révélatrice, riche de nuances ironiques et érotiques, qui se termine par :

> Moy, povre mercerot de Renes,
> Mourray je pas ? Oy, se Dieu plaist ;
> Mais que j'aye fait mes estrenes,
> Honneste mort ne me desplaist.

« Où est Flora » nous rappellera que tout change. Mais les neiges d'antan nous enseigneront, peut-être, que le changement n'est pas à regretter.

L'un des effets les plus émouvants de la ballade vient de la façon dont elle évite tout contact avec le moment actuel. Les défis de Villon — ou si l'on veut, les questions angoissées du Prince — s'arrêtent sur une créature morte il y a trente ans, et se tournent vers la Vierge, figure hors du temps, la femme la plus fertile que le monde ait connue puisqu'elle enfanta Dieu et opéra une transformation universelle. Mais le rôle que joue la Vierge est d'autant plus complexe que la situation qu'elle évoque est illimitée et que cette situation implique la ballade elle-même, son auteur, et ses propres forces créatrices. Aussi bien que comme mime, la ballade pourrait être lue

comme une supplication à la Vierge, à qui toutes les questions s'adres-
seraient, le refrain étant d'un ton moins ingénu. Quoi qu'il en soit, la
simple mention de la Vierge sert à ajouter à la série des douze
« femmes fatales » — nombre traditionnel, qui évoque lui-même le
cycle des mois de l'année — une qui fera rapetisser toute la hiérarchie,
une dont on ne peut pas demander « où est elle » puisqu'elle fut seule
à faire ce que le « corps femenin » ne fera jamais : « tout vif aller
es cieulx ».

La vierge trône, pour ainsi dire, à la cime de la ballade. Sa figure
est le lieu de rencontre de toutes les hiérarchies qu'évoque Villon —
c'est précisément pourquoi elle est « souveraine ». Villon a su ranger
ses femmes à la fois d'après leur ordre chronologique, leur rang social,
et leur pouvoir transformateur. Mais il a su garder aussi un quatrième
ordre : l'ordre moral. Des simples prostituées, tout en bas de l'échelle,
il monte aux philosophes bourgeois (même Helloïs est « tres sage »),
aux reines, et enfin aux âmes pieuses, pour gagner celle qui règne et
sur la terre et aux cieux. Un courant de changement *moral* coule dans
la ballade, dans un rapport de plus en plus marqué au courant de
changement *naturel*, jusqu'à leur confluence dans la figure de la
Vierge. C'est elle qui préside, bénigne, aux deux courants, aux transformations particulières et naturelles pratiquées par les prostituées
aussi bien qu'aux transformations nationales et morales, œuvres
d'Haremburgis et de Jehanne. Mais si, du point de vue de l'organisation de la ballade, la Vierge se trouve au confluent de ces courants,
du point de vue symbolique elle en est la source. Car partout au
moyen âge, la Vierge est connue comme *une fontaine.* Dans l'image
consacrée de l'eau fertilisante, la morale et la nature ne se distinguent
plus : selon Martin le Franc,

> Adam en l'estat d'innocence
> N'eut pas en la part centaine
> Au degré et à l'excellence
> De ceste Vierge tres haultaine
> Dieu la fist de tous biens fontaine
> Si habondant, si plantureuse
> Qu'en ses rainseaulx nature humaine
> Reprent vie et salut heureuse [36].

Tout en montant l'échelle des puissances fécondes, donc, Villon
remonte aux sources de toute puissance. En retrouvant la « fontaine » toujours vivante, cependant, Villon retrouve le temps actuel
— « cest an », dont les neiges couvrent encore les champs. Ainsi
l'eau qui cascade à travers le poème et qui représente la neige
fondue aussi bien que l'éternel principe féminin, semble subitement
barrée, ou plutôt déviée, pour entourer le moment présent et pour
l'emporter. Et dans cet enclos humide laissé au centre résonne seule
la question que Villon n'a pas posée explicitement, qui ressort des deux
questions « où sont » qu'il n'a pas manqué de poser, et qui doit être
sentie comme le tremblement du mot « mais » : la question « où
vais-je ? »

NOTES DU CHAPITRE IV

1. Texte de Longnon-Foulet, sauf pour le v. 17, où nous donnons « blanche » pour « Blanche », et pour le v. 23, où nous mettons « souveraine », la leçon des mss., pour « souvraine ». Dans le v. 25, Burger (p. 18) propose la leçon de C « enquerrez » ; mais elle ne nous semble pas s'imposer (voir plus loin, note 35). La ponctuation est la nôtre.

2. *François Villon, sa vie et ses œuvres*, Paris, Durand, 1859. Le précédèrent de quelques années les études de S. Nagel, *François Villon, versuch einer Kritischen Darstellung seines Lebens nach seinen Gedichten*, Mülheim an der Rhur, 1856 ; et d'A. Profillet, *De La Vie et des ouvrages de François Villon*, Châlons-sur-Marne, T. Martin, 1856 (Thèse. Faculté des lettres de Nancy.) Depuis sa mort, la poésie de Villon n'avait pas été entièrement oubliée. Voir surtout l'introduction de Marot à son édition de 1533 ; la polémique qui éclata à propos de l'édition Coustelier (1723) dans le Mercure de France, fév., avr. et juil. 1724 ; les 25 pages de haut intérêt que lui consacre l'abbé G. Massieu dans son *Histoire de la poésie françoise*, Paris, 1739 ; et l'article de T. Gautier, cité plus haut.

3. Guillaume de Lorris et Jean de Meun, *Le Roman de la Rose*, éd. E. Langlois. Sauf indication contraire, toutes nos citations renvoient à cette édition, que nous appelons désormais *Le Roman de la Rose ;* nos références aux vers de cette édition se trouveront dans le corps de notre texte, après le premier vers cité.

4. Deschamps, III, 303 ; *Les faictz et dictz de Jean Molinet*, éd. N. Dupire, Paris, S.A.T.F., t. I, p. 36, 100, 162. Nous désignerons cette édition désormais sous la forme abrégée Molinet. La citation de Deschamps peut aussi bien se rattacher à l'une qu'à l'autre des femmes ; celles de Molinet ne laissent pas de doute.

5. La confusion entre les deux Flora est une affaire fort ancienne ; la prostituée et la déesse se seraient rejointes dans une fête de la fertilité. Ecoutons Pierre Bayle : « Flora, si nous croyons Lactance, étoit une courtisane, qui aiant gagné de grosses sommes par sa prostitution, institua le peuple Romain son héritier, & ordonna que les revenus d'un certain fond qu'elle désignoit servissent à la célébration de son jour natal. Elle voulut que ce jour-là fût remerquable tous les ans par les jeux que l'on donneroit au peuple, & qu'on nommeroit Floraux. Ils se célébroient d'une manière très scandaleuse, & ils étoient en quelque façon la fête des Courtisanes. Lactance ajoute que le sénat fit ensorte que la conoissance d'une institution si infame dans son origine fût dérobée au public, & qu'en se prévalant du nom de la courtisane, on fit acroire que Flora étoit la Déesse qui préside aux fleurs ; et qu'afin que la recolte fût bonne il étoit nécessaire d'honorer tous les ans cette Déesse, & de se la rendre propice. Il y a lieu de douter que Lactance dise cela sur de bons mémoires... » (*Dictionnaire*, 2ᵉ éd., 1720, t. II, p. 1183-4.)

6. Voir les textes recueillis par Thuasne, III, 625-642.
En fait, le thème de la femme double, « dehors e dedenz », est moderne aussi bien qu'ancien, et se retrouve un siècle plus tard chez les poètes de la Pléiade, sans que le nom d'Archipiades y soit lié. Voir, par exemple, les vers de Rémy Belleau dans « Le Mulet » (*i.e.* la femme), éd. A.-M. Schmidt, *Poètes du XVIᵉ siècle*, N.R.F., 1953, p. 566. (Bibliothèque de la Pléiade) ; et ces vers de J. du Bellay dans *les Regrets :*

> Ne pense pas (Boujou) que les Nymphes Latines
> Pour couvrir leur traïson d'une humble privauté,
> Ny pour masquer leur teint d'une faulse beauté,
> Me facent oublier noz Nymphes Angevines...
> Qui les void par dehors ne peult rien voir plus beau,

Mais le dedans resemble au dedans d'un tombeau,
Et si rien entre nous moins honneste se nomme...
(Sonnet XC dans l'édition de H. Chamard, t. II,
p. 121.)

Notons, enfin, que la source primitive de l'anecdote d'Alcibiade et de Lynceus est un ouvrage platonicien, le *Protrepticus* perdu d'Aristote. Voir W. Jaeger, *Aristoteles, Grundlegung einer Geschichte seiner Entwicklung*, Berlin, Weidmannsche Buchhandlung, 1923, ch. 4, p. 100-1 ; et, plus loin, p. 356-7.

7. Charles d'Orléans, I, 157.

8. L'éditeur de la nouvelle édition des *Poésies choisies* de Villon dans les « Classiques Larousse » (1960) avertit ses jeunes lecteurs à propos de ce vers : « Parenté fantaisiste ; le vers entier n'est qu'une ingénieuse cheville ».

9. Cap. II, v. 145 sqq. Pour une exception capitale, voir la note 35.

10. *Les Chansons de Thibaut de Champagne, Roi de Navarre*, éd. A. Wallensköld, Paris, S.A.T.F., 1925, p. 75, n.

11. Gaston Paris a dénoncé ce vers, entre autres, comme étant « du remplissage » (*Françoys Villon*, Paris, Hachette, 1901, p. 106-7). En fait, tout le passage est allusif et complexe, et devrait être étudié de près. Les associations qui s'ajoutent à cette histoire sont données par Jean de Mehun (*Roman de la Rose*, III, v. 8759 sqq.) peu après sa mention de Flora et peu avant son évocation d'Archipiades.

12. Pour de tels mythes au moyen âge, voir M. Eliade, *Forgerons et alchimistes*, Paris, Flammarion, 1956, surtout p. 42.

13. Pour la Tour de Nesle et ses légendes, voir A. Berty, *Topographie historique du vieux Paris*, Paris, 1887, t. II, p. 164 sqq.

14. A. Guesnon, *La Satire littéraire à Arras au XIIIᵉ siècle*, Paris, 1900, p. 45-6, n.

15. *Les Chansons de Thibault*, éd cit., p. xv-xxi.

16. Les tentatives d'annulation pour adultère avaient échoué en 1314. Voir *La Grande Encyclopédie*, de Berthelot, au mot « Blanche ».

17. *Le Champion des dames*, éd. cit., fol. e-iii, R°.

18. Thuasne, III, 648 ; cité d'après *Les Grandes Chroniques de France*, éd. P. Paris, t. V, p. 204.

19. Voir Le Roux de Lincy, *Le Livre des proverbes français*, Paris, 1842, t. I, p. 28 ; et le *Dictionnaire d'archéologie chrétienne*, de F. Chabrol, au mot « Pédauque ».

J.-B. Bullet, le premier, identifia la Reine Pédauque comme étant Berte au pied d'oie, femme du roi Robert, d'une façon convaincante dans ses *Dissertations sur la mythologie françoise* (Paris, 1771, p. 33-63). Le Roux de Lincy, dans *Les femmes célèbres de l'ancienne France* (Paris, Delahays, 1854) prétend que l'auteur du premier roman de « Berte au grant pié », un nommé Adenès, inspiré par la figure de Berte, la Reine Pédauque, avait ainsi intitulé son roman. Et Paulin Paris, dans la préface à son édition de « Li Roman de Berte aus grans piés » (*Romans des douze pairs de France*, I, Paris, Techener, 1832), explique d'une façon semblable la confusion entre les deux Berte : « Je ne sais si vous avez remarqué au milieu de nos grandes églises gothiques, si vous avez, dis-je, jamais remarqué la figure connue dans toute la France sous le nom de la *Reine Pédauque ;* c'est encore l'héroïne de notre roman, laquelle, il faut le dire, est redevable de cet injurieux surnom aux pieds dont l'indiscrétion du statuaire nous révèle les larges dimensions. Durant sa vie, on la surnommait Berthe aux grands pieds ; après sa mort, elle ne fut plus que la reine aux pieds d'oie ».

Evidemment Paulin Paris n'avait pas regardé de près les statues de la Reine Pédauque, qui ne montraient qu'un seul pied difforme.

Pour une gravure de la façade de Saint-Bénigne de Dijon, où l'on voit cette statue (détruite en 1794), voir Dom Plancher, *Histoire générale et particulière de Bourgogne*, Dijon, 1739, t. I, planche p. 503 ; et un article de P. Quarré, « La sculpture des anciens portails de Saint-Bénigne de Dijon », *Gazette des beaux-arts*, oct. 1957, p. 177-94. Il est peut-être significatif du doute qui aurait pu naître d'une mention de « Berte au grant pié » que deux des mss. du *Testament* (C et A) portent « Berte *au plat pié* ». Pour la mythologie populaire des femmes-fées type « Ma mère l'oye », voir H. Dontenville, *La Mythologie française*, Payot, 1948, p. 185 sqq.

20. DESCHAMPS IX, v. 1865 sqq.

21. *Ibid.*, V, 108. Pour « picquer », voir BAUDE, p. 21.

22. *Œuvres de Coquillart*, éd. Charles d'Héricault, Paris, Jannet, 1857, t. II, p. 277. (Bibliothèque Elzévirienne). Nous désignerons désormais cette édition sous le simple nom COQUILLART.

23. *Le Champion des dames*, éd. cit., fol. g-v, V° ; fol. i-iii, R°.

24. LONGNON-FOULET, p. 81 [« Ballade des menus propos », v. 17 sqq.] ; et l' « Index des noms propres ».

25. Pour les textes contemporains relatifs à Haremburgis, voir Josèphe CHARTROU, *L'Anjou de 1109 à 1151*, Paris, Presses Universitaires de France, 1928, p. 317 sqq. ; et en particulier Ordericus VITALIS, *Historiæ ecclesiasticæ*, éd. Auguste le Prévost, Paris, S.H.F., 1845, t. III, p. 332. On peut aussi consulter un article de J. GRANDET dans la *Revue de l'Anjou et de Maine-et-Loire*, 4ᵉ année, I, p. 369 sqq. Grandet ne donne pas ses sources, comme le note Thuasne.

26. Voir John CAPGRAVE, *The Chronicle of England*, éd. F.C. Hingeston, London, 1958, p. 139-40 (Rolls Series, I) ; Polydorus VERGILIUS, *Anglicæ historiæ*, Basil, Thomas Guarinus, 1570, p. 240-1 ; et aussi J. HARVEY, *The Plantagenets*, New York, Macmillan, 1959, p. 30-1.

27. DESCHAMPS, I, 192.

28. THUASNE, II, 154. Ajoutons qu'à la fin du XVᵉ siècle être « jeté dans la rivière » semble avoir eu le sens proverbial de « le pis des maux » : ces vers de COQUILLART, par exemple (II, 252-3) :

Je fus si lourdement farcé, (i.e. par les femmes)
Par tel façon et tel manière,
Qu'eusse voulu avoir esté
Dedens ung sac en la rivière.

Ou la phrase d'un personnage de farce, parlant à deux dames (*Recueil de farces françaises inédites du XVᵉ siècle*, éd. G. Cohen, Cambridge, Mass., Mediaeval Academy of America, 1949, p. 132) :

Je n'en prendray rien, par mon âme.
J'aymeroye mieulx estre en Sayne !

29. Le mot est de M. PRAZ, *The Romantic Agony*, 2ᵉ éd., trans. A. Davidson, London, Oxford University Press, 1951, p. 204.

30. « De la Bible à François Villon », dans *Les Idées et les lettres*. Voir le Calligramme d'Apollinaire, « La colombe poignardée et le jet d'eau » (*Œuvres poétiques*, éd. M. Adéma et M. Décaudin, Gallimard, 1956, p. 213. Bibliothèque de la Pléiade.)

Où sont-ils Braque et Max Jacob
Derain aux yeux gris comme l'aube
Où sont Raynal Billy Dalize
Dont les noms se mélancolisent...

31. Voir les pages de Léo Spitzer sur ce poème dans *Critica stilistica e storia del linguaggio*, Saggi raccolti a cura e con presentazione di Alfredo Schiaffini, Bari, Laterza, 1954, surtout p. 78. Le mot *absurde* n'est peut-être pas trop fort ; selon la formule suivante, la phrase « n'en quel pays » serait un parfait mot d'esprit : « Cette addition moderne à un précepte de la sagesse traditionnelle est un non-sens absolu... Elle démontre que ce précepte universellement respecté ne vaut guère mieux qu'un non-sens. (...) Or la technique des mots d'esprit par non-sens... consiste dans l'emploi d'une sottise, d'une absurdité, pour mettre en évidence, en vedette, une autre sottise, une autre absurdité. » (S. FREUD, *Le Mot d'esprit et ses rapports avec l'inconscient*, Paris, Gallimard, s.d., p. 65-6, Les Essais 64.) Bien entendu, Freud ne parle pas de notre ballade.

32. Dans un sens très spécial, il est vrai, tout ce qui est blanc est beau pour le moyen âge, suivant la célèbre formule de saint Thomas : « Ad pulchritudinem tria requiruntur. Primo quidem *integritas*... Et *debita proportio*... Et iterum *claritas* : unde quæ habent colorem nitidum, pulchra esse dicuntur, » (*Summa*, 1ᵃ, q. 39, a. 8) où « la " clarté " désigne une qualité formelle dont la pure perception

est source de joie esthétique », pour ne pas parler des qualités métaphysiques. (E. DE BRUYNE, *Etudes d'esthétique médiévale* ; Bruges, 1946, t. III, p. 307). Et dans des pages savantes, De Bruyne a évoqué la valeur esthétique du mot « cler » et des images de la lumière dans la poésie française du xiie siècle (*ibid.*, p. 9-16). Cependant, une formule philosophique du xiiie siècle et des habitudes esthétiques du xiie siècle ne correspondent pas à la *vision* littéraire du xve siècle — pour ne pas parler de ses données esthétiques — bien que tous les trois se recouvrent du nom « médiéval ». En fait, on peut fixer avec précision la date à laquelle l'hiver devint, pour la première fois en Occident, littéralement pittoresque. Le tableau « Février » dans les « Très Riches Heures du Duc de Berry », peint entre 1413 et 1416 par les Frères Limbourg, serait, selon E. Panofsky, « the first snow landscape in all painting ». Pour que la neige devînt un sujet de nostalgie, il a fallu une société de cour très raffinée, éloignée de la vie du peuple ; une mode artistique de toute préciosité (le « style international ») et des peintres de génie, qui inventent le « genre rustique ». Dans ces circonstances, selon le prof. Panofsky, « the peculiarities of the lower classes were studied and interpreted with an interest — half sympathetic and half amused, half supercilious and half nostalgic — not unlike that which " summer people " take in native " characters " ». (PANOFSKY, I, 70 sqq.) Le peintre-sociologue du tableau « Février » a bien compris la nature précise de la menace qu'apporte la neige aux paysans et aux pauvres. Dans la maison du fermier à gauche, trois paysans, sans la moindre gêne, réchauffent leurs génitoires devant un feu pétillant.

La question de la beauté littéraire de la neige au moyen âge doit être étudiée de près. En Italie, au xiiie siècle, certains phénomènes ont pu paraître «beaux» qui, au Nord, inspiraient d'autres sentiments. Voir par exemple ces vers bien connus de Cavalcanti :

> Biltà di donna e di saccente core
> e cavalieri armati che sien genti ;
> cantar d'augelli e ragionar d'amore ;
> adorni legni'n mar forte correnti ;
>   aria serena quand' apar l'albore
> *e bianca neve scender senza venti ;*
> rivera d'acqua e prato d'ogni fiore ;
> oro, argento, azzuro 'n ornamenti :
>   ciò passa la beltate e la valenza
> de la mia donna e 'l su' gentil coraggio...
>
> (*Poeti del duecento*, a cura di Gianfranco Contini,
> Milano-Napoli, Ricciardi, 1960, t. II, p. 494.)

Nous ajoutons, à titre de curiosité, une liste des dictons sur la neige qui circulent toujours, sur les calendriers des commerçants, parmi les cultivateurs français. Nous devons cette liste à l'obligeance de M. Michel Carré, de Jailly-les-Moulins (Côte-d'Or) :

Février sans neige
Saison d'été sèche.

La neige de février
Met de bonne humeur l'usurier.

S'il neige en mars
Gare aux vergers.

Année de neige
Année de biens.

Neige de Saint-Nicolas
Donne froid pour trois mois.

Neige en hiver
Donne bonne moisson.

Sous l'eau la faim
Sous la neige le pain.

Si décembre est sous la neige
La récolte se protège.

Décembre aux pieds blancs s'en vient
An de neige et an de bien.

Année de neige
Année de bon grain.

Neige à Sainte-Isabelle
Fait la fleur belle.

Neige des Avents
Dit hiver à longues dents.

Neige en décembre
Est engrais pour la terre.

Et voir aussi Rabelais, *Tiers Livre*, Ch. 28, où Panurge et Frère Jean discutent le sens du vieux proverbe, « Quand il neige sur les montagnes, il fait bien froid aux vallées. »

33. Il est intéressant de voir ici le refrain du poème en train de devenir proverbe, comme « ilz sont bien loing s'ilz vont tousjours » l'était déjà. Au début du siècle suivant, Cotgrave donnera :

Neiges d'antan — Things past, forgotten, or out of date
long ago.

Questions de Neige — Foolish questions, idle and frivolous
demaunds.

34. Deux siècles plus tôt, Villon aurait employé peut-être le mot *ainz*. Voir L. Foulet, *Petite Syntaxe de l'Ancien Français*, § 452, p. 309.

35. Ed. Lefranc, IV, 169. En fait, Villon a restitué la discussion de la « vanité du monde » à son contexte classique, c'est-à-dire stoïcien. C'est ce qu'a fait Guillaume Coquillart aussi, dans son « Complaincte de Eco », écrit vraisemblablement vers le début de sa carrière. Les transformations que subissent Eco et Narcisus proviennent directement des dieux, en juste châtiment d'un orgueil outré. Loin de les escamoter en les tuant, les dieux les réduisent à leur essence et les *éternisent* :

La povre Eco, par grande austerité
Usa en pleurs le surplus de sa vie.
En gemissant fut en voix convertie
Et endura mutation subite :
— Ung cueur piteux en lermes se delite.

Ce Narcisus après, considerant
Que par dame avoit esté prié,
S'en orguillit, et, tout en se mirant,
Après qu'il s'en eust en soy glorifié,
Par le vouloir des Dieux fut tost mué
En une fleur qui ès fontaines croist :
— Orgueilleux cueur soy mesme se deçoipt.

La beauté de la forme particulière sert d'exemple de tout ce qui disparaît dans le *mouvement naturel* qui emporte toute chose :

Notez, enfans : car, comme la beaulté
De la fleur est incontinent passée,
L'honneur du monde, qui n'est que vanité,
En ung mouvement est aussi abaissée...
(Coquillart, I, 8-9.)

Ainsi, Ovide, aux sources de l'histoire, avait situé au centre de sa narration d'une métamorphose, l'évocation de la nature fragile de toute forme perçue :

Credule, quid frustra simulacra fugacia captas ?
Quod petis, est nusquam : quod amas, avertere, perdes.
(*Met.*, III, v. 432-3.)

Et le même avertissement chez Villon (« Prince, n'enquerez de sepmaine... ») est aussi bien le noyau affectif d'une discussion beaucoup plus large dans sa portée et plus riche en nuances. Loin d'incarner « la douceur d'une nouvelle foi », une brise « moderne » ou « renaissance » dans l'atmosphère putride d'une époque mourante, comme le prétend Spitzer (*op. cit.*, p. 81), cette ballade s'insère dans une certaine tradition philosophico-littéraire — le culte de Natura et de sa fertilité — qui s'étend du xiiᵉ siècle jusqu'à Shakespeare et au jeune Milton. Voir Curtius, Ch. vi ; et le livre magistral d'Alan Gunn, *The Mirror of Love*, Lubbock (Texas), Texas Technological Press, 1951, p. 223-4 et passim ; nous désignerons désormais ce livre sous la forme abrégée de Gunn. Pour cette question, voir plus loin, IIᵉ partie, livre II, ch. I.

36. *Le Champion des dames*, éd. cit., fol. u-vi, Rº.

LA FONCTION LYRIQUE

LE LAIS*

L'an quatre cens cinquante six
Je Françoys Villon escollier
Considerant de sens rassis
Le frain aux dens franc au collier
Qu'on doit ses œuvres conseillier
Comme Vegece le raconte
Sage Rommain grant conseillier
Ou autrement on se mesconte [1]

Le Lais de Villon est visiblement une blague, que nous ne sommes plus en état de comprendre. Prenons-le donc au sérieux.

1. Ecrire de la poésie lyrique est un acte antisocial. L'homme qui le fait nuit à une collectivité et à une continuité ; il crée son propre isolement à un moment unique. Il manifeste qu'à lui seul et à l'heure déterminée appartient une fonction qui n'est possible à aucun autre moment et qui n'est propre à aucun autre individu. Ce moment, c'est celui qu'il choisit pour affirmer qu'il est profondément humain, mais aussi différent de tout autre homme.

L'acte antisocial que constitue Le Lais de Villon débute d'une façon insolite. D'habitude le moment spécial où le poète lyrique exerce sa fonction est passé sous silence par sa poésie, ou à peine évoqué, ou nommé explicitement comme étant une saison, un mois, un jour de fête. Ainsi Charles d'Orléans, qui crée son isolement en même temps qu'il le décrit :

> Quant j'ay ouy le tabourin
> Sonner pour s'en aler au may,
> En mon lit fait n'en ay effray
> Ne levé mon chef du coissin.
> En disant : il est trop matin,
> Ung peu je me rendormiray,
> Quant j'ay ouy le tabourin.
> Jeunes gens partent leur butin :
> De Nonchaloir m'acointeray,
> A luy je m'abutineray ;
> Trouvé l'ay plus prochain voisin,
> Quant j'ay ouy le tabourin ! [2]

* Les notes relatives au livre II sont réunies p. 131-136.

L'indication d'une date plus ou moins vague souligne — presque comme un défi — l'individualité et l'unicité du poète lyrique. C'est à lui seul qu'il revient de célébrer un moment qui, dans son caractère ordinaire, serait à la portée de tout le monde ; lui seul qui soit capable d'en comprendre la signification, ou de la créer.

Mais, si la date que mentionne le poète lyrique est une date précise, alors il met en relief non pas tant une action insolite que la nature insolite d'un événement dont la reconnaissance s'est imposée à lui. Devant l'importance de cet événement, celle du poète s'amoindrit radicalement. Henri Baude, par exemple, doit se dérober devant un événement qu'il ne fait que signaler :

> Prenez ung grain bien commun en Sauloygne,
> Quatre lectres commençans Catheloygne,
> D'une perdrix prenez l'elle sans plus,
> Et deux membres aux quinze-vingts forclus :
> Vous sçaurez quant fut par mer et par terre
> Traicté de paix de France et d'Angleterre [3].

Quand, au commencement de son *Lais*, Villon écrit « L'an quatre cens cinquante six », il fait ce qu'allait faire Henri Baude : il signale un événement assez important pour susciter son action poétique. Quand il écrit « Je », Villon fait ce qu'avait fait Charles d'Orléans : il affirme son identité comme poète lyrique ; il affirme que du seul Villon ce moment particulier exige un acte antisocial. Mais quand Villon écrit « L'an quatre cens cinquante six, Je... » il fait un acte extraordinaire : ces mots insistent sur l'importance de l'événement qui lui est imposé, et en même temps sur l'importance de son individualité poétique créée au moment qu'il choisit. Or, si nous cherchons hâtivement l'événement extraordinaire qui a provoqué le poème — l'événement signalé par la date 1456 — nous ne trouverons d'autre acte extraordinaire que l'expression même « L'an quatre cens cinquante six, Je... ». Il semble donc que l'indication donnée au premier vers n'ait pas de référence hors du poème ; que l'événement qui a provoqué le poème ne soit autre que le poème lui-même. Certainement, Villon voulait nous donner l'impression que, pour lui, écrire était un acte gratuit, un jeu sans cause et sans conséquence.

Mais cette impression résulte d'une contradiction sournoise. Ce qui fait confusion, c'est que le poème et sa cause sont tous les deux extraordinaires. Le poème n'est pas sa cause ; il l'exprime plutôt, en même temps qu'il en est l'effet. Nous avons déjà vu que le début du *Lais* est extraordinaire à cause de sa nature insolite et de la « contradiction » qu'il pose. Or cet acte est extraordinaire aussi parce que le « Je » n'était point nécessaire pour qu'un poème lyrique pût exister. Ou la date ou l'affirmation d'identité aurait suffi pour introduire l'acte antisocial. Ecrire « L'an quatre cens cinquante six, Je... » exprime que l'on est contraint de faire un acte insolite. Cette expression est le résultat d'une telle contrainte. Ce qui rend extraordinaire le début du poème, c'est *surtout* l'exigence d'établir une identité étrange et non nécessaire. Quand nous aurons trouvé en quoi cette identité est étrange, nous saurons comment la cause du poème était exigeante, et pourquoi le « moment » 1456 s'imposait à Villon.

Or, dans cette première strophe, Villon feint, avec ses formules légales, d'écrire un document judiciaire au lieu d'un poème. Il semble faire une déclaration d'identité exhaustive ; il semble se présenter en toute franchise. De telles déclarations sont aussi rares, aussi nocives à l'auteur, et aussi gênantes à autrui, qu'un homme qui se déshabille en public. Une telle « sincérité » serait nuisible à la poésie ; elle nierait sa dignité et sa délicatesse de jeu fin. Dans la même strophe encore, Villon s'efforce de se présenter comme tout autre qu'un poète. Il feint de ne pas faire ce qu'il est en train de faire. Il nous dit qu'il est « escollier », et non pas donc un poète. Il dit que le « Je » est « considérant », ce qu'évidemment il ne fait pas. Il dit qu'il est de « sens rassis », sans souci, de bonne volonté, tandis que les deux premiers vers nous ont montré qu'il fait, dans la contrainte, des actes extraordinaires. Villon nous affirme qu'il n'est pas ce qu'il s'est déclaré être en écrivant son « Je ». Nous ne pouvons que demander : qui est-il ? En effet, cette première strophe réussit à mettre en doute l'identité — et même l'existence — d'un homme si bien nommé et si bien défini de tous les côtés qu'il disparaît. Sous nos yeux un homme s'est escamoté. Il a coupé soigneusement tous les liens avec le monde extérieur pour ne nous laisser que le *fait* de l'acte lyrique. Voilà le geste extraordinaire que Villon a été contraint de faire. Il a été obligé de définir un individu menacé : un poète qui doit se détruire en se créant. Et puisque la nature de son geste extraordinaire allait nous dire la nature extraordinaire de sa cause — du « moment » 1456 — voilà aussi la cause du *Lais* : une crise personnelle.

Au sens étymologique du mot « crise », on pourrait dire que toute poésie lyrique ressort d'une « crise ». Elle ressort du moment précis où le poète se *décide* à réagir enfin contre les forces qui le poussent à écrire. Au sens dramatique du mot, la « crise » est le moment précis où un état de tension ne peut plus continuer sans qu'un changement radical survienne chez l'un des éléments subissant cette tension : la péripétie. Dans le poème de Villon, le changement produit serait le plus radical qu'un homme puisse subir : il est forcé par la nature de la tension à douter de lui-même et, en doutant ainsi, de se faire un autre. La crise de Villon est extraordinaire parce qu'elle est *personnelle* : elle comporte non seulement une décision ou un changement, mais la métamorphose de toute une *personne*.

Jusqu'ici nous avons considéré la première strophe du *Lais* comme si elle était le poème entier. Mais elle n'en est que l'introduction. Cette strophe a suffi néanmoins à proclamer une identité : celle de l'homme qui doit se dénuder pour retrancher ses propres membres. Ou pour dire autrement, l'homme forcé de se retirer de son écorce sociale, et de la laisser en vue comme non-être. Le reste du poème peut nous apprendre soit une résolution de la crise — par Villon ou par ce qui le

menace — soit son triomphe. En quelque sorte, Villon a déjà gagné en
reconnaissant sa crise. Il était l'individu menacé, et il a créé l'individu
qui se sait menacé. Mais comme, dans la première strophe, la nature
cruciale du « moment » 1456 était exprimée par l'acte que ce moment
exigeait, de même la nature de la menace contre l'être uni « Je » sera
exprimée par la réplique que Villon lancera : par son poème entier.

Ce poème, nous le trouverons au moins aussi compliqué que son
introduction. Le Lais paraît contourné, discontinu, morcelé ; c'est une
œuvre dont l'unité est difficile à concevoir. Son caractère antisocial
semble dépasser de loin la simple déclaration d'isolement ou d'unicité
à laquelle Charles d'Orléans et Henri Baude atteignaient dans les
poèmes cités. Le Lais lui-même suscite maintes questions : les réponses à ces questions éclairciront son sens et aussi la fonction
lyrique qu'il incarne.

2.   Selon la teneur de la première strophe, Le Lais nous apparaîtra
comme étant essentiellement l'effort d'isolement et d'identification
d'un « moi poétique ». Cette strophe énumère, avec une précision
voulue, voire angoissée, les façons normales de délimiter un moi non-
poétique : le moment, le nom, la profession, la conscience de soi-même,
les intentions et probabilités d'action future, etc. Mais nous avons
trouvé que ces procédés « normaux » aboutissaient à un escamotage
de la figure du poète. Villon-poète insiste sur ce qu'il n'est plus
l'homme « Françoys Villon » qu'il a si bien nommé. Ses liens avec le
monde extérieur, il les groupe et les objective ; et s'il les expose si
pleinement, c'est afin de les couper. Tout ce que nous apprenons de
lui, c'est qu'il est contraint à renier son identité ordinaire. Cette
strophe ne nous livre enfin qu'une sorte de tronc amorphe que nous
avons appelé le « fait » lyrique. La première question qui se pose est
celle-ci : pourquoi la menace qui pèse sur Villon exige-t-elle un tel
escamotage ?

La réponse, Villon l'a déjà suggérée à la fin de la strophe. Il
pressent un danger, dit-il : si on ne fait pas de ses « œuvres » ce que
Végèce fit des siennes, on risque de « se mécompter », c'est-à-dire,
dans le sens exact du mot, de méconnaître la somme de ses propres
parties. Nous parlerons plus tard de Végèce et de ses « œuvres ». Il
suffit ici de remarquer que la menace éprouvée par Villon ne vise pas
simplement une identité poétique pré-existante, mais l'individualité en
général. Ce qui est assailli, c'est toute délimitation personnelle. Nulle
surprise donc si Villon tranche ses liens avec le monde extérieur,
puisque ces liens brouillent l'individualité qu'ils devraient définir. Le
but de la menace une fois compris, on verra que le retranchement
commencé à la première strophe ne prétend point à une étude introspective et détaillée du moi ; il propose sa seule re-définition. Le poète
Villon débute par un recul qui l'isole de tout engagement nocif avec
un monde à présent hostile parce que hors de sa volonté personnelle.

Notons que dans la première strophe, le poète ne s'est pas encore écarté de ce monde. Il nous montre un univers dont nous reconnaissons facilement les éléments. En commençant d'écrire — même en se dérobant — Villon n'a fait qu'un acte extraordinaire déjà attendu par la société. L'individu — ou plutôt le moi-conscient qui tâche de se définir — nous apparaît au seul titre de poète « normal », d'homme encore intégré dans une société établie et dans un ordre physique sûr parce qu'encore objectif. Jusqu'ici il n'a violé ni l'un ni l'autre.

Mais la première strophe se termine brusquement, et nous voici tout d'un coup dans un monde insolite, quoique parfaitement raisonnable du point de vue de ses règles intérieures. Le retranchement d'avec le monde objectif était à peine commencé. Villon coupait dans la première strophe les liens qui l'attachaient à ce monde en tant qu'homme. Mais voici maintenant qu'il est artiste, créateur d'un « fait » lyrique. Pour un poète surtout, rompre avec le monde réel, cela veut dire le déformer, remanier le sens et la disposition de ses éléments. Par une telle déformation, le poète entreprend la création d'une illusion essentielle à son travail : à savoir que le monde accueille sa poésie ; que sa poésie le consacre au lieu de l'accuser ; bref, que l'ordre actuel est « poétique ». Ce rapport illusoire entre la poésie et la scène dont, apparemment, elle ne fait qu'un reportage, est parfois expliqué par les poètes lyriques comme étant un rapport de *droiture*, ce qui rendrait minime leur responsabilité si la distorsion semblait outrageuse. Ainsi Jaufré Rudel justifie son poème :

> Quan lo rius de la fontana
> S'esclarzis, si cum far sol,
> E par la flors aiglentina,
> E·l rossinholetz el ram
> Volf e refranh ez aplana
> Son dous chantar et afina,
> Dreitz es qu'ieu lo mieu refranha [4].

Et quand cette scène est celle qui aurait provoqué son poème, le poète lyrique affirme ainsi son individualité — il est le seul qui puisse en faire le reportage — tandis qu'il dissimule la nature antisociale de son acte. Ou bien l'on suggère qu'un certain poème ne *doit* être écrit qu'à la saison qui convient à son sujet. Ainsi Robert Henryson, contemporain écossais de Villon, avoue discrètement qu'il avait choisi, pour ses propres fins, juste la scène « objective » qui aurait provoqué son *Testament of Cresseid*, qu'il écrit peut-être sous un beau soleil d'été :

> Ane doolie sessoun to ane cairfull dyte
> Suld correspond, and be equivalent.
> Richt sa it wes quhen I began to wryte
> This tragedie, the wedder richt fervent,
> Quhen Aries in middis of the lent ;
> Schouris of haill can fra the north discend,
> That scantlie fra the cauld I micht defend.

(Une morne saison à un triste conte
Doit correspondre, et en être l'équivalent.
Ainsi en était-il quand je commençai à écrire
Cette tragédie ; le temps était bien sévère,
Quand Aries [apparaîssait] vers le milieu du carême ;
Des ondées de grésil descendaient du nord,
Si bien qu'à peine pouvais-je me défendre du froid.) [5]

Ainsi chez Villon, le simple relatif « Que » du vers 11 évoque sournoisement un rapport logique entre le vrai hiver et la version qu'en donne Villon. Telle semble être la confusion entre reportage gratuit ou « objectif » et distorsion créatrice, qu'on pourrait appeler la deuxième strophe du *Lais* ou un beau paysage très poétique, ou une belle poésie descriptive. En tout cas, la strophe semble belle. Et la raison en est que cette vision, bien qu'elle représente une distorsion personnelle, ne dépasse pas les bornes de la distorsion permise. Elle ne choque pas ; elle ne heurte pas, semble-t-il, la vision « normale » du monde extérieur. Bien au contraire, voilà un tableau éminemment louable du point de vue social, puisqu'il semble renforcer nos notions communes de la réalité par la manière dont il s'en écarte. Il embellit, au lieu de la démolir ou simplement de l'accuser, notre conception des valeurs admises, en nous offrant un spécimen de « sensibilité poétique » que nous ne pouvons nous empêcher de trouver délicieux [6].

Cette coupure que tout poète lyrique doit faire de ses liens avec le monde « objectif », coupure qui normalement survient avant qu'il commence à écrire, Villon l'a transformée en retranchement conscient et brutal en la situant à l'intérieur de son poème. Dans la première strophe, il feint d'être véridique ; il feint de ne pas écrire de la poésie. Dans la deuxième — si belle — il écrit très évidemment de la poésie « très poétique ». En fait, Villon a réussi par cette belle distorsion à bousculer l'élément temporel, à jeter le « moment » du plan « objectif » jusque dans le plan psychologique par le moyen d'une espèce de choc poétique. « L'an quatre cens cinquante six » devient brusquement la « morte saison ». Mais répétons-le : le fait que la « morte saison » nous semble belle amortit le coup. C'est comme si, passant d'un vestibule à un salon, nous trouvions inopinément une large marche, qui nous met soudain à un autre niveau, désorientés par la rupture du rythme de nos pas. Il est bien naturel que nous nous mettions à notre aise en ignorant la marche déconcertante pour admirer les seules proportions de la nouvelle pièce où nous entrons. Ou si l'on préfère, l'impression est celle qu'on éprouve en descendant dans un ascenseur rapide, où l'on n'est nullement étonné de se trouver tout d'un coup en bas parce que le parquet de la cellule ne s'est pas écarté du plafond. Tout ce que l'on sent, c'est un vertige — le même que nous devons sentir avec le vers 9,

En ce temps que j'ay dit devant,

dont l'insouciance masque l'ambiguïté et restreint l'élan.

Par cette saccade poétique, donc, Villon a rompu avec l'ordre normal des choses, leur « réalité ». Mais la distorsion qu'il amorce finira par déborder le simple rapport de « droiture » entre le sujet poétique et une scène extérieure qui, par sa seule qualité ou par une vague atmosphère, s'y accorderait. Plus qu'une réalité déformée, la deuxième strophe du *Lais* semble un tableau surréaliste. Nous l'appelons ainsi parce que, avec une parfaite logique, elle traduit en une vision lucide du monde extérieur un état purement psychologique. Et comme cette vision correspond, sur un autre niveau, au « moment » 1456, nous aurions pu prévoir les deux notions qu'en effet elle exprime : la crise et la menace. Cette saison avant Noël, elle est justement « morte », car non seulement s'y sont flétries toutes les choses de la terre ; mais cette terre elle-même respire l'engourdissement. Tout mouvement cesse ; la terre est comme suspendue, en *tension*. Tout attend la naissance miraculeuse qui opèrera la métamorphose fertilisante. « Sur le Noël » est la crise de la terre, de l'an, et de l'espèce humaine. De là l'amertume qu'apporte le « moment » lyrique à Rutebeuf, pour qui la calamité de son mariage survint huit jours après Noël :

> En l'an de l'Incarnacion,
> Uit jors aprés la nascion
> Jhesu qui soufri passion,
>   En l'an soissante,
> Que l'arbres n'a foille, oisel ne chante,
> Fis je toute la rien dolante
> Qui de cuer m'aime [7].

Ce « frimas », c'est le brouillard d'hiver qui justement *brouille* la vision reconnaissante qui attache l'homme au monde extérieur, qui fausse les contours et accuse l'identité de toute chose, qui force l'homme à se réfugier dans ce qui lui reste de sûr, et à claquer les portes contre la réalité extérieure. Ces « loups » — qui au temps de Villon entraient dans Paris et attaquaient les femmes et les enfants — ce n'est pas seulement qu'ils sont eux-mêmes menacés et que, affamés, ils ne se nourrissent que « de vent » ; c'est aussi qu'ils incarnent la menace, et qu'ils dévorent *même* le vent. A la « morte saison » le monde exhale son hostilité à l'égard de l'existence humaine. L'homme d'un tel paysage — ou plutôt l'homme secret, la vision humaine de l'homme, puisque nous sommes déjà dans un paysage intérieur — n'a plus de volonté, il ne se contrôle plus. Ainsi Villon est-il amené à nous dire qu'un « vouloir » lui « vint » de briser sa prison...

Mais dans le paysage surréaliste, où se trouve cette prison, et quelle est-elle ? Est-elle « tres amoureuse » parce que le poète trouve aimable cette saison néfaste ? Ou parce que la prison incite à l'amour ? Ou parce qu'elle *est* l'amour ? Ces questions n'ont pas de réponse ; la logique qui liait un tableau d'objets reconnaissables, mais dont les rapports étaient brouillés, à un état psychologique, est maintenant rompue. Nous quittons le niveau surréaliste avec les mots « me vint

ung vouloir ». Villon tranche derechef ses liens avec le monde extérieur et avec l'ordre « normal ». Il se plonge profondément dans sa
langue.

Au début de la troisième strophe, nous nous trouvons complètement hors du monde réel. Nous ne reconnaissons plus ni l'ordre ni
les éléments de la scène. C'est un décor magique de mots, d'expressions étranges, mécaniques et puissantes, de données artificielles,
d'instruments linguistiques, de complexes artifices étymologiques, de
jeux et rites secrets, et de cryptographies où apparaissent et s'évanouissent des objets bizarres de la vie quotidienne. En un mot, c'est
le monde de la langue poétique — qui correspond ici en une certaine
mesure à l'état psychologique du poète. Si Villon nous y a menés, c'est
parce qu'il a l'intention, ou le besoin (peu importe), de s'exprimer
ainsi [8].

3.   La question qui émerge, après lecture de la troisième strophe,
est celle-ci : pour quelle raison Villon nous a-t-il menés exactement
ici, à ce niveau précis de détachement du monde réel ? Il nous y
tiendra dans les cinq strophes suivantes, pendant qu'il nous expliquera,
semble-t-il, la raison d'être de sa poésie. Une dame malveillante le
chasse, et avant de partir il distribue ses biens... Le langage de ces
strophes — un jargon mécanique et secret — ne nous semble nullement inadapté à l'expression d'une crise personnelle, telle que les
deux premières strophes nous l'ont illustrée. Mais pourquoi justement
ce jargon se prête-t-il à cet usage ?

En outre Envisageons d'abord la rhétorique amoureuse qu'a choisie Villon
comme si elle était un langage ordinaire qui nous raconterait une
histoire véritable. Dans cette perspective, ce passage semble éclairer
deux aspects de la menace à l'identité du poète, telle qu'elle a été
évoquée par la deuxième strophe. La « morte saison » s'était emparée
de lui ; maintenant il meurt véritablement des souffrances de l'amour.
Villon semble insister sur l'injustice de sa souffrance, à preuve les
locutions qu'il emprunte à la langue du droit :

> ...je me dueil et plains aux cieulx   (L. 21)
> En requerant d'elle venjance
> A tous les dieux venerieux
> Et du grief d'amours allejance [9]

ainsi que les expressions « felonne et dure » (L. 34), « veult et ordonne »
(L. 36).

En outre, cette souffrance est illogique : Villon le souligne par le
vers :

> Sans ce que ja luy en fust mieulx   (L. 20)

suivi de :

> Sans ce qu'en riens aye mesprins [10].   (L. 35)

L'illogisme et l'injustice sont l'œuvre d'un agent inconnu, désigné
seulement comme « celle ». Deuxièmement, Villon semble insister sur

le fait que sa souffrance provient d'un démembrement, d'une dissolution de son être auparavant uni :

> *Par elle meurs les membres sains.* (L. 46)

Le vers est riche en ambiguïtés ; mais si « celle » en question ne tient
pas elle-même le couteau, au moins provoque-t-elle le découpement

> *Consentant a ma desfaçon*[11] (L. 19)

« desfaçon » exprimant parfaitement la mort par dissolution.

En vérité, nous n'apprendrons pas grand'chose des strophes 3 à 8
que nous ne sachions déjà. Cet agent inconnu, cette « celle » mesquine,
reste un élément indéchiffrable. Le procédé de coupure et le passage
à un niveau d'expressions mécaniques et secrètes semblent n'avoir
abouti qu'à un développement pesant, quoique complexe et parfois
comique, des notions de crise et de menace. En tant que narration,
ces strophes ne nous disent en rien pourquoi cette crise exige d'être
exprimée poétiquement, et tout spécialement de l'être sous la forme
du *Lais Maître Françoys Villon*. Elles semblent même encombrer le
propos, éluder des explications, et nous égarer parmi des mystères
inutiles et bouffons. Le choix délibéré de la rhétorique amoureuse
nous paraît maintenant le choix assez arbitraire d'une rhétorique qui
manque son but, d'un langage dont les capacités expressives ne
s'étendent pas jusqu'aux motifs premiers. Nous avons beau chercher :
les phrases cryptographiques ne nous révèlent qu'une cryptographie :
la belle dame sans merci, ce terne fléau qui aurait suscité la crise
personnelle et en même temps la poésie chargée de la résoudre.

Aucun lecteur réfléchi ne prendra cette dame au sérieux. Il ne verra
pas à travers cette figuration artistique une femme réelle — surtout
après que Villon a pris soin de nous entraîner si loin de la réalité, et
par ses changements saccadés de style, de nous placer sur un plan
de complète artificialité. Il n'y a aucun individu particulier à pour-
chasser là ; au contraire. Si Villon nous avait suggéré une femme déterminée comme étant la cause de ses malheurs, alors il n'y aurait aucun
intérêt à approfondir la cause de son poème, et peu d'intérêt à le lire.

Mais littéralement, c'est la dame *fictive,* c'est la convention artistique qu'elle incarne, qui délabrent Villon. C'est une stérilité linguistique propre à cette convention qui amène sa mort en tant qu'artiste.
Villon a choisi d'exprimer sa dissolution personnelle au moyen du langage même qui fausse, entre son moi-conscient et le monde des
objets, les rapports qui marquent tout autour d'un poète les bords de
sa *persona*. Afin de nous montrer les dangers de cette convention —
de dire exactement où et pourquoi elle échoue — Villon a dû l'exploiter de tous les côtés, comme nous le verrons. En effet, il crie « adieu »
à une convention dangereuse quoique utile. Il ne l'emploiera plus
qu'en plaisantant. Mais avant de la laisser, Villon tire de cette rhétorique rebutée la seule propriété qui lui semble propice à ses buts —
choix qui sera d'importance historique pour la littérature française.

4.   Une fois esquissée la force-menace de la « morte saison », une nouvelle question surgit : quelle sera pour Villon l'échappatoire ? Si nous avons affaire à un homme intelligent, la solution à laquelle il aura recours sera parfaitement adaptée aux dangers qui l'entourent. La reconstruction d'une personnalité poétique nous avisera de la nature exacte de ces dangers, aussi bien que la nature de l'intention pratique (c'est-à-dire littéraire). Il se peut aussi qu'elle nous laisse entrevoir un idéal directeur : idéal des objets, d'un personnage, et de leurs rapports réciproques, tous réorganisés pour le mieux — du moins pour un « mieux » très spécial. L'accomplissement d'une telle réorganisation est l'une des facultés propres à l'art seul.

Villon avait déjà effleuré le problème de l'échappatoire dans sa première strophe, ce sommaire étriqué de presque tout ce qu'il fera dans *Le Lais.* Là, Villon se figure comme « considerant » qu'on risque de faire un piètre compte de soi-même quand on néglige de gouverner (« conseiller ») ses « œuvres » de la façon dont Végèce usa et qu'il explique (« raconte ») — sans doute dans son *De Re militari,* que Villon a dû connaître dans la traduction de Jean de Mehun, « L'Art de chevalerie »[12]. L'expression « ses œuvres » contient nombre d'ambiguïtés, que Villon exploitera toutes : veut-elle dire des actes passés ? les choses créées ? les écrits ? ses biens propres ? En tout cas, « ses œuvres » sont présentes, prêtes à être élaborées, mises en ordre selon l'exemple du « sage Rommain grant conseiller ». Voilà le travail qu'un Villon démembré se propose d'entreprendre.

Dans les strophes 3 à 8, Villon s'explique plus largement. Pour remédier à une certaine stérilité de Villon-poète, causée par une « mort » annoncée de la personnalité intégrée, Villon nous dit qu'il doit chercher la « mort » (v. 37). Cette deuxième « mort », cette fois voulue, sera ici symbolisée par le *voyage :*

>...*apres mort n'y a relaiz*   (L. 62)
>*Je m'en vois en pays loingtain.*

N'entrons pas ici dans la psychologie complexe et bien connue, qui, artistiquement du moins, associe le voyage avec la mort, de quelque espèce que soit celle-ci. Insistons seulement sur ce que le voyage entrepris par Villon est un voyage intérieur : intérieur, parce qu'il est un voyage psychologique conçu en termes d'art, et qui, par rapport à la réalité « normale » abandonnée dès la deuxième strophe, sera entièrement fictif ; intérieur aussi, parce qu'il s'accomplit en un poème, dans les limites duquel le poète partira, traversera le pays de la mort (celui de la deuxième strophe), et reviendra à la fin soit mieux défini, soit définitivement perdu.

Plusieurs fois dans ces strophes touffues, Villon nous dit exactement ce qu'il a l'intention de faire en son voyage-mort. Notons d'abord qu'il nomme son entreprise par un mot aux sens multiples, placé dans une construction syntactique qui en laisse jouer fluidement toutes les nuances :

>*Si establis ce present laiz.*   (L. 64)

Ce que Villon « establi(t) », c'est un « lai », poésie lyrique ; un « lays », bail ou contrat légal ; des « laiz », choses laissées ou léguées par dernière volonté ; une distribution de biens personnels qui progresse comme les « laiz » — atterrissements ou alluvions — d'une rivière. En bouffonnant Villon fait aussi un « lait », soit un « injure, outrage, offense, tort » ou « chose qui cause du tort ou du déshonneur » (Godefroy). En se bafouant lui-même il fait un « laiz », fiente de bête sauvage [13].

Le Lais, donc, sera un nouveau contrat du poète avec le monde extérieur. En voyageant, Villon ira éparpillant des morceaux de lui-même dans une œuvre grandiose d'augmentation et de disposition fertilisante. Cette façon d'agir, à laquelle il faut joindre l'intention scatologique, a été déjà abordée dans ces mots si ambigus « ses œuvres conseiller ». Et comme cet agencement — ce voyage — réunira en un seul ouvrage, qui lui-même sera agencé, toutes ses « œuvres » opportunes au travail poétique, Villon agira exactement « comme Végèce le raconte ». L'avertissement de la première strophe se trouve réalisé. Car le « sage Rommain », comme il le répète souvent dans son livre, n'a fait qu'agencer dûment des morceaux épars de savoir :

> Car je ne empreing pas l'auctorité sor moy,
> mais je vous en mettrai briefment par ordre
> en une petite somme ce qu'il en ont espandu
> en divers volumes et en divers ecris.

Et Végèce souligne la convenance de sa disposition :

> Et comme il fussent eparpillié par divers
> aucteurs et par divers livres, tu, empereres
> vainquieres, me commandas que je les abbrejasse...
> et que je en meïse le pourfit en peu de liu
> si loiaument comme il convanroit [14].

Naturellement, la puissance fécondante de son travail intéressera d'autant plus Villon que ce qui l'affectait était une stérilité. En expliquant cette fonction de son voyage-mort, il choisit précisément le côté érotique du jargon amoureux pour une exploitation ultérieure qui en débordera les capacités suggestives jusque là aperçues. Ainsi, quand Villon nous dit qu'il lui faut « fouïr », c'est une double équivoque obscène (sur « foutre » et « fouir » fouiller) tout à fait normale. Mais dans le contexte d'un voyage-mort, son acte sexuel ne concerne point quelque « celle » plus accueillante. C'est plutôt son poème qui agira en « membre viril » et qui, en deux sens, engrossera le monde. Enfin, Villon nous explique qu'il va « a Angiers » ; encore une équivoque usuelle, sur « ongier » foutre, et sur « engier » augmenter. L'expression « aller à Angiers » semble avoir été analogue à celle, moins connue, de « aller à Bourges » se faire pédéraste [15]. Le Lais, comme Villon le conçoit, sera un fournisseur de puissance créatrice, qui chargera le monde objectif de forces magiques agissant sur l'individu hors des schémas linguistiques préétablis. En considérant l'activité artis-

tique comme étant un ensemble d'actes physiques et surtout érotiques, Villon sera l'inspirateur de Rabelais et de l'école Lyonnaise
du XVIᵉ siècle. Comme eux, il a vu que la langue équivoque pourra
parfois exprimer le mieux la nature de la fonction littéraire, ainsi que
celle des mécanismes aveugles et hostiles qui l'entourent.

5.   On a dit que tout poème a pour sujet la poésie. Cette formule
est juste dans la mesure où un poète, dès qu'il griffonne son premier
mot, choisit nécessairement de s'exprimer d'une façon déterminée
et non pas de toutes les autres façons possibles. Que le poète
reconnaisse son choix ou qu'il le cèle, son poème comportera inévitablement une déclaration de préférence et par suite un manifeste
tendancieux, si peu accusée que soit cette tendance. Plus ce choix est
explicite et englobe tous les autres sujets d'une œuvre, plus nous
appelons cette poésie « personnelle », que ce nom soit adapté ou non.
Tenter de différencier la *persona* d'un poète de son choix linguistique
— c'est-à-dire de la façon unique dont il emploie les mots — serait une
tâche non seulement téméraire mais futile. Affirmer qu'un rapport de
« sincérité » ou de « franchise » peut joindre un homme réel à sa
persona poétique, et qu'un tel rapport serait important, équivaut à
affirmer que la poésie n'est qu'une sous-division de la prose. La
création d'une *persona* qui n'existe que dans la langue qu'elle parle —
ou, pour la poésie moins « personnelle », la création de la *situation*
d'où jaillira inévitablement le langage choisi — constitue, *à l'égard de
sa langue*, ce que nous avons appelé plus haut la « fonction lyrique »
d'un poète.

Villon est en train de faire un tel choix linguistique, et de créer
une telle *persona*. Nous avons déjà vu trois raisons pour lesquelles
huit strophes gonflées de rhétorique amoureuse ont une place dans ce
procédé. D'abord, cette rhétorique permettait une rupture avec une
réalité menaçante parce qu'incontrôlable. Ensuite, elle représentait
elle-même l'espèce de convention linguistique qui menaçait le poète.
Enfin, elle permettait la narration quasi-symbolique de sa propre
façon d'agir (meurtre par dissolution) et d'une voie de résolution
pour le poète (le voyage-mort fertilisant) qui comporterait la transformation de l'agent menaçant. Alors une nouvelle question capitale
surgit : où réside la stérilité de cette rhétorique ? Comment Villon
nous la montre-t-il ?

Avant d'étudier ce côté négatif de son choix linguistique — cette
section de son « manifeste » où Villon illustre le genre de langage
qu'il rejette — examinons rapidement les façons dont cette rhétorique
lui a été utile. D'abord, la structure même des métaphores érotiques
sur lesquelles est fondé presque tout parler d'amour, fait que celui qui
les emploie (s'il les emploie bien, avec du goût et de l'humour) peut
mêler des activités humaines, mêmes les plus sacrées, avec ses affaires
sexuelles les plus intimes. Les effets de ce procédé sont nombreux et
complexes ; nous nous bornerons ici à en signaler quelques-uns.

Premièrement, un tel système de métaphores agit comme une espèce de calembour étendu, qui oblige à une comparaison des valeurs inhérentes aux deux mondes juxtaposés. (C'est un effet de ce genre que Villon utilisera dans sa « Ballade de la Grosse Margot »). Chose plus importante, cette rhétorique parvient à élever les affaires personnelles (vraies ou imaginées) de l'écrivain à un rang d'importance cosmique. Troisièmement, un tel emploi suggère que toute activité humaine est essentiellement activité érotique, où travaillent les forces de la fertilité. Ces effets de la rhétorique amoureuse sont tous trois des données psychologiques du *Lais* ; et le deuxième gît problablement à la base de la poésie lyrique la plus « personnelle ».

D'ailleurs, en employant la rhétorique amoureuse, Villon inflige une espèce de vengeance judiciaire à la malveillante convention : tout comme elle l'a démembré, il va la « briser » et jouer avec les morceaux, et, puisque Villon venge un tort, il est juste que cette rhétorique se base assez souvent sur des métaphores judiciaires. Vu dans son cadre le plus large, *Le Lais* n'est qu'un document d'ordre légal. Le jargon amoureux s'enchaîne si subtilement avec le jargon proprement légal du poème, que nous notons à peine les transitions. L'un renforce l'autre ; et comme les métaphores amoureuses contribuent à l'atmosphère d'un document, de même les locutions légales semblent prouver l'injustice et l'illogisme du tort amoureux.

Au demeurant, la rhétorique amoureuse est utile parce qu'elle n'est que trop évidemment de la rhétorique. En tant que convention, elle rend son travail, en quelque sorte, légitime. Elle le fait entrer dans un cadre plus ou moins traditionnel. Placée au début du poème, elle nous avertit que nous devons attendre tous les événements bizarres du jeu poétique. De même son air mécanique et hermétique fait penser à une espèce de mot de passe prolongé, augmentant ainsi l'air de puissance inconnue et fatale qui domine les premières strophes, et qui joue avec le système comique des calembours obcènes. Enfin Villon a choisi cette rhétorique parce que son *Lais* est une œuvre de jeunesse qui — comme la *Vita nuova* du jeune Dante — accomplit très consciemment une exploration des capacités des divers langages poétiques, et de la langue commune qui les nourrit.

Ces fonctions mineures de la rhétorique amoureuse une fois notées, abordons notre question principale : comment Villon emploie-t-il cette rhétorique afin de rendre manifeste qu'il la rejette ? Jusqu'ici nous n'avons que trop simplifié : en employant cette rhétorique amoureuse, Villon étale un fatras de deux langues, si l'on peut dire, et de sept langages, joints en un jargon que cimente leur référence commune. Son choix peut être représenté ainsi :

Langue A : *Jargon d'amour courtois.*

> *Langage 1.* Le jargon d'amour « pur », de la tradition provençale ; métaphores sans rapports extérieurs.
> Ex. : « mon cuer debriser » (16).

> *Langage 2.* Le jargon amoureux dont les métaphores se rapportent à la religion. Ex. : « je suis amant martir » (47).
>
> *Langage 3.* Le jargon amoureux dont les métaphores se rapportent à la loi. Ex. : « qui m'a esté felonne » (34).
>
> *Langage 4.* Le jargon amoureux dont les métaphores sont pleinement érotiques. Ex. : « Rompre veult la vive souldure. » (39) [16]
>
> LANGUE B : *Jargon d'amour bourgeois (obscène).*
>
> *Langage 1.* Le jargon des locutions et proverbes obscènes. Ex. : « frapper en ung autre coing » (32).
>
> *Langage 2.* Le jargon des équivoques obscènes gratuites. Ex. : « mon povre sens conçoit » (51).
>
> *Langage 3.* Le jargon des équivoques obscènes à valeur utilitaire. Ex. : « je m'en vois a Angiers » (43).

Comme toute rhétorique, celle-ci est une collection de données précises, unies par une donnée générale qui les justifie. En tant qu'élément d'une rhétorique, une convention linguistique arrive à dépasser les capacités de la langue. Un mot isolé peut être considéré comme chose concrète ; mais son inclusion dans une formule rhétorique nous assurera qu'il agit mécaniquement. Une telle formule porte dans son sein un secret mouvement métaphorique, un rapport entre mots, images, ou idées qui, pendant la vie de la formule, glissent l'un sur l'autre avec une sûreté de machine. Ainsi par exemple jouent-ils dans la formule

> *...ilz ont vers moy les piez blans.*   (L. 29)

L'art d'employer une rhétorique — dont la grande utilité serait de rétrécir les limites du jeu actuel — relève de la sélection et de la combinaison minutieusement variées des formules. Et nous voici de nouveau aux strophes 3 à 8 du *Lais* ; car cette combinaison peut être faite afin de mettre en évidence, non seulement la façon de se combiner, mais plutôt le mouvement intérieur des conventions. Alors la formule rhétorique non seulement sert comme une sorte de domino qu'il faut placer, et qui renferme un sens sûr. Mais elle agit aussi comme *talisman*, comme objet magique dont la puissance intérieure est mise en jeu avec la forme et la force d'autres talismans semblables. Ainsi se forme un groupe — un écheveau de formules comme chargées — mis en jeu en même temps avec le monde extérieur est appelé un poème.

La magie de telles formules dérive aussi du fait que, vue de près, chacune d'elles est une énigme. Leur logique, probablement claire à leur naissance, désormais nous échappe. Une formule qui déjoue notre curiosité est comme un blason héraldique ; on peut l'interpréter ou comme allégorie spéciale ou comme généralisation de rapports. Ainsi, la signification de l'expression « ilz ont vers moy les piez blans » peut reposer dans des sens spéciaux de « blans, » de « piez, » et du cheval évoqué, ou aussi dans les rapports esquissés entre « blans, » « piez », le cheval, et le « moy. » Le sens de tout ce qui est touché d'un tel talisman-blason devient douteux ; toute sa nature est à reconsidérer dans les termes évoqués par l'objet magique. Dans les strophes 3 à 8 du *Lais*, Villon fait ce que nous nous efforçons de décrire ici en termes généraux. Ce qu'il voulait mettre en doute, c'était l'efficacité des formules magiques elles-mêmes. Il l'a fait en combinant leur agencement. En effet, ces strophes sont marquées par une confusion absurde des langages de la rhétorique amoureuse, tous entremêlés sans suite et sans logique. Si bien qu'il devient impossible de lire ce bafouillage sans considérer chaque formule à part, sans rechercher dans sa structure *intérieure* la raison de sa place.

Ainsi sont déclenchées les forces magiques dont nous venons de parler. Mais quand elles jouent l'une sur l'autre, ces formules ne se modifient pas ; elles ne produisent rien, ni d'autre sens, ni une forme commune, rien, sauf — ce qui est fertile mais destructeur à la fois — le rire. Chose plus importante, ces formules une fois dégagées n'agissent pas sur la figure centrale dont elles dépendent toutes : la belle dame sans merci. Aucune interprétation particulière du blason « ilz ont vers moy les piez blans » ne nous expliquera pourquoi les « doulx regars » d'une certaine « celle » auraient une « saveur » spéciale, ni des « piez » d'une certaine couleur, ou pourquoi ils « faillent » Villon en le « trespersans ». Et cette « celle » si étrange, une fois mise en contact avec les autres formules, elle ne produit rien qui puisse justifier son existence. Ce que nous avons constaté plus haut du premier plan de narration — que l'allégorie de la dame mystérieuse n'avait pas de référence (nous l'avons nommée alors une cryptographie sans clef) — nous le trouvons reproduit ici dans la structure intime d'une rhétorique [17].

Voilà donc la raison principale pour laquelle Villon choisit d'employer la rhétorique amoureuse : pour la montrer incapable d'exprimer des motifs psychologiques de base ; et aussi pour l'attaquer comme instrument de poésie. Une fois maniée, comme Villon l'a fait, cette rhétorique n'exprime rien que sa propre absurdité. Elle est inerte, ossifiée ; elle ne se meut pas, elle ne répand point de force, ni dans le poème ni dehors. Elle est parfaitement percluse.

L'attaque que lance Villon contre la rhétorique qu'il emploie dans ces strophes ne vise pas une condamnation de ses formules. Il inculpe plutôt l'accumulation de ces formules dans un système qui a perdu sa logique, peut-être à cause de son extension démesurée. Même ce système, il ne le dédaigne pas ; Villon trouve aimable l'absurdité, comme il nous le montre maintes fois. Et il a prouvé lui-même qu'un bon poète saura rendre utile une telle absurdité — pourvu qu'il la reconnaisse pétrifiée, réduite à un pur outil. A l'égard de cette rhétorique, Villon emploie deux espèces de parodie. Comme nous l'avons vu, il dépasse une convention bien vivante en la transformant par une exploitation nouvelle ; et il la déclare défunte lorsqu'il la traite suivant une perspective historique, en reconnaissant sa rigidité cadavérique. Ces strophes, Villon les a laissé tomber dans son poème comme une grosse pierre, laide et lourde, une absurdité inanimée. Et il s'est laissé écraser sous elles pour montrer le péril.

De plus, cette rhétorique sert comme une sorte d'allégorie de ses actes futurs. De la même façon dont il l'a brisée et en a manié les formules, il va manier ses propres choses, « conseiller ses œuvres » selon son gré. De même qu'il a déclenché la puissance magique des blasons rhétoriques, il va déclencher des forces magiques dans le monde du poème, avec ses dons érotiques et scatologiques, et dans le monde réel avec son « laiz ».

Mais en arrangeant ces blasons, Villon les a faits ses propres « œuvres », et son travail de déclenchement est évidemment déjà entamé. Ces six strophes sont plus qu'une déclaration de but, plus que l'annonce d'une poésie rejetée ; elles sont aussi une ouverture. Villon commence à « conseiller » — à créer sa *persona* — dans le style même qui le gêne.

6. Villon a entrepris dans *Le Lais* un travail de reconstruction personnelle, un arrangement des « œuvres » particulières en une « œuvre » poétique elle-même agencée d'avec le monde. Cela, la première strophe nous le fait comprendre plus qu'à demi-mot. Et les strophes qui lui succèdent, par leur allure de parodie, nous l'expliquent dans le détail. Mais sur le résultat de ce travail, elles ne soufflent mot. Elles laissent sans réponse la question : Villon reviendra-t-il de son voyage ? Or demander si Villon parvient à se recréer comme *persona* poétique équivaut à demander si *Le Lais* lui-même est une réussite.

Nous réserverons les « legs » proprement dits — le véritable travail de Villon — pour une discussion ultérieure [18]. Pour le moment, sautons à la strophe 35. Là, Villon nous avertit que son travail est presque achevé, car il commence à sortir des profondeurs psycho-linguistiques, du sous-sol d'alchimiste où il s'est retiré pour manier les éléments secrets de lui-même. De nouveau nous voyons la lumière du jour. Villon nous fait monter à une espèce d'entresol, d'où nous regardons le monde objectif d'un point de vue « surrréaliste ». La strophe 35 correspond exactement en effet à la strophe 2. Mais ici la scène surréaliste a changé d'atmosphère, témoignage précieux du succès du poète. La menace de la « morte saison », crise grave avant le dénouement régulier de l'année, a été remplacée par « le Salut que l'Ange predit », c'est-à-dire par la promesse de la naissance imminente d'une personnalité nouvelle et significative, par l'annonce du retour de la fertilité à une terre naguère stérile.

Notre montée vers l'objectivité semble brusquement barrée, dans la strophe qui suit, par l'intervention d'un langage nouveau, d'une rhétorique nouvelle qui s'étend sur trois strophes. Vue de près, cette rhétorique n'a rien de commun avec celle que nous avons étudiée plus

haut, sauf le fait d'être également un système de conventions linguistiques unies par une artificialité acceptée qui les justifie. Notons
d'abord que cette deuxième rhétorique décrit explicitement le monde
intérieur, ce qui est déjà une évolution frappante ; et ensuite, que la
précédente a été entièrement délaissée. La « narration » reprend au
niveau de l'exploration linguistique, mais sans la moindre allusion au
« sujet » apparent de la première rhétorique, à l'amour. Notons enfin
que cette nouvelle rhétorique n'est point d'origine poétique : Villon
l'a empruntée pour ses propres fins à la philosophie scolastique.

Avant d'analyser ces fins en détail, revenons au niveau surréaliste
de la strophe 35 pour y chercher d'autres témoignages de succès.
Premièrement, en même temps que la menace d'un langage raide, un
usage même minime de ce langage a été soigneusement évité. Plusieurs mots susceptibles de comporter une équivoque obscène n'ont
pas été exploités dans ce sens, comme ils l'auraient été une strophe
avant. (« Ange » par exemple, et « la cloche de Serbonne Qui...
sonne » ;) Par leur place suggestive, qui évoque à peine la possibilité
érotique, Villon révèle la nature de l'un de ses choix ; manifestement
il a rejeté l'équivoque obscène gratuite ; il l'a troquée contre ce que
nous appellerons (sans approfondir ici la définition du terme) un langage surréaliste et symbolique, tel que nous le voyons dans la strophe
finale et dans plusieurs poésies des plus importantes du *Testament*.
Dans le « manifeste » sur la poésie que Villon affiche, nous sommes à
la charnière ; Villon prend un soin particulier quant à la formation
de quelques expressions, afin de montrer (ce qu'il fait souvent) non
seulement son choix, mais aussi ce qu'il n'a pas choisi.

Dans la description de lui-même, d'ailleurs, Villon est ici aussi
vague qu'il l'a été dans la strophe 2. Il accumule les circonlocutions ;
il marche tout autour de sa figure sur la pointe des pieds, en ne nous
donnant que des aperçus imprécis sur son identité exacte. Les participes abondent ; le seul timide « je » de la strophe (« j'oïs la cloche »)
est presque caché, et même Villon l'écarte soigneusement dans les
vers,

> *Si suspendis et y mis bonne*
> *Pour prier comme le cuer dit.*

Il se plaît à se représenter comme passif : le « j'oïs » ici correspond
au « me vint » de la strophe 2. Mais du moins nous savons que Villon
tourne autour de quelque chose. Une figure est là, revenue du voyage
de la mort et comportant, peut-être, une nouvelle identité. Même si le
poète ne se nomme qu'à la dernière strophe, la symétrie du poème une
fois complète et son auteur derechef dans le monde objectif, déjà nous
sommes rassurés : la « morte saison » ne l'a pas tué. Alors que le mot
« finablement » nous annonce que le travail poétique n'est pas encore
terminé, l'expression « estant en bonne » semble indiquer déjà un résultat heureux. Puis, d'autres phrases expriment à la fois la nature
du travail poétique, et le fait qu'il se termine :

> *Si suspendis et y mis bonne.*

C'est précisément pour *suspendre* les vieux engagements avec le monde extérieur et pour *mettre bornes* à une nouvelle identité que Villon a écrit *Le Lais*. Aucun doute sur sa réussite ne peut subsister quand nous abordons la strophe qui suit : son personnage est véritablement recréé, son identité nécessairement complète, puisqu'il peut écrire « Je m'entroublié ».

A quoi sert cette nouvelle digression rhétorique ? Nous venons d'en suggérer la première fonction : cette espèce d'assoupissement soudain nous montre que le poète est désormais capable de s'oublier lui-même, qu'il est assez solidement réétabli pour pouvoir s'exposer à ce risque. Puis, les termes avec lesquels Villon étale son nouvel ordre intérieur prouvent que son travail n'a pas été satirique en un sens destructeur. Son identité nouvelle ne s'oppose en aucune façon à la structure des valeurs qui définissent un monde « normal ». Du point de vue social, le nouveau Villon sera aisément acceptable ; il est prêt à adopter, pour décrire son organisation psychologique, des formules éminemment légitimes, prises en effet dans la Bible philosophique de l'époque :

> *Je l'ay leu se bien m'en souvient* (L. 295)
> *En Aristote aucunes fois.*

Nous ne sommes nullement sûr que ce passage soit aussi comique qu'on l'a supposé. Du moins son comique est-il tout autre que celui qui accompagnait l'exploration de la rhétorique amoureuse, fait que nous tâcherons d'expliquer tout à l'heure. On ne voit pas clairement pourquoi la psychologie d'Aristote, si elle était ici appliquée sérieusement, nous semblerait ridicule — du moins pourquoi elle serait plus ridicule que n'importe quelle autre artificialité utile.

Les premiers mots de cette digression nous imposent une interprétation plus large de sa fonction. Car les mots « ce faisant » peuvent se rapporter à *deux* situations : soit le moment actuel et une action possible, « pour prier » ; soit l'intention générale, l'action d'écrire *Le Lais* — c'est-à-dire qu'ils peuvent se rapporter aux *deux* sens de « si suspendis ». Exactement de la même manière, le « je le feis » qui introduisait la rhétorique amoureuse à la troisième strophe s'attachait soit à une possibilité, le « vouloir de briser », soit au travail actuel de « ses œuvres conseiller », à la composition du *Lais* tout entier. En effet, les trois strophes 36, 37, et 38, nous décrivent deux événements différents : le poème entier, qui produit et inclut cette digression et lui donne sens ; la vision soudaine qui décrit et achève et représente le poème entier. En même temps donc, ces strophes *sont* un événement d'importance (comme digression rhétorique) ; elles en décrivent un autre (la vision) ; et elles font un exposé de tout ce qui est arrivé jusque-là dans *Le Lais*.

Laissons de côté l'importance des strophes comme événement — en tant qu'exploration linguistique — pour parler d'abord de leurs autres fonctions. Les mots « mon esperit comme lié » nous montrent le poète ou suffisamment recomposé pour risquer un évanouissement, ou peut-être déjà pris dans les chaînes de sa fantaisie. Mais en même temps ils se réfèrent au poète lié dans la « tres amoureuse prison » de la deuxième strophe par des liens sclérosés avec le monde objectif, liens qu'il était en train de couper. De même, « je m'entroublié » note l'assoupissement du poète et renvoie *aussi* à son entrée antérieure dans le chantier de travail linguistique à la strophe 3 :

> *Je le feis en telle façon*
> *Voyant celle devant mes yeulx,*

qui correspond parfaitement à la notion d'une vision ou d'un songe [19].

Puis les expressions « reprendre », appliquée à la mémoire qui *range*, « le sensitif s'esveilla », nous décrivent l'espèce de somnolence clairvoyante qui saisit le poète, en même temps qu'elles précisent la nature du travail de reconstitution opéré par les « legs » érotiques. L'expression « l'oppression d'oubliance... espartie » décrit la tyrannie exercée sur Dame Memoire en même temps qu'elle rappelle l'oubliance d'une identité initialement fâcheuse. La syntaxe ambiguë de la strophe 38 nous permet aussi de lire « Fantasie... espartie », où « espartie » abandonnerait son sens de *répandre* pour assumer un sens plus concret d'*éparpiller*, décrivant ainsi exactement la dispersion fantaisiste accomplie dans le poème. Et enfin, le vers

> *Pour monstrer des sens l'aliance*

est l'affirmation d'une nouvelle identité construite. Cette affirmation, nous l'avons déjà indiqué qu'elle était l'un des buts de la vision soudaine ; ainsi « monstrer » donne le sens de *démontrer* avec un exemple. Mais en même temps, ce vers affirme le but créateur de tout le poème, et « monstrer » voudrait dire provoquer une *révélation pro-gressive* à travers un procédé logique. Quand nous arrivons aux vers

> *Puis que mon sens fut a repos*   (L. 305)
> *Et l'entendement demeslé*

le travail de « monstrer » dans ses deux sens s'achève, puisque le poème et la vision qui le représente s'y terminent. A la première strophe, Villon était « de sens rassis » ; dans *Le Lais* il s' « entroubli(e) » pour « l'entendement demesl(er) » et pour mettre derechef son « sens... a repos » dans une nouvelle personnalité [20].

Dans ces vers, la distinction entre « vision » et « poème » disparaît; les deux choses fusionnent au point où elles s'achèvent. La nouvelle *persona* — maintenant créée par le poème et « monstrée » par la vision — nous mène encore une fois dans le monde objectif. En tant qu'assoupissement, la vision décrite par ces strophes est d'un parfait réalisme psychologique : comme tout songe réel, elle traduit dans un vocabulaire spécial les événements saillants (du point de vue affectif) de la période éveillée précédente.

Tournons-nous maintenant vers le passage en tant qu'événement. Comme nous l'avons dit plus haut, le fait que ce passage est une seconde exploration d'une rhétorique établie complique davantage ses rapports avec le reste du *Lais*. En tant qu'événement linguistique, elle appartient au fond psychologique d'où est issu le poème ; car tout au début Villon nous a présenté une convention linguistique comme spécimen d'une certaine stérilité et d'une raideur qui, dans ses rapports avec le monde extérieur, le menaçaient. Cette nouvelle convention doit agir comme réplique au danger, sinon comme une solution. En effet, les deux langages emploient des mots de façons opposées. Prenons les deux formules essentielles des deux rhétoriques: « (je) meurs », et « je m'entroublié ».

La formule « (je) meurs » est une métaphore hyperbolique pour une autre, « je souffre mortellement ». Placée dans différentes combinaisons rhétoriques (selon un procédé déjà étudié) cette formule — ce blason — donne au moins quatre sens : « je souffre dans la prison de mon amour » ; « ma dame ordonne que je souffre » ; « je souffre en effet puisqu'elle me rejette » ; « je souffre parce que ma personnalité se disjoint ». Laissons de côté le premier de ces sens, puisque Villon ne pousse pas la confusion des langages jusqu'à l'exprimer par le verbe « mourir » (il dit « mon cuer debrisier », et « me trespersans jusques aux flans », où la même métaphore — angoisse intellectuelle ou sentimentale comparée aux souffrances physiques d'un coup ou d'une maladie fatale — est reprise en d'autres termes). Mais plus loin, dans la strophe 8, Villon emploie le mot « mort » avec un autre sens : le *voyage* d'un poète mis en pièces (sens 4 ci-dessus), avec l'identité de sa *persona* menacée (sens 2) par une stérilité linguistique (sens 3), à laquelle il échappera en allant « a Angiers ». De toute évidence, pour pouvoir se servir de ce seul sens poétiquement utile de « (je) meurs », Villon a dû l'établir à l'aide de trois sens du même mot employé comme formule rhétorique, et par une exploitation originale d'un système d'équivoques. Il a fallu un immense effort linguistique pour produire une seule idée poétique valable hors de la convention où il se trouve.

D'autre part, l'économie linguistique de « je m'entroublié » est inverse. Car ce seul mot, en contact avec les formules qui le suivent et avec le poème qui l'entoure, sert au prix d'un effort minime à évoquer et à illustrer *deux idées* poétiques : l'oubli d'une identité assaillie au début du *Lais*, et l'assoupissement d'une nouvelle personnalité qui s'est créée et qui maintenant se présente. Tous les rapports complexes que nous avons vus entre ces deux idées dépendent de la richesse de cette formule seule. Notons de plus que le mot « entroublier » est lui-même *double*, formant calembour sur le mot « entroubler » ou « entroublir », soit *troubler* ou *entraver* [21]. Ainsi ce mot-clef exprime à lui seul un côté du paradoxe central du *Lais* : trouvant sa vieille personnalité *entravée*, Villon a dû l'oublier. C'est le même paradoxe dont l'autre face était exprimée par le vers

Pour monstrer des sens l'aliance.

Pour démontrer la nouvelle *unité* de ses « sens » dans la vision et dans le poème entier, Villon a dû nous révéler ses « sens » qui travaillaient séparément dans le procédé de « laisser »[22]. Enfin, ce sont les deux faces du même paradoxe exprimé par la distinction soigneusement maintenue par Villon entre « *les* sens » et « *le* sens » : pour rétablir le « repos » de son sens (l'intellect), soit son unité, Villon doit *épartir* ces cinq sens avec sa fantaisie. C'est-à-dire qu'afin de se recomposer, Villon est obligé d'éparpiller les éléments de lui-même à l'intérieur d'un poème. Tout ce paradoxe complexe, tous les rapports entre la vision et le poème, et maint trait de l'une et de l'autre, sont étalés d'emblée par la simple formule « je m'entroublié ». Tandis que les sens variés de la seule formule « (je) meurs » fonctionnaient comme *limitations* sur un sens nouveau de la même expression — le seul sens utile pour Villon dans *Le Lais* entier — la formule « je m'entroublié » agit comme une *source* de pouvoir presque illimité. Bref, « je m'entroublié » agit en vrai *talisman*.

Nous avons dû creuser ce problème stylistique parce que nous voulions dégager la raison principale pour laquelle Villon a choisi de s'exprimer en un jargon scolastique. Très tôt dans notre discussion du *Lais* nous avons trouvé que le jargon amoureux était attaqué par Villon comme étant composé de talismans qui n'exerçaient plus de force magique. Nous avons constaté que cette stérilité d'un langage commun à la poésie de son temps constituait, pour Villon, une menace aux rapports entre un poète et son monde. Or, nous venons de voir que les formules d'un deuxième jargon agissent en talismans puissants, qui expriment avec ampleur et cette crise et sa résolution dans la création heureuse d'une nouvelle *persona*. En parodiant la rhétorique amoureuse, Villon a montré celle-ci comme presque inutile ; par son emploi du jargon scolastique, il nous fait voir l'espèce de poésie qu'il se propose d'y substituer.

Comme de juste, Villon remplacera une rhétorique par une autre rhétorique — sinon, son argument n'aurait guère de force. D'ailleurs, comme nous l'avons dit, Villon ne condamne pas les rhétoriques comme telles. En adaptant à la poésie un jargon qui n'était pas auparavant poétique, il démontre les capacités expressives de la convention littéraire. Ce jargon, il l'a fait sien ; il l'a rendu poétique. La formule « je m'entroublié » n'est pas la seule à agir comme un véritable talisman ; agissent de même presque toutes les autres formules de ce passage, comme nous aurions pu le démontrer : « Dame Memoire », qui tire les cheveux à la méchante putain « celle » ; « le sensitif s'esveilla », dont nous verrons bientôt la puissance ; « la souveraine partie », « oppression d'oubliance », « des sens l'aliance », etc... Une question encore se pose à ce sujet : pourquoi Villon a-t-il choisi ce jargon-ci et non pas un autre ?

Dans la première partie du *Lais*, tout en abandonnant un jargon dangereux, Villon en conservait néanmoins un des systèmes d'équivoques pour une prochaine exploitation. C'était celui qui lui permettait de présenter son voyage-mort, c'est-à-dire l'entreprise poétique, comme une activité essentiellement érotique. Le jargon qu'il nous propose à

titre de remplaçant parfait, qui en comblerait les lacunes logiques et
qui échapperait à ses faiblesses expressives, ce nouveau jargon utile
devrait incorporer le seul membre que Villon ait jugé encore vivant
dans un corps linguistique moribond. Villon nous disait alors que dans
son poème il allait « a Angiers » ; reste à savoir s'il y est arrivé.

Villon se sert d'un langage explicitement psychologique, disions-
nous, pour souligner que le chantier de sa construction est intérieur.
Il se sert d'un langage éminemment légitime pour affirmer l'aspect
conservateur de ses buts. Mais la qualité foncière de cette psychologie, c'est que ces formules présupposent une séparation complète
entre les facultés intellectuelles et les facultés sensuelles — entre
« mon sens » et « mes sens ». La vision des strophes 36-38 relève de
cette séparation. Pendant que Dame Memoire, en bonne femme de
ménage, s'affaire pour rassembler les morceaux d'intellect (« oppi-
native », « estimative », « formative », etc.) jetés çà et là par l'insou-
ciante maîtresse de son patron, c'est le « sensitif » de Villon qui se
réveille dans son lit désordonné et solitaire pour récupérer ce qui peut
lui rester après la débâcle amoureuse. C'est le « sensitif » qui opère la
reconstruction de la personne.

Or Villon nous dit ailleurs qu'il conçoit le « sensitif » comme étant
localisé dans un organe spécial, son « membre viril » :

> Tous mes cinq sens : yeulx, oreilles, et bouche,
> Le nez, et vous, le sensitif aussi...

De plus, le membre qui « se réveille » était une locution érotique
proverbiale [23]. Toute cette vision, donc, peut être considérée comme
une fantaisie érotique, où Villon perd conscience dans une espèce
d'orgasme. Mais cette fantaisie, nous avons vu qu'elle représente en
miniature Le Lais entier. En tant que rêve sexuel, ce passage confirme
le sens de « fouïr » et d'« Angiers » en nous disant franchement que
la plus grande partie du Lais est une fantaisie érotique aussi. S'il
fallait une autre confirmation, nous la trouverions dans la strophe qui
suit la vision érotique et le travail sexuel qu'elle représente : « cierge »,
« ancre », et « feu » sont des symboles sexuels tout à fait communs.
Comme Molinet le disait à la fin de ses poèmes,

> Par vostre pouvre Molinet,
> Qui n'a plus d'ancre en son cornet,

— locution proverbiale qu'Oudin traduit, « ... plus de vigeur, et plus
licentieusement, les vases spermatiques sont vuides » [24]. Villon doit
cesser d'écrire parce qu'il s'est épuisé. Son acte sexuel est achevé,
et il n'en peut plus. Point de merveille s'il « (s)'endormi(t) tout
enmouflé ».

Notons que l'épuisement de Villon survient non seulement à la fin
de sa vision, ou à la fin de sa reconstruction personnelle, mais aussi à
la fin de tout son travail poétique. Même si nous ignorions les théories
de création artistique évoquées par les phrases « je m'entroublié »,
« force de vin boire », « esperit comme lié », « fol et lunatique »,

« oppression d'oubliance », ce dernier fait nous aurait suggéré une autre fonction de ce passage rhétorique, fonction la plus générale et la plus significative pour l'art de Villon et de ceux qu'il a influencés : ce passage, en fait, décrit l'acte créateur artistique. « S'entroublier », dans une telle fantaisie, c'est ce qu'un poète fait et ce qui lui arrive quand il se met à écrire.

Ce moment de fureur créatrice — ou pour employer un mot plus vague, d'inspiration — Villon nous l'avait déjà décrit. Nous l'avons vu « s'entroublier » exactement après la première strophe du poème, là où se trouve l'hiatus entre monde « objectif » et vision « surréaliste », où se trouve ce que nous avons appelé une dénivellation, une large marche déconcertante entre deux chambres poétiques. Dans la première strophe, Villon semble ne s'être pas encore *entroublié*, n'être pas encore averti de la menace qui pèse sur lui. Il débute dans l'esprit traditionnel d'un Machaut ou d'un Colin Muset — il débute en *jongleur :* en ce joli mois de mai, quand les oiseaux chantent dans la ramée, j'ai décidé d'écrire quelque chose... — espèce de plaisanterie placée souvent en tête d'une poésie pour cacher, ou pour déguiser le vrai motif artistique, ou pour jouer avec lui. C'est à un tel moment, semble dire Villon, que je me suis rendu compte que le beau printemps était en réalité un hiver noir, et que « je m'entroublié ».

De plus, notons que le *verbe* manque à la première strophe. Quand le beau sujet, apparemment si bien défini, *s'entroublie*, il se plonge en effet dans sa fantaisie érotique. Le verbe qui suit la première strophe, donc, est le poème entier. Le poète en s'entroubliant fait ce qu'il disait, dans le premier passage rhétorique, qu'il allait faire, et ce qu'il dit dans la vision qu'il a fait : « Fouïr, Angier, Laisser ». Mais la complication stylistique de la première strophe est extrême, car Villon proclame au même moment qu'il est insouciant, et aussi qu'il est en crise. La nonchalance de la strophe est elle-même une fiction qui souligne l'angoisse du poète. Quand Villon écrit à la strophe 36, « je m'entroublié », le moment dont il parle se place également *avant* le premier vers du *Lais,* avant

> *L'an quatre cens cinquante six.*

En fait, Villon *s'entroublie* quatre fois au cours de son expérience poétique, puisqu'il compose au moins quatre poèmes dans *Le Lais*. Chacun de ces moment est décrit par la vision des strophes 36-38. Chacun des poèmes qui en résultent se loge dans un autre, telle une série de boîtes chinoises, et chacun correspond à un nouveau plan linguistique : l'écorce « objective » (str. 1, 40) ; la vision « surréaliste » (2, 35 et 39) ; l'exploration rhétorique (3-8, 36-38) ; les « legs » (9-34).

Reste à répondre à une dernière question que nous avons posée plus haut : ce passage de rhétorique est-il vraiment comique ? Sans doute il y a le gros rire qui vient de ce que Villon a mué secrètement une austère leçon d'école en récit d'orgasme. On peut dire d'autre part que le passage est comique comme l'est toute artificialité qui se vante de n'être pas artificielle — comme tout jargon qui se pose comme un parler naturel. Mais en réalité, dans la mesure où Villon parvient à faire de ce jargon un parler naturel, ce passage ne laisse pas d'être grave. Cependant, le fait que Villon a choisi un jargon qui apparaît d'ordinaire si anti-poétique — un amas incongru de mots longs et bouffons par leur solennité — nous rappelle sa nature avant qu'il ne soit transformé par un maître. Si nous laissons d'abord éclater de gros rires, bientôt après, le tour de force une fois reconnu, le rire fort justement s'apaise en fin sourire.

7. A la fin de son poème, Villon reparaît dans le monde objectif. Comme au début, il s'y montre conscient d'être un homme qui agit d'une manière extraordinaire, un homme à part, membre d'une caste privilégiée. De cet acte antisocial qu'a été *Le Lais*, il nous rappelle exactement les conditions. Il nous dit qu'en tant qu'artisan, il a « fait » un objet ; il cite de nouveau la date de la création, cette date dont nous avons longuement parlé ; il répète son nom, la désignation sociale du créateur ; il parle de ses liens sociaux, de sa renommée et de ses « amis ». Pour d'autres renseignements, il renvoie par le mot « ladite », à la première strophe où il prenait congé du même monde social dans lequel il s'insère de nouveau. Puisque cette dernière strophe est une conclusion au sens logique du mot, elle doit répondre à la question qu'elle suscite comme dernière : comment Villon conçoit-il son travail et sa personnalité poétique par rapport aux autres hommes ?

Considérons d'abord ses notions sur son propre travail. Villon confirme qu'il a réussi à « laisser », dans tous les sens du mot « lais » qu'il a établis auparavant. Il a « laissé » des choses qu'il ne possédait pas et qu'il possède maintenant ; des choses qu'il possédait et qu'il possède encore ; des choses qu'il possédait et qui ne lui appartiennent plus. En tant que largesse, son travail a été désintéressé (c'est l'un des sens du vers obscur, « Qui ne menjue figue ne date ») et c'est le procédé consistant à distribuer qui lui importait. Mais le vers « sec et noir comme escouvillon » est le plus curieux de la strophe, et le mot « escouvillon » la domine. « Sec et noir » n'ont pas une teneur évidente comme qualités d'un homme. Il se peut que Villon fasse référence à l'expression « altéré d'humeur » du vers 54 ; mais le fait que le vers commenté ici se place très loin et à un autre niveau d'expression, que « escouvillon » soit à la rime, et soit un mot d'une certaine précision — tout cela nous porte à croire que Villon se penchait plutôt sur ce mot que sur les qualificatifs « Sec et noir ». Villon avait un large choix de mots en « — illon », comme il le montre ailleurs ; pourquoi a-t-il choisi celui-ci ? Pourquoi veut-il se comparer à un balai de four « sec et noir », c'est-à-dire à un instrument qui vient d'être manipulé ?

C'est parce qu'avec son poème Villon vient d'agir d'une manière pareille ; il a opéré une espèce de nettoyage dans le four poétique, dans un mécanisme de production qui, avant que le poème survînt, a été précisément *entravé*. (Que la distribution de dons érotiques et scatalogiques ait pu opérer un nettoyage est, d'ailleurs, le même paradoxe que nous avons rencontré là où une reconstruction personnelle se faisait à travers un procédé d'éparpillement). L'instrument d'un tel nettoyage se trouvera naturellement « sec et noir », une fois que le four linguistique et social sera remis en état de se rallumer et de produire le pain artistique. Et cette expression elle-même nous montre comment opère le fourneau linguistique, puisqu'elle donne un exemple frappant d'une nouvelle manière de s'exprimer à laquelle s'attache maintenant le poète.

La phrase « Sec et noir comme escouvillon » fonctionne en deux directions. D'abord, Villon crée avec elle une atmosphère de distorsion grotesque, voire morne, dans le monde extérieur, en douant d'une valeur extraordinaire un objet banal et peut-être laid, mais en tout cas ordinaire. Dans la cuisine poétique de cette dernière strophe, tout est à mesurer en termes d'escouvillon ; et c'est pourquoi Villon se représente maintenant comme « sec et noir ». Assimiler un homme à un petit balai implique une transformation brusque du monde physique tout entier avec la fantaisie cohérente d'un cauchemar. Un monde où des escouvillons se pavanent avec une figure humaine est un monde de fable, un monde déformé dans une certaine direction. Voilà la première fonction du langage nouveau choisi par Villon. Une distorsion minutieuse et lucide opérée par une métaphore hardie sur des objets entièrement banals, comme par le scalpel d'un chirurgien, entraînera une distorsion générale de valeurs qui rendra le monde « objectif » capable d'exprimer avec logique un état intérieur. C'est la fonction que nous avons appelée ailleurs « surréaliste ».

La deuxième façon dont fontionne cette expression est plus complexe. Le balai qui frotte dans un four est une puissante image érotique, attestée par maints proverbes et locutions du temps de Villon ; « l'escouvillon » était euphémisme de pénis [25]. De même, presque toutes les expressions de la strophe fournissent des sous-entendus sexuels. Que Villon ait maintenant laissé sa « tente » et son « pavillon » et son « billon », qu'il ne mange plus ni « figue ne date », et qu'il envisage « tantost » une « fin », sont des équivoques qui reprennent l'idée d'épuisement exprimée par la strophe précédente [26]. De plus, quand Villon se compare à un balai-génitoire qui est « sec et noir », il fait une allusion précise à une vieille notion populaire ; à voir, par exemple, ce que dit le héros du fabliau « De la Coille Noire » :

> « ...A vous, sire, me clain
> De ma fame, qui tot mon fain
> A torchier son cul et son con
> Et la roie de son poistron,
> M'a gasté à faire torchons.
> — Vos i mentés par les grenons,
> Fait ele, dans vilains despers :
> Il a cinc ans que ne fu ters
> Mes cus de fain ne d'autre rien.

— Non, fait-il, jel savoie bien :
Por c'est ma coille si noircie » [27].

Enfin, le mot « escouvillon » est lui-même, peut-être, un calembour qui joint le nom du poète au mot « escouillé », homme châtré ou impuissant [28]. Maintenant nous comprendrons mieux pourquoi Villon était « sec et noir ». Il importe de souligner, cependant, qu'il n'était point nécessaire de reconnaître l'image érotique dans « sec et noir comme escouvillon » pour comprendre que Villon considère son travail comme ayant été fertilisant.

Tout au début de notre étude du *Lais* nous avons vu Villon réserver pour une exploitation ultérieure quelques-unes des locutions du jargon amoureux : « Angier » et « fouïr ». Alors il en usait pour qualifier le travail littéraire qu'il amorçait. Dans la dernière strophe du poème, nous voyons comment Villon a fait fusionner un érotisme *utile* avec son nouveau style. Dans l'expression que nous venons d'étudier, la teneur érotique reste un sous-entendu, qui confère une tout autre dimension à un sens riche mais toujours lié des mots. Cette dimension sert le mot lui-même, et n'est pas servie par lui. « Escouvillon » est ici un point de départ pour plusieurs dimensions de cet ordre qui appartiennent toutes à ce même signe évocateur, et non pas, comme par exemple a été le mot « souldure » à la strophe 6, un point de rencontre pour deux systèmes linguistiques qui n'ont en commun que ce mot. Cette fonction d'« escouvillon » est celle du nouveau langage de Villon, que nous avons appelée ailleurs, faute d'un mot plus précis, fonction « symbolique ».

8.   Un poète se distingue des autres artistes en ce qu'il traite les mots comme des objets. Ils ont pour lui une forme sur la page, un son propre, un je ne sais quoi de concret et un semblant de personnalité comme des jouets. Ils se dédoublent, ils s'enchaînent, ils grincent, ils roulent ; mis ensemble ils forment des talismans qui répandent une force magique et qui peuvent être agencés comme des dominos. Ces mots qui, ainsi combinés et agencés, forment un poème, constituent momentanément pour le poète « sa langue ». L'un de nos indices de la réussite d'un poème lyrique (non pas forcément de sa valeur) sera le degré auquel le poète aura su exercer sur sa langue le contrôle exigé par ses desseins.

Il la contrôle parfaitement quand il réussit à créer l'unique personnalité ou l'unique situation d'où jaillit inévitablement la langue du poème. Mais ce contrôle sera « parfait » seulement par rapport aux buts d'une seule poésie. Car les mots ne sont pas seulement des objets, et le poète, dans un seul poème, ne contrôlera jamais entièrement *la langue*. Même s'il contrôle les mots, il ne contrôle ainsi qu'en partie les choses dont ces mots sont les signes, et nullement les rapports embrouillés et mystérieux entre signe et référence. Même quand il déforme le monde « objectif », il déforme un ensemble d'objets dont la conception linguistique a été déjà formée par des générations de poètes et des centaines de poésies. La déformation elle-même nous rend particulièrement conscients de l'ordre « réel » et accepté : ainsi en est-il dans le « beau » tableau d'hiver de la deuxième strophe.

Or, chaque poète s'efforce de contrôler toute la langue. Par son « manifeste » poétique et par son annonce antisociale de personnalité privilégiée, il revendique le droit de dissocier nos notions de la réalité. Un poète lyrique veut nous faire croire que sa vision des choses est celle que notre langue — et par suite notre société — doit accepter. Il nous obligerait à assimiler notre personnalité à celle qui parle la langue du poème. Puisque donc un poète lyrique s'efforce de masquer une vérité — il ne saurait en effet contrôler la langue qu'en partie — et de nous convaincre que les mots sont des jouets, quelle sera la force d'un poète qui semble s'exprimer franchement ? qui avoue qu'il ne contrôle que partiellement sa langue ? Quels seront les appas d'une personnalité dont la langue non seulement révèle le manque de contrôle final, mais qui exprime cette faillite, et qui ainsi associe cette « vérité » et cette franchise à la personnalité qu'elle définit ? Peu nombreux sont les poètes qui contrôlent la langue d'un seul poème si parfaitement qu'ils puissent y confesser leur manque de contrôle final, et par suite, y faire valoir leur humanité.

Villon a terminé son travail poétique dans *Le Lais* avec la création d'un nouveau langage poétique. Comme nous l'avons dit, il serait futile de tenter dans cette dernière strophe de dégager une nouvelle personnalité poétique du langage qu'elle parle, si en effet le poème atteint ses buts. Le paysage « surréaliste » de « salut » à la strophe 35, la vision des strophes 36-38, et l'épuisement de la strophe 39 nous ont déjà avertis de la réussite de Villon en tant qu'homme menacé, et aussi en tant qu'artiste. Or, suivons la démarche inverse : constater l'impossibilité de dégager une *persona* de sa langue confirmera la double réussite du poète. Souvent un « manifeste » poétique s'achève avec l'apposition d'une espèce de signature linguistique exigée par un choix d'attitudes personnelles déjà fait ou en train de se faire ; le poète doit être reconnu parce qu'il s'est *re*-connu lui-même. C'est une telle signature que nous croyons déceler dans la dernière strophe du *Lais* ; nous allons l'examiner afin de vérifier notre premier jugement sur la réussite du poème.

Villon nous avait déjà invités à rapprocher la dernière strophe de la première pour nous rendre compte des changements survenus entre elles, quand il écrivait « fait » et « ladite date ». Les parallélismes et aussi les divergences entre les deux strophes sont ensuite implicites dans le mot « renommé ». Notons-en le triple jeu : Villon cite son nom une deuxième fois ; il dit qu'il s'est donné un nouveau nom ; et il nous rappelle qu'il est déjà connu par le vieux nom qui maintenant désigne une nouvelle *persona* [29]. Les deux locutions proverbiales et burlesques qui suivaient, dans la première strophe, la date et le nom

Le frain aux dens franc au collier

sont remplacées dans la dernière strophe par deux locutions (« Qui ne manjue... », « Sec et noir... ») qui sonnent comme des proverbes, mais qui, que nous sachions, ne le sont pas. Pour comprendre la vraie portée des deux premiers proverbes, nous devions attendre les autres locutions du jargon amoureux qui comparaient les hommes aux bêtes. Lorsque Villon se qualifie de nouveau, des expressions personnelles et nuancées succèdent aux locutions toutes faites et mécaniques.

Les autres parallélismes entre la première et la dernière strophe du *Lais* sont faciles à tracer : « escouvillon » fait écho à « escollier », avec le résultat que nous avons remarqué, et dont nous parlerons davantage tout à l'heure ; « tente ne pavillon » se rapporte à « ses œuvres conseiller » ; « ung peu de billon » reprend « on se mesconte ». Mais c'est un effet stylistique qui les lie le plus étroitement. Ailleurs nous avons suggéré que l'air inquiet et chancelant de l'introduction — sa beauté lyrique — ressortait du jeu subtil entre une insouciance traditionnelle et une angoisse à peine cachée qui allait éclater dans la strophe suivante. L'insouciance que le moment exigeait renforçait l'angoisse qui avait provoqué le moment, laquelle exigeait une insouciance forcée et ainsi de suite — ce qui entraînait inévitablement une coupure brutale de la phrase, et la création d'une strophe châtrée, d'une strophe sans verbe.

Chose étrange, cette même atmosphère d'inquiétude envahit la dernière strophe, à tel point que nous croirions qu'en fait le poète n'a pas avancé ; qu'il n'a trouvé aucune solution aux problèmes qui le poussaient à écrire. L'impression de souffrance, voire de menace, ressort de l'ambiguïté narquoise et amère des mots « bien renommé », du sourire morne qui accompagne la comparaison du corps avec un objet laid et indigne, de l'insistance sur le fait que ce corps est dépourvu de mets, de maison, de monnaie, enfin de la suggestion fatale qu'une « fin » approche. Tout comme dans la première strophe, à cet air tragique se mêle une gaieté, presque la tranquillité d'un homme assouvi — mélange exprimé par la notion d'immobilité et d'impuissance que nous trouvions suggérée de plusieurs façons par le mot « escouvillon ».

Notons quelques raisons qui expliquent ce parallélisme entre la fin et le début du *Lais*. Premièrement, le poète se trouve de nouveau dans le monde objectif, niveau qu'il avait quitté après la première strophe. Le retour du voyage ne serait guère un retour si l'atmosphère de menace (le temps et la saison poétique, les rapports entre le poète et sa société, etc., qui caractérisent ce niveau de discours) ne s'y trouvait plus. Ensuite, le procédé de retour est lui-même un mécanisme créateur très puissant. Outre ses effets sur l'unité de structure ou sur la logique de l'ouvrage, le retour d'une fin de poème à son début (comme, par exemple, le refrain d'un rondeau) lui prête l'énergie et le mouvement éternel d'une chanson ou d'une ronde. Un cercle d'activité cérémoniale ou magique est fermé. Nul besoin d'insister ici sur le symbolisme très ancien du cercle comme signe de fertilité ; notons simplement que le poème est animé d'un mouvement perpétuellement régénéré, comme le serpent qui mange sa queue sur les portails des églises romanes. Un tel enchevêtrement dans l'art (ici la répétition stylistique d'une atmosphère) témoigne d'une fonction créatrice, ou comme c'est le cas ici, d'une fonction re-créatrice. Comme Villon s'est recréé, de même il recrée son poème et ainsi sa propre recréation. L'une des fascinations du *Lais* provient de ce sentiment d'excitation, de renouvellement incessant, qui nous pousse à retourner de sa dernière à sa première page. Afin de nous montrer qu'il a pu échapper à une situation menaçante, Villon doit y retourner — ce qui l'oblige à « fouïr » de nouveau. Car, notons enfin, le parallélisme entre la dernière strophe et la première avère que Villon contrôle son propre mouvement. Il ne voyage pas au hasard, de mot en mot, plume à la main.

Avec ce mot de « contrôle », nous voici à la recherche des *différences* entre les deux strophes. Elles sont parallèles, cela ne veut pas dire qu'elles soient semblables. Si la stérilité, l'impuissance, et le refoulement angoissant dans la première strophe étaient produits *par* un langage poétique raide et mécanique, ce même sentiment de stérilité dans la dernière strophe est produit *par le moyen d'*une autre sorte de langage. La première stérilité était une impuissance d'impossibilité ; la dernière, une lassitude d'épuisement. La première se produit malgré le poète, la dernière à cause de son poème. La victime de l'introduction est donc devenu un maître, qui contrôle son langage poétique, c'est-à-dire sa *persona*. Dans cette strophe, le poète transfiguré nous dit clairement que s'il s'est montré ou s'il se montrera victime, c'est parce que ce rôle lui est utile poétiquement. Dire que Villon contrôle ainsi sa langue veut dire qu'il s'est révélé un véritable poète lyrique ; car le poète lyrique doit savoir contrôler sa langue dans son œuvre aussi parfaitement que le poète dramatique doit savoir s'y laisser contrôler par elle. Le caractère si puissamment dramatique de la première strophe du *Lais* vient peut-être d'une sorte d'incertitude professionnelle ressentie par l'auteur.

Manifestement, la menace sentie par le poète dans la dernière strophe n'est plus celle d'un langage stérile. Nous avons vu ailleurs que le premier danger couru par l'identité poétique de Villon venait de ce qu'il ne trouvait entre ses mains comme instruments linguistiques que de longs pinceaux incommodes : les locutions et les métaphores du jargon amoureux. De tels outils le tenaient toujours à une certaine distance, déjà établie, des choses du monde « objectif », et ne lui permettaient de manier ces choses qu'en certaines directions et dans certaines limites. Aussi avons-nous vu qu'en se libérant de ces pinceaux, Villon s'est défini de nouveau afin d'exercer sur sa propre personnalité un contrôle parfait. A ces instruments qui entravaient sa liberté d'artiste, il a substitué ses propres membres, y compris son « membre viril ». Il s'est mis en contact avec le monde extérieur, puisque le travail de reconstruction personnelle exigeait un nouvel

arrangement de ses propres choses, de ses « œuvres ». Et puisqu'il
s'agissait de lui-même et d'une poésie, Villon a dû tâtonner. Les agencements qu'il recherchait impliquaient le poète dans une série de
choix très complexes. Il a dû choisir, par exemple, exactement les
usages et les déformations auxquelles devait être soumis un escouvillon pour que le mot pût exprimer en plusieurs dimensions la conclusion de son œuvre.

De plus, comme nous l'avons suggéré ailleurs, le travail ou les
choix qu'a faits Villon ont produit nécessairement un double effet.
L'œuvre de distribution de ses propres choses a défini sa personnalité
poétique ; mais cette même œuvre a opéré une organisation idéale
dans le monde extérieur. En maniant son « escouvillon », et d'une
façon si hardie, Villon l'a pris en charge ; il l'a apprivoisé. La nature
exacte de l'organisation voulue par Villon, lorsqu'il a chargé cet instrument d'exprimer les rapports entre le poète et le monde, ne sera
discutée qu'a propos du *Testament,* où elle atteindra une portée vraiment universelle. Il suffit ici de constater que c'est le poids de la
responsabilité lyrique nouvellement conquise qui crée, en partie au
moins, l'inquiétude qui perce dans la dernière strophe.

La victime passive de la première strophe du *Lais,* menacée par
son impuissance, est donc devenue dans la dernière un maître responsable, qui a établi un contact, qui contrôle, stérile seulement à cause
de la fatigue de s'être créé. Or l'atmosphère de menace qui domine
cette dernière strophe et la personnalité que Villon a voulu y présenter, sont, aussi bien que la responsabilité lyrique, un produit de la
« mise-en-contact » poétique. Pour tout esprit réfléchi et sensible,
les choses — y compris les personnes — du monde froid, extérieur au
boudoir réchauffé de la compréhension subjective, nous attaquent,
nous sont hostiles. Et elles menacent en particulier la personne qui,
par profession, ose les déranger. En comprenant aussi la métaphore
dans son sens érotique, disons que Villon joue avec le feu ; il joue avec
des forces magiques dont il sent le danger, surtout à ce moment de
contrôle suprême qu'est la dernière strophe. L'inquiétude qui se dégage dérive aussi d'une espèce de contradiction : pendant que le poète
joue, il se sait joué. De là cette série étrange de négations qui ne nient
pas, et qui expriment l'acte même de *privation,* l'acte des choses
hostiles qui se soustraient à un contrôle complet : « ne manjue figue
ne date », « n'a tente ne pavillon/Qu'il n'ait laissié », « n'a mais qu'ung
peu... »

Villon possède l'escouvillon, parce qu'il en a pris la responsabilité,
parce qu'il l'a déformé. Il l'a happé, il l'a séquestré dans son poème,
il l'a frotté dans une métaphore. Mais en même temps qu'il le mani-
pule, l'escouvillon souille ses mains. Dans le vers

> *Sec et noir comme escouvillon*

nous pouvons lire « je suis sec et noir, exactement comme l'est un
escouvillon » ; ou plutôt, « je suis sec et noir ; de plus, je suis comme

un escouvillon ». Même dans la première leçon, Villon ne contrôle que partiellement son image. Entre lui et le balai se produit un échange total de valeurs. Il se peut que le balai devienne humain, mais le poète aussi devient balai, un balai ordinaire, objectif, normal ; un balai comme nous le concevions avant de lire le vers. Villon possède le *mot* « escouvillon », et il l'emploie avec maîtrise ; mais *l'objet* s'éloigne enfin et se moque de lui.

Certes, cette impression de privation dangereuse, Villon a voulu la créer. Il a tiré profit de l'autonomie des choses extérieures et de sa lutte avec elles en tant que poète. Car comme nous le disions, s'il contrôle complètement son nouveau langage, il ne contrôle qu'en partie les choses dont ses mots sont les signes. La privation sera la qualité foncière de sa nouvelle personnalité poétique. Villon se verra comme un homme nu, sans ressources hors sa langue, de faibles prétentions poétiques, sorti dans le monde pour l'arranger — ou, comme nous dirons à propos du *Testament*, pour le mettre en ordre. Il se verra donc exposé spécialement à tous les coups en retour de toutes les choses, personnes, et règles auxquelles il ose toucher poétiquement. Telle est l'ironie acérée du rôle qu'assume Villon ; la preuve de sa maîtrise artistique comporte l'aveu qu'il est à la merci de sa langue. Voilà pourquoi sa poésie est tellement dramatique. Villon devient l'homme vulnérable par excellence lorsqu'il se décide à descendre pour les dépanner parmi les grosses machines d'une langue et d'une société. La création d'une telle *persona*, qui est l'homme dépourvu — l'avorton pitoyable du point de vue social — n'est autre que l'affirmation, poussée jusqu'au défi, du caractère anti-social d'un poète lyrique.

9.   En fin de compte, *Le Lais* n'est certes qu'une blague. Un pauvre étudiant se décide à écrire quelque chose, n'importe quoi... La morne saison lui suggère une triste histoire d'amour, et il l'accueille comme un prétexte. Il imagine être un chevalier ; sa dame l'a abandonné et il en meurt ; enfin il s'en va en chercher une autre. Il fait ses adieux à ses amis, en se moquant d'eux tous (n'était-ce pas son véritable but ?) ; sa liste d'amis parcourue, la cloche qui sonne lui rappelle, par une équivoque, qu'il couche seul ce soir. Il se masturbe et s'endort insouciant.

En route, le moqueur se moque de toutes les conventions poétiques. Son songe survient à la fin du poème, non pas au début, comme le voulait la tradition. Le jargon d'amour courtois, mis en cause depuis trente ans, est transformé en un bafouillage, en un non-sens. Le grave « congé » de l'école d'Arras devient une satire scabreuse ; la psychologie aristotélicienne, un récit d'orgasme. Le pieux testament d'un moribond, tel que l'avait écrit Jean Regnier, sert de cadre à un jeu irrévérencieux.

Dans un certain sens, le protagoniste du *Lais* n'est point un certain « Je, Françoys Villon », mais la poésie elle-même ; et nous avons

affaire à une œuvre éminement littéraire. D'autre part, c'est précisément parce que *Le Lais* est une blague que Villon peut *agir* sur les
traditions littéraires, qu'il peut accomplir un nettoyage par le moyen
de son poème-escouvillon ; car le rire est un puissant détersif. Et la
transformation de la langue poétique opérée par Villon sera d'autant
plus efficace qu'il juge les traditions de cette langue dignes d'une
plaisanterie. C'est afin de susciter ce rire, ce nettoyage, et cette transformation, que Villon exerce sa fonction lyrique envers sa langue,
moyennant la création d'une situation et d'une *persona* (le poète-
victime dépourvu) toutes spéciales. Nous verrons, par la suite, quelle
sera la fonction du poète et de sa poésie par rapport au monde des
hommes et à celui de la nature.

NOTES DU LIVRE II

1. Notre texte est celui de l'édition Longon-Foulet, dégarni de ponctuation. Etant donné la difficulté spéciale qu'il y a à l'établissement de ce texte, à cause de la grande variété de styles et d'intentions qu'offre le poème et du désordre conséquent des mss., nous traiterons *Le Lais*, tel qu'il se présente dans cette édition, comme un acquis. Toutefois, nous tiendrons à signaler, de temps à autre, des variantes ou des révisions possibles qui devraient entrer en ligne de compte lors de l'établissement d'un nouveau texte. Quand l'occasion se présente, plus loin dans notre étude, de revenir sur *Le Lais*, nous accordons par contre une attention spéciale aux questions philologiques. Pour l'ensemble de celles-ci, on peut consulter l'ouvrage de Bijvanck.

Pour ces mêmes raisons, et pour alléger notre texte, nous ne citerons pas en entier les passages dont nous parlerons, mais renvoyons le lecteur à l'édition Longnon-Foulet. Nous tenons pour évident qu'un travail philologique valable suppose une connaissance du texte qu'on veut établir, de même que cette connaissance suppose un travail philologique valable — cercle vicieux d'où sont sortis peu de textes de l'époque, et dans lequel n'est jamais entré *Le Lais*, à vrai dire. C'est pourquoi nous insistons ici sur le sens du poème, en négligeant les difficultés du texte ou en supposant leur résolution.

2. Charles d'ORLÉANS, II, 311-12.

3. BAUDE, 53.

4. *Les Chansons de Jaufré Rudel*, éd. A. Jeanroy, Paris, Champion (C.F.M.A.), 1924, p. 3-4. Nous revenons plus longuement sur cette chanson plus loin, IIe partie, livre II, ch. I, p. 267-9. Cette édition sera désignée désormais sous le simple nom de JAUFRÉ RUDEL.

5. *Medieval Scottish Poetry*, éd. G. Eyre-Todd, Glasgow, William Hodge, 1892, p. 103.

6. La deuxième strophe du *Lais* est parmi les vers de Villon qui figurent dans toutes les anthologies, et la seule partie du *Lais* qui ait eu cette honneur.

7. RUTEBEUF, p. 547. Le texte de ces vers n'est pas sûr, comme le remarquent Faral et Bastin (p. 545). Au vers 2, le ms. B porte « *devant* la nascion ».

8. L'impression de bizarrerie que laissent ces vers vient de ce que Villon donne ici un catalogue condensé des thèmes et des phrases chers aux auteurs des « congés d'amour ». Pour saisir le caractère parodique des strophes 1 à 8, on ne peut mieux faire que de lire le « Congié d'amours » anonyme qui précède de peu *Le Lais* dans le ms. A (Arsenal 3 523), et qui aurait pu inspirer plusieurs de ses traits. Ce poème de 66 strophes octosyllabes a été publié par J.W. GOSSNER dans *Symposium* 9, 1955, p. 106-14. Nous signalerons, de temps à autre, les vers de l'anonyme congé d'amour qui éclaircissent l'intention de Villon. La drôlerie de la deuxième strophe du *Lais*, par exemple, ne peut être saisie que lorsqu'on la juxtapose à la première strophe du « Congié d'amours » :

> *En ce temps de joyeulx este*
> *Que Phebus est en sa haultesse,*
> *Amours, pour sa joyeuseté*
> *Me retient a court de liesse*
> *Et m'a donné de sa noblesse,*
> *Dont humblement le remercy,*
> *Une gracïeuse maistresse*
> *Ou j'ay trouvé don et mercy.*

9. Villon parle ici pour tous les amants martyrs des congés d'amour, ainsi :
« Je suis donc un pauvre amant trahi de cette espèce-là ; qu'est-ce que je fais ?
D'abord " je me deuil et plains aux cieulx "... ensuite je dis qu'il me faut fuir, etc.
etc. » Voici les strophes 46 et 48 de l'anonyme « Congié d'amours » :

> O Venus, tresnoble deesse,
> Haultaine superheminance
> Qui est empereuse & princesse
> D'amour, par ta magnificence,
> Se tu a puissance ou deffence
> De guerroyer tes ennemis,
> Prens vengence de ceste offence
> Pour reconforter tes amis...
>
> Cupido, Juno & Pallas,
> Descendés voz dars amoureux
> Contre Dangier qui n'est pas las
> De gecter les siens rigoureux.
> Il griefve les avantureux
> Par Male Bouche, qui l'ensuit
> Dont souvent les font maleureux
> Et leurs entreprinses destruit.

10. Cf. le « Congié d'amours », v. 476, « Sans que je l'eusse desservye ».

11. Un autre sens du vers est suggéré par le « Congié d'amours », où l'amant
navré se propose de dire à « celle » qui le trahit :

> ...Vous voulés consentir
> A ung autre que moy amer.
> Pour ce cas me fault absentir,
> Dont j'ay le cuer remply d'amer (v. 117-20)

Le dépècement de l'amant martyr, dont Villon se moque ici, est représenté par
ces vers du « Congié d'amours » (strophe 41) :

> Au dire adieu mon cuer se part
> Et fent en plus d'une partie.
> Mon espoir s'en va et se part
> Pour la doulente despartie.
> A peu que l'ame n'est partie,
> Mon haultain bien se partira.
> Ma joye est ja departie
> Et si ne sçay quel part ira.

12. On peut lire aussi que Vegece, dans son livre, « raconte » ce fait, à savoir
« Qu'on doit ses œuvres conseillier ». En fait, il s'agit d'une référence fausse et
délibérément burlesque. Nous apprendrons (IIe partie, livre I, ch. II, p. 209 sqq.)
que la phrase « ses œuvres conseillier » est un terme technique de la philosophie
morale, qui n'a rien à voir avec Vegece et son livre sur l'art de la guerre.
D'ailleurs, pour les « escolliers » comme Villon, à l'esprit tourné vers l'équivoque
grivoise, « L'Art de chevalerie » devait être un traité obscène. Pour celui qui
tient à comprendre le vocabulaire de la guerre féodale comme une vaste allégorie
des escarmouches de l'amour, la lecture de ce livre peut en effet être amusante.
De même au XVIIIe siècle, certains beaux esprits s'esclaffaient aux représentations
des tragédies de Corneille, à croire A. DELVAU (voir l'avant-propos du Dictionnaire
érotique moderne, Bâle, K. Schmidt, 1864).

13. Voir GODEFROY, sous ces mots. Il n'est pas possible de fixer avec précision
lesquels de ces sens auraient été évidents, et lesquels ne sont que suggestions,
calembours ou sous-entendus.

14. L'Art de chevalerie, trad. Jean de Mehun, éd. U. Robert, S.A.T.F., 1897,
p. 15 et 72. Il va sans dire que la référence bouffonne, comme toute allusion
explicite de ce genre, surtout au début d'un ouvrage, doit aussi être prise au
sérieux.

15. Etant donné la teneur de ces expressions, elles ne sont pas entrées souvent dans les textes littéraires, aussi n'est-il pas facile d'en démontrer l'usage.

1) Le mot « angier » est une variante orthographique du mot « enger » ou « engier », primitivement « aengier », de sens équivoque, qui semble avoir été confondu avec l'ancien mot « ongier », qui est peut-être deux mots. Pour l'histoire et l'étymologie de ces mots, voir *Romania* 33 (1904), p. 602-5 (A. Jeanroy) ; 47, p. 226-36 (P. Marchot) ; et surtout 48 p. 585-92 (E. Langlois) ; et le Few, sous les mots *indicare* et *unguere*.

Le mot « engier » était autrefois assez commun, et se trouve encore chez Littré. Voici l'article du *Dictionnaire* de Richelet : « Prononcez *angé*. Faire produire en un lieu par le moyen de quelque plant, de quelque bouture, ou de quelque semence. Ce mot en ce sens est bien bas et bien vieux. (« Qui a engé votre jardin de cette herbe, elle ne vaut rien »)... Fournir. Donner à une personne une chose d'une nature capable d'en produire une autre de même espèce... Le mot *au figuré* se dit des personnes et il est bas et burlesque. Il signifie faire naître... »

Huguet, s.m. Enger, donne « enfanter » avec un exemple de la *Satire Ménipée* : « Pareillement fut aux femmes enjoinct de porter de gros culs et d'*enger* en toute sureté soubz iceux... » L'on voit que le mot se prête à d'autres interprétations. Leroux, dans son *Dictionnaire comique*, reprend l'article de Richelet, confirme l'équivoque, et ajoute un exemple de Molière : « Votre père se moque-t-il de vouloir vous enger de votre Avocat de Limoges ? », qui est de *Monsieur de Pourceaugnac*, I, 3. À propos de cet exemple, le Few traduit : « Embarasser, charger de (en parlant d'une personne qu'on marie avec quelqu'un) ».

2) Dans les textes de l'époque de Villon, on rencontre plus souvent le substantif féminin « enge », race : chez Martin le Franc, par exemple :

> Ainsi Dieu ains tous ses seaulx
> De toutes choses mesme enge
> Entre les vermolus rainseaulx
> En peut ung garder de lesdenge...

> (fol. y-III, R°, mais le texte n'est pas net. Il s'agit de la Vierge.)

Et chez Molinet :

> Et pour avoir enge nouvelle
> De pouchins, une demoiselle
> Me donna, par ung tres bon zele
> Noefz ou dix oeufz...
> (II, 793).

Mais les mots « engier » et « enge » se prêtent partout à des calembours obscènes, sur « ange », « angelot », « engin » (membre viril) et « dangier ». Voici deux exemples du *Parnasse satyrique* :

> Adieu Venus et Mars, de moy est pic.
> Je suis proscript et jà passé au bac :
> Car quant je veulx à bauldryer ou à cric
> Tendre l'engin, j'ay mal en l'esthomac... (p. 161)

> Pour joaye avoir, hier soir, à la mynuit,
> Quant on pense que Dangier plus ne nuyt,
> Je m'en alay veoir une meschine,
> Cuidant jouir de l'amoureux deduyt :
> Car son regard m'avoit à ce conduyt. (p. 185)

Ici, l'éditeur aurait aussi bien pu mettre « d'angier ». Ajoutons que Gargantua, parmi ses jeux d'enfance, jouait « a Angenart » (*Gargantua*, Ch. 22).

3). Le sens obscène du mot « engier » aurait pu être étayé par un souvenir de l'ancien mot « ongier », qui, sans aucun doute, voulait dire fréquenter une femme, faire l'amour. Voir les exemples de Godefroy (s.m. Engier : « Ongier une femme, l'étreindre, avoir commerce avec elle. ») et l'analyse de P. Marchot dans l'article cité ci-dessus.

4). Quant à l'expression « aller à Angier », elle est fort rare. Dans sa liste d'expressions semblables, la plus complète que nous connaissions, A. Ziwès ne le donne pas (*Le Jargon de Mᵉ François Villon*, interprété par Armand Ziwès en collaboration avec Anne de Bercy, 2 vol., Paris, M. Puget, 1954 [t. I, p. 212-5, à

propos des expressions argotiques « aller à Rueil » et « aller à Montpipeau »,
dont Villon se sert dans le *Testament,* 1671-2]. Huguet s.m. Anger, enregistre
l'expression « venir d'Anger », d'un sens douteux. Son exemple unique est de
Tahureau : « Enda voire, Monsieur, vous nous en voulez conter, vous venez de
Blays : vous voulez rire ; vous faites bonne mine ; je croy que vous venez d'Anger,
vous en avez bien veu ceux qui en venoyent : vous estes fils de boucher, vous
tâtez bien la chair : combien me voulez vous acheter que vous me tâtez ainsi ? »
    Nous avons trouvé chez Roger de Collerye l'expression de Villon, avec une
autre, également inconnue de Ziwès, « aller à Carcassonne » :

> Tout soudain chaussa ses houseaulx
> Puis après monta à cheval,
> Et en courant à mont, à val,
> Pour éviter les grans dangers,
> Cuydant arriver à Angiers
> Il vint coucher à Carcassonne.

> (« Sermon pour une nopce », *Œuvres de Roger
> de Collerye,* éd. C. d'Héricault, Paris, Jannet, 1855,
> p. 114 (Bibl. Elzévirienne) ; nous désignerons
> cette édition désormais sous le simple nom de
> ROGER DE COLLERYE.)

    Les jeux sur « houseaulx », « monter », « cheval », et le contexte entier, ne
laissent pas de doute qu'il s'agit du pauvre mari qui n'arrive pas à « angier » et
qui tombe, à demi-mort, entre les bras de sa femme.
    Il est évident que nous ne connaissons que la moitié de telles expressions
proverbiales. Les noms de ville, chez Villon, ont toujours un deuxième sens de ce
genre. Voir plus loin nos explications de « Babiloine » (p. 363, 394 n. 8) et
« Roussillon » (p. 332, 340 n. 29).
    Sur ce point, voir l'article d'A. TOBLER, *Vermischte Beiträge zur französischen
Grammatik,* Leipzig, 1894, t. II, p. 192-240.
    Pour la précision burlesque de notre vers, « Adieu je m'en vois a Angiers »,
comparer le « Congié d'amours », str. 18 :

> Et quant ce fut au congié prendre,
> Cuidant dire, « Adieu, je m'en vois, »
> Ma langue ne se puet estandre
> A pronuncier la simple vois...

    16. Notons que Villon n'emploie pas ici le jargon amoureux aux métaphores
féodales ou guerrières dont il se servira dans le corps des legs ; ni non plus le
langage obscène dont les métaphores sont empruntées à l'agriculture, sauf pour
l'expression « Planter me fault autres complans » (L. 31), qui n'est presque pas
métaphorique. Aussi étonnant qu'il puisse paraître, la phrase « frapper en un
autre coing » est employée en toute innocence par l'auteur du « Congié d'amour »,
à côté de l'expression « secourir à un besoin », qu'emploie Villon dans le *Testament* (992-3) dans un passage obscène :

> S'onques nul loyale trouva
> Pour secourir a ung besoing
> Ou en aucun fait l'esprova,
> Ma dame si n'en est pas loing.
> Amours l'a frappée en son coing
> Si firmement que, pour mourir,
> Ne lairoit ja que n'eust soing
> De son vray amy secourir.

> (« Congié d'amours », strophe 61).

    Employer de telles locutions sans se rendre compte de leur sens grivois
devait paraître à Villon une pure niaiserie.

    17. Pour le sens de l'expression proverbiale, « Ilz ont vers moy les piez
blans », voir M. ROQUES, *Etudes de littérature française,* Genève, Droz, 1949, p. 53
sqq. Roques traduit : « Celle que j'aimais, avec ses gentillesses, m'a fait comme
le cheval balzan si plaisant par ses marques blanches et qui, un jour de bataille,
manque sous le cavalier ». (p. 64).
    L'usage érotique du mot « saveur » (L. 27) remonte aux troubadours :

Ben es mortz qui d'amor non sen
Al cor qualque doussa sabor...

(Bernart de Ventadorn, dans C. APPEL, *Proven-
zalische Chrestomathie*, Leipzig, 1902, p. 55.)

Le sens propre serait « sauce », mais Bernart joue ici évidemment sur l'étymologie du mot (*sapere*). Son sens figuré dans la rhétorique amoureuse serait « apparence qui renvoit à mieux ». Pour cette explication et d'autres exemples, voir E. Langlois, dans Adam le Bossu, *Le Jeu de la feuillée*, Paris, Champion (C.F.M.A.), 1951, p. 57-8.

Pour la confusion d'images que raille Villon ici, cf. le « Congié d'amour », strophes 6-7 (il s'agit de Male Bouche) :

> *Sa langue poignant et agüe*
> *De jalousie ensanglantee,*
> *Me point au derriere & argüe*
> *Qui me fait pis que coup d'espee.*
> *Ell'a navré ma renomee*
> *Si que plus je n'y actens vie.*
> *Or est ma douleur agravee*
> *Par Faulx Mesdisans & Envie.*

> *La tres poignant & agüe mouche,*
> *Troublant les amoureux a tort,*
> *Qui point devant, derriere esmouche*
> *Par faulx et venimeulx rapport,*
> *Pour me cuider mener au port*
> *De desespoir, tant me troubla*
> *Que je perdis joye & deport,*
> *Mon plaisir en courroux doubla.*

Les compagnons de Villon se seraient tordus de rire à entendre que Male Bouche « point devant, derriere esmouche... »

18. Voir plus loin, p. 401-10.

19. La phrase « Voyant celle devant mes yeulx » est un jeu sur l'ancienne locution légale relative aux exécutions, aux supplices, ou à la justice *publique*. Voir, par exemple, chez Béroul, v. 3236, « voiant ta gent » ; v. 3406, « voiant cest mien barnage » ; v. 3863, « voiant le pueple ». (*Le Roman de Tristan*, éd. E. Muret, 4ᵉ éd. revue par L. M. Defourques, Paris, Champion (C.F.M.A.), 1957). On retrouve cette locution encore chez Rabelais : « Adoncques, on mylieu du grant Brouet, par son ordonnance, le bourreau mist ses membres honteux de Thacor une figue, *praesans* et voyans les citadins captifz... » (*Quart Livre*, éd. cit., p. 189). De cette expression Villon tire le sens littéral en renversant sa syntaxe, qui lui suggère la deuxième partie de son vers, « devant mes yeux », qui est également une locution banale. Ainsi la gravité du langage juridique cède, dans un contexte amoureux, à une redondance comique.

20. Sur son texte du C.M.F.A., Foulet s'est ravisé en plusieurs endroits, notamment ici. Dans son article, « Villon et la scolastique » (*Romania* 65, 1939, p. 457-77), il propose pour la strophe 38 la leçon du ms. A, qu'il donne (p. 467) comme voici :

> *Mais le sensitif s'esveilla*
> *Et esvertua fantasie*
> *Et tous les dormans resveilla,*
> *Car la souveraine partie*
> *En suspens estoit, amortie*
> *Par oppression d'oubliance*
> *Qui en moy estoit espartie*
> *Pour monstrer des sens l'aliance.*

Le dernier vers à part (voir plus loin, nᵒ 22), cette leçon pourrait bien être la bonne. L'interprétation de Foulet, par contre, nous semble irrecevable :« Ainsi notre idée est que dans cette conclusion du *Lais* il n'y a nulle âpreté et nulle arrière-pensée... Qu'y a-t-il donc enfin dans ces vingt vers ? A notre sens, une simple espièglerie d'étudiant. » (p. 475).

Pour une interprétation plus utile, voir A. BURGER, « L'Entroubli de Villon », *Romania* 79 (1958), p. 485-95 : « Ce que dit le texte du *Lais*, c'est que le poète tombe dans un état de demi-inconscience dans lequel les facultés intellectuelles cessent de fonctionner et cèdent la place aux facultés des sens dont les organes sont réveillés par l'imagination » (p. 486).

21. Voir GODEFROY, sous ces mots.

22. Le paradoxe des sens entravés qui doivent travailler en équipe mais séparément pour créer leur unité, sera peut-être plus clair si nous lisons « la liance » pour « l'aliance », avec BURGER (*art. cit.*, p. 487). La correction de L. 304 — « des sens » pour « de sens » que donnent les mss. — ne s'impose pas, comme remarque Foulet (p. 138) et BURGER (*Lexique*, p. 15), mais nous croyons qu'il faut éviter de faire de « sens » un personnage allégorique, en lui donnant une majuscule.

23. (Texte de LONGNON-FOULET, p. 97). Voir DESCHAMPS, VIII, 47, v. 81 sqq.

24. MOLINET, II, 807 ; et OUDIN, s.m. Encre.

25. Voir COQUILLART, II, 119, où apparaît une foule de dames qui brandissent des armes phalliques. On y retrouve aussi la quenouille de L. 52 :

> Et vindrent avec la deposant,
> Contrefaisant tresgrosse armée,
> Affin d'avoir ceste despoulle,
> Dont chacune avoit son espée,
> Ou à tout le mains sa quenoulle.
> L'une crye et l'autre fatroulle,
> L'une avoit ung escouvillon
> De four ; l'une crye et l'autre broulle ;
> Et l'autre portoit ung pillon...

Voir aussi DELVAU, *op. cit.*, s.m. Membre.

26. Sur « tente », « tantost », et « pavillon », voir plus loin p. 432 n. 12. Pour « Billon », cf. « billart ». L. 227, et la « tour de Billy » dans le *Testament*, 1348.
A notre idée, il y a un deuxième sens de L. 315, qui le rend plus intéressant. Le nouveau Villon n'est pas riche — il ne se permet pas de mets de luxe — mais il n'est pas totalement destitué non plus. En outre, il saura tenir tête à toutes les injures. Les mots « figue » et « date » ont tous deux des sens scatologiques. « Figue » pour crotte, crottin de cheval, est attesté par les dictionnaires (Few, s.m. Ficus) ; et « date », urine, est trop connu pour exiger un commentaire. Villon ne « menjue » ne l'un ne l'autre, ce n'est point un « mâche-merde ».
Peut-on, à partir de là, soupçonner trois *verbes*, en parallèle, qui désignent les trois actions que le nouveau Villon est incapable de faire, ce qui renforcerait le comique de son impuissance ?

27. *Recueil général et complet des fabliaux*, éd. A. Montaiglon et G. Raynaud, 6 vol., Paris, 1872-1890, t.VI, p. 93.

28. Orthographié « escouuillon » dans les mss., le mot aurait été plus suggestif. B donne en fait « escouillon ». Y avait-il à l'époque un jeu traditionnel sur « escol-lier » et « escouillié » ? L'orthographe et la prononciation des deux mots devaient être parfois identiques.

29. Au XVᵉ siècle, l'adjectif « renommé » voulait dire aussi bien « blâmé » ou « accusé » que « célèbre », aussi avait-on soin d'ordinaire de spécifier « bien renommé », « mal renommé ». Le « bien » ici serait ironique, et voudrait dire aussi que le travail de « se renommer » a été bien fait, et que le premier Villon seul était connu.

SECONDE PARTIE

L'ŒUVRE DE VILLON

LIVRE I

LA FABLE
DU TESTAMENT

CHAPITRE I

LA HIÉRARCHIE DU PASSÉ
(*strophes 12 à 33*)

1. « Icy commence Villon a entrer en matiere pleine d'erudition &
de bon sçavoir. » Ainsi Clément Marot a-t-il préfacé la strophe 12 du
Testament [1]. Il semble qu'il ait lu autre chose qu'une confession dans
ces strophes où Villon nous « raconte sa petite histoire », comme
aurait dit Rousseau. L'avertissement de Marot nous empêchera de lire
la première section du *Testament* comme si elle n'était qu'un gémis-
sement romantique. Sans doute par l'expression « erudition & bon
sçavoir » Marot visait-il les nombreuses références dont Villon a bardé
son récit : dans les strophes 12 à 33 nous relevons des appels, plus
ou moins ouverts, à Aristote et Averroès, saint Luc, Ezechiel, Jean
de Mehun, Valère Maxime, *Ecclesiastes*, *Job* et saint Jean. Ou n'est-ce
pas plutôt le contraire ? Le récit de ses malheurs lui sert-il de fil
auquel accrocher ces citations ? Et ce décalage lui-même entre récit
et érudition, n'est-il pas trop factice ? Car Marot ne voyait-il pas une
seule « matiere » qu'il a pu trouver « pleine d'érudition & de bon
sçavoir » ?

L'imprécision de ces strophes et la nature décousue de leur ordonnance rendent difficile toute réponse à ces questions. Il n'est jamais
facile de savoir quelle logique lierait l'une des strophes à la suivante.
Leur cohésion n'apparaît qu'à un niveau de lecture très superficiel,
par exemple, où l'on verrait que Villon parle de lui-même en tant
qu'être moral. Autrement la cohésion se constitue sur un plan qui
n'est pas immédiat et textuel, du moins pour le lecteur moderne :
c'est le plan d'une actualité philosophique qui semblerait à première
vue dépasser les buts d'un récit personnel, et qui se forme par une
série de références et d'allusions souvent indirectes, voire sournoises.
Nous aurons à reparler de cette apparente absence de franchise que
nous avons déjà notée comme étant propre à la poésie de Villon, ce
manque de rigueur dans ce que nous sommes habitués à considérer
comme le corps d'une poésie, c'est-à-dire une organisation affective
le plus souvent imagée, accessible à une première lecture, et témoignage d'une intention du style. Ici, le rythme des huitains nous entraîne ; la voix sobre et quelque peu prôneuse nous séduit. La parfaite

maîtrise de la parole et du décor d'un écrivain qui recherche avant tout le naturel — tout cela nous charme, devient plausible, convaincant, nous amène à oublier que les strophes se suivent sans motif évident, dans une espèce d'expressivité complaisante. Bref, nous goûtons ce que Montaigne appellera « l'alleure poétique, à sauts et à gambades... un art, comme dit Platon, legère, volage, demoniacle... » [2].

L'impression que donne l'ordonnance de ces strophes n'est qu'appuyée par la généralité de leur portée. A ne lire du *Testament* que les strophes 12 à 33, l'on saurait bien peu de leur auteur. Sans ce qui les précède, on ne le connaîtrait pas comme un hors-la-loi. Sans ce qui les suit, on ne l'appellerait pas un débauché. On n'entend même la voix à la fois incisive et primesautière, franche et retorse, qui pour nous *est* Villon, qu'à la strophe 30 (« Botez housez com pescheurs d'oistres ») ou même à la strophe 36, où cette voix particulière s'est assez dégagée du mime pour pouvoir mimer à son tour : « Homme ne te doulouse tant... ». On est si loin d'une vie particulière dans ce récit que les commentateurs ont dû trouver, sous le vague geste théologique des vers 101-2, une référence à la ville de Moulins ; et dans l'amertume du vers 199, une anagramme du nom d'un associé du poète, Ythier Marchant. Villon a rempli ces strophes de proverbes, de belles sentences, de citations bien connues, de la phraséologie du repentir, bref, il les a tissues de lieux communs, car il met en scène un personnage bien connu de son époque. Il joue un rôle à la mode. Le jeune vieillard de ces strophes, déçu et déchu, se promène à travers les pages de Jean Regnier, de Jean Meschinot, et de toutes les poésies du cycle des « passe-temps » [3].

Parodie alors ? Pas forcément, disons plutôt une tirade, et, certes, non pas pour cela moins sincère. Car nous ne pouvons jamais bien mimer une voix qui ne nous appartient pas, et la plupart de nos voix sont des voix communes. Cet emploi d'une voix connue sert à relier deux traits fonciers de la poésie de Villon dont nous aurons à parler : d'abord, la fuite à travers des modalités figées d'une langue et d'une société, fuite qui marque les deux œuvres majeures de Villon ; et puis, la poursuite d'une intention intime qui fera de chaque vers un acte linguistique et par cela même un acte *poétique* dans le sens propre du mot.

Mais qu'est-ce qui nous aurait fait attendre autre chose que des généralités dans ces strophes ? Marot n'avait pas tort de marquer une coupe entre la onzième et la douzième strophe. La douzième, en effet, annonce la tirade qui suivra, et, en étalant le plan de sa présentation, pose déjà des questions à l'égard de sa portée. Cette douzième strophe, Villon l'a placée comme la clef de voûte de la première partie du *Testament*, et nous aurons intérêt à la dénouer tout d'abord.

Si le vocabulaire de la strophe annonce la généralité de celles qui la suivront, son ordonnance reflète plutôt la concise logique de structure et la netteté du propos, qu'ont léguées les troubadours de Provence à la poésie moderne :

(12)   *Or est vray qu'apres plainz et pleurs*   (89)
            Et angoisseux gemissemens
            Apres tristesses et douleurs
            Labeurs et griefz cheminemens
            Travail mes lubres sentemens
            Esguisez comme une pelote
            M'ouvrit plus que tous les commens
            D'Averroys sur Aristote.

On ne saurait dire au juste quel a été le sens d'une expression telle que « angoisseux gemissemens » au XVᵉ siècle, ni si elle comportait du dédain, du mépris, de la pitié, de la condescendance, ou de l'orgueil. Mais il est probable qu'en accumulant de telles phrases, en insistant sur leurs sonorités lourdes et trop évidentes, Villon poursuivait une intention stylistique, qu'il a voulu les entasser, les grouper, pour mettre en relief l'état d'esprit auquel elles se référaient toutes [4]. La strophe, si nettement divisée en deux, marque elle-même la crise dramatique dont elle parle. Aux premiers stades d'une misère exagérée et loquace, succède brusquement une deuxième réalité. L'accent tombe lourdement sur le mot « travail », placé en tête de la deuxième partie de la strophe, et une inversion hardie retarde le verbe pour lui donner une place presque aussi préférentielle. L'ennui de longs mots qui désignent de « lubres sentemens » est brusquement chassé par le drame charnel du « travail ... m'ouvrit ». Dans ces quatre mots se décèle tout le drame des premières strophes du *Testament*. Un contact tout spécial avec le monde des objets fait irruption dans une vie affective où les « sentemens », comme le mot qui les qualifie, ne donnent qu'un sens métaphorique.

Or, ce « travail », Villon en a parlé dans les onze premières strophes de son poème. C'était l'expérience de Mehun, celle qui l'autorisa à dire qu'il avait bu désormais « toutes » ses hontes. C'était l'expérience, paraît-il, qui lui a enseigné que ses « sentemens » étaient aussi contournés que la phrase dont il se sert pour les décrire, « esguisez comme une pelote » ; l'expérience, qui les lui a ouverts même plus, peut-être, que les commentaires d'Averroès ne lui avaient ouvert le texte d'Aristote... Passons, pour l'instant, sur le sens exact de ces mots : nous y reviendrons dans le chapitre suivant. Mais notons que la logique de la strophe 12 — ou si l'on veut, son « historique » — nous fournit la clef d'une inversion chronologique plus significative. Si Villon a déjà parlé de ce qu'il signale dans la deuxième moitié de la strophe — c'est-à-dire s'il est entré littéralement *in medias res* — il se retournera maintenant pour nous esquisser le passé, les événements signalés dans la première moitié de la strophe. Les strophes 12 à 33, donc, où Marot avait vu une « matiere pleine d'erudition », reproduisent précisément les « lubres sentemens » et les « plainz et pleurs » qui constituaient, avant l'été fatal de Mehun, la matière de sa vie affective. La généralité de ces strophes, disons leur sentimentalité, est le propre d'une étape personnelle, et donc d'un personnage déjà historique pour celui qui nous le présente. Que veut dire le fait que ces strophes si générales se terminent, pourtant, par un drame aussi spécial que concret ?

2. Mais en fait, l'histoire d'une mentalité active diffère de l'histoire d'un état (par exemple) en ceci, que chez l'homme, il n'y a jamais d'étapes qui soient dépassées tout à fait. A la conscience créatrice surtout, nous dirait Villon, chacun de ses « moi » est toujours présent. Le poète est la corporation de ses propres avatars ; l'âme est un groupement social des personnes qu'elle a connues, qu'elle a créées, ou qu'elle a été. L'âme est une société — voilà l'une des métaphores de base du *Testament*. Le poète est la conscience de sa société — voilà la donnée de toute la poésie la plus grande du moyen âge. Autant le *Testament* fourmille de personnages, autant il retentit de voix diverses comme une place publique au jour du marché. Et toutes ces voix sont des voix de Villon. Ainsi, quand nous lisons à la strophe 14, « Je suis pecheur je le sçay bien », nous y distinguerons trois voix ; d'abord, la voix de tout homme pieux, se répétant la fade sentence ; ensuite, la voix de Villon à l'époque où il a appris cette vérité commune, « au plus fort de (ses) maulx » ; et enfin, la voix du Villon qui se sait « Ne du tout fol ne du tout sage », après l'été de Mehun et après son « travail ». Cette dernière voix, c'est celle d'un Villon qui se cite. Ces trois voix se confondent tout au long de la première partie du *Testament*, et il n'est guère facile de les démêler. C'est la confusion des voix, par exemple, qui crée l'indécision de la strophe 15. La voix commune, écoutée à travers Jean de Mehun, « dit voir » ; l'ancien Villon doute encore s'il est « en meurté » ; le Villon actuel, qui se cite, n'en doute plus. Car le dernier vers peut être lu : « Ceux qui m'oppriment ne veulent point que j'arrive à la maturité », ou bien, « Ceux qui m'oppriment ne voudraient pas avouer que je suis déjà à mon âge adulte » [5].

Pourquoi Villon se cite-t-il ? C'est la question que nous avons déjà soulevée en remarquant qu'il met en scène un personnage, l'homme à trois voix dont nous venons de parler. Mais quel est son caractère ? C'est la question que le personnage lui-même se pose, ou plutôt, étant donné son caractère, il en cherche la responsabilité, avec l'optimisme d'un lecteur d'Aristote. Et pendant que sa deuxième voix — celle de l'ancien Villon aux « lubres sentemens » — se cherche et se juge, sa troisième voix se présente et se justifie, en faisant appel aux vérités qui sont énoncées par la voix commune. Ecoutons le drame de la strophe 16 : si la société pouvait en profiter en quelque sorte, dit la seconde voix, « A mourir comme ung homme inique Je me jujasse ». Mais, répond la troisième voix, je ne suis en état de faire mal à personne, que je sois mort ou vivant. Car, conclut la troisième voix, en se justifiant d'après la première voix de la sagesse proverbiale, un pauvre comme moi, c'est l'impuissance même, dans le monde où nous sommes.

Cette discussion à trois se répète après le petit conte de Diomedès, à la strophe 21, et presque mot pour mot. Si la puissance m'était

donnée, et si alors je descendais au crime, dit la deuxième voix,
« estre ars et mis en cendre Jugié me feusse ». Mais, se répond la
troisième voix, en sourdine, je ne suis pas criminel de nature, puisque
ce serait « de ma voix » que je me serais jugé ; car, ajoute-t-elle par
la voix commune, je ne suis qu'un malheureux, et tout le monde sait
que « necessité » règne sur le monde des hommes comme sur celui
des bêtes... Enfin, tout au centre de l'histoire d'Alixandre, Diomedès
répond à l'empereur par ces trois mêmes voix. Je ne suis pas responsable de ma conduite, dit le Diomedès qui se juge ; va donc porter plainte
contre Fortune, devant laquelle je suis impuissant. « Excuse moy
aucunement », plaide le Diomedès qui se justifie, en laissant la voix
proverbiale entonner le « mot » qui se dit « communement » à l'égard
des pauvres et de leur indifférence à la loi des hommes. Ce n'est guère
un hasard que cette structure tripartite — jugement, justification,
énonciation proverbiale — se retrouve partout dans les strophes où,
plus tard, Villon fera ses « legs ». Il se peut que cette triple unité
reflète, en même temps qu'elle étaye, un ordre universel dont Villon
se croit, ou se fera, le gardien.

Villon laisse indéfini le rapport exact qu'il y a entre son propre
personnage et « l'escumeur » Diomedès. Il nous invite à supposer la
parenté de mœurs et de condition par une suggestion des plus larges :
que lui, ainsi que Diomedès, ne se trouve pas « en bon eur ». Nulle
part il n'est dit que Villon aussi « fut des Escumeurs que voions courir ». Le seul fait précis qui les relie et qui puisse être vérifié par le
texte, c'est que tous les deux sont chargés de titres qui ne leur appartiennent pas. Tous les deux, on pourrait les faire entrer, d'après les
apparences, dans des catégories morales qui sont bien connues, mais
qui ne correspondent pas à leurs vérités à eux. « Pourquoi larron
me faiz clamer » ? demande Diomedès à son juge [6]. Et Villon, comme
s'il essuyait des injures, se disculpe sans répit en évoquant, au condi-
tionnel, le caractère dont il ne se revêt pas. A la strophe 16 : Si j'étais
un « homme inique » — c'est-à-dire *injuste* — alors je me condamnerais à mourir ; mais je ne le suis pas. Plus tard, à la strophe 21 :
Si j'étais foncièrement mauvais, alors je me condamnerais à être
« ars et mis en cendre » ; mais je ne le suis pas. Il a fui l'école des
bonnes mœurs « Comme fait le mauvais enfant », bien qu'il n'en fût
pas un. Et aux strophes 24-25, il se libère des accusations d'être un
prodigue, un débauché et un traître à ses amis : « Qui n'a mesfait
ne le doit dire », conclut-il en citant la voix proverbiale. Ainsi Villon
souligne le décalage entre l'acte et la parole qui est la cause, sinon
l'essence, de ce sourd jeu d'intérêts où il se trouve pris, de même que
Diomedès. Au point d'être « jugié a mourir », celui qui avait été
menotté « *Comme* un larron » constate que la justice se confond
même avant de se prononcer. Elle ne reconnaît pas la vérité qu'elle
voit, elle donne aux choses de faux titres. L'escumeur aura à corriger
l'élève d'Aristote : « Pourquoi larron me faiz clamer ? [7] » Et le résultat du « dit » de Diomedès sera un nouvel accord entre acte et parole : « si luy dit Si fist il ».

Du personnage que Villon veut nous présenter, donc, nous savons qu'il est victime, victime de sa pauvreté, de la société et de la langue qui l'ont méconnu, de sa famille qui l'a « desavoué » (v. 182), et du temps qui a ravi sa jeunesse. Nous savons également qu'il est pauvre, malheureux, et dépourvu même de la liberté d'être autrement. Mais un troisième trait du personnage « Villon » l'éloigne des autres jeunes vieillards dans la poésie de son époque. C'est la strophe 26 qui nous le livre. Cette strophe à part, tout ce que nous savons de la « jeunesse folle » de Villon, c'est qu'elle lui semble maintenant avoir passé comme un éclair (strophe 22), et qu'à son « partement » elle ne lui a rien laissé de valable, ni le savoir, ni la santé, ni le bien-être (strophe 23). Enfin, nous savons que sa jeunesse a été pauvre, Villon nous le répète, avec des variations, presque *ad nauseam*, jusqu'à ce qu'il s'en lasse lui-même (strophe 34). Or, quelle autre vie lui aurait été possible ? S'il avait « estudié », se dit-il, c'est-à-dire s'il avait « dedié » son attention et ses efforts « a bonnes meurs », il serait en ce moment riche et bien aisé. Mais au lieu de se conformer aux règles du jeu, il fuyait « l'escolle » de sa société où le jeu s'apprend, et non pas parce qu'il aurait été de nature rebelle, bien qu'on ait pu le penser...

Villon termine sa réflexion par une brusque expression de colère, un mouvement d'exaspération légère, car la phrase « A peu que le cuer ne me fent », presque aussi vieille que la langue elle-même, avait perdu toute sa force au XVe siècle. Elle n'exprimait plus qu'un vague « Zut alors ! » d'impatience navrée [8]. Si Villon se regarde d'un œil fâché en se voyant proscrit, c'est parce qu'il se regarde en même temps d'un œil froid. Avec un détachement et une lucidité machiavéliques il constate qu'en adoptant d'autres moyens — en jouant le jeu — il aurait pu atteindre à d'autres fins, à savoir le confort et la puissance. Bientôt, comme nous le verrons, il ne regrettera pas son choix ; en fin de compte, c'est ce qui l'a mené à son métier de poète. Mais du moins, se disait-il à l'époque, les règles du jeu semblent bien équivoques, car celui que sa société a nommé un « saige » se contredit en conseillant la jeunesse (strophe 27). Villon s'émerveille de l'inconséquence de son langage : « C'est son parler ne moins ne mais ». Plus tard, il donnera une réplique à cette inconséquence, en adaptant le langage d'un autre à l'expression d'une logique qui est inhérente à son propre parler : « Ce que j'ay escript est escript ».

3.   Le personnage « Villon » est donc une victime, un pauvre, et aussi un aliéné. Pourtant, ce personnage comporte un autre trait capital qui ressort justement de l'absence de traits bien précis, et du rapport de cet amorphisme moral avec le contexte dans lequel il se dessine. Mais de quel contexte peut-on parler dans ces strophes ? On l'a vu, Villon ne fait que suggérer très vaguement sa situation actuelle : celle d'un homme qui se cite pour se disculper de plusieurs accusations dont nous ignorons la juste valeur. Y a-t-il d'autres contextes que celui-ci, et, bien entendu, que celui des strophes qui

l'entourent dans le *Testament* même ? Un lecteur du cercle de Villon aurait lu derrière chacun de ces vers tout un plan d'un coloris « d'erudition & de bon savoir ». Il aurait trouvé immédiatement présente à son esprit une discussion à la fois familière, intime, et d'une vaste portée. Des allusions et des références littéraires et philosophiques l'auraient mené, et nous mèneront vers le fond du texte.

Passons pour le moment sur la première de ces allusions, « les commens D'Averroys sur Aristote » ; nous aurons à nous en occuper par la suite. C'est la deuxième strophe de la tirade (13) qui établit l'atmosphère de ce qui suivra. Car elle situe ces vers littéralement dans une saison morale, tout comme la deuxième strophe du *Lais* donnait au poème sa situation et dans l'année et dans l'histoire et dans la structure morale de l'univers : c'était la « morte saison ». En fait, les strophes 12 et 13 exercent des fonctions semblables dans le *Testament* à celles des deux premières strophes du *Lais*. Comme *Le Lais* se passe juste avant la Noël (et c'est précisément dans ce sens qu'une poésie à l'époque de Villon *est* un événement, plutôt que la narration d'un événement) et se déroule sous le signe de la Nativité, de même le *Testament* se passe juste avant Pâques, et se meut sous le signe de la Résurrection (ou, comme l'on aurait dit à l'époque, du « réssucitement »). Sous un de ses aspects, nous le verrons, le *Testament* est un mystère où Villon fait jouer la Passion. En metteur en scène achevé, il terminera la première partie du poème par le dénouement dont il nous a prévenu au début, en adressant à ceux dont le seul roi est César, les derniers mots de Ponce Pilate.

Sa première citation, de « l'evangille » de saint Luc, fait lever le rideau sur un dimanche matin de printemps, bien avant l'été fatal de Mehun. Le personnage qui s'appelle Villon allait « en cheminant » (c'est-à-dire, dans le sens général du mot, *vivait,* errait sur le chemin de la vie, et aussi tout simplement *marchait*) sans un sou, au moment le plus noir de ce qu'il a nommé ses « labeurs et griefz cheminemens ». C'est alors, quand il se croyait au comble de ses malheurs — qu'ils fussent vrais ou imaginés, il s'en plaignait amèrement — que Dieu lui-même intervint pour lui signaler une « esperance » là où il n'en entrevoyait point. Il lui offrit un « confort » d'un tout autre ordre que les conforts matériels de l'absence desquels avait souffert Villon. Ce fut une vue de son royaume, la « bonne ville », *civitas Dei.* Dans un sens général, la « bonne ville » est celle qui est destinée à tout pèlerin chrétien :

> Juxta fidem defuncti sunt omnes isti, non acceptis repromissionibus, sed a longe eas aspicientes et salutantes, et confitentes *quia peregrini et hospites sunt super terram.* Qui enim haec dicunt, significant se patriam inquirere. Et si quidem ipsius meminissent de qua exierunt, habebant utique tempus revertendi. Nunc autem meliorem appetunt, id est, coelestem. Ideo non confunditur Deus vocari Deus eorum : *paravit enim illis civitatem.*   (*Héb.,* ch. 11, v. 11, v. 13-16)

Mais il y a plus ; car en citant saint Luc, Villon semble accrocher sa propre histoire à un moment précis des péripéties du christianisme et l'insérer dans la trame continue de l'histoire sacrée. Ce Dieu qui le « conforta » fut en quelque sorte un Dieu nouveau : le Christ ressuscité. C'était le seul Dieu qui lui convînt à ce moment exact de sa vie, suggère-t-il, car il se trouvait dans le cas des pèlerins d'Esmaus. Leur messie, leur espoir, l'espoir de l'univers entier, venait de périr : moment affreux, angoisse et tremblements de terre, toute la création gémit et pousse des cris de terreur, ainsi Rabelais narrera l'histoire dans son *Quart Livre*, d'après Plutarque. Et quel serait l'état d'esprit correspondant à ce moment de douleur avant que la joie de Pâques ne soit annoncée ? Voyons ce qu'en dit saint Luc :

> Et ecce duo ex illis ibant ipsa die in castellum, quod erat in spatio stadiorum sexaginta ab Jerusalem, nomine Emmaüs. Et ipsi loquebantur ad invicem de his omnibus quæ acciderant. Et factum est, dum fabularentur, et secum quærerent : et ipse Jesus appropinquans ibat cum illis : oculi autem illorum tenebantur ne eum agnoscerent. Et ait ad illos : Qui sunt hi sermones, quos confertis ad invicem ambulantes, et estis tristes ? Et respondens unus, cui nomen Cleophas, dixit ei : Tu solus peregrinus es in Jerusalem, et non cognovisti quæ facta sunt in illa, his diebus ? Quibus ille dixit : Quæ ? Et dixerunt : De Jesu Nazareno, qui fuit vir propheta, potens in opere et sermone, coram Deo et omni populo : Et quomodo eum tradiderunt summi sacerdotes et principes nostri in damnationem mortis, et crucifixerunt eum. Nos autem sperabamus quia ipse esset redempturus Israël : et nunc super hæc omnia, tertia dies est hodie quod hæc facta sunt. Sed et mulieres quædam ex nostris terruerunt nos, quæ ante lucem fuerunt ad monumentum, et, non invento corpore ejus, venerunt, dicentes se etiam visionem angelorum vidisse, qui dicunt eum vivere. Et abierunt quidam ex nostris ad monumentum ; et ita invenerunt sicut mulieres dixerunt, ipsum vero non invenerunt. Et ipse dixit ad eos : O stulti, et tardi corde ad credendum, in omnibus quæ locuti sunt Prophetæ ! Nonne hæc oportuit pati Christum, et ita intrare in gloriam suam ? Et incipiens a Moyse, et omnibus Prophetis, interpretabatur illis in omnibus Scripturis, quæ de ipso erant. Et appropinquaverunt castello quo ibant, et ipse se finxit longius ire. Et cœgerunt illum, dicentes : Mane nobiscum, quoniam advesperascit, et inclinata est jam dies. Et intravit cum illis. Et factum est, dum recumberet cum eis, accepit panem, et benedixit, ac fregit, et porrigebat illis. Et aperti sunt oculi eorum, et cognoverunt eum : et ipse evanuit ex oculis eorum.
>
> *(Saint Luc,* 24/13-31)

La « bonne ville » que « monstra » le Christ à Villon, donc, est également la ville dont parla le Christ, le soir même de la première Pâque :

> Vos autem testes estis horum. Et ego mitto promissum Patris mei in vos : vos autem sedete in civitate, quoad usque induamini virtute ex alto.
>
> *(Saint Luc,* 24/48-9)

Le doute, la consternation, l'ignorance, voilà l'état d'âme de ceux qui cheminaient vers Esmaus, de ceux que le Christ « conforta ». Il y a plus d'une équivoque dans le mot « conforta ». Le Christ offrit aux pèlerins de ce jour-là deux espèces de « confort ». Est-ce que Villon veut indiquer ses paroles aux douteurs (24-31) ? Ou plutôt le confort autrement éblouissant de la vision elle-même ? Ou enfin, l'expérience entière qui apporta aux disciples à la fois le savoir et la foi ? Mais Villon ne prétend pas avoir eu une vision céleste, et il prend soin de préciser son allusion. Car son état n'a été que semblable au cas d'un pèlerin d'Esmaus ; il « cheminait » « sans croix », et Dieu n'a fait que lui « monstrer » sa « bonne ville ». Puisque cette ville serait invisible autrement que par l'œil spirituel, sans doute faudrait-il prendre le verbe « monstrer » dans son sens, déjà attesté chez Villon, de « démontrer », « expliquer logiquement ». Et alors l'allusion devient claire ; car saint Luc précise que le Christ, tout en marchant, a expliqué l'Ancien Testament à ses disciples. Il a tracé l'histoire de la *civitas Dei*, en « monstrant » comment cette histoire pouvait les pourvoir « du don d'esperance » (25-7).

Il aurait été du plus grand intérêt d'avoir pu écouter l'exégèse du Christ. Peut-être plus intéressante encore aurait été la discussion des deux disciples avant que le troisième pèlerin n'apparût mystérieusement à leurs côtés. Mais saint Luc nous esquisse les grandes lignes de leurs propos afin d'évoquer, semble-t-il, ce qu'on pourrait appeler « le problème d'Esmaus » :

> ...de Jesu Nazareno, qui fuit vir propheta, potens in opere et sermone, coram Deo et omni populo : et quomodo eum tradiderunt summi sacerdotes et principes nostri in damnationem mortis, et crucifixerunt eum. Nos autem sperabamus quia ipse esset redempturus Israël...
>
> (19-21)

Un grand prophète, qui apportait de grands espoirs, a été jugé « a mourir comme ung homme inique » :

> Et impleta est scriptura, quæ dicit : Et cum iniquis reputatus est.
>
> (*Saint Marc*, 15/28)

Sa mort est donc d'autant plus injuste que lui-même a été innocent. Mais d'un autre point de vue, l'on sait que le peuple élu ne peut être délivré que par la mort du Messie :

> Nonne hæc oportuit pati Christum, et ita intrare in gloriam suam ?
>
> (*Saint Luc*, 24/26)

Ainsi sa mort serait à la fois juste et inévitable. Les disciples sont bien perplexes. Leurs yeux ne sont pas encore ouverts à la notion du *sacrifice*, ni à la distinction capitale entre la justice divine et la justice humaine.

Rentrés à Jérusalem, ils entendent leur professeur qui achève sa conférence :

> Tunc aperuit illis sensum ut intelligerent Scripturas. Et dixit eis : Quoniam sic scriptum est, et sic oportebat Christum pati, et resurgere a mortuis tertia die.
>
> (24/45-6)

Il *ouvre* leur entendement. En plus, il explique comment sa mort et son apothéose marqueront désormais une coupure absolue dans le temps, un revirement dans la situation morale des humains :

Et prædicari in nomine ejus pœnitentiam et remissionem peccatorum
in omnes gentes...
                              (24/47)

Ainsi, la strophe 13 du *Testament* se terminera en évoquant l'historique de ce même revirement chez son héros. Le fait que ces deux
vers sont dits par la voix commune et qu'ils s'énoncent comme une
vérité universelle, scelle la fusion des deux histoires, l'une personnelle
et l'autre cosmique.

Le parallèle entre la strophe 2 du *Lais* et la strophe 13 du *Testament* est parfait. D'abord, l'annonce d'une narration historique, avec
une référence à la strophe précédente ; puis l'évocation d'un moment
de crise dans l'histoire chrétienne ainsi que dans la ronde des saisons, moment auquel s'accroche le même moment dans la vie du
personnage ; enfin, l'indication d'une coupure avec le passé et la
prévision d'un acte, fruit de ce passé et d'un raisonnement qui porte
sur un ordre des choses qu'on a nouvellement appris :

1. En ce temps que j'ay dit devant	*...au plus fort de mes maulx*
2 Sur le noël morte saison	*En cheminant sans croix ne pille*
Que les loups se vivent de vent	*Dieu qui les pelerins d'Esmaus*
Et qu'on se tient en sa maison	*Conforta ce dit l'evangille*
Pour le frimas pres du tison	
3. Me vint ung vouloir de brisier	*Me monstra une bonne ville*
La tres amoureuse prison	*Et pourveut du don d'esperance*
4. Qui souloit mon cuer debrisier	*Combien que le pecheur soit ville*
	Riens ne hayt que perseverance

Après la strophe 13, comme après la strophe 2 du *Lais*, Villon se
plonge dans sa « matiere » L'accord entre la strophe 14 et celle qui
la précède est assuré par la reprise du mot « pecheur » :

(14)   *Je suis pecheur je le sçay bien*   (105)
            Pourtant ne veult pas Dieu ma mort
            Mais convertisse et vive en bien
            Et tout autre que pechié mort
            Combien qu'en pechié soye mort
            Dieu vit et sa misericorde
            Se conscience me remort
            Par sa grace pardon m'accorde

Cette répétition de l'humble aveu que devrait se faire tout chrétien,
marque une transposition subtile du thème déjà abordé. En effet,
Villon se met dans le cas de tous, il se présente comme pécheur
exemplaire, si l'on peut dire [9]. Car un lecteur du XVe siècle aurait
reconnu, dès le deuxième vers de la strophe, le passage biblique
auquel Villon se réfère par ce moyen, aussi bien que la discussion
théologique qu'il amorce. Voyons le texte d'*Ezechiel* 18/23 :

> Numquid voluntatis meæ est mors impii, dicit Dominus Deus, et non ut
> convertatur a viis suis, et vivat... ? Et cum averterit se impius ab impie-
> tate sua quam operatus est, et fecerit judicium et justitiam : ipse animam
> suam vivificabit. Considerans enim, et avertens se ab omnibus iniquita-
> tibus suis, quas operatus est, vita vivet, et non morietur
>   (27-28)

Or, ce chapitre du prophète juif est éminemment chrétien. Il semble contredire les menaces du Dieu vengeur au peuple juif :

Qui custodis misericordiam in millia ; qui aufers iniquitatem, et scelera, atque peccata, nullusque apud te per se innocens est. Qui reddis iniquitatem patrum filiis ac nepotibus, in tertiam et quartam progeniem.

(*Exode* 34/7)

Notre Dieu, nous rassure le prophète, est parfaitement juste ; il connaît la valeur exacte d'un homme d'après ses propres actes, dont il est le seul responsable. Ses jugements sont d'une équité littéralement suprême. Il n'y aura pas d'erreur ; celui qui se repentira, vivra ; car il y a *deux justices* :

Et dicunt filii Israël : Non est æqua via Domini. Numquid viæ meæ non sunt æquæ, domus Israël, et non magis viæ vestræ pravæ ?

(18/29)

Et ici, Villon nous parle en sa qualité de clerc ; il se fait exégète du texte biblique, en prêtant aux mots « mort » et « vie » des sens qui dépendent des notions chrétiennes de la Grâce et de l'Au-delà. (Les rimes équivoques sur « la mort » et le verbe « mordre » faisaient figure d'éloquence et de sobre virtuosité à l'époque).

Voyons aussi le texte où, plus loin, Ezechiel reprend son sujet en d'autres termes, en employant des mots beaucoup plus proches des phrases de Villon :

Tu ergo, fili hominis, dic ad domum Israël : Sic locuti estis, dicentes : Iniquitates nostræ, et peccata nostra super nos sunt, et in ipsis non tabescimus : quomodo ergo vivere poterimus ? Dic ad eos : Vivo ego, dicit Dominus Deus : nolo mortem impii, sed ut convertatur impius a via sua, et vivat. Convertimini, convertimini a viis vestris pessimis : et quare moriemini domus Israël ? Tu itaque, fili hominis, dic ad filios populi tui : Justitia justi non liberabit eum in quacumque die peccaverit et impietas impii non nocebit ei, in quacumque die conversus fuerit ab impietate sua : et justus non poterit vivere in justitia sua, in quacumque die peccaverit. Etiam si dixero justo quod vita vivat, et confisus in justitia sua fecerit iniquitatem : omnes justitiæ ejus oblivioni tradentur, et in iniquitate sua, quam operatus est, in ipsa morietur. Si autem dixero impio : Morte morieris : et egerit pœnitentiam a peccato suo, feceritque judicium et justitiam. Et pignus restituerit ille impius, rapinamque reddiderit, in mandatis vitæ ambulaverit, nec fecerit quidquam injustum : vita vivet, et non morietur. Omnia peccata ejus, quæ peccavit, non imputabuntur ei : judicium et justitiam fecit, vita vivet. Et dixerunt filii populi tui : Non est æqui ponderis via Domini : et ipsorum via injusta est. Cum enim recesserit justus a justitia sua, feceritque iniquitates, morietur in eis. Et cum recesserit impius ab impietate sua, feceritque judicium et justitiam, vivet in eis. Et dicitis : Non est recta via Domini. Unumquemque juxta vias suas judicabo de vobis, domus Israël.

(33/10-20)

Pour le lecteur qui connaît ce passage, l'argument de Villon dans la strophe 14 ne pourrait apparaître plus clairement, et la strophe dévoile son ironie. Le texte principal de Villon, c'est le verset 17 du

prophète, celui précisément qui constate l'écart, vaguement deviné
par les pèlerins de la strophe précédente, entre la justice divine et
celle des hommes. Supposons, dit Villon, que je sois pécheur, et que
je m'en rende compte ; il existe ici-bas bien des gens qui veulent
ma « mort », dans le seul sens où il puissent la comprendre. Mais
Dieu, lui, ne veut que ma conversion, et que je commence à « vivre »
dans le sens qu'il nous a indiqué, c'est-à-dire « en bien ». Le souverain Bien « vit » lui-même, et c'est plutôt dans ce sens qu'il nous
offre sa miséricorde, bien qu'il y ait des hommes qui ne comprennent
pas ce que voudrait dire la miséricorde. Si je me convertis, Dieu le
saura et me jugera en conséquence. Mais la justice des hommes se
moque de mon état d'esprit actuel ; elle me juge d'après un passé
que j'ai renié. Voilà la justice des hommes, voilà la justice de Dieu.

Villon aurait-il abandonné sa qualité de particulier afin de nous
parler comme bouc-émissaire ainsi que comme exégète, une voix sans
corps ? Il n'en est rien, et la strophe 14, tout comme la strophe 13,
parvient à aligner l'histoire personnelle d'un « Villon » sur le fil d'une
discussion et d'une histoire générales. Car le texte d'Ezéchiel auquel se
réfère Villon donne un argument double. En même temps qu'il
annonce l'équité de Dieu, il explique la nature précise de cette équité.
Ezéchiel nous affirme que Dieu juge les hommes d'après leur état
present ; leur passé ne lui importe point :

> Et pignus restituerit ille impius, rapinamque reddiderit, in mandatis
> vitæ ambulaverit, nec fecerit quidquam injustum : vita vivet, et non
> morietur. Omnia peccata ejus, quæ peccavit, non imputabuntur ei :
> judicium et justitiam fecit, vita vivet.
>
> (15-16)

Passé dans le dogme chrétien, cet argument a eu une tout autre
importance. Dieu juge les hommes d'après leur état d'âme *au moment
de mourir*. La conversion sincère d'un moribond peut racheter toute
une vie de crimes et de débauches. Sa place dans le monde de l'Au-
delà sera déterminée, en fait, par ce moment seul, c'est une notion
dont se sert Dante à deux reprises dans sa *Commedia* [10]. Quoi de plus
essentiel pour un moribond, en train d'écrire son testament, que de
préciser son état actuel et d'en faire valoir l'importance ?

Ainsi jaillit déjà l'argument de la strophe 15 : ce n'est évidemment
pas un hasard si Villon cite ici le *Testament* de son maître Jean de
Mehun, qu'il connaissait sans doute dans des manuscrits où il figurait
en tête du « Rommant de la Rose » :

(15)   *Et comme le noble Rommant*   (113)
          De la Rose dit et confesse
          En son premier commencement
          Qu'on doit jeune cuer en jeunesse
          Quant on le voit viel en viellesse
          Excuser helas il dit voir
          Ceulx donc qui me font telle presse
          En meurté ne me vouldroient veoir

Villon dédouble son ironie : car si, dans la strophe précédente, il a parlé ouvertement de la justice divine, en laissant entendre par une série de quasi-équivoques l'injustice des hommes, dans la strophe 15 il ne parlera ouvertement que de celle-ci. S'il nous a montré « la croix » de la médaille, il la retourne maintenant pour laisser éclater sa « pille ».

Jean de Mehun, nous dit le personnage « Villon », a repris — tout comme moi-même — la leçon que Dieu et son prophète Ezéchiel ont offerte à l'homme. Mais les soi-disant juges de ce monde n'ont pas voulu l'écouter. Ils n'ont pas voulu agréer leur devoir de faire en sorte que la justice des hommes imite en tout celle dont notre monde est issu... Ce que Villon qualifie de « voir » dans le dit de Jean, c'est cette obligation obcure que signale le mot « doit », et dont Villon aura à reparler. Sans connaître cet argument, la fin de la strophe, qui est ambiguë de la façon que nous avons déjà remarquée, paraîtrait en outre bien obscure. Car l'on pourrait comprendre la logique du mot « donc » de deux manières. Dans la lettre du texte, Villon dirait : L'oppression dont j'ai été l'objet m'a laissé bien perplexe ; pourtant, de la vérité qu'a énoncée Jean de Mehun, je puis conclure (« donc ») que ceux qui m'attaquent acceptent cette vérité ainsi que leur devoir à son endroit, et que leur méchanceté vient plutôt du fait qu'ils ne voudraient pas reconnaître (« veoir ») ma « meurté » et mon repentir. Or, d'après le contexte, nous voyons que Villon dit plutôt : Voici le devoir des hommes, énoncé par Jean de Mehun ; et voici que les hommes ne veulent pas m'excuser maintenant que je n'ai plus un « jeune cuer » ; on peut conclure, « donc », qu'ils ne reconnaissent pas leur devoir et que leur volonté, en dépit de lui, s'oppose directement à la volonté de Dieu. Car, nous le voyons maintenant, le vers, « En meurté ne me vouldroient veoir » est le verso de la médaille ironique dont le recto était « Pourtant ne veult pas Dieu ma mort ». Dieu, pour sa part, voudrait bien « veoir » (dans les deux sens) que Villon se trouve « en meurté ; mais les hommes, eux, sont loin de partager « sa misericorde ».

La logique de la présentation est donc complète. La strophe 13 nous donne ce que nous avons nommé « le problème d'Esmaus », le problème de la justice à deux faces, et Villon s'est posé au milieu comme enjeu aussi bien que comme interprète. La strophe 14 nous montre « la croix », et la strophe 15 éclaire « la pille » dans leur rapport actuel. Dans la strophe suivante, Villon en tirera ses conclusions.

Le rythme de la strophe nous est déjà connu. Mais à travers ses trois voix, nous nous apercevons d'une autre structure qui joue avec la première et se joint à sa polyphonie : c'est la structure binaire de la strophe 12. Aux paroles et aux hypothèses répond une réalité d'actes et de faits sûrs. Mais notons que la strophe 16, d'un autre point de vue, est ordonnée comme l'inverse de la strophe 12, tout comme la deuxième moitié de chaque strophe renvoie l'image concrète de la première. Le mot « Se » répond tout d'abord à l'élan logique du mot « Or » ; et « Griefz » reprend « Travail ». De même que la strophe 12 se meut d'un passé d'illusions à un passé de faits qui touche le présent, de même la strophe 16 troque un avenir hypothétique contre un état de fait qui englobe le présent et l'avenir :

> *(16)*   *Se pour ma mort le bien publique*   *(121)*
> *D'aucune chose vaulsist mieulx*
> *A mourir comme ung homme inique*
> *Je me jujasse ainsi m'aist Dieux*
> *Griefz ne faiz a jeunes n'a vieulx*
> *Soie sur piez ou soie en biere*
> *Les mons ne bougent de leurs lieux*
> *Pour ung povre n'avant n'arriere*

Autant la syntaxe de la strophe 12 est contournée et volontaire, autant l'ordonnance de la strophe 16 nous semble naturelle, symétrique, et balancée. Un nouvel ordre semble s'imposer dans les phrases, dont les parallélismes sont comme soulignés : « a jeunes n'a vieulx », « soie sur piez... soie en biere », « n'avant n'arriere ». Notons enfin que le propos de cette strophe si rassurante se divise aussi bien en quatre qu'en trois ou en deux. L'argument semble s'échafauder, il monte régulièrement par degrés de deux vers chacun, tandis que le propos s'élève du particulier (« Se pour *ma mort* ») jusqu'au plus général (« Les mons ... ung povre »).

Pour tout dire, la strophe 16 est *juste*. Elle incarne l'ordre intime, l'équilibre, le naturel, et la sagesse de l'homme vertueux. Elle nous annonce l'envoi où, plus loin, Villon marquera le parti qu'il a pris dans la lutte des deux justices :

> *Vente gresle gelle j'ay mon pain cuit...*   *(1 621)*

La forme même de la strophe 16, donc, annonce les conclusions que tire Villon de la première phase de sa « matiere pleine d'erudition & de bon sçavoir ». Déjà il est en train de rendre justice, à sa manière ; il est significatif qu'il présente ses conclusions sous forme d'un certificat de bon caractère. Il affirme ce que nous savons déjà de son personnage historique : qu'il est pauvre, une victime, et un aliéné, et en plus, comme nous commençons à le comprendre, un être mystérieusement indépendant.

Villon est ici d'une discrétion et d'un tact exemplaires. Nul besoin de se fâcher contre « ceulx » qui lui « font telle presse » ; s'il n'est pas un « homme inique », ils ont évidemment tort. Nul besoin de se vanter, non plus. S'il se jugeait lui-même en requérant l'aide de Dieu ; et s'il se condamnait aux plus abominables supplices — ceux, par exemple, du Christ — s'il se trouvait au moindre degré nuisible à sa société ; alors il est évident sans plus qu'il reconnaîtrait ses devoirs envers la justice de Dieu. En somme, il est évident que Villon se sait parfaitement équitable, quoi qu'il en soit de ses juges...

Mais l'expression « comme ung homme inique » est la clef de la strophe. Nous avons déjà noté la façon dont elle se réfère au « problème d'Esmaus » et au cas du Christ. Mais cette phrase affiche beaucoup plus que la simple innocence de Villon. Dans son emploi premier, avons-nous vu, le mot « inique » se rapporte directement aux textes bibliques que Villon vient de citer. On le lit comme s'il était entre guillemets. En outre, n'être pas « inique » ne veut pas dire tout court qu'on est équitable ; qu'il le soit, Villon laisse plutôt au reste de la strophe le soin de le dire. Enfin, le mot « inique » lui-même pourrait s'entendre à plusieurs égards : l'on peut être injuste envers ses semblables, par exemple, ou en se jugeant soi-même, ou — dans le contexte philosophique qui descend de la *République* de Platon — on peut être injuste dans la république de son être propre. Voilà pourquoi Villon peut insister sur son innocence et son équité en ce qui concerne le « bien publique » [11]. Etant pauvre, dirait-il, je ne suis nullement en état de nuire à qui que ce soit, que je sois vivant ou mort. Si je suis persécuté, donc, la faute se trouve uniquement du côté d'une société elle-même « inique » et ignorante, comme je vous l'ai démontré plus haut. Je considère cette partie de ma preuve comme étant close. N'empêche que je suis peut-être injuste au dedans, mais cela, ce n'est l'affaire de personne.

Et pourtant, la constitution intérieure de Villon sera l'affaire de tout le monde. Car il y a une quatrième façon dont on peut être juste ou injuste. Villon sera-t il équitable, en se jugeant dans sa qualité de représentant de sa société ? Du moins reprendra-t-il bientôt la voix d'un autre juge, qui n'hésite pas à *nommer* de façon juste celui que sa société avait injustement justicié.

4.   Nous ne suivrons pas dans le détail toutes les questions qu'aborde Villon au cours des strophes 12 à 33. Déjà nous avons pu constater que la « matiere » dont Marot nous a averti semble se fêler à tous moments, qu'elle paraît toujours se résoudre en deux éléments dont l'articulation ne va jamais sans équivoque : la narration historique du personnage que fut Villon à l'époque « au plus fort de (ses) maulx » ; et une discussion philosophique, ou plutôt la présentation d'une situation précise de l'histoire universelle. Un lecteur du cercle de Villon n'aurait pas admis ce décalage. Pour lui, rien d'étrange à ce que Villon traite d'une manière équivoque une « matiere » qui l'est déjà. Pour lui cette distinction n'existerait pas, puisque la matière de Villon est l'équivoque elle-même : c'est le rapport dynamique qui relie un personnage connu à une situation célèbre. A nous aussi, ce personnage est bien connu ; qu'il suffise, donc, de passer en revue brièvement la suite des contextes qu'évoque Villon, avant de retourner aux sources du décalage, au cœur de l'équivoque.

La matière de Villon se poursuit par groupes de cinq strophes, chacun d'une parfaite symétrie. Les citations bibliques, autour desquelles est organisé le premier groupe (strophes 12 à 16), sont en apparence délaissées à partir du conte de Diomedès. Mais, suivant les habitudes formelles que nous connaissons déjà du *Lais*, Villon ne fait qu'approfondir son propos. Il le poursuit au-delà du niveau précédent, et il descend une marche stylistique qu'il gravira plus tard pour regagner son plan de départ. Ainsi les citations bibliques — la situation qu'elles évoquent étant la plus large qui soit — servent de cadre à une discussion plus immédiate et intime, d'où Villon montera pour reprendre sa Bible à la strophe 27. Dans la première moitié de cette deuxième partie du propos (les strophes 17 à 21), Villon change brusquement de ton, comme il lui convient. Le style devient plus dru, plus serré. La marche cadencée, lente et sentencieuse des strophes précédentes, farcies de parallélismes, de vers jumeaux et de constructions proverbiales, est délaissée pour le mouvement plus nerveux et saccadé du langage conteur. Ces strophes annoncent déjà la leste pointe de graveur dont usera Villon pour graver le tableau de sa vie avec la Grosse Margot. Même le seul proverbe du conte se trouve coupé en deux par la voix du deutéragoniste.

Cette descente du style, du ton rhétorique et prêchi-prêcha des strophes 12 à 16, à l'air plus familier, est nécessitée par deux autres « descentes » plus importantes. D'abord, l'apport du contexte descend de la justice divine et de ses rapports avec la justice humaine, jusqu'à la justice des hommes dans la nature. Villon descend à la région sub-lunaire, pour parler dans les termes de sa cosmologie. Aussi bien que la situation de ces strophes, leur source marque une descente, de la Parole Eternelle jusqu'au passé livresque. En venant de la Bible et de son exégète le Christ — qui « conforta » les pèlerins en leur interprétant les livres des prophètes — on arrive au plus grand des exégètes chrétiens de la Bible et de la vie du Christ : saint Augustin. L'on voit maintenant que la mention de la « bonne ville » que « monstra » le Christ au Villon historique, sert d'annonce ou plutôt de préparation à la citation ultérieure du *De civitate Dei* lui-même. Car bien que l'histoire de Diomedès se retrouve dans une foule de textes qu'aurait pu voir Villon, il est presque certain qu'il l'a lue, comme l'auraient fait la plus grande partie de ses lecteurs, dans le chef-d'œuvre de l'évêque d'Hippone [12].

Chacun de ces lecteurs se souviendrait sans doute aussi du contexte du conte, et de la raison pour laquelle s'en sert Augustin. C'est-à-dire qu'à chacun de ses lecteurs, Villon aurait rappelé le sens de l'anecdote dans la tradition littéraire. Sans savoir cette raison et ce sens, on ne peut saisir l'articulation logique des strophes 16-17. Au XVe siècle, pourtant, on aurait compris que les mots « Ou temps qu'Alixandre regna » introduisent une illustration de la preuve que vient de souder Villon — justement, en bon rhéteur, il ajoute une humble *illustratio* à sa démonstration savante. Car voici les mots qui introduisent le quatrième chapitre du quatrième livre du *De Civitate* :

> Remota itaque iustitia quid sunt regna nisi magna latrocinia ? quia et latrocinia quid sunt nisi parva regna ? [13]

Voilà les mots qui devraient se lire entre les strophes 16 et 17, et qui en expliquent la logique. Et ces mots expriment-ils autre chose que ce que nous avons trouvé être la métaphore de base de la Ballade de la Grosse Margot, qui se passe, le rappellera-t-on,

> *En ce bordeau ou tenons nostre estat ?*

Saint Augustin continue :

Manus et ipsa hominum est, imperio principis regitur, pacto societatis astringitur, placiti lege præda dividitur. Hoc malum si in tantum perditorum hominum accessibus crescit, ut et loca teneat sedes constituat, civitates occupet populos subiuget, evidentius regni nomen adsumit, quod ei iam in manifesto confert non dempta cupiditas, sed addita inpunitas. Eleganter enim et veraciter Alexandro illi Magno quidam comprehensus pirata respondit. Nam cum idem rex hominem interrogasset, quid ei videretur, ut mare infestaret, ille libera contumacia : quod tibi, inquit, ut orbem terrarum ; sed quia id ego exiguo navigio facio, latro vocor ; quia tu magna classe, imperator.

Villon a déjà montré, par l'ironie des strophes 12 à 16, qu'il vit dans une société fondée sur l'injustice. Mais à partir de la strophe 17, c'est dans un autre sens qu'il peut dire « Remota itaque iustitia », puisqu'il descend du monde chrétien au monde païen, et de la théologie à la philosophie. Sans cela, comment comprendre que Villon laisse Diomedès alléguer, comme cause de son « gouvernement », la force de la « fortune », déesse païenne contre laquelle Augustin s'acharne justement dans les 18ᵉ et 19ᵉ chapitres du même livre 4 du *De Civitate* ? Et pourquoi Villon s'excusera-t-il selon le même principe en visant plutôt la « necessité » ? Si, pour Villon, le passé et le présent se confondent dans une temporalité morale ; si les mondes païen et chrétien sont contemporains ; et si la philosophie se perd dans la théologie, n'empêche qu'au besoin une distinction capitale trace la frontière entre deux réalités empiriques que Villon lui-même nous enseigne à nommer deux *expériences :*

> *...apres plainz et pleurs...*
> *Travail...*

Les descentes du style, qui marquent les transitions de sujets entre les groupes de cinq strophes, correspondent ainsi à une descente vers le passé du personnage Villon. Le changement de ton, si évident déjà dans le vers « Je plains le temps de ma jeunesse » (169), signale on ne peut plus clairement que la discussion de la justice se transfère de la justice entre les hommes à la justice au-dedans de chaque homme. Nous sommes à l'époque la plus éloignée, dans la vie du Villon historique, du temps signalé par le mot « Or » qui introduit la strophe 12. Puisque c'est l'époque de sa vie avant le moment, « au plus fort de (ses) maux », d'une révélation de la Providence divine, l'emploi de textes chrétiens ne serait guère convenable. Le contexte de ces strophes 22 à 26, donc, sera établi par des textes philosophiques préchrétiens, textes qui, nous le savons par le dit même de Villon, appartiennent à sa première jeunesse. Puisque Villon évoquera une situation morale, il choisira un texte éthique. Et à ce choix, Villon nous avait déjà préparés à la strophe 12, là où il parle de ce que lui apprirent avant l'été de Mehun, « tous les commens D'Averroys sur Aristote ».

En effet, chacun de ses lecteurs au xvᵉ siècle aurait reconnu, dans les strophes 22 à 26, des problèmes centraux de l'*Ethique à Nicomaque.*

Mais pourquoi ces problèmes sont-ils pertinents au *Testament* ? Est-ce qu'ils détiennent ici une position centrale ? Les dix strophes 17 à 26, en vérité forment le noyau séculier de la discussion, pour ainsi dire : voici Alixandre, et puis Aristote, entourés par les prophètes et les évangélistes des saintes Ecritures, comme dans une fresque ou un « paradis paint ». Ce n'est évidemment pas un hasard si Villon introduit ici par un rythme scandé les grandes forces qui règlent l'univers grec : la Fortune (μοῖρα, 145), la Nécessité (ἀνάγκη, 167), et la Nature (φύσις, 183). Le quatrième a pris place, comme il convient, tout au début, au vers dont le chiffre même le signale : Dieu (νοῦς, 99). Car cette partie de la discussion porte sur la responsabilité que peut avoir chaque homme à l'égard du déroulement de sa propre vie. Quoi qu'on puisse dire de la Fortune ou de la Nécessité, il n'est pas vrai qu'elles soient entièrement responsables de notre conduite. Dans celle-ci peut entrer la Providence, comme nous l'avons vu à la strophe 13 ; et autrefois, comme nous verrons, il pouvait y avoir une part de *volonté*. Le peu de force que cette volonté puisse avoir, dans le présent et chez un poète, entrera en jeu à la strophe 33, où Villon retrouvera la Providence et s'affirmera à son endroit :

> *Ce que j'ay escript est escript.*

5.   Villon ne cite pas directement le livre d'Aristote ; mais il nous a déjà avertis qu'il s'est éloigné du texte en interposant les « commens » d'Averroys. Car à ce niveau de discours, à deux reprises détaché du ton biblique des cinq premières strophes (12-16), Villon a su de nouveau trouver l'accent qui convient. L'envoûtement de son nouveau style intime et confidentiel, d'un coloris vigoureux, ne supporterait pas d'allusions ou de citations trop précises de la « matiere » érudite [14]. Mais là où Villon tire ses conclusions, la référence est évidente.

La strophe 26 achève sa section de cinq strophes exactement de la même manière que les strophes 16 et 21 ont terminé les leurs :

> *(16)   Se... le bien publique... vaulsist mieux*
>   alors
>   *A mourir... je me jujasse ainsi m'aist Dieux*
> *(21)   Se Dieu m'eust donné... Qui m'eust fait... qui m'eust veu...*
>   alors
>   *estre ars... jugié me feusse*
> *(26)   He Dieu se j'eusse estudié...*
>   alors
>   *J'eusse maison...*

Dans chaque strophe finale, la vérité intervient — et dans le cas particulier et dans son universalité proverbiale — pour trancher les hypothèses. Autrement dit, la troisième voix du Villon actuel prend la parole, et allègue ensuite les mots de la voix commune pour se disculper [15]. Dans la strophe 26, le naturel, l'ordre, la logique, l'échafaudage des vers — bref, la *justice* — jouent d'un pathétique admirable avec l'émotion encore plus évidente :

(26)   *Hé Dieu se j'eusse estudié*   (201)
            Ou temps de ma jeunesse folle
            Et a bonnes meurs dedié
            J'eusse maison et couche molle
            Mais quoi je fuyoie l'escolle
            Comme fait le mauvais enfant
            En escripvant ceste parolle
            A peu que le cuer ne me fent

Répétons que dans cette strophe, Villon ne gémit pas d'avoir fait l'école buissonnière, d'avoir quitté ses livres et ses cahiers pour la vie errante et joyeuse. Voyons au vers 1664, où Villon lègue « une leçon de mon escolle », ce sont là de jolies sentences morales aux « beaulx enfans », et une ballade de conseils généraux sur la conduite, ballade que Marot a nommée « Ballade de bonne doctrine. » Ou voyons les vers 1630 sqq., où Villon qualifie la prostitution de « publique escolle Ou l'escollier le maistre enseigne » [16]. A la strophe 26, Villon vise une espèce semblable de « publique escolle » : c'est l'école de « bonnes meurs » dont parle Aristote au livre 2 de *l'Ethique à Nicomaque* :

> ...Mais les vertus, nous les aquerons, recevons, et avons par les operacions qui sont faites devant en la maniere qu'il est es autres arts es quel les choses que nous voulons aprendre a faire nous les aprenons en faisant, si comme a estre edifieurs en edifiant et a estre vielëeurs en vielant. Et ainsi devenons nous justes et sommes fais justes en faisant operacions justes... ...En conversant aveques les autres de la communité et en commutations et contracts selon ce que nous faisons accoustumeement nous devenons justes ou injustes... Et generalement du tout, a une parole, les habis sont fais, aquis et engendrés par semblables operacions. Et pour ce, convient il bien *prendre garde et estudier* quelles operacions l'en fait ; car selon les differences des operacions, s'ensuyvent les habis. Donques ne a il pas petite difference de soy acoustumer en jonesce et au commencement a faire en une maniere ou en autre, mais il y a tresgrant difference et en tant que de ce depent, quant au plus, toute la vie et tout le bien ou le mal d'un homme [17].

C'est une des données de l'*Ethique* les plus importantes, du point de vue historique, que la vertu pratique — la seule à laquelle s'intéresse Aristote dans ce livre — est semblable à *l'art*, dans le sens général qu'avait le mot τέχνη. Elle s'acquiert en étant pratiquée, elle est enseignée de façon pratique par ceux qui l'ont déjà acquise. Nous aurons à revenir sur cette idée, capitale pour les données esthétiques de Villon, lors de notre discussion de la strophe 12.

De sa fuite de l'école de bonnes mœurs, qui est, alors, le responsable ? Villon suggère, avec la phrase « je fuyoie... comme fait le mauvais garçon » — tout comme sa défense antérieure, « a mourir... comme ung homme inique » — qu'il n'a pas été d'une disposition farouche [18]. Il affirme que la vertu, dans le sens où la veut sa société, lui était bien possible. Car, selon le Philosophe

> Et par ce appert il que neis une des vertuz morales n'est en nous de nature ou par nature. Et une raison est a ce, car nulle chose ne se puet

acoustumer au contraire de ce que elle a de nature... Ne aussi ne sont
elles pas en nous hors nature ne contre nature, mais nous sommes
naturelment nez et ordenéz a les recevoir...

(p. 146-147)

Nous savons par les strophes 23-24 que sa pauvreté n'est point le
résultat d'un gaspillage de ses biens. Qu'il ait « gallé », cela s'entend ;
mais qu'il ait mené une vie dissolue, rien ne le prouve, selon Villon.
S'il est maintenant pauvre, c'est parce qu'il ignorait, aux temps où
tout lui était possible, la règle première de sa société. Quelle est-
elle ? Rappelons qu'il s'agit dans les strophes 22 à 26 du monde sublu-
naire, du monde de la Nature et de la Nécessité ; et en plus, que nous
avons affaire à une société « remota iustitia ». Cette règle générale
est celle qui est présupposée par le syllogisme de la strophe 26 : si
l'on se dédie aux bonnes mœurs de la société injuste, alors infailliblement l'on deviendra riche. Si l'on est riche, comme Alixandre, cela
veut dire qu'aux yeux de Dieu l'on est ladre. Villon vit dans ce qu'on
peut appeler un monde à l'envers, où les mots « bonnes meurs » signalent des abominations [19].

Le cas de Villon correspond exactement à un cas spécial de conduite
morale, qui est défini par Aristote dans le chapitre de l'*Ethique à
Nicomaque* où il parle de la responsabilité de nos actions, bonnes ou
mauvaises. Dans l'ignorance de ce qui était les « bonnes meurs » de
sa société, Villon a commis dans sa première jeunesse un acte dont,
paraît-il, il se repent. Ce sont des actes qu'Aristote appelle « invo-
lontaires » (ἀκούσια), et il les distingue ainsi :

Toute chose qui est faite par ignorance est non voluntaire. Mais la chose
faite pour ignorance, de la quelle quant l'en se apparçoit l'en ha tristece,
desplaisance et pesance ou repentance, elle est involuntaire.

(p. 179)

Et pourquoi Aristote fait-il une telle distinction ? Voici les phrases
qui introduisent le troisième livre de l'*Ethique :*

Comme il soit ainsi que vertu est en passions et en operacions, desquelles celles qui sont faites voluntairement sont a loer ou a blasmer
ou a vituperer et celles qui sont [in]voluntaires, il y chiet pardon et
aucune fois misericorde... Item, a ceuls qui regulent et gouvernent la
policie et ordennnent les loys, il est profitable savoir la nature et les
condicions de voluntaire et de involuntaire, afin que ilz puissent selon ce
justement distribuer les honneurs et les painnes.

(p. 175)

C'est l'aveugle ignorance des juges de Villon, qui les empêchait
de voir à la fois son ignorance et son repentir, si bien qu'ils ne surent
« justement distribuer... les painnes ».

Si nous sommes descendus, à partir de la strophe 21, du monde
de la justice entre les hommes et de la cour d'Alixandre où cette
justice se rend, cela veut dire que nous nous trouvons *sous la loi*.
Que Villon cite Aristote dans ces strophes, donc, cela apparaît une
fois de plus comme une référence convenable et logique. Car, pour

Aristote, les questions éthiques s'étudient comme une *sous-division* de la politique, et son *Ethique,* comme il la décrit lui-même à son début, sera essentiellement un manuel pour les étudiants en science politique. Il va de soi, dans sa philosophie, que les hommes politiques sont chargés de la direction et de l'enseignement moral du peuple. Par les lois qu'ils établissent, donc, ils sont eux-mêmes responsables de la conduite des hommes :

> ...Ce que l'en fait es citéz et es communités tesmoigne ce que nous avons dit ; car ceulz qui metent et ordenent les loys *estudient, labeurent et font* par leurs loys que les citoiens se acoustument a estre bons par bonnes operacions. Et doit estre la volenté telle de chescun qui commande et met les loys ; et tous ceulz qui ainsi ne le font, il pechent...
>
> (p. 147)

C'est afin de bien écrire les lois surtout qu'on demande : comment s'acquiert la vertu ?

Mais Aristote est loin d'absoudre l'individu de toute responsabilité pour ses propres actes, même si le caractère qui les gère est lui-même l'œuvre d'habitudes qui l'ont dompté peu à peu, à son insu. Or, Villon insiste à plusieurs reprises sur l'irréversibilité de ce processus, c'est la portée notamment de la strophe 22. L'éducation morale, y dit-il, se fait de façon aussi inaperçue que tous les autres mouvements de la nature. Le temps moral glisse aussi sournoisement, et d'un cours aussi inéluctable, que le cours des saisons. La lucidité introspective ne se saisit jamais qu'après coup des événements d'un devenir naturel :

> (22)   *Je plains le temps de ma jeunesse*   (169)
> *Ouquel j'ai plus qu'autre gallé*
> *Jusques a l'entrée de viellesse*
> *Qui son partement m'a celé*
> *Il ne s'en est a pié allé*
> *N'a cheval helas comment don*
> *Soudainement s'en est vollé*
> *Et ne m'a laissié quelque don*

La syntaxe fluide de la strophe reflète parfaitement la perplexité avec laquelle nous accueillons les plus grandes œuvres de la nature. Etant donné que « son partement » se réfère à l'évanouissement de « jeunesse », le relatif « Qui » en tête du vers peut reprendre ou « jeunesse » ou « l'entrée » (prise dans un sens dramatique), ou « viellesse ». Quelque chose, c'est entendu, lui a caché la fuite de « jeunesse » ; mais Villon ne saurait dire quoi, et il nous fait sentir devant le texte son propre embarras devant le fait.

Mais il y aurait pour nous d'autres confusions qui n'étaient pas les siennes. Comment concevoir ce « temps » qui, comme nous le dirions, *était* sa jeunesse ? Villon nous laisse imaginer à la fois un endroit (comme une chambre d'hôtel, par exemple, que quitte Jeunesse sans payer le service) ; un espace qu'on parcourt d'une « entrée » à l'autre ; et aussi une durée temporelle à laquelle succède, brusquement, une autre. Il est significatif de la confusion que les

deux prépositions, « ouquel » et « jusques », peuvent se référer aussi
bien à l'espace qu'au temps ; et que le mot « entrée » puisse se rapporter au temps, à l'espace, et à un état quelconque (Villon parle
ailleurs de « l'entrée de paix et la porte » [VIII, 90], comme un peu plus
haut, à la strophe 21, il s'est vu « en bon eur entrer ») Aujourd'hui nous
disons « un espace de temps », en même temps que nous nous plai-
gnons, « Le temps me dure ! » En était-il ainsi autrefois ?

Au Moyen Age, le temps n'était pas conçu de façon linéaire, comme
de nos jours. Le temps est rond, comme chez les Grecs ; l'an se
répète, son nom même révèle sa forme (*annus* de *anulus*)[20]. Le
cours de la vie ne se voit pas comme une ligne qu'on parcourt.
Si la carrière spirituelle était vue comme étant un pèlerinage
— chez Dante, par exemple, ou chez Villon à la strophe 13 —
son cours sera plutôt bombé que droit, c'est-à-dire un « retour »
comme Villon le décrira dans son rondeau « Au retour ». Au xvᵉ siècle,
le progrès de la vie (comme nous disons) sera peint dans les termes
du système féodal, de même que l'amour, la religion, et presque
toutes les affaires du monde intérieur. Les époques de la vie se dé-
rouleront chacune sous la « puissance », comme dirait Villon, d'un
seigneur[21]. Ainsi en est-il de Jeunesse et de Viellesse, qui agissent
ici en personnages puissants de la cour. Viellesse entre, comme sur
une scène de bataille, en masquant la fuite lâche de Jeunesse.

Mais il y a plus. Car en vivant sous la domination d'un âge de la
vie, l'on ne bouge pas. C'est plutôt le temps qui se déroule autour
de nous, un temps uni, où l'on joue le rôle qui lui convient. Le
« temps » que domine Jeunesse est comme une saison de l'année,
qui est pourvue d'une durée imperceptible, dont nous nous rendons
compte seulement au moment dramatique où elle disparaît, en cé-
dant la place à une saison nouvelle. Nous pensons à l'étonnement
qu'exprime le célèbre rondeau de Charles d'Orléans :

> Le temps a laissié son manteau
> De vent, de froidure et de pluie,
> Et s'est vestu de brouderie,
> De soleil luyant cler et beau...

Il est significatif du contenu moral, et donc uni, d'une « saison »
du temps, d'ailleurs, que Villon emploie la temporalité aussi volontiers que la syntaxe « juste », pour marquer les divisions de sa « matiere ». La strophe 12 commence par le mot « Or » ; la deuxième section est introduite par le vers, « *Ou temps* qu'Alixandre regna »,
comme l'est la troisième par les mots, « Je plains *le temps* de ma
jeunesse », qui sont repris à sa fin, « *Ou temps* de ma jeunesse folle. »
Rappelons enfin que le *Testament* entier se passe dans une seule
unité de temps, qui n'a pas de sens sinon moral :

> *(1)   En l'an de mon trentiesme aage   (1)
>   Que toutes mes hontes j'eus beues...*

Or, au début de la saison de jeunesse, si l'on peut dire, il paraît
que Villon eut un choix entre plusieurs rôles : et il a « plus qu'autre

gallé ». Bien qu'il eût choisi dans l'ignorance des justes valeurs — c'est-à-dire, sans prévoir « l'entrée de viellesse » — la responsabilité de son choix restait sienne. S'il avait choisi d'étudier à l'école de bonnes mœurs, il aurait eu le rôle qu'il évoque maintenant avec un simple croquis : « maison et couche molle ». C'est un rôle qu'il décrit plus tard en tant que tel :

> Sur mol duvet assis ung gras chanoine   (1 473)
> Lez un brasier en chambre bien natée
> A son costé gisant dame Sidoine...

L'ironie de la strophe 26 n'est pas loin de celle, mordante, du refrain « Il n'est tresor que de vivre a son aise ». Car, évidemment, il y a un « tresor » qui vaut mille fois « vivre a son aise ». Villon a choisi « comme fait le mauvais garçon », dans une société où la richesse définit la bonté. Il n'a pas choisi d'apprendre les « bonnes meurs » d'une société corrompue. N'oublions pas de tenir compte de l'autre face de son choix. Si nous savons que le fait d'avoir « maison et couche molle » veut dire être ladre, dans la société à l'envers, de même nous reconnaîtrons que l'homme qui se dit « povre de sens et de savoir » est en train de nous conduire par les sentiers d'une « matiere pleine d'erudition & de bon sçavoir ». En choisissant une folle jeunesse, Villon adhère bien plus à la nature et à ses saisons, comme nous le verrons, et à une morale qui n'est pas celle de ses juges. Oublier cela veut dire oublier la dynamique — c'est-à-dire le devenir — qui tyrannise le monde de nature. Ignorer le sens « divin » des rôles et des mots veut dire ignorer la dynamique — c'est-à-dire le devoir — qui relie le monde sensible au monde de son Créateur. Ainsi l'on commettrait la faute des proches de Villon qui, « oubliant naturel devoir », refusent obstinément de le reconnaître ; tout comme Alixandre oubliait une autre forme du même devoir en nommant son prisonnier un « larron » ; et tout comme ceux qui lui « font telle presse » ont oublié la miséricorde de Dieu et les vers de Jean de Mehun qui la rappellent, en refusant de « veoir » que Villon est actuellement « en meurté ».

Pour résumer, donc, Villon nous dit avoir fait un choix très tôt, dans l'ignorance, de façon « involontaire », de ce qu'il deviendrait. Une fois ses « mauvaises » habitudes prises, il lui était impossible de s'en défaire, car la nature et son devenir l'avaient pris en charge. Voici, enfin, le passage du livre d'Aristote auquel le texte semble se référer :

> Car celui qui est malade, il n'est pas en sa volenté d'estre sain quant il li plaira. Car adonques, c'est a savoir, au dedevant, il estoit en sa volenté et posté estre malade ou que il ne fust malade. Mais puisque il a ja fais les excés et se est mal gouverné il n'est mes en sa volenté ou posté non estre malade. Semblablement celui qui a laissié aler et jecté une pierre, il ne li est pas possible de la remuer, arrester ou retraire. Mais par avant il estoit en sa posté de la laissier aler et de la jecter. Car le principe et la cause de ce estoit en lui meïsme. Et en ceste maniere est il en celui qui est injuste et en celui qui est incontinent ;

car, au commencement, il estoit en leur posté que ilz ne fussent fais
telz. Et pour ce sont il telz voulans et voluntairement ; mais quant
il sont ja fais telz, il n'est mes en leur posté d'estre non telz, c'est
assavoir, non injustes et non incontinens.

(p. 199-200)

Si Villon s'en est repenti, comme nous avons vu, il aura droit à
notre pitié. Mais de son repentir, il nous donne une idée assez peu
claire. Nous avons déjà noté que la locution proverbiale, « A peu que
le cuer ne me fent », avait à son époque une valeur expressive fort
mince, et qu'elle annonce une gêne ou une colère étonnée, plutôt qu'un
regret d'ordre profond qui sortirait spontanément comme une bouffée
d'air de quelque soupirail. Le ton dispos et la fonction plutôt formelle de l'expression, sont attestés d'ailleurs par sa position à la fin
de la strophe, là où la voix commune se déclare d'habitude. On
comprendra mieux le vers en le lisant parmi ses frères :

> *Qui n'a mesfait ne le doit dire...*
> *Car la dance vient de la pance...*
> *A peu que le cuer ne me fent...*
> *Car a la mort tout s'assouvit...*
> *Et Dieu saulve le remenant...*

En fait, on ne comprend pas clairement comment Villon pourrait
regretter maintenant de n'être pas devenu l'un de ceux qu'il prétend
vouer aux gémonies. Au moment d'écrire, il est parfaitement conscient
que celui qui gît en « couche molle » est damné, et que le choix qu'il
a fait est de nature décisive. Bref, il sait que « Nemo servus potest
duobus dominis servire... ; non potestis Deo servire et mammonæ. »
(*Luc*, 16/13). Car c'est justement à ce passage de saint Luc qu'il
se réfère un peu plus tard, en le liant de façon explicite à sa propre
discussion du même choix à la strophe 26 :

> *(82)*   *C'est de Jhesus la parabolle*   (813)
>   *Touchant du Riche ensevely*
>   *En feu* non pas en couche molle
>   *Et du Ladre de dessus ly*

Par la voie de la « maison et couche molle », les « bonnes meurs »
mènent directement à l'enfer.

Mais Villon nous dit lui-même qu'à la strophe 26 il nous présente
une petite fable morale, en déclarant que sa bile s'échauffe « en es-
criptvant *ceste parolle* » ; car le mot « parolle » veut dire chez lui une
sentence, une réplique, proverbe ou dicton, ce qu'il appelle justement
une « parabolle ». Et dans sa « parolle » de la strophe 26, il a dû dire
que les mots « bonnes meurs » et « mauvais garçon » ont perdu leur
vrai sens, et que dans la société « remota iustitia », le langage nous
trahit. Villon se trouve contraint, par la nature corrompue et trompeuse de sa langue même, à mentir.

Au demeurant, il indique plus précisément la source de son émoi.
Il ne dit pas que la colère le saisit, mettons, en constatant ce fait-ci
ou en se rendant compte de cette vérité-là. Non, Villon doit mentir

« en escripvant », voilà la pierre d'achoppement. Que sa langue l'oblige à mentir, ce sera d'autant plus navrant pour lui que, depuis la strophe 17, il souligne le gouffre qui s'est creusé entre la vérité de la parole et la fausseté de l'acte. Quoi qu'on dise de lui, quoi qu'il ait fait ou qu'on lui ait fait. Villon parle « vraye », c'est le *leimotiv* des dix strophes séculières, que les premiers mots de la strophe 12 avaient déjà annoncé : « Or est *vray...* ». Sa situation actuelle correspond à celle du pirate métamorphosé : « fut vray homme », ainsi qu'à celle de l'historien Valère, qui l'a racontée bien avant l'historien Villon : « pour vray le baudit. » S'il avait trahi la largesse d'un autre Alixandre, Villon se serait jugé « de (sa) voix ». Quoique ses parents le « désavouent », il « dit voir ». A ses amis, il n'a *fait* aucun tort, et il leur *parle* de son innocence : « Je le dy et ne croy mesdire », tout comme Diomedès « onc puis ne mesdit ». Car enfin, il existe un idéal de justice entre faits et dits : « Qui n'a mesfait ne le doit dire », une justice que se rend Villon à lui-même en disant, « Bien est verté que j'ay amé ». Ainsi, c'est en dépit de lui-même qu'en parlant de sa jeunesse, il est appelé à mentir « en escripvant ceste parolle ». Victime des faits, Villon répond coup pour coup avec des citations.

L'émoi de la strophe 26, donc, est un moyen de marquer une compréhension actuelle d'une corruption de mœurs et de langage que Villon n'avait pas comprise à l'époque de son choix moral. Reconnaissons que cette émotion, si bien accusée par celui qui parle, est aussi un moyen de réagir contre la fausseté de sa situation, par le fait de mettre en relief la nature équivoque de la « parolle » qu'il vient de débiter. Reconnaissons de même que nous nous trouvons ici aux derniers pas d'une pénétration linguistique, historique et philosophique, qu'entreprit Villon au vers « Or est vray qu'après plainz et pleurs... ». A la strophe suivante, il rebondira au niveau des citations bibliques. Les mots « en escripvant », où nous les avons lus dans le *Lais*, étaient intransitifs :

> *Finablement en escripvant*   (L. 273)
> *Ce soir seulet estant en bonne...*

Et ils se trouvaient à un niveau de discours bien plus proche du monde objectif des premières strophes. Mais quand Villon met « en escripvant ceste parolle », on atteint le point secret dans la conscience créatrice où les mots deviennent actes et, par un étrange dédoublement, se présentent eux-mêmes au fur et à mesure qu'ils naissent. C'est précisément à ce point que la disproportion entre parole divine et parole déchue devient la plus aiguë, là où l'acte de les débiter devient en conséquence le plus difficile. C'est à ce point que la résistance que lui oppose un monde corrompu arrache de Villon ce cri d'impatience. Et cette même résistance, qu'il rencontre ici « en escripvant », lui arrachera bientôt un autre cri ému, lorsqu'il pourra constater : « Ce que j'ay escript est escript ».

6.   Tout en regagnant le niveau des citations bibliques et un ton plus
digne à la strophe 27, Villon ne perd pas de vue pour cela le modelé
intime du propos. Plutôt, il le prend comme point de départ, il le
gonfle d'une signification qui le dépasse et qui, du coup, l'inclut aussi.
Car avec les dernières strophes de sa « matiere », Villon commence
aussi à réagir au lieu de dépeindre. Il commence à regimber contre les
circonstances — ceci dans un sens très large — qui l'ont poussé à
son « fait », dans les mêmes vers qui achèvent l'évocation de ces circonstances. C'est justement l'impatience d'un cœur qui s'aigrit, qui
en donne le signal. Depuis lors, la « parolle » de Villon deviendra
ouvertement un acte.

    La discussion qu'il avait amorcée à la strophe 12 s'achève symé-
triquement par un groupe de cinq strophes, grossi par deux strophes
de ce qu'il appelle un « incident ». Le propos se noue, les voix se
confondent et se répondent, le rythme des vers et des interventions
du concret monte, se hâte, et court vers cette cime du drame (le
chiffre le dit) qu'est la strophe 33.

    La strophe 27 nous propose tout d'abord quelques difficultés lin-
guistiques à résoudre. Ses premiers vers n'ont pas pour nous un
sens immédiat, à tel point qu'on a voulu faire référer le mot « luy »
au mot « cuer » de la strophe précédente [22] :

> (27)   *Le dit du Saige trop luy feiz*   (209)
> *Favorable, bien en puis mais*
> *Qui dit « Esjoys toy mon filz*
> *En ton adolescence » mais*
> *Ailleurs sert bien d'ung autre mes*
> *Car « Jeunesse et adolescence »*
> *C'est son parler ne moins ne mais*
> *« Ne sont qu'abus et ignorance »*

Mais le mot « cuer » n'a point de force en lui-même. Sans paraître
ridicule, Villon n'aurait pas pu l'allégoriser après coup, en lui donnant
une identité aussi charnelle qu'il puisse « luy faire favorable » le
« dit » du Saige. Une telle explication, d'ailleurs, n'éclaircirait ni le
sens ni la fonction des vers 209-210. Rappelons que, dans la structure rhétorique de ces strophes, une coupe radicale survient à chaque
dénivellation. La voix de Villon semble reprendre haleine, pour se
lancer d'un élan nouveau sur un nouveau sujet. Justement, cette
absence d'un raccord évident, entre les strophes 11-12, 16-17, et 21-22,
nous donne l'impression capitale d'incohérence et de spontanéité.

    Or, cette impression s'affirme comme étant essentielle au sens
des strophes. Un rappel du genre qu'on nous propose en gâterait
l'effet, en paraissant littéralement réfléchi et trop volontaire. Le mot
« luy », donc, se réfère tout naturellement au « Saige », et Villon nous
dirait, en abordant un thème apparemment indépendant : autrefois,
j'ai bien dû peser la probité et la sagesse de ceux qu'on appelait des
« sages ». A cette époque, j'ai pris (« feiz ») dans un sens très « favorable » à la sagesse de Salomon son dit, « Esjoys toy mon filz... ». Il
faudrait presque renoncer à établir un sens précis pour la locution

proverbiale, « bien en puis mais », qui exprime toute une gamme de nuances de cause, de capacité, et de responsabilité, et dont le ton nous échappe. Supposons pourtant que Villon veuille dire : bien sûr, ce que j'ai fait s'est révélé comme étant absurde, et bien autre que « favorable » au Saige ; mais à l'époque, *j'en étais bien capable*. Ou supposons qu'il dise : de ce jugement sur le Saige, qui galvaude son nom, *je porte la responsabilité*, c'était ma propre idée. Ou enfin, en tenant compte du temps présent du verbe, on pourra le comprendre dans un sens narquois : penser que moi, je serais capable de porter atteinte à la renommée du Saige ! Au demeurant, remarquons que chacun des manuscrits nous donne une leçon différente de ces vers, et qu'il est bien possible que Villon y ait mis autre chose encore. La leçon que nous agréons, celle du manuscrit Coislin, a du moins le mérite de s'accorder avec le contexte [23].

En revanche, le reste de la strophe 27 est parfaitement clair. Nous avons déjà vu qu'aux vers 207-8, Villon se tourne de la parole vers l'acte. Après avoir manqué de respect envers le Saige en déformant son « dit » dans un sens qu'il pensait à l'époque être favorable à lui, (Villon « fei[st] son « dit »), il se propose maintenant de rétablir sa juste réputation. Mais quelle façon de rétablir la vérité, dirons nous ! Car dans les vers 211-216, Villon ment comme un dévergondé. Tout le monde à son époque, connaissant parfaitement les textes bibliques, aurait reconnu la plaisanterie... [24]. Ou est-ce une plaisanterie ? A croire Villon dans ces vers, celui que sa société a doté du titre de « saige » s'adonne aux contresens et aux bévues les moins plausibles. Laquelle de ses sentences doit-on agréer dans sa jeunesse ? Ou est-ce plutôt Villon qui a mal compris la chose ? Car ce n'est guère un « mets » que « sert » le Saige, mais une tranche de vérité [25]. Il ne le sert pas « ailleurs » mais, dans *le verset suivant* de son écrit. Enfin, il est complètement faux que, comme dit Villon, ce qu'il nous rapporte soit « son parler ne moins ne mais ». Villon a omis de son rapport justement les mots qui unissent et raccordent les deux vérités apparemment contradictoires. Il a sauté sur l'idée centrale des vers qui relie et qui justifie deux sphères différentes de valeurs. Ces mots et cette idée, nous aurions pu les deviner : car les deux sphères différentes, et ce qui les unit, ne sont autres que les sujets du *Testament*. Voici le texte intégral d'*Ecclesiastes* 11, que veut citer Villon :

> 9. Lætare ergo juvenis in adolescentia tua, et in bono sit cor tuum in diebus juventutis tuæ, et ambula in viis cordis tui, et in intuitu oculorum tuorum : *et scito quod pro omnibus his adducet te Deus in judicium.*
>
> 10. Aufer iram a corde tuo, et amove malitiam a carne tua. Adolescentia enim et voluptas vana sunt.

Les mots « pro omnibus his adducet te Deus in judicium », comme auparavant les mots « remota itaque iustitia », auraient été aux lèvres de tout lecteur averti au XVe siècle. Ce qu'a omis Villon, c'est la dynamique de la justice divine qui relie, dans la vie de chaque homme — et qui relia historiquement, lors du matin de Pâques que vécurent les pèlerins d'Esmaus — un passé de péché à un avenir d'« esperance ». Sans cela, et sans la compréhension que signale le mot « scito », le contresens et la perplexité ne sont autres que ceux de la strophe 22, où Jeunesse « folle » et Viellesse semblent s'opposer, sans qu'il y ait un devenir naturel qui les raccorde, et un ensemble dans lequel ils retrouvent leur vérité.

Pourquoi ce détour, pourquoi cette plaisanterie, ce mensonge ? Demandons-nous plutôt, pourquoi cette équivoque ? Car Villon est bien parvenu à dire deux choses différentes avec les mêmes mots. Le côté « pille » de la strophe, c'est sa lettre : c'est le sourd contresens auquel la société qui est loin de la justice l'avait amené à croire, à l'époque « au plus fort de (ses) maulx » ; c'est la contradiction spécieuse sur laquelle la société sans justice à été fondée. Son côté « croix », c'est le texte biblique que cite Villon tout en le faussant ; c'est ce qu'il avait appris du Dieu d'Esmaus, qui lui « monstra une bonne ville » ; c'est la vérité qui ferait de deux mondes qui sont maintenant éloignés l'un de l'autre, une seule Œuvre divine. L'équivoque de la strophe sera donc l'image du dilemme humain.

Qui plus est, en *faisant* son équivoque — en la fabriquant — Villon commence à agir dans la situation qu'il dépeint. Il combat le mensonge par le mensonge, moyen puissant de rendre justice. Il rectifie son erreur de jadis : comme il avait « fait » d'un seul « dit » de Salomon son titre à la sagesse, maintenant il reconstitue le vrai sens (le sens divin) du mot « saige » ainsi que la réputation de celui qui le porte. Cet homme qui sert à la jeunesse des « mets » frivoles et inconséquents, nous le verrons désormais comme un chef cordon-bleu, qui cuisine un banquet somptueux et ordonné. Villon établit dès cette strophe un sens de « mets » et des affaires de la cuisine sur lequel il jouera tout au long du *Testament*, en commençant par la strophe 32 :

> *Bon vins ont souvent embrochiez*
> *Saulces brouet et gros poissons...*

Plus tard, Villon lui-même deviendra cuisinier, là où il servira aux clients de son petit état un menu soigné :

> *Au vin m'en fuis sans demener grant bruit*   (1 596)
> *Je leur tens eaue frommage pain et fruit...*

Puis, Villon agit sur nous, ses lecteurs. Son mensonge nous incite à comparer ses mots au texte biblique, et à lui répondre d'un ton fâché : mais non, François, tu le cites incorrectement, à quoi penses-tu ? En partie, la force de la strophe vient de ce que le mensonge est si évident, si lourd et maladroit. Et ceci d'un homme qui se vantait de son caractère véridique... Pour la première fois, Villon ment ouvertement ; ce qu'il avait déjà suggéré à la strophe 26 par sa colère à l'égard d'un langage trompeur, voici qu'il le tire au clair. En en découpant si manifestement la « pille » de ses mots de leur « croix », Villon nous forcerait à les lui recoudre. Il attire notre attention sur la correspondance parfaite dont il s'est aperçu lui-même entre un

« parler » vrai et faux, et les époques de la vie de chaque homme. Enfin, il nous démontre que sa vie à lui a été parfaitement morale dans le sens divin. Car, avant comme après la Pâque de sa vie, il a suivi à la lettre les conseils du Saige. Sa propre vie a réconcilié les deux vérités contradictoires. En répétant le mensonge de sa jeunesse tout en nous affirmant qu'il est à la fois faux (étant incomplet) et vrai (dans le juste contexte), Villon nie le contresens en l'enveloppant de sa force créatrice et de son savoir. Lors de notre discussion de la strophe 12, nous aurons à revenir sur cette espèce d'affirmation négative, qui est la création d'unité dans l'ample science de quelqu'un de plus proche que les autres de l'unité créée.

C'est justement vers le sens de sa propre vie que Villon se tourne dans la strophe suivante, cette vie dont la réussite qualifiera la réussite du travail poétique. Le retour au niveau des citations bibliques, rappelons-le, est survenu au point précis où Villon a pénétré à travers l'histoire universelle et à travers la société jusqu'à la vie intime de son représentant. Si Villon rélargit l'horizon à la strophe 27, il n'empêche que le propos soit greffé sur celui des strophes 22 à 26. Or, Villon recourt aux textes bibliques qui accusent le sens de la mortalité même. Ce n'est plus la jeunesse seule qui est en question, comme à la strophe 26. Cela nous est déjà dit par la strophe 27, qui conjoint explicitement les deux époques d'une seule vie, d'abord en évoquant les deux générations (le vieux Saige parle à son « filz ») ; ensuite en juxtaposant dans les deux moitiés de la strophe les deux vérités qui devraient régler ces générations ; et enfin en opposant les deux actions dans la vie de Villon qui y correspondent, c'est-à-dire l'interprétation du « dit » des quatre premiers vers, et le savant mensonge provocateur des quatre derniers vers. Il n'est pas sans signification que le mot « mais », si subtilement ambigu, opère la transition et signale un devenir ; et que, au centre de la strophe, il rime avec les mots-clefs « mais » (plus) et « mes ». Rappelons cet autre vers de transition, qui aura en plus la fonction d'un refrain : « *Mais* ou sont les neiges d'antan ? »

Quant à son sujet, donc, la strophe 28 découle tout naturellement des vers précédents. Mais pour le lecteur du XVᵉ siècle, conscient du contexte, la charnière serait évidemment verbale. Villon se sert d'un jeu de mots d'exégète ou de prédicateur : un pont verbal relie le texte du « Saige » au texte de Job qu'il aborde à la strophe 28. Le « Saige » lui a parlé des « diebus juventutis tuæ », Job a parlé des « dies mei », et Villon les reprend pour son compte, « Mes jours » à moi... eux aussi ils « s'en sont allez errant... :

> (28)   *Mes jours s'en sont allez errant*   (217)
> *Comme dit Job d'une touaille*
> *Font les filetz quant tisserant*
> *En son poing tient ardente paille*
> *Lors s'il y a nul bout qui saille*
> *Soudainement il le ravit*
> *Si ne crains plus que rien m'assaille*
> *Car a la mort tout s'assouvit*   (224)

Les rapports entre les deux textes sont en effet étroits : si le Saige avait conseillé « ambula... in intuitu oculorum tuorum », le pauvre Job se plaint, « non revertetur oculus meus ut videat bona » (7/7). Les « bona » que Job ne verra plus seraient les appâts de la vie mortelle, qui s'évanouissent aussi « soudainement » que les « jours » de la jeunesse — en apparence, du moins, car nous savons maintenant que ces jours ont pris leur place dans la composition d'une vie entière. La leçon foncière des deux textes qu'a choisis Villon porte plutôt sur la nature éphémère de toute réalité charnelle, c'est-à-dire de la durée dérisoire de la tapisserie même accomplie. Voyons la façon experte dont Villon a mis en valeur ce dessein commun des textes : en traduisant le dernier verset de Salomon, « Adolescentia enim et voluptas vana sunt », il l'interprète, il le fusionne avec le proverbe de la voix commune, « Ce monde n'est qu'abus et vanité ». Les « bona » de Job sont les « vana » du Saige. De même, les « jours » d'un Villon arrivent à représenter toutes choses mortelles, qui échappent à la vue « oculorum tuorum » aussi « soudainement » que « les filetz » quand ils se trouvent réunis dans le tissu, ou quand ils sont ravis d'une autre façon par le feu purifiant du plus grand Tisserand. Si nous ne savons pas que Villon parle de la leçon qu'il a apprise sur la « voluptas » pour les « bona », comment comprendrons-nous les deux derniers vers de la strophe 28 ? Dans sa nouvelle sagesse, il ne craint aucun *désir* qui puisse l'assaillir ; car justement, il sait qu'à la mort tout appétit, toute luxure, « s'assouvit » dans les deux sens du mot : qu'ils *s'achèvent*, ou qu'ils *se soûlent* [26].

Sans doute Villon veut-il renforcer ici un sens de la « mort » qu'il a déjà effleuré à la strophe 14, et qui est présent dans le mot « s'assouvit » : une notion de perfection, d'une plénitude et d'un accomplissement total de toute expérience sensible, de toute souffrance et de tout péril. C'est la notion du *compléter* qui règle la première strophe du *Testament*, qu'écrivit Villon *après* le moment « Que toutes mes hontes j'eus beues »... Nous aurons à revenir sur cette notion de totalité, ainsi que sur l'idée que nous venons de suggérer, et qui ressort à maints endroits du *Testament*, à savoir, que le Villon qui nous parle est déjà mort.

Mais c'est l'image d'une souffrance qui va jusqu'aux limites du dicible, qui domine la strophe depuis le premier vers. Depuis les citations de la strophe 13, nous savons que cette partie du *Testament* se passe sous le signe de Pâques. Aussi bien avons-nous vu qu'historiquement et logiquement, Villon fait depuis lors marche en arrière, le seul moyen d'avancer dans un monde à l'envers. Il nous a menés suavement d'en haut vers le bas, de Dieu à Villon, du présent au passé, du Nouveau Testament à l'Ancien. Ainsi, ayant commencé au jour de Pâques, Villon recule toujours vers le Vendredi Saint. Car Job est le Christ de l'Ancien Testament, pour ainsi dire, le Christ-homme, le souffrant, l'éminemment mortel ; celui qui a témoigné le plus éloquemment, par ses mots et par ses souffrances, de la fragilité de la vie terrestre. C'est Job qui s'est élevé puissamment — et voici le sujet même des strophes 27 à 33 — contre l'injustice de la mortalité en tant que telle. Ainsi ces strophes se rapporteront constamment à lui. Et elles se termineront, comme de juste, par le crucifiement lui-même, et par la justification de toute équivoque dans un acte suprême de *nommer*.

7.   Puisque Villon commence à traiter de la caducité du monde sensible, ses premiers lecteurs auraient attendu qu'il reprît la vénérable tradition rhétorique qui, en elle-même, signale cette vérité. Les mots « Ou sont » — c'est-à-dire « ubi sunt » — nous avertissent que Villon parle désormais de la *transformation*, avant que nous ayons noté le contenu exact de ce qui suit. Déjà Villon est en train de préparer l'explosion lyrique de sa première ballade... Notons d'abord que l'histoire particulière d'un nommé Villon se perd de vue dans ces dernières strophes, engloutie par le drame universel. Si nous nous sentons encore en contact avec sa personnalité, c'est uniquement parce qu'un personnage naguère dépeint nous parle maintenant. Nous écoutons pour la première fois le ton tout spécial de quelqu'un qui ne veut plus se dessiner que dans sa voix. Ce que nous avons nommé une « fuite » de Villon à travers les voix communes, tire à sa fin. Notons encore que Villon continue à prendre la frivolité de la jeunesse comme symbole de toute chose transitoire. C'est pour cette raison qu'il souligne le côté mondain de ces fantoches de « jadis », dont l'irréalité fera ressortir plus vivement la « fatalité » des dames du temps jadis, lors de la première ballade. Enfin, si Villon se perd de vue dans la généralité et dans le symbole, c'est qu'il est encore en train de citer Job, et qu'il accumule un ensemble de réactifs qui exploseront plus tard :

(29)   *Ou sont les gracieux gallans*   (225)
             Que je suivoye ou temps jadis...

Fratres mei præterierunt me, sicut torrens qui raptim transit in convallibus. Qui timent pruinam, irruet super eos nix. Tempore quo fuerint dissipati, peribunt ; et ut incaluerit, sol ventur de loco suo.
                              (*Job*, 6/15-17)

Un fleuve de neige fondue murmure à peine entre les rives de la même contradiction qui oppose les mêmes sphères de valeurs, auxquelles nous avons affaire depuis la strophe 13 :

             D'eulx n'est il plus riens maintenant   (230)
                              mais
             Repos aient en paradis...

Des morts, Villon se tourne aux vivants ; car il semble qu'il veuille évoquer toutes les espèces du devenir : « Les aucuns sont morts... » « Et les autres sont devenus... » Villon prétend enfin résumer la totalité de l'espèce humaine, sans parti pris, avec le même calme, la même logique, la même *justice* qu'auparavant. Mais à peine conserve-t-il son détachement.

             Voyez l'estat divers d'entre eux...   (240)

L'on sent une gêne subtile, à peine contenue, sous la constatation qui veut être objective ainsi qu'un tableau schématique. Car la voix de Villon commence à s'engorger de rancune. A devoir nommer les réalités concrètes des « estats » de sa société, comment empêcher que l'injustice ne saute aux yeux ? Suivant la forme rhétorique de la présentation, Villon devrait tirer ses conclusions à la cinquième strophe. Les vers s'efforcent de se mettre en ordre, en justice. Les parallélismes s'accumulent ; les appels à Dieu, présents seulement dans les strophes 16, 21 et 26, se font plus fréquents, il y en a quatre dans les trois strophes 29 à 31. Mais l'impatience s'agite dans la hiérarchie que décèle Villon. Comment cet ordre des choses peut-il être juste ? C'est de nouveau la plainte de Job. Enfin, dans ces strophes où Villon croit agir par le verbe, il se heurte contre le mur de sa propre impuissance. Plus haut il s'en plaignait en tant que « povre » :

> *Les mons ne bougent de leurs lieux*   (127)
> *Pour ung povre n'avant n'arriere.*

Maintenant il s'en plaint en tant que *poète :*

> *En eulx il n'y a que re*faire   (243)
> *Si s'en fait bon* taire *tout quoy...*

La rime même accuse son dilemme : contre les grands, la parole ne peut rien. Comme poète il pourrait céder devant l'inévitable. Mais comme personnage il figure lui-même dans le tableau social qu'il esquisse : « ...povres qui n'ont de *quoy* Comme *moy...* » De nouveau la rime intérieure souligne l'opposition. Que Dieu lui donne patience, alors, car il ne sait pas se taire. L'amertume, la colère le gagnent, tant pis pour l'ordre. Il se laisse aller à la plainte de l'irréparable, comme un nouveau Job.

Colère,... amertume,... plainte... Comment lirons-nous cela dans le joli tableau bachique de la strophe 32 ? Où dans ces vers si vifs et si concrets décelons-nous de l'ironie, pour ne pas dire un sens suivi ? Comme si souvent dans notre lecture de Villon, c'est le ton essentiel des vers qui nous échappe. Rentrons dans le contexte, alors, pour y chercher un nouveau point de départ qui puisse donner réponse à notre question : pourquoi Villon a-t-il écrit cette strophe ? A la lire à haute voix, quel ton prendre ?

Depuis la strophe 27 — c'est-à-dire depuis le retour au niveau des citations bibliques — Villon a fait son possible pour résumer de différentes façons la totalité de l'espèce humaine. A la strophe 27, c'était en évoquant les deux générations des vivants ; puis, à la strophe 28, tous les « jours » d'un seul vivant ; puis à la strophe 29, tous les morts, ceux « en paradis » et tout le reste, « le remenant ». A la strophe 30, enfin, il évoque la totalité de l'espèce en marquant les articulations politiques et sociales : la noblesse (« grans seigneurs et maistres ») ; le menu peuple (ceux qui « mendient tous nus » et ne mangent que du pain bis, l'*ater panis*, qui seul pouvait s'exposer « aux fenestres » des boulangers) ; et l'Eglise, les religieux « entrez en cloistres » [27]. Pourquoi cette évocation ? C'est que Villon achève un

tableau hiérarchique de l'universalité des êtres, il termine un polyptyque du type « tous-les-saints », comme celui des frères Van Eyck,
à Saint-Bavon de Gand [28]. Voilà en haut le Dieu ressuscité (au vers 99),
puis les évangélistes, les saints et les prophètes, les philosophes et
les sages, les âmes pieuses du Paradis, les trois ordres de la société
actuelle et, pour compléter le tout, l'être le plus humble qui soit,
l'artiste qui griffonne son nom au coin du tableau à son achèvement :

> *De tous suis le plus imparfait*   (261)
> *Loué soit le doulx Jhesu Crist...*

Le dernier trait une fois mis, Villon pourra enfin se détourner de
sa fresque théologique — l'étalage de sa « créance », comme il l'aurait dit, qui était de rigueur dans un testament — en souriant de sou-
lagement :

> *Laissons le moustier ou il est...*   (265)

A la strophe 31, donc, Villon devrait conclure, comme aux strophes
16, 21 et 26, en opposant un état hypothétique des choses à la vérité
qu'il vient de démontrer. L'argumentation normale de Villon dans
ces strophes est la suivante : les choses sont comme ceci ; si les
choses avaient été autrement, elles seraient maintenant comme cela ;
mais elles ne sont manifestement pas comme cela, *donc*, j'ai raison.
En effet, la strophe 31 s'approche de cette logique. Les trois ordres
de la société s'alignent sur les trois voix de Villon ; les vers s'accrochent en paires ; l'hypothétique est assuré par le subjonctif « doint » ;
Dieu est présent comme témoin de la preuve, comme il faudrait. Mais
la preuve se transforme soudainement en prière, en *acte*.

Au début, l'élément logique n'est pas absent : s'il faut que Dieu
donne « aux grans maistres » le « bien faire » — comme auparavant
il souhaitait que Villon « vive en bien » — il est évident qu'actuellement ils font mal, et qu'ils vivent en guerre au lieu d'être « vivans
en paix et en requoy » (242). Ici-bas, l'on ne peut les corriger en rien,
d'abord puisqu'ils sont tout-puissants, ensuite parce qu'ils définissent,
eux-mêmes, la morale d'un monde à l'envers, c'est-à-dire qu'ils fixent
à leur gré les « bonnes meurs » de la société. A cette reconnaissance
de sa propre faiblesse, comme nous avons vu, succède chez Villon
celle de son propre rang dans la hiérarchie sociale. A l'endroit de
ceux qui n'ont aucun bien matériel, Villon ne peut que prier pour la
patience pendant la vie mortelle. Car eux, ils gagneront infailliblement
le ciel. Mais que dire des gens d'Eglise ? A eux il « ne fault qui ne
quoy », ni biens ni patience ; car ils jouissent des meilleures choses
des deux mondes. Eux, ils ont à la fois les plaisirs du bien vivre, que
Villon a voulu démontrer être méprisables, et aussi la sûreté de la
vie éternelle, à ce qu'ils croient. Voici que tout son raisonnement
sur le sens de la mortalité est confondu. Voici que la sagesse du
« Saige » se trouve réfutée, car les moines gagnent le ciel tout en se
réjouissant comme des adolescents. Devant ce fait, devant cette éclatante injustice, Villon ne peut rien conclure. La strophe de conclusion
se fêle, et la voix de Job en sort de nouveau, se récriant contre les

religieux qui « bons vins ont... » et qui se servent à eux-mêmes des
mets d'un ordre bien différent de ceux que « sert » le Saige :

> Pas ne ressemblent les maçons   (253)
> Que servir fault a si grant peine
> Ilz ne veulent nuls eschançons
> De soy verser chascun se peine.

Ce sont les religieux qui, eux-mêmes, servent les « mets » de la
sagesse ; ils ne se laissent enseigner par personne, même pas par les
témoins de la Bible.

Ce n'est qu'après une strophe de rancune étonnée que Villon se
calme. Il reconnaît qu'il s'est laissé entraîner hors de ses intentions
formelles dans une digression qui ne « sert » à rien :

> (33)   En cest incident me suis mis   (257)
>   Qui de riens ne sert a mon fait

La strophe 32 a été la seule depuis son entrée en « matiere » qui
n'enseigne rien ou qui n'agisse au dedans de l'ordre enseigné. Les deux
justices, celle des « dits » saints et celle des faits terrestres, sont
également indéniables. Villon sera obligé de conclure d'une autre
manière, en constatant que, dans tous les cas, ce n'est pas à lui de
conclure. Le seul juge qui soit compétent se trouve ailleurs. Et si
Villon s'est dit prêt à juger dans d'autres strophes de conclusion
(« je me jujasse », strophe 16 ; « jugié me feusse », strophe 21), il se
dédit maintenant :

> Je ne suis juge ne commis   (259)
> Pour pugnir n'absoudre mesfait

vers où les sentences divines et les « mesfaits » terrestres s'opposent
parfaitement. Comme Job, Villon se voit comme étant incompétent
par son ignorance et par son ilotisme tout en bas de l'échelle des
êtres. En vérité, il ne peut rien savoir d'un ordre de choses qui le
dépasse par trop, et dont il souffre. Comme Job, au comble de sa
misère, il ne peut que louer le Dieu qui a créé cet ordre :

> Loué soit le doulx Jhesu Crist.   (262)

Mais en tant que poète, est-il totalement impuissant ? Rappelons
de nouveau que tout ce discours se passe sous le signe de Pâques.
Villon semble se rappeler aussi que, s'il fallait choisir entre les deux
justices, il ne devrait pas hésiter. Car il vient lui-même d'expérimenter ce fait : qu'il existe autre chose que les « dits » des prophètes
pour prouver la vérité de la justice divine, pour avérer l'injustice
d'une société qui ne veut pas s'en souvenir. Il existe un fait, un signe,
un Christ, un « Dieu qui les pelerins d'Esmaus Conforta ». Il existe
le Messie qui a expliqué aux pèlerins désespérés, y compris Villon,
le sens des anciennes prophéties, qui leur « monstra une bonne ville
Et pourveut du don d'esperance ». Il existe sa promesse, la charité
de son don, le mystère de son incarnation et de sa résurrection. Il
existe enfin la sainteté de ses témoins ; il existe la Bible et ses exégètes, y compris Villon... De tout cela, Villon vient d'écrire :

> *Ce que j'ay escript est escript.*   (264)

8.   Ecce Homo ! Voici cet homme, devant nous. Quel est son caractère ? de quoi serait-il coupable ? Et voici devant nous ceux qui le
dénoncent, les prêtres, les chefs de sa propre religion. Ils s'obstinent
à ne pas croire ce qui a été dit de lui, à ne pas admettre « quod pro
omnibus his adducet te Deus in judicium », à ne pas interpréter de
façon avertie les dits de leurs propres prophètes relatifs à lui. Voici
ceux qui acceptent qu'un « larron » soit libéré (Diomedès, Barrabas)
et qu'un innocent soit soumis aux tortures les plus atroces [29]. Celui
qui juge son cas lui a dit, « Gens tua et pontifices tradiderunt te
mihi : quid fecisti ? (*Jean*, 18/35) » Et quand réponse a été donnée,
que ce monde-ci n'est qu'abus et vanité, que « Regnum meum non est
de hoc mundo » (36), que reste-t-il à ce juge que de se demander,
perplexe, « Quid est veritas ? » (38), et de conclure, « Ego nullam
invenio in eo causam » (38). Si les religieux ne veulent point le reconnaître, c'est qu'ils se sont adonnés à la seule vie charnelle, qu'ils
n'ont pour roi que César, que leur loi et leur justice sont celles du
monde sensible : « Nos legem habemus, et secundum legem debet
mori ... Tolle, tolle, crucifige eum ! ... Non habemus Regem nisi
Cæsarem ! » (*Jean*, 19/7, 15).

Cet homme n'a rien fait de mal : « Quid enim mali fecit ? » Au
contraire, il est pieux, droit : et son juge du moins ne veut point
qu'il meure : « Innocens ego sum a sanguine justi hujus »... (*Matt.*, 27/
23-24). Mais le peuple, excité par ses prêtres, veut se débarrasser de lui.
« Pilatus autem volens populo satisfacere, dimisit illis Barabbam,
et tradidit Jesum flagellis cæsum, ut crucifigeretur » (*Marc*, 15/15).
Et ce sera lui, le juge, en dépit des vœux de sa propre nation, qui
donnera à l'innocent son juste titre : « Jesus Nazarenus Rex Judæo-
rum ». N'ôtera-t-il pas ce titre infâme ? « Quod scripsi, scripsi ».

> *Loué soit le doulx Jhesu Crist*   (262)
> *Que par moy leur soit satisfait*
> *Ce que j'ay escript est escript*

Qui est-ce qui nous parle ? C'est d'abord la voix de Job, louant le
Dieu qu'il ne sait pas comprendre : « Dominus dedit, Dominus abstu-
lit : sicut Domino placuit, ita factum est : sit nomen Domini benedic-
tum » (1/21). C'est ensuite la voix de Villon, sa deuxième voix, celle
qui se juge, celle qui juge le Villon qui est innocent et qui est condamné par la justice de sa société ; celle qui a jugé coupables, selon la
loi de Dieu, ceux qui l'ont jugé selon la loi déchue du monde. Mais
Villon souligne ici, à la strophe finale, qu'il a jugé ses juges d'une
manière propre à lui, poète. Car, reconnaît-il maintenant, le vrai
Dieu, le seul qui puisse « pugnir n'absoudre mesfait », c'est le Dieu
qui s'est fait juger « comme ung homme inique ». C'est, comme il le
crie maintenant, « le *doulx* Jhesus Crist », et le mot « doulx » chez
Villon signale la nature miséricordieuse et équitable — c'est-à-dire
juste, dans la loi divine — du Christ envers les riches et les luxu-

rieux [30]. Mais si Dieu seul est compétent pour « pugnir » ou « absoudre », Villon en tant qu'avocat pourra du moins mettre en relief les faits de leur cas. D'une part, il peut présenter ses compères et leurs injustices (les strophes 12 à 16), se présenter lui-même comme victime de leurs bévues (strophes 17 à 26), et évoquer concrètement leur enlisement dans les vanités du monde fragile (strophes 27 à 32). D'autre part, à ceux qui ne reconnaissent pas l'empire de Dieu sur le monde des vivants, et qui n'acceptent pas la morale d'un Dieu incarné ni le salut qu'il offre, Villon peut opposer le « doulx Jhesu Crist » par le fait de le *nommer* (les strophes 13, 33), et en mettant en scène sa Passion (strophes 13 à 33). Enfin, une fois qu'il a esquissé la vraie situation, Villon peut souhaiter que « par moi », c'est-à-dire par sa présentation entière, ses juges reçoivent ce qui leur est dû : « Que par moy leur soit satisfait », où le mot « satisfait » veut faire rappeler le vers « Car a la mort tout s'assouvit », et l'opposition déjà établie entre les « mets » du Saige (« adducet te Deus in judicium ») et le repas somptueux de la strophe 32. Afin de résumer tout ce travail poétique (ainsi que pour nous rappeler que son dit se trouve déjà « escript » aux saintes Ecritures, pour ceux qui savent les lire), Villon termine par un *explicit* :

> *Ce que j'ay escript est escript* [31].

Mais, nous le voyons maintenant, c'est aussi la voix de Ponce Pilate qui nous parle à la strophe 33. En effet, depuis la strophe 13, la Passion du Christ ne s'est jamais perdue de vue. On pourrait lire les strophes 13 à 33 comme étant un résumé de tout ce qu'auraient discuté les pèlerins « d'Esmaus » à propos des événements des jours passés. Car — notons-le enfin — l'histoire d'Esmaus dans le chapitre 24 de saint Luc, remplit *exactement* les versets 13 à 33. Se mettant en route au verset 13, « Et ecce duo ex illis ibant ipsa die... », les pèlerins sont *de retour* au verset 33 : « Et surgentes eadem hora regressi sunt... » Ainsi, pour achever sa propre discussion, Villon fait retour pour évoquer, avec les rapides traits d'un croquis, les dernières heures du Christ. Il reconstitue savamment la voix de celui qui ne voulut point être son juge.

Chacun des trois vers qui, à la strophe 33, sont prêtés à Pilate, se réfère directement à un texte biblique. Leur vocabulaire est technique, et les lecteurs de Villon au XVᵉ siècle auraient reconnu les références tout comme ils ont pris conscience d'emblée de l'emploi technique des mots « inique », « Mes jours », « Ou sont », et du mensonge de la strophe 27. L'épithète « doulx » du vers 262 semble reproduire le mot « justus » de Ponce Pilate (*Matt.* 27/24). Le vers entier reprend l'émerveillement du juge devant le visage paisible, humble, résigné, d'un homme qui refuse de se défendre en se disputant avec ses accusateurs : « ita ut miraretur Pilatus... » (*Marc*, 15/5). Le vers 263 est plus précis en tant que citation : il met la justification de Pilate dans sa propre bouche, en reprenant le motif qu'avait décelé chez lui saint Marc : « Pilatus autem volens populo *satisfacere*... ». Maintenant nous comprenons le tour un peu difficile du vers ; car Villon traduit le verbe latin, terme technique de jurisprudence, qui ne prend qu'un régime indirect (le « satis- » étant lui-même au régime direct). Et enfin, le vers 264 cite directement les mots de Ponce Pilate, d'après saint Jean. Voyons avec quel tact Villon a rangé ses citations suivant une précision progressive. Les deux voix de Villon et de Pilate se rapprochent peu à peu sur des voies convergentes, pour ainsi dire, jusqu'à ce qu'elles coïncident et se confondent dans un seul vers qui est parfaitement équivoque.

La voix de Ponce Pilate devient ainsi l'une des voix du poète. Nous le voyons qui assimile deux situations, deux peuples accusateurs, deux victimes innocentes, jusqu'au point où l'assimilation se perd, puisque les deux situations qui naguère se côtoyaient, maintenant se confondent. Le sens du passage entier — c'est-à-dire son intention — sera l'étonnement produit en nous par un Villon qui choisit à la fin de s'identifier à Ponce Pilate plutôt qu'à la victime innocente. Car, dans ces dernières strophes, Villon reconnaît qu'il est plus un Job qu'un Christ ; que s'il est bien le souffrant et la victime, il est aussi le poète et l'avoué, celui qui en toute franchise et en toute humilité fait remettre tout jugement à la justice la plus haute qui soit.

De ces vers à trois voix, Villon est à la fois sujet, objet et interprète. En tant que poète, l'une de ses fonctions sera de recréer l'équivoque et de sanctionner son arbitre, par le fait de les nommer. Le poète donne aux choses leurs vrais titres, c'est une manière toute spéciale de rendre justice. Car, en reconstituant une langue perdue (c'est l'un des sens du vers « Ce que j'ay escript est escript »), Villon *agit* au-delà des paroles, sur les objets qu'elles désignent, comme nous verrons. Comme il le dit, lui, il amorce un « fait » auquel un « incident » verbal « sert » ou pourra ne pas servir. Si Villon dit être le jurisconsulte, celui qui ne fait que nommer et qui laisse au peuple crucifier son Dieu s'il le veut (« Par moy... »), il ne se dédit pas d'avoir agi aussi comme un Christ, en jugeant (aux strophes 17 à 21, par exemple) les princes de la terre. Soit, dirait-il, je ne suis que le plus imparfait des êtres, et j'avais tort de prétendre juger les hommes, comme j'ai fait plus haut ; mais... je ne peux nullement rattraper mes mots, je les ai animés, maintenant ils voltigent, ils rebondissent, ils ont désormais une vie à eux dans le monde ; car

> *Ce que j'ay escript est escript.*

En tant que nom d'un mouvement créateur, le mot « escrire » relie le griffonner d'un Villon au créer originel du plus grand Poète.

9.   Laissons cette théologie obscure et cette histoire de Pâques, nous propose Villon dans la strophe suivante, et acheminons-nous vers d'autres problèmes. Et alors il nous pose la même question que nous avons vu Marot poser avant la strophe 12 :

> *Ceste matiere a tous ne plaist...*   (267)

« Icy commence Villon a entrer en matiere pleine d'erudition... »
Les deux poètes en parlent comme si elle était aussi serrée et pri-
mordiale qu'une ὕλη. En voulant l'isoler tout au début, nous nous
heurtions contre un engrenage, comme une concurrence, de deux
« matieres ». Il y avait le récit d'une histoire personnelle, une confession directe et charnue quoique bien générale. Mais nous lisions en
même temps une discussion théologique, d'une portée universelle,
fondée sur un travail minutieux d'allusions, de jeux de mots et
d'ironies, que venaient à sceller des mensonges. Depuis lors, nous avons
trouvé que Villon n'est pas épris du contresens gratuit. Lorsqu'il nous
présente deux circonstances qui paraissent à la fois parfaitement
distinctes et parfaitement congrues, son intérêt se porte à la dynamique qui puisse les relier, au lieu de s'épancher sur leur unicité
pittoresque. Aussi prise que puisse être sa propre affectivité par le
grincement et le scintillement de leur engrenage interne, c'est leur
drame à eux, d'amour ou de haine, qui engage son art expressif et
sa force créatrice. Car ce drame seul dissout l'apparente analogie des
circonstances en un accord de volonté et de devenir qui dépasse
l'ordre d'esprit où l'analogie est concevable.

La vraie matière de ces strophes, donc, n'est ni l'histoire particulière d'un nommé Villon, ni le problème général des deux justices,
mais le drame de leurs relations réciproques. Ce n'est pas un hasard
si à maints endroits dans ces strophes touffues l'on se rappelle la
ballade de Margot et du « bordeau ou tenons nostre estat ». Car ces
deux pièces sont des *fables,* où les faits spéciaux ne s'affirment que
par la primauté indéniable de l'immédiat. Quant à leur intention, elle
gît ailleurs, ni dans la fable ni dans le fond. Avant de l'entrevoir, il
y aura encore un contexte à déceler.

Certes, il faudra nous rappeler maintenant que les strophes 12 à 33,
ainsi que la ballade de la Grosse Margot, sont entourées d'un contexte
bien plus évident : celui du *Testament* entier. Rappelons aussi que
la « confession » de ces strophes comporte une narration historique.
Tout ce que Villon y raconte s'est passé vers Pâques, c'est-à-dire avant
l'été de Mehun. Comme l'écrevisse, Villon va en reculant dans un
monde à l'envers. La Pâque de sa vie, de même que la Pâque originel, s'enlise dans le passé. Pour gagner le temps présent, l'hiver
de cette année de péripéties qui est « l'an de mon trentiesme aage »,
il va falloir d'abord remonter à la strophe 12.

NOTES DU CHAPITRE I

1. MAROT, p. 16.

Dans les pages qui suivent, nos citations de Villon renvoient à l'édition Longnon-Foulet (que nous désignerons sous le simple nom de FOULET) dont nous conservons la numérotation. Nous donnons, à gauche de la citation, en chiffres arabes, le numéro de la strophe du *Testament* ou du *Lais* où elle figure, et à droite le numéro du premier vers. Les chiffres qui renvoient au *Lais* seront précédés du sigle « L » ; ceux qui renvoient au *Testament* ne seront précédés d'aucun sigle. Les citations des « poésies diverses » de Villon, qui se trouvent groupées à la fin de l'édition Longnon-Foulet, porteront, à gauche, les chiffres romains qui désignent ces poésies dans cette édition.

Sauf indication contraire, nous avons ôté toute ponctuation aux vers de Villon, et gardé la ponctuation d'autres textes de l'époque que nous citons. En un ou deux endroits, pourtant, nous n'avons pas hésité à ponctuer un vers à notre gré, afin d'en souligner le ton ou l'intention tels qu'ils nous paraissent s'imposer.

2. « De la vanité ».

3. Nous pensons au livre des *Fortunes et adversitez* de Jean Regnier, au poème *Les Lunettes des princes*, de Jean Meschinot (édition d'O. de Gourcuff, Paris, Libraire des Bibliophiles, 1890 ; d'autres éditions, plus complètes, du XVe et XVIe siècle) ; au *Passetemps* de Pierre Michault (édition de T. Malmberg, Upsala, 1877) ; au *Temps perdu* de Pierre Chastellain (la seule édition, incomplète, est de J. Petit ; voir plus loin, IIe partie, livre III, ch. II, n. 13) ; au *Contre-passetemps* et au *Temps recouvré* de Pierre Chastellain, et au *Passetemps* de Michault Taillevent. De ces derniers poèmes, il n'existe pas d'édition.

4. La phrase « plainz et pleurs » est une fade locution sentimentale :

En dueil passé ay mal qui sans fin dure,
Et ma santé d'infection tachée,
En plains et pleurs ma lyesse atachée...

(MESCHINOT, éd. citée ci-dessus, n. 3, strophe 21.)

Ayez confidance en Amours,
Qui a si haultaine puissance,
Qui puet muer plaintes & pleurs
En joyeulx ris et en plaisance...

(L'anonyme « Congié d'amours » cité plus haut au sujet du *Lais*, strophe 33.)

5. Pour l'interprétation de ces vers, voir L. FOULET, *Romania* 42, 1913, p. 496.

6. Nous croyons, avec Burger (p. 17) qu'il faut préférer ici la leçon de C (« clamer ») contre celle de AI, « nommer » (F manque). « Clamer » renforce plus subtilement le mot « nommé » de 130 et de 160. Voir plus loin, n. 12.

7. Le fait qu'Alexandre eût été l'élève d'Aristote était bien connu à l'époque de Villon. Voir l'avant-propos à la traduction de l'*Ethique à Nicomaque* de N. Oresme (c. 1370), publiée par A.D. MANUT (Maistre Nicholas Oresme, *Le Livre des éthiques d'Aristote*, published from the text of Ms. 2 902, Bibliothèque Royale de Belgique, New York, Stechert, 1940 ; désigné ci-après ORESME). L'une des sources écrites de la légende était la lettre de voyage qu'Alexandre est censé avoir écrite à son ancien maître (*Epistola de situ et mirabilibus Indiæ*).

8. L'expression était en vérité si commune, et son sens si vague, que c'est le contexte qui doit en déterminer le sens, plutôt que son sens en éclaircir le contexte. Témoins les vers de Christine de Pisan dans « Le dit de la pastoure »

(éd. M. Roy, *Œuvres de Christine de Pisan*, Paris, S.A.T.F., 3 vol., 1886-96 ; t. II, p. 286), où la phrase est employée comme refrain.

L'association de cette expression avec la colère et les reproches n'est pas difficile à démontrer :

> Quant ço veit Guenles qu'ore s'en rit Rodlanz
> Donc at tel doel por poi d'ire ne fent...
>
> (*Chanson de Roland*, éd. T.A. Jenkins, Heath,
> 1924, p. 30, v. 303-4.)

> Pas n'ay mené mauvese vie
> Com vous, qui si me malmenez,
> Pour les putains que vous tenez,
> Qui ceste riote me font.
> A po que li cuers ne me font ;
> Mais par tous sains qu'om peut jurer,
> De vous me ferey dessevrer...
>
> (DESCHAMPS, IX, *Le Miroir de mariage*,
> v. 3 904 sqq.)

> Le Deïté estoit esconse
> Dessoubs la forme de l'enfant,
> Dont a peu que le cuer ne fant
> A nostre grant mere Nature :
> Car la chose lui est tant dure
> De vëoir enfanter pucelle
> Et puis apres demourer telle...
>
> (Pierre de NESSON, « Hommage a la Saincte
> Vierge », dans DOUXFILS, *op. cit.*, p. 174.)

9. Sur la banalité de ces phrases, voir les exemples de Rutebeuf et de Jean de Mehun que donne THUASNE (II, 104), auxquels on peut ajouter ces vers de Deguilleville :

> Encor ne veul je pas ta mort
> Combien que vers moi aies tort,
> Mes (je) veul que tu convertisses,
> Et que t'amendes et (que) vives.
>
> (*Le Pèlerinage de la vie humaine* [1335] éd.
> J.J. Sturzinger, London, Roxburghe Club, 1893, v.
> 10 781 sqq.)

Comme très souvent, Villon prend pour son compte une situation générale, afin de la dramatiser. Ainsi, ce qu'il raconte ici se retrouvait à l'époque sous une forme impersonnelle dans le poème de Jean Regnier (p. 107, v. 2 991 sqq.) :

> Je te dy tout premierement :
> La mort du pecheur nullement
> Dieu si ne veult ne ne demande,
> Mais veult qu'il vive longuement
> Pour venir a amendement,
> Et qu'en vivant tousjours s'amende...
> Je te dy, sans plus enquerir,
> Ou monde n'a si grant pecheur
> Que s'il veult bien Dieu requerir
> Qu'il ne soit plus grand pardonneur,
> Mais il fault sa grace acquerir
> Par repentance de douleur...

Sur cette habitude dramatique de Villon, voir plus loin IIe partie, livre III, ch. I. Son efficacité dépend d'un équilibre délicat entre la confession et le proverbe, que ménage Villon ici par une progression nuancée :

> *Combien que le pecheur soit ville...*   (103)
> *Je suis pecheur je le sçay bien...*   (105)
> *Combien qu'en pechié soye mort...*   (108)

Burger (p. 16-7) veut qu'on agrée la leçon de A à 103, « Combien que pecheur soie vile », que semble appuyer celle de F, contre celle de C (« que pechiez si soit vile ») et de celle de I, donnée par Foulet : « La leçon de I ne signifie pas " si vil que soit le pécheur ", mais " bien que le pécheur soit vil ", ce qui est une platitude... » (Burger). Pourtant, c'est justement la platitude qu'il faut ici, en position proverbiale à la fin de la strophe. D'ailleurs, le sens de 103 n'est pas celui que donne Burger, à notre avis, mais plutôt, « même si le pécheur est bien abject », « bien qu'il s'agisse d'un pécheur bien bas ». La position tonique du mot « vile » lui confère une importance spéciale. Rien dans le contexte n'appuie le ton sentimental de la leçon de A, qui jurerait par trop avec la constatation de 108. Mais ici, comme ailleurs, il n'y a pas de certitude. Nous nous fions au goût de Foulet. (Voir, sur la valeur relative des mss., ses remarques judicieuses et succinctes dans *Romania* 42, 1913, p. 490 sqq. Depuis, cette question a été largement discutée, et plus récemment par D.M. STEWART, « The Status of the Versions of Villon's *Testament* », dans *Studies in Medieval French Presented to Alfred Ewart*, Oxford, 1961, p. 150 sqq. : « When a reading of C is untenable, the best correction is almost always supplied by A. »)

10. Voir *Inferno*, Cant. 27, v. 112 sqq. ; et *Purg.*, Cant. 5, v. 88 sqq.

11. « Le bien publique » est une des traductions usuelles de la phrase *res publica*, dont l'autre, « la chose publique » est employée par Villon à 1772. Le mot « bien » ici se réfère aussi à 107, vivre « en bien ». On verra mieux, à la fin de notre étude, l'importance de cette phrase.

12. Comme on l'a noté, depuis l'édition de 1742, cette anecdote ne se trouve pas dans Valère Maxime. Dans sa discussion des « sources » de ce passage, THUASNE (III, 613-23) s'est empêtré dans sa propre érudition, à notre avis. On pourra retenir néanmoins sa remarque que « cette anecdote... était dans le domaine public » (p. 623), et le fait que sa présence dans le *De civitate Dei*, parmi d'autres textes classiques, était parfaitement connue.

S'il y a eu confusion dans l'esprit de Villon, en citant « Valere » comme son autorité, cette confusion a duré jusqu'à nos jours. Valerius Maximus, rhéteur de l'époque de J.-C., est l'auteur d'un recueil d'histoires morales à l'usage des écoles, les *Memorabilia*, qui eut une grande fortune au Moyen Age. Julius Valerius, IVᵉ siècle après J.-C., était le traducteur du livre grec du Pseudo-Callisthène, composé vers le IIᵉ siècle, un recueil de mythes, d'histoires fabuleuses, et de réminiscences à base anecdotique, qui circulaient dans le Proche-Orient autour de la figure d'Alexandre. Un épitomé de cette « vie » d'Alexandre fut introduit par Vincent de Beauvais dans le *Speculum historiale* au IXᵉ siècle, et le livre de Julius Valerius, avec d'autres textes moins complets, donnait lieu à de nombreuses légendes, romances et romans sur Alexandre. C'est vraisemblablement à cet auteur que Villon se réfère dans la strophe 20. L'apport de cette mention serait de placer sa propre reprise de l'anecdote dans son contexte à la fois païen (« a Romme ») et fabuleux (« pour vray »). Le sens de l'allusion dans le contexte des cinq strophes est évident : Diomedès est nommé injustement « larron », mais « onc puis ne mesdit » et « fut vray homme » ; Villon croit donner le nom juste de son auteur, qui « pour vray le baudit » et, pour sa véracité, « fut nommé le grant » fort justement.

L'on sait qu'à l'époque, Alexandre était considéré comme un saint préchrétien, en effet comme l'un des types du Christ. Sur la signification christologique de cette figure — qui se range, dans les strophes de Villon, à côté de Job, le Christ de l'*Ancien Testament* — voir le *Roman de la Rose*, 18 763-86, où Jean de Mehun raconte comment, à sa mort, descendu aux enfers, Alexandre fut pris par les damnés impatients pour le Christ. Nous verrons plus loin, en fait, que dans ces strophes Villon recule du dimanche de Pâques jusqu'au Vendredi Saint.

Siciliano a déjà suggéré cette confusion de Valerius Maximus et de Julius Valerius dans les vers de Villon, ainsi que des deux traditions, littéraire et rhétorique. Mais sa note y relative (p. 429) se trouve dans un contexte « exclusivement tendancieux » (comme il l'avoue lui-même, p. 440), aussi ne l'a-t-on pas prise au sérieux. W.H. RICE (*The European Ancestry of Villon's Satirical Testaments*, New York, Corporate Press, 1941, pp. 35-6 ; ci-après désigné RICE) a démontré l'absence de bien-fondé de certaines des assertions de Siciliano dans ces pages, au sujet de l' « érudition » de Villon. On pourrait en prolonger la preuve à volonté, mais l'intention polémique de l'auteur rend cet exercice inutile. L'on connaît le résultat de son entreprise : voulant flétrir certaines des contradictions et des insuffisances des critiques et des historiens qui l'avaient précédé dans l'étude de Villon, il en est arrivé à flétrir Villon. Voulant hisser l'étude de Villon hors de leurs préoccupations triviales, il s'est abaissé à leur niveau. Si ses thèses ne méritent pas une longue considération, malgré leur nouveauté incontestable, c'est qu'elles sont fondées — tout autant que les thèses de ses devanciers, qui ont eu au moins le mérite d'estimer Villon — sur une lecture insuffisamment attentive des œuvres en question.

Depuis sa démonstration si complète, nous sommes mieux placés pour juger de l'importance d'un passage comme celui sur Alixandre et Diomedès. Aujourd'hui on serait d'accord sur ce que la présence d'une certaine anecdote dans une foule de textes accroît l'intérêt de chaque présentation, au lieu de le diminuer ; que le fait qu'une anecdote est entrée dans « le domaine public » n'exclut nullement la possibilité que l'auteur ait connu et médité un ou plusieurs des textes qui l'ont rendue célèbre ; que sa célébrité complique davantage la fonction de l'anecdote dans le contexte de l'œuvre, souligne son importance et qualifie son sens en augmentant son utilité pour le poète. En somme, plus l'anecdote est connue, plus son sens est indéterminé et son usage problématique.

Pour l'interprétation de ces strophes, voir l'excellent article de R.-L. WAGNER, « Villon, *Le Testament* (Commentaire aux vers 157-8) », dans *Mélanges R. Guiette*, Anvers, De Nederlandiche Boekandel, 1961, p. 165-76. S'appuyant sur l'ambiguïté des vers 157-8, qui peuvent se rapporter ou à Alixandre ou à Diomedès, R.-L. Wagner montre que, dans le contexte, le sujet de l'anecdote est la justice, et qu'Alixandre en est le protagoniste véritable. Notre chapitre était déjà rédigé lors de la publication de ce commentaire si intelligent, dont les conclusions, à part quelques questions de détail, s'accordent avec nôtres.

13. Nous citons d'après l'édition bénédictine donnée par la *Biblioteca Augustiniana*, Desclée de Brouwer, 1948, t. XXXIII, 5ᵉ série, p. 540. Saint Augustin a pris l'anecdote de Cicéron, *De republica*. La mention du « bien publique » par Villon (121) semble indiquer que les contextes sont les mêmes.

14. Sur la question capitale de la convenance du style à la « matière », nous nous bornons à citer ce passage de Jean de Mehun :

> Se me dit sont de tel maniere   (15 169)
> Qu'il seit dreiz que pardon en quiere,
> Pri vous que le me pardoigniez,
> E de par mei leur respoigniez,
> *Que ce requerait la matire*
> *Qui vers teus paroles me tire*
> *Par les proprietez de sei ;*
> E pour ce teus paroles ai,
> Car chose est dreituriere e juste,
> Selonc l'auctorité Saluste,
> Qui nous dit par sentence voire :
> « Tout ne seit il semblable gloire
> De celui que la chose fait
> E de l'escrivain qui le fait
> Veaut metre proprement en livre,
> Pour meauz la verité descrivre,
> Si n'est ce pas chose legiere,
> Ainz est mout fort de grant maniere,
> Metre bien les faiz en escrit ;
> Car, quiconques la choses escrit,
> Se dou veir ne vous veaut embler,
> *Li diz deit le fait resembler ;*
> Car les voiz aus choses veisines
> Deivent estre a leur faiz cousines. »
> Si me couvient ainsinc paler,
> Se par le dreit m'en vueil aler.

15. L'organisation par groupes de cinq strophes n'est pas inconnue à l'époque, mais elle semble avoir été rare. Elle se retrouve, par exemple, dans la première partie de *La Belle Dame sans mercy* d'Alain Chartier, où les strophes sont divisées, exactement comme dans le *Testament*, 1, 2-6, 7-11, 12-16, etc., et qui se termine par un groupe de sept strophes, 22-28, qui correspond au groupe 27-33 du *Testament*. Le célèbre poème en moyen anglais, *Pearl*, a été composé, comme l'on

sait, en 19 groupes de 5 strophes, plus un groupe de 6 strophes, chaque strophe de 12 vers, en tout 1 212 vers.

En revanche, l'espèce de ponctuation syntaxique qu'emploie Villon, pour marquer ces divisions, semble lui être propre. Du moins, sans avoir fait de recherches spéciales à ce sujet, nous ne l'avons jamais rencontrée ailleurs.

Quant au chiffre 5 comme principe de composition numérologique, il n'est pas inconnu non plus. On a pu démontrer récemment que la *Vie de saint Alexis* a été entièrement structurée sur ce chiffre (E.W. BULATKIN, « The Arithmetic Structure of the Old French *Vie de St. Alexis* », dans *P.M.L.A.*, 74 (5), déc. 1959, p. 495-502).

Nous traiterons plus loin, chaque fois que l'occasion se présente, la structure numérologique du *Testament*. L'étude de la composition numérologique au Moyen Age, son sens, son évolution, sa théorie, est entièrement à faire. Pour le cadre général de cette question, nous renvoyons à l'ouvrage, malheureusement très sommaire, de V.F. HOPPER, *Medieval Number Symbolism*, New York, Columbia University Press, 1938 ; et aux quelques pages que CURTIUS consacre à « La composition fondée sur les chiffres » (p. 607-18). Au sujet de Villon, Curtius remarque que « Villon mentionne le nom du Christ dans les strophes 3 et 33 de son *Testament* » (p. 612-3).

Plus récemment, la composition numérologique chez certains auteurs de l'Antiquité et de la Renaissance a été le sujet d'études spéciales. Voir, sur Virgile, par exemple, l'ouvrage de G.E. DUCKWORTH, *Structural Patterns and Proportions in Vergil's Aeneid*, Ann Arbor (Mich.), 1962 ; et, sur Spenser, l'étude remarquable d'A. FOWLER, *Spenser and the Numbers of Time*, London, Routledge & Kegan Paul, 1964. Fowler donne, p. 258-9, une bibliographie des études numérologiques, « A list of studies wholly or partly devoted to numerical criticism ».

Contrairement à ce qu'on pourrait supposer, l'emploi de principes de composition numérologiques sépare à l'époque les œuvres conçues et conscientes des œuvres improvisées, et rend possible une distinction nette entre l'artiste sérieux et l'artisan de poncifs. L'importance de ces principes dans la lecture de la poésie médiévale a été mise en relief par l'étude magistrale de C. SINGLETON, *An Essay on the Vita Nuova*, Cambridge (Mass.), Harvard University Press, 1958 ; surtout ch. 4 (désigné ci-après comme SINGLETON, *Vita Nuova*).

16. Ajoutons, aux exemples cités de l'emploi du mot « escolle » chez Villon, la leçon de 1496 que donne C : « A tel escolle une seulle journée ». où A donne « tel estat » et FI « tel escot ». Que les trois mots aient pu être introduits dans un seul contexte est un fait des plus significatifs. Dans tous les cas, on traduirait « sort », « régime », « manière de vivre ».

Les mots « estudier » et « escolle », comme d'autres mots que nous avons à étudier chez Villon, tels que « travail », « marchié », « exile », ont eu un sens plus large autrefois qu'aujourd'hui, et ne subsistent dans notre langue que dans un usage spécialisé. « Estudier » a toujours à l'époque le sens du latin *studeo*, faire un effort, s'efforcer, chercher, s'occuper de, prendre soin de, s'acharner sur, s'appliquer à, et, parmi ces sens, se mettre à l'étude de, étudier un sujet. On verra plus loin l'usage que fait de ce mot N. Oresme dans un contexte philosophique, pour traduire le latin *quærere* par exemple.

Il n'est pas question d'exclure les sens modernes d' « estudier » et d' « escolle » dans la strophe 26, mais de reconnaître leur place dans un contexte moral plus large qui est désigné par eux. Ayant mis le mot « estudié » au premier vers, Villon donne son sens dans la troisième, qui en est l'explication précise. Dans la deuxième partie de la strophe, alors, le sens du mot « escolle », en parallèle au mot « estudié », dépend de son sens préalablement établi. « L'escolle » veut dire « cette école-là », « ce régime-là », « cette vie-là ». Ensuite, les mots « mauvais enfant » reprennent la notion « jeunesse folle », s'opposent à « bonnes meurs » et, par une espèce d'équivoque sur le mot « escolle », suggèrent que Villon « fuyoie » l'école de bonnes mœurs comme le « mauvais enfant » fuit la classe. S'il n'en était pas ainsi, l'image du « mauvais enfant » n'aurait guère de force, et le vers serait une redondance. On verra mieux comment le mot « escolle » dépend du mot « estudié » en renversant les vers. Si Villon avait écrit,

> Mais quoy je fuyoie l'escolle...
> Hé Dieu se j'eusse estudié...

alors il faudrait comprendre que Villon avait fait l'école buissonnière. Nous apprendrons plus loin, en tout cas, que l'étude de bonnes mœurs ne se fait pas en classe.

Le mot « dedier » dans le sens séculier n'est pas commun à l'époque. La construction de nos vers est curieuse, mais le fait que « dedier » et « estudier » étaient synonymes devait faciliter la compréhension. Il faut probablement comprendre, « Si j'eusse étudié à bonnes mœurs et dédié à bonnes mœurs... » Pour une construction analogue, avec ces deux verbes, qui n'a évidemment rien à voir avec la classe, voir Roger de Collerye, 26 :

> Helas, Dame, soyez moy oportune,
> Ou aultrement vous voirrez soubz la lame
> Mon corps gesir, et de moy partir l'ame.
> A tout jamais *je me veulx dedier,*
> *Estudier,* et plus huy que de hier,
> *A vous aymer* ; las ! ne l'ignorez pas !

17. Oresme, p. 147-8. Désormais nous insérerons les références à ce texte dans le nôtre, après la citation.

18. Villon emploie le mot « comme » pour mettre en relief l'écart qu'il discerne entre l'apparence verbale et la réalité morale. Le mot veut dire soit « en tant que » soit « de la façon de », « autant que », et peut donc introduire une description précise ou bien une comparaison qui suppose que la personne en question n'est précisément pas « comme » on la décrit. Prenons comme exemple d'un emploi clair du mot les premiers vers de *La Belle Dame sans mercy :*

> Nagaires, chevauchant, pensoie,
> Comme homme triste et douilereux,
> Au dueil ou il fault que je soie
> Le plus dolent des amoureux...
>
> (Alain Chartier, *La Belle Dame sans mercy et
> les poésies lyriques,* éd. A. Piaget, Genève, Droz,
> T.L.F., 1949, p. 3 ; désigné ci-après comme *La
> Belle Dame sans mercy.*)

Ici, on ne peut que comprendre que le héros *est* un « homme triste et douilereux », et le vers décrit sa manière. Mais chez Villon, là où Diomedès est « Engrillonné... Comme un larron », c'est justement la vraie nature du personnage qui est en question, et la phrase, qui hésite entre une description et une comparaison, exprime l'injustice concrète qu'il y a à traiter « comme un larron » celui qui n'agit pas, non plus que son juge, « comme un larron ». Ainsi en est-il aux vers 123 et 206. Dans 246, le mot sert à désigner un exemple dans une catégorie : « aux povres... Comme moy ».

19. Cet argument est classique, et remonte au *De consolatione* de Boèce. Villon aurait pu lire dans la traduction de Jean de Mehun les phrases que voici : « Mais certes a nos malz s'aproiche et se conjoint cist acraissement de malz que le pris et li juigement de pluseurs n'atent pas ne ne regarde les merites des chosez, mais l'avenement de fortune, et juge celles choses tant seulement estre pourveues de dieu que beneureté recommande, c'est a dire que tant seulement sont faites bien et pourveablement les chosez que li riche home loent et font. Dom il avient que bonne presompcion, devant toutez chosez, delaisse les maleurés, c'est a dire que nulz ne croit que pouvres homs soit preusdom. » (« Li Livres de confort de philosophie », pub. par V.L. Dedeck-Héry, dans *Medieval Studies* 14, 1952, p. 165-275 [p. 181] ; désigné ci-après « Li Livres de confort ».) Les phrases introduites par « c'est a dire » sont les gloses de Jean de Mehun, qui reprend cet argument dans un autre contexte dans le *Roman de la rose,* 8 169 sqq. Voir plus loin, p. 355-60.

Sous une autre forme — celle précisément que lui donne Diomedès dans les strophes 18-19 — l'argument remonte à Platon, *République,* I, 336, où Thrasymasque soutient que « justice » veut dire l'intérêt du plus fort. Et il était encore bien vivant à l'époque de Shakespeare : voir *King Lear,* IV, 6 :

> ...The usurer hangs the cozener.
> Through tatter'd clothes small vices do appear ;
> Robes and furr'd gowns hide all. Plate sin with gold,
> And the strong lance of justice hurtless breaks ;
> Arm it in rags, a pigmy's straw doth pierce it.

20. Voir F.M. Cornford, *Plato's Cosmology*, London, Routledge & Kegan Paul, 1937, p. 103 sqq. (Inter. Lib. of Psychology, Philosophy, and Scientific Method.) Ci-après, nous désignons ce livre sous le simple nom de Cornford. L'étymologie

annus-anulus est donnée par Varron ; le répondant grec est donné par Platon dans le *Cratyle*. Voir aussi ARISTOTE, *Physique*, IV, 223b.

21. Pour des exemples, voir Charles d'ORLÉANS, ballades 121 et 122 (I, 183-4), et les premières strophes de « La retenue d'amours » (I, 1) :

> Ou temps passé, quant Nature me fist
> En ce monde venir, elle me mist
> Premierement tout en la gouvernance
> D'une Dame qu'on appelloit Enfance... etc.

22. Ainsi FOULET, p. 107 (où il y a une faute d'impression, « v. 209 » pour « v. 208 ». Quelques autres erreurs de ce genre ont subsisté dans l'édition Longnon-Foulet à travers maintes réimpressions : *e.g.* la ponctuation de 94 ; « le » pour « les », 629 ; « enflé » pour « enfflé », p. 123 ; « F » pour « I », p. 129, à propos de 2 002.)

23.   209 :   *du saige bien apris   A*
                       du saige bien prins mis   F
                       du sage tres beaulx ditz   I
                       du saige trop lui feiz   C

Foulet met « luy » pour « lui », mais autrement il suit C ; Thuasne met « Le dit du Sage trop le feiz », et de même Neri, « Le dict du Saige trop le fiz », pour des raisons qu'ils ne donnent pas (cette « correction » remonte à Longnon).

210 : « Favorables » et « bien en puis »: mais I. Pour l'établissement du texte de Foulet, qui est le nôtre, voir *Romania* 46 (1920), p. 388-9. Les mss. « s'accordent donc tous à présenter le tour exclamatif ou ironique qui offre un sens parfait : " M'en voilà bien avancé ! " C'est le même mouvement qu'aux v. 482-3 :

> *Le glouton, de mal entechié,*
> *M'embrassoit...* « J'en suis bien plus grasse ! »

A notre avis, le sens du tour « bien en puis mais » n'est pas si évident. L'on connaît l'ambiguïté du tour négatif bien plus commun, « Je n'en puis mais », qui peut vouloir dire ou « je n'y peux rien », ou bien « je n'y pouvais rien, ce n'est pas ma faute ». Voir les exemples de Littré s.m. Mais. Palsgrave (1530) traduit : « Je n'en puis mais : I can nat do withall, a thyng lyeth not in me, or I am not in faulte that a thing is done. »

24. Sur le fait de ce mensonge, il ne peut pas y avoir de doute. Marot, p. 21, glose ainsi le vers 215 : « Prenez garde (lecteurs) a ceste parenthese ». L'édition de 1742 (p. 39) reproduit cette remarque.

25. « Servir des mets » est une locution pour « débiter des propos trop beaux pour n'être pas suspects ». Voir ce rondeau de BAUDE, p. 38-9 :

> J'entens bien ce que vous me dites.
> Vous m'aviez promis et juré
> Que plus que nul autre m'amez ;
> Ce ne sont que toutes redites.
> Quant vous estes sur voz boutiques,
> Les autres *de telz metz servez.*
> J'entens bien.
> Choses promectez non petites ;
> De tenir bien vous en gardez.
> S'aultruy de voz lardons lardez,
> D'estre lardées n'estes pas quictes.
> J'entens bien.

Le contexte ici confère à la locution un sens obscène. Pour le sens érotique du mot « servir », voir plus haut, p. 41, n. 10, et plus loin, p. 289, 295 n. 9. Voir aussi *Pathelin* (éd. Holbrook) v. 798 sqq. :

> Je n'ay point aprins qu'on me serve
> de tels motz (*sic*) en mon drap vendant.
> Me voulez vous faire entendant
> de vecies que sont lanternes ?

26. Marot, p. 22, glose ainsi le vers 224 : « A la mort tous maulx sont saoulz d'assaillir l'homme ». Noter que C donne « Car a la mort tout assouviz », c'est-à-dire « tout s'achève ». En fait, il y a eu deux verbes « assouvir », l'un pour « se satisfaire », l'autre pour « finir ». « L'a. fr. a, jusqu'au XVIᵉ siècle, un verbe *assouvir* " achever ", issu du croisement d'*assouvir* " calmer, satisfaire " avec un verbe *assevir* " achever "... » (B. & W., s.m. Assouvir). De cette confusion, Villon tire profit ici et plus loin dans le *Testament*. C'est le sens d' « achever » qui seul s'entend dans « parassouvie », 1 864 ; mais les deux sens se mêlent ironiquement à 980 et 1 756. Le sens de « satisfait » apparaît à 1 789.

27. L'édition de 1742, p. 40, glose comme voici le vers 236 : « Qui ne voient de Pain, que celui qui est étalé aux *Fenêtres* de ceux qui ont le Droit d'en vendre de cette sorte. Voiez Du-Cange, au Mot *Fenestragium*. C'estoit encore aux *Fenêtres*, que les Boulangers de Paris étaloient autrefois le Gros-Pain, que, par cette Raison, on appelloit *Pain de la Fenêtre* ; le *petit Pain*, ou *Pain-mollet*, s'enfermant dans le Fond de la Boulangerie. *Pain de la Fenestre*, c'est *ater Panis*, dit Nicod, après le *Dictionnaire François & Latin* de Robert Etienne, Paris 1549, in folio ».

28. Voir PANOFSKY, I, 212 sqq. Il s'agit de ce que Panofsky appelle un « Allerheiligenbild (All Saints picture) », qui était lié très étroitement à l'époque de Villon à saint Augustin et en particulier au *De civitate Dei*.

29. Voir *Epist. ad Hebræos*, 6/4-6 : « Impossibile est enim, eos qui semel sunt illuminati, gustaverunt etiam donum coeleste, et participes facti sunt Spiritûs sancti, gustaverunt nihilominus bonum Dei verbum, virtutesque sæculi venturi, et prolapsi sunt ; rursus renovari ad pœnitentiam, rursum crucifigentes sibimetipsis Filium Dei, et ostentui habentes. » Voir aussi le *Roman de la rose*, 11 713-60.

30. Voir la strophe 164 :

> Or sont ilz mors Dieu ait leurs ames   (1 760)
> Quant est des corps ilz sont pourris
> Aient esté seigneurs ou dames
> Souef et tendrement nourris
> De cresme fromente ou riz
> Leurs os sont declinez en pouldre
> Auxquelz ne chault d'esbatz ne ris
> Plaise au doulx Jhesus les absouldre

Et 1 009 : « Dieu luy pardonne *doulcement*. »

31. Cette citation semble avoir été aussi une locution proverbiale. Nous ne l'avons rencontrée qu'une seule fois, dans une lettre en prose de Christine de Pisan : « Et quant à moy, plus n'en pense faire escripture, qui que m'en escrise, car ie n'ay pas empris toute Saine à boire. Ce que j'ay escript est escript. » (C.F. WARD, éd., *The Epistles on the Romance of the Rose and other Documents in the Debate*, Chicago, 1911, p. 111.) Le sens semble être à la fois « QED » et « Explicit ».

CHAPITRE II *

LA NATURE DE L'ART

(strophe 12)

1. Déjà au temps de Marot la strophe 12 du *Testament* ne se lisait qu'avec difficulté, tellement le texte était devenu corrompu. Comme instruments de travail, Marot se servait des anciennes éditions imprimées et de la mémoire de bons vieillards qui, paraît-il, avaient connu l'œuvre de Villon par cœur. Les manuscrits dont nous disposons aujourd'hui ne nous apportent que d'autres variantes, et il n'y a nulle certitude que la leçon qu'ont adoptée les éditeurs modernes — celle du manuscrit Coislin — nous livre le texte primitif de Villon.

En bonne partie, la difficulté de la strophe dérive de ce que Villon y signale un événement d'une grande complexité, dont il aurait trahi la nature même en le simplifiant. D'autre part, la strophe 12 est la seule du *Testament* qui décrive l'expérience la plus intime de celles, parmi les conséquences de l'été de Mehun, qui ont changé le cours de la vie de Villon. D'autres vers en évoquent les circonstances, ou témoignent de l'amertume qu'il éprouve encore à leur endroit. Bref, la strophe 12 est unique. Elle parle d'une affaire dont nous n'entendons ailleurs que des échos ; elle fait allusion à la transformation d'une conscience créatrice dont le *Testament* fut le premier fruit. En voulant se saisir d'une réalité à la fois complexe et brutale, qui bouleversait d'abord et qui fut apprivoisée ensuite aux besoins de l'art, Villon a dû recourir à l'espèce de précision multiple qui s'appelle l'ambiguïté.

Nous avons déjà signalé la difficulté majeure de la première partie de la strophe : la portée affective des mots que Villon a collectionnés — ou autrement dit, leur degré d'ironie — est pour nous impossible à déterminer. Mais le deuxième « acte » de la strophe pose de véritables devinettes. Voyons d'abord la syntaxe de la phrase. Le nom « travail » est sans aucun doute son sujet ; « ouvrit » ne peut être que son verbe, au temps prétérit, qui veut signaler une seule action. Mais quel a été l'objet de cette action ? Les mots « lubres sentemens » peuvent être l'objet de « ouvrit », ou encore le sujet soit d'une phrase parenthétique, soit d'une proposition ablative telle que, « mes lubres sentemens (étant) Esguisez comme une pelote ».

* Les notes relatives à ce chapitre sont réunies p. 215-219.

La particule « m' » de « m'ouvrit » peut se comprendre au régime
direct ou indirect. Dans le dernier cas, on pourrait lire « à moi » ou
bien « pour moi ». Le mot « plus » pourrait qualifier adverbialement
le mot « ouvrit » ou bien, en tant que substantif, il peut être le régime
direct de ce mot. Pour résumer, donc, le texte nous donne le choix
entre des lectures telles que :

1. Travail ouvrit à (ou pour) moi mes lubres sentemens (qui étaient
   esguisez comme une pelote) mieux que tous les commens d'Averroys
   (ne me les ouvrissent)...

2. Travail — mes lubres sentemens (étant) esguisez comme une pelote
   — ouvrit à (ou pour) moi plus (de choses) que (ne m'ouvrirent) les
   commens d'Averroys...

3. Travail m'ouvrit, moi — (donné que) mes lubres sentemens (étaient)
   esguisez comme une pelote — mieux que les commens d'Averroys
   (ne m'ouvrissent)...

Notons en plus une seconde série de leçons possibles qui partent
du fait que les « commens d'Averroys » auraient pu « ouvrir » le texte
d'Aristote :

4. Travail ouvrit à (ou pour) moi mes lubres sentemens (comme une
   glose) mieux que tous les commens d'Averroys (ne m'ouvrirent) le
   texte d'Aristote...

5. Travail, donné l'état de mes sentements, ouvrit à moi mieux le texte
   d'Aristote que tous les commens d'Averroys (ne me l'ouvrissent)..

6. Travail m'ouvrit, moi, donné l'état de mes sentemens, mieux que les
   commens d'Averroys (n'ouvrirent) le texte d'Aristote...

Quel fil d'Ariane pourra nous mener à travers ce labyrinthe ?

Le problème paraît infiniment plus complexe quand nous abordons le sens des mots eux-mêmes. Les mots les plus importants de
la strophe — c'est-à-dire « travail », « lubres », « sentemens », « esguisez », « ouvrit » — comportent tous à la fois un sens concret
très précis, et une large gamme d'emplois métaphoriques. A cet égard,
ils se distinguent nettement des mots affectifs de la première partie
de la strophe, dont le sens concret s'efface devant les usages au figuré
qui indiquent la souffrance morale. Les deux moitiés de la strophe
s'opposent comme deux langues hostiles, par la syntaxe, le vocabulaire, l'intention et le ton. Tout mène à penser que la découverte
signalée d'une façon obscure par le mot « m'ouvrit » comportait une
ouverture sur la nature du langage et de ses rapports à la réalité
qu'il nomme.

Bien que le ton des quatre premiers vers nous échappe, la référence de ses termes n'est pas douteuse ; la tradition linguistique qui
la consacre, dérivant sans doute de la Bible, viendrait au besoin à
notre secours. Mais voyons le mot « travail ». Il est — avec « pelote » — le seul nom au singulier. Son sens premier semble être la
machine à assujettir les animaux domestiques qu'on veut ferrer, et
par là l'acte même du maréchal, le mouvement rude et rythmé du
forgeron qui ferre un cheval, le contact transformateur d'une force

et d'un matériel. Rien de plus réel, de plus indéniable, de plus terrible dans son opération noire et certaine, que le coup du forgeron. Que Villon fût conscient de la vraie force du mot « travail » est hors de doute : ailleurs il se nomme,

> (X)   *Françoys Villon que travail a dompté*   (3)
>   *A coups orbes par force de bature,*

en jouant, comme il le fait fréquemment, sur la lettre d'une expression au figuré. C'est depuis ce sens concret que le mot prend un essor métaphorique qui mène, par la souffrance physique, à la simple « fatigue », « peine », « difficulté » [1].

Le mot « lubre », semblablement, part d'une portée bien précise : « huileux », « glissant ». Dans son mouvement vers le sens métaphorique d'« instable », il touche, comme son cousin « lubrique », au sens de « voluptueux », avec une référence à ses propres origines charnelles. Ainsi dans la phrase « lubres sentemens » le premier mot peut qualifier le second de deux façons : il se peut que les « sentemens » en eux-mêmes soient huileux ou instables, ou bien qu'ils se réfèrent à ce qui est en lui-même huileux ou instable [2]. Le mot « sentemens » en toute précision désigne les cinq sens de l'homme, et le procédé physiologique par lequel les sens transmettent leurs perceptions à la conscience. Par extension, il indique non seulement les instruments et les procédés de la perception, mais aussi son résultat, toute sensation perçue par l'intelligence, toute pensée, toute idée qui se rapporte au monde extérieur tel que les cinq sens le rapportent à l'esprit. Puis le mot semble prendre une allure du mot moderne « sentiment », exprimant soit une émotion, une passion, ou une affection quelconque, même une opinion qui n'est pas justifiable par la raison. Enfin, nous verrons bientôt l'importance du fait que le mot « sentement » avait en plus une valeur esthétique de « sensibilité » [3].

Selon le sens qu'on donne à « sentemens », l'on comprendra plus ou moins l'usage d'« esguisez », mot également doué d'un sens concret qui permet une extension métaphorique aux matières spirituelles, un sens de « net », « précis », « bien conçu ». Le mot « ouvrir », pour son compte, peut avoir trait à presque tout, sans égard à sa nature d'objet ou d'idée. Parmi ses usages multiples, qui le rattacheraient à une porte aussi bien qu'à l'esprit, signalons un emploi « technique » du mot qui sera à propos. Dans le texte de saint Luc que Villon citera quelques vers plus loin, l'acte central d'illumination qui dissipe « le problème d'Esmaus », est rapporté de trois manières par l'Evangéliste, chaque fois par un usage différent du seul mot « aperire » :

> Et *aperti sunt oculi eorum*, et cognoverunt eum...   (24/31)
> Nonne cor nostrum ardens erat in nobis, dum loqueretur
>   in via, et *aperiret nobis Scripturas ?*   (24/32)
> Tunc *aperuit illis sensum* ut intelligerent Scripturas...   (24/45)

Nous verrons par la suite pourquoi les trois moyens de connaître, inclus ici dans le seul mot *aperire*, seront effleurés par le texte de la strophe 12 [4].

Ce qui déjoue tous nos efforts d'explication de la strophe, c'est l'apparente absence d'une seule situation qui puisse justifier l'emploi de tous ces mots, évidemment si soigneusement choisis. Nous ne voyons pas l'image à laquelle les idées que comportent les mots « travail » « lubres », « sentemens », « esguisez », « pelote », et « ouvrir », peuvent se référer. Pour nous confondre tout à fait, il semble impossible de choisir quel sens de chaque mot doit être agencé avec quel sens de chaque autre mot. Ce qui semble nous manquer, c'est la clef de la strophe.

La hiérarchie des sens n'est pas établie par le texte lui-même, tel que nous le lisons actuellement. Pour comprendre la strophe, enfin, c'est cette hiérarchie qu'il nous faudra établir. Car notre tâche n'est pas d'éliminer ni d'exclure des nuances pour arriver à une seule lecture cohérente, mais plutôt d'inclure dans un ensemble vivant tous les sens qui ajoutent à notre compréhension de l'action entière que nous présente le poète. Quel contexte pourra nous aider à ranger les sens possibles de la strophe dans leur ordre naturel ? Quel contexte nous dira la situation commune à laquelle ils se réfèrent tous ? Nous en voyons deux : le premier est muet parce que présupposé ; le deuxième est explicite parce que découvert ; le premier est commun à une culture ; le second est particulier à un poète.

2.   Si le premier des contextes qui éclaireront pour nous la strophe 12 est muet, cela n'empêche qu'il a laissé des traces à la surface du *Testament* qui nous permettront de juger de sa valeur. Notons d'abord que les strophes 12 et 13 nomment les trois moyens de connaître toute chose. L'action de la strophe 13 part de la révélation spirituelle qui semble dépendre uniquement de ce que Villon appelle la « misericorde » de Dieu, puisque celui qui l'a reçue n'était pas en état de grâce (étant « pecheur » « au plus fort de (ses) maux »). C'était Lui qui « monstra » à un Villon entièrement passif la réalité de la « bonne ville ». Et nous savons maintenant que « monstra » veut dire, dans le contexte des citations, « prouva logiquement l'existence de..., expliqua un texte qui signale allégoriquement la vérité de... » Le mot est très proche d'un des sens que nous avons noté pour le mot « ouvrir », et que nous avons retrouvé dans le texte de saint Luc, « ...dum loqueretur in via, et *aperiret nobis Scripturas*... » Il est significatif à ce propos que Marot avait à corriger un texte qui se lisait :

> Travaille mes lubres sentemens
> Aguysez ronds, comme une pelote
> *Monstrent* plus que les comments
> En sens moral de Aristote

En le corrigeant, Marot a retenu le verbe « monstrent » sans sentir la moindre gêne : « Voyla comment il me semble que l'autheur l'entendoit », pouvait-il conclure [5]. Le parallèle entre les idées de « monstrer » et d'« ouvrir », qu'exprime saint Luc avec le seul mot « aperire », est comme renforcé par un curieux parallèle de syntaxe, sur lequel nous reviendrons :

(12) Or est vray que ....   *(13)* Combien que ....
....
Travail ....   Dieu ....
....
M'ouvrit plus ....   Me monstra une bonne ville
....

Si ce parallèle était entier, nous serions obligés de conclure que
la phrase, « lubres sentemens Esguisez comme une pelote » qualifie
en quelque sorte le mot « travail » ; et que l'objet de « m'ouvrit » est
le substantif « plus ». Pour vérifier le parallèle nous aurions besoin
d'autres évidences d'un parallélisme de pensée qui requière le parallélisme de syntaxe.

Le deuxième moyen de connaissance est la lecture, c'est-à-dire les
travaux de la raison discursive, qui n'a pas besoin d'être éclairée par
l'illumination divine. Certaines choses, semble-t-il, ont été « ouver-
tes » à Villon par « tous les commens D'Averroys sur Aristote ». La
philosophie scientifique à tendance naturaliste (c'est l'apport de la
mention d'Averroys) apprend à reconnaître de façon sûre les lois
inébranlables du monde créé. Les raisonnements d'Aristote, qui abou-
tissent à une « science » soit physique soit morale, ne partent pas
d'un être particulier, soit ce mur-ci du cachot, soit cet homme-ci
Villon, mais des réalités générales « mur » et « homme », qu'on appelle
des « universaux » ; qu'en tant que tels ils soient pour Villon des
réalités objectives ou plutôt conceptuelles, c'est une question que
nous aurons l'occasion d'aborder bien plus loin. Dans un cas comme
dans l'autre, de tels raisonnements ne partent pas non plus d'un seul
contact avec la particularité du monde sensible, qui reste essentiellement hors de cause.

En revanche, le troisième moyen de connaissance, qui a pratiqué
une ouverture dans la vie de Villon, se fonde sur une rencontre de
la conscience et d'un objet concret en toute sa spécificité, rencontre
qui se fait par l'intermédiaire des cinq sens. L'intellect de l'homme
« saisit » la chose externe dans ses contours réels et uniques, par un
acte qui engage l'homme entier et qui s'appelle *apprehensio*. Dans
le texte de Villon, cette espèce d'acte et ce moyen de connaissance
sont signalés par le mot « travail »[6].

Or Villon a nommé les trois moyens de connaissance *au figuré*,
par une espèce de synecdoque. Car il les a fait entrer dans la fable de
son poème, en énumérant trois de ses expériences personnelles, dont
chacune marque une découverte propre à une nouvelle sphère de
savoir. La confusion chronologique et syntaxique de ces strophes
dérive en grande partie de ceci, que Villon a dû respecter un autre
ordre, impersonnel, dans sa liste des moyens de connaissance. Il
fallait, pour le dire en d'autres termes, que Villon suivît à la fois
l'ordre naturel et historique de sa propre expérience — ou du moins
de celle qu'il nous présente comme ayant été la sienne — et la vérité
hiérarchique des valeurs qui ne dépend nullement de lui. Au juste,
il serait impossible de dire si Villon nous a présenté ses trois expé-

riences personnelles parce qu'il lui fallait évoquer les trois espèces de connaissance ; ou, d'autre part, si son expérience personnelle l'obligeait, *par sa plénitude même*, à nommer une vérité et un ordre des choses qui la dépasse.

Toujours est-il que Villon évoque, dans les strophes 12-13, toute la possibilité de connaissance humaine ; car, pour l'homme de son époque, il n'existait que ces trois modes de comprendre tout ce qui pouvait se comprendre. Or, entre ces trois moyens de connaissance, il n'y a aucune opposition et aucune concurrence nécessaire ; les uns n'excluent point les autres. Si leur valeur respective a été ardemment discutée au Moyen Age — les mystiques et les ascètes contre les scientifiques, au douzième siècle notamment — cette discussion a été possible dans la mesure où les véritables portées des modes de savoir ne se confóndaient pas. La raison en est simple : c'est que chacun d'eux vise évidemment une sphère différente de la réalité totale. Villon aussi a bien su garder cette distinction. D'une part, il a rangé dans la strophe 12 les moyens de savoir qui ont trait au monde créé et aux choses sensibles ; d'autre part, il a mis dans la strophe 13, séparément comme il convenait, celui qui est relatif au monde incréé, au Créateur, et aux choses spirituelles. Le rapport entre les strophes 12 et 13 est comme résumé par leurs événements centraux, et par les deux mots qui les rapportent : « ouvrit » et « monstra ». Autant le mot « ouvrir » est d'origine concrète et par extension se réfère aux choses de l'esprit, autant le mot « monstrer » est d'origine abstraite — *monstrum* en latin voulant dire événement surnaturel ou divin, et étant apparenté étymologiquement aux mots *mens, memini,* et *moneo* — et à extension concrète.

Loin de s'opposer, les deux sphères de connaissance juxtaposées dans les strophes 12 et 13 *se complètent*. Le même écart est respecté par le texte de saint Luc : d'abord les ouvertures des yeux et d'un texte difficile (v. 31-2), et plus loin l'ouverture de révélation (v. 45). En vérité, depuis le travail de synthèse aristotélicienne qu'avaient effectué Albert le Grand et ses disciples saint Bonaventure et saint Thomas d'Aquin, les trois moyens de connaissance sont vus comme s'intégrant dans l'activité totale de l'homme. La philosophie scolastique les a fait entrer tous les trois dans une vision humaniste de la vie et de la fin de l'homme. Toutefois, pour comprendre le passage de Villon, il n'est pas besoin de recourir aux textes du XIIIe siècle que Villon n'aurait pas lus, et qui de ses jours n'étaient peut-être pas d'actualité dans leur détail. Il se peut qu'en nommant les trois moyens de connaître dans leur ordre réel, il n'ait dû suivre que les présuppositions de son époque et les habitudes formelles de son art. Mais Villon nous a indiqué indirectement le contexte, d'une actualité certaine, dans lequel se situe sa discussion, en citant les œuvres d'Aristote. D'une certaine façon, que nous aurons à définir bientôt, la dualité des strophes 12 et 13 reflète la célèbre distinction qu'Aristote fut amené à établir dans l'*Ethique à Nicomaque* entre φρόνησις et σοφία. Est-ce un hasard si précisément de ce texte sont dérivées, à la fin du Moyen Age, d'importantes théories sur la nature de l'art et du travail artistique ? Nous y revenons ; mais qu'il s'agisse ici d'un contexte *éthique*, au moins, les lecteurs de Villon à l'époque l'ont bien compris. Car, nous l'avons vu, Marot avait à corriger un texte qui se lisait ainsi :

> ...Monstrent plus que les comments
> En sens moral de Aristote

texte qu'il n'a changé que pour en nettoyer la grammaire :

> ...Me monstrant plus que les comments
> Sur le sens moral d'Aristote [7].

Pour comprendre la strophe 12, pourtant, il ne suffira pas de noter le contexte muet de présuppositions qui, en partie, en a déterminé la structure. Il importe même plus de remarquer l'intervention qu'a faite Villon dans ces vers, c'est-à-dire l'usage qu'il a fait d'une structure objective des valeurs dans la narration d'une histoire personnelle. Or, nous avons déjà parlé de trois des façons dont Villon est intervenu. Premièrement, il a séparé les trois moyens de connaissance selon leur référence. Puis, il a opposé la chronologie de ses propres « ouvertures » à la hiérarchie objective des valeurs, en citant de prime abord l'ouverture qui lui est arrivée dernièrement. Et enfin, nous venons de voir qu'en citant Aristote, Villon est intervenu pour situer très précisément le contexte de sa discussion.

Notons qu'il n'est pas question dans ces strophes de suspecter la valeur relative des trois connaissances, ni d'afficher un jugement philosophique pour l'une ou contre l'autre des activités de l'esprit. Ces vers-ci, du moins, ne recèlent pas une prise de position polémique sur la réalité objective ; c'est plutôt le drame des circonstances spéciales qui nous mènera au cœur de la strophe 12. Car le sens que nous recherchons, n'est-il pas justement le rapport dynamique qui relie une narration historique à une structure universelle ?

Comment Villon nous rapporte-t-il ses expériences ? Prenons d'abord la troisième, c'est-à-dire la première dans le temps, celle de la strophe 13. Ce qui frappe surtout c'est que le contact révélateur entre Villon et une vérité spirituelle, la « bonne ville », était loin d'être immédiat. Car cette vérité se trouvait renfermée secrètement, ou pour mieux dire allégoriquement, dans le sens précis du mot, dans des textes bibliques [8]. En plus, pour que Villon les comprenne, il a fallu que le Dieu médiateur, le Christ d'Esmaus, se fît exégète des écrits arcanes, en les « ouvrant » et en « monstrant » la « bonne ville ». Et tout cela survint à un « pecheur », hors de grâce, « au plus fort de (ses) maux ». Ainsi en est-il, comme Villon nous le rapporte, en ce qui concerne le deuxième moyen de connaissance. Exactement les mêmes éléments se présentent : un plan de vérité (les lois du monde créé) renfermé dans un texte obscur (« Aristote ») qui lui a été ouvert (« tous les commens ») par un exégète bienveillant (« Averroys »), bien qu'il ne fût pas en état de comprendre (ses « sentemens » étant « esguisez comme une pelote ») [9].

En est-il de même pour l'espèce de connaissance qui reste, celle des objets spécifiques ? Nous savons déjà quel est le plan de vérité visé (il est d'ailleurs bien désigné par les sens si puissamment concrets des mots-clefs). Et nous connaissons aussi son exégète, « travail », qui « ouvrit »... Dans ce cas-ci, il n'y aurait pas de « texte » qui renferme la vérité arcane sinon cette vérité elle-même ; car l'essence de cette troisième espèce de savoir est son immédiateté. Ce qui est connu n'est autre que ce qui peut être connu par les « sentemens » humains, à savoir, la nature du concret spécifique. Dans le monde sensible, le texte à « lire » et la vérité à comprendre coïncident. Présentation parallèle donc, des trois moyens de connaissance : car pour le troisième aussi, nous trouvons comme éléments dramatiques une vérité, un texte, un exégète, et enfin l'état moral de l'élève : « apres plainz et pleurs... »

Du coup, plusieurs problèmes de syntaxe sont résolus. Nous savons maintenant que le mot « plus » ne peut pas vouloir dire « mieux », puisque les connaissances apportées par « travail » et par « les commens D'Averroys sur Aristote » se réfèrent à deux réalités distinctes. Ils n'« ouvrent » pas les mêmes choses, ni de la même manière. Que « sentemens » veuille dire émotions, opinions, sensations, sens, ou ce qui est perçu, les œuvres d'Aristote et d'Averroys ne les concernent pas. Les « lubres sentemens », d'une façon ou d'une autre, donc, sont de la sphère du « travail ». Le seul mot qui puisse désigner un objet du mot « ouvrit » assez large pour être un champ d'exégèse pour « travail » et « Aristote » à la fois, c'est le mot « plus ». Et puisque ce mot ne peut pas vouloir dire « mieux », il faut en effet qu'il signifie « plus de choses », en se référant aux objets sensibles aussi bien qu'aux lois scientifiques et aux autres vérités raisonnées qu'ils renferment. « La souffrance corporelle », nous dirait Villon, « m'a appris encore plus de choses sur la nature du monde sensible que les raisonnements scientifiques d'Aristote et de ses exégètes arabes ». Pour ce qui est du monde spirituel, à la strophe 13, la pensée est parfaitement semblable. Dans les deux cas, il a fallu l'intervention d'un médiateur, d'un maître, qui a soumis le poète à une rigoureuse épreuve pédagogique, avant qu'il ait compris le sens caché d'un texte obscur. Mais n'avions-nous pas entrevu dans les deux strophes un parallélisme possible de syntaxe qu'aurait justifié ce parallélisme de pensée ? « Or est vray qu'apres... Travail... M'ouvrit plus... » « Combien qu'au plus fort... Dieu... Me monstra une bonne ville ».

Derrière le mot « plus » se cachent encore bien des mystères. Quelle serait la leçon du « travail » sur le texte sensible qui pourrait s'ajouter en surcroît, en surplus, aux leçons d'Aristote ? Les mots « mes lubres sentements Esguisez comme une pelote » semblent renfermer de même une mystérieuse dualité, et nous savons qu'ils qualifient de quelque façon le mot « travail ». La qualité la plus frappante de ces mots, nous l'avons noté, c'est une espèce de schizophrénie qui fait que, à partir de bases précises et concrètes, ils peuvent tous s'appliquer aux phénomènes mentaux. Le résultat en est d'affirmer une continuité entre le monde des objets et le monde intérieur des sens qui les perçoivent. En donnant la nature de ses propres sensations, Villon décrit aussi la qualité première du monde sensible *en tant que tel*. Le monde des objets particuliers, dit-il, est huileux, difficile à saisir, éphémère, toujours changeant et se transformant. C'est un monde dont l'existence est précaire parce qu'équivoque. Le même objet, une pelote par exemple, est facilement reconnu en tant que pelote. Mais les attributs de son existence sont paradoxaux, puisqu'à la tâter, elle se révèle à la fois « esguisée » et émoussée. Comme le prouveront bientôt les « neiges d'antan », le monde perceptible est en toute chose équivoque, étant à la fois divin et déchu, témoin d'un créateur et de son absence. Nos perceptions participent à cette même dualité ; ne sommes-nous pas des objets créés, « lubres » et paradoxaux « comme une pelote » ? L'homme n'est-il pas un objet naturel comme tout autre objet perceptible ? Au temps de Villon, comme sa poésie nous le démontre, la conscience créatrice n'avait qu'entrevu, sans le prendre, le pénible chemin qui l'aura menée bientôt à l'aliénation du monde naturel et de ses forces fécondes.

Se saisir de la nature « lubre » des objets particuliers — c'est-à-dire du sens dans lequel une « pelote » peut être « esguisée » — c'est la tâche des « sentemens », des cinq sens et du processus physique de la perception. *Reconnaître* que la chose équivoque qu'on tâte appartient à la catégorie générale des pelotes, cela est l'entreprise de l'intelligence raisonnable. *L'appréhension* d'un objet sensible implique à la fois la perception de sa particularité, et la saisie intellective de sa nature d'objet ; il implique toutes les facultés de l'homme naturel, les sens *plus* l'intelligence [10].

L'œuvre inconsciente et irraisonnée des sens, elle aussi, fait partie de l'être humain, tout comme la vraie nature obtuse et transitoire des objets particuliers fait partie de la vérité d'ici-bas. Comment dire alors quel serait le premier sens de la phrase « lubres sentemens Esguisez comme une pelote », puisqu'elle décrit les moyens et le résultat d'une expérience spéciale, aussi bien que les conditions subjectives et la réalité objective qui entrent dans toute expérience du genre ? Pourquoi s'émerveiller, donc, que Villon ait laissé indéterminé le rapport entre la proposition ablative et le mot qu'elle qualifie ? Du moins savons-nous maintenant, d'après le contexte muet, que « travail... ouvrit » à Villon la vraie nature de l'acte de l'appréhension, et l'intégration nécessaire qu'il y aurait entre expérience concrète et activité mentale, entre l'apprendre et l'avoir su, et peut-être aussi entre corps et âme [11].

Mais dans le mot « plus » nous croyons déceler aussi une nuance de valeur préférentielle, comme si les leçons de « travail », par le fait de compléter l'expérience totale du sensible *ou pour une autre raison*, avaient eu plus d'importance pour Villon, tel homme dans telles circonstances. Comprendre ce sens du mot « plus » nous aidera à voir clair non seulement dans les rapports ambigus qui relient « sente-

mens » à « travail », mais aussi dans les rapports objectifs qu'a
connus Villon entre les trois plans de vérité que ses maîtres (« travail », « Averroys », et le Dieu d'Esmaus) l'ont amené à voir. Et puisqu'il s'agit de ce qu'il nous dit lui-même avoir appris, le contexte
muet ne sera plus à propos, tenant comme il le fait d'une culture
générale et des présuppositions d'une époque. Les idées particulières
de ce poète-ci nous seront dites explicitement, par son œuvre.

3.   Nous avons vu que, dans les strophes 12-13, Villon a dû citer ses
propres expériences dans leur ordre chronologique inverse, afin de
respecter un ordre objectif des valeurs : les moyens de connaissance,
rangés dans leur juste échelle ontologique, du moins divin et plus
concret au plus divin et moins charnel. Et au-dedans de cette hiérarchie à trois membres, Villon établit une deuxième hiérarchie à deux
membres, en séparant les connaissances du monde créé de celle du
monde du Créateur. Or, tout lecteur du *Testament* a été frappé par
ce fait que le poème se divise nettement en deux parties. La première,
jusqu'au commencement des « legs » satiriques, ne traite que des
vérités spirituelles et des lois « scientifiques » de la nature, souvent
sous le voile d'une narration historique et concrète. Le sens de cette
partie, nous l'avons dit, est constitué par un rapport dynamique, équivoque, et souvent insaisissable, entre le plan de la vérité et le plan
de la narration. La deuxième partie du *Testament*, qui commence au
vers 833, est ce que Marot a appelé « l'Industrie des lays » et ce que
nous appellerons, avec une allusion voulue à la strophe 12, le « travail poétique » de Villon [12]. Ici, il n'est question que d'objets concrets
et de particuliers, de leur nature toute individuelle, et de leur
agencement.

   Qu'est-ce qui a déterminé cette division, plutôt cette opposition ?
Ce qui équivaut à demander, puisque cette opposition est le propre
de la forme testamentaire : pourquoi Villon a-t-il choisi cette forme ?
Pourquoi meurt-il ? Nous sommes loin encore de donner des réponses
satisfaisantes. Du moins pouvons-nous noter aussitôt que cette division, propre à un testament, entre « travail » et credo, entre « faitz »
et « ditz », correspond plutôt à la division à l'intérieur de la strophe 12
(entre les leçons de « travail » et « d'Aristote ») qu'à celle qui est
marquée par l'hiatus des strophes 12-13. Nous noterons aussi que
chaque partie du *Testament* est ordonnée selon un principe qui lui
est propre. Dans la deuxième partie, ce principe est facilement reconnaissable. C'est l'acte médiateur d'un juge qui distribue, strophe
par strophe et à rythme martelé, des objets uniques aux personnes
vivantes. Nous y reviendrons, après avoir abordé des vers plus
accueillants.

   Mais quel est le principe qui règle, du point de vue formel, la
première partie du *Testament* ? Nous venons de voir que la strophe 13
se situe au point culminant d'une hiérarchie des moyens de connaissance, de bas en haut, selon la valeur ontologique de leurs objets.
Mais nous savons aussi que la strophe 13 est le point de départ d'une

hiérarchie *de haut en bas* à travers les mêmes valeurs, du « Dieu » au vers 99 jusqu'au « plus imparfait » des êtres à la strophe 33. Et cette hiérarchie-là, nous la connaissons déjà, puisqu'elle est la même qui commence à la « Dame du ciel » et qui se termine, en bas, par

V
I
L
L
O
N.

La « Ballade pour prier Nostre Dame » et la « tirade » des strophes 12 à 33 nous présentent exactement le même tableau d'un univers moral qui est statique, traditionnel, et ecclésiastique. C'est la fresque que voit la mère de Villon « au moustier », qui passe du « paradis paint » à l'« enfer ou dampnez sont boullus », comme c'est le polyptyque que Villon achève en disant : « Laissons le moustier ou il est ».

Or, nous savons maintenant que la fable des strophes 12 à 33 relève *du passé* de Villon et qu'il s'en saisit si lucidement parce qu'elle appartient, comme sa jeunesse même, à une époque délimitée par l'été de Mehun, par « l'an de mon trentiesme aage ». C'est cette même lucidité de rétrospection qui, en tant que contrôle dramatique, permet de mettre en scène les croyances et l'engagement féodal de sa mère et d'une génération désormais historique. Le metteur en scène ne s'y présente, en fait, qu'en tant que fils, engagé dans un rapport familial comme dans une « foy » féodale ; tandis que celui qui nous raconte sa fable et qui met en scène le drame de sa mère a pris la peine de se montrer, au début de son dernier testament, d'une indépendance presque parfaite, « sans croix ne pille », hors d'un système féodal qui est entièrement discrédité.

Mais la hiérarchie vers le bas, celle qui est statique et traditionnelle, n'est point en elle-même le principe organisateur de la première partie du *Testament*. Car à cette hiérarchie s'oppose une autre, où l'univers moral est considéré *de bas en haut*. Si la ballade que Villon lègue à sa mère commence par la « Dame du ciel », la ballade qui commence par le fait de demander « Dictes moy ou » est Flora la courtisane, se termine en faisant appel à la « Vierge souveraine ». De même, si la hiérarchie qui se termine à la strophe 33 par la Passion du Fils crucifié fut introduite à la strophe 13 par le Christ ressuscité, elle aussi est précédée par une autre hiérarchie qui commence par le souffrir angoissé du « travail » et se clôt en citant le « Dieu d'Esmaus ».

Ce n'est pas la simple inversion, pourtant, qui distingue et qui oppose les deux hiérarchies qui s'entrejouent dans la première partie du *Testament*. La mère de Villon elle-même — une femme qui est loin d'être dupe, comme nous l'avons vu — met en relief la nature figée et immuable de la hiérarchie du haut vers le bas, quand elle note que, « au moustier », elle la voit « paint(e) ». Sa structure rigide est comme soulignée par l'existence de la ballade elle-même en tant que prière, qui insère cette femme dans la structure, et qui prétend ranimer les liens dynamiques qui devraient en joindre les éléments. Et c'est la perclusion de ces liens que constate Villon, amèrement puisqu'il en a souffert, dans sa discussion de la justice aux strophes 12 à 33. Le contraste ne peut être plus net entre cette perclusion, et le flot irrésistible des « neiges d'antan », le courant de métamorphose qui emporte toute structure à partir du « corps femenin ».

Partout dans les mille premiers vers du *Testament*, la structure rigide d'en haut contraste avec le mouvement dynamique d'en bas. Après le vers 909, ce principe organisateur ne réapparaît presque plus. Mais là où sont les deux hiérarchies, quel est le rapport de l'une à l'autre ? Est-ce qu'elles se contredisent ? Se peut-il que Villon méprise l'une d'elles et qu'il ait été contraint à faire le choix entre deux visions de la réalité entière et de notre expérience au dedans d'elle ? Qu'est-ce qu'il peut y avoir de commun entre le point de vue de la mère de Villon, et celui qui est exprimé par la ballade « Dictes moy ou... » ? Nous commençons à nous approcher des racines expérimentales du *Testament*.

4. Au lieu d'aborder dans l'abstrait le contenu des deux visions, prenons un cas concret de leur enchevêtrement, pour en déterminer les rapports. Plus que tout autre passage du *Testament*, les vers consacrés à la « Belle Hëaulmière » ressortent de l'expérience totale de Villon au moment d'écrire, après l'été de Mehun. Là mieux qu'ailleurs nous verrons les deux hiérarchies possibles en train d'entre-jouer dans un drame que contrôlent les attitudes mûres de l'écrivain, et ses intentions les plus importantes.

Rappelons le contexte. Dans les strophes 12 à 33, Villon nous a présenté le contenu même de la hiérarchie première, celle qui procède de haut en bas, en nous avertissant qu'elle fait partie de son passé de façon aussi nécessaire que sa jeunesse même. A cette évocation de l'ordre immuable de l'univers, succèdent huit strophes au milieu desquelles (strophe 37) Villon se présente qui prend conscience de la fragilité de son propre être. Quel est le véritable rapport, semble-t-il se demander, entre mon pauvre corps déjà en voie de décomposition, et cette structure merveilleuse de salut où je me suis vu inséré ? Pour résoudre le paradoxe angoissant que pose son existence même en tant qu'individu voué au néant, voici l'explosion de force lyrique qui est la première ballade du *Testament*, « Dictes moy ou... » Après quarante strophes depuis l'introduction — et 40 est le chiffre de la privation, de l'épreuve, et de l'épuration, chiffre organisateur du *Vita Nuova* de Dante, ainsi que du *Lais* — Villon arrive au point le plus bas de la première hiérarchie vers le haut qui puisse répondre, par son ampleur, à l'exposition des strophes 12 à 33.

La montée en est comme dédoublée. Nous avons déjà étudié la façon dont Villon range ses dames dans l'ordre croissant de leur puissance féconde. Mais la suite des trois ballades présente une autre montée dont la première n'est qu'un membre. Des laïques et des femmes fatales parfois féériques, Villon passe aux princes de la terre, et enfin aux princes de l'Eglise. Chaque ballade, comme nous l'avons remarqué ailleurs, évoque l'un des courants de changement éternel qui règne sur le monde d'ici-bas : d'abord les femmes-fées portent l'essence même de la fertilité ; en second lieu, les hommes transmettent, dans leur sang, la royauté et les nombreuses institutions vivantes qui en dépendent (« En autruy mains passent leurs regnes », résumera Villon à la fin, v. 416) ; troisièmement, les ecclésiastiques portent à tous, partout et toujours, la Foi chrétienne et le Verbe luimême (c'est le sens de l'emploi du vieux français ; Villon attire l'attention sur le fait que le langage reste quand le vent souffle) [13].

Voilà le sort des autres ; mourir, oui, *mais* se plonger aussi dans une vérité perpétuelle de vivre et mourir. Pour Villon sera-ce une solution valable au paradoxe de son existence individuelle ? Il nous l'explique dans la strophe 42, en des vers qui nous resteront obscurs jusqu'à ce que nous sachions ce que c'était qu'un « mercerot de Renes » à son époque. Toujours est-il qu'à la strophe 43, Villon se retourne vers le problème des étapes de la vie, qu'il a déjà abordé dans les strophes 12 à 33. Cette fois, cependant, ce n'est plus pour en tracer le contraste moral, mais plutôt pour évoquer de façon concrète les transformations affectives et physiques qui les relient, qui font de Jeunesse Vieillesse. Auparavant, Villon s'est contenté de plaindre l'insaisissable rapidité du truchement : « Soudainement s'en est vollé » [14]. S'il lui semblait alors que ses jours « s'en sont allez errant », maintenant il se saisira de ce moment transformateur pour l'étudier, microscopiquement, en se penchant sur chaque détail de la métamorphose. Comme spécimen, il choisit une prostituée, pour des raisons qui nous seront bientôt claires : ou pour le moins, elle sera l'une de celles qui « Rondement ayment toute gent » (v. 579) dans leur jeunesse.

Voilà le cadre du portrait que Villon va donner de la Belle Hëaulmière. C'est un portrait composé, procédant de plusieurs modèles littéraires. La composition nous est en partie déjà connue ; mais notons que le principe d'organisation verticale est assimilé d'emblée au temps même. La Vieille qui commença sa carrière en exerçant une « *haulte* franchise » — c'est à savoir une puissance féconde qui la fait une des dames de la ballade des « neiges d'antan », tout comme la haute « Dame du ciel » qui s'appelle aussi Vierge « souveraine » — elle finira sa vie « abatue », avec ses compagnes, « *Assises bas* a crouppetons Tout en ung tas comme pelotes » (v. 527-8). De nouveau c'est la « pelote » qui représente la densité spécifique de l'objet en tant qu'objet, en bas de l'échelle des êtres.

Tout le discours de la Belle est organisé par elle autour de pareilles conversions de thèmes et de structures déjà abordés. Les portraits qu'elle brosse de Jeunesse et de Vieillesse, par exemple, ont des traits qui sont *l'inverse* de ceux du tableau d'elles, qu'avait donné le personnage Villon aux strophes 12 à 33. Le passé n'est plus une « jeunesse folle » mais « le bon temps ». Mais la conversion la plus intéressante est celle qu'elle opère elle-même, en toute connaissance de cause, de sa propre figure. A la strophe 52, elle se lance dans le célèbre inventaire de la beauté qu'elle a été autrefois. Mais cette description se fait selon une mode formelle depuis longtemps consacrée : la Belle se voit comme si elle avait été une héroïne noble dans une ancienne chanson de geste. C'est le sens de la descente de haut en bas, du « front » aux « cuisses », qui trace son image d'autrefois [15]. Il n'est pas exclu que la Belle ait ressemblé, à l'âge de quatorze ans, au portrait qu'elle brosse. Quel que puisse être le naturalisme d'un tel portrait — et nous savons que quelques-uns de ses traits sont purement conventionnels, notamment le « cler vis traictiz » — la vraie force de la description réside en ceci qu'elle nous mènerait vers *l'idéalité*. La Belle nous donne une image irréalisable de ce qu'elle aurait voulu être. Il est significatif que son passé en tant qu'histoire — ce qu'elle évoque en d'autres termes et sans aucune allusion formelle — n'a point ce caractère idéal. Son grand amour ne lui a rapporté à la fin que misère, refus et désespoir. Mais elle s'en récrie néanmoins, « Quelle fus, quelle devenue », et l'histoire a une valeur propre entre les deux, qu'elle ne cherche pas à nier. Ce n'est que l'évocation d'une possibilité esthétique — c'est-à-dire d'un ordre idéal clairement perçu dans les apparences — qui ferait appel à une tradition formelle, à une vision démodée, à un art volontaire et quelque peu rhétorique [16].

Quelle horreur, donc, que la Belle puisse se détourner de la vision céleste pour la parodier. Quelle amertume pour la défaillance de cette vision, pour sa fragilité, et pour son refus de toute permanence dans le monde des faits, qui fait que la Belle la démembre, la déforme, par une transformation sadique et quelque peu écœurante dans sa brutalité. Et notons que ce n'est guère par une hiérarchie vers le haut qu'elle exprime cette défaillance, cette amertume. Mais, objectera-t-on, la vision que donne la Belle de la Vieillesse est elle aussi idéale, et relève de sources littéraires presque aussi vénérables que celles du tableau de Jeunesse. Soit ; mais notons que le deuxième tableau est bien autrement près de la réalité *actuelle*. Quoi qu'elle ait été, la Belle Hëaulmière se dresse maintenant devant nos yeux, semblable au deuxième portrait. Les deux tableaux sont encadrés par un langage descriptif qui relève du *second* : ce sont les strophes 51 et 56. De fait, les deux tableaux sont entourés par un seul drame, et leur juxtaposition relève d'une seule intention, quoi qu'il en soit de la nature conventionnelle de leur langage.

Quel est le but de la violence de la Belle ? Ce qui équivaut à demander, quel est l'effet de sa rhétorique ? Car il s'agit bien d'un morceau de bravoure théâtral. En premier lieu, par le moyen d'un agencement artificiel, la Belle crée en nous ses auditeurs la surprise désorientée qu'elle a ressentie elle-même (« Quelle fus, quelle devenue »). Entre le portrait de Jeunesse aux strophes 52-53 et celui de la Vieillesse aux strophes 54-55, elle ne met aucune sorte de transition ni d'avertissement. Aucune question telle que « Qu'est devenu... », qui précède le détail de ses beautés, n'introduit de la même façon le vers « Le front ridé les cheveux gris... » Rien ne nous avertit qu'il s'agit enfin de la *réponse* à cette première question, sauf le fait concret que nous voyons. Bref, la Belle ne décrit pas la transformation dont elle parle — comme elle aurait pu le faire, et comme Villon lui-même l'a fait aux strophes 40-41 — plutôt elle *la crée*. Deuxièmement, en aiguisant ainsi artificiellement le contraste (qui en réalité s'affirme dans le temps, imperceptiblement), elle nous fait sentir la nostalgie d' « umaine beaulté » qu'elle ressent elle-même. Dans la mesure où nous sommes rebutés par la révélation soudaine de ce qui *est*, nous sommes également rejetés avec regret vers la vision de ce qui aurait pu être et de ce qui, inexplicablement, n'est pas [17]. Dans un sens, la laideur qu'elle évoque est plus belle que la beauté qui du coup s'éloigne. Car cette laideur non seulement renferme sa propre perfection hideuse, mais aussi elle nous rend plus conscients *par le fait même* d'une autre perfection perdue. Plus la laide hiérarchie nous fait connaître l'actualité irréparable, plus elle nous la fait mépriser en tant que distorsion de la hiérarchie « vraie », que la Belle a pris soin de nous rappeler. Dans le minable présent transparaît une double virtualité : non seulement l'idéalité en tant que telle, mais aussi l'idéal spécifique qui la porte, irréalisable et regretté [18].

Pour qu'il ait pu pétrir nos émotions de cette façon, Villon a dû se servir de la hiérarchie statique et traditionnelle d'une manière qui, loin de la mépriser, parvient à mettre en valeur sa vraie nature. Sans elle, l'effet total du passage n'aurait pas été réalisable. Les deux visions se complètent, exactement comme la perception sensuelle et la reconnaissance intellective se complètent dans l'acte total de l'appréhension — c'est la plénitude qu'exprime, nous l'avons vu, le mot « plus » de la strophe 12. Le véritable sujet du passage, cependant, n'est ni l'une ni l'autre des visions, mais le choc transformateur qui se produit entre elles. Son sujet, comme celui de la ballade « Dictes moy ou... », dont il nous donne un cas particulier, est la métamorphose. Les deux visions se complètent aussi de la manière dont, en se répondant l'une à l'autre, les deux questions « Ou est Flora » et « Mais ou sont les neiges d'antan » créent le doute, et le mouvement lyrique qui l'affirme, dans la Ballade. En fait, le mot « plus » est presque le doublet du mot « mais » — du latin *magis* — dans la ballade. Pour donner sa valeur juste à la vieille hiérarchie du haut vers le bas, Villon a montré qu'une espèce de distorsion grotesque de celle-ci règne ici-bas, au moment présent. Ce sera plutôt la vraie hiérarchie et aussi sa hideuse inversion qui s'opposeront à la deuxième hiérarchie d'une dynamique vers le haut.

En tout ceci, rien de nouveau. Le drame de la Belle Hëaulmière nous confirme, dans son esthétique, une série de correspondances que nous avons déjà notée en acte dans la première partie du *Testament*. La vieille question « ubi sunt... », nous l'avons noté, appartient elle-même à l'ancienne hiérarchie d'un monde statique : c'est l'ancien Villon, à la voix de Raison, qui la pose de manière traditionnelle dans les strophes 12 à 33, au cours d'une discussion de la mortalité (strophe 29). Cette question, et le tableau théologique des strophes 12 à 33, et l'engagement féodal de la Mère, et le « paradis paint », et la vision d'une beauté idéale, jouent tous un rôle commun dans une dialectique qui domine la première moitié du *Testament*. Chacun appartient au passé, et à la tradition de toute une société. Chacun fait partie d'une vision statique qui incite à une nostalgie quelque peu inutile. Chacun est limité, partiel, et le poète le voit rétrospectivement comme externe et donc maniable. Enfin, chacun participe à la réalité expérimentale dans la mesure où une inversion grotesque de ses valeurs nous force à le reconnaître. Bref, chacun de ces éléments dramatiques — chacune des hiérarchies vers le bas — définit une face du monde à l'envers.

De cette inversion et de ce grotesque, nous sommes déjà familiers, à partir de notre lecture du « Quatrain » et de la Ballade de la Grosse Margot. Rien de nouveau, disions-nous, en cela. Mais le passage de dix strophes sur la Belle Hëaulmière nous présente aussi certains aspects nouveaux du drame des valeurs dans le *Testament*, dans ce que nous venons d'appeler la dialectique continue. En premier lieu, notons que, quand elle se décrit, la Belle nous donne des portraits idéaux et qu'en plus ces portraits sont de leur nature *généraux*. En brossant son tableau de Jeunesse et « umaine beaulté », la Belle ne choisit pas de donner le portrait d'une autre jeune fille, vivante et actuelle, comme celles qu'elle avait, semble-t-il, devant les yeux : « Quant *ilz voient* ces pucelletes... » (v. 447). Elle préfère évoquer une pure généralité au lieu d'une beauté spécifique et incarnée. Quand elle vient ensuite à son propre corps, elle le voit en tant qu'ensemble externe *d'objets*, comme une nature morte, sans ordre, sans connexion, sinon l'agencement arbitraire qui leur est donné par la vieille vision hiérarchique. Tout ce qui est individuel et vivant chez la Belle — et elle est bien vivante, tout lecteur s'en apercevra — est le fait d'une voix qui vibre, et d'un ensemble de détails plausibles dans le cadre des deux portraits stylisés. Ajoutons maintenant aux traits de la hiérarchie vers le bas l'indifférence à l'individualité humaine en tant que mode d'être.

Deuxièmement, la violence brusque et concrète, que nous avons pu appeler sadique, une violence qui régnait dans le passé de la Belle aussi bien qu'actuellement, dans son déchirement brutal et conscient de l'ancien idéal, cette violence est presque entièrement nouvelle dans le *Testament*. Elle ne reparaîtra que dans les legs satiriques, sous une tout autre forme dans la Ballade de la Grosse Margot, et enfin dans la « Ballade des langues envieuses », où elle assume la fonction d'un exorcisme. Et c'est cette violence qui, au moyen du contraste même, parvient à mettre en valeur la vérité de la hiérarchie qui, nous le voyons maintenant, s'abstient de toute violence.

Nous avons déjà noté, troisièmement, qu'à la « vraie » hiérarchie la Belle n'oppose pas la hiérarchie du bas vers le haut, comme elle aurait pu le faire, mais plutôt l'individualité et la violence d'une inversion grotesque. Cette deuxième hiérarchie, l'ignore-t-elle ? Peut-être bien ; car elle en est trop proche pour la voir. Elle n'a pas l'objectivité et l'indépendance de toute hiérarchie, qui sont le propre de celui qui la fait parler. La Belle montrera bientôt, quand elle commence à bailler sa « leçon » aux filles de joie, qu'elle comprend bien le sens de cette vision des choses, même si elle ne la reconnaît pas en tant que telle. La raison en est, qu'elle se trouve fichée dedans. Et elle y est au point le plus bas, en tant que simple amoureuse, là où se trouve toute « Beatris, Alis... » Quand la Belle invoque l'idéalité même par le moyen d'une laideur actuelle qui nous y renvoie, *elle parle du bas vers le haut*. Quand elle pousse ses sœurs plus jeunes à aimer « rondement », comme nous verrons, elle s'efforce de les convaincre de la vérité d'un certain mouvement dynamique : c'est celui dont elle sait, sans le concevoir, qu'il règne sur la vie comme elle l'a connue, au niveau du sol même. C'est uniquement *d'en bas* que la Belle a tiré sa philosophie :

(50)   *Si ne me sceut tant detrayner*   (477)
              Fouler aux piez que ne l'aymasse
              Et m'eust il fait les rains trayner
              S'il m'eust dit que je le baisasse
              Que tous mes maulx je n'oubliasse..

Le ton de ces vers n'est pas loin de celui d'autres vers que voici :

(42)   *...Moy povre mercerot de Renes*   (417)
              Mourray je pas ? oy se Dieu plaist
              Mais que j'aye fait mes estrenes
              Honneste mort ne me desplaist

Car cette inclusion intentionnelle d'une vision dans le cadre d'autres visions qui sont en apparence contradictoires, le tout narré par une voix plausible qui est enveloppée à son tour par un drame envoûtant, tout cela n'est pas uniquement la réalisation de la Belle Hëaulmière. En fin de compte, cette mûre faculté — cette vision adulte — qui parvient à ne rien rejeter, si grande est son avidité et sa compréhension, mais qui arrive à inclure d'indéniables oppositions dans des synthèses toujours plus larges qui s'imposent, tout cela à son tour est inclus dans l'acte même d'écrire un *Testament*. Et toutes ces visions et leur synthèse, nous semble-t-il, auraient été impossibles sans l'expérience de Mehun. Aux fragments d'idées et d'élans, elle a donné la cohésion, l'unité formelle, et la structure d'une intention.

Ainsi, tout ce qui est évidemment nouveauté dans l'histoire de la Belle Hëaulmière se retrouve être signalé de façon obscure et allusive par la strophe 12. Nous savons maintenant que la notion complémentaire dans le mot « plus » se joint à une notion préférentielle, et que cette préférence n'indique pas une opposition heurtée. Les leçons d'Averroys sur le sens d'Aristote, les leçons du Christ sur le sens des

Ecritures, ont été comme enveloppées par la révélation du « travail ».
Dans le mot « travail » n'avions-nous pas aperçu justement *la violence*
du maréchal ferrant, *l'individualité* de l'objet concret qui est perçu
par les sens, et une souffrance physique qui enseigne, de la façon la
plus matérielle, un sens de *la mortalité* ? Comme la Belle elle-même,
Villon nous parle d'en bas, du plan de son « travail » — ici spécifiquement en bas de la hiérarchie vers le haut — puisque c'est avec le
« travail » de l'été de Mehun qu'il a commencé son *Testament*. Le
Testament lui-même, dans ce sens, avec tout ce qu'il contient, n'est
qu'une immense hiérarchie vers le haut. Si l'on veut, c'est la nature
de la prostituée qu'a comprise Villon, c'est la vraie situation de la
Belle Hëaulmière, qui représente l'ensemble des « ouvertures » de
Mehun. Ce n'est guère un hasard, comme nous le verrons, si ailleurs
Villon associe explicitement la prostitution au cachot de Mehun, et
aussi à l'école et à l'enseignement :

> *(151)*   *Item a Marion l'Idolle*   (1 628)
>   *Et la grant Jehanne de Bretaigne*
>   *Donne tenir publique escolle*
>   *Ou l'escollier le maistre enseigne*
>   *Lieu n'est ou ce marchié se tiengne*
>   *Si non a la grisle de Mehun*
>   *De quoy je dis fy de l'enseigne*
>   *Puis que l'ouvraige est si commun*

De ces trois éléments, le mourir de Villon est né, si l'on peut dire,
de ces signes même de *l'abaissement* :

> *(73)*   *Dieu mercy et Tacque Thibault*   (737)
>   *Qui tant d'eaue froide m'a fait boire*
>   *Mis en bas lieu non pas en hault...*

5.   Le contexte explicite — celui du *Testament* entier — nous a
appris la manière dont Villon a pu « préférer » la leçon de « travail »
à la leçon d'Aristote et d'Averroys. Par celle-là, la vision scientifique
du monde a pris sa juste place dans l'expérience totale du sensible,
depuis l'acte de base qui s'appelle *apprehensio*. Mais nous n'avons
encore qu'une faible idée des causes de cette préférence. C'est parce
que nous n'avons encore parlé que des sens *passifs* des mots les plus
importants de la strophe 12. Certes, la souffrance physique a pu
« ouvrir » le texte du monde concret de sorte que Villon s'y trouve
dans un rapport nouveau à l'ancienne hiérarchie des êtres. Il a pu
apprendre que la vieille « foy » n'apporte pas d'« esperance » en ce
qui concerne cet être, ce corps, « mis en bas lieu non pas en hault » ;
et aussi que cette structure de « foy » une fois renversée, mise en
mouvement, privée d'autorité et livrée au hasard du concret, pourrait
donner un sens et un rythme à la vie humaine qui ne l'éloigne pas du
sacré et de sa permanence. C'est dans ce sens que les femmes appartiennent à la nature, et qu'elles transmettent des courants éternels,
de même que les « neiges d'antan ». Mais, comme jusqu'ici nous avons
parlé du mot « travail » dans son sens de souffrance passive, de même

nous n'avons considéré la hiérarchie vers le haut, dont le « travail »
serait le point le plus bas, qu'en tant que structure formelle et vision
intuitive. Si en fait la série « travail », « Averroys », « Dieu » évoque
la même réalité que la ballade « Dictes moy ou... » — sous un autre
jour, bien entendu — nous devrions retrouver aussi à la strophe 12
ce qui, avant tout, distingue la hiérarchie vers le haut : c'est son
dynamisme. Nous n'aurons pas à chercher loin, dans cette strophe
qui refuse, elle, de se tenir ferme devant nos yeux, et qui vibre et
chancelle entre de multiples possibilités de forme et de contenu.

Dynamisme il y a, donc, non seulement dans le choix des mots
et leur syntaxe fluide, mais aussi dans les termes-clefs eux-mêmes.
Par ailleurs, la fluidité et l'emportement qu'expriment les « neiges
d'antan » y sont déjà dans le mot « lubre ». A ceux qui préfèrent la
certitude provisoire au doute renouvelé, qui choisissent le débat qui
est tranché une fois pour toutes au lieu de la discussion toujours
recommencée, qui recommandent la fermeté dans les opinions et les
réflexes automatiques en matière de la morale, à ceux-là de voir dans
les mots « lubres sentemens » un sens péjoratif. Si Villon avait eu les
idées et les émotions bien arrêtées, et la sensibilité bien fixe, il n'aurait
jamais rien appris de son « travail ». L'instabilité et la fluidité sont
plutôt les conditions de toute « ouverture », quelle qu'elle soit. Si
ses « sentemens » avaient été plus « esguisez » qu'une « pelote », il
n'aurait pas pu aimer ni connaître « rondement », comme la Belle, avec
la faculté d'inclusion et de synthèse qui trouve toujours de nouvelles
possibilités pour unifier d'anciennes contradictions.

Dynamisme il y a aussi dans les faits que Villon nous rapporte,
puisqu'en fin de compte ils nous décrivent une transformation personnelle. Villon a été « mis en bas lieu »... On pense à Buridan, qui
fut « geté en un sac en Saine », de sa haute tour, et à Narcisse qui
se noya « en ung parfont puis ». En vérité, nous trouverons plus
loin que Villon lui-même se voit comme ayant été trempé dans cette
eau de la métamorphose :

> *J'en fus batu comme a ru telles*   (658)
> *Tout nu ja ne le quier celer...*

Enfin, notons que la hiérarchie vers le haut des strophes 12 à 13 suit
l'ordre chronologique *inverse*. C'est de sa haute vision de la « bonne
ville », de son espérance dans le vieux système et dans la vieille « foy »
que Villon chut jusqu'au « travail » le plus dégradant.

Cela ne veut-il pas dire que, depuis l'été de Mehun, toute espérance
est morte ? Mais voyons la « pille » de la médaille, après sa croix. Car
si la chute de Villon s'achève au cachot de Mehun, il est vrai néanmoins qu'il y est tombé dans une certaine réalité. Le ton ainsi que
le sens de la strophe 12, qui évoquent le choc de cette chute, sont
tout autre que désespérés. La mort de Villon et son *Testament* sont
les premiers mouvements dans ce qui, depuis lors, s'est montré
comme étant la seule direction qui soit ouverte.

Commençons par le mot « ouvrit » à définir la face optimiste et
dynamique que Villon a décelée lui-même dans l'expérience de Mehun.

Le mot a deux sens concrets qui s'accrochent au contexte explicite. On peut comprendre que « travail » — dans n'importe lequel des sens — a opéré une *brèche* dans le monde des objets en détachant les objets spécifiques l'un de l'autre, en les décollant d'un fond d'ensemble, qui était la vision auparavant unie d'un monde continu. C'est-à-dire que l'ouverture aurait rendu possible l'acte total d'appréhension ; que pour Villon le « travail » a inventé, pour ainsi dire, la forme spécifique. Deuxièmement, et en conséquence, on peut comprendre que « travail » a opéré le plein *épanouissement* des formes, et de la forme spécifique en tant que telle. « Travail... ouvrit » les êtres aux cinq sens de Villon tout comme le soleil de juin *ouvre* la rose, de son secret virtuel qui est connu, à sa plénitude formelle qui est sensible. Ainsi le mot « ouvrit » exprime lui-même le processus naturel du devenir. Il explique la manière dont le monde sensible peut nous présenter de « lubres sentemens » des objets qui sont fluides et toujours changeants, sans cesse en train d'atteindre leur actualité, plongés dans leur entéléchie.

Ces deux sens concrets du mot « ouvrit » sont pleinement appuyés par les sens analogues du mot « travail ». Car les coups rythmés du maréchal ont pour but de détacher du fer amorphe les formes spécifiques qu'il recèle, formes dont les modèles préexistent et sont connues dans l'esprit de l'artisan. Le maréchal « ouvre » le fer pour mener à l'actualité son contenu virtuel, en même temps qu'il l'ouvre en y faisant des brèches et en interprétant son sens caché. Le « travail » du maréchal est le centre symbolique d'une mythologie à la fois populaire et arcane, qui relie l'acte fabricateur du maréchal aux forces naturelles de transformation, et par là à l'acte créateur originel. Mais sans aborder ce symbolisme — nous aurons l'occasion de le faire dans un des chapitres suivants — notons simplement que le mot « travail » lui-même relie la souffrance physique à l'acte de création. Pour mettre au monde son enfant, une femme « travaillait » au Moyen Age, et était « en travail ». Et déjà, chez Villon, le « travail » a engendré un certain savoir...

Mais il y a plus. Car il y a un sens dans lequel le mot « travail » relie directement la souffrance, et l'espèce de connaissance qu'elle apporte, au « travail » artisanal et artistique d'un poète. C'est un sens qui relie le travail de Villon qui se nomme *Testament* au travail originel de Celui qui écrivit le grand texte du monde sensible, exactement comme le dira la strophe 33, à la conclusion de la « matiere pleine... de bon savoir » :

Ce que j'ay escript est escript.

Pour retrouver ce sens du mot « travail », il nous faudra quitter le contexte explicite pour rentrer dans le contexte muet. Le contexte muet nous enseignera les causes générales de la préférence exprimée par le mot « plus ». Ensuite, les strophes 2 à 11 nous apprendront le sens des événements qui ont mis Villon définitivement « en bas lieu ».

6. Jusqu'ici, en comprenant le mot « travail » au sens passif, nous avons supposé un Villon en proie aux pires souffrances, un homme dont les cinq sens sont comme attaqués par les choses concrètes et spécifiques, et dont le corps subit l'envahissement des circonstances objectives. Ainsi, en donnant un sens choisi à la proposition ablative que Villon a pris soin de laisser indéterminée, nous avons été obligés de lire : Travail m'ouvrit plus qu'Averroys, *bien que* mes sentemens fussent lubres, c'est-à-dire inaptes à recevoir les impressions de dehors. Plus tard, nous avons vu que Villon n'a pu apprendre quoi que ce soit du travail que *parce que* ses « sentemens » étaient encore « lubres ». Dans les deux cas, nous avons pu lire « sentemens » comme indiquant soit les moyens de l'expérience, soit les idées ou émotions qui en résultent. Or, entre ces leçons des vers, il existe un rapport logique d'antériorité. La lubricité des cinq sens, aussi bien que des émotions, est *la condition* de l'expérience totale d'appréhension. Mais le travail, en tant que tel, sans tenir compte de ses résultats pédagogiques, ne peut exister sans qu'il y ait un appareil sensuel, c'est-à-dire sans qu'il y ait un corps qui souffre. Puisqu'il s'agit, dans ces vers, d'une situation concrète, et puisque tout le sens de la strophe découle de la souffrance physique de Mehun, l'on peut dire que dans chaque mot et dans chaque vers le sens concret est doué d'une antériorité absolue.

C'est aussi le cas du mot « travail ». « Apres plains et pleurs », — c'est-à-dire après des ennuis loquaces et peut-être chimériques — brusquement toute souffrance vraie s'est révélée à Villon comme étant consécutive à une souffrance corporelle. Villon a compris à quel point le fait de parler de « travail moral » ou de « souffrance mentale » est toujours un parler à extension métaphorique. Mais entre les sens actifs du mot « travail » et ses sens passifs, est-ce qu'il existe un rapport semblable ? Si les sens passifs de « travail » désignent explicitement l'expérience de Mehun, le problème ne se pose pas. Car déjà nous avons vu que cette expérience incarne la souffrance passive en même temps qu'elle précède l'expérience *totale* de la strophe, c'est-à-dire les « plainz et pleurs » *plus* « travail » *plus* « les commens d'Averroys », compris rétrospectivement dans la vérité de leurs rapports. Ainsi, dans l'histoire de Villon, l'antériorité s'identifie à la passivité ; l'activité en dépend. Les sens actifs du mot « travail » — c'est-à-dire les sens optimistes, créateurs, et dynamiques — doivent dépendre de ses sens passifs, sens pessimistes de souffrance, de mortalité, et d'apprentissage du concret. Chez Villon, le savoir qu'amène la souffrance, par le fait d'ouvrir didactiquement le texte du monde créé, amène à son propre tour la possibilité *d'une œuvre.*

Voici que ressort le plein sens du fait que, littéralement, dans la strophe 12 c'est Aristote qui a le dernier mot. C'est le moment de rappeler que la syntaxe « lubre » de la strophe nous autorise à lire : Travail m'ouvrit plus de choses sur le texte d'Aristote que tous les commens d'Averroys. Rappelons aussi que les premiers lecteurs du

Testament ont vu dans la strophe 12 une teneur *éthique*, si bien qu'au temps de Marot la strophe devait se terminer par le vers :

En sens moral de Aristote.

Car l'*Ethique à Nicomaque* a fourni au Moyen Age une théorie de la création artistique qui a pour bases précisément les rapports que nous avons décelés entre les sens du mot « travail », et entre les deux espèces de savoir et d'enseignement qui sont désignées par la strophe.

Or, nous avons vu que dans cette première partie du *Testament*, Villon distingue soigneusement les différentes façons d'apprendre toute chose. La discussion de l'expérience qu'il y mène prend, comme point de départ, l'éducation. Surtout aux strophes 12 à 33, l'éducation formelle d'un jeune homme devient la métaphore de l'expérience *morale* d'une conscience créatrice. A la strophe 26, Villon parle explicitement de la vertu pratique qui s'acquiert en étant pratiquée. Cette vertu, et la bonne conduite qu'elle assure, ne peut guère être enseignée dans la classe et par un maître qui « monstre », avec des mots et des raisons, la logique des principes. La parole et la méthode — *logos, ratio* — n'y peuvent rien. A l'école de bonnes mœurs, comme Villon le dit clairement lui-même, on apprend *en s'adonnant* (« dedié ») moralement à l'apprentissage. En revanche, la strophe 13 évoque une vertu intellectuelle qui ne peut être acquise que par les mots et par la démonstration raisonnée d'un maître, c'est-à-dire, par *logos*. Le Christ d'Esmaus a dû « monstrer » logiquement la vérité des saintes Ecritures.

Cette même distinction se fait au-dedans de la strophe 12 elle-même. La « science » d'Aristote peut être apprise par la parole et par l'enseignement formel d'un maître (Averroys), tandis que la leçon de « travail » s'acquiert seulement en la subissant. Car le texte qu'explique « travail » n'est point verbal ; sa vérité ne se distingue pas des choses singulières elles-mêmes. Villon présuppose la même structure de valeurs qu'établit Aristote dans le sixième livre de l'*Ethique*. La « bonne ville » que le Christ lui « monstra » correspond à la « sapience » ($\sigma o \varphi i \alpha$) chez Aristote, et les leçons d'Averroys à la « science » ($\epsilon \pi \iota \sigma \tau \eta \mu \eta$) ; les « bonnes meurs » de la strophe 26 correspondent à la « prudence » ($\varphi \rho o \nu \eta \sigma \iota \varsigma$) chez Aristote, et le « travail » de la strophe 12, donc, ne serait autre que ce qu'Aristote appelle « art » ($\tau \epsilon \chi \nu \eta$). Comme il est dit dans la traduction de Nicholas Oresme (vers 1370) : « Art est celle meïsme chose que est habit factif avecques vraie raison » (p. 336).

Chez Aristote, l'agir se distingue nettement du faire : le but de l'agir est dans l'action même, tandis que le but du faire n'est pas dans le faire mais dans la chose faite. L'Art n'est pas la Prudence, mais les deux sont apparentés et doivent être considérés ensemble. Au premier chef, comme Villon le suggère lui-même, l'Art et la Prudence ne sont pas acquis par la parole, la raison et la méthode ($\lambda o \gamma o \varsigma$), mais en les pratiquant et par une expérience cumulative qui se noue dans le rapport intime qu'il y a entre la conscience et *le temps*. Ainsi, les strophes 12 et 26 se réfèrent explicitement au processus qui a amené Villon à « l'an de (son) trentiesme aage ». Car, comme le dit Aristote, « Celui qui est joene n'est pas encore expert, pour ce que la multitude du temps fait experience » (p. 347). Et notons que le mot « experience » renferme, étymologiquement, à peu près les mêmes notions qu'on a décelées dans le mot « travail », celles de souffrance, de péril et de concret.

Le rapport nécessaire entre l'expérience, qu'elle soit artistique ou éthique, et le temps, s'explique par le deuxième trait capital qui unit l'Art et la Prudence. A la différence des autres vertus de l'âme, ils se rapportent uniquement au royaume du temps, au monde du devenir, c'est-à-dire à la sphère des objets et des organismes sujets au hasard et à la contingence. L'Art et la Prudence se proposent des buts dans le temps, qui sont relatifs à l'entreprise d'une vie. Par conséquent, les moyens qu'ils y emploient seront des objets spécifiques qui n'existent pas par nécessité. L'Art de l'Artiste et du Prudent consistera précisément en ceci, qu'ils sauront adapter aux buts choisis les instruments qui conviennent, qu'ils sauront maîtriser, pour s'en servir, le possible propre à l'objet, c'est-à-dire son caractère *naturel*. Le matériel de l'Artiste et du Prudent sera le corps des objets qui sont déterminés dans leur forme mais qui restent capricieux et de toute évidence loin d'être raisonnables dans le détail de leur devenir.

Il s'ensuit que la raison scientifique, qui connaît les lois de l'unité objective et les principes du devenir, n'est pas la connaissance déterminante chez l'Artiste et le Prudent, bien que cette science technique (chez un peintre, par exemple, les lois des couleurs de la boîte ; chez un poète, les règles aussi bien de la versification que de la grammaire ; chez un vertueux, les constantes de la psychologie humaine) soit une indispensable acquisition de base. Pour ceux qui s'occupent des objets sensibles, sujets au hasard, mieux vaut une intuition spéciale, un sens intime du visage du sensible, et en plus des réflexes qui permettent la mise en valeur des jugements intuitifs [19]. Il n'est pas clair de savoir, chez Aristote et ses commentateurs, en quoi consiste cette intuition spéciale. Chez Villon, la question n'ira pas sans réponse ; nous trouverons plus tard qu'elle détient la place centrale dans la trame de sa poétique. Mais déjà nous en savons quelque chose. Chez Aristote, nous venons de le voir, l'Artiste est censé s'occuper du contingent, de ce qui (dans la phrase de Nicholas Oresme) « Se peut avoir autrement », et de la « chose singuliere ». Et nous savons déjà, de notre examen de la ballade « Dictes moy ou... » que Villon voit l'essence du caprice et du hasard comme étant incarnée par la femme. La connaître dans toute sa corporéité mystérieuse, exigerait en fait une intuition très spéciale du concret en tant que tel, et de ses velléités. D'autre part, nous avons reconnu que cette connaissance intime du concret fut la leçon foncière de l'expérience de Mehun à laquelle se réfère la strophe 12. Et à propos de la Belle Hëaulmière, nous avons pu apprendre, par une image litté-

raire qui dépasse les cadres de la littérature, que la leçon de Mehun
a porté sur la nature véritable — l'on peut même dire le sens ontologique — de la prostituée. Tout tend à établir que l'intuition sensuelle propre à l'Artiste est d'une nature spécifiquement *érotique*.

Troisièmement : du fait que l'Artiste ou le Prudent s'occupe du
contingent, et ainsi de ce qui ne peut pas être su de façon certaine,
il s'ensuit que son art dépend non seulement d'une intuition personnelle et expérimentée, mais aussi de son caractère, des émotions, et
des opinions de sa personne. Les passions d'un homme qui est savant
en matières spéculatives n'ont rien à voir avec la certitude de sa
science ni avec son efficacité de chercheur. En revanche, les passions
et la sensibilité de l'Artiste et du Prudent jouent un rôle déterminant
dans le choix des fins de chaque action, aussi bien que dans l'ensemble de choix et d'actions qui marquent une vie active. De même,
les traits spécifiques et ainsi l'histoire propre de son expérience immédiate, délimiteront les choix que fera l'Artiste des moyens à employer. Bref, la connaissance habilitante de l'Artiste — c'est-à-dire,
son art — dépendra de trois éléments coordonnés : la nature « lubre »
du monde sensible ; les « sentemens » de l'Artiste même ; et son expérience vécue de l'un et de l'autre, c'est-à-dire son « travail ».

Chez Aristote, donc, l'Art et la Prudence s'acquièrent par la même
espèce d'éducation ; ils se réfèrent à la même sphère de la réalité ;
ils dépendent de la même façon de la personnalité du vertueux. En
quatrième lieu, l'Art et la Prudence visent des buts semblables. Tous
les deux se proposent non pas le savoir en tant que tel, mais plutôt
l'emploi d'une espèce de savoir qui relève de *l'opinion* (les « sentemens ») en vue d'une action immédiate et personnelle. Pour tous les
deux, les principes de toute action ne sont pas en cause. Seuls s'affirment les principes mêmes qui seront pertinents au cas spécial, à
une matière et à un but déterminés, à des moyens précis à choisir.
En tant qu'activité de l'esprit, l'Art ne s'occupe pas de la communi-
cation d'une vérité, mais de la façon de cet objet-ci ; la Prudence ne
se propose pas de définir la Cité Idéale, mais de réformer les institutions de cette ville-ci. N'empêche que l'Art, par sa spécificité même,
peut communiquer une certaine vérité. Ses limitations elles-mêmes
peuvent mettre en valeur la vérité d'un monde en proie au devenir.
L'objet qu'il façonne peut exprimer la présence existentielle de tout
objet, sa création peut témoigner de la création originelle de tout
objet, son unité peut représenter celle, merveilleuse, de tout objet
complexe du monde naturel. Car, pour Aristote, le fait qu'un processus est géré par un être humain ne nie pas son caractère naturel.
Tout au contraire ; l'Art est spécifiquement la continuation d'un mouvement propre à la nature, que l'Artiste « imite » dans le cadre de
ses propres matériaux [20]. Rappelons que le « travail » de Villon lui
a « ouvert » les choses de la manière dont le soleil « ouvre » la rose
de mai...

Enfin, l'Art et la Prudence se ressemblent en ce qui concerne les
moyens de leur opération dans l'âme du vertueux. Etant tous les

deux des vertus de la partie pratique de l'âme rationnelle, « par laquelle l'en considere vers les choses contingentes ou variables » (p. 331) ils poursuivent leurs buts par une espèce de raisonnement qui s'appelle « conseillier ». « Et semble que les gens soient diz prudenz pour savoir bien conseillier vers les choses qui leur sont bonnes et proffitables... » (p. 337). Ce « conseillier » dépend, d'une part, de l'intuition spéciale qui est le propre de l'Art et de la Prudence, l'intuition de la « chose singuliere »,

> laquelle n'est pas congneüe par raison ou par science

et non plus par la « vertu sensitive » des cinq sens,

> mais par la vertu sensitive qui est dedenz. Car, aussi comme en mathematiques nous congnoisson.i. triangle par un sens appellé ymaginacion, semblablement est il en choses ouvrables par nous...
> (p. 347-8)

A partir de telles intuitions de la nature des matériaux, l'Art et la Prudence tracent de façon méthodique le plan des démarches successives qui mèneront nécessairement à la fin déterminée. Aristote ne décrit ce procédé capital de raisonnement artistique que dans un autre texte (*Méta. Z, 7*). Pour le moins est-il clair à propos de ce texte-ci, qu'en s'occupant des choses « ouvrables par nous » en vue de l'exécution des « ouvres », l'Art et la Prudence « ouvrent » par moyen d'une « operation » raisonnée.

Soulignons que cette similitude n'indique pas un rapport logique ; l'Art n'est pas une espèce de la Prudence. Il semblerait plutôt une fonction, bien distincte, des mêmes organes mentaux qui sont responsables de la bonne conduite prudentielle. Les mêmes réflexes sont en cause, mais organisés pour d'autres effets immédiats et orientés vers d'autres buts. Retenons que, chez Aristote, l'Art est une fonction spirituelle qui engage la totalité de l'être moral. La « generacion » artistique, même en matières purement artisanales, met en œuvre toutes les connaissances théoriques et toute l'expérience concrète de l'Artiste, les leçons d'Aristote plus celles de « travail ». Remanier la progéniture de la nature exige de lui tout ce qu'il a de tact et de finesse, et le déploiement de tout ce qu'il sait et ce qu'il ambitionne dans le monde de l'existence. L'Artiste est avant tout un être éthique, et chez lui la fonction morale ne se distingue guère de la création des objets. C'est, nous semble-t-il, l'un des sens de la strophe 12. Par une espèce d'additionnement rétrospectif, mené d'un point de vue plutôt dramatique que temporel, Villon semble reconstituer la totalité de son être éthique qui, par des incréments successifs, atteint une *plénitude* de conscience et de pouvoir :

> ...apres *plainz* et *pleurs*
> Et *angoisseux gemissemens*
> Apres *tristesses* et *douleurs*
> *Labeurs* et *griefz cheminemens*...

Notons la progression des termes : depuis la parole pure et inutile, qui ne fait que présupposer, par une locution toute faite, les

malheurs dont il a souffert (« plainz et pleurs »), Villon passe à l'expression d'une peine spéciale (« angoisseux gemissemens »), puis à
l'état d'esprit qui fut engendré par une succession de telles peines
(« tristesses et douleurs »), puis pour la première fois à un acte teinté
d'émotion (« Labeurs et griefz cheminemens ») pour gagner enfin
l'agir pur, dépouillé de toute suggestion verbale, et par contraste
bien sec dans sa précision technique (« Travail... M'ouvrit plus »). Que
Villon passe des termes émotifs aux termes référentiels, et des mots
aux objets, ne veut pas dire qu'il se défasse de son propre passé.
Qu'il ait pu établir une telle hiérarchie de valeurs au-dedans de la
strophe même, cela témoigne à la fois de la simple quantité de
connaissances humaines, et du raffinement dans le travail créateur,
qu'exige l'Art. En décrivant un apprentissage par la souffrance, la
strophe 12 évoque un développement artistique par l'effort. L'existence même de cette strophe, dont les membres sont si parfaitement
ordonnés en vue de l'effet total, démontre la moralité — la parfaite
vertu — de celui qui l'a conçue en tant qu'Artiste. Il est évident que
« travail » a ouvert à Villon le sens des mots et des événements qui
fournissent les matériaux du récit de l'ouverture. L'expérience lui
a prêté la précieuse intuition des sensibles qui est le germe de tout
art.

Est-ce que l'Art et la Prudence se confondent entièrement ? Non
pas, pour Villon du moins. Nous avons déjà noté que la Prudence de
Villon est discutée ailleurs dans l'espèce de tirade qui commence à
la strophe 12. Justement, à la strophe 26 Villon parle de ses connaissances en matière de « bonnes meurs » et de ses choix des moyens
et des fins dans l'ordonnance de sa vie. Dans la strophe 12, notons-le
bien, nous ne trouvons aucune référence à d'autres hommes, c'est-
à-dire à la société de Villon. De même, dans la strophe 26, il n'y a
aucune suggestion de l'Art en tant que tel. Devons-nous conclure que
pour Villon l'Art se distingue de la Prudence en ce qu'il n'intéresse
que la personne de l'Artiste, tandis que la Prudence touche aussi ses
semblables et ce que Villon appelle « le bien publique » ?

Revenons, pour y voir clair, à Aristote et au contexte muet. Pour
lui, donc, quelle est la différence déterminante entre l'Art et la Prudence ? *L'Éthique à Nicomaque* insiste à plusieurs reprises sur ce
que, comme nous l'avons déjà vu, l'un n'est pas l'autre parce que

> de faccion la fin est autre chose que n'est la faccion ou operacion. Mais
> de accion la fin n'est pas tousjours autre chose que l'accion meïsme ;
> car bonne operacion ou bonne accion est la fin d'elle meïsme.
>
> (p. 338)

À nous la distinction peut paraître trop abstraite pour être convaincante ; fabriquer nous semble un moyen d'agir, étant donné
que notre verbe « faire » se rapporte aussi bien à πρᾶξις qu'à ποίησις,
et que le mot « agir » semble recouvrir toute espèce de mouvement
volontaire. Mais pour Aristote, où il ne s'agit que des fins immédiates,
le fait déterminant c'est que l'Art règle la fabrication d'un objet
concret :

Et tout art est vers la generacion ou nouvele façon d'aucune chose. Et vers artificier et ouvrer et vers speculer et considerer en quelle maniere sera faite aucune des choses contingentes qui peuent estre et non estre.

(p. 336)

L'Art se distingue de toute autre « generacion » en ce que « le principe et la cause est en celui qui fait tele chose, et non pas en la chose faite », tandis que les véhicules d'une « generacion » plus évidemment naturelle « ont en elles meïsme leur principe » (p. 336). Et pourtant, l'affaire n'est pas si simple. Aristote ajoute d'autres distinctions mineures, dont plusieurs semblent présupposer une distinction majeure qu'il laisse sous-entendue. Elle toucherait justement aux rapports entre l'Art et la Prudence en ce qui concerne la πόλις, et les fins ultimes des deux activités.

Rappelons en premier lieu que ni Villon ni aucun de ses contemporains n'avait lu la *Poétique* inachevée d'Aristote, dont le texte ne fut redécouvert qu'au XVIᵉ siècle. Leurs idées sur la fonction sociale de l'Art devaient s'appuyer sur d'autres textes du Philosophe, sur ce qu'ils connaissaient de Platon, de Plotin, et sur la tradition latine d'œuvres rhétoriques. Rappelons, deuxièmement, que l'*Ethique à Nicomaque* veut être la préface seule aux études de la *Politique*. Ses derniers mots appellent à un commencement : « Or disons donques et commençons » (p. 540). Et ce commencement contient la célèbre formule, « L'homme est un être politique », jugement déjà lancé au début de l'*Ethique* sous une autre forme : « Car homme est par nature ordené a vivre civilement et en communité » (p. 118)[21]. Or, la Prudence *strictissimo sensu* ne concerne que le bien du seul Prudent ; et trop souvent on ne la comprend que sous cette lumière, en dénonçant les hommes politiques qui se mêlent de façon importune des affaires des autres. Mais en vérité, nous avertit Aristote, la Prudence se distingue à peine de la Politique. Car les êtres ne se suffisent pas à eux-mêmes ; leur bien est intimement lié à celui de leurs parents, de leurs enfants et de leurs amis, étant donné que l'homme est un être *politique* :

Ja soit ce par aventure que le bien propre de soy meïsme n'est pas senz yconomie, ne senz civilité ou policie. Item, un homme ne savroit ordener ce que il convient pour soy propre se il ne entendoit avecques ce as choses communes (*sic*).

(p. 346)

La Prudence est une vertu complexe, qui comporte plusieurs espèces, dont une est « yconomique, l'autre positive des loys, et l'autre politique » (p. 345). Même chez ceux qui ne s'adonnent pas activement au gouvernement de la πόλις en employant des connaissances spécialisées, qui se nomment aussi Prudence, la Prudence *strictissimo sensu* suppose la reconnaissance profonde que l'homme n'est pas seul :

Et donques savoir qui est converent et utile pour soy meïsme, c'est
une espece de cognoissance humaine.

(p. 345)

Il y a, bien sûr, des animaux qu'on dit « prudents », puisqu'ils
semblent veiller à leurs propres intérêts ; mais la vraie Prudence est
une vertu des animaux *politiques*.

L'Art, en revanche, ne semble pas chercher comme fins ultimes des
choses « utiles et proffitables » aux individus (p. 343). Non plus qu'il
n'est orienté, comme la Prudence, « vers choses qui sont justes et
belles et bonnes » (p. 354). Il se peut que le produit de ses « genera-
cions » soit ou utile ou beau, comme une maison de pierre aussi bien
qu'un poème. Mais la fin véritable de l'Art serait toujours la « generacion ou nouvele façon d'aucune chose » par l'imitation et par la continuation d'un processus naturel. En plus, l'Artiste n'a pas, comme
le Prudent, à tenir compte du bien d'autrui en « conseilliant ». Ses
considérations toucheront ses propres moyens et connaissances, son
adresse technique, les instruments et les matériaux dont il dispose,
la forme de l'objet contemplé, et les démarches successives qui mèneront à sa création. La perfection de l'œuvre achevée sera l'indice de
l'Art de l'Artiste ; mais elle ne peut pas servir pour juger de la perfection morale de l'homme. L'objet créé qui est la fin de l'Art ne
comporte pas non plus, à la différence de l'action qui est la fin de
la Prudence, une signification sociale. L'Art est la faculté qui règle
nos rapports au monde des objets, et ainsi aux autres hommes *en tant
qu'objets*. Ni l'Art ni la Prudence, donc, n'ignore que « l'homme est
un être politique » ; mais le premier le traite en tant qu'être — comme
naturel, ce qui n'exclut nullement son caractère social — le second
le traite en tant qu'être politique, ce qui suppose son existence
naturelle [22].

7. La strophe 12 omet toute référence au monde des hommes ; elle
ne parle que des rapports d'un seul homme, dans toute son intériorité, au monde objectif de la nature. C'est-à-dire qu'elle nous présente
l'objet doué d'une subjectivité qui est l'homme, l'homme qui est à la
fois le sujet et l'objet de sa propre connaissance. Pour les lecteurs
du cercle de Villon, le *sujet* de la strophe est l'espèce d'activité morale
qui s'appelle l'Art. L'un de ses côtés — le côté pessimiste de souffrance, la « pille » de la médaille — nous décrit l'acquisition de l'Art
en tant qu'éducation, dans ses rapports à l'affectivité de l'Artiste
(vers 89 à 92), aux objets sensibles (vers 93-4) et enfin aux autres
espèces de savoir existentiel (vers 95-6). Mais toute éducation est
équivoque : tout incrément de savoir est également une révélation
d'ignorance, et inversement. Ainsi le côté « croix » de la strophe
— côté optimiste de création — évoque les connaissances acquises
par l'Artiste de lui-même, son passé d'enlisement dans les mots et
dans l'ignorance des objets (vers 89 à 92), les conditions de l'entraînement (vers 93-4), et la plénitude de vision qui en résulte (vers 95-6).
Le mot « travail » au centre de la strophe résume l'opération en son

entier. En tant que mot concret, il distingue de toute autre espèce de savoir l'appréhension première des objets spécifiques, dont tout Art dépend. En évoquant l'action de battre du maréchal, il décrit le rapport de la conscience aux objets envahissants et hostiles. Métaphoriquement, il suggère la souffrance qui nous enseigne la mortalité individuelle. Dans un sens mythique, il relie cette individualité à la création de toutes formes par une Nature forgeron. Et en se rapportant à la création en général, il insère les forces créatrices de l'homme mortel dans le va-et-vient éternel qui est le chef-d'œuvre d'un Dieu artisan.

Mais la strophe, comme la médaille à deux côtés, est une. Comme œuvre artistique elle-même, elle fait plus que décrire l'éducation d'un poète. En existant, comme description, elle témoigne de la réussite de cette éducation. Tout en le disant, elle démontre que Villon a appris le plein sens du mot « travail ». Ce qui nous manquait, à notre première lecture de la strophe, c'était une situation, une image, ou un événement, auquel tous ses mots si disparates et si précis pussent se référer. Sans une telle situation, l'incohérence apparente de la strophe déjoue tous les efforts que nous faisons pour en dégager une hiérarchie naturelle des sens. Nous avons trouvé cette référence commune dans la révélation de la nature véritable de l'Art. Et cette référence ne se voit pas seulement dans le fait que nous venons de rappeler : que la strophe attire l'attention sur elle-même parce qu'elle existe en tant qu'objet qui parle devant notre vision et notre conscience. Car en ce sens toute poésie a pour sujet l'Art lui-même. A part son caractère d'objet, la strophe 12 se réfère explicitement à la situation de l'Artiste comme on l'aurait conçue au temps de Villon. N'est-ce pas le message aussi de ses premiers mots, « Or est vray », qui désignent ce moment-ci, qui se retournent sur eux-mêmes pour nous rappeler ce qu'ils sont, et que nous sommes en train de lire un vers de poésie ?

La nature véritable de l'Art... Mais le mot « travail » nous a appris, une fois ses sens rangés dans leur ordre naturel, qu'au Moyen Age et dans le poème de Villon, le problème de la création artistique n'est autre que le problème de la Nature. Indirectement, la strophe 12 a aussi pour sujet l'art véritable de la Nature. De la souffrance de son « travail », aussi bien que de son côté fructueux, Villon a appris qu'il était avant tout un objet naturel. Mais cela, nous le savions avant même d'aborder les sens positifs et actifs du mot « travail ». Car nous avons trouvé que la strophe 12 prend place dans une discussion des hiérarchies qui donnent un sens à l'univers. Elle nous explique comment Villon a pu préférer la structure de valeurs dynamique vers le haut — celle de la ballade « Dictes moy ou... » — à la structure théologique et statique vers le bas, celle du « polyptyque » des strophes 12 à 33. C'est parce que Villon a été « mis en bas lieu non pas en hault », parce qu'il est devenu Artiste, parce qu'il a appris le sens de la mortalité, qu'il a trouvé insuffisante la vieille vision et aussi, en conséquence, son passé à lui.

Rappelons, pourtant, que c'est *Villon* qui a appris cette leçon, et que la strophe prétend narrer une histoire particulière. Comme mots-clefs nous avons pris jusqu'ici les mots « travail », au milieu, et « Aristote » à la fin. Mais la strophe commence par « Or », mot qui possède un sens temporel précis. Car Villon représente son apprentissage comme ayant eu lieu à Mehun, dans la prison de l'Evêque d'Orléans. N'oublions pas que la médaille a aussi un côté particulier et un côté général, que Villon veut créer une fable. C'est la strophe 2 du *Testament* qui nous livrera le contenu spécial de l'épreuve qui représente, comme métaphoriquement, les causes et peut-être le sens du poème.

1. L'histoire du mot « travail » est trop connue pour qu'on la reprenne ici dans le détail. Il s'agit en vérité de deux mots. Nous nous bornons à la reproduction partielle des articles de B. & W. y relatifs :

TRAVAIL : « Machine où l'on assujettit les bœufs, les chevaux difficiles, etc., pour les ferrer ». Lat pop. *tripalium*, attesté en 578 sous la forme *trepalium* au sens d' « instrument de torture »...

L'autre mot est un dérivé du verbe « travailler » :

TRAVAILLER : D'abord « tourmenter, peiner, souffrir », notamment en parlant d'une femme qui va accoucher, vers 1170, seuls sens du mot jusqu'au XVIᵉ siècle, encore usuels au XVIIᵉ siècle, plus rares depuis le XVIIIᵉ ; s'est substitué à *ouvrer* depuis 1507. Lat. pop. *tripaliare*, propr. « torturer avec le *tripalium* »... Dér. : *travail* « action de travailler », 1471, au sens moderne, depuis le XIIᵉ siècle, au sens de « tourment »...

La date de 1471 est sans doute approximative. A l'époque de Villon, en fait, ce deuxième mot avait un sens flexible, et un certain poids émotif. A ce sujet, voir le portrait allégorique de « Travail » donné par Jean de COURCY dans « Le Chemin de vaillance », pub. par A. Piaget dans *Romania* 27, 1898, p. 587, et les deux mots toujours courants en anglais « travail », et sa variante orthographique, « travel ».

La complexité du mot est mise en valeur par les vers que nous avons cités du poème qu'on appelle « Requeste à Mons. de Bourbon ». Comme il le fait souvent, Villon tire d'un mot complexe ou d'une locution métaphorique le sens précis, concret, ou littéral, pour construire une image spirituelle et probante. Cf. L. 18 : « Voyant celle devant mes yeulx » ;

de même :   *Mais quoi je fuyoie l'escolle*   (205)
               Comme fait le mauvais enfant...

et aussi :   *Prince n'enquerez de sepmaine*   (353)
               Ou elles sont ne de cest an...

Les personnages de Mallarmé parlent parfois de la sorte, pour nous convaincre, sauf que leurs preuves sont étymologiques, c'est-à-dire plus savantes que spirituelles. Voici Hérodiade :

Le blond torrent de mes cheveux immaculés
Quand il baigne mon corps solitaire le glace
D'horreur...

De même dans X, 3-4, du mot complexe « travail » pour souffrance, peine, tourment, effort, douleur, dureté, tribulation, fatigue, et du mot métaphorique « dompter », Villon tire l'image précise du maréchal qui « dompte » un animal rétif avec des coups répétés. Les « coups orbes », au centre de l'image, lui en fournissent une autre. La phrase semble vouloir dire « contusions », par la métaphore, c'est-à-dire le résultat du « travail ». Mais Villon en tire le sens précis, c'est-à-dire des coups « aveugles », et l'applique à l'opération arbitraire et brutale de « travail ».

2. Le mot « lubre » est assez rare. Pour le sens, voir B. & W., s.m. Lubrique.

3. Gardons-nous de confondre le mot « sentement » avec son cousin « sentiment », celui-ci étant une création postérieure qui a survécu à celui-là. Palsgrave confirme pleinement l'ambiguïté de « sentement », en traduisant : « Felyng of any good or grefe. »
Nous tenons à souligner ici l'usage technique du mot dans la philosophie esthétique de l'époque, où il se relie étroitement à « matiere ». Voici deux citations de *L'Art de dictier*, de Deschamps :

Et ja soit ce que ceste musique naturele se face de volunté amoureuse a la louenge des dames, et en autres manieres, selon les materes et le sentement de ceuls qui en ceste musique s'appliquent... toutesvoies est appelée musique ceste science naturele, pour ce que les diz et chançons par eulx faiz ou les livres metrifiez se lisent de bouche...

Item quant est aux *pastoureles* et *sotes chançons*, elles se font de semblable taille et par la maniere que font les *ballades amoureuses*, excepté tant que les materes se different selon la volunté et le sentement du faiseur...

(DESCHAMPS, VIII, 271 et 287)

Le mot revient deux fois dans les premières strophes de *La Belle Dame sans mercy* (p. 3-4) :

(2) Si disoie : « Il fault que je cesse (9)
    De ditter et de rimoyer,
    Et que j'abandonne et delesse
    Le rire pour le Jermoyer.
    La me fault le temps employer,
    Car plus n'ay *sentement* ne aise,
    Soit d'escrire, soit d'envoyer
    Chose que a moy n'a autre plaise...

(4) « Je laisse aux amoureux malades (25)
    Qui ont espoir d'alegement
    Faire chançons, dis et balades,
    Chascun a son entendement.
    Car ma dame a son testament
    Pris a la mort, Dieu en ait l'ame !
    Et emporta mon *sentement*
    Qui gist o elle soubz la lame. »

Le mot se trouve encore dans *L'Excusacion* de Chartier, et dans la première ballade que donne l'éd. Piaget, p. 41 et 47 :

(16) « ...Je suy aux dames ligement, (125)
    Car ce poy qu'onques j'eu de bien
    D'honneur et de bon *sentement*
    Vient d'elles et d'elles le tiens. »

    J'ay perdu cuer, *sentement* et savoir. (13)
    Plourer a part, c'est mon euvre commune,
    Plains et regrez sont mon plus riche avoir
    Ne je ne compte en ce monde une prune...

Le sens de ces exemples semble varier entre « idée poétique », « volunté d'écrire », « sensibilité artistique », « faculté de sentir ».

En revanche, le mot « sentements », au pluriel, semble avoir été rare à l'époque ; au moins, nous ne l'avons pas rencontré ailleurs. Littré (s.m. Sentiment, partie historique) n'en donne que deux exemples, en prose et du XVIe siècle, dans un sens physiologique.

4. Pour l'importance esthétique du mot *aperire* et son usage chez Dante et les philosophes de son époque, voir SINGLETON, *Vita Nuova*, p. 47-8 et 135-6.

5. MAROT, A iv, Rº.

6. Il n'est pas question, évidemment, de citer une « source » précise pour ces idées. D'ailleurs, choisir comme exemple de cette supposition une seule exposition systématique en fausserait le sens, en suggérant que Villon avait lu tel ou tel autre théologien du XIIe ou du XIIIe siècle, ce qui n'est pas vérifiable ; ou bien qu'il aurait formulé cette « doctrine » d'une manière semblable ; ou bien qu'il l'aurait apprise de cette façon, en voyant citer un tel texte. On ne songerait pas à établir aujourd'hui, pour les étudiants en chimie, une « source » pour le tableau périodique des éléments...

Nous nous bornons à citer quelques phrases d'E. de Bruyne, dans *Etudes d'esthétique médiévale*, et de renvoyer en bloc à ce livre si intelligent et si soigné. A propos des vers 16 729-48 du *Roman de la rose*, De Bruyne écrit : « Avec ces derniers vers nous revenons au " sentiment " immédiat de la nature qui correspond au premier degré de la contemplation. Disons-le une dernière fois : pour l'homme du Moyen Age, il y a trois manières de " contempler avec admiration et exaltation " ce beau monde : avec les yeux charnels, qui jouissent des formes immédiatement visibles, avec les yeux du savant dont le cerveau est garni de notions scientifiques, avec les yeux du spirituel qui partout découvre des analogies et des significations spirituelles » (II, 278). Les pages qui suivent doivent beaucoup à une lecture attentive de ce livre, que nous désignerons désormais sous la forme : DE BRUYNE.

7. MAROT, *idem.*

8. Sur le sens « allégorique » et son usage chez Villon, voir plus loin ch. III, p. 229-32, 256 n. 10.

9. Le vers « esguisez comme une pelote » est la déformation d'une locution comparative aussi vieille que la langue elle-même. Voici, dans le *Bestiaire* de Philippe de THAÜN (éd. E. Walberg, Lund, 1900, v. 1751 sqq.) le « heriçun » qui

Puis del palmier descent
Sur les raisins s'estent,
Puis desus se volupe
Ruunz cume pelute.

Et voici deux exemples contemporains de Villon, dont Foulet donne les références (p. 105) :

Robin luy taste son tetin
Qui est rond comme une pelotte...

(G. PARIS, *Chansons du* XVe *siècle*, Paris, S.A.T.F., 1875, p. 137.)

Ha, maistre Jehan, plus dur que pierre
j'ay chié deux petites crotes,
noires, rondes comme pelotes ;
prendray je ung aultre cristere ?

(*Maistre Pierre Pathelin*, éd. Holbrook, v. 636 sqq.)

L'on voit que la comparaison ne touche que la *forme* de l'objet en question, et que l'objet lui-même, ainsi que sa surface, est indéterminé. Dans notre vers, le mot « pelote » désigne une qualité concrète *des objets*, au lieu d'un objet spécifique. Pour un usage analogue du mot, voir COQUILLART, I, 115. Le verbe populaire « peloter », caresser, conserve aujourd'hui cette nuance de généralité. Cf. chez Villon deux autres emplois du mot, dans 528 et 1 994.

Le sens du vers n'est pas une négation (« pas du tout esguisez ») mais une contradiction (esguisez et ronds à la fois »). Cette déformation burlesque et probante de l'ancienne locution exprime la violence du « travail », qui lui a « ouvert » cette réalité concrète et contradictoire de la même manière que Villon a « ouvert » la vieille locution : c'est-à-dire de façon créatrice.

10. Voir DE BRUYNE, III 286 : « L'" appréhension " dont parle saint Thomas a une portée universelle. Quand elle se rapporte à la vision du beau corporel, elle n'est ni purement sensible ni purement abstractive mais essentiellement intuitive en ce sens qu'elle se présente psychologiquement comme une unité synthétique. " Non enim proprie loquendo sensus aut intellectus cognoscunt, sed homo per utrumque ". L'intuition est l'acte de l'homme tout entier, quelle que soit la manière dont on conçoit le lien entre la sensibilité et l'esprit. Mais dans cette intuition de la forme singulière, dont la sensation est la première condition, c'est l'*intellect* qui saisit non seulement le sens de la chose perçue mais aussi la valeur propre de la perception pure. »

11. Quelle que soit la théorie de perception présupposée par la strophe, on peut au moins affirmer que ces vers ont pour cadre l'acte qui est à l'origine de toute constatation probante (« Or est vray... »). Si la valeur quantitative du mot « plus » renvoie à Aristote, sa valeur préférentielle suggère une pensée dérivée de l'épistémologie d'Ockham.

De telles préoccupations ne sont pas à étrangères à la poésie du temps. Témoins ces strophes du *Temps recouvré* de Pierre Chastellain :

Ceulx qui des œuvres naturelles
Sont parquerans la sapience
Ne vont ruminant entour elles

Fors seullement experience
Maintenant en ma conscience
N'est meditacion requise
Ou est experience acquise

Quoy que sans meditacion
Ne peult nul grant science acquerir
Et sans la debite action
De travail et de paine querre
Tant de maintes choses enquerre
Que de pluseurs livres eslire
Qu'il fault estudier et lire

(Bibl. Nat. ms. fr. 2 266, fol. 39 V°)

Tout comme Villon, Chastellain distingue, dans l'ensemble des connaissances, « meditacion » d'une part, « travail » et « lire » de l'autre.

12. Voir plus loin, IIe partie, livre III, ch. II, § 1.

13. Cf. *Marc*, 13/31 : « Cœlum et terra transibunt, verba autem mea non transibunt » (et *Matt.*, 24/35 ; *Luc*, 21/33).

14. Ces portraits (des strophes 12 à 33) ressemblent à ceux que donne Raison dans le *Roman de la rose*, 4 421-4 544, d'après Cicéron. Le personnage « Villon » de ces strophes doit son succès en partie à son point de vue éminemment « raisonnable ».

15. Sur les rapports du portrait de la Belle Hëaulmière à ce portrait traditionnel, voir l'article de L.J. Friedman, « The *Ubi sunt*, the *Regrets* and *Effictio* », dans *Mod. Lang. Notes* 72, 1957, p. 499-505.

16. Panofsky (p. 449) cite un article de D. Roggen, « Van Eyck en François Villon », dans *Gentse Bijdragen tot de Kunstgeschiedenis* 13, 1951, p. 259 sqq., qui remarque l'analogie entre le portrait de la Belle Hëaulmière jeune et celui d'Eve dans le polyptyque de Gand.

17. L'esthétique du laid fait partie de l'héritage néo-platonicien de Villon. Voir De Bruyne, II, 215 : « Hugues [de Saint Victor] rencontre ce problème, à la suite du Pseudo-Denys, en relevant dans le monde sensible non seulement des ressemblances mais aussi des dissemblances avec le monde divin. Il faut, en effet, admettre que certaines choses révèlent d'une manière plus directe le beau idéal, tandis que d'autres s'en éloignent par la disharmonie et la laideur... Le néo-platonisme chrétien se montre ici le précurseur du romantisme : le laid est encore plus beau que le beau lui-même. Celui-ci, de fait, nous enchaîne au monde sensible et éteint en nous le désir de la beauté parfaite ; celui-là nous délivre de la grâce passagère en nous donnant la nostalgie de l'idéal dont le laid déchoit en y aspirant... »

Le dynamisme « ascensionnel » de l'esthétique du laid est encore souligné par De Bruyne dans quelques formules heureuses de son manuel, *L'esthétique du Moyen Age*, Louvain, Éditions de l'Institut supérieur de philosophie, 1947, p. 159-160 : « Le beau nous engage à nous fixer en lui, le laid ne nous permet pas de nous reposer dans la laideur. Il nous force à sortir de lui, à le dépasser, alors que le beau nous invite à nous y plonger en oubliant qu'il est limité. L'émotion du beau est terrestre, celle du laid, ascensionnelle. Quand nous louons Dieu dans la beauté sensible, nous le louons suivant l'aspect périssable de ce monde, d'une manière " mondaine ". Quand, au contraire, nous nous élevons à lui en nous évadant de visions de laideur, nous le célébrons d'une manière transcendante, dans son être totalement différent de tout ce que nous percevons. »

18. De Bruyne, *op cit.*, p. 161-3.

19. Voir, sur ce problème, l'essai d'E. Panofsky, *Idea, Ein Beitrag zur Begriffsgeschichte der älteren Kunsttheorie*, Leipzig, Berlin, Teubner, 1924, ch. II.

Cette intuition intime du visage du sensible est un reflet lointain de l' « idée » platonicienne, dénué de sa valeur ontologique et devenu le modèle abstrait, dans l'esprit de l'artiste, de l'ouvrage à réaliser concrètement. L'acquisition de cette intuition est le terme de l'éducation artisanale. Elle constitue la « science » de l'artisan et, avec sa dextérité, son « art ». Dans son passage capital de la *Métaphy-sique* (Z, 7) Aristote explique comment cette « idée » de la chose à créer est incorporée dans la matière.

20. *Physique*, II, 199a. Voici, à ce propos, deux strophes de Pierre Chastellain :

> Entre nature et artifice
> Y a petite differance
> Car ce me semble ung mesme office
> Et une mesme conferance
> Mais artifice differe en ce
> Qu'il donne a l'omme avisement
> Dont nature n'a l'aisement
>
> Puisque artifice est le ministre
> Naturel abreviateur
> Lequel a nature administre
> Et que l'artiste advisateur
> De l'euvre n'est deviateur
> Merveille n'est s'il fiert a bonne
> Car en tout temps mesure est bonne
> *(Ibid.,* fol. 46 R° et V°)

21. *Politique*, I, 2, 1 253 a.

22. Voir K. SwoBoda, *L'Esthétique d'Aristote*, Brno, 1927 ; surtout p. 22.

CHAPITRE III *

L'EXPÉRIENCE DE MEHUN

(strophes 2 à 11)

1. « Or est vray qu'apres plainz et pleurs... » En même temps qu'elle
annonce une nouvelle envolée poétique, la strophe 12 constate un
dépassement éthique. Tandis que les strophes qui suivent évoqueront
l'état qui a été dépassé, les strophes précédentes, elles, ont décrit les
conditions de l'entreprise poétique elle-même. Dans la mesure donc
où les mots « Or est vray » désignent l'acte créateur qui a eu pour
résultat les vers que nous lisons, les mots « aprez plainz et pleurs »
signalent un moment et une parole qui en furent les précurseurs.
Bref, ils évoquent *Le Lais*. Et avant de reculer jusqu'aux origines du
Testament, comme Villon nous les représente aux premiers vers, il
nous conviendra de préciser quelques-uns des rapports entre les deux
poèmes, afin de repérer un nouveau point de départ.

Car, bien plus que les autres, les premiers vers du *Testament* sont
difficiles. C'est-à-dire que Villon y emploie les mots autant pour masquer que pour nommer. Les faits de Mehun ne se prêtent pas facilement au langage ; et loin de les tordre afin d'en extraire une essence
dicible, pour ainsi dire, Villon préfère atteindre leur vérité en nous
faisant éprouver, à notre tour, le fait de leur réticence. Prenons donc
toutes les précautions, afin de ne pas tomber dans les simplifications
trompeuses. L'origine du poème étant en cause, c'est son existence
même que nous aurons, à notre tour, à justifier. Nous aurons intérêt
à nous retirer souvent du texte, à ramasser nos connaissances, et à recommencer notre lecture en abordant d'une nouvelle face la complexité du poème.

Notre étude du vocabulaire de la strophe 12 nous mène à voir un
rapport objectif entre la situation de l'Artiste et la situation personnelle que Villon nous décrit dans *Le Lais*. Objectif, disons-nous ; car
notre constatation de ce rapport n'est guère gratuite, Villon l'ayant
faite lui-même. Plus tard dans le *Testament*, il fera explicitement ce
qu'il ne fait que par suggestion aux premières strophes. Il *inclut* son
premier poème dans son œuvre maîtresse. La « morte saison » de
Noël précède la Pâque à Esmaüs et l'été de Mehun, dans « l'an-
de mon trentiesme aage ».

Déjà nous avons pu remarquer le parallélisme de structure et de
fonction entre la strophe 2 du *Lais* et la strophe 13 du *Testament*. A
connaître les habitudes formelles de Villon, on s'attendra à ce que

* Les notes relatives à ce chapitre sont réunies p. 254-260.

la strophe 12 se conforme à la première strophe du *Lais*. En fait, les deux strophes sont complémentaires. Elles ressortent toutes deux plus ou moins ouvertement de crises expérimentales. La deuxième de ces crises suppose la première. C'est que l'une et l'autre de ces deux strophes traitent explicitement de l'éducation. A la strophe 12, Villon se présente comme un artiste ; à la première strophe du *Lais*, il se qualifie d'« escollier ». Nous savons maintenant que dans la strophe 12, ce qui est en question est le rapport entre Villon l'homme et les autres objets naturels de « ce monde cy transsitoire » (v. 61) ; tandis que dans le *Lais*, l'identité sociale, la *persona*, d'un Villon homme « politique » est en jeu. Bref, le *Lais* et ses premiers vers mettent en cause la Prudence de Villon, tandis que la strophe 12 témoigne de son Art.

En manière de preuve, citons deux faits précis. Nous savons maintenant que la première strophe du *Lais* utilise un vocabulaire philosophique à référence technique. En disant, « Considerant... Qu'on doit ses œuvres conseillier », Villon cite la leçon éthique qu'il a apprise par *logos* là où il a été « escollier ». Notons que ce n'est pas « l'ecole de bonnes mœurs » de la strophe 26, où l'on ne peut apprendre quoi que ce soit que par *praxis* (« a bonnes meurs dedié »), mais plutôt la classe où l'on apprend à réciter les dits du « Saige » (strophe 27), sans les comprendre avec cette intuition intime qu'amène l'expérience que fait une « multitude du temps ». Tandis que dans le *Lais*, Villon cite la sentence et ajoute, comme un trait d'érudition bouffonne, une fausse référence (« Vegece »), à la strophe 12 la plaisanterie n'a aucune part, et Villon cite le bon texte (« Aristote »).

Mais nous savons aussi que les mots « ses œuvres conseillier » sont à tout le moins ambigus, et qu'ils peuvent se rapporter aussi bien à l'Art qu'à la Prudence. Un deuxième fait nous renseigne à ce propos. Le *Lais* veut être ouvertement un acte social, tout en étant par nature anti-social. Villon dit adieu à une figure traditionnelle dans la société comme dans la littérature de son temps. Le *Lais* opère une coupure entre la personnalité de Villon et son milieu, tout en ébauchant les premiers traits d'un nouvel être indépendant. Villon fait semblant d'*écrire* et d'*agir* ; ce n'est qu'à la fin de l'action qu'il peut se permettre de noter, « *Fait* au temps de ladite date... » Par contre, dans le *Testament*, Villon prétend *parler* et *faire*. C'est dès le début de l'œuvre qu'il avoue, « J'ay ce testament tres estable *Faict* », en feignant de l'avoir écrit, au passé : « Escript l'ay... » (v. 78-9 et 81). Pour conclure, l'analogue de la « celle » sociale et bourgeoise sera, dans le *Testament*, la prostituée, c'est-à-dire une femme hors de la société, réduite à l'état d'objet naturel par excellence, objet dont la découverte est l'enjeu de l'expérience de Mehun. Ce n'est qu'après s'être dépris de la « celle » sociale que Villon a pu monter avec la prostituée un ménage, à partir duquel il pourra remanier la société qui l'environne.

Les rapports entre l'expérience de la strophe 12 du *Testament* et la première strophe du *Lais* sont encore exprimés d'une autre façon par la première strophe du *Testament*. Nous aurons à nous occuper de cette strophe, ainsi que du titre, dans la suite. Notons du moins ici que cette première strophe du *Testament* ajoute un semblant de réalité historique — c'est-à-dire de fiction dramatique, puisqu'il s'agit d'un poème et non pas d'un *curriculum vitæ* — aux rapports plutôt abstraits entre la situation Prudentielle et la situation Artistique. Les circonstances du *Lais*, objectives et hostiles, deviennent les instances du *Testament*, intérieures et neutres dans leur cours inévitable. Ainsi de « L'an quatre cens cinquante six », Villon vient à « l'an de mon trentiesme aage ». Autres catégories d'existence sociale sont subjectivées : par exemple, la désignation publique d'un homme connu, « Françoys Villon », cède droit de cité au « je » introspectif. Le travailleur joyeux et proverbial, « Le frain aux dens franc au collier », devient un objet travaillé, et un animal humain, « Ne du tout fol ne du tout sage Non obstant... »

Ce qui relie la première strophe du *Testament* à la douzième, nous semble-t-il, c'est surtout la notion de plénitude et de totalité dont nous avons déjà signalé l'importance. Que la conscience de l'Artiste soit une agrégation de tout ce qu'il a été, que l'homme éthique soit non seulement le résultat mais aussi le résumé de son passé, et que l'intuition créatrice dépende d'une quantité spéciale de *pathos*, nous avons trouvé cela exprimé par la structure vivante et incrémentale de la strophe 12, ainsi que par le mot « plus ». Mais voyons-le *nommé* à la première strophe, où une seule notion domine :

> *(1)*   *En l'an de mon* trentiesme *aage*   (1)
> *Que* toutes *mes hontes j'eus beues*
> *Ne du* tout *fol ne du* tout *sage*
> *Non obstant* maintes *peines eues*
> *Lesquelles j'ay* toutes *receues...*

D'une part, donc, la strophe 12 introduit le polyptyque des strophes 12 à 33 et la situation morale de celui qui écrit un testament. D'autre part, en étant explicitement rétrospective, elle se retourne pour évoquer l'expérience qui est aussi celle du *Lais*, de laquelle cette situation dépend. En somme, en tant que médaille unique et unie, elle évoque l'Art qui sait tirer des expériences constitutives une unité supérieure. Autant la première strophe du *Testament* précède et prépare la douzième, autant celle-ci explique et justifie l'existence de celle-là. Déjà nous pouvons deviner que les premières strophes du *Testament* traitent la « matiere » de Villon dans le *Lais* — c'est-à-dire les rapports du poète aux autres hommes — sous un jour tout nouveau.

2.   Selon le système formel que nous connaissons déjà, le groupe des dix strophes 2 à 11 se divise en deux groupes de cinq strophes dont la « matiere » est rangée dans une hiérarchie préalable. C'est une hiérarchie politique ou plutôt féodale, qui procède, de toute évidence, d'en haut vers le bas. Les cinq strophes de 2 à 6 parlent des rapports de Villon avec l'Eglise, dans la personne de l'évêque Thibault d'Aussigny ; les strophes 7 à 11, de ses rapports avec l'état et la noblesse, dans la personne du roi Louis XI. A la différence des strophes 2 à 6, les

strophes 7 à 11 n'offrent pas de grandes difficultés. Nous les abor-
derons premièrement, dans l'espoir qu'elles éclairciront ce qui les
précède. En fin de compte, c'est la strophe 2 qui nous intéressera le
plus. De même que la strophe 12, elle aura des sens spéciaux qui se
dégageront mieux d'une étude de leur contexte.

Les strophes 7 à 11 n'ont qu'un seul sujet : c'est le sens limité, et
au fond dérisoire, de l'engagement féodal envers les seigneurs de la
terre. Au moins, c'est ce que nous comprenons avant de lire la
strophe 11. Ce parti pris, Villon l'évoque tout en souhaitant à son
suzerain tout le bien possible. Ce qui ressemble à un contresens est
en fait de l'ironie, ce que Villon ne prend aucun soin de voiler. Le
ressort de cette ironie, c'est la mise en relief d'une opposition entre
deux sphères de valeurs par le moyen d'expressions équivoques dont
les deux sens luttent pour la suprématie. Dans ces strophes, comme
dans les strophes 12 à 33, nous retrouvons un poète soucieux de démontrer que cette ironie est le propre de la langue même d'une civilisation chrétienne.

Tout en faisant partie d'une hiérarchie vers le bas, ces vers ne
peuvent pas échapper au caractère et au ton d'un poème à thème
« ubi sunt... » Villon rattache le nom de son roi, encore vivant, aux
noms de ses prédécesseurs mortels et donc disparus. Le vers

> *Aussi preux que fut le grant Charles*   (67)

préfigure déjà la question

> *Mais ou est le preux Charlemaigne ?*   (364)

Le vers

> *Conceus en ventre nupcial*   (68)

annonce les vers qui, à la fin des trois ballades à thème « ubi sunt... »
désignent la condition de toute mortalité :

> *(42)*   *Puis que papes roys filz de roys*   (413)
> *Et conceus en ventres de roynes*
> *Sont ensevelis mors et frois*
> *En autruy mains passent leurs regnes*
> *Moy povre mercerot de Renes*
> *Mourray je pas ?...*

Voilà ! semble dire Villon, que le grand roi Louis mon seigneur
est de leur nombre ; je ne suis assujetti à lui personnellement que
« tant qu'il mourra », tout comme moi-même, son humble serviteur.

Ces références, presque des citations, sont un moyen de nous dire
que, comme la Belle Hëaulmière était elle-même une femme fatale,
le roi Louis XI est un des transmetteurs du courant de puissance
politique qu'a évoqué Villon dans la ballade, « Qui plus est ou... » Ce
courant coule dans le corps du roi ; c'est ce que Villon appelle « son
chier sang royal » ; et voilà l'analogue du courant de fertilité que
représentent les « neiges d'antan ».

Après avoir lu cette suite de trois ballades, nous savons que ses
personnages sont les véhicules d'un mouvement perpétuel, d'une

volonté propre à toute forme particulière de propager à son tour une
force qui forme. L'amour, l'Etat, l'Eglise, la parole et le changement
même sont éternels, bien que leur partisans disparaissent.. Pour équi-
voquer sur la vanité du monde, et son éternité, Villon aura à sa disposition d'autres, moyens plus immédiats et plus éloquents, qui tiendront à la narration de faits concrets et vécus. Car, avant de lire ces
trois ballades, on ne pourrait guère déduire d'une situation générale
un cas particulier. Villon commence son poème dans le concret, dans
l'expérience. C'est-à-dire que nous lisons, nous, *vers le concret*, pour
ainsi dire ; nous lisons vers cette expérience qui est le point de départ,
dans le *Testament*, de toute généralité ; elle s'appelle Mehun.
    Voyons comment l'intention ironique s'affirme :

    (7)   *Si prie au benoist fils de Dieu*   (49)
             Qu'a tous mes besoings je reclame
             Que ma povre priere ait lieu
             Vers luy de qui tiens corps et ame
             Qui m'a preservé de maint blasme
             Et franchy de ville puissance
             Loué soit il et Nostre Dame
             Et Loys le bon roy de France

             Auquel doint Dieu l'eur de Jacob
             Et de Salmon l'onneur et gloire
             Quant de proesse il en a trop
             De force aussi par m'ame voire
             En ce monde cy transsitoire
             Tant qu'il a de long ne de lé   (62)
             Affin que de luy soit memoire
             Vivre autant que Mathusalé

             Et douze beaux enfans tous masles
             Voire de son chier sang royal
             Aussi preux que fut le grant Charles
             Conceus en ventre nupcial
             Bons comme fut sainct Marcial
             Ainsi en preigne au feu Dauphin
             Je ne luy souhaitte autre mal
             Et puis paradis en la fin

             Pour ce que foible je me sens
             Trop plus de biens que de santé
             Tant que je suis en mon plain sens
             Si peu que Dieu m'en a presté
             Car d'autre ne l'ay emprunté
             J'ay ce testament tres estable
             Faict de derniere voulenté
             Seul pour tout et irrevocable

             Escript l'ay l'an soixante et ung
             Que le bon roy me delivra
             De la dure prison de Mehun
             Et que vie me recouvra

Dont suis tant que mon cuer vivra
Tenu vers luy m'humilier
Ce que feray tant qu'il mourra
Bienfait ne se doit oublier [1]

Tout lecteur peut noter que les strophes 7 à 11 sont farcies d'expressions qualifiantes, qui constatent la nature limitée et éphémère de toute chose ici-bas, ainsi que la dépendance ontologique de tout ce qui existe. Leur abondance crée même un ton quelque peu guindé. Le signal est donné par la ligne 4 de la strophe 7,

Vers luy de qui tiens corps et ame.

Et suivent coup sur coup d'autres expressions semblables : « ce monde cy transsitoire », « paradis en la fin », auquel doint Dieu », « que Dieu m'en a presté ». Notons le seul nombre de locutions qui limitent la quantité : « il en a trop », « foible... de biens », « si peu que », « aussi preux que », « de long ne de lé ». D'autres évoquent le temps et ses limites : « autant que », « memoire », « oublier », « l'an soixante et ung », « feu Dauphin » et « tant que », trois fois répété. Enfin, voici une foule d'expressions qui rappellent la mortalité même et la durée si courte d'une vie, le mot « foible » — que nous connaissons de la ballade en forme de prière — y suffisant tout seul : « foible... de santé », « la fin », « testament », « derniere voulenté », « Mathusalé », « enfans... conceus », « comme *fut* sainct Martial », « que *fut* le grant Charles », et, de nouveau, « le *feu* Dauphin », expression que nous venons de voir employée à propos d'un mort un peu plus haut (strophe 5) ; enfin, « vivre », « vie », « vivra », « il mourra ». Il n'est pas un vers qui ne nous parle pas du temps qui passe, de l'espace qui s'étend, et de la vie en train d'être vécue. De là, l'étonnante actualité de ces strophes. Villon fait en sorte que nous nous sentons ici, en ce moment, avec lui et avec son roi sur le fil du glaive qui touche la meule inéluctable du temps.

Mais il y a plus. A ne considérer que les deux strophes 8 et 9, la valeur de chaque « lais » que fait Villon au roi est immédiatement minée par un vers qui la limite. Villon a agencé les vers de la strophe 8 de sorte que les locutions qualifiantes

En ce monde cy transsitoire
Tant qu'il a de long ne de lé

peuvent se rattacher aussi bien à « l'eur », « l'onneur », « gloire » et « prouesse », qu'à « memoire » et « vivre ». Dans la strophe 9, l'expression « autre mal » peut se référer ironiquement à tous les *biens* terrestres que Villon vient de souhaiter au roi, aussi bien qu'aux « maux » proprement dits que le « feu Dauphin » à déjà soufferts.

Pour un lecteur du temps de Villon, pourtant, l'ironie aurait été bien plus claire. Méthodiquement, Villon souhaite au roi ce que l'on peut espérer de mieux d'une vie humaine, tout ce qui donne à la condition mortelle ses titres de gloire, bref, la plus parfaite des vies. Et enfin, après avoir détaillé les traits d'une vie parfaite, il surajoute, presque nonchalamment, un dernier souhait :

Et puis paradis en la fin.

Ne voit-on pas que le Paradis céleste, la vie éternelle, la terre promise, vision divine et Vie sans fin ne peuvent guère être surajouté à une liste des « biens » de la vie terrestre ? Ce que Villon souhaite par là au roi, c'est un bien infiniment précieux, infiniment éloigné de toute conception de « bonheur » matériel et mortel. Ainsi Villon veut-il évoquer la transcendance même, le gouffre entre deux sphères de valeurs désignées par une seule langue, et la nature dérisoire de toute quête qui ne vise que « l'eur », « gloire », « onneur », « proesse », « force » et autres appendices de la réalité politique [2].

Ainsi deux visions de cette réalité sont exprimées par ces vers, par équivoque, pour ainsi dire. Le baron féodal, lisant, ses pieds sur la terre, le vers

> *Tant qu'il a de long ne de lé*

lève les yeux à l'horizon, songe aux lointaines charges de cavalerie, aux voyages, aux conquêtes, aux royaumes... Le moine ou le clerc, sa tête dans les nues, lit

> *Tant qu'il a de long ne de lé*

et songe au petit cercle du monde créé, perdu dans l'invisible Réalité du Créateur... Et pourtant, nous ne décelons ni orgueil ni mépris dans ces vers, mais une unité complexe dont la tension intérieure se révèle à nous sous forme d'ironie, dans le corps d'un seul homme qui est aussi roi, au moment d'une expérience unique et concrète. Tout au plus Villon en viendra-t-il à distinguer, au moyen d'une équivoque réelle, deux aspects du lien qui l'unit à cet homme et qui n'est fondé, ici, que par cette expérience.

Plus que dans le ton « ubi sunt » des vers, plus que dans les limitations insistantes qui mettent en cause la valeur des biens de cette vie, l'équivoque est accusée par un changement de discours déconcertant. Tout comme « l'onneur et gloire » devaient faire contraste avec « paradis en la fin », de même la « force » du roi s'oppose brusquement à la faiblesse d'un pauvre testateur (« Pour ce que *foible* je me sens... ») Celui-ci est « foible » de « biens », sa santé est peut-être bonne ; néanmoins il tient à nous évoquer sa propre mort et celle de son suzerain. Soudainement, on est loin de la prodigalité, de l'optimisme, de l'emphase de la strophe 8 : la vision d'une vie idéale, celle des prophètes et des saints, dans les vers

> *Affin que de luy soit memoire*
> *Vivre autant que Mathusalé*

cède à une constatation bien plus sobre :

> *Ce que feray tant qu'il mourra*
> *Bienfait ne se doit oublier.*

Et pourtant, ces derniers vers, à la fin de la strophe 11, ne s'opposent pas à la vision de la strophe 8 ; plutôt, ils en dénouent l'équivoque, qui a été présentée de nouveau, sous une forme succincte, dans les vers précédents :

> Dont suis tant que mon cuer vivra   (85)
> Tenu vers luy m'humilier   (86)
> Ce que feray tant qu'il mourra   (87)
> Bienfait ne se doit oublier   **(88)**

Les vers 85-6 sont parfaitement ambigus, et c'est le vers 87 qui se fait l'arbitre d'une opposition interne des sens. D'une part, les vers 85-6 désignent un acte concret auquel Villon est contraint : Les faits m'obligent, tant que mon « cuer » battra, à m'engager par le serment rituel de fidélité féodale, envers le Roi, mon suzerain mortel et mon seigneur. D'autre part, ces mêmes vers ont un sens métaphorique et moral : Je suis obligé par les faits à une humble reconnaissance morale des bienfaits du Roi, tant que j'ai un « cuer » — un sens moral — capable de la ressentir. Le deuxième de ces sens tient de la moralité chrétienne qu'enseigne la parole de Dieu, les « dits » des saintes Ecritures, et l'Eglise qui se charge de les interpréter. Le premier dérive d'une moralité séculière, élaborée par les hommes pour le règlement de leurs affaires, bien qu'elle soit en principe calquée sur un modèle divin [3].

Les deux vers qui suivent dégagent successivement les deux sens de l'équivoque, en désignant à la fois sa conséquence en faits réels, sa raison d'être, et son sens actuel. D'abord, comme il convient, la réalité concrète et indéniable : Ce que j'ai dit, je le ferai (le ton nous rappelle le narrateur de l'histoire de Diomedès : « ...si luy dit / Si fist il »), et je le ferai « tant qu'il mourra ». L'ambiguïté du sujet — le mot « il » pouvant se rapporter soit au « cuer » de Villon, soit au roi Louis — montre que dans les deux vers précédents, il s'agissait bien d'une obligation qui prend vie dans le temps, l'espace et la mortalité. Car « l'humiliation » féodale dépend en droit de la personne du seigneur et de celle de son vassal. Elle prend fin avec eux [4].

Ensuite, le vers 88 exprime que l'acte de Villon annoncé par les vers 85-8 est aussi un acte moral, mental, voire linguistique : le « bienfait » tout concret du roi deviendra, chez Villon, plus qu'un autre fait, (« ce que feray... ») un souvenir qui ne s'éteindra jamais. D'une part, le mot traduit exactement un terme de droit féodal, le *beneficium* que donne seigneur à vassal ; d'autre part, il signale, comme sujet du verbe « ne se doit oublier », une conscience de ce don dans l'esprit et le langage du nouveau vassal.

Enfin, par son verbe capital, « doit », ce vers nous explique aussi la raison de la double reconnaissance de Villon envers Louis. Ce « dit » proverbial, sorti d'un fait, exprime l'obscure obligation qui nécessite la transformation des « dits », à leur tour, en faits mentaux, qui demande l'incarnation de la parole, pour ainsi dire. Ce devoir obscur qui relie les deux sens de l'équivoque — qui fait de l'« humiliation » morale un acte a sol (*humus*) et un engagement féodal — est la racine du double lien entre Villon et le roi. Il exprime les deux réalités, chrétienne et féodale, qui, dans cette expression, se trouvent conjointes.

3.   Au sein de l'équivoque, donc, nous trouvons le devoir. Mais l'inverse n'est-il pas également vrai ? Comment Villon peut-il entrer si volontiers dans un lien de « foy » à un homme qu'il vient d'appeler mortel comme les autres hommes, à un système politique suspect, à un monde dont il vient de reconnaître la dépendance ontologique ? Une logique le contraint à cela, la logique qu'exprime, dans la strophe 11, le mot « dont » :

> *Dont suis tant que mon cuer vivra*
> *Tenu vers luy m'humilier*

C'est la logique parfaite qui parvient à couler son existence même dans un rapport humain doué d'un sens bien plus large. C'est par un agencement syntaxique que Villon souligne cette découverte : qu'il participe, autant qu'un autre, à un rapport de dépendance. Le mot « suis » avec ses déterminants est tout englobé par l'idée du mot « tenu » : afin de le mettre en valeur, le mot « suis » a été savamment isolé de son complément.

Visiblement, l'obligation de Villon tient d'autre chose que de la simple présence d'un seigneur féodal. Ayant lu la ballade « Qui plus est ou... », nous savons que ce seigneur est aussi le véhicule d'une force éternelle, logée dans des institutions perdurables. Un lecteur du cercle de Villon, abordant ces vers pour la première fois, y aurait apporté d'autres connaissances. De tout seigneur pourrait-on dire qu'« En autruy mains passent leurs regnes ». Mais du roi seul peut-on dire que sa charge est divine, qu'il porte un mandat et un pouvoir qui ne dépendent point de ses devanciers. L'obligation de Villon tient d'autre chose que du rang héréditaire du roi : il tient bien plus de sa mission comme Vicaire de Dieu sur terre, l'image vivante du Christ, lui-même Roi et Archiprêtre ; et aussi de sa responsabilité sacrée pour l'établissement et l'entretien de la Justice [5].

A propos de la strophe 11, on peut se demander pourquoi Villon choisit de nous expliquer ici la nature de sa propre entreprise, au cours d'une discussion sur la validité des institutions et sur ses rapports particuliers avec les structures féodales ? En d'autres termes, pourquoi cette strophe se place-t-elle ici, et non pas ailleurs ?

> *Pour ce que foible je me sens...*
> *J'ay ce testament tres estable*
> *Faict...*
>
> *Escript l'ay l'an soixante et ung...*

Est-ce la date seule, pure circonstance, qui relie les deux faits que sont la composition du « testament » (qui est aussi un poème) et la libération de Villon à Mehun [6] ?

Qu'une main divine l'ait « delivré » des prisons de Mehun, Villon nous l'affirme de deux manières. D'abord, il insiste sur ce fait que le roi Louis, à qui il doit sa liberté, se trouvait, au moment de le libérer, en contact direct avec la volonté du Roi suprême. Villon l'appelle « le feu Dauphin », pour nous rappeler que Louis venait d'ac-

céder à la plus haute dignité lors de son passage à Mehun. Plus
loin, il le désigne « le bon roi ». Celui qui vient de prendre place sur
le trône n'a guère eu le temps de trahir sa haute mission, au
contraire : les actes de clémence qui ont marqué son sacre prouvent
déjà sa bonté. Ensuite, Villon note soigneusement la date du passage royal à Mehun. Car, ces jours là, à la fin de l'été, 1461, Louis
voyageait de Paris vers la Touraine ; à Reims, dans la cathédrale où
saint Rémy avait baptisé Clovis et où tous les rois de France avaient
reçu le sacre, le 15 août, Louis XI, à son tour, avait été oint de l'huile
sainte. Passant la ville de Mehun et sa prison, Louis est dans la main
de Dieu. L'huile qui fait de lui un thaumaturge, l'agent de Dieu, et
l'image du Christ, reluit encore sur sa poitrine [7].

Mais de cette présence divine et de cette charge sacrée, quels sont
les témoignages ? Etant donné la possibilité d'une gérance divine sur
terre de nos affaires par l'instrumentalité humaine, quelle serait
l'évidence que cela se produise ? Qui peut nous convaincre que les
institutions politiques, toutes durables qu'elles sont, ne sont pas
(comme le croyaient les pères de l'Eglise) l'invention du diable, mais
qu'elles jouent un rôle valable dans le plan divin ? Quels faits pourraient nous enseigner l'optimisme créateur de l'artiste et du législa-
teur, nous donner leur foi que le créer et le faire, dans un monde
déchu, pourront ramener l'homme à son bien ? Qu'est-ce qui nous assurera que derrière le *ius civile*, souvent mal conçu et plus souvent mal
rendu, gît un *ius naturæ* qui serait l'expression de la justice divine ?
En somme, qu'est-ce qui nous permettra de parler d'« eur », d'« onneur », de « gloire » et de « force » sans ironie et sans perdre pour
autant une vision chrétienne de la réalité totale ?

En fin de compte, ces possibilités optimistes se sont réalisées à
Mehun, à la fin de l'été, 1461. Ce que nous avons appelé l'obligation
de Villon — c'est-à-dire son « humiliation » — ne procède ni uniquement de la présence d'un seigneur féodal, ni du pouvoir politique
dans les mains d'un « feu Dauphin », ni de la mission sacrée d'un
« bon roi » de France du sang de Charlemagne. Elle tient surtout au
fait indéniable qui prouve que le Roi Tout-Puissant, dans les mots de
la mère qui prie, « Laissa les cieulx et nous vint secourir ». Le fait
que Villon nous rapporte, à savoir qu'un jour donné

> ...le bon roy me delivra
> De la dure prison de Mehun
> Et que vie me recouvra

ce fait prouve à la fois la nature divine du Roi, la validité des
institutions, l'existence d'une « vraie » justice et l'actualité de son
irruption dans notre monde.

La correspondance entre un événement de sa vie et une structure
qui dépasse toute vie, Villon la signale ici en se servant d'une conjonction à la fois logique et temporelle, qu'il réserve presque exclusivement à cet emploi :

> Escript l'ay l'an soixante et ung
> Que *le bon roy me delivra*...

> *En l'an de mon trentiesme aage*
> Que *toutes mes hontes j'eus beues...*
> *Sur le Noel morte saison*
> Que *les loups se vivent de vent...*

Que cet événement et cette conjonction expriment une vraie relation entre deux royaumes, Villon nous avait déjà préparés à le croire, avec l'extrême souci formel qui caractérise sa parole. A la strophe 7, qui introduit l'évocation de ce qu'il doit à la puissance politique, Villon annonce sous une forme concise ce que les faits prouveront à la strophe 11. Il note que le Christ, auquel il s'adresse par une prière d'intercession à l'exemple de celle de sa mère, l'a déjà « franchy de ville puissance », directement : Villon est, depuis sa naissance, son vassal. Ensuite, après avoir évoqué l'acte des Cieux, il en indique l'instrument, liant explicitement un roy à l'autre par le moyen d'une conjonction et d'un calembour flatteur :

> *Loué soit il et Nostre Dame*
> *Et Loys le bon roy de France.*

D'une part, le participe « franchy » annonce le verbe actif « delivra » de la strophe 11. D'autre part, le titre cérémonial « le bon roy de France » prépare le titre mérité et autrement concret, « le bon roy », que Villon octroie à Louis plus tard [8].

Il n'y a pas dans l'œuvre de Villon de vers aussi frais, aussi larges de vue, aussi optimistes et aussi actuels. Car le témoignage de sa délivrance porte sur la possibilité d'un salut ici-bas, sur la valeur de l'existence éphémère en tant que telle, enfin sur l'impératif d'une activité communautaire qui puisse exprimer une volonté autre que celle des individus, tout en visant à la perfection d'un ordre séculier qui ramène l'individualité à sa source. Villon a été délivré d'un pessimisme chrétien, de l'ascétisme, de la facile renonciation, sans avoir eu pour cela à renoncer aux vérités pessimistes. Il nous le dit si clairement que, à le méconnaître, nous risquons de perdre de vue l'intention de son œuvre entière.

D'abord, notons ce que tout lecteur de Villon autrefois aurait vu tout de suite, car sa sensibilité en aurait été touchée jusqu'à la racine. Le mot « prison » ne peut guère être limité à une référence précise. Dans la civilisation chrétienne, il ouvre immédiatement un sens plus large, que Villon nous cite lui-même dans d'autres vers, d'après saint Paul :

> *(I)*   *Nous congnoissons que ce monde est* prison   (13)
> *Aux vertueux franchis d'impatience...* [9]

Appeler le monde une prison est un moyen d'évoquer une certaine attitude chrétienne de passivité, de résignation, envers le séjour humain sur terre. Par la résonance symbolique du mot, la « prison » de Mehun vient à représenter cette attitude dans les premières strophes du *Testament*, aussi bien que la passivité que nous avons déjà trouvée, à la strophe 12, qu'elle était l'état antérieur à l'expérience du « travail ». En fait, il est frappant que les deux œuvres maîtresses de Villon débutent par une délivrance d'une « prison » :

> *Me vint ung vouloir de brisier*
> *La tres amoureuse prison...*

> *Que le bon roy me delivra*
> *De la dure prison de Mehun...*

Comme dans *Le Lais* il fallait comprendre la « prison » de Villon dans un sens précis aussi bien que dans un sens métaphorique, de même nous devons lire « la dure prison de Mehun » et comme nom et comme symbole, et voir relier nom et symbole par une équivoque chrétienne et une expérience concrète.

Mais il y a plus. Etre libéré de la prison de Mehun veut dire *être délivré de la mort*, dans tous les sens du mot. Villon ne nous dit jamais dans ces strophes qu'il meurt. Au contraire, leur atmosphère est tout ouvertement de renaissance, de résurrection, de réveil, de recommencement. Celui qui put écrire les phrases

> *Combien qu'en pechié soye mort*   (109)
> *Dieu vit...*

celui pesait bien ses mots quand il écrivait, un peu auparavant,

> *Que le bon roy me* delivra...
> *Et que* vie *me* recouvra
> *Dont* suis *tant que mon cuer* vivra...

C'est la nouvelle vie de Villon qui constitue la prémisse du *Testament* ; non pas sa mort. Il peut l'écrire parce qu'il se trouve libre dans un monde nouveau où le chrétien pourra et devra s'engager dans le faire et dans l'agir, dans une activité qui soit orientée vers tout ce que Villon vient de nommer « transsitoire », « foible », et fugace. Ainsi Villon peut-il devenir Artiste, ainsi peut-il « faire » une œuvre écrite qui sera à la fois un « dit » et un « fait », un témoignage et une loi. Ainsi, étant lui-même « foible... de biens » peut-il entreprendre la redistribution des biens d'autrui.

4.   La « dure prison de Mehun » n'a-t-elle donc aucun rôle dans l'affaire ? Quel est l'apport des faits vécus, certains jours, dans un bourg des bords de la Loire ? Ici il ne s'agit plus de métaphores ni d'équivoques verbales, ni d'ironie. En narrant les faits, Villon constate l'existence de ce qu'on pourrait appeler un jeu de faits ou une *équivoque objective*, qui n'est que représentée par l'ambiguïté inévitable du langage chrétien. Tous nous avons été libérés de la prison du monde et de la mort par l'avènement du Roy des Cieux, qui nous procura à jamais la Vie. Et Villon a été libéré de la prison de Mehun par le Roy de France, qui lui procura la vie. Tous nous sommes tenus en conséquence à nous humilier devant Lui ; Villon aussi est contraint logiquement à servir son roi. Sans aucune équivoque, en ôtant seulement la date et le lieu, lisons ces vers comme une « confession de foi » :

> *Escript l'ay...*
> *Que le bon Roy me delivra*

> *De la dure prison...*
> *Et que Vie me recouvra*
> *Dont suis tant que mon cuer vivra*
> *Tenu vers luy m'humilier*
> *Ce que feray tant qu'il mourra*
> *Bienfait ne se doit oublier*

L'événement de Mehun, en l'été de 1461, est à la fois la conséquence historique de l'Avènement chrétien, son témoignage certain,
et son calque symbolique. Tous ces rapports dynamiques entre les
deux libérations sont données naturellement et sans aucune tricherie
linguistique par les mots dont Villon se sert[10].

Plus loin dans le *Testament* Villon nous rappellera cette équivoque objective, comme c'est son habitude, par le moyen d'un jeu
formel qui en distingue les termes. Alors, le poème entier nous aura
préparés à lire un déploiement de toutes les circonstances qui se
sont nouées à la strophe 11. Onze strophes avant la présentation de
son « Epitaphe », Villon nous donne un « Rondeau » dont le nom
même exprime le retournement :

> *Au retour de dure prison*   (1 784)
> *Ou j'ai laissié presque la vie*
> *Se fortune a sur moy envie*
> *Jugiez s'elle fait mesprison*
> *Il me semble que par raison*
> *Elle deust bien estre assouvie*
>   *Au retour*

> *Se si plaine est de desraison*
> *Que vueille que du tout devie*
> *Plaise a Dieu que l'ame ravie*
> *En soit lassus en sa maison*
>   *Au retour*[11]

Nous aurons l'occasion de parler plus longuement de ce petit
poème. Notons ici au moins que toute une eschatologie s'y présente,
s'y meut naturellement à partir d'une précise situation dramatique,
et se trouve racontée en dix vers et un refrain. Notons la rime-calem-
bour par laquelle la « prison » devient « mesprison », et la tension
factice entre « raison » et « desraison » qui se résout dans l'harmonie
de la « maison » de Dieu. Ici, à la différence de la strophe 11, la
« dure prison » d'ici-bas est placée en nette opposition avec la
« maison » qui se trouve « lassus ». Chaque emploi de la phrase « Au
retour » met en valeur un de ses sens multiples, tout en suggérant les
autres. Le voyage-retour de l'âme *jusqu'à* sa demeure primitive fait
contraste avec le voyage-retour *hors de* la prison terrestre. C'est un
voyage du royaume de « fortune », au troisième vers de la première
strophe, jusqu'au royaume de Dieu au troisième vers de la seconde
strophe et au neuvième vers de la pièce.

L'équivoque sur « ravie », et les deux leçons possibles des derniers
vers, soulignent les deux aspects du même mouvement. En mettant

une pause à la fin du vers 9, nous lisons que l'âme de Villon sera *enlevée de* son corps par une mort injuste, et devrait être placée en haut pour cette raison (« En soit »). En faisant l'enjambement, nous lisons son souhait que l'âme soit *emportée à* la maison de Dieu. En donnant à « ravie » son sens criminel, dont Villon se sert ailleurs, nous comprendrons en plus que l'âme du suppliant a été effectivement *ravagée* par la « mesprison » de « fortune », et par la lutte cosmique entre « raison » et « desraison ». Enfin, entre le voyage-retour de la prison terrestre, et le refuge-retour — nouveau sens de ce mot — qui est la « maison » de Dieu, nous trouvons la justice. Car un troisième sens du mot « retour », c'est la compensation judiciaire. Le retournement de la « fortune » et l'asile éternel de l'âme se trouvent conjoints, dans l'œuvre divine, par la dynamique de la justice. Chez un poète, la situation entière sera comprise par « raison » dans une situation verbale, comme nous avons déjà trouvé en lisant le quatrain, « Je suis françoys... » Car un poème est la naturelle *réplique* — c'est un quatrième sens du mot « retour » — que fait le poète aux injustices qui l'entourent [12].

La structure du rondeau « Au retour... » n'est autre que la structure de l'expérience que Villon ébauche à la strophe 11. Comme le mot « retour » et le formalisme soudain du propos renvoient volontairement à l'acte même d'écrire, de même nous trouverons à la strophe 11 une constatation à valeur littéraire. Ici, elle fait entrer, dans la fonction de l'œuvre d'art, l'expérience que raconte Villon ainsi que la situation entière qu'il évoque. Villon enveloppe au préalable, de sa voix de poète, tout le sens des événements, dans un acte supplémentaire :

> Escript l'ay *l'an soixante et un*
> *Que le bon Roy me delivra...*

Le fait actuel, les mots que nous lisons, sont la dernière conséquence d'un enchaînement de faits qui remonte aux sources de l'histoire sainte. Remarquons la logique de la présentation, qui plonge du moment actuel — à savoir, la parole que nous lisons — jusqu'à ses causes lointaines, pour remonter ensuite à la réalité verbale, au « proverbe » :

> Escript l'ay *l'an soixante et ung*
> Que *le bon roy me delivra*
> *De la dure prison de Mehun*
> Et que *vie me recouvra*   (84)
> Dont suis *tant que mon cuer vivra*   (85)
> *Tenu vers luy m'humilier*
> Ce que *feray tant qu'il mourra*
> *Bienfait ne se doit oublier*

Quand Villon écrit, « Escript l'ay », l'objet auquel il se réfère n'est autre que ce qu'il est en train d'écrire, c'est-à-dire les mots avec lesquels il y fait référence. On se perd dans une telle complexité : Villon nous dit qu'il est en train de dire ce qu'il est en train de dire, ce qui est son dit lui-même sur l'acte de dire... Déjà nous avons suggéré la manière dont le dernier vers de la strophe est équivoque aussi. Il se réfère d'abord à un oubli possible dans la vie d'un individu ; ainsi il justifie l'acte d'humiliation que fera Villon « tant qu'il mourra ». Dès lors, le « bienfait » du roi sera-t-il oublié ? Il n'en est rien, car le vers se réfère également à l'acte verbal ; il justifie les mots « Escript l'ay », qui eux-mêmes signalent l'existence d'un objet « tres estable ... Faict ... Seul pour tout et irrevocable », c'est-à-dire un objet perdurable qui vivra au-delà du cadre d'une seule vie. Le « bienfait » du roi Louis ne sera *jamais* oublié — il ne l'est pas encore — même après la mort du « cuer » de Villon et de la personne du roi. Car Villon en a *témoigné*, il l'a *attesté* dans ce qu'il appelle un « testament ».

La strophe qui nous décrit les causes de l'acte poétique, nous avertit donc du même coup de ses buts. En outre, pendant que nous lisons les circonstances de l'entreprise, nous en lisons aussi le contenu. Le relatif temporel « que » du deuxième et du quatrième vers de la strophe, peut être pris également comme une conjonction développant « l' » objet de « ay escript ». Ainsi, nous pourrons lire : Je l'ai écrit l'an 1461, à savoir *que* le roi me délivra et par conséquence *que* j'ai retrouvé la vie... Maintenant, devons-nous nous rappeler que cette libération, dont Villon se dit le témoin, lui a paru comme le signe aussi bien que la conséquence d'une autre Libération ? En nous disant explicitement qu'il est en train d'écrire, Villon rattache son « fait » linguistique d'une manière nouvelle aux faits qu'il raconte. Tout en étant leur dernière conséquence, cet écrit d'une « derniere voulenté » est aussi leur clôture logique. Sa parole se situe aux limites mêmes du fait divin. Au point où il nous rend conscients que nous lisons des mots de lui, Villon termine par un savant mot eschatologique. Il n'y aura aucune réplique à ce qu'il est amené à dire, aucune voix ultérieure qui puisse y répondre, si ces vocables mêmes sont « irrévocables ». Si la parole se situe alors aux limites de la Vérité, ce n'est point parce qu'elle en est éloignée, mais parce qu'elle l'enveloppe.

Voici donc pourquoi le récit de ce qu'il est en train de faire, à savoir écrire un « testament », sera inclus par Villon dans une discussion de ses rapports avec la féodalité terrestre. Parce que le Roi des Cieux est venu établir son royaume sur la terre, le roi Louis XI a été investi de pouvoirs sacrés. Parce que le « chier sang royal » de Louis est le véhicule de la Justice divine, Villon a été délivré de la prison de Mehun. Parce que Villon a été rendu à la vie, il répondra en écrivant un « testament ». Une continuité parfaite relie l'Avènement du Christ à la composition d'une poésie, et cette continuité est à la fois historique et logique. Son dernier terme est à la fois un « dit » et un « fait », parole et objet. Et il témoigne de façon « irrevocable », indéniable, du miracle de l'Incarnation. En ceci, est-ce que le *Testament* de Villon diffère du *Nouveau* et de *l'Ancien* ?

5.   Reculons une dernière fois pour mieux sauter. Dans la quête de
l'expérience concrète qui, d'après la strophe 12, suscita la création
d'une poésie, nous sommes renvoyés au début même de celle-ci. Voilà
déjà une manière de constater que les événements qu'on nous y
raconte ne s'identifient pas aux causes véritables du poème. Car la
narration de ces faits par une voix vivante — tout comme l'évocation
de l'actualité même aux strophes 7 à 11 — nous fera participer nous-
mêmes à l'expérience créatrice, qui se révèlera comme tout autre.
C'est-à-dire que les faits de Mehun sont narrés avec une intention
artistique, et qu'ils servent à un certain but, qui n'est pas la narration elle-même.

Rappelons la tergiversation de Villon. Du passé récent, à la première strophe, « l'an de mon trentiesme aage », il nous mène au
moment actuel à la strophe 11 : « Escript l'ay », dit-il, tout en écrivant. Dès la strophe 12 il recule lui-même vers son passé d'enfance,
jusqu'à la strophe 26, où il nous ramènera au présent créateur — « En
escripvant ceste parolle » — et enfin à une espèce d'avenir, une cime
de drame d'où nous pourrons scruter toute l'histoire des trente-trois
premières strophes : « Ce que j'ay escript est escript ». Les causes
du poème peuvent se déceler aux sources de cette histoire, dans
le drame du Christ, aussi bien qu'aux sources de l'histoire particulière d'un nommé Villon. Les circonstances de la création poétique
sont racontées aux strophes 2 à 11. Au début du poème, nous nous
trouvons au milieu juste de la vie du poète, *in medias res*. Nous
sommes au « travail » que nous signale Villon juste au milieu de la
strophe 12. Les faits de Mehun, alors, représentent aussi tout « travail ». Ils seront l'exemple-type de l'expérience qui provoque une
poésie. Ainsi, en reculant à travers cette expérience, nous avancerons
vers le poème qui en résulte.

Les strophes 7 à 11 nous ont présenté le côté optimiste et créateur du « travail » de Villon. Avec lui, nous avons appris, de l'intervention des deux rois à Mehun, qu'une activité créatrice peut bien
être entreprise dans « ce monde cy transitoire ». Villon peut écrire
une poésie, en fin de compte, parce que le Roi céleste « Laissa les
cieulx et nous vint secourir » ; parce que la justice peut encore faire
irruption dans ce bas monde ; et parce que l'homme peut être délivré
de la « prison » terrestre. Pour ces mêmes raisons, il existe une logique et un devoir qui relient la vie de l'homme à la Vie transcendante. Apprendre la dépendance ontologique du monde sensible,
c'est aussi en apprendre la valeur réelle en soi. Cela fait partie de la
leçon de Mehun sur la nature de l'Art et les devoirs de l'Artiste chrétien envers la Justice, qui est le nom de baptême de cette dépendance.
Mais la leçon de Mehun, avons-nous vu à la strophe 12, porte dans
une mesure égale sur le vrai Art de la Nature, et sur les devoirs de
l'homme naturel envers les choses perçues. L'homme en tant qu'objet,
comme tout autre objet, participe à ce même rapport de dépendance
divine, qui a pour nom de famille *la Fertilité*.

Les cinq strophes de 2 à 6 se rapportent, comme nous avons dit, aux devoirs de Villon envers les institutions ecclésiastiques, tout comme les strophes 7 à 11 traitent de ses rapports avec les institutions de l'Etat. Ceci du moins est évident : Villon a pris soin de signaler la structure de son propos, qui ne fait que reproduire l'état objectif des choses. Les féodalités terrestres reproduisent en principe les termes de la féodalité divine. Ainsi, au milieu de la strophe 7, Villon dit du Roi céleste que de lui « *tiens* corps et ame » ; à la strophe 11 il dira du roi Louis, « ...*suis*... *tenu* vers luy... » ; à la strophe 2, il dit de l'évêque Thibault, « Soubz luy ne *tiens*... » De même, le sujet des vers 9 à 48 nous est donné explicitement par leur vocabulaire théologique : nous y trouvons « l'eglise », « paradis », « prions », « priere », « on prie », « prieray », « bapteme », « psaultier », « psëaulme », la mention d'une secte hérétique (« Picart »), et du latin des Ecritures (*Deus laudem*). Ainsi, la théologie formelle et la structure des institutions qui l'enseignent, constituent ce qu'on pourrait appeler la latitude du propos.

(2)   *Mon seigneur n'est ne mon evesque*   (9)
       Soubz luy ne tiens s'il n'est en friche
       Foy ne luy doy n'hommage avecque
       Je ne suis son serf ne sa biche
       Peu m'a d'une petite miche
       Et de froide eaue tout ung esté
       Large ou estroit moult me fut chiche
       Tel luy soit Dieu qu'il m'a esté

       Et s'aucun me vouloit reprendre
       Et dire que je le mauldis
       Non fais se bien le scet comprendre
       En riens de luy je ne mesdis
       Vecy tout le mal que j'en dis
       S'il m'a esté misericors
       Jhesus le roy de paradis
       Tel luy soit a l'ame et au corps

       Et s'esté m'a dur et cruel
       Trop plus que cy ne le raconte
       Je vueil que le Dieu eternel
       Luy soit donc semblable a ce compte
       Et l'eglise nous dit et compte
       Que prions pour noz ennemis
       Je vous diray j'ay tort et honte
       Quoi qu'il m'ait fait a Dieu remis

       Si prieray pour luy de bon cuer
       Et pour l'ame de feu Cotart
       Mais quoy ce sera donc par cuer
       Car de lire je suis fetart
       Priere en feray de picart
       S'il ne le scet voise l'aprendre   (38)
       S'il m'en croit ains qu'il soit plus tart
       A Douai ou a l'Isle en Flandre

> *Combien se oyr veult qu'on prie*
> *Pour luy foy que doy mon baptesme*
> *Obstant qu'a chascun ne le crye*
> *Il ne fauldra pas a son esme*
> *Ou psaultier prens quant suis a mesme*
> *Qui n'est de beuf ne cordouen*
> *Le verselet escript septiesme*
> *Du psëaulme Deus laudem* [13]

Les difficultés abondent : commençons par ce qui paraît le plus clair. Les rapports de Villon avec l'Eglise à Mehun sont obscurs, mais le poète insiste sur plusieurs traits qui ont marqué son expérience. Le fait d'abord qu'à Mehun il a été victime d'une perversion de la justice jointe à un manquement total aux règles de la féodalité traditionnelle, ne l'a pas empêché de rester lui-même entièrement juste et loyal. Bref, si nous apprenons qu'à un certain moment les structures humaines ont pu céder, c'est-à-dire qu'un évêque de l'Eglise du Christ a pu commettre un acte injuste envers un homme innocent, les grandes structures universelles restent inébranlées ainsi que notre responsabilité envers elles.

Or, il semble que Villon conçoive les obligations féodales comme étant la conséquence de la concession d'un bien réel, c'est-à-dire d'un « fief » quelconque. Villon doit sa « foy », par exemple, au « fils de Dieu », à la strophe 7, qu'il appelle aussi, à la strophe 3, « le roy de paradis », pour deux raisons : en premier lieu, parce qu'il tien(t) corps et ame » de lui en fief depuis sa naissance ; mais aussi parce que son Seigneur lui a fidèlement rendu les services de protection que doit tout seigneur à son « homme de foy ». Villon emploie une phrase à résonance juridique en disant que son Sire, comme il le devait, l'a représenté dans les cours de la justice, l'a «·preservé de maint blasme ». Il en va de même pour le roi Louis. Parce que Villon a reçu du Roi un « bienfait », c'est-à-dire un *beneficium*, il s'engage volontairement dans le rapport de vassalité par les cérémonies normales, étant « tenu vers᠊ luy (s)'humilier » [14].

Nous pouvons donc conclure que Villon ne doit à l'évêque Thibault aucune « foy » à cause d'un manquement de sa part à tous les devoirs traditionnels du seigneur. L'évêque ne lui ayant rien donné en biens réels (« moult me fut chiche »), l'ayant maltraité et mal nourri (« Peu m'a d'une petite miche ») ayant en outre refusé de le secourir en justice (« esté m'a dur et cruel ») Villon ne lui doit, « au retour », absolument rien. Son refus d'homme libre de s'engager dans un lien de vassalité envers un homme injuste, tel est le premier acte du *Testament*. Le vers 8 l'annonce :

> *Qu'il soit le mien je le regny*

Les quatre vers suivants l'achèvent ; et les quatre vers qui ferment la strophe 2 en donnent la raison.

Pourtant, Villon tient à souligner que les crimes de l'évêque n'ont en rien entamé sa loyauté envers les institutions ecclésiastiques. Si Villon crie de l'évêque « Foy ne luy doy », il veut qu'on se rende compte en même temps de la « foy que do(it) (s)on baptesme » (strophe 6). Villon suivra toujours ce que « l'eglise nous dit et compte », quand même l'évêque, qui plus que tout autre, aurait dû le faire, y eût manqué totalement. C'est comme si Villon avait appris à Mehun la distinction, qu'il creusera dans sa ballade en vieux français et de son remaniement du thème « ubi sunt... », entre l'institution durable qui incarne une certaine force, et les hommes trop mortels qui la transmettent. L'évêque Thibault, aussi bien que le roi Louis, et la Belle Hëaulmière, est un cas spécial de l'équivoque humaine. Villon souhaitera pour lui, en récitant le Psaume 108, *Deus laudem*, précisément ce qu'il dira plus tard être le destin de toute forme mortelle :

> Fiant dies ejus pauci *et episcopatum ejus accipiat alter.*
>
> *En autruy mains passent leurs regnes*   (416)

Manifestement, la « priere » de Villon est aussi loin d'être une simple malédiction, que les ballades à thème « ubi sunt... » le sont d'une simple lamentation sur la vanité du monde, ce qu'affirme Villon lui-même à la strophe 3 (« Non fais... ») La prière de vengeance est aussi une intervention afin de hâter le cours d'un processus naturel, de purger le corps ecclésiastique, et de remettre en mouvement fertile une puissance abusée.

Que l'évêque Thibault ait été en fait injuste, Villon le dit moins clairement. Le sens de ses circonlocutions, pourtant, ne doit pas être méconnu. Villon fait un appel à la cour supérieure de toute féodalité. Il plaide une cause dans les formes, devant l'autre Justice, celle qui ne saurait se tromper :

> *S'il m'a esté misericors*
> *Jhesus le roy de paradis*
> *Tel luy soit a l'ame et au corps...*
> *Et s'esté m'a dur et cruel...*
> *Je vueil que le Dieu eternel*
> *Luy soit donc semblable a ce compte...*

On reconnaît le style syllogistique des strophes 16, 21 et 26... Ce n'est qu'après avoir présenté son cas que Villon semble se rendre compte qu'il peut se tromper lui-même, et que tout est déjà dans les mains d'un Juge « eternel » qui sait tout et qui le savait même d'avance.

Il se peut enfin que Villon ait mérité la sévérité du « travail » que lui a imposé Thibault. Mais sur ce point Villon se tait. Seul le texte du psaume qui sert de contexte nous détaille les circonstances :

> Locuti sunt adversum me lingua dolosa, et sermonibus odii circumde-derunt me : et expugnaverunt me gratis. Pro eo ut me diligerent, detra-hebant mihi : ego autem orabam. Et posuerunt adversum me mala pro bonis : et odium pro dilectione mea. Constitue super eum peccatorem ; et diabolus stet a dextris ejus. Cum judicatur, exeat condemnatus : et oratio ejus fiat in peccatum [15].

« Pourquoi larron me faiz clamer ? », on reconnaît les torts ver-baux qu'a dû essuyer Diomedès. Mais de son silence sur les causes

précises de l'emprisonnement, on peut conclure que Villon inculpe
non seulement l'injustice particulière de l'évêque en question, mais
aussi l'injustice totale d'un système de valeurs qui a perdu le contact
essentiel avec la réalité divine. L'évêque devrait être jugé non pas
par rapport aux crimes de Villon, qui sont hors de cause, mais en
conséquence d'une rupture des liens de devoir envers la moralité
chrétienne :

> Fiant contra Dominus semper, *et dispereat de terra memoria eorum*,
> pro eo quod *non est recordatus facere misericordiam.*

Villon écrit son « testament » des bienfaits de Louis XI, avons-nous
vu, « Affin que de luy soit memoire ». Quoi qu'il advienne de la mémoire de l'évêque, Villon pour sa part se rappelle parfaitement la
« foy que do(it) (s)on bapteme » ; et nous rappellera un peu plus
tard que « Dieu vit et sa misericorde ». En fait, il terminera cette
partie du *Testament* en signalant la valeur d'une bonne mémoire :

> Ce que feray tant qu'il mourra
> Bienfait ne se doit oublier.

6.   Les strophes 2 à 6 expriment, donc, à la fois l'injustice conséquente à une rupture des devoirs féodaux, et la justice, sinon l'innocence de celui qui en a souffert. Avouons, pourtant, que le sens de
ces vers est beaucoup plus complexe. Y voir clair équivaut à y voir
peu de choses. On peut dire d'autres vers de Villon qu'ils sont farcis
d'autant de plaisanteries subtiles, d'autant de calembours et de références difficiles ; en bien d'autres endroits du *Testament* peut-on
trouver des situations syntaxiques permettant de multiples lectures ;
en d'autres parties de son œuvre le sens dépend d'un texte biblique
auquel Villon nous renvoie. Mais cette fois, l'obscurité des vers est
d'une espèce unique. Ici, au début de son propos, à l'entrée de son
poème, au cœur de l'expérience concrète qu'il prétend lui assigner
comme source, le poète qui nous parle déclare sa méfiance de la
parole. Le sens même de ces strophes est, que leur sens est incomplet,
et qu'elles ne sauraient être qu'une ellipse.

    Pour ce qui est de la simple obscurité, elle constitue, si l'on peut
dire, la teneur même des strophes 5 et 6. Presque chaque phrase se
réfère à l'absence de personnes ou la distance de lieux ; au silence ;
à la difficulté de parler ou de lire ; aux conditions hypothétiques de
ce qu'on ne dira pas. Ainsi, Villon nous affirme qu'il priera pour son
ennemi vivant aussi volontiers que pour son ami mort, Jehan Cotart,
personnage que nous n'avons pas encore rencontré, et figurant dans
un texte que nous n'avons pas encore lu. Cette prière, il la fera silen-
cieusement puisqu'il n'aime pas lire à haute voix (« de lire je suis
fetart »). Il la dira soit pas du tout (en prenant le mot « picart » pour
la secte hérétique qui ne priait pas) soit dans un dialecte (le « picart »). Dans le cas où son interlocuteur absent et muet, l'évêque, ne
sait pas le picard et dans le cas où celui qui l'a déjà incarcéré est
maintenant prêt à lui accorder foi (« s'il m'en croit »), alors qu'il
s'en aille bien loin afin de comprendre la prière qui n'est pas dite [16].

Villon lui-même nous avertit de l'obscurité de son propos en introduisant, à la strophe 3, un interlocuteur, le lecteur moyen, qui se
trouve dérouté par la complexité de la strophe 2 :

> *Et s'aucun me vouloit reprendre*
> *Et dire que je le mauldis,*
> *Non fais* se bien le scet comprendre...

A l'égard de la strophe 2, le pauvre lecteur est dans le même cas
que l'évêque devant la prière en « picart » :

> *S'il ne le scet voise l'aprendre...*

Mieux, Villon nous dit qu'il ne dit pas la moitié de ce qu'il pourrait
dire, si cela lui était possible :

> *Vecy* tout *le mal* que j'en dis...

Manifestement, il pense bien d'autres « maux » de l'évêque, qu'il
nous dit qu'il ne nous dira pas. L'idée est reprise dans la strophe
suivante :

> *Et s'esté m'a dur et cruel*
> Trop plus que *cy* ne le raconte...

De nouveau intervient la voix de l'interlocuteur, cette fois plus harcelante, plus acerbe :

> « *Et que l'Eglise nous dit et compte*
> *Que prions pour noz ennemis* »

Et Villon de résumer son plaidoyer : « Je vous *diray*... » Je peux
bien penser autre chose que je ne veux et ne peux pas dire. Il importe peu, finalement, si je ne vous dis à vous, hypocrite lecteur, que
la moitié de la vérité afin de gagner ma cause. Le « Dieu eternel » et
omniscient sait tout déjà, ce que je vous ai dit comme ce que j'ai
dû taire. Bref, sachez qu'il sait « Quoi qu'il m'ait fait », et que j'ai
tort et honte de vouloir me mêler de la Justice divine [17].

Ainsi, l'obscurité toute spéciale de ces strophes dérive d'une tension constante entre ce qui est dit et ce qui, explicitement, ne l'est
pas, c'est-à-dire entre le fait de parler et le fait de se taire. Chaque
vers nous rappelle qu'il aurait pu ne pas exister, que le poète aurait
pu garder le silence et que, s'il s'est décidé à nous parler, c'est parce
que sa parole vise à un but. Certaines choses, à ce qu'il semble, n'ont
rien à faire avec le langage. D'autres peuvent, au choix, être dites ou
non, mais le fait de les dire suppose que la parole a une fonction.
Quelle est cette fonction ? L'obscurité du propos nous invite à la
chercher.

Notons que chacune des strophes 3 à 6 contient trois éléments
distincts. Il y a, d'abord, les *conditions* du dire :

> *3. Et s'aucun me vouloit reprendre...*
> *4. Et s'esté m'a dur et cruel...*
> *5. Mais quoy ce sera donc par cuer...*
> *6. Combien se oyr veult qu'on prie...*

Ensuite, une *déclaration* qu'on va parler :

> 3. *Vecy tout le mal que j'en dis...*
> 4. *Je vous diray...*
> 5. *Priere en feray de picart...*
> 6. *Ou psaultier prens...*

Enfin, *les choses dites* elles-mêmes, toujours au subjonctif :

> 3. *Tel luy soit a l'ame et au corps...*
> 4. *...que le Dieu eternel Luy soit donc semblable*
> 5. *S'il ne le scet voise l'aprendre...*
> 6. *Fiant dies ejus pauci...*

Cette division de la parole est reproduite au niveau dramatique du texte, où se passent les événements du poème. A la strophe 2, Villon parle sans nous dire qu'il le fait. Dans les strophes 3-5, intervient la discussion sur ce qui peut être dit, et les modalités de la parole. Enfin, à la strophe 6, Villon agit par la parole sans rien dire. Notons le glissement subtil du *dire* au *faire* qu'opèrent les mots dont Villon se sert pour nommer ses actes :

> *j'en* dis
> *je vous* diray
> *si* prieray
> *priere en* feray
> *ou psaultier* prens

En dehors de la discussion sur la parole, qui occupe les vers 9-48, Villon emploie les mots de deux façons distinctes quoique analogues. L'interlocuteur supposé de la strophe 3 (« Et s'aucun... ») aurait bien raison de « dire » que Villon « mauldi(t) » l'évêque Thibault. Car la strophe 2 a résonné comme une dénonciation publique dans les formes. C'est le refus formel de toute vassalité envers Thibault qu'annonce le vers 8, « Qu'il soit le mien je le regny ». En fait, Villon ne prend aucun soin de parer le coup ; il l'esquive plutôt, en alléguant la nature équivoque de ses mots (« Se bien le scet comprendre »), et en jouant sur le mot qui fait chef de l'accusation. Si quelqu'un voulait « dire que je le *mauldis* », je lui répondrais, « Vecy tout le *mal* que j'en *dis* ». Villon feint d'ignorer le sens cérémonial du terme, pour ainsi dire ; il insiste sur le fait qu'il ne requiert que la Justice. Et dans les vers qui suivent, il s'efforce de le prouver, en demandant que l'évêque soit récompensé aussi bien pour sa miséricorde, s'il en a, que pour sa cruauté évidente.

Progressivement, par des objections à sa parole injurieuse, Villon est réduit au silence. La péripétie vient exactement au milieu du drame, vingt vers après son commencement, vingt vers avant sa fin. Après l'intervention de l'« Eglise » qui « nous dit et compte », il ne sera plus question de « dire » et de « mauldire » ; mais plutôt de « prier » et de « faire priere ». Or, l'Eglise ne veut manifestement pas que Justice soit faite, si l'évêque doit être traité de la manière impitoyable dont il a usé à l'égard de Villon. Que celui-ci ne soit pas d'accord avec l'intention de l'Eglise, il nous le dit sournoisement par l'équivoque probante des vers 31-2, ainsi que par la prière hérétique, qu'il voile d'un calembour plaisant sur le mot « picart », déguisement peu sûr, que viennent renforcer les vers 39-40. Heureusement, il sera tout de même possible de plaider la cause de la Justice tout en gardant les formes avec l'Eglise. Villon en trouve le moyen, à la strophe 6, en nous avertissant de son retour à la bonne voie par une belle tartuferie. Sa grimace pieuse, « foy que doy mon baptesme », frappe les trois coups ; entre en scène un Villon qui ne va jamais sans son pauvre « psaultier » et qui prend toute occasion (« quant suis a mesme ») de chercher le « verselet » mignon par lequel il prie « pour » son évêque... [18].

Soit par l'acte de dénonciation publique à la strophe 2, soit par le plaidoyer à haute voix des strophes 3 et 4, soit par la prière silencieuse de la strophe 5, soit par la prière écrite de la strophe 6 ; Villon fait de la parole *une intervention judiciaire*. Au passé, et à la souffrance, correspondent la passivité et le silence. L'avenir et l'activité requièrent la création et la parole. La parole humaine sort de l'injustice. Elle existe pour redresser l'ordre perdu. Rendre justice est sa fonction. Publiquement, elle dénonce et détruit les structures perverties et donc injustes. En privé, elle invite Dieu à rétablir sa Justice. Entre la sphère publique et la sphère privée — entre le cri et le contexte, c'est-à-dire, dans le domaine de la parole écrite, de la poésie — le langage discute et conjure, il crée un ordre propre à lui-même. Cet ordre reflète et renforce un ordre objectif, tout en respectant le cours naturel d'une expérience vécue. Nous aurons à revenir à plusieurs reprises sur cette fonction du langage chez Villon, qui, plus que tout autre chose, éloigne sa poésie de la poésie moderne.

Pourquoi Villon semble-t-il faire de ces strophes-ci une discussion de la nature et de la fonction du langage, c'est-à-dire pourquoi ici, tout au début de sa poésie, et, dans une hiérarchie descendante, au moment où il veut parler de ses rapports avec l'Eglise ? Cette question a déjà surgi, lorsque nous avons constaté que la troisième des ballades à thème « ubi sunt... » celle qui traite de l'Eglise dans une hiérarchie ascendante, a été écrite en ancien français afin que l'attention fût attirée sur le langage. Comme l'Eglise elle-même, le langage subsiste quand « Autant en emporte ly vens ». Comme les femmes portent la fertilité, comme les rois portent dans leur « sang royal » la prouesse et le pouvoir, de même l'Eglise porte la Parole.

Mais, objectera-t-on, si l'Eglise est chargée de maintenir la Parole, et s'il existe des rois comme le bon Louis XI qui sont responsables de la Justice, pourquoi faut-il que Villon intervienne par un acte linguistique qui est aussi un poème ? Est-ce que le *Testament* entier a dû être écrit pour réprouver les seuls crimes de l'évêque Thibault d'Aussigny envers un humble particulier, peut-être criminel lui aussi ? L'expérience de Mehun ne représente-t-elle que cela ?

C'est Villon lui-même qui répond, en signalant si obstinément les souffrances et les crimes dont il ne peut pas parler ouvertement :

> *Et s'esté m'a dur et cruel*
> *Trop plus que cy ne le raconte...*

En fait, si Villon ne « raconte » pas ces torts, du moins les suggère-t-il, mais d'une façon si voilée qu'il parvient à déjouer la curiosité du lecteur moyen :

> *Et s'aucun me vouloit reprendre*
> *Et dire que je le mauldis*
> *Non fais* se bien le scet comprendre...

A « maul-dis » répond « bien... comprendre ». C'est la strophe 2 qu'il faudrait pouvoir comprendre. C'est là où Villon nous invite à creuser pour extraire la connaissance des crimes indicibles.

7.   *Mon seigneur n'est ne mon evesque*
        Soubz luy ne tiens s'il n'est en friche...

Revenons d'abord sur ce que nous avons pu déceler, en parlant de la strophe 12, à propos de l'importance de ces vers. Voici le seul endroit au *Testament* où Villon donne le détail des faits de Mehun, en tant que tels. Qu'ils aient porté sur la nature du monde sensible, d'une part, et sur la nature de l'Art, de l'autre, nous le savons d'après les sens multiples de la phrase « Travail... M'ouvrist plus... », qui semble résumer les leçons des dix strophes précédentes. Nous savons aussi que l'expérience de Mehun a eu deux temps, et aussi deux faces. Il y a eu, en premier lieu, les souffrances du cachot, résultat de l'injustice d'un évêque de l'Eglise du Christ, souffrances auxquelles Villon réagit dans les strophes 2 à 6. Il y a eu, enfin, la joyeuse révélation d'un « retour » à la vie, c'est la « délivrance » qu'a opérée la Justice d'un roi à l'image du Christ. Bref, l'expérience de Mehun représente en sa structure, comme elle rappelle par ses faits, l'autre Expérience qui comporte la misère d'une Passion et la joie d'une Résurrection, misère et joie qu'ont éprouvées « les pelerins d'Esmaus » le jour de Pâques. Ce parallélisme, nous l'avons trouvé sousjacent à la « matière » des strophes 12 à 33, qui se terminent par la phrase de Ponce Pilate, « Ce que j'ay escript est escript ». Enfin, ce vers nous rappelle, dans une de ses significations, que l'expérience de Mehun a appris à Villon quelque chose sur la nature du langage, comme l'autre Expérience nous a appris le vrai sens de la Parole des prophètes. Toutes deux ont eu pour résultat la composition d'un « testament ». Et les relations si complexes entre ces expériences semblent avoir provoqué le *Testament* de Villon.

A part la structure de l'expérience entière, la structure du poème aussi nous a renseignés sur l'apport de la strophe 2. Dans ses deux parties, cela va sans dire, le *Testament* reflète les faces passive et active du « travail » ; d'abord l'éducation, ensuite l'agir créateur. Fait plus important, la souffrance de Mehun semble avoir porté sur le lien entre apprendre et faire, en ce sens qu'elle a défini le rapport d'une conscience créatrice avec des objets de la nature, rapport qui

fait d'une conscience un poète. Ce rapport, des traces importantes
laissées dans le *Testament* par sa première réalisation nous ont permis de le qualifier *d'érotique*. La leçon du cachot sur la vraie nature
de l'objet sensible est aussi une leçon sur la nature de la prostituée.
Toutes ces leçons, nous l'avons vu, ont bouleversé chez Villon un
monde de croyances et d'habitudes, ont renversé les hiérarchies
traditionnelles, et ont fondé une dialectique des valeurs. Dans cette
dialectique, le poète semble jouer un rôle de médiateur et de responsable, d'entrepreneur et de metteur en scène d'un drame dont il
est aussi bien, dans les deux mots qu'on confondait à l'époque,
« acteur » qu'« auteur ». Rappelons enfin que Villon feint d'être la
victime plutôt que l'auteur de son expérience, et qu'il en parle comme
si elle était un événement plutôt qu'une connaissance, ou un état des
choses toujours actuel. « Mehun » voudrait-il désigner un incident
unique ou un mode de savoir ? Un endroit ou un lieu commun ? Le
premier poète que cite Villon n'est-il pas un certain Jean de Mehun ?
Il se peut qu'être « mis en bas lieu non pas en haut » signale, d'une
façon ausi obscure et indirecte que l'est la strophe 2, l'adhérence à
une tradition littéraire.

Comme la strophe 12, comme l'expérience de Mehun, comme les
strophes 2 à 11, comme le *Testament* entier, la strophe 2 se déploie
en deux volets. Le langage des beaux-arts est exact à son égard : les
deux parties de la strophe correspondent non pas à deux « temps »
dramatiques, comme à la strophe 12, mais à deux reflets d'un seul
événement ; deux prises de vue d'un seul objet, différentes de style
et d'intention ; deux réactions linguistiques et morales à la même
provocation. Les premiers quatre vers de la strophe, entièrement
négatifs, opèrent une seule ouverture sur une série de locutions
courantes qui sont rangées en parallèle, et qui se suivent coup sur
coup à un rythme martelé. Alors, la pulsation terrible cède à une
voix brusque, concrète, précise et entièrement positive, qui constate
et qui conjure. Les deux styles s'opposent. Le premier, n'acceptant pas
les liens que le langage établit et exprime, déchire celui-ci. Le second,
accueillant les objets naturels et la nature elle-même, dont le langage
est une expression, emploie celui-ci pour les décrire.

> *(2)* 　　　*Mon seigneur n'est ne mon evesque* 　　　*(9)*
> 　　　　　*Soubz luy ne tiens s'il n'est en friche*
> 　　　　　*Foy ne luy doy n'hommage avecque*
> 　　　　　*Je ne suis son serf ne sa biche*
> 　　　　　*Peu m'a d'une petite miche*
> 　　　　　*Et de froide eaue tout ung esté*
> 　　　　　*Large ou estroit moult me fut chiche*
> 　　　　　*Tel luy soit Dieu qu'il m'a esté*

Commençons par le second des deux styles. L'élégance du propos
accuse la voix du créateur qui remplace, dans le contrôle qui gît au-
delà de l'expérience, celle du souffrant. Le groupe de quatre vers est
divisé en deux parties, dont chacune est de nouveau ordonnée selon
une symétrie de vocabulaire, de syntaxe et de référence. Dans les

vers 13-14, une phrase à trois membres est brisée au milieu, si bien que les deux vers qui en résultent se complètent par leur sens et se reflètent inversement par leur structure. Les deux vers suivants se balancent par leurs intentions ; à l'intérieur de chaque vers, une structure symétrique nous enseigne, comme la strophe 16 ou l'envoi de la ballade de Margot, que Villon est en train d'invoquer la Justice : il adresse à Dieu la requête que la structure de la Justice divine soit conforme, dans le cas présent, à la logique de sa propre syntaxe.

Des jeux de mots raffinés, des retournements ironiques et presque gratuits, comme des ornements de style, ajoutent à l'impression d'élégance que nous laissent ces vers. L'inversion brutale et peut-être rancunière, « Peu m'a... » est adoucie par le jeu sur « peu » qui qualifie la « pâture » bizarre de l'évêque, jeu dont Villon se sert ailleurs dans un contexte semblable [19] :

> Les sonneurs auront quatre miches   (1912)
> Et se c'est peu demye douzaine.

De même, la brutalité de l'évêque et l'amertume de Villon sont atténuées par une réflexion plaisante, dans le vers 15, sur « moult ». Le sens quantitatif du mot permet à Villon de faire suivre une première série de possibilités d'une seconde série de faits parallèles :

> Large ou estroit
> moult me fut chiche.

L'évêque lui-même, on le voit, est conçu comme étant un paradoxe logique ainsi qu'un monstre humain. Comme la « fortune » dans le rondeau « Au retour... » il est « plein de desraison ». Il déjoue la logique constitutive de l'univers moral, en étant à la fois « large » et « estroit », c'est-à-dire en prodiguant son avarice parfaite. Et Villon invite Dieu à rétablir la mesure en faisant subir à l'évêque sa propre démesure.

Quelle pourrait être l'intention de ces vers ? D'une part, Villon passe d'une logique des objets sensibles, singuliers et concrets (la pierre et l'eau, le chaud et le froid, les saisons), à une logique des qualités abstraites qui sont dites par les métaphores et les calembours, et qui s'appellent des universaux, enfin à une seule logique suprême, celle qui règle l'univers. L'expérience « en bas », dans le cachot de Mehun, participe réellement à une actualité objective, à un monde de faits qui porte au plus haut. D'autre part, l'élégante facilité de ces vers semble envelopper les faits bruts de Mehun dans une intellection qui en dérive comme naturellement, mais qui ne saurait accroître leur valeur de faits. Une connaissance propre à Villon lui permet de passer in mente, par la parole, et dans ces vers, d'une seule petite pierre jusqu'à Dieu lui-même. Une réalité hiérarchique est connue par une connaissance des hiérarchies et de la logique qui les maintient. Mais le point de départ de cette connaissance se trouve en bas, dans les mots « Peu m'a... », dans la souffrance, la privation, le concret, et dans leur rapport à Villon, qui parle de ce point de départ comme étant l'ingestion. Les mots « Peu m'a » occupent, dans la strophe 2, la même place que le mot « travail » à la strophe 12.

Ni élégance ni logique dans les premiers vers de la strophe. Comme au début de la strophe 12, Villon a choisi un style quantitatif à répétitions saccadées. Il l'oppose à la syntaxe contournée qui suit, tout en nous prédisposant à agréer son jaillissement soudain. Ici, Villon insiste, sourd et entêté, sur le même tour : la négation répétée de chaque élément d'une locution composée. Ainsi le vers 9 joue sur l'expression courante « seigneur et evesque » ; le vers 11, sur la locution juridique « foy et hommage » ; le vers 12, sur la phrase consacrée « serf et biche ». Le vers 10 semble se baser sur une expression légale comme « fief et friche », ou peut-être une locution telle que « ni miche ni friche », qui, l'on sait, voulait dire « rien »[20].

L'intention de ces vers est également double. La voix qui nous parle semble découvrir son propos. Après une première constatation à valeur négative, elle semble se laisser entraîner par la langue même, qui, par ces énoncés couplés, semble appeler chaque fois un second terme propre à être nié. Ainsi, Villon semble procéder par une série de jeux de mots permettant de greffer une deuxième négation sur la première. Le cas est le plus clair au vers 12, où existe un véritable calembour sur « serf » - « cerf ». Qu'il en est de même pour les autres trois vers, nous le verrons bientôt.

En même temps qu'elle semble découvrir son propos, la voix qui nous parle semble aussi, par son insistance, envelopper le langage même dans le fait de sa négation. Toutes les alternatives que nous présentent ici la langue proverbiale sont inutiles pour exprimer le vrai rapport entre Villon et l'évêque. Que Villon contrôle sa langue, cela veut dire qu'il en dépend aussi, dans l'acte même de « regnier ». Remarquons que nulle part dans le *Testament* nous n'apprenons quel est le rapport positif, s'il y en a un, qui a rattaché les deux hommes. Tout se passe comme si Villon cherchait consciencieusement le mot qui pût exprimer ce rapport, et procédait par élimination successive de mots inaptes à cet usage. « Voyons, quel est notre rapport... Je ne sais, mais du moins puis-je dire que Thibault n'est ni mon *seigneur* ni mon *évêque*, que je ne lui dois ni *foy* ni *hommage*... » Notons que tous les liens possibles que « regnie » Villon, et tous les mots qu'il rejette, appartiennent au domaine de la féodalité.

Nous avons dit que les deux parties de la strophe sont comme deux images stylistiques d'un seul objet, et que cette dualité représente les deux faces de l'expérience de Mehun. Mais, nous le voyons maintenant, cette divergence a une source et une référence plus larges. Le style dynamique et courant, positif et élégant, vocal et raisonneur, jaillit d'une hiérarchie vers le haut, de la « petite miche » jusqu'à Dieu lui-même. Par contre, le style lourd, figé, proverbial, négatif, en somme féodal, dépend de l'ancienne hiérarchie vers le bas, et la désigne.

L'ordonnance verticale de ces vers est manifeste. Villon use d'un vers pour nommer ceux qui commandent d'en haut, *senior* et *episcopus* ; deux vers pour décrire les rapports de sujétion, d'abord le lien abstrait, « Foy ne luy doy », ensuite la concession de biens réels, « Soubz luy ne tiens » ; enfin un vers pour nommer ceux qui sont sans liberté, écrasés au niveau du sol par le poids du système entier : « Je ne suis non serf... » La négation de ces vers semble avoir trait à un certain usage de la parole, à une certaine fonction du langage, et Villon la signale spécifiquement. Car le rapport vassalique est constitué par *un serment rituel* de « foy et hommage », un acte linguistique par lequel le « serf » est investi de droits et soumis à des devoirs. Villon semble renier une langue stérile et cérémonieuse, qui renforce un système de servitude dont la « ville puissance » a pour but de tout figer d'en haut.

8. En décrivant les deux styles de la strophe 2, et la violence qu'exprime leur choc, nous trouvons une fois de plus que les styles de Villon se moulent sur des formes objectives — des hiérarchies, par exemple — dont ils reproduisent les valeurs. L'enchaînement des styles, c'est-à-dire la façon précise dont ils s'entrejouent, signale le même enchaînement dans le monde objectif. Un seul événement peut représenter un rapport de faits tout en étant un cas spécial de tels rapports, et en suscitant une prise de conscience des rapports chez un particulier. Narrer un tel événement, par exemple, l'expérience de Mehun, est un moyen d'exhiber cette prise de conscience, aussi bien que son contenu, et la manière de l'appréhension, sans qu'il y ait besoin de les dire autrement. Car les faits parlent ; les choses font voir leurs vérités. Le poète n'a qu'à les présenter, dans leur rapport à lui.

Si la lettre du texte ne nous donne pas un sens satisfaisant — ce qui nous arrive bien souvent en lisant Villon — c'est parce que nous ne reconnaissons pas les faits à première vue. C'est plutôt le fait de notre distance d'eux qui s'interpose, et que nous y voyons. Nous n'apercevons pas non plus les allusions de style et de structure qui nous mèneraient de la surface vers les faits. Puisque ce sont des faits de style qui éclairent le fond, reste alors à la surface d'exprimer par son ton, son rythme, son coloris émotif, son galbe, la personnalité du poète qui nous présente la matière du poème, l'atmosphère morale qui y règne, l'histoire particulière qui la suscite, ou une prise de position à son égard. C'est la « fable » du poème. Chez Villon, la fable est particulièrement envoûtante et particulièrement complexe. C'est pourquoi nous avons une telle difficulté à la pénétrer. Lorsque Villon a quelque intérêt à rendre ardu l'accès aux faits, qui seraient de nature à être tus précisément parce qu'ils font guerre au langage, cette difficulté redoublera. Bien plus qu'ailleurs, donc, nous aurons à creuser patiemment le texte, à piétiner, à tâcher de tenir compte de toutes les indications afin de ne pas nous tromper.

Pour comprendre l'expérience de Mehun dans son détail, il nous manque toujours les faits auxquels se réfère la strophe 2, et dont les deux moitiés de la strophe nous donnent deux images. Un peu comme à la strophe 12, où les mots et les expressions disparates se réfèrent tous à l'Art, il nous faudrait l'unique situation qui engendre ces faits, et par conséquent les deux styles et les deux hiérarchies qui les rapportent. Comme à la strophe 12 aussi, il sera inutile de chercher chez le poète une attitude à leur endroit qui soit dite autrement que par l'agencement des faits ou des objets qui ont fondé l'expérience.

Prenons un tout autre point de départ ; rappelons que les mots ont d'autres manières de signifier que par le fait de nommer. Sans aucun doute signifie-t-il quelque chose d'important, par exemple, que les premiers vers du *Testament* nous disent

> *En l'an de mon trentiesme aage*
> *Que toutes mes hontes j'eus beues*

tandis que les derniers vers du poème nous présentent objectivement un homme qui s'appelle « le pauvre Villon » et qui

> *Ung traict but de vin morillon*   (2 022)
> *Quant de ce monde voult partir.*

Et le fait que Villon termine son poème en buvant un vin noir des plus forts, cela jette une lumière nouvelle sur le fait, raconté par la deuxième strophe, que Villon a dû boire « de froide eaue tout ung esté ». Le verbe « boire » dans les deux cas comporte une référence formelle. Nous devinerons aussi que l'écart stylistique entre les deux vers qui le renferment veut signifier plus que le simple fait que le mot « boire » peut avoir plusieurs sens. Il serait important aussi, si l'on voulait comprendre le *Testament*, d'observer que le fait de boire du vin au moment de mourir — de « partir » dit Villon, avec son sens des étymologies — est le sacrement qui s'appelle « viatique ». Enfin, nous passerons à côté du sens de ce parallélisme entre le début et la fin du poème, si nous ignorons les références qu'ont eues l'eau et le vin, depuis l'antiquité, par rapport à la stérilité et à la fertilité littéraire.

Le mot « boire » peut donc avoir plusieurs sens selon la gamme d'emplois métaphoriques qui sont entrés dans la langue. Ces emplois sont agréés par un poète dans la mesure où il les fait entrer de façon explicite dans son poème. Prenons maintenant le vers

> *Large ou estroit moult me fut chiche.*

Le mot « large », de même que ses frères « largesse » et « largement », n'est jamais employé dans le *Testament* qu'avec un deuxième sens érotique. Soit qu'il décrit les charmes de la Belle Hëaulmière

> *Ces larges rains ce sadinet*   (506)

et la « grant bource » obscène que lègue Villon à sa « chiere Rose » (v. 915), soit qu'il désigne métaphoriquement les faveurs amoureuses (v. 472), le mot « large » a toujours un deuxième sens de « généreux en amour », « aimant », « de facile abord », « fécond », « libre ». Villon joue sur les deux sens, économique et obscène, quand il remarque pieusement à la fin de toute une strophe de jacasserie équivoque sur « le jeune Merle » et son « change » :

> *Car amans doivent estre larges.* (1 273)

Il en est exactement de même pour le mot « estroit » dans un sens opposé. La seule fois qu'il reparaît dans le *Testament,* Villon l'a enchâssé dans un contexte à la fois ecclésiastique, économique, et obscène, qui reprend en jeu la locution de la strophe 2 :

> *(149)*   *Aux Celestins et aux Chartreux* (1 575)
> *Quoy que vie mainent* estroite
> *Si ont ilz* largement *entre eulx*
> *Dont povres filles ont souffrete...*

où un jeu magistral sur le mot « *sous*-frette » — encore un mot que nous connaissons de la strophe 2 — scelle la plaisanterie. Quand nous ajoutons que le mot « miche » voulait dire « fesse », aussi bien que pain et pierre, et que le mot « eaue » pouvait désigner les parties sexuelles d'une femme, nous pouvons conclure qu'il y a derrière ces vers un plan d'insinuation à valeur érotique [21]. Et sans doute, pour comprendre comment l'avarice et l'injustice de l'évêque peuvent aller de pair avec une certaine hostilité envers l'amour, faudra-t-il comprendre l'érotisme dans un sens étendu. Se peut-il que, dans la phrase « Car amans doivent estre larges », il soit juste de conférer au mot « amans » un sens aussi large qu'à « large » lui-même ? Le mot « large » limite-t-il la notion d'« amans », ou en est-il la définition ?

Nous savons déjà, par exemple, que l'évêque Thibault, en ayant oublié la règle de miséricorde quand il s'agissait de Villon, a manqué d'« amour » chrétien à son endroit. La suggestion se trouve dans le mot « chiche » appliqué à un évêque. Mais le Moyen Age, comme tout âge, connaissait d'autres manquements envers l'amour. Dans la phrase « Peu m'a » et ce qui suit, l'on pourrait discerner une suggestion de plus : que dans le cachot, pendant « tout ung esté », le pauvre Villon n'a pas pu voir une seule femme. Mais il y a encore plus. Les vers 9-12 nous renseignent.

Qu'il y a une signification sexuelle au vers 12

> *Je ne suis son serf ne sa biche*

tout le monde a pu s'en apercevoir. Quand Villon semble « découvrir » son propos, il se passe la chose suivante : il trouve, dans sa première constatation à valeur féodale, un sens sexuel, qu'il rend explicite dans la seconde moitié du vers. A connaître les habitudes formelles de Villon, on s'étonnerait de ce que le procédé du vers 12 soit un cas unique, ou un jeu gratuit. Nous savons déjà que les vers 9 à 12 sont calqués sur un seul modèle quant à leur structure ; et qu'ils réitèrent une seule formule de négation cérémoniale à chaque étage de la hiérarchie féodale. Nous sommes habitués désormais à ce que le style de Villon s'adapte au niveau hiérarchique de son propos. Ainsi on s'attendrait que, en gagnant le plus bas, près de la terre et de ceux qui la labourent, Villon se permette un tour qui sent la grossièreté. Tout en haut, le même tour serait présenté avec tout autant de délicatesse ou — pour nommer le moyen plutôt que le résultat — d'obscurité. Evidemment il ne lui sera pas conseillé de dire ouvertement que la féodalité actuelle est une perversion honteuse de la Nature.

En fait, les vers 9 à 11 sont aussi équivoques que le vers 12. D'une part, les mots « seigneur », « soubz luy », et « foy » ont des sens érotiques que Villon découvre de la même façon dont il semble trouver le « cerf » dans le « serf ». « Seigneur » et « foy » sont des termes de droit féodal qui ont été transférés de bonne heure au rapport d'un amant et de sa dame : lui est son « seigneur », entre eux ils jurent de la « foy ». Inversement, il était commun dans la poésie du xvᵉ siècle qu'un amant prête la « foy » humblement à sa dame, et qu'il devînt ainsi son « serf » pour la servir jusqu'à la mort [22]. Le jeu érotique sur « soubz luy ne tiens » est de la même espèce que dans l'expression « large ou estroit » ; Villon ranime le sens littéral d'une locution métaphorique.

En tirant d'une expression juridique un sens érotique, donc, Villon amorce la deuxième partie de sa phrase, qui se trouve être liée comme naturellement, par une locution courante, à la première... Et ce deuxième membre de la locution se révèle lui-aussi être équivoque, exactement de la même façon. La phrase « en friche » fait partie d'un système ancien d'équivoques amoureuses qui compare le corps de la femme à un champ arable, système représenté ailleurs dans l'œuvre de Villon par maints calembours, images et locutions. Un corps « en friche » est une terre non-labourée, une personne chaste et vierge, aussi bien que stérile et inféconde [23]. Du mot « hommage » le sens amoureux n'est que trop clair ; encore aujourd'hui on rend ses « hommages respectueux » à une belle femme. Mais n'y a-t-il pas dans le mot aussi un jeu irrévérencieux sur « homme », de la même espèce que celui sur « soubz luy ne tiens » ?

Arrêtons-nous là pour l'instant, avant de continuer, pour résumer la logique que Villon est en train de pousser au bout. Nous avons trouvé que chacun des vers 9 à 12, riche d'allusions linguistiques, comporte un mécanisme d'équivoques multiples ; et que ces quatre petites machines sont liées entre elles par un parallélisme de structure, de mouvement, de sens et d'intention. Ce mécanisme peut être représenté de la facon suivante :

9. Il n'est mon seigneur (*s. féodal*
             s. érotique) ni mon évêque (*s. féodal*)

10. Soubz luy ne tiens (*s. féodal*
             s. érotique) s'il n'est en friche (*s. érotique*
                                     s. féodal)

11. Je ne lui dois foy (*s. féodal*
             s. érotique) n'hommage avecque (*s. érotique*
                                     s. féodal)

12. Je ne suis son serf (*s. féodal*
             s. érotique) ni sa biche (*s. érotique*)

Quatre fois Villon nie une locution courante à deux membres, chacun desquels a deux sens. Du moins, voilà ce qu'il nous faut supposer. Car il manque deux pièces à nos mots croisés. Nous ne connaissons pas un sens féodal du mot « biche », ni un sens érotique du mot « evesque ». Le premier se laisse deviner : ce serait la bête poursuivie à la chasse, et enfin capturée, par Thibault.

Mais le mot-clef, c'est évidemment « evesque », puisque c'est la nature de son ennemi et ce qu'il représente, qui ont déterminé les faits de Mehun. Rappelons que Villon a employé un langage spécial dans les vers 9 à 12 pour décrire la hiérarchie féodale vers le bas, et un langage bien différent pour caractériser, dans les quatre vers suivants, la hiérarchie dynamique vers le haut. La première partie de la strophe nous présente, de manière dramatique, la complexité lourde, minutieuse et négative de la structure sociale. La deuxième partie évoque la logique fluide du monde naturel, où l'homme figure avant tout comme un objet à être « peu ». L'Art a fourni le fond de la strophe 12 ; ici, on dirait que c'est la Nature qui gît en arrière plan, s'il était clair que l'hostilité à l'amour chez l'évêque se traduisait par une négation de la Nature.

Rassemblons tout ce que nous savons du mot « evesque » chez Villon. Villon nous avait préparés à lire le mot « soubz » au vers 10 dans un sens équivoque, en l'employant quelques vers plus haut dans un sens clair : « Soubz la main Thibault d'Aussigny... » De même, l'emploi du mot « evesque » au vers 9 en est le deuxième du *Testament* : deux vers plus haut, Villon disait de Thibault

> *S'evesque il est seignant les rues...*

où la phrase, « seignant les rues » qualifie le mot « evesque » pour que nous sachions qu'il désigne sans aucune ambiguïté un *episcopus* de l'Eglise. Au vers 1750 du *Testament*, Villon met la totalité des hommes sous la rubrique équivoque, « evesque ou lanterniers », où nous le savons, le mot « lanternier » signifie, entre autres choses, les hommes qui allument de leur bougie la « lanterne » de la femme. Au vers 1228, Villon parle de « l'arcevesque de Bourges », et nous savons que « Bourges » est la déformation classique du mot « bougre ». Au vers 737, Villon désigne l'évêque Thibault d'Aussigny par le nom « Tacque Thibault », en se référant au célèbre mignon du duc Jean de Berry, au XIVe siècle.

A bien comprendre la strophe 2, comme Villon nous le demande au vers 19, nous ne saurons méconnaître que le mot « evesque » veut dire, en jargon érotique, « pédéraste » ; que Thibault d'Aussigny en est un ; qu'à Mehun, Villon est devenu la victime d'une société statique, injuste, tournée en bas vers la terre et non pas en haut vers Dieu ; et que cette société *est*, par ce fait — bien plus qu'elle ne l'incarne ou ne le permet — un péché contre Nature [24].

9.   Quels sont alors les faits de Mehun ? Nous n'y pénètrerons pas davantage. Jamais, dans l'œuvre de Villon, nous ne serons aussi près que dans ces strophes d'une réelle expérience vécue, même quand

Villon parlera à nouveau de Thibault et de Mehun. Et sans doute ne faut-il pas s'attendre à voir surgir un nouveau plan, anecdotique et scandaleux, celui-ci, qui satisfasse notre avidité de faits-divers et de chronique. Plus tard, dans le *Testament*, le scandale sera au tout premier plan, mais vidé de sa réalité vécue, comme dans les journaux, et enrobé de mythe. Là, les anecdotes seront réduites aux commérages, ou bien élevées à la mythologie populaire. Et elles seront dites.

Ici, en revanche, on saura qu'on se trouve au niveau des faits réels par le fait même qu'ils sont tus. C'est ici que, le plus clairement, le langage expose ses limites, court ses plus grands risques et périls. Dans les strophes 2 à 11, Villon a été d'une discrétion minutieuse. Les historiettes sont oubliées, et pourtant nous les devinons. Elles ont cédé, et pourtant elles nous ont transmis l'essentiel : à savoir, qu'il s'est passé à Mehun, dans le courant des choses particulières, une aventure vécue par un particulier ; que ces misérables événements ont opéré une révélation, une ouverture, dans la conscience d'un individu ; et que cette ouverture a porté sur la réalité entière.

La strophe 2 répond, par son contenu, à la strophe 11. Autant la Vie éclate dans celle-ci, autant, dans celle-là, sonne la Mort. Car la pédérastie de l'évêque Thibault n'est pas une simple négation logique de la Nature, bien que Villon soit forcé, par la nature logique du langage, à la dépeindre ainsi. Bien plus, comme nous le verrons, c'est une force active qui lutte pour ses propres buts et avec sa propre logique contre les forces de la Vie. Au moins, c'est de cette façon que Villon l'a *subie*, comme en témoignent l'émotion directe, la violence et la vigueur, qui modèlent la surface de sa parole.

La fiction biographique des premières strophes a deux fonctions au sein de cette vision. D'abord, les faits particuliers se portent garant de la vision du réel qui en sort. Nous croyons celle-ci dans la mesure où nous éprouvons ceux-là. Mais il y a plus ; car la vision du réel dans les strophes 2 à 11 comporte des découvertes sur la valeur ontologique des faits particuliers en tant que tels. Le passage du roi Louis xi à Mehun, l'été de 1461, a semblé à Villon comme le passage éclair d'une Clémence divine à travers les corps brisés et indignes des choses. Il témoignait d'un salut possible, soit ; mais aussi il révélait une vie possible parmi des objets dont il éclairait la dignité. Exactement de même, les actions de l'évêque Thibault à Mehun, l'été de 1461, dévoilaient au cœur noir des choses une force maligne qui les travaille et les pétrifie. Elles témoignaient d'une présence de la mort parmi nous ; mais aussi, elles prouvaient la nécessité d'une lutte, dans le corps d'un poème, d'une femme ou d'un groupement social, contre une stérilité envahissante.

Et sans doute faut-il voir aussi, dans le fait que la Mort se révèle chez l'évêque et la Vie chez le roi, un jugement sur la valeur relative des institutions, et sur leurs origines. La vision de ces strophes comporte également une prise de position sur des questions longuement débattues, en poésie aussi bien qu'en prose, à l'époque de Villon. Mais ces questions surgissent de la réalité d'une seule vie, à croire la poésie qui nous donne cette vie et cette réalité tout à la fois. Ici, à leur point de départ, conjoints dans une seule voix et dans un seul élan poétique, fable et matière ne font qu'un. Bientôt ils s'écarteront, laissant voir leur tension d'autrefois.

Sachons gré à Villon d'avoir tenté, dans sa vision du réel, une vision totale, qui résiste — par sa complexité qui inclut l'indicible — aux schémas faciles. Aucune formule ne nous fera voir, par exemple, comment la tradition formelle d'une hiérarchie sociale vers le bas servira à exprimer, dans ces premières strophes, un hiérarchie expérimentale vers le haut. Jamais nous ne voyons ici le jeu de marelle, avec son paradis et son enfer et ses cases chiffrées, déserté par ceux qui devraient l'habiter. La leçon de Mehun a porté sur le sens du mot « tout », et a porté Villon vers d'autres poètes qui l'ont compris de même.

NOTES DU CHAPITRE III

1. Notre texte est celui de Foulet, sauf pour le vers 62, où nous admettons la leçon de C, « ne », contre « et » AFI. Burger, p. 16, propose d'autres leçons pour 66, 82, et 87, dont aucune ne nous semble s'imposer, pour des raisons que nous précisons dans le corps de notre discussion du passage. Nous tiendrons du moins à remarquer ici :

— que nous ne sommes pas d'accord que dans 66, « La leçon de AFI complique la construction et semble faire dire à Villon une impertinence », ni que la « barre verticale » qu'on discerne dans F après le mot « voire » ait un sens clair. Il est vrai que « veoir » dissylabe n'est pas rare à l'époque ; mais il ne se trouve pas ailleurs chez Villon ;

— que la question si longtemps discutée de la référence du mot « il » dans 87 est une question artificielle. Le « jusques » de C est probablement une glose, synonyme de « tant que » donné par FI. De même Marot (p. 15) glose « Tant qu'il mourra, jusques a ce qu'il mourra », comme (p. 76) à 1 387, « Entierement jusques mort me consume », il glose « Iusques mort, Tant que mort ». La leçon de FI est parfaite. La variante que donnent AF à 85, « mon corps » pour « mon cuer », semble confirmer notre interprétation du passage.

A notre avis, de telles décisions demandent qu'on tienne compte du fait que le sens d'un mot dépend de son contexte. Par exemple, le sens de la locution « tant que » est modifié du fait que Villon l'emploie de trois façons différentes dans les strophes 8 à 11.

2. Selon Champion (II, 123, n° 7), ce tour était une « formule courante de la conversation d'alors ». Les deux exemples qu'il donne confirment que Villon a aiguisé artificiellement le contraste entre la liste des biens terrestres et le souverain Bien. Une fois de plus, Villon déforme légèrement une formule banale afin de la rendre poétiquement utile. Venant après une kyrielle de vœux hyperboliques, la conclusion banale, qui transforme le tout soudainement en un simple tour de politesse, se revêt d'une nuance burlesque. Cette formule de théâtre, par laquelle l'acteur crève les prétentions de sa propre parole, n'est pas inconnue chez Villon : cf. la strophe 80.

Pour l'argument de ce passage, voir le *De consolatione* de Boèce, III, pr. 2 : « Donques as tu devant les yeulz proposee pres que toute la forme de la beneurté humaine, c'est a savoir richeces, honneurs, puissances, gloirez, deliz... » (*Li livres de confort*, p. 207).

3. Le sens cérémonial du mot « s'humilier » n'a pas été bien défini par les dictionnaires, qui donnent pour la plupart « se soumettre », sans préciser la forme ni la portée d'une telle soumission. Les exemples associent notre mot souvent avec le mot « cuer », ce qui laisse supposer une confusion des sens chrétien et féodal dans le mot. Voir la locution recueillie par le Few (s.m. *humilis*) dans un exemple de Brantôme, « rendre l'humiliation » ; et Godefroy, s.m. *umilier*.

4. Bloch, p. 226 : « Le nœud ainsi formé durait, en principe, autant que les deux vies qu'il joignait. Aussitôt, par contre, que la mort avait mis fin soit à l'une soit à l'autre, il se défaisait de soi-même. A dire vrai, nous verrons que en pratique la vassalité se mua très vite en une condition généralement héréditaire. Mais cet état de fait laissa jusqu'au bout, subsister, intacte, la règle juridique... Tant il était vrai que le lien social semblait inséparable du contact presque physique que l'acte formaliste établissait entre les deux hommes. » Voir aussi p. 249 ; et plus haut, Ire partie, livre I, ch. III, n. 28.

5. Il s'agit de lieux communs de la pensée politique. La source la plus connue pour la théorie de la divinité de tout pouvoir terrestre est le texte de saint Paul (*Ad Romanos*, 13) que nous citons livre II, ch. III, p. 311-2. Pour l'ensemble de ces idées, voir le manuel d'E. Lewis, *Medieval Political Ideas*, New York, Knopf, 1954, surtout p. 143-5. Pour la notion de la divinité du roi, voir les monographies de Bloch, *Les Rois thaumaturges*, A. Colin, réimpression de 1961 (bibliographie, p. 2-14) et d'E.H. Kantorowicz, *The King's Two Bodies*, Princeton University Press, 1957.

6. Comme d'ordinaire, Villon a croisé la structure hiérarchique des strophes 2 à 11 d'une structure dramatique qui représente l'évolution apparemment spontanée de sa parole. Ainsi la strophe 10, qui relie la composition d'un poème au « bienfait » du Roi, reprend en même temps les formules testamentaires qui avaient été brutalement interrompues au vers 6, avec la mention de Thibault d'Aussigny. D'un certain point de vue, les strophes 2 à 9 sont une parenthèse dramatique ; de l'autre, ce sont les strophes 1, 10, et 11 qui devaient se conformer à une structure préexistante de valeurs. Ce croisement, comme nous avons vu ailleurs, est le signe même du drame de Mehun.

7. Pour l'origine de l'onction et son histoire, voir BLOCH, *Les Rois thaumaturges*, p. 68 sqq. : « La légende... fit tardivement de la cérémonie accomplie à Reims par S. Rémi le premier sacre royal ; ce ne fut en vérité qu'un simple baptême... C'est ainsi que Pépin fut le premier des rois de France à recevoir, à l'instar des chefs hébreux, l'onction de la main des prêtres. " Il est manifeste ", dit-il fièrement dans un de ses diplômes, " que, par l'onction, la divine Providence nous a élevé au trône " ». Pour l'importance superstitieuse que le peuple accordait à l'onction, voir p. 78 sqq. Pour le passage de Louis XI à Mehun le 2 octobre, 1461, voir CHAMPION, II, 121-2.

8. Ces calembours sur le nom de Louis n'étaient pas inconnus à l'époque. CHAMPION, II, 123, 2, cite des vers analogues d'un ouvrage de 1444 intitulé *Ethimologie de Loïs propre nom de tres hault et tres puissant prince Monseigneur le Daulphin...*
Les mots « franc » et « delivre » s'associaient dans une locution courante à l'époque : témoins ces vers du *Roman de la rose*,

<blockquote>
Amour ne peut durer ne vivre   (9 441)
S'el n'est en cueur franc e delivre
</blockquote>

Et voir la citation du *Livres de confort* dans la note suivante.

9. L'image chrétienne de la prison a deux sources distinctes et deux sens, qu'on confond facilement.
1) La source lointaine de l'image semble être le *Phédon*, 82-3, dialogue qui se situe, comme l'on sait, en prison. Là, c'est le corps de l'homme qui est la prison de son âme depuis sa naissance. L'image a un sens à la fois cosmologique (l'âme est entrée dans le corps, venue d'un royaume invisible) et épistémologique (l'âme dans le corps est aveugle). Reprise et développée par les néo-platoniciens, l'image se trouve dans VIRGILE, *l'Enéide*, VI, 730-34 ; dans le *In Somnium Scipionis* de MACROBE (I, 10 et 11) et dans le *De consolatione* de BOÈCE (II, pr. 7) : « Et se l'ame qui a en soy conscience de bonnes euvrez, desliee de *la chartre du corps* [terreno carcere], s'en vet franche et delivre ou ciel, ne despira elle pas toute besoingne terrestre quant elle, usans du ciel, s'esjoist de estre soustrete aus chosez terriennez ? » (*Li Livres de confort*, p. 202-3). Voir plus loin, notre discussion de la ballade de Jehan Cotart, p. 381-2.
2) Les sens moraux et sotériologiques de l'image, déjà présents dans le *Phédon*, furent développés par saint Paul dans les images d'emprisonnement et de rédemption de l'*Epître aux Romains* (surtout 8, 18-22, où pourtant le mot « prison » ne se trouve pas), et rendus chrétiens. Déjà on pouvait comprendre, d'après le *Phédon*, que le corps, prison de l'âme, était l'image pour la corporéité, prison de l'esprit, et ainsi du monde des corps, prison des âmes incarnées. Mais selon la formule révolutionnaire de saint Paul, c'est le monde « selon la chair » ou la vie « selon la chair » (« secundum carnem », Κατὰ σάρκα, qui est la prison de l'âme. Le corps, prison de l'esprit chez Platon, est donc devenu le péché, esclavage de l'âme chrétienne, ou même la tendance au péché, le fardeau moral de l'existence corporelle.
La « seconde Nonne » chez Chaucer rend compte parfaitement de ces deux nuances capitales de l'image :

<blockquote>
And of thy light my soule in prison lighte,
That troubled is by the contagioun
Of my body, and also by the wighte
Of erthely lust and fals affeccioun...
</blockquote>

« The Second Nun's Prologue », v. 71-4, dans The Works of Geoffrey Chaucer, éd. F.N. ROBINSON, London, Oxford University Press, 1957 ; p. 208 ; et la note de Robinson, p. 757.

Pour d'autres sources de cette image à l'époque, voir l'article de J.L. Lowes, dans *Modern Philology* 15, 1917, p. 193-202.

10. La strophe 11 est en vérité un bel exemple d'*allégorie*, dans le sens strict du terme, c'est-à-dire la version littéraire de ce que nous avons appelé une « équivoque objective », quand cette équivoque a trait aux réalités saintes. Dans le sens général du terme, comme l'on sait, « allégorie » désigne toute signification littéraire qui n'est pas « littérale ». Plus précisément, le mot désigne une des quatre leçons possibles d'un texte, surtout d'un texte biblique. Le sens « allégorique » d'un événement dans l'*Ancien Testament* est l'événement qu'il annonce dans le *Nouveau Testament*. Hors des Ecritures, ce mot s'applique à tout événement « historique », c'est-à-dire vécu, qui reproduit les termes de la réalité qu'il faut croire. Pour résumer, on pourrait dire que la strophe 11 est « une allégorie », dont le sens littéral est la fiction d'un événement réel, et dont le sens « allégorique » est la structure autrement réelle des événements saints.

Sur ces questions complexes de la lecture et de la composition allégorique à l'époque, voir les pages lucides de De Bruyne (II, ch. 7, p. 302-70) ; et l'appendice, « The two kinds of allegory » à l'étude de C. Singleton, *Commedia, Elements of Structure*, Cambridge, Mass., Harvard University Press, 1954 (Dante Studies 1), qui analyse les textes célèbres du *Convivio* et de la lettre à Can Grande (désigné ci-après comme Singleton I). En principe, il n'y a aucune raison de ne pas donner à la « délivrance » de Villon à Mehun les mêmes interprétations qu'on a l'habitude de donner à la « délivrance » du peuple juif d'Egypte.

11. Nous suivons le texte de Foulet, sans ponctuation. Ce rondeau n'est donné que par AC. Pour les corrections de 1 791-2, voir Foulet, p. 139, et la critique de Burger (p. 27). Peut-être faudrait-il lire

> *Se si plein' est de desraison*
> *Qu'y vueille que du tout desvie...*

mais ici, pour nous, les absents ont tort.

Une question plus intéressante est la mise en page du rondeau. Faudrait-il mettre un écart entre les vers 4 et 5, comme fait C, et compter trois parties du poème ? Nous abordons ce problème capital plus loin, à trois endroits : livre II, chap. I, p. 369-70 ; livre III, ch. III, p. 461 n. 3 ; et la conclusion, p. 466 sqq., 480.

12. Pour les divers usages du mot « ravir » chez Villon, voir 222, 979, 1 697, 1 758, et I, 16. Pour les sens du mot « retour » voir Godefroy, s.m. Retor.

Des deux sens théologiques du mot « retour » — à savoir le « retour » dans cette vie à la vertu et au salut, et le « retour » final de l'âme à Dieu après la mort — le poème de Villon met l'accent nettement sur le deuxième. Le premier est plutôt sous-entendu dans l'image de la prison ; mais ici, comme ailleurs, le pessimisme de Villon fait que le sens de cet emprisonnement est justement l'impossibilité et l'inutilité d'un « retour » de l'autre espèce, ici et maintenant. Voir C. Singleton, *Journey to Beatrice*, Cambridge, Mass., Harvard University Press, 1958 (Dante Studies 2) ; II⁰ partie, « Return to Eden », et surtout ch. XII et XIII ; et voir plus loin, p. 444 sqq.

Il convient de préciser que la phrase « Au retour » est une locution banale à valeur temporelle. Son usage dans le premier vers du rondeau doit être traduit, « A mon retour, » « Au moment de mon retour... » Cf. *La Belle Dame sans mercy*, str. 21, texte cité plus loin, p. 273.

13. Nous suivons le texte de Foulet, sauf pour le vers 38, où nous mettons « le » (CI) pour « la » (AF), avec Thuasne.

14. En voyant la concession d'un bien réel, d'un fief quelconque, comme étant la condition nécessaire du lien vassalique, Villon suit la conscience commune et le droit de son époque. Ce développement tardif de la féodalité est exactement contraire, comme l'on sait, à ses premiers usages. Voir Ganshof, p. 171 sqq. et p. 174 : « Dès le xiii⁰ siècle, en effet, dans les contrats synallagmatiques l'objet de l'obligation de l'une des parties a été tenu pour cause de l'obligation de l'autre : aussi là où la contre-prestation de l'une des parties venait à manquer, l'obligation de l'autre partie se trouvait manquer de cause et se trouvait entachée de nullité... » Et p. 175 : « ... Guillaume Durant recommande au xiii⁰ siècle le texte d'une déclaration marquant très formellement que la concession de tel fief est la cause des engagements du vassal : *hoc ideo promitto quia talem rem mihi et heredibus meis concessisti, donec sub tuo dominio steterimus et insuper me ac mea defendere contra omnem hominem promisisti*; « je promets ceci parce

que tu m'as concédé tel bien à moi et à mes héritiers... et en outre parce que tu as promis de me défendre, moi et à mes biens, contre tout homme ". »

Pour les devoirs du seigneur de protéger et défendre son vassal, voir p. 114 : « ...Le seigneur est tenu de répondre à l'appel de son vassal, quand celui-ci est injustement attaqué, (et) de le défendre contre ses ennemis ». Cette défense peut être ou militaire ou judiciaire, et se résume dans une phrase de Bracton : « *ex parte domini protectio, defensio et warantia.* »

15. L'importance de ce texte pour la compréhension du passage entier a été mise en relief par N. Edelman, « A Scriptural Key to Villon's *Testament* », dans *Mod. Lang. Notes* 72, 1957, p. 345-51.

16. Une glose fera ressortir quelques-unes des difficultés de la str. 5.

34 : Foulet a préféré la leçon de A contre celle de CFI : « Pour l'ame du bon feu Cotart, » pour des raisons qu'il donne dans *Romania* 46, 1920, p. 386-92. Pourtant, le cas n'est pas net. Villon joue sur les ambiguïtés du mot « pour », en faveur de, à cause de, pour le compte de, au sujet de etc. Ainsi 30, « prions pour noz ennemis » ; 33, « pour luy » ; 42, « pour luy ». Foulet : « Qu'est-ce qui fait penser Villon à Cotart ici ? C'est qu'il a déjà été accusé autrefois par une certaine Denise de l'avoir *maudite* (cf. T. 18 et 1 235). Et c'est précisément Cotart, son procureur en cour d'Eglise, qui le défendit alors. Aussi va-t-il un peu plus loin prier *pour* l'âme de maître Jehan Cotart... » Voir Burger, p. 15.

35. L'expression « par cuer », qui s'oppose à celle de 33, « de bon cuer », renferme plusieurs nuances. Voir la note de Foulet dans *Romania* 42, 1913, p. 499, nº 2 : « Cela peut vouloir dire : " Il n'y aura chez moi qu'une apparence de prière " »... Ou bien prier " par cuer " peut signifier : se dire à soi-même une prière de mémoire, peut-être en la fabriquant à mesure. Quoi qu'il en soit, de toute façon Villon restera muet et l'évêque n'*entendra* rien. » Foulet revint à ce problème après la Grande Guerre, dans *Romania* 47, 1921, p. 482-4, avec des exemples : « L'expression par cœur veut dire aujourd'hui " de mémoire " :... savoir *par cœur*, c'est avoir retenu fidèlement quelque chose qu'on a entendu dire, ou plus souvent quelque chose qu'on a lu. Et en effet l'expression suggère presque toujours qu'il y a eu un livre ou un écrit dans le cas. Ce sens est ancien dans la langue... » Mais dans plusieurs exemples de Godefroy, Foulet discerne une autre nuance : « Dire quelque chose par cœur, à la lumière de ces exemples, c'est dire quelque chose qui vient entièrement de vous, c'est laisser parler votre fantaisie ou votre imagination — et pas du tout votre mémoire. Villon, trop paresseux pour tourner les pages d'un livre, *inventera* une prière au gré de sa fantaisie. Et ce sera une prière " de Picart ", c'est-à-dire probablement une prière intérieure, qu'on n'entendra pas. Nous savons qu'il ne tardera pas à se raviser (v. 41-8)... »

36 : Le mot « lire » chez Villon veut dire tour à tour « savoir lire »,, (894), « étudier » (XI, 43), « remarquer une phrase ou une vérité en lisant » (L. 295), VIII, 49), « réciter à haute voix un texte écrit » (1 590, 1 665). Or c'est ce dernier sens qui convient le mieux à 36. L'on sait comment ce vers, arraché à son contexte et transformé en aveu profond, put y appuyer l'image d'un Villon vagabond.

37 : Le mot « en » est curieux : se réfère-t-il à « pour luy » ? ou à la situation entière ? Ou marque-t-il une première transformation de la prière « par cuer » en prière formulée ? La phrase « prière de picart » est complexe :

1) On explique généralement que la secte hérétique des Picards ne priait que mentalement, par des prières silencieuses. Une prière de Picard est donc la prière qu'on veut, la prière secrète et suspecte.

2) F. Genin (*Recréations philologiques*, Paris, Chamerot, 1856, 2 vol., I, 229 sqq.) reprend une tradition populaire en soutenant qu'une prière de Picart est celle « d'homme qui garde rancune, comme on dit que c'est le caractère des Picards, et même l'origine de leur nom ».

3) Le « picart » est l'un des noms de l'amoureux viril (voir plus haut, p. 84). Nous verrons plus loin comment cette prière serait donc piquante, adressée à un « evesque ».

4) Une prière « de picart » serait aussi une prière en dialecte picard. Dans ces vers, littéralement, Villon envoie l'Evêque, pour l'apprendre, en Picardie. Et « envoyer quelqu'un en Picardie » semble avoir été une locution équivoque semblable à celle, mieux connue, d' « envoyer à Mortaigne », frapper à mort. Voir Ziwès, I, p. 215 ; son sens serait « qu'on le fasse piquer, empaler ». Voir la note au jeu « à la picardie » dans Rabelais, éd. Lefranc, t. 1, p. 289, où l'on ne donne, il est vrai, qu'un exemple italien du xvie siècle ; mais à sa lumière, nos vers deviennent clairs (Le jeu en italien ne serait-il pas plutôt sur le

mot *impiccare*, faire pendre ? voir Tobler, *op. cit.*, II, 194). Villon bande son
arc avec la phrase « priere de picart » ; il accroît la tension en demandant à
l'Evêque d'aller « l'apprendre » ; puis hésite un instant, en vrai comédien (c'est
le vers 39) ; enfin décoche son trait, qui réalise les deux côtés de l'équivoque
ensemble, en envoyant l'Evêque parmi les hérétiques de « Flandre », qu'il ne
peut gagner qu'en passant par la Picardie. Il y avait sans doute des jeux sur
« Douai », « l'Isle » et « Flandre » que nous ne comprenons pas, qui scellaient
le tout.

Ce tour d'esprit, qui consiste à dramatiser la lettre d'une locution proverbiale, est typique de l'humour de Villon. Voir la strophe 121 et, plus loin,
notre explication (p. 416-7) ; et la strophe 103-4, où Villon « parle poictevin »
pour illustrer une locution courante. (Voir Foulet, *Romania* 68, 1944-5, p. 116-
23 ; et M. Dubois, *Romania* 80, 1959, p. 243-53).

17. La pointe des vers 31 et 32 ressort d'une ambiguïté syntaxique. Notons
d'abord le fait évident qu'on peut lire le texte soit comme une seule phrase
articulée, soit comme deux phrases distinctes, ainsi : 1) Je vous dirai j'ai tort et
honte. Quoi qu'il m'ait fait à Dieu remis. 2) Je vous dirai, j'ai remis tort et honte
à Dieu, quoi qu'il m'ait fait. Dans ce cas-ci, il faut comprendre « J'ai remis toute
question de tort et honte à Dieu... » mais le sens n'est pas clair.

Le premier cas est plus intéressant. On est tenté d'abord de supposer une
locution exclamative, « À Dieu remis !... » mais nous n'avons jamais rencontré
ce tour. Se peut-il que la phrase « Quoi qu'il m'ait fait » désigne l'objet du verbe
« remis » ? Il n'est pas impossible qu'une telle phrase veuille dire « Tout ce que... »
et constitue l'objet du verbe. Ainsi dans 681 sqq. :

> *Quoy que je luy voulsisse dire*
> *Elle estoit preste d'escouter*
> *Sans m'acorder ne contredire...*

où le verbe « escouter » pourrait être aussi bien transitif qu'intransitif, et gouverner la phrase entière du premier vers. Une construction semblable se trouve
à 1174 sqq. :

> *Quoy que maistre Jehan de Poullieu*
> *En voulsist dire et reliqua*
> *Contraint et en publique lieu*
> *Honteusement s'en revoqua...*

Ici, le mot « en » avant le verbe reprend le phrase, et il faut comprendre que
Jehan de Poullieu se revoqua de « quoy que voulsist dire », c'est-à-dire de tout ce
qu'il ait pu dire... avec le reste, qu'il a tu. Un autre exemple se lit dans
Coquillart (II, 39) :

> Tout le monde tend ad ce port ;
> Parquoy, quoy que la Simple ayt dit
> Pour vouloir monstrer, par effort,
> Qu'elle est vraye dame, seulle amie,
> Par mon sacrement je luy nie...

Il se peut que dans la phrase « je luy nie » il faille comprendre « le luy »
pour « luy », comme souvent à l'époque et chez Villon. Néanmoins, le mot « luy »
représente la phrase entière, « quoy que la Simple ayt dit », objet du verbe
« nier » , aussi bien que la phrase « Qu'elle est vraye dame ». Il y a une construction analogue dans 1022 sqq., dans C :

> *Item donne a mon advocat*
> *Maistre Guillaume Charruau*
> *Quoy que Marchant ot pour estat*
> *Mon branc je me tais du fourreau...*

où il faut comprendre, « Je donne à Me G. C. *ce que* Marchant eut, savoir mon
branc... »

Pour revenir à 31-2 : nous pensons qu'il y a deux constructions possibles
d'une phrase introduite par « Quoi que ». Dans l'une, cette phrase est adverbiale,
dans l'autre, « Quoi que » veut dire « tout ce que » et la phrase entière fait
fonction de substantif. C'est de cette façon que Marot semble avoir compris
nos vers :

> *Ie vous diray, j'ay tort & honte*
> *Tous ses faictz soient a dieu remys.*

Or, supposons que la leçon la plus naturelle et la plus humble est de prendre « tort et honte » comme objets d'un verbe « ay... remis ». Reste la possibilité d'une deuxième leçon, où les deux vers font deux constatations distinctes. Dans la seconde, le verbe « remis » pourrait être à la première personne du passé simple, ainsi, « Je remis à Dieu quoi qu'il m'ait fait ». Mais aussi, on peut comprendre que Dieu est le sujet, qu'« a remis » est le verbe, et que la phrase « Quoi que... » est l'objet. Alors on lit, « J'ai tort et honte, car Dieu a remis tout ce qu'il m'ait fait », où le verbe « remettre » prend son sens théologique et judiciaire très commun d'excuser ou pardonner une faute, un péché, une offense, ou un crime.

On voit l'intérêt de cette deuxième leçon, dans le contexte dramatique, théologique et judiciaire. Apparemment, Villon se soumet humblement à une justice supérieure, et renonce à se prononcer contre l'évêque. Mais en même temps, Villon s'enrage, à constater que Dieu a déjà pardonné les crimes indicibles de son évêque, et poursuit ses propres intentions vindicatives, de la façon que l'on sait. Sans se rendre compte de l'équivoque, semble-t-il, THUASNE (II, 86) rapproche très justement nos vers de ceux-ci du *Tresor* de Jean de MEHUN :

Et prier pour ses ennemis
Que leur meffait leur soit remis !

18. Il y a, dans 45-6 des plaisanteries qui nous échappent. THUASNE (II, 90) : « Mais ce n'est pas à un psautier de cette nature que Villon emprunte sa prière, c'est à ses souvenirs ». Nous pensons plutôt à des jeux analogues à ceux de L. 315, mais d'un sens érotique. « Psaultier » (qu'on orthographiait couramment « saultier ») évoque le verbe érotique « saulter ». Voir les usages que fait COQUILLART (I, 150 ; II, 187) de la locution « gloser le saultier » ; et F. GENIN, *loc. cit.* Pour un usage érotique de « cordouen », voir COQUILLART II, 97 ; et pour « beuf », cf. L. 164.

19. Pour la force de cette inversion, cf. 25 : « Et s'esté m'a dur et cruel », et 689 : « Abusé m'a et fait entendre... »

20. Pour « seigneur et evesque », voici un exemple (négatif) de RUTEBEUF :

Si parla l'en de ces clers riches
Et des prestres avers et chiches
Qui ne font bontei ne honour
A evesque ne a seignour...
(II, 301, « Le Testament de l'âne », v. 59-62.)

Notre expression est en parallèle ici avec d'autres locutions doubles, « avers et chiches », « bontei et honour ».

Pour la locution consacrée « foy et hommage », voir plus haut, Ire partie, livre I, ch. III.

Pour « serf et biche », voici d'abord un exemple du XIIIe siècle : « Orpheus qui gemi jadis et ot moult grant dueil de la mort de sa feme... et ot fait que les cers et les bichez joindrent sens paour aux crueus lions leurs costez pour oir son chant... » (*Li Livres de confort*, p. 232 ; « les cers et les bichez » traduit *cerva*).

Voici ensuite un exemple du XVIe siècle :

Et moy, mignonne, je souhaitte
Gibier, oiseaulx, chiens, cerfz et biches,
Estre toujours prope (*sic*) et honneste,
Et entretenir les plus riches.

(« Les souhaitz des femmes », dans *Recueil de poésies françaises des XVe et XVIe siècles*, éd. A. de Montaiglon, Paris, Jannet, 1856, t. III, p. 148. Bibl. Elzévirienne.)

Nous n'avons pas retrouvé la locution composée sur laquelle serait basé le vers 10. Il est probable, pourtant, que Villon joue sur deux sens de l'expression « en friche ». Le mot « friche » désigne des fonds incultes ou des bâtiments délabrés, et en même temps leur état, si bien que l'expression « en friche » est à la fois adverbiale (« je ne tiens rien de lui qui ne soit dans une telle condition ») et substantive (« je ne tiens rien de lui si ce n'est un terrain sans valeur »).

21. « Miche » pour fesse est de l'argot moderne (« serrer les miches », avoir peur), mais il est si commun et si évident qu'on peut supposer que, comme la plupart des termes de l'argot, surtout ceux qui sont à valeur érotique, il remonte très loin. Cf. le mot argotique « miché » pour amant ; mais il se peut que ce mot soit un dérivé de « miche », argent.

L'association entre l'acte de boire et l'acte d'amour est souvent suggérée par les textes, mais rarement de façon explicite. Voir le texte curieux dans le *Jardin de plaisance*, fol. cxxxv Vᵒ :

(l'homme)
Descende ung peu plus ba(s) il trouvera l'eaue saine
Quant il sera au ru / la pres est de la fontaine...
Or a le poulain soif / or est il descendu
Au pre dessoubz la mote / et entre dans le ru
Il luy a semblé bonne / il en a trestant beu
Que a l'issir dehors il fut tout esperdu.

(la femme)
Hellas doulx poulenet alez tout souefment
Ne troublez pas mon eaue / trotez tout bellement
Ne gastez pas mon pre de votre marchement
Vous en aurez a faire autre foys plus que tant.

Nous ne voulons pas suggérer que les mots « miche » et « eaue » ont ces sens-ci dans notre texte ; mais que, précisément, les adjectifs « petite » et « froide » empêchent par trop évidemment qu'ils ne les aient...

22. Pour l'histoire du vocabulaire féodal dans la poésie amoureuse, voir les exemples de R. Dragonetti, *La Technique poétique des trouvères dans la chanson courtoise*, Brugge, De Tempel, 1960, p. 61-112.

23. Pour l'origine et le contexte philosophique du mot « friche » employé comme terme érotique, voir le passage capital du *Roman de la rose* à propos de l'usage naturel des organes génitaux :

Bien deüssent aveir grant honte   (19 561)
Cil desleial don je vous conte
Quant il ne deignent la main metre
En tables pour escrivre letre,
Ne pour faire empreinte qui pere ;
Mout sont d'entencion amere,
Qu'eus devendront toutes moussues,
S'eus sont en oiseuse tenues ;
Quant, senz cop de martel ferir,
Laissent les enclumes perir,
Or s'i peut la roïlle embatre
Senz oïr marteler ne batre ;
Les jaschieres, qui n'i refiche
Le soc, redemourront *en friche*...

Pour l'importance de ces images agricoles, voir plus loin, p. 390.

Voici, chez Alain Chartier, un usage plus innocent de l'image érotique. Il s'agit, dans une ballade, des « fruits » de l' « arbre de la plante d'amours » :

Je les recueil neantmoins soigneusement.
C'est pour mon cuer amere soustenance
Qui trop mieulx fust *en freche* [*sic*] ou en souffrance
Que porter fruit qui le deust blecier.

(*La Belle Dame sans mercy*, p. 50.)

Finalement, voici un exemple tout cru de Coquillart (I, 39) ; ce sont les premiers vers du « De Jure naturali » :

Ce droit deffend à povre et riche
De laisser, par longues journées,
Povres femmelettes *en friche*
Par faulte d'estre labourées...

24. Sur les « folles plaisances » du duc de Berry et Tacque Thibault, voir le passage de Froissart cité par Thuasne, II, 230.

Pour la déformation parisienne de « bougre » en « bourge », voir le Few, s.m. *bulgarus*. Nous n'avons jamais vu un exemple clair de l'emploi du mot « evesque » en ce sens. Etant donné la teneur de telles expressions, elles ne devaient pas entrer souvent dans les textes écrits.

LIVRE II

LA FONCTION
DU TESTAMENT

CHAPITRE I *

LES SOURCES DU TESTAMENT

1. L'œuvre de Villon fait partie d'une tradition littéraire et philosophique qui remonte au XIIe siècle et aux spéculations platoniciennes de l'Ecole de Chartres [1]. Certains éléments du naturalisme platonicien sont devenus des lieux communs de la pensée médiévale. On en retrouve des traces dans une bonne partie de la littérature européenne jusqu'au milieu du XVIIe siècle : en Angleterre, par exemple, chez Chaucer, Spenser, Shakespeare, et le jeune Milton ; en Italie, chez Brunetto Latini, Dante, Lorenzo dei Medici et l'Arioste. Mais ce n'est qu'en France que cette tradition a trouvé une expression consciente et un développement continu — et par suite, une tournure toute spéciale — dans les œuvres de quatre auteurs remarquables : Alain de Lisle, Jean de Mehun, Villon et Rabelais. Leurs dettes l'un envers l'autre sont patentes : Alain est présent textuellement dans le *Roman de la rose* ; les vers ainsi que la personne de Villon reparaissent à maints endroits dans les cinq livres de Rabelais ; et le *Testament* de Villon prend son origine dans l'expérience de Mehun.

Villon cite Jean de Mehun ouvertement deux fois (113 sqq. et 1178). Mais qui, à son époque, ne l'aurait pas cité ? Se réclamer du *Roman de la rose* suffit-il à prouver qu'un poète reprend à son devancier plus que des vers ou des notions détachées ? Car, nous le savons, Jean de Mehun avait bien un projet littéraire, son poème avait bien un but utile, auquel sa forme était adaptée [2]. Comment saura-t-on si Villon est conscient de reprendre le travail de son maître ? Qu'il vise des buts semblables par des moyens poétiques semblables ? Comment savons-nous que Villon fabrique quelque chose, que son objet écrit aurait une fonction, qu'il entreprend avec son poème une action dont le but n'est pas le poème qui la réalise et qui en témoigne ?

Nous avons déjà pu noter des preuves évidentes que le *Testament* possède une structure élaborée et consciente. Des allusions formelles, par exemple, relient la fin du poème aux vers du début. L'usage du mot « boire », le premier et le dernier verbe du poème, y fait allusion à certains problèmes traditionnels qui traitent de la fertilité. Des raisonnements, des démonstrations, des allégories, une « fable » et une « matière », tous organisés selon un formalisme numérologique, donnent, au début du morceau, son armature.

* Les notes relatives à ce chapitre sont réunies p. 277-278.

Mais il y aurait des évidences plus sûres d'une trame d'intentions qui soutiendraient la structure du *Testament*. Notre examen de l'expérience de Mehun, et de la façon dont Villon y réagit, nous a suggéré d'autres sens du mot « testament » dont il était conscient, au-delà de celui, trop simple, d'une distribution de biens par un moribond. En outre, nous avons trouvé qu'au début du moins Villon ne meurt pas ; que plutôt il revient de la mort, qu'il est « au retour ». Par son « testament » il prétend « testifier » de ce qui s'est passé. Le mot que nous lisons en guise de titre, avant d'aborder la première strophe, désigne un acte juridique accompagné de certains gestes, dont la description réside étymologiquement dans le mot lui-même. Le « *testamentum* » juridique s'appelle ainsi parce que l'homme qui jure met la main sur ses « *testicula* », en prenant sa virilité à témoin de sa véridicité [3]. Le « testament » d'un mourant est aussi bien le « testament » de quelqu'un qui est une source de vie, et Villon est parfaitement conscient du paradoxe. Car son poème se termine comme suit :

> *Icy se clost le testament*   (1 996)
> *Et finist du pauvre Villon*
> *Venez a son enterrement*
> *Quant vous orrez le carrillon*
> *Vestus rouge com vermillon*
> *Car en amours mourut martir*
> *Ce jura il sur son couillon*
> *Quant de ce monde voult partir...*

Un poème n'est pas un objet statique, pourtant ; son début et sa fin ne se passent pas simultanément. Ce n'est qu'au cours d'une poésie qui a une durée dans le temps et dans l'espace, que l'écrit d'un mourant *devient* le geste d'un amant. Ce devenir du poème, c'est sa forme et, pourrait-on dire, sa vie. N'empêche que l'écrit et le geste peuvent se référer à des situations objectives dont le rapport est seulement représenté par la forme du poème. Et il est possible que cette représentation veuille dépeindre aussi une transformation objective que le poète, par son poème, espère opérer.

Or la forme du poème entier, qui représente une transformation voulue, peut bien se trahir jusque dans ses parties infimes. A maints endroits du *Testament* — dans la ballade de Nostre Dame, par exemple, ou dans les strophes 12 à 33, ou dans la structure de l'expérience de Mehun — nous avons trouvé une seule vision qui informe le propos. Puisqu'il est du monde chrétien, et parle une langue chrétienne, Villon semble voir dans chaque objet et chaque mot deux réalités, également indéniables ; et, en plus, une dynamique qui les relie et qui tend à fondre l'une dans l'autre. Ces réalités se trahissent partout dans des situations dramatiques, qui sont les événements du poème, où se trouve, en acte, une certaine force soit naturelle soit linguistique : une tension. Ainsi en est-il en ce qui concerne le drame du *Testament* tout entier. Si ses derniers vers décrivent une réaction de la part du poète — une situation de réplique — les premiers évoquent la situation dont ils narrent la prise de conscience, qui avait sommé le poète de se présenter au tribunal. Avant d'étudier le sens de l'entreprise traditionnelle qui relie entre eux quatre écrivains de génie, il nous convient de dégager la manière dont cette vision, ces situations, bref cette forme poétique, s'apparentent aux éléments déterminants de la tradition.

2.   Dans la strophe 2, avons-nous vu, Villon fait une négation qui vise une autre négation. Entre les deux, entre son acte et la perversion de l'Evêque Thibault, il y a un lien de cause et de conséquence. La deuxième strophe d'un « testament » est le premier fruit d'une expérience intime de l'infertilité elle-même. Rappelons qu'en parlant des strophes 2 à 6, nous avons constaté que la parole de Villon sort de l'injustice, et que, par sa forme même, par son style symétrique et raisonné, elle représente la justice qu'elle requiert. De même, pouvons-nous dire maintenant, le jaillissement de la parole a pour cause la stérilité, et incarne la fertilité qu'elle veut restaurer. Rappelons aussi que Villon plaide une cause dans les formes, et que son argumentation à la fois logique et obscure accuse, chez l'évêque, de noirs crimes d'illogisme, qui sont aussi des péchés contre nature. La fertilité est la logique de la nature ; en propageant la fertilité par la parole, Villon parle pour elle. Il fait et il imite un *planctus naturæ*.

C'est Alain de Lisle qui l'a fait le premier. Son *De planctu naturæ*, où Nature fait le procès de la pédérastie, date de 1180 environ. Dans une forme qui se réfère directement au *De consolatione philosophiæ* de Boèce, prose mêlée de vers somptueux, Nature elle-même apparaît à l'auteur ; elle se plaint de ceux qui ne veulent pas propager leur espèce ; et, à la fin, par un acte solennel, elle les excommunie de son Eglise. Qui est cette femme présomptueuse ? D'où vient cette figure de Nature ? Alain la salue de cette manière :

> O Dei proles, genetrixque rerum,
> Vinculum mundi, stabilisque nexus,
> Gemma terrenis, speculum caducis,
>   Lucifer orbis.
>
> Pax, amor, virtus, regimen, potestas,
> Ordo, lex, finis, via, lux, origo,
> Vita, laus, splendor, species, figura,
>   Regula mundi... [4].

Il reprend en fait, pour les offrir à Nature, les mêmes louanges qu'a proférées Boèce en l'honneur de Dieu :

> O qui perpetua mundum ratione gubernas
> Terrarum caelique sator qui tempus ab aeuo
> Ire iubes stabilisque manens das cuncta moueri,
> Quem non externae pepulerunt fingere causae
> Materiae fluitantis opus... [5].

Laissons de côté pour l'instant l'explication de cette reprise, pour établir de quelle manière ce peut être Nature qui parle aux premières strophes du *Testament*, par la voix de Villon.

Tandis que les strophes 12 à 33 nous présentent une vision de l'univers moral, immuable et intelligible — le monde des prophètes, des saints, des sages — les strophes 2 à 11 traitent plutôt des principes d'ordre qui règlent le monde des hommes vivants, qu'incarnent d'anciennes institutions de l'Etat et de l'Eglise. Celui-ci, Villon l'appelle « ce monde cy transsitoire » ; celle-là, la « bonne ville » que le Christ lui « monstra », et, plus tard et plaisamment, « le moustier ». Villon n'a pas voulu cacher que tout, dans le monde « transsitoire », est soumis au devenir naturel. Les strophes 7 à 11, nous l'avons vu, évoquent à toute occasion l'étendue, la mortalité, le moment actuel en train d'être vécu. Le roi Louis, même s'il est le véhicule d'une loi durable, même s'il parvient à l'âge de Mathusalem, « il mourra ». Mais notons que lui, l'homme juste, est aussi explicitement *fécond*. Villon peut souhaiter pour lui

> *...douze beaux enfans tous masles* (65)
> *Voire de son chier sang royal*
> *Aussi preux que fut le grant Charles*
> *Conceus en ventre nupcial...*

Le nombre 12 nous rappelle les douze femmes fatales de la ballade des neiges d'antan, comme les mots « preux » et « grant Charles » nous renvoient à la ballade suivante, et le vers « Conceus en ventre nupcial » à la suite entière des trois ballades.

L'on voit que le « chier sang royal » du roi charrie aussi bien la fécondité que la permanence des institutions. L'ordre moral sur terre, semble-t-il, dépend aussi bien de la nature que de Dieu. Le roi a deux corps, suivant la célèbre notion juridique, un corps « naturel » — c'est celui qui naît et qui mourra après avoir engendré ses héritiers — et un corps « politique », qui ne meurt pas avec lui [6]. S'il n'avait pas lui-même été engendré, il ne serait pas l'image vivante du Christ éternel. D'une part, sa fécondité d'homme va de pair avec sa justice de roi ; d'autre part, et sa fécondité et sa justice dépendent des processus de la nature.

Le roi Louis est juste et fécond ; par la justice il « recouvra » la « vie » de Villon. En revanche, nous savons à quel point l'évêque Thibault est stérile et injuste, et comment ses crimes ont failli coûter la vie à Villon. Quelle est cette voix indépendante, alors, qui nous les présente, tous les deux ? Ecoutons d'abord celle qui nous parle dans les premiers vers du *De planctu naturæ* d'Alain de Lisle :

> In lacrimas risus, in luctus gaudia verto,
>   In planctum plausus, in lacrimosa jocos,
> Cum sua Naturæ video decreta silere,
>   Cum Veneris monstro naufraga turba perit ;
> Cum Venus in Venerem pugnans illos facit illas ;
>   Cumque suos magica devirat arte viros.
> Non fraus tristitiam, non fraudis fletus, adulter,

Non dolus, immo dolor, parturit, immo parit.
Musa rogat, dolor ipse jubet, Natura precatur
Ut donem flendo flebile carmen eis.
Heu ! quod Naturæ successit gratia morum
Forma, pudicitæ norma, pudoris amor !
Flet Natura, silent mores, proscribitur omnis
Orphanus a veteri nobilitate pudor.
Activi generis sexus se turpiter horret
Sic in passivum degenerare genus.
Femina vir factus, sexus denigrat honorem,
Ars magicæ Veneris hermaphroditat eum...
(p. 429)

Toute la plainte qu'exhale ici Nature par la voix d'Alain — elle la reprendra plus tard dans le détail par sa propre voix — se trouve résumée dans le vers « *Cum sua Naturæ video decreta silere* ». Le renversement de l'expression du poète, signalé aux deux premiers vers, est la conséquence directe d'un contact personnel et irrécusable (« *video* ») avec un renversement semblable dans l'ordre de la nature. Le « *planctus* » du poète suppose, par son existence même, un ordre joyeux qu'il identifie avec une légalité préalable et, de sa nature, exprimée par une langue visible (« *video... silere* »). Ainsi que la fertilité, la notion de la légalité se trouve indissolublement liée dans un ordre concret et universel qui s'appelle « Nature », tout comme la loi du « bordeau », dans la ballade de Margot, était son activité fertile. Déjà nous avons pu remarquer que, d'après la deuxième strophe du *Testament*, la fertilité est la logique de la nature. Apprenons maintenant qu'elle en est aussi la loi :

Cum omnia lege sui originis Meis legibus teneantur (dit Nature), mihique debeant jus statuti vectigalis persolvere, fere omnia per modum tributarii juris exhibitione legitima meis edictis regulariter obsequuntur; sed ab hujus universitatis regula solus homo anormala exceptione excluditur.
(p. 460)

Le monde visible (« video ») est l'expression même de cette légalité, « *juris exhibitione legitima* ».

En même temps qu'il s'élève contre la stérilité, l'illogisme et l'injustice de l'évêque, à la strophe 2, Villon semble inculper une perversion semblable du langage : « Foy ne luy doy n'hommage avecque ». Les locutions figées de la langue féodale nient les rapports d'amour qu'on appellera maintenant « naturels », ceux qui devraient exister entre hommes comme entre tous objets. De même Nature, par la voix d'Alain, insiste sur le fait qu'une perversion de ses lois entraîne jusqu'à une négation de la *grammaire* :

Prædicat et subjicit, fit duplex terminus idem,
Grammaticæ leges ampliat ille nimis.
Se negat esse virum, Naturæ factus in arte,
Barbarus ; ars illi non placet, immo tropus...
Hic nimis est logicus, per quem conversio simplex
Artis naturæ jura perire facit.
(p. 429-30)

En étant ce qu'il est, l'évêque Thibault renie la logique, la loi, la fertilité, et la grammaire de celle qu'Alain appelle « *Regula mundi* ». Le langage, en tant que tel, fait partie de ce qu'il exprime, c'est-à-dire l'ordre de la nature. Une poésie — le *Testament* par exemple, ou, plus clairement, le *Lais* — sort aussi bien d'un désarroi linguistique que d'une injustice, d'un illogisme, ou d'une stérilité qu'elle veut ramener à l'ordre. Dans ce cas, ne faut-il pas conclure que, qui que ce soit qu'on appelle « *Regula mundi* », Dieu ou Nature, l'Eglise ou l'Etat, le poète est de son parti ?

Nous rencontrons ainsi l'une des présuppositions de la pensée morale et, par conséquent, de la poétique au xve siècle : que la société des hommes s'est exclue de la loi, de la logique, et du langage qui font l'unité de l'univers, et qui assurent son existence même. De là ce sens aigu, chez Villon et d'autres poètes que nous avons à étudier, d'une crise continue née d'un isolement désastreux, qui exige qu'on se remue, qu'on agisse, qu'on assume une responsabilité à l'égard de l'ordre des choses, avant qu'il ne soit trop tard. Nous trouverons plus loin que l'aliénation de la nature ressentie par celui qui se sait plus naturel que les autres, constitue le dilemme classique du poète au temps de Villon. Nous avons déjà établi, comme le paradoxe central du *Testament*, que Villon peut être criminel aux yeux de ses pairs, tout en restant parfaitement juste et fécond ; et que l'évêque Thibault peut rester vertueux du point de vue de sa société, tandis qu'il se montre injuste et perverti envers Villon. Tout comme la justice du roi Louis est le signe aussi bien que la conséquence de l'avènement du Christ, de même la perversion de l'évêque est le signe et la conséquence d'une perversion générale — et par le fait, signe aussi de la « version » originale — bien plus qu'elle n'est l'image et la cause de l'injustice de Mehun, en l'an 1461. Comme il s'est fait le témoin de cet avènement, de même, avec Alain de Lisle, Villon se constitue l'avoué et le porte-parole de la « version » de Nature.

3.   Après une lecture du *De planctu naturæ* d'Alain de Lisle, une fois reconnue la vraie perversion de Thibault d'Aussigny, le rapport des premières strophes du *Testament* avec l'œuvre philosophique de l'Ecole de Chartres saute aux yeux. Nous allons y revenir. Mais Villon n'écrit pas en latin ; il ne prétend pas imiter le *De consolatione* de Boèce, et Jean de Mehun non plus, d'ailleurs. Si les rapports du *Testament* entier avec cette tradition ressortent beaucoup moins clairement, c'est que Villon a voulu s'insérer dans une tradition lyrique en langue vulgaire, et que la fusion de ces deux traditions devait se faire dans une forme qui lui fût propre. S'il a choisi comme creuset l'ancienne forme du testament satirique, c'est parce qu'elle répondait à toutes ces exigences.

La tradition lyrique comportait bien des revendications. Rien de plus inné aux poètes que le besoin de justifier leur parole. Jusqu'au xvie siècle, quand le poète commence à parler sans ambages de ce qu'il feint être sa propre voix — c'est-à-dire, au moment où cette tradition se meurt — la coupure entre silence et parler, qui peut représenter celle qui existe entre objets connus et conscience connaissante, ainsi qu'entre la conscience éveillée et la conscience qui, même n'étant pas créatrice, pourra répondre, cette coupure est décrite par les poètes comme si elle était un lien. Déjà à propos des premiers vers du *Lais*, nous avons cité Jaufré Rudel, qui parle de ce lien comme d'un rapport juste dans la loi et dans la logique :

> Quan lo rius de la fontana
> S'esclarzis, si cum far sol,
> E par la flors aiglentina,
> E·l rossinholetz el ram
> Volf e refranh ez aplana
> Son dous chantar et afina,
> Dreitz es qu'ieu lo mieu refranha.
>
> Amors de terra lonhdana,
> Per vos totz lo cors mi dol ;
> E no·n puesc trobar mezina
> Si non au vostre reclam
> Ab atraich d'amor doussana
> Dinz vergier o sotz cortina
> Ab dezirada compahna.
>
> Pus totz jorns m'en falh aizina,
> No·m meravilh s'ieu n'aflam,
> Quar anc genser crestiana
> Non fo, ni Dieus non la vol,
> Juzeva ni Sarrazina ;
> Ben es selh pagutz de mana,
> Qui ren de s'amor guazanha !
>
> De dezir mos cors no fina
> Vas selha ren qu'ieu pus am ;
> E cre que volers m'enguana
> Si cobezeza la·m tol ;
> Que pus es ponhens qu'espina
> La dolors que ab joi sana ;
> Don ja non vuelh qu'om m'en planha.
>
> Senes breu de parguamina
> Tramet lo vers, que chantam
> En plana lengua romana,
> A·n Hugo Bru per Filhol ;
> Bo·m sap quar gens Peitavina
> De Berri e de Guïana
> S'esgau per lui e Bretanha [7].

Le poète peut bien ressembler au « rossinholetz » en ce que la nature, au printemps, l'oblige à chanter. Mais à la différence de l'oiseau, le poète humain ne peut chanter sans constater en même temps qu'il chante. Ce décalage entre le poète et les autres chanteurs de la nature, Jaufré en fera — comme ses héritiers jusqu'à Charles d'Orléans — le signe même de son intégration dans la nature. Au printemps, les choses découvrent leur vraie nature ; ainsi Jaufré est-il amené, au début de sa chanson, et comme par réflexe, à nommer la nature entière et à en prendre conscience, sous la forme d'une hiérarchie. D'abord viennent les objets inconscients (« lo rius »), les éléments qui les constituent, l'eau et la lumière, conçus dans la régularité cyclique qui leur est propre (« si cum far sol ») ; ensuite les plantes, qui se donnent, au printemps, à la vue née de la lumière (« E par... ») ; puis les animaux, qu'on ne voit pas, cachés qu'ils sont par l'églantine, doués de la voix, de la volonté et de la sensibilité (« Son *dous* chantar ») ; enfin, dans l'ordre juste, voici l'homme qui voit et entend et comprend la scène entière dans son contexte invisible, du sommet de la hiérarchie naturelle. Dans le grand bestiaire de la nature, ce qui distingue le ruisseau, c'est son éclat ; ce qui marque l'oiseau, c'est son chant ; ce qui est la nature de l'homme, c'est sa conscience, ou, comme on aurait dit alors, sa raison. Avec cette raison, l'homme peut saisir la nature des autres êtres, et aussi la nature de la nature : c'est l'ordre hiérarchique de celle-ci, qu'on vient de voir.

Quand Jaufré dit « Dreitz es qu'ieu lo mieu refranha », il désigne par le mot « Dreitz » cette règle entière, qui met l'homme à sa juste place. Quand il dit « lo mieu », il se réfère à sa chanson, qui s'apparente, par sa musique et sa joie printanière, au « dous chantar » de l'oiseau, et que nous sommes en train d'écouter. Mais si les mots « lo mieu » se réfèrent au vers précédent et au vers même où ils se trouvent, ils se réfèrent dans une mesure égale aux vers qui suivent, c'est-à-dire au poème d'amour de quatre strophes adressé à un « Amors de terra lonhdana ». Le poème de Jaufré forme donc deux poèmes ; son « dous chantar » est double. Il y a d'abord un poème de cinq strophes, dont la première strophe décrit son origine dans la nature ; il y a aussi un poème de quatre strophes, dont la naissance est comme justifiée par une espèce d'introduction dramatique, qui décrit du même coup sa propre naissance [8].

Au demeurant, chacun des deux poèmes est lui-même de nature double. Le poème de cinq strophes ressemble par sa musique, avons-nous vu, au « chantar » de l'oiseau. Mais par sa structure double, qui unit une justification raisonnée du chant humain à une chanson spécimen, c'est-à-dire par sa *raison*, il s'oppose au « chantar » de tout « rossinholetz ». Il s'agit de deux esthétiques : l'oiseau « refranh » son chant, à l'indicatif, mais ce chant est sans structure et sans raison ; le poète constate plutôt, qu'il est juste qu'il « refranha » son chant, au subjonctif. De sa part, le poème de quatre strophes, spécimen du « chantar » du musicien humain, ressemble bien au chant de l'oiseau au printemps en ce qu'il est un poème *d'amour*, qui a pour but et pour sujet le rapprochement des êtres. Et voilà que surgit, de nouveau, le dilemme du poète ; car s'il est près de la nature, s'il observe une scène hiérarchique de toute beauté et si, en y étant sensible, il témoigne d'une communion au milieu des choses, force lui est de constater aussitôt qu'il en est *absent*. Son poème d'amour est une constatation d'échec, son amour est au loin, il ne le voit pas. A la différence angoissante de l'oiseau, le seul lien qui l'unisse à la moitié de lui-même est sa conscience d'elle, ou, comme on dirait aujourd'hui, son imagination. Mais cet échec et cet écart sont aussi un triomphe, sont justes : « Dreitz es... » Par l'oreille et par la conscience du poète, l'oiseau lui est à la fois présent et absent ; par son imagination sensuelle, sa dame lui est également absente et présente. Ce qui le coupe de la nature est le lien qui l'unit à elle de la façon la plus naturelle. Et cette nature de l'homme le doue de son destin surnaturel, plus-que-naturel, c'est-à-dire divin.

Pour les poètes qui sont dans le sillage de Jaufré Rudel, si l'on peut dire, il était difficile d'écrire sans évoquer ce dilemme — sans parler de la nature de l'homme — par la narration d'une prise de conscience qui aurait suscité leur parole. Seulement, cette prise s'exprimait d'ordinaire à l'envers : la raison en est double, semble-t-il. D'abord, dans l'expérience de chacun, prendre conscience de quelque chose dépend de l'existence préalable de l'objet connu. C'est parce que la conscience se trouve prise, emprisonnée par les objets du dehors, et qu'elle se découvre ainsi en proie elle-même au devenir naturel, qu'elle réagit en se saisissant, à sa manière, de l'objet qui la menace. Combien de poésies au Moyen Age, depuis celle de Boèce jusqu'aux œuvres de Villon, commencent par une vision de l'auteur *en prison* [9] ? En second lieu, comme nous verrons, il est encore inconcevable que la conscience puisse créer ses objets par ses propres forces. L'appréhension se fait par un mouvement du dehors, par lequel le monde des objets se présente à l'esprit : la strophe 12 en témoigne. Combien de poèmes au Moyen Age prennent vie de l'appréhension par excellence : les flèches que lancent les yeux d'une belle femme entrent par les yeux de l'amoureux et blessent son cœur à mort ? Dans les mains des plus intelligents et des plus habiles, la poésie d'amour depuis Jaufré Rudel a fourni les moyens d'une enquête sur le statut ontologique de l'objet perçu.

Pour voir clair dans les attitudes de Villon par rapport à ces exigences de la tradition lyrique, reprenons le petit rondeau « Au retour ». Ailleurs nous avons pu remarquer que la structure d'un « rondeau », que Villon met en valeur par le mot-clef « retour », sert à distinguer deux réalités : la « prison » de Fortune, et la « maison » de Dieu. Cette structure à deux temps était également celle de l'expérience de Mehun, que les strophes 2, 11 et 12 représentent chacune à sa manière. Mais cette structure formelle joue avec une seconde structure à deux temps qui n'est pas propre au seul rondeau. Les huit vers du plaidoyer de Villon sont d'une unité syntaxique et d'une symétrie logique. Ils ont la forme syllogistique et le vocabulaire juridique des strophes 3-4, ainsi que des strophes de conclusion dans la série 12 à 33 :

> *Se fortune a sur moy envie*   (1 786)
> *Jugiez s'elle fait mesprison*

> *Il me semble que par raison*
> *Elle deust bien estre assouvie*
> *Au retour*
>
> *Se si plaine est de desraison*
> *Que vueille que du tout devie*
> *Plaise a Dieu que l'ame ravie*
> *En soit lassus en sa maison*
> *Au retour*

Ici, ce n'est ni la syntaxe seule ni le vocabulaire du plaidoyer qui est mis en relief par la structure, mais sa nature verbale. Car ce parler juridique, qui désigne explicitement plusieurs actes intellectifs, est précédé de deux vers asymétriques qui évoquent la situation concrète d'où ces paroles jaillirent :

> *Au retour de dure prison*   (1 784)
> *Ou j'ai laissié presque la vie...*

Le premier vers nomme le temps : « Au retour » est un raccourci pour « Au moment de mon retour... » Le second note l'espace : « Ou j'ai laissié... » La « dure prison » est le nom même du monde perçu en tant que tel, demeure de la « pelote », que Jaufré avait nommé, plus délicatement, « Amors de terra lonhdana ». Entre ce monde et le poème, entre les choses et les mots, entre le silence et le parler, entre la scène et la conscience qui s'y trouve, il existe un rapport d'illogisme qu'on pourrait aussi bien appeler une coupure. En fait, la première phrase n'est qu'un fragment qui n'est pas lié à ce qui suit par quelque lien syntaxique que ce soit. On pourrait signaler la pause illogique par un tiret ou des points de suspension...

Voici l'expression dramatique de la dualité que nous avons déjà remarquée, dans la ballade de Nostre Dame, comme un trait propre aux poèmes à refrain : c'est une opposition entre le changeant et l'immuable. Là comme ici, comme d'ailleurs aux strophes 12-13, cette dualité joue au fond du poème avec une structure triple qui exprime, non pas l'origine de la parole, mais ses devoirs. De cette structure à trois termes, elle aussi propre à la tradition lyrique à laquelle se rattache Villon, nous aurons à reparler dans notre conclusion. Mais le seul hiatus syntaxique entre la scène et la parole qui en sort nous est familier depuis longtemps. Il marque un malaise du poète devant ce qu'on pourrait appeler la comparution de sa parole. Chez Villon, sans doute, il signalait la tension non résolue d'une situation objective. Rappelons la crise personnelle qui amène, tout au début du *Lais*, une coupure décisive entre réalité objective et paysage verbal :

> *L'an quatre cens cinquante six*   (L. 1)
> *Je Françoys Villon escollier*
> *Considerant de sens rassis*
> *Le frain aux dens franc au collier*
> *Qu'on doit ses œuvres conseillier*
> *Comme Vegece le raconte*
> *Sage Rommain grant conseillier*
> *Ou autrement on se mesconte...*

> *En ce temps que j'ay dit devant*
> *Sur le Noel morte saison...*

Comme partout dans ce poème, Villon renverse les données traditionnelles : c'est un parler juridique ici qui cède, par l'hiatus syntaxique, à l'évocation d'une scène qui est loin d'être printanière.

Rappelons enfin que le même illogisme fend en deux la première strophe du *Testament* :

> *En l'an de mon trentiesme aage*   (1)
> *Que toutes mes hontes j'eus beues*
> *Ne du tout fol ne du tout sage*
> *Non obstant maintes peines eues*
> *Lesquelles j'ay toutes receues*
> *Soubz la main Thibault d'Aussigny...*
> *S'evesque il est seignant les rues*
> *Qu'il soit le mien je le regny.*

Comme dans le rondeau « Au retour », l'hiatus est suivi par un appel immédiat à la logique formelle, à la syntaxe close du langage, et à la justice qu'on requiert :

> *Au retour de* ....   *En l'an de* ....
> *Se fortune a* ....   *S'evesque il est* ....
> *Jugiez s'elle fait* ....   *Qu'il soit* .... *je le regny*

Cette habitude formelle, qui incarne la prise de conscience par le poète de son rôle suprêmement naturel, est partout présente chez les poètes de la tradition provençale. Nous la reconnaîtrons dans la « pastourelle », où le poète quitte son manoir d'aristocrate pour les champs et les bois, afin de s'entretenir d'amour avec la paysanne. Nous la retrouverons même dans les poèmes les plus ouvertement verbaux — c'est-à-dire les pièces philosophiques, ou, comme nous disons, didactiques — qui débutent de la façon dont le moins réfléchi et le moins abstrait d'entre nous fait, chaque jour, abstraction des objets : le sommeil et le songe.

La forme du *Testament*, cependant, est bien plus compliquée que celle des chansons provençales. C'est parce que, chez Villon, cette première coupure dramatisée entre les choses et les mots sert d'annonce à la coupure radicale qui suivra. Dans le *Lais*, déjà, la coupe qu'il y a entre la première et la deuxième strophe annonce celle, encore plus marquée, entre la deuxième et la troisième. Et n'avonsnous pas déjà noté que le *Testament* se déroule en deux temps ? La première partie présente en termes dramatiques le passé d'un individu, la genèse de son poème, et une dialectique des valeurs dans les deux hiérarchies dont il est conscient. L'expérience de Mehun, et ce qui suit, a la fonction formelle d'enchâsser le poème dans la réalité extra-poétique. La deuxième partie du *Testament* est aussi explicitement un parler juridique qui vise au remaniement de tout un monde d'objets en désarroi. La première emploie les faits singuliers et l'ordre historique d'une seule vie pour étaler des faits universels et un ordre hors du temps. La seconde emploie des mots pour toucher aux objets. Et juste entre les deux, avant l'hiatus qu'annoncent les mots, « Et vecy le commancement », au vers 792, il se fait comme involontairement un épaississement de la trame, par lequel la parole se complique, se concrétise, prend la forme d'une nouvelle fiction, celle du « clerc Fremin ».

Si Villon reprend en majuscules, pour ainsi dire, une formule provençale vieille de trois siècles, il est aussi éminemment moderne par rapport aux exigences formelles de son propre siècle. La structure poétique que nous voudrions nommer « à justification », en nous référant aux multiples sens de ce mot, est exactement la structure de *La Belle Dame sans mercy* d'Alain Chartier, la seule poésie de quelque étendue qui pût rivaliser d'importance avec l'œuvre de Villon à l'époque. N'est-il pas significatif que Chartier ait voulu consciemment ranimer l'esthétique, la courtoisie et le réalisme des premiers troubadours ? Son poème aussi est à deux temps : d'abord la narration des circonstances et de la mise en scène du poème. Le début opère une coupure entre parole et réalité objective, et établit une charnière de nature logique entre la voix du poète et l'injustice d'un rapt :

> Nagaires, chevauchant, pensoie,
> Comme homme triste et douolereux,
> Au dueil ou il fault que je soie
> Le plus dolent des amoureux,
> Puis que, par son dart rigoureux,
> La mort me toulit ma maistresse,
> Et me laissa seul, langoureux,
> En la conduite de tristesce.
>
> Se disoie : « Il fault que je cesse
> De ditter et de rimoyer,
> Et que j'abandonne et delesse
> Le rire pour le lermoyer.
> La me fault le temps employer,
> Car plus n'ay sentement ne aise,
> Soit d'escrire, soit d'envoyer
> Chose que a moy n'a autre plaise »... [10]

On notera que, tout comme au début du *Testament*, la logique des événements devrait contraindre le poète, ainsi qu'il le dit, à se taire. Nous aurons à revenir dans notre conclusion, à propos de Rutebeuf, sur le caractère sacramentel de la poésie « personnelle » à l'époque, qui fait de chaque ouvrage poétique comme un adieu à la poésie, « Faict », comme dit Villon, « de derniere voulenté ».

Ensuite, chez Alain Chartier, les trois quarts du poème sont constitués par le langage qui surgit de ce dilemme, à savoir un débat juridique entre homme et femme sur la nature de la langue poétique, qui en opère un remaniement. Entre les deux parties se trouve l'artifice flagrant de la « treille » par laquelle Chartier aurait pu dire, comme Villon au sujet de « Fremin », « Enregistrer j'ay faict ces dis » (v. 564) :

(20)   De celle feste me lassay,   (153)
                Car joie triste cuer traveille,
                Et hors de la presce passay
                Et m'assis derriere une treille
                Drue de fueilles a merveille,
                Entrelacee de saulx vers,
                Si que nul, pour l'espesse fueille,
                Ne me peust veoir a travers.

                L'amoureux sa dame menoit
                Dancer, quant venoit à son tour,
                Et puis seoir s'en revenoit
                Sur un preau vert, au retour.
                Nulz autres n'avoit alentour
                Assis fors seulement les deux,
                Et n'y avoit autre destour
                Fors la treille entre moy et eulx [11].

Sous la « treille » toute artificielle on reconnaît sans doute le « ram »
à travers lequel Jaufré Rudel pouvait noter le « chantar » du
« rossinholetz ». La complexité de cet écran, « Drue de fueilles a merveille », exprime parfaitement le lien de conscience qui écarte la parole
des objets chez Alain Chartier, ainsi que la distance parcourue par la
poésie française en fait de conscience et de complexité depuis le
XIIᵉ siècle.

   Jaufré Rudel, quant à lui, avait évoqué la nature par une notation succincte, puis avait annoncé solennellement, « Dreitz es... ».
Alain Chartier brosse un tableau riche et sombre de la même réalité,
où les objets naturels sont devenus hostiles à la conscience, et
constate ensuite tout bonnement « hors de la presce passay... ». Chez
Villon, par contre, l'artifice est rendu par un développement supérieur de conscience qui tire un profit burlesque d'un procédé démas-
qué. Le tableau plaisant du « clerc Fremin » semble relever du mauvais goût de quelqu'un, tel le docteur Cottard des Verdurin, qui
veut absolument prendre un tour familier au pied de la lettre. Car,
chez Villon, le burlesque est utile ; par une conscience qui se vante
d'être supérieure, où la clarté donne dans le scepticisme et confine
à la satire, tout vieux truc est ranimé par le rire, est rendu fertile.
C'est la philosophie du rire que Villon inventa et qu'il légua à Rabelais. En fait, « Fremin » aura le rôle capital de transformer un « dit »
en « fait », de fournir le lien dramatique qui établisse une charnière
valable entre la réalité de Mehun et le « tester » de Villon :

(78)   *Somme plus ne diray qu'ung mot*   (777)
                Car commencer vueil a tester
                Devant mon clerc Fremin qui m'ot
                S'il ne dort je vueil protester
                Que n'entens homme detester
                Et ceste presente ordonnance
                Et ne la vueil magnifester
                Si non ou royaume de France

> *Je sens mon cuer qui s'affoiblit*
> *Et plus je ne puis papier*
> *Fremin sié toy pres de mon lit*
> *Que l'on ne m'y viengne espier*
> *Prens ancre tost plume papier*
> *Ce que nomme escry vistement*
> *Puys fay le partout coppier*
> *Et vecy le commancement*

Le *Testament* n'aurait pas pu commencer à ce « commancement »
— comme, d'ailleurs, le « tester » de Villon ne commencera en réalité que cinq strophes plus tard. Tout ce qui précède a eu la fonction
de justifier « l'industrie des lays », comme Marot l'appela, et de l'enchâsser dans la réalité à laquelle, enfin, elle est destinée à revenir.
Les 84 premières strophes du poème, comme les deux premiers vers
du rondeau « Au retour », relient la conjuration du poète à la scène
d'injustice qui la provoqua.

4.   Ainsi la forme du *Testament* entier reflète-t-elle les exigences
de la tradition lyrique qui découle des troubadours. Mais par sa
seule structure, comment le poème de Villon se rattache-t-il aussi
à la tradition philosophique qui est née à Chartres ? Le premier
parallélisme formel qu'on remarque n'est pas tout à fait probant :
c'est que l'œuvre d'Alain de Lisle, ainsi que le *Roman de la
rose*, dépend pour son sens de sa structure double. Le *De planctu*
n'est que le premier volet d'un diptyque dont l'autre volet s'appelle
Anticlaudianus. Et le *Roman de la rose* avait non seulement deux parties, mais en plus deux auteurs, dont le second a inséré l'œuvre du
premier dans un cadre bien plus ambitieux, en fournissant lui-
même le second volet, et en accusant explicitement la fêlure entre les
deux parties [12]. Quel est donc le sens de ce double effort ? Pourquoi
Alain de Lisle a-t-il dû écrire deux poèmes ? Pourquoi Jean de Mehun
ne pouvait-il commencer son poème là où il ne faisait que reprendre
pour la transformer l'œuvre de Guillaume de Lorris ?

Chez Alain comme chez Jean, chaque partie de l'œuvre double a
sa propre fonction. La première tâche du poète est de présenter en
teintes vives la vision du monde que gouverne Nature, voué à l'amour
et à la génération des espèces. Alain nous décrit Nature elle-même ;
Guillaume de Lorris, un peu moins direct, nous donne le Jardin de
Déduit. Mais la présentation ne serait pas entière ni véridique si le
poète ne constatait que les mécanismes d'amour sont en panne, que
la nature est entravée, et s'il ne procédait par des rites et par d'obscures observances poétiques à un nettoyage complet du système de
la nature. La purge des éléments nocifs peut s'achever par un acte
formel — chez Alain, l'archiprêtre de Nature excommunie le pédéraste — ou par une espèce d'exorcisme qui est inhérent aux événements — nous pensons, chez Jean, au meurtre brutal de Malebouche [13].
La nature une fois présentée, purifiée, remise en état par des procédés très complexes, le poète peut aborder la tâche qui domine la

seconde partie de son œuvre : la création de l'Homme Parfait, chez Alain, ou du Parfait Homme Naturel, chez Jean, qui règnera dans un nouvel âge d'or.

Nous ne voulons pas suggérer que les œuvres d'Alain et le *Roman de la rose* se doublent en quelque manière. Il suffit de noter que l'œuvre de Guillaume et de Jean est conséquente, aussi bien que subséquente, aux poèmes d'Alain, qu'il n'y avait nul besoin de récrire. Il ne s'agit pas d'une forme fixe, mais de certains éléments de structure et d'intention dont la reprise et la continuité ont créé une tradition. Chez Alain et Jean, les moyens de la purge, d'un côté, et de la création de l'Homme Parfait, de l'autre, sont très différents. L'un des instruments de ce dernier, chez Jean, par exemple, sera la reprise textuelle de la plainte de Nature chez Alain. Retenons pour l'instant que les deux œuvres débutent par la présentation de Nature en désarroi, et qu'elles se terminent par le portrait de l'Homme Naturel qui entreprend ses fonctions. Il n'est pas question de plagiat, mais plutôt d'émulation et de continuation d'un seul procédé littéraire : l'originalité n'est point en cause.

Pour voir comment Villon à son tour a repris l'œuvre de ses devanciers, reprenons le *Testament* au milieu, là où nous avons laissé son sort dans les mains habiles de Fremin, et portons-nous vers ses deux extrémités. Voilà, dans les premières strophes, la présentation, que nous connaissons, de cette souillure souveraine qui s'appelle Thibault par celui qui a bien sujet de l'exécrer. Voilà Nature qui dépose sa plainte, par la voix de son poète, contre une perversion de sa loi et de son langage, qu'est la fertilité. Dans les premières strophes du poème, Villon dresse un épouvantail avec le visage de Thibault, qu'on pourrait appeler, d'après Jean de Mehun, Malebouche. Chez Villon, il figurera l'Infertilité et la Haine, l'Anti-poète, premier serviteur de la Mort.

Tournons les pages, allons à la fin du poème. N'est-ce pas Villon lui-même que Villon nous y présente ? Le voilà dans la dernière ballade, vu objectivement, à la troisième personne. Qui est ce gaillard qui se dresse devant nous ? « Le Pauvre Villon », comme il se nomme lui-même ; c'est un « martir » du culte de la fertilité. Usé d'amour, il n'a pas laissé une seule femme « d'icy a Roussillon » sans goûter de ses faveurs. Mourant, épuisé, il se tient encore debout, l'une des mains « sur son couillon », l'autre tenant un grand verre rempli jusqu'au bord du jus de la terre, son pauvre membre, qu'il appelle « ung haillon », raide et droit dans une dernière érection : « Plus agu que le ranguillon D'ung baudrier... ». Ce moribond, où puise-t-il ces forces inouïes ? « C'est de quoy nous esmerveillon ! » Contre la nature morte à visage de Thibault, Villon parvient à dresser une deuxième figure à traits opposés, qui s'appelle aussi bien le Pauvre Villon que Poète et Amour, premier serviteur de Nature.

Entre ces deux présentations du début et de la fin du *Testament* gît l'œuvre de Villon, dans tous les sens que ce mot avait à son époque : pièce littéraire, acte sexuel, action éthique, objet créé. Mais

que signifie le fait qu'à la fin de l'œuvre, l'ouvrier soit mort ? La
cause finale de la mort du Pauvre Villon ne ressortira qu'à la fin de
notre étude de ce qu'il était et de ce qu'il faisait. Du moins est-il clair
maintenant que, si la forme du *Testament* répond aux diverses exigences de deux traditions littéraires, elle incarne aussi l'apport nouveau du poète Villon à ces traditions. Car Villon écrit un testament
dans le sens normal du mot : une disposition de ses biens par un
mourant, une espèce de procès-verbal qu'il dicte « de derniere voulenté Seul pour tout et irrevocable ». Villon a choisi la forme du testament puisqu'il lui fallait mourir, pour des raisons que nous verrons ; et aussi parce que cette forme possédait d'ordinaire une
structure à deux temps. D'abord, une présentation du testateur, avec
son état d'âme et sa condition matérielle, qui sont les justifications
du document qu'il rédige. Ensuite, la disposition détaillée de ses
biens, une série de gestes selon la loi et par la parole, qui donne chair
et os à la « voulenté » du mourant, et qui opèrera sans faute un réel
règlement d'objets et de personnes, bien au-delà d'un règlement purement linguistique, voire conceptuel. Villon avait sans doute besoin
d'une forme poétique qui lui occasionnât certains « dis », comme il
les appelle (v. 564), qui regardent le passé et qui signalent comme
étant leur source une expérience mortelle, signe d'un état général des
choses ; une forme qui rendît plausible du coup l'établissement de
ce qu'il nomme une « ordonnance » (v. 782), tournée vers l'avenir,
qui s'efforce d'effectuer un nouvel agencement des choses en fonction
de certaines forces qui règnent toujours dans un monde détraqué.
La double structure d'une poésie, qui veut créer un ordre virtuel en
désignant une expérience du désordre réel, c'est aussi bien la structure intentionnelle d'un « testament » que d'une entreprise philosophique.

NOTES DU CHAPITRE I

1. Nous ne connaissons aucune étude d'ensemble de cette tradition dans la littérature du Moyen Age. En revanche, l'intérêt qu'ont éprouvé certains poètes, Dante, Chaucer, et Jean de Mehun, par exemple, pour l'œuvre d'Alain de Lisle, et le rayonnement extraordinaire de cette œuvre, sont des lieux communs de l'histoire littéraire. Le sens de la tradition a été expliqué par Gunn, dans son ouvrage sur le *Roman de la rose* (auquel nous sommes redevables à bien des égards) sans qu'il ait tâché d'en esquisser le développement. Gunn ne fait aucune mention de Villon.

Le point de départ de Gunn a été le livre de A.O. Lovejoy, *The Great Chain of Being* (Cambridge, Mass., Harvard University Press, 1936), et sa discussion de la « philosophie de la plénitude » [ch. I-III]. Curtius, ch. VI, retrace très sommairement la généalogie de la tradition, et relève chez Shakespeare des reflets de ses termes. Il ajoute en note : « Le chemin suivi par ce *topos* depuis le Moyen Age n'est pas encore bien connu... » (p. 155). (Curtius n'avait pas lu l'ouvrage de Lovejoy [p. 136].) L'imprécision du terme *topos* dans l'usage de Curtius prouve ici son utilité et son péril. En fait, le naturalisme platonicien commence à être perdu de vue en tant que tel dès 1500, submergé par la vague de textes antiques et la vogue du néo-platonisme florentin : nous n'osons pas aborder un sujet si vaste. Pour des références abondantes et une analyse plus profonde de certains aspects de la tradition, voir les articles de base de E.C. Knowlton, « The Goddess Nature in Early Periods », dans *Journal of English and Germanic Philology* 19 (1920), p. 224-53 ; et « Nature in Old French », dans *Modern Philology* 20 (1923), p. 303-29 (cités par Gunn, p. 539). Pour les sources philosophiques de cette tradition, voir plus loin, notre note bibliographique, p. 398, n. 24.

2. Depuis la démonstration de Gunn, il n'est plus possible de méconnaître la forme unie, le dessein rigoureux, et l'intention consciente de l'œuvre de Jean de Mehun. Nous renvoyons à nouveau à son livre, et surtout aux p. 483-97.

3. C'est l'étymologie du mot dans le sens étymologique du mot « étymologie ». Pour l'explication, voir Freud, *Sammlung kleiner Schriften*, Leipzig, 1921, t. III, p. 184, n. 1.

Pour l'historique du mot *testamentum*, voir Ernout et Meillet, *op. cit.*, sous les mots *testis* et *testes*, le second étant une « acception spéciale » du premier.

4. Notre texte est celui de l'édition la plus récente, celle de T. Wright, *Anglo-Latin Satirical Poets of the 12th Century*, London, 1872, t. II, p. 458. Nos références ultérieures à ce poème se trouveront dans le corps de notre texte, après la citation.

5. Nous suivons l'édition de H.F. Stewart et E.K. Rand, Loeb Classical Library, 1918, p. 262 [L. III, M. 9]. Nous aurons l'occasion plus loin de marquer sommairement comment les fonctions démiurgiques du Dieu de Boèce furent transférées, au XIIe siècle, à la figure de Nature. Voir plus loin, p. 386-7.

6. Voir l'ouvrage de Kantorowicz déjà cité, surtout ch. 3. Cette notion est une dérivée de la notion théologique de la *gemina persona* du roi, c'est-à-dire sa double personne : « *In una quippe erat naturaliter individuus homo, in altera per gratiam Christus, id est Deus-homo* » (p. 46). Voir notre chapitre précédent, la discussion de la strophe 11, p. 226-34

7. Jaufré Rudel, p. 3-5. Voici la traduction que donne Jeanroy de la première strophe. Sa version des mots « volf », « refranh », « aplana » et « afina » est approximative, en ceci que ce sont des termes techniques de la prosodie provençale, dont nous ignorons la valeur exacte :

« 1. — Quand l'eau de la source court plus claire, comme cela arrive (au printemps), et que paraît la fleur de l'églantier, et que le rossignol, sur la branche, répète, module, adoucit et embellit sa douce chanson, il est bien juste que je module la mienne ».

8. Le mot « s'esclarzis » peut être interprété de deux façons. On comprend que l'eau du ruisseau qui court de la fontaine, naguère trouble, pendant les mois de pluie, devient limpide, si bien qu'on voit le fond. Mais aussi que l'eau, maintenant « claire », devient lumineuse par l'éclat de sa surface au soleil. Ainsi l'eau, *pénétrée* de lumière, devient une *source* de lumière, la restitue de façon créatrice. « Lo rius » exprime ainsi en lui-même presque toutes les qualités que le poète perçoit dans la scène objective : il court, il se transforme régulièrement, il s'exprime éloquemment à la vue comme à l'oreille, il possède la dimension de profondeur tantôt opaque tantôt lucide, et une superficie pénétrable.

Bien entendu, d'autres interprétations de la structure du poème sont possibles. La dernière strophe, par exemple, tout en rentrant dans la chanson d'amour, fait partie également de son « cadre », avec la fonction d'enchâsser le poème dans la réalité linguistique, politique et sociale, de même que la première strophe l'enchâsse dans la réalité de l'art, des sentiments et des objets.

9. Boèce ne dit pas au début de son livre qu'il l'écrit en prison ; mais ce fait était parfaitement connu à l'époque de Villon. Voir les remarques biographiques que Jean de Mehun ajouta à sa traduction : « Cist Boeces ama moult le commun profit et fu haiz de Theodoric qui lors estoit roy des Romains. Dom comme cil Theodoric en guise de tyrant fist plusieurs crualtéz contre le profit du pueple et touz jours trouvast Boece contraire a ces felons establissemens, il, par sa grant felonnie esmeus, estudia a trouver cause par quoy il peust Boece destruire... Dont li felons roys... fist que Boece, innocent et non sachant, sens estre presens fu juigiéz et envoiéz en essil et fu mis en chartre en la cité de Pavie... Cist Boeces qui tous jours avoit esté bons fist illeuc en la chartre cest livre... » (*Li Livres de confort*, p. 170).

10. *La Belle Dame sans mercy*, p. 3. L'explication que donne Piaget, dans son Introduction, du succès « prodigieux » et « durable » de ce « petit poème », nous semble en tout irrecevable.

11. *Ibid.*, p. 8.

12. Pour la liaison des deux parties du *Roman* et le dessein de Jean de Mehun, voir Gunn, L. 3, et surtout p. 17-29, 141-64, 491-2. Pour les attitudes de Jean de Mehun envers Guillaume de Lorris, et les vers qui accusent la nature double de l'entreprise, voir Gunn, p. 322-3, et le *Roman*, v. 10 526 sqq.

13. *Roman de la rose*, v. 12 033-380. « The whole passage is as exciting and as rapidly moving as any in medieval literature before Dante » (Gunn, p. 185-6).

CHAPITRE II *

LES "PAROLES GELÉES"

1. En adaptant la vieille forme du testament satirique à l'expression d'une pensée ancienne, Villon ne prétendait évidemment pas moderniser (comme nous disons) une ancienne mode. La philosophie à laquelle il s'intéressait était aussi actuelle que le désordre qu'elle expliquait et l'espoir d'ordre qu'elle entrevoyait. Le *Roman de la rose* n'était pas pour Villon un vieux traité désuet et ennuyeux. A l'époque, et pour tout un siècle encore, l'œuvre de Guillaume de Lorris et de Jean de Mehun *servait* à quelque chose. Elle était l'instrument efficace d'une éducation morale qui, comme l'avaient voulu ses auteurs, tendait à réaliser un nouvel ordre et travaillait dans le sens de la réforme de mœurs qu'avait visée Platon [1]. Par le fait qu'il est, entre bien d'autres choses, un vrai testament, le poème de Villon sert lui aussi à réaliser certains buts. Déjà nous avons compris cela du fait que Villon nomme des objets singuliers, des individus à nous inconnus, ainsi que des lieux réels que, parfois, nous reconnaissons encore.

Comme les deux premiers vers du rondeau « Au retour » sont un moyen de nommer l'objectivité d'où sort la parole — ce que font aussi les premières strophes du *Testament* — de même, ce jeu de cache-cache auquel Villon nous invite à assister avec la foule de ses amis dans les coins qu'ils auraient pu fréquenter, en nous présentant toute la cryptographie d'un monde privé, est un moyen de désigner la véritable opération de la parole qui, étant sortie des objets, *retourne vers eux.* Dans un vrai testament, Villon peut effectuer un vrai déplacement de vrais objets par le fait de les nommer. Dans une vraie poésie, il peut nous enseigner que ce retournement de la parole ainsi que ce déplacement font partie d'un processus naturel. Il peut nous convaincre que la vie toute particulière d'un seul homme se déroule parmi des forces qu'il ne contrôle point, à l'égard desquelles cette vie peut exprimer soit de l'hostilité soit de la vénération.

Quelle vie choisir ? Mais quelles sont ces forces autour de nous dont dépendrait la valeur de notre choix ? Reprendre la tradition de Jean de Mehun et d'Alain de Lisle veut dire reprendre de vieilles vérités, les faire vivre, se faire vivant à leur endroit, ranimer ses amis et un monde figé par l'enseignement et par son propre exemple. Cela signifie tourner la face de la parole vers l'humble berceau où elle naquit, et la pousser à l'action. Le premier pas sur ce long chemin, ce sera de reprendre dans les mains des « parolles gelées », comme

* Les notes relatives à ce chapitre sont réunies p. 293-296.

les appellera Rabelais, en décrivant les méthodes de son propre travail, qui d'« estre quelque peu eschauffez entre nos mains, fondoient comme neiges, et les oyons realement... » [2].

Mais nous savons déjà que les neiges fondues coulent à travers la poésie de Villon, tout comme « lo rius de la fontana » ; elles cascadent dans la partie du *Testament* qui se passe au premier printemps, à Pâques, sous le signe de la Résurrection. N'est-ce pas la « froide eaue » des masses neigeuses que Villon a dû boire l'été de Mehun, la dernière de ses « hontes... bues » ? Les vérités d'antan reparaissent « eschauffe(e)z » entre les mains créatrices de Villon, sous forme d'images et de métaphores qui découlent des sources de la docte tradition à laquelle il a prêté sa foi. Villon les remanie, il les palpe et les replace dans de nouveaux contextes qui raniment leur sens ancien en y ajoutant des nuances nouvelles.

Ainsi en est-il justement en ce qui concerne les « neiges d'antan » de la première ballade. Dans l'ancienne matrice chrétienne — la nostalgie du thème « ubi sunt... » — Villon a coulé un liquide encore plus ancien, la rivière du changement fertile, qui emporte toutes choses dans un flux irrésistible. L'individu — le « Prince » de la ballade, par exemple, ainsi que toutes les dames, et l'auteur lui-même qui « a ce reffrain... vous remaine » — l'individu est menacé par une marée d'objets en train de se métamorphoser, qui n'est autre que le tout qui l'entoure et l'inclut. Pour ce qui est des sens, du moins, l'homme ne sait rien qui ne fasse partie de « ce monde cy transsitoire » ; Boèce l'avait appelé, dans un passage que nous avons cité plus haut, « *materiæ fluitantis opus* » ; et chez Jean de Mehun, Nature cite Platon à témoin que « Mi fait, ce dit, sont tuit soluble » (19071). Justement, c'est dans les strophes 7 à 11, qui veulent évoquer le monde de Nature, que Villon prend soin de distinguer entre son faible corps naturel, avec ses cinq sens, en train de disparaître, et son « sens », son entendement, qui lui vient de Dieu et ne partage en rien la « foiblesse » de sa prison naturelle :

> (10)   *Pour ce que foible je me sens*   (73)
> *Trop plus de biens que de santé*
> *Tant que je suis en mon plain sens*
> *Si peu que Dieu m'en a presté*
> *Car d'autre ne l'ay emprunté...* [3]

D'une part, donc, les « neiges d'antan » sont une double menace. En tant que neiges, l'hiver et son froid, elles mettent en péril la vie de l'homme, sa famille et son bétail. En tant que neiges « d'antan », déjà disparues sous la chaleur du soleil, elles rappellent à la conscience la fragilité du corps que, provisoirement, elle habite. Mais d'autre part, les « neiges d'antan » sont les neiges de chaque année, de tous les ans. Elles apportent la promesse d'une continuité et l'espoir d'une permanence. En tant que neiges réelles, elles assurent la fertilité des champs dans la saison à venir. En tant qu'image figée d'une réalité fugace, elles témoignent du rythme rénovateur du changement et du caractère continu de la matière qui change.

Quel doit être notre rapport avec cette matière, pour que nous y trouvions notre salut aussi bien que notre perte ? Quelle peut être notre participation à ce rythme et à cette unité ? Comment partager, pendant la vie même, la fécondité de la nature et la permanence de la terre ? Qu'il y ait possibilité de participation, de permanence, et donc de salut, c'est la tâche du poète de nous le rappeler. C'est lui qui réchauffe, dans ses mains, les vérités d'antan et qui les fait couler jusqu'à nous. Dans la ballade « Dictes moy ou... », le rapport entre deux manières de constater le dilemme de la mortalité — le rapport que signale le mot « mais » — est constitué par le fait de *se souvenir*. En fait, la notion de la mémoire n'est jamais absente d'une poésie qui veut remémorer toute une série de personnages et d'histoires qui n'appartiennent au monde qu'en tant que mythologie populaire. L'idée même des « neiges d'antan » exige un effort conceptuel, par lequel on se souvient d'un objet d'autrefois, en se rappelant d'abord qu'il y a eu une autre année avant celle-ci. Tout le monde peut expérimenter la menace des neiges actuelles. Mais il faut se mettre en contact avec la temporalité même, par un acte de mémoire, avant de pouvoir connaître aussi leur promesse. La mémoire est la dynamique de l'âme. Le poète est la mémoire de sa société. Il enseigne à se souvenir. Ainsi, quand le Prince redemandera « ou elles sont », chaque fois son poète le « *re*maine » à son « *re*ffrain », chaque année, de nouveau.

Mais de quoi se souvient le Prince ? Ressaisir la promesse des neiges veut dire retrouver leurs prémisses, à partir desquelles elles découlent dans la logique de la nature. Nous avons vu que le caractère paradoxal des neiges — elles sont à la fois éphémères et éternelles — pourrait avoir comme expression actuelle le changement et la fertilité. Villon nous rappelle par sa ballade que les neiges peuvent exprimer leur double virtualité d'une façon plus immédiate encore. Ses illustrations de la métamorphose sont autant d'histoires d'amour. Le petit conte de Buridan, qui de la Tour de Nesle dut être « geté en ung sac en Saine », nous présente en même temps l'histoire d'une noyade et l'image de la semence fertilisante. Villon nous rappelle, par sa façon elliptique de raconter l'histoire — la reine « commanda » seulement que son amant « Fust geté » — que le philosophe s'est tiré d'affaire, et qu'*il est revenu à la vie par les voies de la mort et de l'amour*. Il en est de même « Semblablement », chez Pierre Esbaillart, qui, « Pour son amour », et par une mutilation en quelque sorte mortelle, s'est rendu à la vie religieuse. Le seul verbe « fut », faisant double service, exprime la transformation entière (« chastré fut... moyne »). De même, la mort amoureuse d'Echo l'a immortalisée ; de même, la mort de la « bonne lorraine » a été le salut de la France. La promesse des neiges d'antan est l'éternité par l'amour qui est sacrifice.

Par le fait même qu'il nous plonge dans les eaux de la métamorphose, l'amour est responsable d'une survivance. C'est le cas, d'ailleurs, de « Narcisus le bel honnestes » qui se noya « Pour l'amour » ;

c'est le cas de « David le roy » qui « oublia » ses craintes en voyant l'eau des neiges « laver » le corps d'une belle femme (v. 645-7). C'est le cas enfin de Villon lui-même qui, par amour, fut « batu comme a ru telles » (v. 658) ; il s'agit du même Pauvre Villon qui jure sur son « couillon » que « en amours mourut martir », comme nous verrons. Toutes ces personnes vivent encore. En tant que personnages ou de la mentalité populaire ou de la poésie, ils se sont perpétués dans notre souvenir, pour nous qui sommes leur postérité.

2.   L'image chez Villon est moins un outil rhétorique par lequel la langue s'efforce de saisir une réalité lointaine qu'un moyen de nommer la réalité avec laquelle elle coïncide. Les neiges, par exemple, font partie du va-et-vient terrestre, en même temps qu'elles parviennent à représenter toute chose qui y participe et, dans une poésie, à nous apporter l'idée même du changement. Plutôt que l'écart, l'image annonce la coïncidence dans un monde d'objets de plusieurs couches de réalités dont l'unité n'est pas seulement intelligible ; chaque mot concret fait plus ou moins fonction d'image chez Villon.

De même, l'espèce d'immortalité que nous procure l'amour constitue l'un des destins humains, et non pas une exception scandaleuse de l'histoire ou de la fantaisie. La seule hiérarchie historique de la ballade des neiges d'antan, qui aboutit au moment présent, à « cest an » et aux neiges présentes, nous l'a déjà dit. Et nous aurons compris aussi qu'en nommant « David » ou « Narcisus » ou « Esbaillart », d'après la tradition « ubi sunt... », Villon donne non seulement des exemples notoires ou des exemples-types, mais des exemples-limites et un argument : « Si les grands même, jusqu'à un David, ont dû passer par là, est-ce que toi, pauvre mercerot de Rennes, tu pourrais y échapper ? »

Bientôt Villon dira cela encore plus directement, en ayant recours à une seconde suite d'images traditionnelles. Elle sera liée à la première, aux neiges d'antan et à l'eau courante, par un seul mot qui est aussi une image complexe et une « parole gelée » : le mot *courir*. C'est évidemment à bon escient que Villon choisit d'employer ce mot dans son *Testament* successivement dans tous les sens qu'il pouvait avoir à son époque. Déjà Jean de Mehun lui avait fourni un modèle de ce procédé par lequel l'image de l'eau courante — qui coule de la fontaine du Jardin de Déduit où se mire l'Amant de Guillaume de Lorris — se charge de sens précis, systématiquement, par le fait qu'elle a été décomposée au préalable par le poète, jusqu'à ce que les mots « fuir » et « courir » soient devenus synonymes de « vivre », et que les qualités naturelles et symboliques de l'eau courante parviennent à définir, en les représentant, celles d'une vie.

Rappelons d'abord le contexte dans lequel s'accomplira le nouvel avatar d'une deuxième image consacrée par la tradition. La deuxième partie du premier volet du *Testament* se divise en deux sections, contenant chacune 23 strophes et trois pièces lyriques. Chaque section est subdivisée en un groupe de huit strophes, qui prépare et précède l'énoncé lyrique ; ensuite un groupe de cinq strophes, qui fait transition avec deux groupes de cinq strophes, liés par un seul trait de voix, qui constituent la discussion en *illustratio* de la proposition lyrique. Enfin, cinq strophes de conclusion nous amènent à la 85e strophe, où se termine le premier volet et où commence le volet séculier de cent strophes. Après la suite lyrique des trois ballades « du temps jadis » et les huit strophes (34 à 41) qui les introduisent, Villon nous présente (strophes 42 à 46) la Belle Hëaulmière qui, dans un discours à la première personne (strophes 47 à 56), se dépeint en tant qu'exemple-type de la femme amoureuse. Tandis que le propos glisse imperceptiblement de la *mort* amoureuse à la mort *amoureuse*, Villon achève sa symétrie formelle. Car voici encore huit strophes d'annonce (57 à 64), ensuite la « double ballade » des amants du temps jadis, les cinq strophes de transition (65 à 69), et les dix strophes (70 à 79) dans lesquelles se présente à nous à la première personne le héros du poème, celui que nous avons vu, déjà mort, à sa conclusion : « le Pauvre Villon » [4].

Presque aussi achevé que cette symétrie est le procédé par lequel Villon assure la continuité et la spontanéité du propos. Son formalisme est comme atténué par une inversion qui fait que la première unité lyrique de la section sur l'Amour — c'est-à-dire la ballade « Or y pensez... » — est dite par la bouche de la Belle Hëaulmière, charnière vivante entre les deux parties d'un seul discours et d'une seule réalité, qui ne sauraient être divisés sinon logiquement. Et justement ici, où la Mort et l'Amour se rencontrent et se mêlent, les neiges d'antan, qui viennent de fondre, se cristallisent sous nos yeux dans une nouvelle image. Avant de nous ramener vers le passé, Villon nous entretient du monde actuel où circule un autre « courant » vital : le commerce des femmes.

> *Or y pensez belle gaultiere*   (533)
> *Qui escoliere souliez estre*
> *Et vous Blanche la savetiere*
> *Or est il temps de vous congnoistre*
> *Prenez a destre et a senestre*
> *N'espargnez homme je vous prie*
> *Car vielles n'ont ne cours ne estre*
> *Ne que monnoye qu'on descrie*
>
> *Et vous la gente saulciciere*
> *Qui de dancier estes adestre*
> *Guillemete la tapiciere*
> *Ne mesprenez vers vostre maistre*
> *Tost vous fauldra clorre fenestre*
> *Quant deviendrez vielle flestrie*
> *Plus ne servirez qu'ung viel prestre*
> *Ne que monnoye qu'on descrie*
>
> *Jehanneton la chapperonniere*
> *Gardez qu'amy ne vous empestre*
> *Et Katherine la bourciere*

> *N'envoyez plus les hommes paistre*
> *Car qui belle n'est ne perpetre*
> *Leur male grace mais leur rie*
> *Laide viellesse amour n'empestre*
> *Ne que monnoye qu'on descrie*
>
> *Filles vueillez vous entremettre*
> *D'escouter pourquoy pleure et crie*
> *Pour ce que je ne me puis mettre*
> *Ne que monnoye qu'on descrie* [5]

Si, en prononçant la phrase « vielles n'ont ne cours ne estre », la Belle peut faire comparaison entre les femmes amoureuses et les pièces de monnaie, ce n'est point par un jeu de mots factice, mais plutôt par ce que nous avons appelé ailleurs une équivoque objective, que le langage ne fait que refléter. C'est d'abord, constate-t-elle, que les femmes, comme les pièces, passent de main en main. C'est ensuite, qu'elles ont une certaine valeur d'échange sur le marché public, un « cours » :

> *Laide vieillesse amour n'empestre...*

Puis, elle voit que les femmes amoureuses, comme la passion d'avarice, accaparent violemment les hommes :

> *Prenez a destre et a senestre*
> *N'espargnez homme je vous prie...*

Comme il en est du pirate Diomedès « que voions *courir* », elle a constaté des femmes que (et Villon le dira par une autre voix tout de suite après) « De celles cy n'est qui ne queure » (coure). Mais la suggestion du refrain, qui compare les femmes à des pièces, ne s'arrête point là. Tout le vocabulaire de la Belle dans sa ballade vient du commerce, à partir des sobriquets obscènes des prostituées (« gaultiere », « savetiere », « saulciciere », etc.) qui font d'elles des marchandes, semblables aux « marchans » à qui elle eut affaire elle-même (v. 512), jusqu'aux mots qui désignent sournoisement les méthodes du commerce entre homme et femme : « prenez », « n'espargnez », « clorre fenestre », « servirez » etc. Une continuité de faits, et non pas de pensée, relie la suggestion que, par l'amour, les hommes et les femmes « font » de la monnaie ; et que l'être humain n'est qu'une pièce dans l'unique commerce du monde qui s'appelle Nature.

Villon est en train d'user d'une manière de raisonner et d'un mode de référence qui sont loin d'être explicites, mais qui, n'étant point pour cela ésotériques ni obscurs, se rattachent à une branche vénérable de la pensée chrétienne. Ayons recours, pour un exemple plus clair, à Jean de Mehun. La Belle Hëaulmière nous a voulu rappeler que la femme, d'une valeur courante qu'elle appelle un « cours », est par là-même une aventurière, une commerçante, et en plus, quand elle choisit de gagner sa vie en vendant son corps, un rebut social. Bref, elle fait partie « des Escumeurs que voions courir », c'est-à-dire que son engagement moral dans la vie s'identifie aussi bien avec le métier de « courir » que le métier et la moralité de Diomedès se confondent dans le savant calembour « gouvernement ». Jean de Mehun avait déjà souligné cette analogie objective entre le commerce marin et l'amour, tous deux représentants de l'engagement moral, par le moyen d'un calembour probant sur « courir » et « cuer » :

> Li mariniers qui par mer nage,   (7 549)
> Cerchant mainte terre sauvage,
> Tout regart il a une esteile,
> Ne *cueurt* il pas toujourz d'un veile,
> Ainz le treschange mout souvent,
> Pour eschever tempeste ou vent ;
> Ausinc *cueurs* qui d'amer ne cesse
> Ne *cueurt* pas toujours d'une laisse :
> Or deit *chacier*, or deit *foïr*
> Qui veaut de bone amour joïr [6].

Dans ce passage, assez tôt dans son poème, le poète a donné au mot « fuir » un sens très banal : comme Villon, il part de l'expérience concrète et précise, pour courir vers l'abstrait et le général. C'est ainsi que, en décrivant la lutte éternelle entre Nature et Mort dont la vie de l'individu semble être l'enjeu, Jean est amené à entasser différents emplois du mot « fuir » et des mots « courir » et « chacer », qui leur sont apparentés :

> Car, quant ele [*i. e.* Mort] a tué le pere,   (15 915)
> Remaint il fiz ou fille ou mere,
> Qui s'en *fuient* devant la Mort...
> Puis recouvient, il ceus mourir
> Ja si bien ne savront *courir* :
> N'i vaut medecine ne veuz.
> Donc saillent nieces e neveuz,
> Qui *fuient* pour aus deporter
> Tant com pié les peuent porter ;
> Don l'uns s'en *fuit* a la querole...
> Li autre, pour plus tost *foïr*
> Que Mort ne les face enfoïr,
> S'en montent seur les granz destriers...
> L'autre met en un fust sa vie,
> Et *s'en fuit* par mer a navie...
> L'autre qui par veu s'umelie,
> Prent un mantel d'ypocrisie,
> Don en *fuiant* son penser cueuvre...
> *Ainsinc fuient tuit cil qui vivent,*
> Qui volontiers la mort eschivent.
> Mort, qui de neir le vis a teint,
> *Cueurt* apres tant qu'el les ataint ;
> Si qu'il a trop fiere *chace* :
> Cil s'en *fuient* e Mort les chace
> Diz anz ou vint, trente ou quarante...
> E s'il peuent outre passer,
> *Cueurt* ele après senz sei lasser...

Ce qui court et ce qui fuit, ce n'est autre chose que des « pièces » frappées par Nature-Forgeron sur son enclume. Par un second calembour, semblable au « court-cuer », Jean de Mehun nous prépare à comprendre le sens entier de ce qui pourrait paraître une métaphore recherchée :

> E ceus qui ne peuent tant courre,   (15 963)
> Nes repeut riens de Mort rescourre.
> Ainsinc Mort, qui ja n'iert saoule,
> Gloutement les pieces engoule ;
> Tant les suit par mer e par terre
> Qu'en la fin toutes les enterre.
> Mais nes peut ensemble tenir,
> Si qu'el ne peut a chief venir
> Des *espieces* dou tout destruire,
> Tant sevent bien *les pieces* fuire ;
> Car, s'il n'en demourait que une,
> Si vivrait la fourme comune...

Ici, sur terre, la « fourme » de chaque « piece » recèle la « fourme comune » de « l'espiece ». Jean nous montrera bientôt que la « fourme » particulière peut exprimer en outre la « fourme » de Nature elle-même ; et que le mode d'être de cette « fourme » est de « courir » comme de l'eau :

> Car Deus, li beaus outre mesure,   (16 233)
> Quant il beauté mist en Nature,
> Il en ï fist une fontaine
> Toujourz *courant* et toujourz pleine,
> De cui toute beauté desrive...

Enfin, pour nous étonner tout à fait, et pour porter sa démonstration à son terme à la fois logique et ontologique, Jean démontrera — toujours par équivoque — que cette même « fourme » visible d'une « piece » particulière exprime non seulement la « fourme comune » de l'espèce ou la « fourme » de Nature même, mais aussi la « fourme » transcendante et éternelle qui réside dans l'intelligence d'une Fontaine suprême :

> Cil Deus qui de beautez abonde,   (16 729)
> Quant il trés beaus fist cet beau monde,
> Don il portait en se pensee
> La bele *fourme* pourpensee
> Toujourz en pardurableté...
> Large, courteise, senz envie,   (16 745)
> Qui *fontaine* est de toute vie...

La source lointaine de cette philosophie, c'est évidemment le *Timée* de Platon, écouté à travers Alain de Lisle, Boèce et Chalcidius. La figure de l'eau, qui exprime la continuité ontologique ainsi que temporelle de la force créatrice, remonte sans doute plus loin, de même qu'en tant qu'expression du flux universel, du « *materiæ fluitantis opus* », elle découle d'Héraclite. Mais l'image de l'autre « courant », celle des « pieces » de monnaie qui portent chacune l'empreinte d'une seule « fourme » transcendante — l'image qu'Alain de Lisle a exploitée et qu'il a léguée ensuite à Jean de Mehun et à Villon — semble remonter plutôt à Macrobe. Bien que, chez Lucrèce et les philosophes stoïciens, le mot *procudere* semble indiquer à lui seul le processus créateur, c'est dans le *Commentaire du songe de Scipion,* cité aux premiers vers du *Roman de la rose,* qu'on aurait trouvé cette image qui désigne l'acte sexuel :

> *Verum semine semel intra formandi hominis monetam* locato hoc primum artifex natura molitur ut die septimo folliculum genuinum circumdet umori ex membrana tam tenui, *etc.* [7].

Que le mot « courir » puisse indiquer le mode d'être à la fois des eaux, des femmes et des pièces de monnaie, voilà un fait de langage. Que les organes génitaux d'un homme aient la forme d'un marteau et que l'acte sexuel requière un mouvement qui ressemble au battre d'un maréchal et au frapper d'un monnayeur, voilà un fait visible. Les différents traits qui ajoutent au mystère de la procréation — l'union, par exemple, de l'actif et du passif — viennent étayer, s'ils ne l'ont pas suggérée, la notion qu'une continuité réelle relie le coït à tout processus créateur, dont il donne le modèle parfait et entier. Ainsi, quand Villon crie en bonimenteur, au début du *Lais*

> *Planter me fault autres complans*   (L. 31)
> *Et frapper en ung autre coing*

il ne fait vraisemblablement qu'annoncer qu'il cherche désormais ailleurs son plaisir — en se servant des trois sens du mot « coing » (« con », « joint », et « empreinte à monnaie ») et des usages analogues du verbe « frapper » (punir, sonner à une porte, frapper de la monnaie, etc.) — bien qu'il prenne soin en même temps de choisir des locutions qui évoquent l'acte créateur en général et par là la création poétique qu'il entreprend. Mais quand il parle, au *Testament,* de celles dont le métier est l'amour, la plaisanterie n'a qu'une part mineure, et l'emploi d'un langage imagé a pour but de nous enseigner l'apport d'une analogie objective.

Relisons maintenant la ballade qui soude la discussion de la métamorphose à celle de l'amour. Si nous ne ressentons pas l'ironie tenace du refrain — c'est-à-dire le saut énorme que signalent innocemment les mots « Ne (plus) que », entre le côté particulier et le côté général de l'analogie — comment comprendrons-nous l'intention de la Belle ? Quelle est donc son idée ? Marot a intitulé son poème, « Ballade *et Doctrine...* ». Et Villon souligne, dans la strophe qui suit, que celle qui est « bonne et belle de jadis » donnait ici une « leçon » :

> *(57)*   *Ceste leçon icy leur baille*   (561)
> *La belle et bonne de jadis*
> *Bien dit ou mal vaille que vaille*
> *Enregistrer j'ay faict ces dis*
> *Par mon clerc Fremin l'estourdis...*

Il laisse entendre aussi que cette « leçon » a un sens discret et connu, puisqu'il peut être « bien dit ou mal » ; et que, comme celle qui la donne elle-même, (le troisième vers pouvant se rapporter soit à elle soit à son poème) la « leçon » aurait une certaine valeur à la fois morale et commerciale. Que la doctrine soit reconnaissable dans la bouche d'une vieille coureuse, Villon n'en prend pas la responsabilité : il a seulement fait « enregistrer » ses paroles authentiques sur place, par son secrétaire.

Les avertissements de Villon et de Marot nous empêcheraient de lire cette ballade comme un simple *carpe diem*. Il n'est jamais question, dans le poème, du plaisir. La beauté de la jeunesse, et le cours inéluctable du devenir — que Villon vient d'exposer dans le discours de la Belle et dans la suite lyrique qui le précède — sont plutôt ses prémisses. Dans cette condition universelle qu'il vient d'évoquer, comment faut-il agir ? La Belle invite ses amies d'abord, et surtout, à un *savoir*. Ses premiers mots, « Or y pensez », adressés à celle qui fut « escoliere », signalent déjà que la Belle veut provoquer une action qui commence par être intellective. Le moment en est propice : « Or est il temps de vous cognoistre », et la Belle poussera ses sœurs à un commencement, une prise de conscience. Presque tous ses impératifs supposent une entreprise nouvelle, qui découle d'une conscience et d'une volonté qu'elle songe à stimuler. C'est là le sens, sous-entendu, du vers « Prenez a destre et a senestre » ; c'est l'intention ouverte du vers jumeau, « N'envoyez plus les hommes paistre » ; c'est, enfin, le désir épelé en toutes lettres des vers

> *Filles vueillez vous entremettre*
> *D'escouter pourquoy...*

où une volonté fait appel à une autre, où « entremettre » a la valeur de « se mettre à » ou « entreprendre », et où l'on est invité précisément non pas à écouter une voix par le sens de l'ouie, mais à agréer une raison avec l'entendement.

Quelle est la « leçon » que la Belle nous ferait entendre ? Chaque strophe de sa ballade donne d'abord des conseils, puis prétend les justifier par le moyen d'une belle sentence, ou d'une vérité commune, ou d'une réalité équivoque, qui amène le refrain par une nouvelle voie. Chaque justification donne à l'acte d'amour une nouvelle valeur dans la vie de l'univers comme dans celle de chaque homme.

> *N'espargnez homme je vous prie*
> *Car vielles n'ont ne cours ne estre*
> *Ne que monnoye qu'on descrie*

D'emblée l'on se perd dans le nœud complexe des sens. En disant « N'espargnez homme », la Belle semble donner à l'amour la valeur d'un supplice, voire d'une pénitence : « Que chacun subisse ce purgatoire... » Ou veut-elle plutôt indiquer que l'amour dépouille l'homme de ses biens comme de sa santé ? Villon confirmera bientôt les deux hypothèses. Le sens commercial du verbe « espargnez » suggère qu'il n'y aurait aucun profit à garder son homme à la maison comme un trésor d'avare, mais qu'il faut le pousser dehors, le dépenser, le perdre, pour qu'il ait sa pleine valeur [8].

Le vers suivant n'aurait pas pu scintiller si clairement sans la préparation que Villon en a fait. Car, par la bouche de la Belle, il nous a déjà montré les deux côtés d'une médaille bien connue, deux portraits qui, figés dans des lieux communs poétiques, ornent l'un la « croix » brillante de la pièce humaine, l'autre la « pille » sale, usée par le commerce, et désormais sans valeur. Jeune, la femme aurait « cours » et « estre », ce qui équivaut, nous le savons, à « la haulte franchise Que beaulté m'avoit ordonné... » La Belle n'existe qu'en tant que témoignage d'une valeur et d'une force qui n'existent plus que par la mémoire. Elle est « La belle et bonne de jadis », la « belle qui fut heaulmiere » ; son corps actuel renvoie, comme nous avons déjà trouvé, à un idéal qui ne cesse pas de s'incorporer ailleurs. Autrement dit, la « fourme » que Villon nous a donnée de la Belle Hëaulmière jeune témoigne de la « fourme » qui réside dans la nature même comme dans l'intelligence de Celui qui la créa. La femme, comme la pièce de monnaie, n'est que le chiffre matériel et singulier d'une somme éternelle. Sa fonction est de « courir », de féconder et de se perdre.

Avec le vers, « Plus ne servirez qu'ung viel prestre », Villon suggère, en équivoquant sur deux sens du mot « servir », que l'amour est une religion et les femmes ses prêtres. On peut lire : « Vos services ne seront plus requis que par de vieux prêtres », ou bien, « Vous aurez aussi peu d'utilité qu'ont les prêtres que leur grand âge dispense d'officier »[9]. Et quelle serait cette utilité ? Evidemment celle du chiffre, de la pièce de monnaie, de l'eau courante, de toute chose qui, loin de se laisser figer dans de froides attitudes d'éloignement et de refus, court et se précipite vers l'engagement fertile dans un monde d'objets qui bougent, qui s'entreheurtent, qui créent. Les jeunes femmes, comme les prêtres, comme la monnaie, célèbrent chaque jour l'incarnation d'une Forme divine, de la Beauté elle-même, dans une forme vivante à laquelle Elle « avoit ordonné » une « haulte franchise » sur tous les hommes nés.

Le comble d'équivoque et ainsi de suggestion est atteint aux derniers vers de la dernière strophe :

> Car qui belle n'est ne perpetre
> Leur male grace mais leur rie
> Laide viellesse amour n'empestre
> Ne que monnoye qu'on descrie

L'argument des vers est, *grosso modo*, le suivant : « Vous qui n'êtes pas belles, encore vaut-il mieux tirer profit de votre jeunesse en lançant aux hommes des « regars et ris » de l'œil vif (comme je viens de vous dire que j'ai fait moi-même à votre âge, v. 511) qu'en leur faisant la moue et gagnant ainsi leur dépit. Qui que tu sois, quoi que tu fasses, il est bien certain que, devenue vieille, tu n'en auras rien. » Mais la « doctrine » de la Belle n'est pas si nettement tranchée ; les vers de la dernière strophe veulent évoquer une situation dont la complexité dépasse celle de toute argumentation, de toute syntaxe claire[10].

On ne peut qu'être frappé, d'abord, par la symétrie inverse qui oppose l'individualité charnue de « Qui belle n'est » à la pure abstraction « Laide viellesse », et le vague du geste équivoque « ne perpetre Leur male grace » au drame rude signalé par « amour n'empestre ». Ensuite, l'indécision syntaxique des vers reproduit la situation dramatique du poème entier. D'une part on se sent tiré vers une constatation indicative, qui justifie de façon logique (« Car... ») les conseils précédents. D'autre part, on s'attend à un impératif-subjonctif, qui résulte comme naturellement de l'état des choses qu'on vient de voir. Le lien entre constatation et impératif, c'est l'objet de la prise de conscience à laquelle la Belle incite ses élèves. Enfin, les éléments constitutifs de ce lien sont constamment équivoques voire contradictoires, et dépendent de la volonté des amoureux. Les mots « male grace » peuvent indiquer la mauvaise volonté ou des filles laides (« leur » voulant dire « à eux ») ou des hommes rebutés (« leur » étant un possessif) ; ou bien, par des équivoques bien connues, par lesquels « male » devient « mâle » et « grace » veut dire « faveur érotique », la phrase peut désigner plutôt l'accueil que ne gagne point « qui belle n'est » [11]. Le verbe « rie », qui s'oppose à la phrase « perpetre Leur male grace », pourrait indiquer, comme presque toujours dans le *Testament,* la dérision et la moquerie ; ou plutôt, comme nous venons de le suggérer, le regard espiègle « dont mains marchans » sont « attains » [12].

Pour bien mettre en valeur cette fluidité, ce possibilisme, qui est le propre du jeu de jeunesse, voici la constatation sèche et dure d'une vérité nette : « Laide viellesse amour n'empestre », qui donne sa vraie valeur à la « monnoye qu'on descrie ». Car les pièces retirées du commerce, comme l'abstraite « laide viellesse », n'ont ni un « cours » matériel ni une puissance idéale. Ce ne sont que d'inutiles jetons tout au plus bons à nous rappeler ce qu'ils ne sont pas : monnaie neuve ou belle jeunesse. Ce ne sont, comme dira Rabelais à propos des Gastrolatres, que « poys et charge inutile de la Terre » [13].

Pour résumer son idée, enfin, Villon aura recours, comme d'habitude, à l'envoi. Et voici la raison de la Belle, l'amande de sa philosophie, pour laquelle elle se désole et prêche : « Pour ce que je ne me puis mettre ». Mots très simples, en fait : mais que signifient-ils ? Après la conjonction logique suit une négation et un verbe réfléchi, très commun. Tout le raisonnement de la Belle dépend des mots « se mettre » ; c'est sur quoi, manifestement, elle s'appuie. Le mot a d'abord la suggestion d'un commencement, d'une entreprise, comme les verbes qu'elle a déjà employés à propos de l'activité à laquelle elle pousse ses sœurs, c'est-à-dire l'espèce d'érotisme qu'elle propose. Ainsi « se mettre » veut-il dire « se donner » et aussi « s'adonner à », « se vouer ». Mais le sens si foncièrement concret du mot, qui indique à la fois un mouvement dans l'espace et la pose conséquente d'un objet dans son assiette, semble en conditionner toute nuance de volonté ou d'énergie propre. On dirait aujourd'hui que la Belle est impuissante à « se jeter » ou « se lancer » dans l'activité requise [14].

Bref, elle se voit comme un objet dont la volonté réside dans une puissance distincte d'elle, qui l'a habitée une fois, qui n'est plus la sienne ; un objet spécial, donc, dénué de valeur propre sauf en tant que négation, c'est-à-dire moins qu'un objet. La phrase « je ne me puis mettre » exprime autrement ce que nous savons déjà de la Belle : elle n'a, comme « Laide viellesse », qu'une idéalité négative. Sa puissance lui est venue de dehors — « beaulté » lui « avoit ordonné » sa « haulte franchise » — et on ne peut guère parler d'elle qu'en tant que privation, « La belle qui fut heaulmiere », « La belle et bonne de jadis », comme d'ailleurs on parle de « neiges d'antan » et de « monnoye qu'on descrie ».

Les mots « se mettre » avaient, bien sûr, d'autres sens précis à l'époque de Villon, et notamment « trouver un emploi », « se placer », et surtout « être mis en circulation », « se vendre ». Mais ces sens sont comme résumés, nous semble-t-il, dans le sens populaire de l'expression qui dut être le premier dans l'esprit du personnage qui nous parle : « se mettre » voulait dire « aller avec un homme », « se marier »[15]. Sans doute aurait-on pu deviner le sens d'une expression figurée, « se mettre » pour « faire l'amour ». Mais encore une fois, chez Villon, il ne s'agit pas d'une locution poétique inventée, mais d'un sens direct et concret qu'entourent nombre de suggestions, qui, loin d'être particulières au poète, appartiennent à la tradition de poésie et de pensée dans laquelle il s'insère. Pour qu'elle puisse se comparer à une pièce de monnaie, la Belle se sert d'une équivoque verbale qui reflète une équivoque réelle, dans chaque vers qui amène le refrain. Ainsi en est-il de « se mettre » comme de « cours », de « servirez », et d'« amour n'empestre ».

3.   Sans doute la Belle n'est-elle pas consciente du fait qu'elle débite un propos si vénérable et si authentique. Sa philosophie vient du fond de son expérience : elle parle « d'en bas », comme nous l'avons vu ailleurs. En cherchant à s'exprimer, elle ne fait que piller les ressources et le génie propre de sa langue. Dramaturge habile, Villon ne fait pas parler ses prostituées comme des professeurs. Il saura, quand il le faudra, mettre dans la bouche d'un homme conscient et averti, Robert d'Estouteville, le précis d'une philosophie qu'il ne veut ici que nous préparer à agréer, par le moyen d'une image probante. A la suite de sa première envolée lyrique, le poète poursuit sa tâche qui consiste à remémorer, à fondre les neiges d'antan, à faire revivre les membres perclus de sa langue. Et la vieille coureuse ne pourrait servir à rien d'autre. Parlant d'en bas, au sein de la langue du peuple, pétrie d'une souffrance concrète, elle ne peut que nous renvoyer à un langage plus clair, une intellection plus lucide, une activité plus appropriée, quel qu'en soit le contenu précis. Aussi sa ballade n'exprime-t-elle en elle-même aucune « doctrine » précise et arrêtée. Comme « Laide viellesse », « neiges d'antan », et « monnoye qu'on descrie », la « belle qui fut heaulmiere » n'a plus comme pouvoir que de nous rappeler ce qu'elle n'est pas. C'est pour cela qu'elle nous

appelle d'abord à la conscience : « Or y pensez... », en laissant à
sa langue même le soin d'exprimer, en termes bien autrement obscurs,
le but de cette conscience.

Sans le savoir, la Belle se sert des deux fonctions majeures de
la parole chez celui qui la fait parler, et, en outre, évoque l'unique
condition du parler même. Directement (« Or y pensez... »), la parole
incite à une prise de conscience, à un départ de la vie des objets
vers la possession de la vie de l'esprit. Indirectement, par l'image
et par l'analogie (« Ne que monnoye... »), la parole nous fait retourner vers les objets pour y chercher leur propre vertu et pour écouter
leur témoignage. Ainsi en était-il de cette double interrogation dans
la première ballade du *Testament* : la phrase impérative « Dictes
moy ou... » était suivie par un retour aux objets auxquels le poète
« remaine » son Prince, « Mais ou sont les neiges d'antan ? » Celui
qui nous parle a été réduit à cela. Il parle alors de la façon d'une
« belle et bonne de jadis » ou de « monnoie qu'on descrie ». Pour
qu'il pût nous renvoyer vraiment vers un savoir capable de nous
inciter à une activité créatrice, il lui fallait feindre d'être sans valeur.
Bref, il lui fallait mourir, s'user à la vie comme une prostituée. De
ce besoin de non-valeur pour que la parole soit efficace — ou comme
nous dirons plus tard, besoin de sacrifice — naît le Pauvre Villon
qui « en amours mourut martir ».

Et pourtant — faisons tout de suite la distinction — le Pauvre
Villon mourant qui écrit son testament n'est pas le même que ce
Villon qui, grâce au roi Louis, revint à la vie et qui « testifie » les
sources de cette grâce. Celui-ci, tout comme la « belle gaultiere » ou
« Blanche la savetiere », commence seulement son activité créatrice ;
il entrera bientôt en commerce fertilisant avec le monde par le
fait même qu'il parlera. Le vers, « Or est il temps de vous congnois-
tre » pourrait décrire parfaitement l'effort et l'actualité des premières
strophes du *Testament,* celles qui commencent « Or est vray... » ; tout
comme le vers « N'espargnez homme je vous prie » évoque la flétris-
sante satire des hommes et des mœurs qu'accomplissent ses « legs »
éventuels.

Si le poète est en état de faire cause commune avec de mauvaises
filles, c'est parce que l'emploi de son temps ressemble au leur. C'est
d'ailleurs l'un des sens du vers plaisant

...ces filletes   (590)
Qu'en parolles toute jour tien...

C'est le sujet même des strophes qui suivent la ballade « Or y
pensez... », qui rapprochent la carrière des « filletes » de celle de
Villon, déjà esquissée aux strophes 12 à 33. Ainsi, la ballade de la
Belle évoque même une troisième fonction de la parole chez Villon :
celle des jeunes filles de joie, de belle jeunesse, de l'eau courante, et
de monnaie neuve. C'est de « servir », de « courir », d'« empestre »
amour, et de « se mettre ».

NOTES DU CHAPITRE II

1. Pour le succès du *Roman de la rose,* voir Gunn, p. 31-60. Gunn tend à voir, dans l'éducation progressive de l'Amant, la peinture de celle de tout amant, plutôt que l'éducation dramatisée du lecteur ou la création progressive d'un Amant idéal. Mais voir p. 497 : « As any student is instructed by attending a conference or debate among men of learning and experience, whether or not he arrives at any conclusion concerning the issues under debate : so the lover of the *Roman de la rose* is instructed and matured by the controversy of which he is both the auditor and the object. At the same time and by the same method, Jean de Meun is instructing and maturing his readers by causing them to attend, as it were, this great colloquium among the masters of the schools of love. »

Il est significatif à cet égard que Gunn préfère souligner l'importance du *De planctu naturæ* pour le *Roman,* plutôt que l'entreprise positive de l'*Anticlaudianus.* Voir sa note à la page 226-7, qui rend compte de ce dernier ouvrage. Etant donné ses buts, et l'état primitif de nos connaissances dans ces domaines, cette préférence s'explique facilement. Comme l'on sait, le succès de l'*Anticlaudianus* fut encore plus éclatant que celui du *De planctu.* Voir De Bruyne, II, p. 287. La place du *Timée* dans l'entreprise de réformation morale chez Platon a été mise en relief par Cornford, p. 34. Que cette entreprise, au cours du XIIᵉ siècle, devint aussi celle des Chartrains, dans leur étude et imitation du *Timée,* a été montré par T. Gregory dans son ouvrage lucide et suggestif, *Platonismo medievale, studi e ricerche* (Roma, Istituto storico Italiano per il medio evo, 1958, Studi storici, fasc. 26-7.) Surtout chez Alain de Lisle, et dans l'*Anticlaudianus,* selon Gregory, Nature devient l'expression et la personnification de la vertu « naturelle ». Voir p. 147 : « Con questa concezione di natura, Alano coglie — non sappiamo se con piena consapevolezza — il nocciolo caratteristico di tutta la fisica timaica, la quale non vuole essere fine a se stessa, ma intende fondare sulla conoscenza del mondo fisico i principî del comportamento morale dell'uomo : non per nulla Platone, nell'intenzione di tracciare nuovamente — dopo la *Republica* — in termini più storici e concreti, il disegno di quello che doveva essere lo stato ateniese (intenzione che, se rimase interotta nella prospettata struttura dei due dialoghi che dovevano seguire il *Timeo,* fu ripresa nelle *Legge*), inizia il suo discorso della costituzione del mondo per poi giungere, come scrive sul finire del *Timeo,* attraverso la conoscenza del regolato divenire, alla contemplazione dell'intelligenza che regge l'universo e alla quale si deve uniformare l'uomo che voglia godere della felicità più vera : la riforma morale si scopre così come il fine del lungo discorso cosmologico. »

Voir plus loin notre discussion de cette entreprise chez Villon, livre III, ch. I-II.

2. *Quart Livre,* ch. 56, éd. Marichal, p. 228-9.

3. Cf. le *Roman de la rose,* où Nature explique que « l'entendement » de l'homme n'est pas sa création :

Senz faille, de l'entendement,   (19 055)
Quenois je bien que vraiement
Celui ne lui donai je mie ;
La ne s'estent pas ma baillie.
Ne sui pas sage ne poissant
De faire rien si quenoissant.
Onques ne fis rien pardurable,
Quanque je faz est corrompable...
C'est Deus qui crierres se nome.   (19 145)
Cis fist l'entendement de l'ome,
E en faisant le li dona...

4. On n'ignore pas que le numérotage des strophes du *Testament* est entiè-rement le fait des éditeurs modernes, et n'a rien de certain. C'est ainsi que Neri et Thuasne, qui ne numérotent pas les strophes du discours de la Belle Hëaul-mière, ni les trois strophes qui introduisent la ballade « Car ou soies porteur de bulles... », n'en comptent que 173. En ceci, ils suivent la tradition de Prompsault et de Coustellier. Foulet, par contre, compte 186 strophes.

Comment établir le numérotage des strophes, et quelle est l'importance de ce calcul ? La réponse à ces questions deviendra claire au cours de notre étude. Nous pouvons dès maintenant, pourtant, donner raison à Foulet : Villon comptait toutes les strophes qui ne faisaient pas partie d'une pièce lyrique à forme fixe. Ce n'est que par un préjugé moderne que le discours de la Belle Hëaulmière, et les strophes que Marot nomma « Belle leçon aux enfants perdus », sont entourés de guillemets et traités comme des pièces. Le seul huitain qui n'entre pas dans le compte des strophes est celui qui précède le « verset » en rondeau, « Repos eternel », et qui fait partie de ce que les mss. A et F appellent l' « Epitaphe » de Villon. (CI ne donnent pas ce titre ; Foulet omet de rendre compte de ce fait.) Tous les éditeurs s'accordent à imprimer ce huitain en lettres majuscules, tout en le comptant comme un huitain ordinaire.

Une fois soustrait ce huitain du numérotage de Foulet, qui est par ailleurs valable, l'on voit que le *Testament* possède 185 huitains. La première partie du poème, que nous appelons son volet sacré, contient 84 strophes. La strophe 85 est une strophe d'introduction, dont la fonction spéciale est justifiée par son contenu, de même que la première strophe du poème, qui introduit les 40 strophes qui suivent, jusqu'à la première pièce lyrique. L'héritage séculier de Villon compte donc 100 strophes, plus les pièces lyriques, tout comme *La Belle Dame sans mercy* d'Alain Chartier, qui elle aussi compte 100 huitains.

La composition de la première partie du *Testament* a été basée sur les chiffres 3 et 5, et leur permutation (3 plus 5, 3 fois 5, 5 fois 8 etc.) L'importance du chiffre 84 dans la littérature confessionnelle — c'est-à-dire basée sur le sa-crement de la pénitence — est obscure. *The Floure and the Leafe*, poème en moyen anglais attribué longtemps à Chaucer, comporte 84 strophes avec une strophe d'introduction. Les *Regrets* de Du Bellay, dans leur forme primitive, comportaient 184 sonnets, avec un poème d'introduction. Les célèbres « Pisan Cantos » d'Ezra Pound se terminent sur le Canto 84. Voir, dans notre dernier chapitre, la discussion du poème de Rutebeuf qui compte 84 vers.

5. A 533, nous donnons la leçon unanime des mss. (« gaultiere », ACF ; « gau-tiere », I), avec J. Fox (*The Poetry of Villon*, Nelson, 1962, p. 65) qui cite Cotgrave pour ce mot : « A whore, punke, drab, queane, gill, flirt, strumpet, cockatrice, mad wench, common hackney, good one.». A 534, nous agréons la leçon « escolliere », ACF, pour « m'escolliere », I, qui est un contresens (c'est maintenant que la « gaultiere » est l'élève de la Belle) ; il faut sans doute comprendre qu'au-trefois, elle fréquentait les écoliers. Voir F. Lecoy, *art. cit.*, p. 511. Autrement, nous suivons Foulet, sans la ponctuation, en réservant les majuscules aux seuls noms propres et en corrigeant la coquille (« estre » pour « estes ») de 542.

6. Pour l'importance des jeux de mots dans cette espèce de raisonnement, voir Gilson, « Les Raisonnements scripturaires », dans *Les idées et les lettres*, 2e éd., Paris, Vrin, 1955 ; surtout p. 166-7 : « En réalité, la règle, pour tout penseur médiéval, est que *lorsque deux mots se ressemblent, les choses qu'ils désignent se ressemblent, de sorte que l'on peut toujours passer de l'un de ces mots à la signification de l'autre.* D'innombrables raisonnements médiévaux reposent sur ce principe et ne relèvent d'aucune autre logique ; la difficulté qu'éprouvent les historiens à croire qu'un tel procédé ait jamais pu être pris au sérieux tient à l'oubli du principe sur lequel il se fonde : *il n'y pas d'absurdité à conclure d'un mot à la chose que désigne un mot semblable, lorsqu'on croit que la nature des choses a primitivement déterminé l'attribution des mots.* Nous ne croyons plus au *Cratyle* ; ils y croyaient au contraire, à travers Isidore et Varron ; c'est surtout pourquoi nous ne concevons plus la possibilité de pareils raisonnements ».

Il serait difficile de sous-estimer l'importance de ces principes pour la lecture de la poésie de l'époque de Villon. Pour lui, comme pour Jean de Mehun, le lan-gage est une création divine, qui est née en même temps que la nature, dont il révèle la vérité. Voir plus loin, notre conclusion, p. 480-4.

7. Macrobe, *Commentarii in somnium Scipionis*, éd. J. Willis, Leipzig, Biblio-theca Teubneriana, 1963, L. I, ch. 6, 63, p. 30.

8. Cf., dans le rondeau obscène de Baude que donne Schwob (*Parnasse Saty-rique*, p. 164), les vers suivants :

> N'espargnez chambres ne manoirs,
> Cependant que le temps avez :
> Ne vous feignez, mais observez
> Le plaisir de tous vos devoirs,
> Cons barbuz.

9. Nous reproduisons ici la phrase de l'édition de 1742, p. 68. Pour l'acception obscène du mot « servir », voir l'exemple cité plus loin, livre I, ch. I, n. 16 ; et ces vers d'une ballade publiée par Prompsault (*éd. cit.*, p. 459) :

> Or elle a tort, car noyse, ny rancune
> N'eut onc de moy. Tant luy fus gracieux,
> Que s'elle eust dit : Donne-moy de la lune,
> J'eusse entrepris de monter jusqu'aux cieux ;
> Et non obstant, son corps tant vicieux,
> Au service de ce vieillart expose :
> Dont ce voyant un Rondeau je compose,
> Que luy transmets ; mais en pou de langage
> Me respond franc ; povreté te dépose,
> Riche amoureux a toujours l'avantage.

10. L'explication ingénieuse de J. Rychner (*Romania* 74, 1953, p. 383-9), tout en étant parfaitement possible du point de vue grammatical, simplifie la syntaxe du passage tellement à souhait que la strophe devient un beau morceau de prose versifiée. Pour lui, les vers 553-6 constituent une seule phrase articulée, dont le vers 555 donne la proposition principale, les vers 553-4 et 556 donnant des propositions subordonnées et les verbes « ne perpetre » et « rie » étant au subjonctif éventuel. Or Villon n'a pas l'habitude de faire enjamber des périodes sur quatre vers, aussi contournées qu'elles soient, à la manière d'un poète classique. D'autre part, il nous semble évident que « Laide vieillesse » s'oppose non seulement à la beauté, mais aussi à « qui belle n'est » étant jeune. Comme la Belle est soucieuse de le démontrer partout, entre jeunesse et vieillesse il n'y a qu'absence de logique, absence de syntaxe. L'interprétation quelque peu différente de Burger (p. 18) soulève ces mêmes objections. A notre avis, il n'est pas question, dans un passage complexe, de faire le choix au fond invérifiable d'une seule leçon, en rejetant les autres, mais de tenir compte de la nature précise de la complexité.

11. Pour l'équivoque « male » — « mâle », voir Neri, p. 54-5, qui rend compte sommairement de l'histoire de l'interprétation du passage. Pour le sens érotique du mot « grace », voir L. 45 et 232, et plus loin, p. 340, n. 26, l'exemple des *Cent nouvelles nouvelles*.

Ajoutons, aux exemples connus de la locution « male grace », ces vers du *Temps recouvré* de Pierre Chastellain :

> Quel bien pour lui ne pour autrui
> Fera qui devant ne le quiere
> Aussi ne vit ung aultre huy
> Qui biens demande ou biens requiere
> Importunement qu'il n'aquiere
> Male grace ou il les demande
> Ou qu'il ne faille a la demande

> (Bibl. Nat., nouv., acq. fr., 6 217, fol. 19 V°).

12. Il est curieux de noter que partout ailleurs chez Villon, on ne rit jamais *à* quelqu'un ou *à* quelque chose. On « en rit », ou « s'en rit » ; il y a le participe de joie pure, Margot « riant » ; et le « rire » absolu de Dame Sidoine et son ami. Mais la dérision est toujours sans malice, et la joie concrète. Le seul rire qui se dirige vers quelqu'un est substantif, un « ris », ce qui est plutôt une invitation impersonnelle qu'une attitude. Sans doute faut-il comprendre ici que « qui belle n'est » doit rire *pour* ou simplement *en la présence de* ceux dont elle cherche la « mâle grace ». Du coup, on voit qu'il n'est pas question de garder un « rôle identique » aux deux « leur », comme le voudrait Foulet (p. 110), dont l'explication nous semble pour le reste impeccable : « " Que celle qui n'est pas belle tire parti au moins de sa jeunesse (*laide vieillesse amour n'empestre*), qu'elle ne commette pas le crime de *leur* faire mauvais visage [aux hommes] mais *leur* rie, *leur* fasse bonne mine " ou bien " ...ne commette pas le crime de s'attirer leur mau-

vaise grâce... » Les deux interprétations, qui, du reste, sont d'accord sur le sens
général du passage, supposent toutes deux qu'on étende notablement le sens du
verbe *perpetrer*, mais la première a l'avantage de faire jouer aux deux *leur* un
rôle identique, tandis que la seconde y voit dans un cas un adjectif possessif et
dans l'autre un pronom personnel, ce qui surprend dans deux phrases visiblement
symétriques. »

Qu'il nous soit permis de suggérer que le vocabulaire de notre ballade mérite
un examen approfondi. La plupart des vers, y compris le refrain, reproduisent
des locutions banales, dont le sens reste à préciser. Les sobriquets des coureuses,
« savetiere », « tapiciere », « saulciciere », devaient reprendre des images et des
plaisanteries bien connues, et riches de nuances plus larges. Certains mots, en
outre — comme par exemple « perpetrer », qui a eu en latin une nuance obscène
(voir ERNOUT et MEILLET, s.m. *Patro* — sont sans aucun doute des termes
techniques du métier. Voir les remarques de FOULET à ce sujet, dans *Romania* 42,
1913, p. 505, 509.

13. *Quart Livre*, ch. 58 (éd. Marichal, p. 236. Selon Rabelais, le mot est d'Hé-
siode, mais Marichal renvoie plutôt à HOMÈRE, *Iliade* 18, 104.)

14. Voir la remarque de FOULET dans *Romania* 68, 1944-5, p. 68 : « Du reste,
qu'on trouve ici « mettre » et là « jeter », cela n'a aucune importance. Le verbe
mettre a retenu pendant longtemps une partie de l'énergie de son original latin et
a indiqué volontiers un mouvement même violent. Il nous reste encore des traces
de cet emploi : mettre l'épée à la main, mettre flamberge au vent, mettre à la
porte. » Et sur *mettre*, verbe obscène, voir plus loin, p. 436, n. 51.

15. Pour ce sens de « se mettre », voir LITTRÉ, sous ce mot, sens 45 ; et son
exemple du XIII⁰ siècle, sous l'Historique, où l'on trouve un emploi intéressant
de l'expression dont se sert Villon au vers 1 632, et qu'explique Foulet dans l'article
cité ci-dessus :

> Prendre mari est chose à remenant ;
> N'est pas marché qu'on laist quant se repent ;
> Tenir l'estuet, soit laid ou avenant ;
> Qui mal *se met*, si vit à douleur grant.

CHAPITRE III *

TACQUE THIBAULT ET LE PAUVRE VILLON

1.   Dans la seconde partie de son œuvre, Villon se mettra à la disposition de ses biens. Les cent strophes qui détaillent ses legs lui donneront l'occasion de rendre la justice par la parole. Mais entre les méthodes qu'avaient trouvées ses devanciers pour « servir » par la poésie, il y en avait une autre, plus directe que le travail consistant à ranimer d'anciennes images, et plus efficace pour enseigner aux lecteurs une philosophie de l'amour : le recours aux moyens dramatiques. Si la personne de la Belle Hëaulmière nous semble réelle et attachante, sa philosophie nous le paraîtra dans la même mesure. Pour bien nous convaincre de nos devoirs envers les grandes forces de la fertilité et de la stérilité, Villon — comme Alain de Lisle, comme Jean de Mehun, et comme Rabelais — choisit de créer et de détruire devant nos yeux des personnages qui incarnent la Création et la Destruction, l'Amour et la Mort.

Pour ce qui est de la Mort, elle s'appelle, chez Villon, Thibault d'Aussigny. L'Evêque d'Orléans est ici représentant des pédérastes qui furent foudroyés, chez Alain de Lisle, au début du *De planctu naturæ*, avec les mêmes images agricoles que choisira Villon d'une terre en « friche » et, plus tard, des « pièces » humaines :

> Cudit in incudem quæ semina nulla monetat,
>   Torquet et incudem malleus ipse suam.
> Nullam materiam matricis signat idea,
>   Sed magis et sterili litore vomer arat.
>
> (p. 430)

« Le Pauvre Villon » lui-même représentera l'Amour, le descendant burlesque de « *Ille beatus homo* », le héros de l'*Anticlaudianus*, qui triomphe sur la mort et le vice :

> Iam scelerum superata cohors in regna silenter
> Arma refert, et se uictam miratur, et illud
> Quod patitur uix esse putat. Non creditur illi
> Quod uidet, et Stigias fugit indignata sub umbras.
> Pugna cadit, cedit iuueni Victoria, surgit
> Virtus, succumbit Vicium, Natura triumphat,
> Regnat Amor, nusquam Discordia, Fedus ubique.
> Nam regnum mundi legum moderatur habenis
> Ille beatus homo...[1].

* Les notes relatives à ce chapitre sont réunies p. 335-341.

Le développement des deux personnages suit de près l'évolution de leurs rapports. Villon et l'évêque Thibault se rencontrent trois fois au cours du poème, aux trois endroits où le poète est amené, par le cours naturel de son entreprise, à la consacrer. Ces endroits propices à une consécration, puisqu'ils incarnent le hasard de l'entreprise, sont le début, le milieu — que Villon appelle son « commancement » — et la fin. Villon lui-même nous marquera ce progrès sacramentel de son œuvre en faisant mention au début de son « baptesme » (v. 42), et à la fin de son viatique (v. 2 022-3), comme en prononçant, au milieu, une prière d'invocation dans les formes. Au début, Thibault est nommé par son nom, il apparaît seul, et se trouve revêtu d'une fonction reconnue dans une société traditionnelle. On le voit « seignant les rues » ; il est si réel que Villon peut en dire : « je le regny ». Quand il reparaît, au milieu du *Testament*, il a déjà commencé à perdre de son individualité, à se confondre avec une idée et une fonction générales. Son nom est déformé ; il entre dans le souvenir et la mythologie populaire confondu avec l'exécrable « Tacque Thibault », entouré d'une petite compagnie de personnages louches dont les noms, comme le sien, ne sont que des titres se prêtant à d'amères équivoques. Enfin, à la fin du poème, les individus qui avaient maltraité Villon à Mehun s'évanouissent, et sont remplacés par une dénomination générale impliquant la sourde bestialité qui menace tout homme à toute époque. Ce sont les « traistres chiens matins » de l'avant-dernière ballade, qui, à la rutilante santé des « filletes monstrans tetins » opposent leur propre mort ignominieuse.

Que penser de cet adversaire tenace de l'Amour, qui ressemble tantôt à un homme fourvoyé, digne de la haine de Villon, tantôt à une meute de grotesques bourreaux, qu'on saurait à peine prendre au sérieux ? C'est que cette forme maligne qu'est la Stérilité et l'Anti-Nature a différents sièges que Villon évoquera tour à tour selon la progression de son propos. Chaque apparition de la Mort sous la figure de ses ennemis marquera chez le poète un plus haut niveau de conscience et de responsabilité. Au début il nous présentera, dans la personne de Thibault, la stérilité intérieure d'un seul homme ; au milieu, ce sera la malignité et la perversion des institutions ; et à la fin, le néant qui travaille une société et la nature entière.

2. Que les strophes 2 à 6 du *Testament* aient pour sujet les rapports de Villon avec les institutions ecclésiastiques, cela n'empêche pas, comme nous le savons, que ces institutions soient comme résumées dans la personne de l'évêque Thibault, de même que l'Etat sera représenté dans les strophes suivantes par le seul roi Louis XI. Ce fut évidemment le drame charnel du début de l'œuvre, au sein de l'expérience de Mehun, qui obligea Villon à figurer les institutions par les individus qui les gèrent et à qui il eut affaire. Néanmoins, l'histoire même de son incarcération l'amène à distinguer soigneusement entre l'autorité et les autorités — par exemple, entre l'évêque injuste et l'Eglise

durable que ce dernier trahit, en opprimant celui qui, pour sa part, y reste fidèle. Ce n'est pas ici que Villon s'acharne contre l'Eglise ; c'est la Mort au cœur d'un seul homme qui le navre.

Ainsi, par une espèce d'équivoque qu'on pourrait aussi bien appeler une ambiguïté dramatique, Thibault d'Aussigny personnifie la Mort tout en restant Thibault d'Aussigny. Villon peut dire de lui à la fois « S'evesque il est » et (il) n'est... mon evesque » qu'il est en même temps un *episcopus* et un pédéraste. Plus loin, cette équivoque confondra une fonction céleste et une force diabolique ; ici, on dirait simplement que Thibault unit l'individualité à une force universelle. Comme Harpagon, qui peut personnifier l'Avarice parce qu'il ressemble à un être réel, chez qui l'on peut étudier la psychologie de l'Avare ; ou comme le Virgile de Dante, qui ne représente la Raison de façon plausible que parce qu'il parle raisonnablement... Ainsi, déceler chez le personnage Thibault les mobiles de sa malignité équivaut à décrire les grands traits de l'épouvantail au visage de la Mort, que Villon commence à dresser au moyen de ce portrait particulier.

Par l'examen des premières strophes, nous savons qu'un homme comme Thibault, la Mort au cœur, s'obstine à traiter les êtres comme autant d'objets (« Peu m'a... ») ; qu'il se sert de la hiérarchie des valeurs comme instrument d'une « ville puissance », figeant les rapports souples qui devraient relier l'homme à l'homme et la terre aux cieux. Dans la personne de Thibault, la Mort s'affirme par une négation de la dynamique universelle. Au lieu de se souvenir, l'homme qui sert la Mort veut oublier. Au lieu d'imiter la « misericorde » de Dieu, il se montre « dur et cruel » — « *non est recordatus facere misericordiam* », dit la prière de Villon. Ensuite, notre examen des prémisses du poète — c'est-à-dire du *planctus naturæ* qu'il imite — nous a appris que les mœurs de Thibault sont honteuses dans la mesure où elles pervertissent les instruments de la dynamique vers le haut, c'est-à-dire la logique, la fertilité, et le langage de Nature. Ajoutons maintenant qu'un tel homme s'acharne sans le savoir à la destruction de l'espèce, en se livrant de la sorte à un sensualisme dépourvu de but moral, tout comme la Mort chez Jean de Mehun

...qui ja n'iert saoule,   (15 965)
Gloutement les pieces engoule.

Celui qui a ainsi la Mort au cœur parvient à mésuser de l'Art comme de la Nature. Il est l'Anti-poète qui déforme la langue de telle sorte qu'elle dit ce qui n'est point vrai et qu'elle devient un instrument de stérilité. Car, selon la prière muette de Villon,

...os dolosi super me apertum est. Locuti sunt adversum me lingua dolosa, et sermonibus odii circumdederunt me, et expugnaverunt me gratis.

Ainsi dans la figure de la Mort qu'est Thibault d'Aussigny on reconnaît les traits de Malebouche, du *Roman de la rose*, qui passe son temps à « controuver » mensonges et sornettes avec une langue

dénaturée. Celui que sermonne Constrainte Astenance dans les vers
suivants pourrait être Thibault lui-même parlant mal de Villon :

Qui vous esmut a tant li nuire,   (12 208)
Fors que vostre male pensee,
Qui mainte mençonge a pensee ?
Ce mut vostre fole loquence,
Qui brait e crie e noise e tence,
E les blasmes aus genz eslieve
E les deseneure e les grieve
Pour chose qui n'a point de preuve,
Fors d'aparence ou de contreuve.
Dire vous os tout en apert
Qu'il n'est pas veirs quanqu'il apert ;
Si rest pechiez de controuver
Chose qui fait a reprouver ;
Vous meïsmes bien le savez,
Pour quei plus grant tort en avez...

La mort dans l'âme, Thibault ne veut rien voir qui ne soit apparence, rien toucher qui ne soit fixe, rien dire qui ne soit faux, rien
aimer qui ne soit concret.

3.   Quand Thibault d'Aussigny reparaît dans le *Testament*, au vers
737, ce n'est plus à titre personnel qu'il a droit à notre intérêt. Sa
figure se confond avec celle de la Mort, adversaire tenace de l'Amour.
On est loin maintenant de la situation dramatique des premiers vers,
où Thibault figurait parce qu'il représentait les forces et les expériences qui avaient provoqué la naissance du poème. N'ayant plus les
traits d'un individu, y compris la volonté et la présence concrète, il
entre dans les huitains de Villon non point parce qu'il a conquis sa
place par une espèce de mainmise, mais plutôt parce que Villon est en
train d'évoquer les sources de toute créativité et de prendre position
à leur égard.

Rappelons le contexte. Les deux strophes où il s'agit de la Mort
sous le nom de Tacque Thibault, c'est-à-dire la Mort mêlée aux institutions humaines, se trouvent à la fin du groupe de cinq strophes qui
commence au vers 713. Villon esquisse les grandes lignes de son
portrait du Pauvre Villon, connu ici comme « L'Amant remys et
regnyé », qui resurgit tout vivant, une fois qu'il est mort, à la fin du
poème. Et en même temps, dans les cinq strophes précédentes, qui
ont suivi la double-ballade sur les effets de l'amour sur l'homme
vertueux, il évoque le badinage traditionnel qui méprise l'amour
bourgeois, les anonymes femmes fatales, et les ridicules souffrances
de l'amant fidèle. Maints tours de phrase et plusieurs rappels directs
nous rapprochent de l'atmosphère factice du *Lais*, ainsi que nous le
verrons. Ayant été « remys et regnyé » par les femmes, Villon commence, dans la section qui nous intéresse maintenant, à renier à son
tour. Justement, un rappel direct de la première strophe introduit ici
marque clairement le décalage existant entre la situation authentique,

concrète, personnelle des premières strophes — avec son langage parlé, ému, nerveux — et la situation littéraire, plaisante, boursouflée, que Villon est en train de nous présenter, au moyen d'un langage chamarré, traditionnel et railleur :

(1)   *S'evesque il est seignant les rues*   (7)
                       Qu'il soit le mien je le regny...

                        . . . .

(70)   Je regnie amours *et despite*   (713)
                       Et deffie a feu et a sang
                       Mort par elles me precipite
                       Et ne leur en chault pas d'ung blanc
                       Ma vïelle ay mys soubz le banc
                       Amans ne suiveray jamais   (718)
                       Se jadis je fus de leur ranc
                       Je desclare que n'en suis mais

                       Car j'ay mys le plumail au vent
                       Or le suyve qui a attente
                       De ce me tais doresnavant
                       Car poursuivre vueil mon entente
                       Et s'aucun m'interroge ou tente
                       Comment d'amours j'ose mesdire
                       Ceste parolle le contente
                       Qui meurt a ses loix de tout dire

                       Je congnois approcher ma seuf
                       Je crache blanc comme coton
                       Jacoppins gros comme ung esteuf
                       Qu'esse a dire ? que Jehanneton
                       Plus ne me tient pour valeton
                       Mais pour ung viel usé roquart
                       De viel porte voix et le ton
                       Et ne suys qu'ung jeune coquart

                       Dieu mercy et Tacque Thibault
                       Qui tant d'eaue froide m'a fait boire
                       Mis en bas lieu non pas en hault
                       Mengier d'angoisse mainte poire
                       Enferré, quant j'en ay memoire
                       Je prie pour luy et reliqua
                       Que Dieu luy doint et voire voire
                       Ce que je pense et cetera

                       Toutesfois je n'y pense mal
                       Pour luy et pour son lieutenant   (746)
                       Aussi pour son official
                       Qui est plaisant et advenant
                       Que faire n'ay du remenant
                       Mais du petit maistre Robert
                       Je les ayme tout d'ung tenant
                       Ainsi que fait Dieu le lombart [2]

Comment un homme qui va disant « Je regnie amours » et « Amans
ne suiveray jamais » peut-il terminer en constatant, « Je les ayme
tout d'ung tenant » ? Il s'agit, bien entendu, du dieu d'Amours, de
qui l'Amant de Jean de Mehun était devenu très tôt l'homme lige, en
lui prêtant « foy et hommage ». Mais dans le monde à l'envers, Amours
n'est plus Amours, mais Mort. C'est ainsi que Villon explique pourquoi
il délaisse l'amour des femmes en alléguant une étrange perversion :

> *Mort par elles me precipite*

Les strophes suivantes ne feront qu'analyser cette phrase, pour la
déployer dans le détail concret. La strophe 71 évoque l'autorité avec
laquelle la Mort s'affirme chez l'Amant. La strophe 72 explique le
sens de ce « mourir », la vraie force de l'expression « par elles », et
le deuxième sens du mot « precipiter », qui suggère une hâte indécente
dans les processus mortels. La strophe 73 donne un visage reconnaissable à la Mort, et un contenu spécifique au sens plus courant du mot
« precipiter », c'est la phrase « Mis en bas lieu... » Et la strophe 74
résume et termine le tout, de la façon que nous verrons, avant qu'à
la strophe 75, ayant laissé derrière lui les « amans » qu'il ne *suivra*
plus, et de côté ceux qu'il invite à *suivre* le plumail qu'il abandonne,
Villon ne se mette à « pour*suivre* » son « entente ».

La logique d'un propos suivi, donc, cimente la strophe 73 à la
précédente. Pour « Jehanneton », ou peut-être à cause d'elle, l'Amant
ressemble à un « vieil » — celui, par exemple, qu'il a déjà décrit, aux
strophes 43-5 : « Tousjours vieil cinge est desplaisant » — tout en
restant en vérité « ung jeune coquart ». De chaque état il saura discerner la responsabilité : pour celui-ci, « Dieu mercy » ; pour celui-là,
« Tacque Thibault ». L'ensemble des influences de la Vie et de la
Mort ont créé le paradoxe mortel dont témoigne le visage comme le
nom de « l'Amant remys et regnyé ». Une logique semblable relie cette
seconde présentation de l'Anti-Nature à la première. De façon systématique, les détails qui évoquaient, dans la strophe 2, les cruautés
toutes concrètes infligées à un nommé Villon par un certain Thibault
d'Aussigny, sont transformés, dans la strophe 73, en des expressions
métaphoriques, proverbiales, ou simplement équivoques. Maintenant
renversés, comme pour désigner la perversion même, ces détails témoignent d'une souffrance surhumaine et de tortures infernales. Au
début, l'évêque fut « chiche », maintenant on le voit prodigue ; alors
il avait « peu » Villon « d'une petite miche » et ensuite « de froide
eaue » ; maintenant il le fait boire « tant d'eaue froide » et avaler
ensuite « d'angoisse mainte poire ». Le mot « soubz » qui, deux fois
dans les premières strophes, signala la pédérastie de l'évêque, devient
ici une expression ambiguë qui relie la notion du cachot à la traduction
littérale du latin *infernus* : « mis *en bas lieu* ». Et l'expérience entière
de cruauté, de souffrance, et de perversion, est résumée dans un
calembour horripilant, auquel Villon vient de nous préparer : c'est
Satan lui-même, nous dirait-il, qui l'a ainsi « enfer-ré ».

Comme il en était de la strophe 2 et de la strophe 12, la seconde moitié de la strophe 73 relève d'une intention et s'exprime dans un langage nettement distincts. Seul le mot « enferré », par un enjambement hardi, continue le style précédent, pour mieux imposer son irrécusable témoignage. Dans les vers suivants, Villon rappelle d'autres thèmes des premières strophes. On reconnaît, sous un jour nouveau, l'oubli de l'évêque, dont Villon se souvient (« Quant j'en ay memoire »), l'obscurité elliptique du propos, la prière muette, les phrases en latin...

Quel est ce jour nouveau ? C'est que référence n'est faite à la situation si concrète des premières strophes que pour s'en éloigner. « Et reliqua... et voire voire... et cetera » — ces phrases toutes générales, toutes abstraites, peuvent se rapporter soit à ce que Villon a déjà dit, lors de sa première présentation, soit aux phrases qu'il renonce à prononcer ici, soit aux faits ultérieurs qu'il aurait pu nommer mais qui resteront voilés au passé, en esprit, ou dans l'avenir. Car cette strophe partage la généralité du propos qui domine la section des cinq strophes qui commencent par « Je regnie amours... ». Françoys Villon, victime « soubz la main » d'un certain évêque, se perd dans la figure plaisante de « L'Amant remys et regnyé ». De même, la « celle » entreprenante, avec sa sœur Katherine de Vausselles et la Belle Hëaulmière, sont confondues sous la rubrique « Jehanneton ». De même encore, l'Evêque d'Orléans, ainsi que les détails d'un certain été à Mehun, disparaissent dans une caricature infernale. En outre, la généralité du propos est doublée par une notion de multiplicité. « L'Amant remys » et Jehanneton et Tacque Thibault se meuvent parmi une foule de personnages secondaires qui représentent l'universalité des hommes dans une situation de crise. Ainsi la multiplicité qu'on retrouve dans « et reliqua... et cetera » a été annoncée déjà dans les expressions « par elles », « Amans », « leur ranc », « tant d'eaue froide », « d'angoisse mainte poire », « voire voire », de même que la généralité a été prévue dans les phrases « Qui a attente », « s'aucun m'interroge », « Qui meurt », « pour valeton... ung roquart », « De viel... ung jeune coquart ». Ces deux notions seront reprises dans la strophe 74, où la Mort apparaîtra avec trois têtes, et où ses serviteurs seront rassemblés sous les dénominations générales « (le) remenant » et « le lombart »[3].

4. Villon a donc bien souffert dans les donjons de la mort. Usé dans un monde retors par l'Amours, qui se révèle — par le calembour saugrenu souligné d'un trait noir tout à la fin du poème — être la Mort, l'Amant renié le renie. Voilà la situation générale à laquelle le poète semble se référer au premier vers de la strophe 74, par le moyen du petit mot « y » : « Je n'y pense mal ». D'ailleurs, cette phrase se réfère à une autre, tout aussi elliptique, que nous connaissons :

> *En riens de luy je ne mesdis* (20)
> *Vecy tout le mal que j'en dis...*

La difficulté de cette strophe relève des mêmes faits pervers que celle des strophes 2 à 6.

L'obscurité elliptique à part, pourtant, la complexité de la strophe est accrue par sa situation, au milieu d'un long poème dont tous les développements précédents concourent à la nuancer. Sur chaque vers pèse déjà un énorme contexte de dits et de faits. La tradition d'Alain de Lisle et de Jean de Mehun requiert en fait une œuvre ambitieuse, un long poème. Car, pour qu'un poète se fasse le porte-parole de Nature, il faut que son langage puisse représenter, en l'imitant, la vaste complexité de la nature elle-même, le plissage minutieux qui s'étend à perte de vue, où s'expriment toutes les formes conçues et concevables. Si l'on cherchait aux racines de cette tradition le sens de la structure double du *Testament,* on le trouverait sans doute dans ce qui a été, aux yeux des hommes, l'expression la plus large de cette complexité : Macrocosme et Microcosme.

La complexité de la strophe 74 inclut donc la strophe 2 et la dépasse de loin. Nous venons de voir que la forme du propos dans cette section de cinq strophes est calquée sur celle des premières strophes, tout en la gonflant d'un sens plus généreux. Là, les sentiments de Villon à l'égard de l'évêque Thibault ont dû être modifiés à deux reprises par l'intervention d'une voix autoritaire, d'un scrupule, qui a rappelé au poète ses devoirs chrétiens :

> *Et s'aucun me vouloit reprendre*   (17)
> *Et dire que je le mauldis*
> *Non fais se bien le scet comprendre*
> *En riens de luy je ne mesdis...*

> *Et l'eglise nous dit et compte*   (29)
> *Que prions pour noz ennemis...*

Et Villon de préciser dans les deux cas qu'il souhaite seulement qu'on fasse Justice. De même ici, donc, un procédé analogue reprend le trope des premières strophes :

> *Et s'aucun m'interroge ou tente*   (725)
> *Comment d'amours j'ose mesdire*
> *Ceste parolle le contente*
> *Qui meurt a ses loix de tout dire*

Il faudra bien qu'on se contente de « ceste parolle » — qui désigne aussi bien la section entière de cinq strophes, bien elliptique, que le proverbe qui suit — car Villon n'a aucune intention de « tout dire ». De nouveau, quand vient le tour de Tacque Thibault, l'Amant procède à un retournement, que lui inspire la voix muette de la conscience : Et voilà que tu t'ériges en juge, tout en nourrissant la haine dans ton cœur ! Qui sait si la Mort n'a pas raison dans cette affaire... Honni soit — conclut Conscience — qui mal y pense.

« Toutesfois », répond l'Amant, « je n'y pense mal... ». C'est-à-dire, je ne donne pas une interprétation défavorable à ces faits, en ce qui concerne Tacque Thibault lui-même, et son « lieutenant », et son « official », bien que personne ne conteste l'évidence de leur malice... [4]. Quoi que pense Villon, il lui importe beaucoup de pouvoir dire, à l'endroit de Thibault ou de n'importe qui, « En riens de luy je ne mesdis ». Impossible dans la lettre du texte, au moins, d'accuser Villon d'une haine fumante nourrie contre un homme de l'Eglise du Christ, ou d'une rancune acerbe gardée pour ses serviteurs. Justement, la perversion de l'évêque ne se traduisait-elle par une langue mensongère, par des diffamations et des calomnies ? Villon ignorait-il que le mot grec pour « calomniateur », transcrit en latin ecclésiastique par *diabolus*, avait donné en français le mot *deable* ?

De même alors qu'il avait affirmé, de l'évêque, qu'il prie « pour luy », et qu'il vient de répéter, de Tacque Thibault, « Je prie pour luy » — c'est la prière qu'on sait — maintenant il ajoute qu'il n'y entend aucun mal « pour luy », tout en précisant à l'intention de la postérité et pour que son Juge en prenne note les noms de ceux qu'il veut ainsi disculper. A présent, quoi qu'il en soit de ses souffrances de jadis ou de ses intentions futures, Villon n'a « que faire » de ces gens que pour les nommer. Cependant, notons-le tout de suite, ce n'est pas trois personnes qu'il nomme, mais plutôt les trois « personnes » d'un monstre du Mal, d'une trinité diabolique, qui se revêt ici de titres ecclésiastiques. Nous ayant montré, dans les premières strophes, la Mort dans un individu qui est aussi un prince de l'Eglise, Villon nous expose maintenant la Mort résidant chez des individus à l'échelle des institutions les plus augustes. Sans doute aurait-il voulu qu'on se rappelât ces mots réalistes de saint Paul :

> Induite vos armaturam Dei, ut possitis stare adversus insidias diaboli. Quoniam non est nobis colluctatio adversus carnem et sanguinem, sed adversus principes, et potestates, adversus mundi rectores tenebrarum harum, contra spiritualia nequitiæ, in cœlestibus.
>
> (*Ad Ephesios*, 6/11-12)

Comment nommer ces forces malignes ? La complexité du langage naturel y suffit-elle ? Nommer le chef de ce corps a été facile. Les rapports complexes entre un individu perverti, la perversion, sa source diabolique, le rang qu'il occupe et la fonction qu'il exerce, ces rapports sont étalés d'emblée par les équivoques que nous savons dans les mots « evesque », « enferré », et « Tacque Thibault ». Mais comment nommer les autres « personnes » de la Mort ? Son « lieutenant » et son « official » exercent des fonctions qui sont les négations de celles de la véritable Trinité, comme nous le verrons. A l'Amour et à la Justice ils substituent la stérilité et l'injustice. Ceux-là, Villon parviendra à les nommer. Quant aux autres, foule anonyme et diabolique, il ne les désignera qu'en bloc, et de façon indirecte, en leur donnant le nom de ceux qui leur ressemblent devant Dieu, et du métier qu'ils ont institué.

Chaque nom, comme le visage même du diable, rappelle à la fois une origine céleste et une caricature monstrueuse de l'homme. De même que dans la figure boursouflée et grotesque de Tacque Thibault nous avons décelé les traits d'un individu réel qui ailleurs va « seignant les rues » sous le nom de Thibault d'Aussigny, de même ici, sous les lignes grossières des deux acolytes du Mal nous saurons reconnaître, par leurs noms comme par leurs offices, des êtres humains. Villon les désigne d'abord, dans la lettre du texte, par leur titre : ces deux hommes sont, de Tacque Thibault, l'un « *son* lieutenant », l'autre « *son* official ». Leurs noms de particuliers, si on pouvait les savoir, préci-seraient encore mieux leur identité et aussi leur caractère officiel, puisque les noms, comme tous les mots, ont leur signification propre. Le « lieutenant » du roi des pédérastes, tout d'abord, sera évidemment son mignon. Le mot lui-même se réfère premièrement à la strophe précédente ; ce « lieutenant » est aussi un geôlier et un bourreau, celui qui « tient » le « bas lieu » qu'a dû habiter Villon une saison, qui est aussi, nous le savons, l'Enfer. Mais le mot reprend en plus l'image féodale de la deuxième strophe, dans ses deux sens, féodal et obscène : « Soubz luy ne tiens », avait annoncé Villon de Thibault, pour certifier qu'il n'en était point le « lieu-tenant ». Enfin, le mot avait un sens libre dans le jargon grivois de l'époque, et désignait celui qui couchait avec quelqu'un de la part de quelqu'un d'autre, en sa place, dans son « lieu ». Nul doute alors que Villon veut nommer un des nombreux citoyens de Bourges — peut-être celui qui était en fait, d'après les archives, le lieutenant de Thibault d'Aussigny, un certain Pierre Bourgoing, surnom dont la première syllabe est la déformation clas-sique du mot « bougre » [5].

Quant à son « official », le mot lui-même ne se prêtant pas à des jeux assez précis, Villon ajoute tout un vers pour mettre au point sa référence :

> *Aussi pour son official*
> *Qui est plaisant et advenant...*

Comment peut être l' « official » — c'est-à-dire le juge ecclésias-tique — d'une telle cour épiscopale ? Qu'il soit « plaisant » soit agréable pour ses confrères, cela va sans dire. Villon suggère aussi qu'il s'adonne au seul badinage, que loin d'exercer ses fonctions d'une manière grave et sérieuse, bref d'une manière judicieuse, il rie au nez de la justice. L'official en question incarne une banalité et une légèreté aussi marquées que la fade locution qui le décrit : « plaisant et ad-venant ». Enfin, ne doit-on pas reconnaître, sous ce portrait d'un des visages ecclésiastiques du Mal, la figure d'un seul homme, le juge Etienne Plaisance ? Son nom indique sans ambages le dévouement négatif à la seule vie charnelle, trait le plus saillant d'une Eglise « bétournée ». Etienne Plaisance, « Monsieur Plaisir », est l'Antéchrist de l'Anti-Trinité, l'official d'un office satanique, celui qui prétend juger tout en étant « advenant », au lieu de juger, comme le Christ, étant advenu [6].

Dans la première moitié de la strophe 74, Villon nomme les lieux où se logent, dans les institutions de l'Eglise, les trois chefs du Mal

que sont la Mort, la Stérilité, et l'Injustice. Et cette action judiciaire
est signalée par la phrase négative, « Je n'y pense mal », où des nuances
ironiques dénoncent déjà l'intention : ce mal, dirait Villon, ce n'est pas
que je l'y *pense...* La force positive de l'action est encore signalée par
les conjonctions qui relient les membres de la phrase : je fais ceci
« *pour* luy » *et* pour l'autre, « *Aussi* pour » le troisième... Tout comme
à la strophe précédente, ensuite, la deuxième moitié de la strophe
s'oppose par son style à la première. Le fait de ne pas nommer sera
appelé « n'avoir que faire ». Voilà, dirait encore Villon, que je viens
de nommer les trois chefs du parti de la Mort qui a son siège à Mehun,
en disant que je « n'y pense Mal ». Maintenant je précise qu'il ne
m'appartient pas de nommer individuellement tous les membres du
parti, sauf en les englobant dans cette formule, et en exceptant Maistre
Robert, que je nomme par le coup :

> *Que faire n'ay du remenant*
> *Mais du petit maistre Robert...*

Ainsi, à la litote succède la prétérition. L'une et l'autre, notons-le,
prennent forme de négations : « Je n'y *pense* mal », « Que *faire* n'ay ».
Le mot « remenant » reprend la notion de multiplicité qui a été
annoncée par la phrase « et reliqua », dont il donne la traduction
exacte. Quant au nom de « Robert » il nomme explicitement, pour la
première fois, un individu, mais n'en a pas moins de sens et d'intention
que les autres noms propres. Prononcé à la mode parisienne, comme il
le faut pour rimer avec « lombart », « Robert » devient « robart », c'est-à-
dire un voleur, pilleur, assassin, d'après la valeur de mépris et d'injure
que confère à ce mot son étymologie [7].

Le sujet « je » apparaît trois fois pour nier, dans cette strophe qui
a pour sujet une négation de la Trinité. Les deux premières fois, nous
l'avons vu, la syntaxe négative donne néanmoins un sens positif : « je
nomme », ou plutôt « j'appelle en justice ». La troisième apparition
du « je » inverse ce procédé, si bien que la seule affirmation de la
strophe aura une valeur négative :

> *Je les ayme tout d'ung tenant*
> *Ainsi que fait Dieu le lombart*

Encore une fois, la structure strophique à deux actes recèle une
progression dramatique à trois temps, image fidèle du *Testament*
entier.

« L'Amant remys et regnyé » constate qu'il aime encore, d'une
certaine façon. Mais, cette présence multiple du Mal qu'il a si soigneusement développée, Villon refuse maintenant de lui donner plus d'un
seul nom, et de l'aimer autrement qu'en tant que catégorie. Qui sont-
ils, ces hommes constituant ce « remenant » ? L'expression « tout d'ung
tenant », en renvoyant de nouveau aux images agricoles de la strophe 2,
évoque ceux qui sont les hommes liges de la Mort, qui « tiennent
soubz luy ». La conjonction logique « Ainsi que » n'a trait, dans le
sens strict, qu'à la modalité de l'amour, sans mettre celui-ci en cause.

On lirait donc, J'ayme le remenant en bloc, je ne distingue pas entre eux, tout comme Dieu ayme le lombart, c'est-à-dire sans accorder une attention spéciale aux individus réunis sous cette rubrique. La structure des deux vers est donc parallèle, compte tenu de l'inversion verbe-sujet amenée par la construction adverbiale du dernier vers.

Ayant « regnié » Amours, comment Villon peut-il « aymer » ce reste infâme, ce rebut ? C'est autant pour expliquer ce paradoxe que pour nommer « le remenant » de façon plus précise que Villon ajoute son dernier vers. « Remenant » et « lombart » sont tous deux des noms collectifs. La multiplicité dans l'unité qu'ils expriment, c'est le sens même de l'expression, « tout d'ung tenant ». Mais le premier de ces noms ne confère qu'une unité formelle, presque mathématique, aux divers êtres ainsi réunis. L'idée que nous donnons au contenu moral du mot dérive uniquement des sous-entendus, des calembours, des suggestions contenus dans la strophe même et dans ses multiples contextes. Par contraste, le mot « lombart » désigne une unité morale chez les personnes qu'il réunit, sans aucune référence à leur nombre ni à un autre groupe d'hommes qui ne seraient pas des « lombarts ».

Qui est « le lombart » et quels sont ses rapports avec Dieu individuellement ou en bloc ? Le sens du mot au temps de Villon pourrait être défini par deux traditions, l'enseignement biblique et la morale populaire. Pour la religion, le cas des lombards en tant qu'*usuriers* est fort clair. Comme le dit Pantagruel, citant saint Paul, pour réfuter sèchement les « belles graphides et diatyposes » du discours visionnaire de Panurge dans le *Tiers Livre* :

> Rien (dict le sainct Envoyé) à personne ne doibvez, fors amours et dilection mutuelle... Et suys d'opinion que ne erroient les Perses, estimans le second vice estre mentir, le premier estre debvoir. Car debtes et mensonges sont ordinairement ensemble ralliez[8].

Ayant renversé au Temple les tables des usuriers, Jésus explique ainsi son action :

> Et dicit eis : Scriptum est : Domus mea domus orationis vocabitur : vos autem fecistis illam speluncam latronum.
>
> (*Matt.*, 21/13)

Selon l'enseignement du Christ, le lombard-usurier est détesté par Dieu au même titre que le riche. Ainsi, « lombart » est le nom qui convient au groupe d'hommes de l'Eglise dont un certain « petit maistre robart » porte l'étendard.

D'une part, ce mot du Christ rappelle celui de saint Augustin, qui était supposé par le conte de Diomedès aux strophes 17 à 21, comme par la ballade au refrain, « En ce bordeau ou tenons nostre estat » :

> Remota itaque iustitia quid sunt regna nisi magna latrocinia ? quia et latrocinia quid sunt nisi parva regna ?

Mais il évoque aussi une de ses leçons fondamentales, que Villon a évoquée à la strophe 26 et qu'il reprendra bientôt en détail, lors des strophes 80 à 84. C'est cet autre verset de saint Luc :

Nemo servus potest duobus dominis servire : aut enim unum odiet, et alterum diliget ; aut uni adhærebit, et alterum contemnet : non potestis Deo servire et mammonæ.

(Luc, 16/13)

En disant « Que faire n'ay », Villon signale l'écart moral infranchissable entre le « je », que nous savons maintenant être « povre », et le « remenant » : il leur doit « amours » ou plutôt *dilectio*, et rien d'autre. C'est cet écart dont parle le texte de Luc que Villon citera à la strophe 82 : « *Inter nos et vos chaos magnum firmatum est* » (16/26). Et c'est ce même gouffre qui semble séparer Dieu du « lombart » :

Vos estis, qui justificatis vos coram hominibus : Deus autem novit corda vestra : quia quod hominibus altum est, abominatio est ante Deum.

(Luc, 16/15)

La richesse elle-même est, pour Dieu, une abomination. Mais Dieu connaît le cœur du riche et il le juge. C'est son Amour.

Les paroles de Pantagruel nous ont montré qu'à côté de l'enseignement biblique à l'égard du « lombart » existe une mine de sentiment populaire où l'indignation, voire le mépris, forme une riche veine. Que le mot « lombart » à l'époque ne désigne pas les seuls usuriers, cela est mis hors de doute par d'autres vers où Villon prend soin de préciser ce trait-là du « lombart » dont il sera question :

(X)   Si je peusse vendre de ma santé   (21)
A ung lombart usurier par nature
Faulte d'argent m'a si fort enchanté
Que j'en prendroie ce cuide l'adventure...

Le sens du passage est de mettre en valeur la rapacité, l'absence totale de probité, l'avarice absolue du « lombart », qu'il soit par métier un banquier, un prêteur sur gages, ou un agent de change. Le mot « adventure » — rappelons que le juge Etienne Plaisance était « advenant » — par le calembour sur « vente », confond les risques d'une perte de santé avec le hasard qu'il y a à vendre quoi que ce soit au « lombart ». L'alliance étroite d'usure et de mensonge, signalée par Pantagruel, annonce aussi la malice rusée, diabolique, sans scrupules, que l'hostilité populaire a discernée chez ceux qui prêtent sur gages. Citons-en pour preuve ces vers d'Honoré Bonet :

Vous me faittes tour de Lombart
Qui par engin et par son art
Veult savoir d'autruy la pensée
Et la sienne tenir celée [9].

Maintenant, pour saisir le tour ironique de la strophe 74, récapitulons-en l'intention générale. Avec le mot « Toutesfois », Villon se détourne de l'émotion et de la violence par trop manifestes de la strophe 73, pour justifier une prise de position qui pourrait paraître peu charitable. La phrase « Je n'y pense mal », tout comme la phrase « Or y pensez », qui introduit la « leçon » de la Belle Hëaulmière, marque le retour à un langage plus intellectuel et au ton plus détaché. Suivent trois vers d'une rhétorique obscure et industrieuse dans lesquels, tout en se disculpant de toute intention maléfique lui-même, il dénonce la présence du Mal dans les institutions ecclésiastiques par le fait de nommer ses trois chefs de trois façons différentes. Pour ce qui est du restant, poursuit-il dans le restant de la strophe, il n'y a aucun besoin de nommer des individus, puisqu'ils ne portent qu'un seul nom. On peut les juger en bloc, selon le critère moral qui les unit. Ceux-là, il est prêt à les « aimer » dans la mesure où Dieu peut aimer les rapaces, les faux, les riches, les diaboliques usuriers, infiniment éloignés de Lui par le culte de Mammon. Mais justement, selon le Christ, les riches constituent la seule catégorie d'hommes que Dieu condamne formellement, en bloc, sans autre considération. Villon ne sera-t-il donc pas, lui aussi, amené à les condamner, sans craindre les reproches d'une conscience qui l'aurait averti : « Honni soit qui mal y pense » ?

Le sens littéral des derniers vers de la strophe n'est pas seulement la suite logique de ce qui précède. Il constitue le quatrième appel en justice dans une série qui procède objectivement d'en haut vers le bas d'une hiérarchie diabolique — de Tacque Thibault jusqu'à ses menus serviteurs — et en fait de style du plus voilé au plus clair, tout comme à la strophe 2. Ne négligeons pas ce sens littéral. L'inversion de style qu'opère Villon dans ces derniers vers, pourtant, laisse éclater, derrière la structure logique, une attitude d'hostilité insidieuse. Ayant été obligé de suspendre la sentence en ce qui concerne l'oppresseur par excellence, et son « lieutenant », et son « official », il peut enfin laisser éclater sa vraie intention envers ceux dont il peut nommer ouvertement le chef, le « maistre robart », puisque Dieu aussi n'a pas caché son intention à leur endroit. Ainsi les deux styles opposés de la strophe — le premier voilé, timoré, feuilleté, pour ainsi dire ; le second explicite, hardi, ironique — désignent les deux faces de la Justice divine, l'une inférée, insondable, toujours équivoque ; et l'autre foudroyante, manifeste, et prévisible. Comme nous le verrons, ces deux justices alterneront tout au long du travail poétique de Villon, lors des cent strophes des legs satiriques.

Il paraît évident, dira-t-on, que Dieu n' « ayme » point « le lombart ». Pourtant, le sens ironique de la strophe est fort compliqué par l'usage du mot-outil « faire » dans le dernier vers, substitué au verbe « aymer », et donnant une importance nouvelle à celui-ci. En reniant « Amours » au début de la strophe 70, Villon renie aussi le mot dans ses acceptions banales, et déploie ainsi toute la gamme de ses sens. C'est l'entreprise qu'il n'a cessé de poursuivre depuis le début du *Lais* ; c'est le but avoué, d'ailleurs, du *Roman de la rose* [10]. Nous connaissons déjà le moyen formel de cette démonstration, qui veut ajouter un aigre levain à nos idées toutes faites et effectuer, peu à peu, notre rééducation en matière d' « amour ». Notons que dans le poème que nous lisons, c'est-à-dire dans le groupe de cinq strophes 70 à 74, les mots

« amours », « amant », et « aymer » sont employés au début dans le sens conventionnel ; puis, à la fin, dans un sens équivoque :

> *Je regnie* amours...
> Amans *ne suiveray jamais...*
> ....
> *Je les* ayme *tout d'ung tenant...*

Et rappelons la forme de la ballade choquante sur « l'amour » d'un bordeau :

> *Se* j'ayme *et sers la belle...*
> *Pour son* amour *sains bouclier...*
> ....
> *Ordure* amons *ordure nous assuit...*

Dans la strophe 74, en outre, nous noterons un parallélisme logique des verbes, qui nous prépare à lire le dernier d'un œil attentif :

> *Je n'y* pense *mal...*
> *Que* faire *n'ay...*
> *Je les* ayme...
> *Ainsi que* fait *Dieu...*

Le mot « fait » n'est ici qu'une espèce de jeton qui représente la conjonction d'un rapport objectif et universel avec le mot qui devrait le nommer. En d'autres termes, le mot « fait » signale un immense espace verbal, que Villon nous invite à combler par le mot « aymer ». Et cet espace n'est pas simplement verbal, comme nous le savons, mais moral aussi, et, dans un tout autre sens, un espace réel. C'est le gouffre qu'évoquera Villon bientôt, lorsque nous verrons le « riche ensevely En feu », c'est-à-dire « mis en bas lieu », et le « ladre de dessus ly », aux cieux (str. 82-3).

Entre Dieu et le « lombart » réside toute l'immense hiérarchie que règle la Justice divine, ce que Villon nous invite à appeler l'Amour [11]. Or cette identité de Justice avec Amour n'est pas de son invention. Rappelons que « lombart » est le titre moral du « remenant », de ceux qui sont les serviteurs de la justice de l'Eglise ; et que le présent chapitre du *Testament* traite, entre autres choses, de la présence du Mal dans les institutions divines. Comment se peut-il qu'une force maléfique se soit insinuée dans les cours ecclésiastiques, dans le *ius episcopalis* qui descend en droite ligne des Apôtres ? Quelle doit être notre attitude envers les puissances de la terre, quel que soit leur caractère apparent ? Derrière cette partie du poème de Villon se trouve sans doute le chapitre où saint Paul a traité le même point. C'est le texte que citait Pantagruel en disant, « Rien... ne doibvez fors amours et dilection mutuelle », et que voici :

CAPUT XIII

Omnis anima potestatibus sublimioribus subdita sit : non est enim potestas nisi a Deo : quæ autem sunt, a Deo ordinatæ sunt. Itaque qui resistit potestati, Dei ordinationi resistit. Qui autem resistunt, ipsi sibi damnationem acquirunt... Dei enim minister est : vindex in iram ei, qui malum agit. Ideo necessitate subditi estote, non solum propter iram, sed etiam propter conscientiam. Ideo enim et tributa præstatis : ministri enim Dei sunt, in hoc ipsum servientes. Reddite ergo omnibus debita : cui tributum, tributum : cui vectigal, vectigal : cui timorem, timorem : cui honorem, honorem. Nemini quidquam debeatis, nisi ut invicem diligatis : qui enim diligit proximum, legem implevit... Dilectio proximi malum non operatur. Plenitudo ergo legis est dilectio...

(Ad Romanos, 13/1-10)

Ce que Villon doit aux princes de Mammon, en tant qu'individus, ses prochains, comme en bloc, en tant que puissance, c'est la *dilectio*. Il le dit lui-même, aux strophes 2 à 6, par le texte biblique auquel il se réfère explicitement, à savoir le « psëaulme *Deus laudem* » :

Et posuerunt adversum me mala pro bonis : et odium *pro dilectione mea*. Constitue super eum peccatorem : et diabolus stet a dextris ejus.

(v. 5-6)

Il n'en dira ni n'en pensera point de « mal » ; il ne leur opposera pas de résistance, quelle que puisse paraître leur injustice. Ce que Dieu leur doit, Lui qui ne peut éprouver l'amour charitable du prochain, c'est sa Justice qui est, elle aussi, Amour. Ce qu'ils doivent tous deux, aux puissances malignes qui habitent les institutions célestes, c'est une haine implacable, voilée chez le chrétien Villon, éclatante chez son Dieu, exécutée par Lui et, à sa manière, par son poète.

L'amour de Villon pour le « remenant » est calqué sur l'Amour qui existe entre Dieu et ses plus misérables créatures. La Justice que rend un poète, dans un poème, par le fait de nommer, est un mouvement de la Loi universelle : « *Plenitudo ergo legis est dilectio...* » C'est cette Loi et cet Amour que Villon oppose à l'injustice et à la stérilité qu'incarne Thibault. Remarquons, pourtant, que ce n'est point François Villon qui s'arroge ici de tels pouvoirs en face du pouvoir qui vient de Dieu ; mais plutôt le Pauvre Villon, qui commence à se dresser en digne adversaire de la Mort. Il n'a renié le dieu d'Amours, à la strophe 70, que pour devenir le champion, à la strophe 74, d'un Amour universel, précisément

L'Amor che move il sole e l'altre stelle.

5.   Si, ouvertement, au milieu du *Testament*, Villon se met du côté de l'Amour qui est Justice contre les cohortes de la Mort, ce sera afin de dresser de façon plus schématique le théâtre de son œuvre. De la strophe 86 à la strophe 185, il agira dans le sens de cet Amour et dans le sens de la nature, en propageant la fertilité, et en distribuant à la manière d'un juge omniscient les peines et les récompenses dans le microcosme parisien. A la fin de son œuvre de nettoyage, de régénération, de redistribution universelle, que restera-t-il de l'Adversaire ? Le Pauvre Villon, triomphant, mourant debout et glorieux, n'aura qu'un geste de défi pour profaner les corps des vaincus. Et ce geste

vient à la fin d'une espèce de chant de victoire, par lequel Villon re-
mercie et congédie ses alliés et ses amis, d'un ton égrillard et narquois:

BALLADE

A chartreux et a celestins	(1 968)
A mendians et a devottes	
A musars et claquepatins	
A servans et filles mignottes	
Portans surcotz et justes cottes	
A cuidereaux d'amours transsis	
Chaussans sans meshaing fauves bottes	
Je crie a toutes gens mercis	

A filletes monstrans tetins	
Pour avoir plus largement hostes	(1 977)
A ribleurs mouveurs de hutins	
A bateleurs traynans marmottes	
A folz folles a sotz et sottes	
Qui s'en vont siflant six a six	
A marmosetz et mariottes	(1 982)
Je crie a toutes gens mercis	

Sinon aux traistres chiens matins	
Qui m'ont fait chier dur et crostes	(1 985)
Maschier mains soirs et mains matins	
Qu'ores je ne crains pas trois crottes	
Je feisse pour eulx petz et rottes	
Je ne puis car je suis assis	
Au fort pour eviter riottes	
Je crie a toutes gens mercis	

Qu'on leur froisse les quinze costes	
De gros mailletz fors et massis	
De plombées et telz pelottes	
Je crie a toutes gens mercis [12]	

Thibault d'Aussigny a disparu, de même que Tacque Thibault, son
état-major et toutes ses légions, le « remenant ». Il ne reste que des
brutes, dont la violence et la malice semblent dépourvues de tout
calcul, de toute fourberie. Aucun besoin donc, d'user, comme ailleurs,
de la circonspection dans le but de les exhiber et, ensuite, de les perdre.
Pour la première et la dernière fois, les serviteurs de la Mort sont représentés directement comme des démons de l'infertilité. Notons, depuis le début du *Testament* l'évolution des termes qui évoquent l'expérience de Mehun : d'un réalisme direct et personnel, on est passé à
une littérature emblématique et générale, pour venir enfin à une grossièreté à la fois narquoise et puissamment symbolique :

Peu m'a d'une petite miche	(13)
Et de froide eaue tout ung été...	

Qui tant d'eaue froide m'a fait boire...	(738)
Mengier d'angoisse mainte poire...	

Qui m'ont fait chier dur et crostes   (1 985)
Maschier mains soirs et mains matins...

Le proverbe dont il s'agit ici (cité par Oudin : « Il nous fait chier petites crottes », pour dire, « Il ne nous donne guère à manger ») souligne le fait connu qu'être « chiche », en ce qui concerne les fruits de la terre, c'est un moyen de nuire à la fertilité universelle qui se nomme, elle aussi, l'Amour. Depuis la strophe 2 nous savons que l'avarice de Thibault, comme de tout « lombart », n'est qu'une face de sa perversion et de son infertilité impitoyable. Ayant obligé Villon à « chier dur » — le mot nous rappelle la « dure prison » — les « chiens » de la terre ont entravé jusqu'aux mécanismes de transformation fertile dans le corps du Pauvre Villon.

Depuis le travail des « legs », pourtant — depuis les strophes 86 à 185 du *Testament* — les boyaux de la terre sont nettoyés, les dures neiges sont fondues et les rivières coulent de nouveau, tout est remis dans un mouvement fécond, c'est le renouveau... A témoins les intestins du Pauvre Villon lui-même, qui sont prêts à restituer à la terre ce qu'ils lui doivent. Il ne faut craindre désormais nul démon constipant. Si riche en matière fécale est maintenant le Pauvre Villon, qu'il n'hésite pas à la gaspiller, marquant son entier mépris pour tous démons par une kyrielle de « petz et rottes » expressifs et peut-être créateurs aussi, comme ceux de la Grosse Margot. Ce n'est que pour « eviter riottes » — en équivoquant peut-être sur deux sens du mot, savoir, une « querelle », et aussi l'action de la meute qui laisse la bonne piste en prenant le change — que Villon se décide, « au fort », d'alléguer une incapacité momentanée (« je suis assis ») et de revenir à son refrain [13].

Les « traistres chiens matins » n'étant pas des « gens » — c'est-à-dire des amoureux, parmi ceux que Villon vient d'énumérer, ou ceux qui, rappelons-le, visitaient le « bordeau » de Margot — il n'est pas besoin que Villon leur « crie mercis », et la phrase veut dire « demander pardon » aussi bien que « remercier ». Le refrain, qui exprime à chaque reprise une nouvelle nuance de totalité, d'après la liste des espèces de « gens » fertiles, prend une valeur tout à fait nouvelle à la fin du poème. Les dents serrées, Villon laisse reparaître son refrain après l'envoi, sans qu'aucun lien logique le relie à ce qui précède sauf l'opposition même entre deux vies, deux mondes, deux actes du poète. Voici, d'une part, les « traistres chiens », de l'autre « toutes gens » — l'assonance ici exprime le crissement de leur contact, que l'envoi fait sonner de façon si agaçante, si probante [14]. « Qu'on leur *froisse*... » — la punition qu'exige Villon pour ceux-là est entièrement corporelle. Elle confirme ce que nous avions appris du « remenant », c'est que leur espèce n'existe que concrètement, sans aucun dynamisme — tel qu'une *religio* — qui puisse les relier avec le monde spirituel du Créateur. Voici donc de nouveau, pour la troisième fois dans l'œuvre de Villon, le mot qui, employé dans une comparaison, exprime la densité spécifique de l'objet concret : le mot « pelote ». A la strophe 12, il exprimait la nature équivoque de toute perception particulière ; à la strophe 56, il nommait l'inertie et la situation déchue de la matière brute, dénuée de devenir. Ici, à la fin du poème, Villon l'associe aux adjectifs morts, pour ainsi dire, « gros », « fors », et « massis », et au métal le plus lourd, le plus terne et vil qui soit : le *plomb*.

Ainsi, ayant parlé en toute franchise de l'exorcisme réel qu'accomplit la parole, Villon se retourne pour en affirmer une deuxième fonction. Le « je » et les « toutes gens » appartiennent au monde qui bouge et qui grouille, qui prie, qui crie, et qui crée. Le style charnu, vivace, précis, et joyeux de la ballade l'a dit : c'est à ce monde qu'est réservée l'alliance avec le Créateur. En le criant, d'abord, Villon *réclame* le pardon de ses amis et collègues. Au reste, ce faisant, il *proclame* la Merci — c'est-à-dire la Grâce — qui n'est donnée que par Dieu, et qui fut donnée historiquement en l'an 33, lors des événements de Pâques dont il a été question aux strophes 11 et 13. Le mot « merci » apparaît neuf fois au cours du *Testament*.

6. Ayant été convoqué trois fois à la barre du *Testament*, Thibault d'Aussigny reçoit son dû. Y étant entré dans toute sa dignité, à pied et « seignant les rues », il en sort, grognant et anonyme entre ses frères comme un pourceau de Circé. Et qui est maintenant debout, à sa place, dans sa dignité, qui exerce une autorité épiscopale sur la chair comme sur l'esprit des hommes ? Ce n'est autre que le Champion d'Amour, le Pauvre Villon, qui, pendant qu'il s'affairait à réduire à son rang de brute celui qui a été « chien » envers lui, a opéré une métamorphose inverse sur sa propre figure. De l'homme Françoys Villon que nous avons vu nommer au début du *Lais* il fait un héros légendaire. Car, dans toute œuvre qui veut reprendre l'entreprise d'Alain de Lisle et Jean de Mehun, il faut une force bénéfique qui se charge de défendre une Nature souillée par Tacque Thibault et son espèce. Si la mort s'affirme au cœur de l'homme, et ainsi dans les institutions, et par là dans la société entière qui fait partie de la nature, cette même logique et cet ordre donnent à l'écrivain conscient de ses responsabilités la possibilité d'effectuer, par cette même voie hiérarchique, une transformation réelle d'un monde voué à l'impermanence.

Le poète commencera donc en s'occupant de nous individuellement, en s'attaquant à nos cœurs et à nos esprits. Nous n'étudierons pas en détail le caractère du Pauvre Villon, pour la simple raison qu'il est déjà bien connu. Villon n'a que trop réussi à nous imposer son personnage mythique, au point que nous oublions qu'il l'a créé lui-même, dans un ouvrage littéraire, et avec une intention précise. Dans un chapitre précédent, nous avons assisté au premier acte de ce drame de la création, en suivant la première transformation en personnage littéraire de Françoys Villon, homme libre qui s'est trouvé « tout ung été » à Mehun, « soubz la main » d'un certain évêque. Nous l'avons vu, ayant été accusé d'être « ung homme inique », s'interroger et se trouver la justice au cœur. Qu'il y ait aussi trouvé la fertilité, la strophe 12 nous semble l'avoir clairement montré. Et dans les strophes qui suivent — notamment la strophe 15 — Villon en invoque Jean de Mehun, parce que l'adhésion à une tradition philosophique et à certaines formules littéraires implique déjà une recherche créatrice. L'idée de l'auteur dans ces strophes, nous l'avons vu, n'est pas de se présenter, mais de créer un modèle dramatique des rapports entre un individu, sa vie, son expérience, et la vie d'un univers hiérarchique. Le sous-produit de cette entreprise, pourrait-on dire maintenant, c'est de rendre plausible cet individu, par le fusionnement d'une expérience, d'une réflexion, et d'un sentiment accessibles à tous avec une voix authentique ; c'est de nous convaincre, par la voie du cœur, de la nécessité d'une telle personne. Que Villon ait réussi dans cette tâche secondaire, n'importe quel livre scolaire le prouve. Villon, tel qu'on l'y aperçoit, est devenu, au cours des siècles, un monument national.

Dans les huit strophes 34 à 41, qui préparent la première explosion lyrique, selon le schéma que nous savons, Villon s'attache à faire de lui-même une figure littéraire, et donc un être apte à être aimé. Abandonnant maintenant les raisonnements de la « matiere » érudite, il se met à l'analyse, c'est-à-dire au développement symphonique du mot « povre », qui sera son nom de guerre et son titre de gloire. Les mots « povre » et « povreté » reviennent huit fois au cours des huit strophes, dans toutes leurs acceptions et tous leurs emplois syntaxiques. Que ce retour ait un sens, cela nous semble indiqué par le fait qu'on est mené imperceptiblement de la généalogie artificieuse de la strophe 35 à l'impersonnalité, la mythologie (Paris et Hélène), l'universalité des strophes 39 à 41, et finalement au lyrisme. « Povre je suis », lit-on tout d'abord ; partant d'une référence actuelle et économique, le mot prend peu à peu une valeur sociale et de destin. Et lorsqu'on lit enfin ces vers

> *J'entens que ma mere mourra*   (302)
> *El le scet bien* la povre femme...

le mot a dépassé son sens de « pitoyable » pour devenir le nom de la condition mortelle, lucidité et impermanence.

Désormais, le mot « povre » prend, au *Testament*, une valeur expressive accrue. François Villon se perd entièrement de vue à partir de la strophe 41, en laissant en l'air cette expression, afin que s'en multiplient les résonances, comme un « bruyt » qu' « on maine Dessus riviere ou sus estan », comme un « echo parlant » à travers ses discussions de la mort et de l'amour. Entre les strophes 42 et 85, le mot reparaît encore sept fois, presque toujours pour qualifier absolument un personnage notoire ou exemplaire en proie à la dissolution. Quand Villon reviendra sur la scène de son propre poème, il s'associera à ces personnages, surgissant brusquement parmi eux, au moment le plus inattendu, comme le diable d'une boîte à surprise.

Lors de la strophe 42, la première après la suite des trois ballades à thème « ubi sunt », Villon garde déjà l'incognito :

> Moy povre *mercerot de Renes* (417)
> *Mourray je pas ? Oy se Dieu plaist...*

Et tout de suite après :

> *Tous sommes soubz mortel coustel* (423)
> *Ce confort prent* povre viellart...

Les sens économiques et sociaux se fondent dans le nouveau sens du mot, de même que les rangs économiques et sociaux des hommes n'ont plus de sens « soubz mortel coustel ». Bientôt ce sera le tour des prostituées :

> *Aussi ces* povres femeletes (445)
> *Qui vielles sont et n'ont de quoy...*

Quand la Belle Hëaulmière se regarde, elle se voit

> *... si tres changiee* (490)
> Povre *seiche megre menue...*

et ici le mot semble indiquer l'épuisement d'une forme qui a cédé toute sa virtualité à l'Amour, comme une peau de chagrin. Ainsi les voit-elle toutes, celles qui sont « Tost allumees tost estaintes » :

> *Ainsi le bon temps regretons* (525)
> *Entre nous* povres vielles sotes
> *Assises bas...*

où l'expression « Assises bas » exprime la chute misérable de la « pièce » usée, rejetée en bas de l'échelle des êtres.

Les huit strophes 57 à 64, nous le savons maintenant, ont la même fonction que les strophes 34 à 41, qui introduisent la première suite de pièces lyriques. Ici comme là, nous entendons une voix qui nous parle, sans pouvoir juger si elle vient d'un être réel, d'un personnage fictif, ou de la page et de la langue elles-mêmes. Ici comme là, Villon rend littéraire cette voix par le moyen d'inventions plaisantes : alors, c'était l'« ayeul nommé Orace », maintenant « mon clerc Fremin l'estourdis ». Ici comme là, Villon louvoie vers son nouveau sujet par le moyen d'une fiction dramatique, l'intervention d'un auditeur offusqué. D'abord, cette voix fut celle, digne et vénérable, biblique, de Cuer : « Homme ne te doulouse tant... » Maintenant, à la strophe 58, nous sommes si loin de l'intériorité des premières strophes, si loin déjà de François Villon, que cette voix harcelante vient de l'extérieur, et l'interpelle vivement en se guindant sur un ton de minauderie que Villon va bientôt démonter (v. 588). Enfin, ici comme plus haut, Villon nous mène suavement d'une situation particulière vers l'universalité, de Fremin et du petit tableau dialogué jusqu'à la « nature femenine » et jusqu'aux vérités proverbiales de la strophe 64.

De nouveau on plonge dans le lyrisme... Mais voici que tout d'un coup, celui qui toujours nous présentait le fait lyrique du dehors s'y trouve plongé. Comme un Charlot qui, sortant du trou du souffleur, se trouve sur la scène de *Tannhaüser* et veut chanter lui-même, ainsi apparaît un paillasse parmi de graves héros et de blanches barbes bibliques. Voici Orpheüs, Narcisus, David, Amon, saint Jehan-Baptiste, et puis

> *De moy povre je vueil parler*   (657)
> *J'en fus batu comme a ru telles*
> *Tout nu ja ne le quier celer...*

Si Villon se moque dans cette double-ballade des poètes, des prophètes et des saints, ce n'est point par une simple espièglerie. Car l'Amours les a déjà rendus ridicules. La légèreté bénévole de cette voix exprime par un moyen des plus efficaces la facilité traîtresse avec laquelle l'Amours les a défroqués. Ce n'est pas, donc, que Villon rabaisse les héros de jadis à son propre niveau en s'associant à eux, bien qu'on soit tenté de lire le poème ainsi. Mieux vaut les voir comme de *pauvres héros*, de pauvres rois, de pauvres saints — bref, de pauvres fantoches à auréoles ternies et à hermines délabrées — et parmi eux le Pauvre Villon, qui, lui aussi, a laissé sa royauté au rivage pour plonger dans le fleuve des neiges d'antan. Par un coup de maître littéraire, Villon *se fait légendaire*. Il parle de ses propres aventures amoureuses comme si elles avaient déjà la renommée populaire des amours d'Héloïse et d'Abélard, comme s'il n'avait qu'à rappeler les grandes lignes de l'histoire pour que tout le reste surgît dans la mémoire du lecteur.

Remarquons pourtant que Villon rend légendaire ce qui ne l'est pas entièrement. Il transforme des faits en dits mythologiques, ils deviennent langage : « De moy povre *je vueil parler* ». S'il se réfère à un seul événement et à des particuliers, c'est de façon à faire vibrer certaines résonances mythiques au cœur de l'histoire. Le cas le plus clair est celui de « Noé le tiers » — dont le nom évoque à la fois le « pere Noé », de qui il sera question au vers 1 238, et aussi le particulier « Noel Jolis » du vers 1636 — et la cérémonie populaire, connue de tous, des « mitaines » aux « nopces ». Mais il en est de même pour le vers 658, où les mots « a ru telles » font calembour sur le vieux mot « ruiotel », c'est-à-dire *ruisselet*, mot d'argot érotique en rapport avec le sexe de la femme [15]. Enfin, l'expression populaire « maschier ces groselles » (qui, quel qu'en soit le sens précis, désigne clairement une situation bien connue aux lecteurs de Villon) amène comme naturellement le nom de Katherine de Vausselles, qui joint un prénom de particulier à un surnom qui, par un calembour érotique bien connu autrefois, désigne généralement les femmes coureuses [16].

Nous aurons l'occasion de revenir sur cette ballade. Il suffit d'avoir remarqué ici que l'une de ses fonctions est d'insérer Villon lui-même, sous l'appellation de « povre », parmi les personnages légendaires des pièces lyriques. A cette condition seulement le poète pouvait entreprendre dans son propre poème une tâche légendaire, c'est-à-dire aussi immémoriale que surhumaine, comme celle d'un Perceval ou d'un Galaad. Les quinze strophes qui suivent cette double-ballade et qui, selon le plan du poème, devront comprendre un discours dramatique dit par un personnage représentatif — comme les quinze strophes 42 à 56, qui suivaient la première envolée lyrique et qui présentaient la Belle Hëaulmière — ces strophes 65 à 79 auront également leur héros. On l'appellera bientôt, quand il commence à se mesurer avec Tacque Thibault, « L'Amant remys et regnyé. » Françoys Villon, celui que « le bon roy... delivra De la dure prison de Mehun », l'été de 1461, a disparu définitivement.

7. D'une part, le vers, « De moy povre je vueil parler » a la même fonction que le vers, « Moy povre mercerot de Rennes Mourray je pas ? » Tous deux dépendent d'un développement systématique de la notion de « povre » que Villon commence à la strophe 34. Tous deux terminent une suite lyrique en associant la voix qui parle aux personnages qu'elle vient de chanter. Tous deux annoncent de nouveaux masques de Villon, des « moy » dont le « je » peut parler comme objectivement. Et cependant, nous venons de voir que le « moy povre » qui est « mercerot de Rennes » s'oppose aux « papes roys filz de roys Et conceus en ventres de roynes », et au fait lyrique, et aussi au passé comme à la légende ; tandis que le « moy povre » de la double-ballade appartient à la compagnie des héros, au fait lyrique, au passé, et à la légende. Comment expliquer cette évolution frappante ?

Deux faits capitaux de structure nous renseignent. Premièrement, en lisant la double-ballade et les strophes suivantes, nous assistons à la première répétition formelle du Testament. C'est la forme des strophes 34 à 56 qui se répète, les 23 strophes divisées en 8/5-5-5 (3 plus 5/3 fois 5) avec, intercalées, trois unités lyriques (divisées en 1 plus 2). Ce sont les deux groupes de 184 vers strophiques qui nous mèneront, avec le supplément de cinq strophes, à la strophe 84, et enfin au vers 840. Cette répétition formelle nous fait déjà songer au Lais, avant même de lire les vers qui en parlent explicitement. Car, en second lieu, le Testament tout comme le Lais évolue dans deux espèces de temps : savoir, un temps poétique, et ce qu'on pourrait appeler un temps moral. L'un reflète l'autre, mais les deux ne coïncident presque jamais. Ainsi, la première partie de la strophe 12 évoque un temps moral antérieur (« apres plainz et pleurs ») qui sera traité dans l'avenir poétique. La deuxième partie de la même strophe, par contre, signale un passé moral qui est le sujet des strophes précédentes, mais aussi la genèse du temps poétique, l'origine des vers que nous lisons. De même, nous venons de voir que Thibault d'Aussigny, à travers le temps poétique entier, c'est-à-dire d'un bout du poème à l'autre, subit une transformation et accomplit un certain devenir, bien qu'on n'ait affaire à lui qu'à un seul moment de sa vie, qui fut un acte moral. De même, le temps passe pendant que nous lisons, un temps accéléré. Françoys Villon est maintenant devenu « L'Amant remys et regnyé », qui deviendra lui-même le Pauvre Villon de la ballade finale. Ce qui semble une répétition formelle des 23 strophes, d'un point de vue, se révèle comme étant une évolution créatrice, d'un autre point de vue. Cette répétition qui est également une création,

n'avons-nous pas trouvé qu'elle est la forme même du *Lais*, où « Je
Françoys Villon » devient, après 40 strophes, « le bien renommé
Villon » ? Si, au milieu du *Testament*, Villon nous ramène à l'atmosphère et au langage du *Lais*, c'est parce que la métamorphose qu'il
opère maintenant sur sa propre personne est, à bien des égards, semblable à celle qu'il ébaucha dans son premier poème. Le héros qui
se dégage ici profite des promesses de sa naissance.

Quels sont exactement les rapports des strophes 65 à 79 avec le
Lais, ainsi qu'avec les strophes 42 à 56, dont elles donnent le reflet
formel ? Notons que c'est le rappel explicite qui vient le dernier, dans
le troisième groupe de cinq strophes qui forment le monologue
entier :

> (75)   *Si me souvient bien Dieu mercis*   (753)
> *Que je feis a mon partement*
> *Certains laiz l'an cinquante six*
> *Qu'aucuns sans mon consentement*
> *Voulurent nommer testament...*

Le premier des rappels plutôt indirects du *Lais* se trouve au
premier vers de la section, qui signale un temps moral antérieur
(« jadis ») ainsi que le chiffre poétique qui a provoqué son œuvre :
« Se celle que jadis servoie... » Plus important comme rappel, peut-être,
est l'usage du mot « servoie », qui désigne ici — tout comme plus tard,
au premier vers de la ballade de Margot — le langage d'amour
courtois. Notons donc comme un premier rapport entre ce passage-ci
et le *Lais*, le fait que Villon n'a plus lieu de se plaindre de ce langage,
s'en étant déjà libéré. Le jargon d'amour bourgeois ne comporte plus
de menaces à sa personnalité poétique, et il l'emploie sans rancune
pour signaler l'état qu'il a quitté, comme, au vers « Se j'ayme et sers
la belle... », pour évoquer le milieu qui n'est plus le sien. Le vocabulaire de la strophe 65 rappelle plutôt celui de la première partie de
la strophe 12, où il était également question de vagues souffrances
morales et d'une âme empêtrée de mensonges :

> (65)   *Se celle que jadis servoie*   (673)
> *De si bon cuer et loyaument*
> *Dont tant de maulx et griefz j'avoie*
> *Et souffroie tant de torment...*

Qu'il ait été autrefois la victime d'un certain langage, il n'y a
aucune utilité à ce que Villon nous le rappelle maintenant. Nous reconnaîtrons facilement, dans l'homme qui s'est éloigné de ce langage
et de ce milieu, le « bien renommé Villon » de la fin du *Lais*. En revanche, celui qui « partout (s)'appelle L'Amant remys et regnyé » fut
la victime d'une certaine inutilité *du langage*. Maître de sa langue, il
ne peut toujours rien contre un objet hostile. Il peut « tout raconter »
(v. 687), elle écoute « Quoy (qu'il) luy voulsisse dire », mais elle
s'éloigne en s'en moquant. Tout ce qu'il peut faire actuellement, c'est
de se mettre du côté de la vérité qu'il y a dans le langage, trier le vrai

du faux en dénonçant la confusion qui est le propre d'un monde à l'envers. Ainsi au moyen du langage peut-il rétablir dans nos esprits l'idée d'un ordre et d'une logique dans le monde créé comme dans la langue naturelle qui s'y réfère. C'est l'œuvre des deux strophes 67 et 68, d'une opacité admirable, dont les formules réitèrent la confusion qu'engendre un Amours basé sur le mensonge, l'hypocrisie, et l'impuissance :

(67)   *Abusé m'a et fait entendre*   (689)
                Tousjours d'ung que ce fust ung aultre
                De farine que ce fust cendre
                D'ung mortier ung chappeau de faultre
                De viel machefer que fust peaultre
                D'ambesars que ce fussent ternes
                Tousjours trompeur autruy enjaultre
                Et rent vecies pour lanternes

                Du ciel une poille d'arain
                Des nues une peau de veau
                Du matin qu'estoit le serain
                D'ung trongnon de chou ung naveau
                D'orde cervoise vin nouveau
                D'une truie ung molin a vent
                Et d'une hart ung escheveau
                D'ung gras abbé ung poursuyvant

Quoique Villon reconnaisse actuellement chaque tour de passe-passe qui le trompait autrefois, les tours eux-mêmes n'ont pas de logique suivie. Aux jeux d'opposés (« De farine que ce fust cendre ») s'ajoutent des substitutions absurdes, qui ne démontrent que la force d'un langage et d'une émotion pervertis (« D'une truie ung molin a vent »). Bien des vers ici doivent dépendre de plaisanteries populaires dont nous ignorons aujourd'hui la valeur. Du moins est-il clair que, dans l'essentiel, ces vers sont calqués sur un seul modèle, que Villon lui-même nous donne. C'est la locution « rendre vecies pour lanternes », dont le sens est, « convaincre quelqu'un de la vérité de ce qui est faux, au moyen d'une rhétorique de sophismes et d'équivoques ». Citons à témoin ces vers de Pierre Chastellain, poète très proche de Villon à certains égards :

                Socrates Platon Aristote
                Qui firent les livres modernes
                Des ars dont ung chacun se dote
                Par pluseurs beaulx poins subalternes
                Nous font de vessies lanternes
                Pour nos engins abiliter
                Non pour le sens debiliter [17].

C'est évidemment « pour le sens débiliter » que la « Celle » méchante a confectionné ses bourdes. Ce que ces strophes si concrètes veulent mettre en valeur, c'est que celui qui nous parle est le personnage de la fin du *Lais* et du milieu du *Testament*, émergeant d'un monde d'objets d'une réalité irréfutable, celui qui explique lui-même

ailleurs qu' « apres plainz et pleurs... Travail... [lui] ouvrit plus... »
Finies maintenant la perversion purement linguistique, la stérilité
purement conventionnelle des premières strophes du *Lais*. Cette
femme, la « Celle », existe concrètement, et Villon prend soin de
souligner ce fait :

> *Qui plus me souffroit acouter*   (684)
> *Joingnant d'elle pres sacouter*
> *Et ainsi m'aloit amusant...*

où les mots « acouter » et « sacouter » expriment parfaitement la nouvelle primauté du fait concret sur le verbe [18]. Ainsi la liste des strophes
67 et 68 exprime une réelle confusion d'objets, au lieu d'une équivoque
linguistique — noter que les jeux de mots sont absents dans ces
strophes — sur le modèle de l'expression « rendre vecies pour lanternes », qui ne parle que du résultat concret d'un tour de langage. Et
de même dans la dernière strophe du groupe, Villon souligne l'un des
traits fonciers de son nouveau personnage, déjà prévu lors de la dernière strophe du *Lais*, c'est la *privation* :

> *Je croy qu'homme n'est si rusé*   (707)
> *Fust fin comme argent de coepelle*
> *Qui n'y laissast linge drappelle*
> *Mais qu'il fust ainsi manyé*
> *Comme moy...*

Le mot « manyé » fait penser au Villon d'autrefois, « Sec et noir
comme escouvillon ». Justement, il s'agit ici d'un langage que nous
avons appelé ailleurs « symbolique », qui désigne un monde de fable
où tous les objets, déformés, vidés de leur force propre, sont devenus
le signe chiffré d'un désordre actuel et d'un ordre évanoui. N'est-ce pas
justement le cas de cet autre objet si « povre » qui s'appelle « L'amant
remys et *regnyé* » ?

8.   En quel sens peut-on dire que le « povre » Villon est privé de
force propre ? C'est le sujet des cinq strophes qui suivent, de 70 à 74,
que nous avons déjà scrutées sous un autre jour. Avant d'y revenir,
résumons les rapports de ces strophes avec le *Lais*. Villon a abandonné la situation linguistique et du même coup l'entreprise littéraire
du Congé d'Amours. Il a pris congé de la poétique de son siècle, pour
la troquer contre une autre, bien plus classique : à savoir, celle du
Roman de la rose, selon laquelle est stérile tout langage n'ayant pas de
rapport vivant avec des objets spécifiques.

Ce sont les prémisses de Jean de Mehun, comme aussi d'Alain de
Lisle, et la condition de leur entreprise littéraire, qu'il existe un langage vrai et un langage faux. Et ces prémisses en supposent d'autres,
qui ne sont pas littéraires, à savoir qu'il existe une Vérité, à laquelle le
langage peut répondre comme il peut la trahir. L'espèce de langage
que nous employons dans notre parler comme dans notre poésie
figure dans le détail notre rapport à cette Vérité. *Notre langage est
donc le témoin et le critérium de notre état moral.*

Nous avons déjà effleuré cette question, en remarquant avec Villon et Alain de Lisle que la perversion qui s'appelle la pédérastie à la fois implique une perversion linguistique et s'exprime par elle. Nous aurons l'occasion dans notre conclusion de creuser ces problèmes dans le contexte d'une philosophie générale du langage chez Villon. Il suffit de noter ici que dans les strophes 65 à 69 Villon évoque de nouveau un faux langage issu de mœurs artificielles, langage et mœurs dont il s'est moqué violemment dans le *Lais*. Dans les strophes 70 à 74, ayant déjà tiré au clair leur trahison, il les « regnie » sous le nom d' « Amours », quitte à reprendre ensuite ses droits dans la réalité qu'ils ignorent.

Cet abandon est marqué dans ces strophes-ci par un autre renoncement plus dramatique, que nous avons signalé ailleurs. Villon a abandonné la « Celle » bourgeoise pour suivre les prostituées, ou du moins les humbles femmes qui aiment « rondement » et sans les scrupules qu'inspirent les mœurs et le langage de l'amour courtois. Comme la « Celle » résumait ici et dans le *Lais* l'unique amour de la femme inaccessible, de même « Jehanneton » va représenter la généralité des coureuses. D'autres rappels du *Lais*, dans les strophes 70 à 74, développent le sens de cet échange. « *Par elle* meurs les membres sains », au singulier dans le *Lais*, devient ici, « Mort *par elles* me precipite » (v. 715). La soif du célibataire privé de jouissances érotiques, exprimait jadis son amertume :

> ...*Dont oncques soret de Boulongne*　　　(L. 53)
> *Ne fut plus alteré d'umeur*

tandis qu'aujourd'hui, cette même soif revenue témoigne de l'oubli où le tient toute Jehanneton :

> *(72)*　　*Je coingnois approcher ma seuf*　　　(729)
> 　　　*Je crache blanc comme coton*
> 　　　*Jacoppins gros comme ung esteuf*
> 　　　*Qu'esse a dire ? que Jehanneton*
> 　　　*Plus ne me tient pour valeton...* [19]

Autrefois Villon se voyait comme un poulain, prêt à toute œuvre, « Le frain aux dens franc au collier » (L. 4). Maintenant, Jehanneton le voit comme une pauvre rosse, « ung viel usé roquart » qui a tout donné aux labeurs de l'amour. La confusion gratuite du langage proverbial à la strophe 4 du *Lais* est remplacée ici par une symphonie de dictons concrets, bien agencés, et à résonance innocemment érotique :

> *Ma vielle ay mys soubz le banc...*
> *Car j'ay mys le plumail au vent...*
> *Qui meurt a ses loix de tout dire...*
> *Je crache blanc comme coton*
> *Jacoppins gros comme ung esteuf...* [20]

Il est évident que Villon peut tout encore — sauf « se mettre ». Et en fait, usé par l'attrition d'une réalité solide, désormais inutile en

amour, comblé d'expérience et maître du langage populaire qui en
découle, ne ressemble-t-il pas à la Belle Hëaulmière ? Ne l'avons-nous
pas trouvé associé maintenant avec les prostituées ? N'avons-nous pas
vu — fait plus important peut-être — que le discours de l'Amant aux
dix strophes 65 à 74, en *illustratio* à la précédente proposition lyrique,
répète d'un point de vue formel le discours de la Belle aux dix strophes
47 à 56 et qu'enfin le « povre » Villon se range avec audace parmi les
héros trompés en amour de la double-ballade, tout comme la Belle
Hëaulmière se voyait un exemple-type des dames du temps jadis ?
Manifestement, celui qui « partout » s'appelle « L'Amant remys et
regnyé », au même titre que « La Belle et bonne de jadis », est
devenu maintenant un personnage à fonction dramatique. Tous deux
servent à renvoyer vers un état idéal auquel ils ne participent plus,
exactement comme les « neiges d'antan », la « monnoye qu'on descrie »,
et « laide vieillesse ». Comme à la dernière strophe de son discours
on voyait celle qui ne pouvait plus « se mettre » inutile parmi ses
sœurs « Assises bas a crouppetons », de même nous voyons « Mis en
bas lieu » à la strophe 74 celui qui se nomme « remys ». Tandis que la
Belle y tombe de sa « haulte franchise » avec dignité, par le cours de
l'âge, le Pauvre Villon y dégringole précipitamment, comme il le dit
au vers 715, à la façon d'un pitre.

Négliger l'aspect théâtral du passage serait en perdre le sel, sacrifier le comique d'une scène jouée, pour une bonne part, à l'intention
du parterre. C'est avec la bravade d'un poltron tout falstaffien que le
Pauvre Villon — après avoir avoué que personne n'a jamais été si
parfaitement escroqué que lui, et avant de laisser discrètement entendre que les femmes n'en veulent plus — proclame qu'il « regnie
Amours ! » et que, par pur mépris, il dédaigne désormais se mêler à
de tels enfantillages :

> Amans ne suiveray jamais   (718)
> Se jadis je fus de leur ranc
> Je desclare que n'en suis mais

Comme Falstaff encore, il répugne à avouer qu'il soit vieux autrement que dans son esprit si comblé de sapience :

> De viel porte voix et le ton   (735)
> Et ne suys qu'ung jeune coquart [21]

D'ailleurs, cette figure d'invalide, ne la doit-il pas à une honteuse
erreur de justice, par laquelle sa bonne foi fut la victime d'une bande
sans scrupules, qui tirait ses forces directement de l'Ennemi lui-même ?

> Dieu mercy et Tacque Thibault   (737)
> Qui tant d'eaue froide m'a fait boire...
> Enferré...

Les tortures atroces qu'il a subies auraient brisé tout autre que lui,
l'auraient réduit à geindre et à haïr : mais lui, le Pauvre Villon, n'a-t-il
pas su tenir tête à ses juges, étouffer sa rancune, sortir des cachots,

quand le roi Louis a reconnu son innocence, souriant et gardant toujours sa douceur de chrétien exemplaire ?

> *Toutesfois je n'y pense mal*   (745)
> *Pour luy et pour son lieutenant...*

Pourquoi les craindrait-il... maintenant qu'ils sont loin ? Il saura rester
aussi magnanime envers ces lâches persécuteurs que l'est Dieu envers
les riches :

> *Je les ayme tout d'ung tenant*   (751)
> *Ainsi que fait Dieu le lombart.*

Ainsi le Pauvre Villon, en fanfaronnant, se met à « tester ». Mais
une fois réalisée cette nouvelle transformation en héros légendaire,
le poète tient à nous rassurer qu'il est bien celui qui écrivit *Le Lais*
au cours d'un autre avatar :

> *Si me souvient bien Dieu mercis*   (753)
> *Que je feis a mon partement*
> *Certains laiz l'an cinquante six...*

Cinq strophes de raccord dramatique, qui reflètent les strophes 42
à 46, l'amènent à son « commancement » prématuré (strophe 80).
Et puisqu'il faut que le testament propre commence à la strophe 85,
pour des raisons numérologiques, voici un nouvel « incident » qui
dépeint une troisième fois le gouffre moral et physique qui sépare le
Pauvre du Riche, avant qu'il ne soit question d'une distribution de
biens matériels par un faux moribond qui n'en a point.

9.   Quand nous revoyons Villon, il a subi une nouvelle métamorphose.
Et puisque nous le revoyons à la fin du *Testament*, cette transformation sera la dernière, elle mettra un terme à la mutation totale de
sa figure que réalise le poème depuis le premier vers. Le Pauvre Villon
meurt là où il cesse de croître, et sa mort elle-même est le fruit d'une
dernière naissance. Le Pauvre Villon mourant n'apparaît dans son
poème qu'une fois mort :

> ### AUTRE BALLADE
>
> *Icy se clost le testament*   (1 996)
> *Et finist du Pauvre Villon*
> *Venez a son enterrement*
> *Quant vous orrez le carrillon*
> *Vestus rouge com vermillon*
> *Car en amours mourut martir*
> *Ce jura il sur son couillon*
> *Quant de ce monde voult partir*
>
> *Et je croy bien que pas n'en ment*
> *Car chassié fut comme ung souillon*
> *De ses amours hayneusement*
> *Tant que d'icy a Roussillon*
> *Brosse n'y a ne brossillon*

Qui n'eust ce dit il sans mentir
Ung lambeau de son cotillon
Quant de ce monde voult partir

Il est ainsi et tellement
Quant mourut n'avoit qu'ung haillon
Qui plus en mourant mallement
L'espoignoit d'amours l'esguillon
Plus agu que le ranguillon
D'ung baudrier luy faisoit sentir
C'est de quoy nous esmerveillon
Quant de ce monde voult partir

Prince gent comme esmerillon
Sachiez qu'il fist au departir
Ung traict but de vin morillon
Quant de ce monde voult partir [22]

La dernière ballade du *Testament* est reliée étroitement au reste du poème. Le poète pense à ses lecteurs ; il leur donne de quoi mesurer la distance parcourue. Désormais Villon fait corps solide avec la matière de son œuvre ; mais autrefois c'était bien lui qui parlait, qui écrivait : maintenant nous le voyons de l'extérieur, un tiers nous le décrit, et il ne s'unit au personnage d'autrefois que par une espèce de calembour sur le nom Villon. Naguère nous l'entendions, sincère, nous parler de lui-même : maintenant il s'insère, muet, dans les objets du discours :

Icy se clost le testament   (1 996)
Et finist du Pauvre Villon...

J'ay ce testament tres estable   (78)
Faict de derniere voulenté...

Ne manquons pas d'apprécier l'évolution discrète qui nous a menés, en deux mille vers, d'un bout à l'autre de l'échelle sujet-objet :

Povre je suis de ma jeunesse   (273)
De moy povre je vueil parler   (657)
Et finist du Pauvre Villon   (1 997)

D'autres rappels verbaux font pour nous, de la dernière ballade, une table de matières, comme elle a été, pour Villon, une seule pelote où il a roulé les bouts des différents fils de son travail. Ainsi le vers, « Car en amours mourut martir » nous ramène aux premières strophes du *Lais* :

Par elle meurs les membres sains   (L. 46)
Au fort je suis amant martir

et par là au milieu du *Testament* où ces mêmes strophes ont été remises au jour : « Mort par elles me precipite » (715). Les plaisanteries sur les hardes de l'amant nous ramènent en pensée aux vers 707-12,

Je croy qu'homme n'est si rusé...
Qui n'y laissast linge drappelle...

et peut-être jusqu'à la « quelongne » de la « Celle » du *Lais*. De même les derniers vers, qui ont trait à la soif amoureuse, se relient aux « Jacoppins » du vers 731, et au « soret de Boulongne » de la strophe 7 du *Lais*. Enfin, ces vers nous rappellent, par un biais, d'autres breuvages que dut avaler à Mehun celui qui, au début de son testament, disait avoir bu toutes ses hontes.

Tandis que la dernière ballade témoigne de la continuité de l'œuvre de Villon, tout en lui donnant une conclusion, chaque vers réalise en même temps la métamorphose qui est la forme de cette continuité. Cette permanence du changement fut, nous le savons maintenant, le sujet de la ballade des « neiges d'antan ». D'autres points sont acquis : cette unité qui est un dynamisme est la forme double et le mouvement continu du *Testament* ; la même force éternelle, sous le nom de Nature, a été l'héroïne des poèmes d'Alain de Lisle et de Jean de Mehun ; enfin, la forme que prend la transformation incessante des formes s'appelle aussi une tradition, et c'est celle par exemple à laquelle adhère Villon quand il reprend pour les refaire les mots de ses illustres devanciers.

Chaque mot et chaque phrase de l'œuvre de Villon repris dans la dernière ballade seront donc doués d'un nouveau sens, qu'on peut saisir par l'étude du contexte. Mais la ballade opère aussi une transformation du langage du poème tout entier. En relisant la ballade nous sentons d'emblée que c'est notre rapport au langage en tant que tel qui a été modifié. Ce n'est plus le Pauvre Villon qui parle, mais un anonyme, un tiers, un témoin de sa mort, qui *atteste* ce qu'il a vu, tout comme Villon a attesté, à la strophe 11, le « bienfait » du roi Louis et l'Avènement qui en est la source. Le poète Villon du début et le héros Villon de la fin ont une double raison de se détacher du verbe : le second parce qu'il meurt, le premier parce qu'il retombe dans le silence après avoir achevé son ouvrage. Pour exprimer cette chute triomphale, il fallait un langage qui pût se vanter de ses propres exploits ; pour achever, pour résumer, pour briller et pour s'évanouir tout à la fois, il fallait un langage qui, comme une étoile filante, s'usât par son propre éclat. Ainsi la ballade finale sera-t-elle le morceau le plus *spirituel* de l'œuvre. Elle aboutit à affirmer, par le détachement soudainement accru d'un langage poétique, sa réelle vertu dans le monde concret. Par la parole, le Pauvre Villon a été créé ; maintenant devenu objet, il retombe muet parmi les objets muets ; et, libérée, sa parole s'envole par la bouche des autres.

La versification de la ballade attire de prime abord l'attention sur la vie propre du langage, sur son indépendance qui fait comme un abri où le Pauvre Villon se retire. La rime est extrêmement riche, surtout sur les mots-clefs « Villon » et « testament », et quelques-unes des sonorités sont de véritables trouvailles d'assonance :

esm(a)rveillon	le testament	ung souillon
esmerillon	ent(a)rrement	Roussillon
vin morillon	que pas n'en ment	brossillon

Et n'oublions pas les rimes « tellement — mallement », et « carril-
lon — vermillon », où le « a » se prononce comme un « e » ouvert, à la
mode parisienne ; et le jeu étrange sur « esmerveillon — vermillon ».

La rime est la moindre virtuosité de la pièce. L'opacité du jargon
conventionnel d'amour dont Villon se railla dans le *Lais*, et dont il
tira profit au milieu du *Testament*, est ici déchirée par une série de
calembours probants. En voici d'abord un, évident, sur l'Amours et
la Mort : « en a*mours mour*ut ». Chacun des deux mots revient trois
fois au cours du poème, dans des acceptions ou des formes différentes.
Le mot « martir » pourrait bien se référer, comme l'a dit un critique,
à la « Marthe » que signale en acrostiche la ballade « qui se termine
tout par R » [23]. Nous y verrons plus volontiers un jeu sur le sens du mot
latin *martyrus*, c'est-à-dire « témoin » ou plutôt *testis*, que le premier
vers vient de mettre en valeur (« testament ») et que le vers suivant
épelle en toutes lettres : « Ce jura il *sur son couillon* », c'est-à-dire son
testis [24]. Il nous est impossible en lisant ces vers de songer seulement
à un geste unique qu'aurait fait le Pauvre Villon en mourant, après
avoir achevé son testament. Au contraire : le rappel explicite du *Lais*
et de la partie du *Testament* qui le reprend pour l'inclure, ainsi que
les jeux que nous venons de citer, tout cela semble prouver que Villon
parle de son œuvre entière comme d'un seul geste. Le poème est donc
décrit succinctement comme étant une seule vérité équivoque (« en
amours mourut ») proclamée dans la loi (« Ce jura il ») et sur la source
de la fertilité (« son couillon »). Ne serons-nous pas autorisés maintenant à voir une syntaxe équivoque dans les deux premiers vers ? Nous
lisions, ici « se clost... et finist » un document, à savoir « le testament...
du Pauvre Villon. » Mais le document légal est aussi un ouvrage poétique, et cet ouvrage a une « matière » unique comme un traité philosophique — comme, par exemple, le *De planctu naturae*. Relisons
donc :

> Icy se clost Le Testament
> Et finist Du Pauvre Villon...

Les jeux et l'esprit de la première strophe de la ballade ont un
effet indirect. C'est de mettre en opposition celui qu'on va bientôt
enterrer religieusement et celui qui l'avait traîtreusement enterré
tout un été à Mehun. La véridicité (« Ce jura il »), la fécondité (« sur
son couillon ») et la sainteté même (« martir ») du Pauvre Villon, jurent avec tout ce que nous savons de l'évêque Thibault. En tenant
compte de la virtuosité de son langage, et de la stérilité des formules
féodales qui, à la strophe 2, entouraient l'évêque, on pourrait même
dire que le Pauvre Villon est la réfutation de celui-ci.

Cependant, la dernière ballade a un effet dramatique plus immédiat
que le renvoi à la figure, d'ailleurs presque oubliée, de Thibault
d'Aussigny. Tout comme celui-ci a été transformé au cours du poème
en un monstre du Mal, et ensuite en une malveillance universelle,
sinon abstraite, de même son antagoniste est devenu insensiblement

« L'Amant remys et regnyé » et finalement le Pauvre Villon. Si le langage de cette ballade résume et refait celui de l'œuvre entière, si sa première strophe renvoie à la première strophe du *Testament* et à la dixième, la ballade entière découle des vers qui la précèdent, et contraste avec eux — ces vers justement qui faisaient de Thibault d'Aussigny un adversaire digne du Pauvre Villon :

> Sinon aux traistres chiens matins   (1 984)
> Qui m'ont fait chier dur...
> Je crie a toutes gens mercis

Celui qui vient de crier « a toutes gens merci » vient de dépasser la parole. Il faudra désormais que d'autres parlent pour lui. Ainsi la ballade finale cite ses mots au discours indirect et au passé : « Ce jura il », par exemple. Et pourtant, nous venons de voir que les phrases « jura il » et « voult partir » désignent la composition du *Testament* entier, et ainsi le moment présent, aussi bien qu'un geste isolé et unique. Cette équivoque des deux temps — que nous avons nommés ailleurs temps moral et temps poétique — est la source d'une curieuse indécision dans la voix qui nous parle ici. Car, bien que le Pauvre Villon ait parlé du passé avant de nous quitter, il semble quand même qu'il ait voulu évoquer par la parole un état présent des choses, même toujours présent. A titre d'exemple, prenons ces vers :

> Brosse n'y a ne brossillon
> Qui n'eust ce dit il sans mentir
> Ung lambeau de son cotillon...

Les événements en question eurent lieu au passé ; mais les lieux existent toujours, dans l'état où le Pauvre Villon les a laissés. Cette ambiguïté du moment actuel qui incarne un passé dont témoigne le langage, est exprimée d'abord dans la phrase « Brosse n'y a... Qui n'eust ». Mais ne l'est-elle pas encore plus clairement par la phrase « ce dit il », où le verbe peut être aussi bien au passé simple qu'au présent ?

L'action de dire se situe dans le passé, mais la vérité du dit survit : « *ce* dit il *sans mentir* » — de même celui qui nous parle vient de préciser

> Et je croy bien que pas n'en ment

Le Pauvre Villon « jura » qu'il « mourut » martir, vérité qui s'appelle « ce » ; mais « pas n'en ment », au présent, bien qu'il ne parle plus, puisque la vérité de son témoignage peut être toujours constatée. Ainsi en est-il pour le fait entier, c'est-à-dire l'événement rapporté, la situation présente qui en témoigne, et le langage qui constate ce rapport :

> Il est ainsi *et tellement*

Enfin, cet enchaînement efficace de faits et de dits crée une émotion ressentie au présent à l'égard du passé :

> C'est de quoy nous esmerveillon

L'indécision dans la voix de la dernière ballade a un effet dramatique puissant : c'est que présent et passé se rapprochent et se confondent. On se sent impliqué dans l'action, on revit les derniers moments du Pauvre Villon, on est pris du même étonnement qu'a suscité alors l'écroulement d'un si fier organisme. Autrement dit, on devient soi-même témoin et complice de son triomphe. On se trouve embrassé par le « nous » du vers « C'est de quoy nous esmerveillon ». De fait, il n'est pas surprenant qu'un critique moderne ait proposé sérieusement que la dernière ballade aurait été collée après coup au *Testament* par un lecteur-exégète soucieux de dissiper toute équivoque [25].

Un effet plus subtil de cette indécision temporelle, c'est de poser la question de l'origine de la ballade d'une manière nouvelle. Demander : Le Pauvre Villon ne parle-t-il plus ou parle-t-il toujours ? cela équivaut à demander : Qui nous parle ici ? Villon ou un lecteur-exégète ? La réponse n'est pas difficile, il s'agit évidemment d'un masque de Villon, ou plutôt d'un nouveau masque de Villon poète devenu le Pauvre Villon, lequel à son tour joue un troisième personnage. C'est, projeté sur l'écran épique de la fin du poème, le même dialogue à trois que nous connaissons par les strophes 12 à 33. Mais l'effet plus important de l'ambiguïté de temps dans la dernière ballade, ce n'est pas de faire poser la question : Qui nous parle ? mais plutôt la question suivante : Le Pauvre Villon est-il mort ou ne l'est-il pas ?

En fait, le héros délabré de la dernière ballade projette sa propre mort. Mais c'est plutôt une pantomime qu'il joue pour nous, qu'une scène parlée. Derrière le boniment du charlatan, on reconnaît les tours de l'escamoteur. Qu'ils soient prononcés au présent ou au passé, par lui ou pour lui, ses mots sont accompagnés de gestes, d'attitudes, de grimaces, et même de luttes mimées. La ballade présente une suite d'actions derrière le pittoresque de ses tableaux. C'est le côté le plus spirituel de ces vers que leur vocabulaire concret et pétillant nous rapporte, par équivoque, des grivoiseries d'une vaste portée. Et en ceci également le *Testament* reflète la forme du *Roman de la rose*, dont les 400 derniers vers décrivent, par une série d'équivoques, l'acte triomphallique d'amour.

10.   Qu'est-ce, au juste, qu'un « martir » en amour ? Est-ce celui qui n'a pu jouir de son amour, ou plutôt celui qui n'en a joui que trop ? Le mot « chassié », en renvoyant aux premières strophes du *Lais* — le mot n'apparaît que ces deux fois dans l'œuvre de Villon — donne un premier renseignement. Ici on apprend que le Pauvre Villon « fut chassié » ; là, sa souffrance fut décrite de l'autre côté, en tant qu'action :

(L. 10)   *Item a celle que j'ai dit*   (L. 73)
                  Qui si durement m'a chassié
                  Que je suis de joye interdit
                  Et de tout plaisir dechassié...

Et nous venions d'apprendre, au *Lais*, qu'ayant été *éloigné* par sa Dame, Villon n'a pour se sauver que de *s'éloigner* :

> *(L. 6)*   *Pour obvier a ces dangiers*   (L. 41)
> *Mon mieux est ce croy de partir*
> *Adieu je m'en vois a Angiers*
> *Puis qu'el ne me veult impartir*
> *Sa grace ne la departir...* [26]

C'est le départ seul qui offre un remède : *prendre congé* est la seule façon d'esquiver celle qui lui a *donné son congé*. Villon pouvait-il ignorer l'étymologie latine du mot « obvier », c'est-à-dire *ob-viare*, de *via* ? D'autre part, nous savons bien ce que veut dire « aller a Angiers ». Le meilleur remède au mal d'amour, c'est de courir vers d'autres amours :

> *Planter me fault autres complans*   (L. 31)
> *Et frapper en ung autre coing...*

Ou, pour le dire d'une toute autre manière : quitter l'unique Dame bourgeoise, sa morale et son langage, cela veut dire se joindre aux prostituées, se faire coureur et le porte-parole de cette autre vie.

On reconnaît la plaisanterie que le crâneur « Amant remys et regnyé » reprendra plus tard. Ayant été souverainement joué en amour par la même « Celle que jadis servoi(t) » (v. 673), le « regnyé » tient à prêter à son échec les couleurs d'un libre dessein : « Je regnie amours... » ; celui qui se sait « remys » ajoutera d'une voix perçante qu'il a « mys le plumail au vent » et « mys » sa « vïelle » sous le banc... Ainsi, le « Françoys Villon escollier » du *Lais* choisit d'exprimer sa « fuite » comme une démarche active et décidée en employant une tournure transitive :

> *Combien que le* départ *me soit*   (L. 49)
> *Dur si faut il* que je l'eslongne...

Tandis que plus tard, en évoquant la même action de la même femme sous un jour plus général, il parlera avec précision en employant le tour réfléchi moderne :

> *Toutesfois ceste amour se part*   (605
> *Car Celle qui n'en amoit qu'un*
> *De celuy* s'eslongne *et despart*
> *Et aime mieulx amer chascun*

C'est cette même dualité d'origine plaisante — le refus essuyé chez la Dame unique qui engendre la recherche de nouvelles amours — que reprend aussi la dernière ballade du *Testament*. L'échec chez la « Celle » sera vengé sur ses cousines germaines ; la défaite d'une culture sera transformée en un triomphe de la nature. Le côté « croix » de la ballade exprimera le travail-souffrance du Pauvre Villon ; le côté « pille » évoquera son travail-action, c'est-à-dire son œuvre. Ainsi dans les vers

> *Car chassié fut comme ung souillon*
> *De ses amours hayneusement...*

on lira ou « il fut renvoyé de ses amours comme un vaurien », ou bien
« il fut poursuivi par ses amours comme un goret »[27]. La juxtaposition « amours hayneusement » reprend spirituellement le paradoxe
« amours mourut », ainsi que la vieille alliance de mots que Villon
connaissait par le *Roman de la rose :*

> Amors ce est paix haïneuse,   (4 293)
> Amors est haïne amoreuse[28].

L'image de la chasse au sanglier nous amène naturellement aux vers
suivants :

> *Tant que d'icy a Roussillon*
> *Brosse n'y a ne brossillon*
> *Qui n'eust ce dit il sans mentir*
> *Ung lambeau de son cotillon...*

Le Pauvre Villon a dû brosser par terre inculte, « en friche ». Le
calembour obscène sur « roux-sillon » nous avertit qu'il faut comprendre « brosse » aussi dans son sens anatomique, ou plutôt dans son
acception érotique bien connue de pénis. La lettre du texte nous
laisse entendre que le Pauvre Villon a été malmené : dans la langue
populaire, *brosser* quelqu'un équivalait à le *rosser*[29]. Mais le revers
du texte nous enseigne qu'en revanche il a biscoté, brimballé, décrotté
(comme le dirait Panurge) toutes les femmes qu'il a croisées. Est-ce
vantardise ? Que non ! nous assure le témoin présent, « ce dit il sans
mentir » ; chacune a bien reçu son lot de chair, « ung lambeau de son
cotillon ». Le mot « cotillon » — comme le mot « souillon » d'ailleurs —
apparaît ici pour la première fois dans les textes. D'origine populaire,
nous devons l'entendre comme un diminutif plaisant d'invention argotique, dont le vers avec lequel il rime vient de nous donner le modèle :
« Brosse... ne brossillon ». Le mot « lambeau », on le sait, peut référer
à un morceau soit d'étoffe soit de chair.

L'association de la guenille au membre viril nous est déjà connue.
Elle nous reporte en pensée à l'épisode d'une certaine Katherine de
Vausselles... C'est celui que Villon a voulu nous raconter de prime
abord, quand il se faisait légendaire :

> *De moy povre je vueil parler*   (657)
> *J'en fus batu comme a ru telles...*

Et le subtil conteur ne manquera pas d'en tirer immédiatement
un trait d'esprit de plus :

> *Il est ainsi... et tellement*
> *Quant mourut n'avoit qu'ung haillon...*

Dans la lettre du texte, encore, le « martir » en amours est celui
qui a tout souffert et tout perdu :

> *Je croy qu'homme n'est si rusé*   (707)
> *Fust fin comme argent de coepelle*
> *Qui n'y laissast linge drappelle...*[30]

Mais nous comprendrons, par l'équivoque, que le « martir » en
amours — au moins celui qui s'appelle le Pauvre Villon, — a tout

donné, qu'il s'est tout usé dans un travail immense de fécondation, et que son pauvre membre ne se réveille plus.

Le maître d'une telle œuvre pourrait-il être si facilement épuisé ? La mort l'écrasera-t-elle d'un geste ? Le témoin de la dernière ballade aura à nous raconter une action et un événement qui attestent les prouesses du passé et la force inépuisée du héros mourant. L'image de la guenille — « lambeau », « cotillon », « telle », « haillon » — sera brusquement balayée par un vocabulaire bien plus tranchant. Le témoin ajoutera un exploit de plus à son compte rendu :

> *Qui plus en mourant mallement*
> *L'espoignoit d'amours l'esguillon*
> *Plus agu que le ranguillon*
> *D'ung baudrier luy faisoit sentir...*

Le calembour « mallement — mâle-ment » exprime parfaitement les deux fonctions du « martir » en amour : chasser et être chassé. Il nous empêchera de nous tromper sur le sens équivoque de l'épisode. Le Pauvre Villon mourant est excité *in extremis*, son pauvre membre usé entre de plus belle en érection. Cela passe toute mesure, et celui qui en témoigne va se surpasser en faisant de l'esprit là où son héros rend l'esprit. Ou bien n'est-ce pas plutôt le poète Villon qui, par un tic stylistique que nous connaissons, remet tout en cause dans la dernière strophe par une ambiguïté syntaxique ?

> *Plus agu que le ranguillon*
> *D'ung baudrier luy faisoit sentir...*

Le sujet de l'action n'est pas précisé : est-ce « Amour », son « esguillon », ou le fait d'« espoindre » qui « luy faisoit sentir » ? Et quel est le complément direct du verbe « faisoit sentir » ? Faut-il comprendre « le luy » pour « luy » comme ailleurs dans le *Testament* ? Enfin, qu'est-ce qui est « plus agu que le ranguillon D'ung baudrier » ? Le jeu qui fait dépendre « agu » de « esguillon » suggère que c'est ce dernier qui est comparé au « ranguillon D'un baudrier ». Mais qu'est-ce au juste que « l'esguillon d'amours » ? En tant que jargon traditionnel les mots nous livrent l'image du dieu d'Amours armé de son javelot. Mais ce tableau mignard ne résiste pas à une lecture plus acérée, qui donne un sens libre aux mots. Et nous savons en outre par un autre texte de Villon que le mot « agu » peut se référer à un sentiment de toute la personne : on peut « se sentir agu », c'est-à-dire *émerillonné*, pour employer le mot dont Villon se servira tout de suite [31].

Bref, la syntaxe ambiguë de ces vers opère une confusion des deux sens de la ballade. D'une part, le Pauvre Villon rossé partout et constamment joué en amour, est torturé « mallement » une dernière fois par le dieu malveillant qu'il avait « regnié ». D'autre part, le Pauvre Villon, usé dans une œuvre immense de fécondation, sent à sa mort son membre fidèle qui, « mâle-ment », pointe le nez en l'air, « Plus agu... ». De ces deux événements, le troisième sens du passage donne le résultat : c'est que le Pauvre Villon se sent lui-même « Plus agu... ».

Quel tour d'esprit ! « C'est de quoy nous esmerveillon ». Car, de même que l'indécision du temps dans la narration nous donnait l'image d'un Pauvre Villon à la fois déjà mort et toujours vivant, ainsi l'indécision syntaxique ici arrive à confondre l'Amours qui brandit son arme, et le Pauvre Villon armé de son brand, son membre, loque subitement devenue « esguillon ».

Ainsi, Villon nous quitte au moment de son triomphe. Ou plutôt, il parvient à s'escamoter comme un prestidigitateur de haute classe. C'est parce qu'il *veut* partir qu'il accomplit enfin le geste qui le fera disparaître : savoir, qu'il boit son dernier coup, qu'il prend le sacrement du viatique, du vin « mort-illon ». C'est la consécration du voyage, du « departir », le coup joyeux et corsé, qui laisse le témoin équivoquant, ayant bu sa pinte, ayant eu sa pointe ; et son Prince « gent comme esmerillon », c'est-à-dire fringant et gaillard. Les cohortes de la Mort étant écrasées, qu'y a-t-il à craindre dans la paix amoureuse que nous laisse le Pauvre Villon comme dernier legs ?

> Iam scelerum superata cohors in regna silenter
> Arma refert, et se uictam miratur, et illud
> Quod patitur uix esse putat. Non creditur illi
> Quod uidet, et Stigias fugit indignata sub umbras.
> Pugna cadit, cedit iuueni Victoria, surgit
> Virtus, succumbit Vicium, Natura triumphat,
> Regnat Amor, nusquam Discordia, Fedus ubique.
> Nam regnum mundi legum moderatur habenis
> Ille beatus homo...

Le *Testament* s'achève donc de la même manière que les œuvres d'Alain de Lisle et de Jean de Mehun. « Natura triumphat », et, son travail terminé, « Ille beatus homo » repart vers l'immortalité. Aux deniers vers nous le voyons debout triomphant. Mais les vers d'Alain de Lisle que nous venons de citer nous rappellent que le projet d'un monde refait, d'un empire terrestre sous la Loi et dans la Fertilité, remonte bien plus loin, dans la littérature occidentale, que le XIIe siècle. Le monde de l'Amour ne connaît pas Thibault d'Aussigny et son espèce. Celui qui incarne les forces maléfiques et la résistance de la matière a été chassé sous la terre à force de coups « et Stigias fugit indignata sub umbras ». Ce vers d'Alain reprend le dernier vers de l'œuvre de Virgile,

> Vitaque cum gemitu fugit indignata sub umbras,

où le dernier obstacle à l'ordre nouveau cède devant le pieux héros. Et cette continuité nous fait comprendre que le *Testament* de Villon, et son héros, ont repris, en droite ligne, l'entreprise poétique la plus sérieuse qui soit.

NOTES DU CHAPITRE III

1. *Anticlaudianus*, texte critique avec une introduction et des tables, publié par R. Bossuat, Paris, Vrin, 1955, p. 196.

2. Tandis que l'interprétation du texte offre des difficultés certaines, son établissement ne pose guère de problèmes. Nous suivons le texte de Foulet, sauf à 718 et 746, où nous sommes d'accord avec Burger (p. 20) pour garder la leçon de C. Nous avons ponctué le texte en deux endroits seulement, 732 et 741, pour marquer les points où Villon invitait le lecteur de son époque à se demander « Qu'esse a dire ? »

3. Pour l'interprétation de cette strophe, voir l'article de J. Frappier, *Romania* 80, 1959, p. 191-207. Tantôt en accord, tantôt en désaccord avec son explication, à laquelle nous sommes redevable de plusieurs suggestions, nous tiendrons ici à en souligner le bien-fondé essentiel, quitte à en discuter plus loin certains aspects.

4. Le sens de l'expression, « Je n'y pense mal » ne nous semble pas évident, c'est pourquoi nous lui avons juxtaposé la formule ancienne « Honni soit qui mal y pense », qui fait ressortir son intention morale. Voir le *Dictionnaire* de Robert, s.m. Honnir, et Littré, s.m. Mal, sens 13. Que l'expression se prêtait couramment à des plaisanteries ironiques est montré par ces vers de Pathelin :

> (le Drappier) : Je n'é cure que l'en y pense
> a mal, car je n'y pense point.
>
> (éd. Holbrook, v. 694-5).

5. Pour le sens libre du mot « lieutenant », voir les *Cent Nouvelles Nouvelles*, éd. Delahays (Bibl. Gauloise), p. 307 : « A lendemain, le bon chappellain, son lieutenant pour la nuyt, et son predecesseur, se leva de bon matin, et d'adventure il oublia ses brayes soubz le chevet du lit à l'espousée ».

Il ne s'agit pas d'une métaphore unique, mais d'un terme technique de la littérature amoureuse. (Cf. la citation du même ouvrage chez Littré (s.m. Lieutenant) ; et, dans l'édition citée, l'exemple p. 230). Son sens dépend d'un sens grivois du mot « lieu » : « La bonne voisine, pour luy faire plaisir et service, fut bien contente de tenir son lieu, dont elle fut largement et beaucoup merciée » (p. 250).

Pour Pierre Bourgoing, voir Thuasne, II, 232, qui, le premier, a révélé ce nom.

6. Sur Etienne Plaisance, voir Thuasne, *id*. Dante, au fond de son Enfer, trouve une pareille inversion monstrueuse de la Sainte Trinité, et une négation semblable et systématique de ses traits. Le symbolisme de cette vision a été expliqué par Singleton (*Dante Studies* I, p. 33-42), qui conclut comme suit : « Evil has no positive or absolute existence. And a Christian poet's eye will not assign such value to it. Evil is only a negation of the one Absolute which is the Good » (p. 42). Ce que Villon trouva à Mehun, et ce qu'il dépeint ici, est précisément une *allégorie* de cette vérité, et la démonstration de son répondant dans la philosophie naturaliste. Pour ceci, voir J.-M. Parent, *La Doctrine de la création dans l'Ecole de Chartres*, Paris, Vrin, 1938, p. 65-6 : « Si Dieu n'a pas créé le meilleur monde possible, du moins Il n'a rien fait qui fût par nature mauvais. Et cela Guillaume [de Conches] en trouve l'affirmation dans le *Timée* : Dieu a voulu que toutes choses fussent bonnes. Tout est foncièrement bon : Dieu n'a pas fait de créature mauvaise, ni donné une nature mauvaise aux créatures, contrairement à l'opinion de ceux qui prétendent que Dieu a attribué aux créatures deux natures dont l'une bonne et l'autre mauvaise. D'où viennent donc ces maux dont nous sommes témoins tous les jours ?... La nature est créée bonne, mais du fait de sa contingence et de sa mutabilité un péril la menace, elle peut déchoir et se corrompre. Le mal n'a pas de nature propre, mais il est corruption du bien. Chez le démon même la nature est bonne, tout le mal vient de sa volonté ; encore celle-ci a-t-elle été créée bonne, mais sa nature n'excluait pas la possibilité de pécher, et le démon a usé de cette possibilité de défection. »

7. Sur « Robart », voir B. & W., s.m. Robe ; ce nom « était dans l'ancienne littérature un terme de dénigrement et désignait notamment un paysan prétentieux. »

8. *Tiers Livre*, éd. A. Lefranc, ch. 5, p. 59-60.

9. *L'Aparicion Maistre Jehan de Meun, et le Somnium super materia scismatis*, éd. Arnold, Paris, Société de l'Edition, 1925, p. 40, v. 895 sqq. Voir aussi p. 32, v. 681 sqq. :

> Sarrazin, n'alés plus avant,
> Car tu me faiz le cuer doulant,
> Tant as aprins de nostre affaire.
> 'Spete un pou et laisse faire !'
> Ce dist bien souvent le Lombart...

10. Voir GUNN, p. 17-29, et le *Roman*, v. 37-8, 19 650-1.

11. J. FRAPPIER, dans l'article cité ci-dessus, s'est aperçu que, dans 752 on peut lire soit « Dieu » soit « lombart » comme sujet du verbe « fait » ; que les mots « le lombart » en ce cas peuvent nommer le célèbre théologien Pierre Lombard ; et que la phrase « Ainsi que fait Dieu le Lombart » peut avoir trait à certaines doctrines trinitaires de celui-ci. Il n'y a là rien d'impossible, ni même rien d'improbable. Malheureusement, J. Frappier soutient en outre que ce sens du texte est le premier, que l'allusion à Pierre Lombard et ses doctrines est au premier plan, ce qui réduit sensiblement la force de son argument et la valeur de son aperçu. Or, l'interprétation que J. Frappier veut qu'on préfère repose sur les hypothèses suivantes, si nous avons bien compris :

1) Le sens « par antiphrase » du vers 752, *i.e.* « Je les déteste », est par trop gratuit, s'il se réfère à Thibault et à ses amis, puisqu'on le sait bien déjà ; il faut donc que ce vers dise autre chose. Mais ce sens « par antiphrase » n'est pas le premier sens du vers, comme nous l'avons vu. Que la lettre du texte ait sa propre fonction, dans la forme de la strophe, dans son drame, et dans le contexte entier, notre explication a voulu le mettre en valeur. Il n'est pas question d' « antiphrase » — procédé que Villon n'emploie presque jamais, d'ailleurs — là où le premier sens fait plus que s'effacer en faveur de son verso.

2) Le mot « lombart » veut dire « usurier », et ainsi aucun trait commun ne relie ceux qui sont « aimés » de Villon avec ceux qui sont « aimés » par Dieu. Mais le mot « lombart » a en réalité un sens plus large et plus précis ; s'il nomme l'usurier, c'est que le mot « usurier » nomme à l'époque le riche, le marchant, le commerçant en général. Voir CHAMPION, II, 225-6, 232-4 ; et plus loin, p. 351-60.

3) « Le lombart » étant au singulier, il serait impossible que Dieu l'aime « tout d'ung tenant », comme le veut la phrase « ainsi que ». Mais « le lombart » est le nom collectif d'un grand nombre d'hommes. BURGER (p. 74, s.m. Le) le donne comme « générique », et le traite comme un nom propre (tandis que plus loin, p. 76, il en fait un simple nom, s.m. Lombart).

4) Les vers 749-50 sont une espèce de parenthèse, et le mot « les » de « les ayme » se réfère seulement aux trois personnages nommés dans la première partie de la strophe. Mais notre explication de la forme de la strophe montre que cette interprétation ne s'impose pas. Il nous semble plus naturel même de faire rapporter « les » au « remenant ».

5) La syntaxe du vers 752 étant ambiguë, on peut lire arbitrairement soit « lombart » soit « Dieu » comme sujet du verbe. Mais en fait, il s'agit d'une deuxième leçon possible, la construction adverbiale ayant rendu naturelle l'inversion. Toujours est-il que cette deuxième leçon donne un sens excellent, sans qu'il soit besoin de recourir à un sens plus cherché du mot « lombart ». Si Dieu n'aime pas le lombart, celui-ci n'aime pas Dieu non plus — c'est la cause d'ailleurs de la haine de Dieu — s'étant engagé en bas, vers un autre maître, c'est-à-dire Mammon.

6) Les *Sentences* de Pierre Lombart étaient bien connues par Villon et par la plupart de ses lecteurs, qui auraient pu s'attendre à une telle allusion ; Thibault au moins n'aurait pas manqué de la comprendre. Mais une telle allusion explicite au premier plan est impossible dans le contexte. Dans les strophes 12 à 33, elle aurait été parfaitement en place ; on s'attend aussi peu à voir le nom de Pierre Lombard dans la strophe 74 que de trouver le nom d'Aristote dans la ballade de Margot, ou le nom de Macrobe dans la strophe 145... En tout cas le sens premier du mot « lombart » se serait imposé immédiatement à chaque lecteur, et Villon avait à tenir compte de ce fait.

Répétons-le ; l'allusion à Pierre Lombard peut bien se trouver ici, et J. Frappier a bien fait de la mettre en valeur pour la première fois. Mais elle fait partie d'une hiérarchie de sens où elle ne tient certainement pas le premier rang. Aucune lecture satisfaisante ne sera donnée, de ce poème ou d'un autre de l'époque, tant que l'on ne reconnaît pas la structure du propos.

12. Pour l'essentiel nous suivons Foulet, sans la ponctuation, mais le texte n'est pas toujours sûr. F. Lecoy (*art. cit.*) appuie la leçon de C à 1 982, « A vecyes et mariottes », que semble confirmer I, « A vesves et a mariottes », mais sans nous convaincre tout à fait. Les variantes révèlent en tout cas une difficulté réelle : tous les autres vers qui commencent par le mot « A » continuent l'énumération des amoureux, et on ne voit pas pourquoi Villon aurait cherché à créer une confusion en introduisant ici une nouvelle syntaxe. Il est plus plausible, à notre avis, que le mot « vecyes » de C soit une faute de lecture pour le mot « vesves » (*i.e. veuves*) de I, que le contraire.

La seule difficulté de quelque intérêt pour nous est présentée par le vers 1 985 :

> Qui m'ont fait ronger dures crottes,   C
> Qui m'ont fait chier dures crottes,   I
> Qui m'ont fait chier dures crostes,   A

F manque, malheureusement. Foulet remarque, p. 128 : « dans A, entre *dures* et *crostes* un signe qui est peut-être *et*. Faut-il lire *dur et crostes*... ? » Nous croyons que la conjecture de Foulet est bonne, et nous l'avons suivie. Thuasne (III, 544-5) semble appuyer cette interprétation, sans le vouloir. Cf. les remarques judicieuses de Foulet ailleurs (*Romania* 42, 1913, p. 510-1) sur le mot *maschier* : « On voit que le mot est souvent à la frontière de l'argot. »

A 1 987, nous avons suivi la solution de Foulet, sans en être bien satisfait. A notre avis, le mot effacé dans C avant « troys » est très certainement « pas ». A 1 977, nous suivons la leçon de CI, avec Burger (p. 29). Enfin, nous avons régularisé l'orthographe des mots « devottes », « mignottes », « bottes », etc., suivant CI, ce qui donne encore au poème une nuance de concret et de violence.

13. Voir Cotgrave, s.m. Riottement de chiens. L'anglais de l'époque connaît en fait un terme de chasse avec ce sens, qui ne peut venir que du français (voir le N.E.D., s.m. Riot). Mais ce sens n'est pas enregistré par les dictionnaires français que nous avons consultés, et notre interprétation aurait besoin d'une documentation ultérieure pour être confirmée pleinement.

14. « Chiens » et « gens » pouvaient être homonymes ; voir 1 050, où AFI donnent « Mais gens » et C, qui suivait une dictée, écrit « Mes chiens ».
    Pour la prononciation du mot « chien » dans le patois parisien, voir les exemples des *Agréables Conférences* (éd. F. Deloffre, citée plus haut, Iʳᵉ partie, livre I, ch. II, n. 3), p. 107 : « un pore chian », et p. 127 « ton chian est pardu ».

15. Le seul exemple de « ruiotel » que nous connaissons est dans Adam le bossu, *Le Jeu de la feuillée*, éd. Langlois, p. 6, v. 138 sqq. :

> Or venrai au moustrer devant,
> De le gorgete en avalant :
> Et premiers au pis camuset,
> Dur et court, haut et de point bel,
> Entrecloant le ruiotel
> D'Amours, ki kiét en le fourchele...

Mais le mot « ru » pour *vagin* était bien connu à l'époque de Villon : voir notre exemple plus haut, IIᵉ partie, livre I, ch. III, p. 260, n. 21 ; et le mot « telle » (*toile*) fait partie d'un système d'équivoques qui nomment le pénis. Voir 1 112, le vocabulaire de la dernière ballade du *Testament*, et notre discussion de ce poème, plus loin, p. 332-3, 440-1.

16. Pour « Vausselles », voir *Le Jeu de la feuillée*, éd. cit., v. 165 sqq. :

> Boines gens, ensi fui jou pris
> Par Amours, ki si m'ot souspris ;
> Car faitures n'ot pas si beles
> Comme Amours les me fist sanler ;
> Mais Desirs les me fist gouster
> A le grant saveur de Vaucheles...

Langlois remarque en note, 57-8 : « A. Tobler voyait dans Vauchelles un jeu de mots licencieux (*Vauchelles*, nom d'un village, et *vauchelles*, petites vallées) (*Verm. Beit.*, II, 281) ; il avait raison. Il est certain que les calembours de ce genre sont bien dans le goût de l'époque et du pays. »

Comme nous avons eu l'occasion de le dire ailleurs, il n'est probablement pas un seul nom propre dans l'œuvre de Villon, y compris son propre nom, qui n'ait pas un deuxième sens, voire un troisième, qui explique sa présence dans le poème.

17. *Le Temps recouvré*, Bibl. Nat. mss. fr. 2 266, fol. 39 R°.

18. A 685, nous suivons la leçon de CFI, qu'a expliquée J. RYCHNER, *Romania* 74, 1953, p. 388-9. Mais « sacouter » peut vouloir dire « prêter l'oreille » aussi bien que « chuchoter à l'oreille ». Voir la remarque de F. DELOFFRE, dans son édition des *Agréables Conférences*, au glossaire, s.m. Sacoute, p. 196.

19. Au vers 729, les commentateurs traduisent « seuf » par « la dernière soif », la soif « de l'agonie », sans citer un seul texte à l'appui — nous ne connaissons, pour notre part, aucun emploi tel du mot — et malgré l'évidence qu'il s'agit ici de locutions bien connues qui ont trait à la soif bachique. Pour les expressions « cracher blanc », « cracher du coton », « cracher un jacoppin », qui n'ont rien à voir avec la fièvre ou l'agonie, mais qui sont signes de vie et de santé, voir THUASNE, II, 227-8, qui, malgré son propre argument, traduit, « Je sens approcher mon agonie... », et encore, « le poète ne pense plus à rire : il a la gorge sèche et altérée par la fièvre... »

Manifestement, c'est le vers 728 qui a influencé en tout la lecture de la strophe suivante. Ainsi, la strophe 72 a paru comme un nouveau point de départ, un changement de propos, qui introduit soudainement la situation dramatique et le ton de la strophe 79, qu'on n'a pas encore lue, « Je sens mon cuer qui s'affoiblit » ; ainsi, le vers proverbial 728, qui clôt la strophe 71, semble introduire la strophe 72. En fait, la strophe 72 fait corps solide avec le groupe 70 à 74, et Villon prend soin de préciser son intention. Les vers 729-31 posent le cas ; les vers 732-34 l'expliquent. Si l' « Amant remys et regnyé » a bien soif, c'est qu'il ne court plus avec les filles, bien qu'il soit encore assez jeune et prêt à bien vivre toujours. Il peut bien dire, à 728, qu'il meurt (en fait, il ne le dit pas) ; mais ce n'est pas ici qu'il appuie cette constatation d'une démonstration dramatique. Et là où il le fera, il n'y a aucune suggestion de fièvre, de dégénérescence, de misère. Tout au contraire : le comique de la scène vient sûrement du fait que Villon se jette soudainement dans le rôle du bourgeois gentilhomme qui meurt, ou qui croit mourir, dans son propre lit, dans son propre cabinet, son « clerc » fidèle à son côté, qui imagine des persécuteurs et des espions partout, et qui balbutie des formules pompeuses sur le « Royaume de France » ! Mais ici, si Villon « meurt », c'est d'un excès d'activité amoureuse, méprisé par la « celle » et méconnu, à cause de ses souffrances, par « elles ».

Que Villon « meurt » toujours valide, d'ailleurs, est suggéré par les nuances érotiques dans le vocabulaire de la strophe 72. « Cracher » veut dire *éjaculer*, dans le jargon obscène, et « esteuf » désigne les organes génitaux. Pour le ton et le sens du passage, voir les paroles de Falstaff, dans *Henry IV*, Part II, I, 2 : « ... If it be a hot day and I brandish anything but my bottle, I would I might never *spit white* again. » Le sens érotique est confirmé par E. PARTRIDGE, dans son étude du langage équivoque de Shakespeare, *Shakespeare's Bawdy*, 2ᵉ éd., London, Routledge & Kegan Paul, 1955, p. 226.

Pour « esteuf », voir Charles d'ORLÉANS, II, 333 ; mais le mot est des plus communs.

Pour « roquart », Burger suit Thuasne, qui cite Cotgrave : « an overworne sincaunter, one that can neither whinny, nor wag the taile », et ajoute que « *roquart* a pu signifier " vieux militaire retraité " » ; mais cf. B. & W., s.m. Roquentin : « Le sens de « vieux soldat » que donnent les dictionnaires pour *roquentin* n'est confirmé par aucun texte, de même que *vieux roquart* (XVᵉ siècle) n'a jamais ce sens... Villon appelle *vieux roquart* un vieillard morose et qui toussote. Il s'agit de dér. d'un radical onomatopéique *rok-* employé pour exprimer le bruit d'objets qui se heurtent... ». Cette explication de notre passage nous semble la bonne : « Jehanneton » fait, de l'aspect de l'« Amant remys et regnyé », la même interprétation erronée qu'on fait les commentateurs de ses crachats.

20. Pour « mettre la vieille soubz le banc », voir M. Roques, *Romania* 52, 1926, p. 119 ; et *Romania* 58, 1932, p. 83-5.

Pour « mettre le plumail au vent », voir l'explication exemplaire de Foulet, *Romania* 68, 1944-5, p. 66-74. Notre vers serait une déformation plaisante de la locution « mettre la plume au vent », s'en remettre à la fortune : « Le *plumail* est une marque d'honneur, un signe de haut rang, et il donne aussi au combattant un aspect altier et résolu qui en impose à l'adversaire. C'est bien ainsi, semble-t-il, que Villon se le représente. Le poète naguère encore servait comme un bon guerrier dans la vaillante brigade des amants. Mais il ne veut plus marcher avec eux, il quitte leurs rangs. Et pour bien marquer sa résolution, il jette en l'air non pas la plume, mais le plumail, c'est-à-dire son panache de combattant. Il flottera, lui aussi, le plumet, au gré des brises, mais que le vent le chasse ici ou là, ce n'est pas Villon qui le suivra. Il laisse ce soin à ceux qui attendent encore quelque chose de l'amour. Le poète a donc mêlé les deux images et les deux nuances : il jette son panache et c'est signe qu'il abandonne les amants et leurs luttes, mais son panache est une plume ou une touffe de plumes qui va s'en aller au petit bonheur, ballottée par les vents... »

Faut-il voir aussi une nuance à valeur littéraire dans l'image, le mot « plume » se référant à la plume de l'écrivain ? C'est bien ce jeu que fait Du Bellay, dans la préface de son *Olive* : « Je n'ay pas icy entrepris de respondre à ceux qui me voudroient blasmer d'avoir precipité l'edition de mes œuvres, &, comme on dict, avoir trop tost mis la plume au vent. » (éd. Chamard, t. I, p. 13).

Pour « cracher blanc comme coton » et le reste, voir la note précédente.

21. Cf. *Henry IV*, Part. II, I, 2 : « (Chief Justice) : Is not your voice broken, your wind short, your chin double, your wit single, and every part about you blasted with antiquity, and will you yet call yourself young ? Fie, fie, fie, Sir John ! — (Falstaff) : My lord, I was born about three of the clock in the afternoon, with a white head, and something a round belly. For my voice, I have lost it with hollaing, and singing of anthems. To approve my youth further, I will not : the truth is, I am only old in judgment and understanding... ».

22. Notre texte est celui de Foulet, sans la ponctuation. Cette ballade n'est donnée que par CA ; I en donne la première strophe.

23. Neri, p. 4. L'étymologie amor-mors, est un lieu commun médiéval. Pour des exemples, voir *Poeti del duecento*, éd. Contini (cité plus haut, p. 96), II, p. 523.

24. Thuasne (III, 547) voit une plaisanterie dans le fait que le Pauvre Villon ne jure que sur un seul « couillon » : « Toutefois, " il le jura, mais sans le jurer. " » Plaisanterie double, en connexion avec ce brocard de droit : *Testis unus, testis nullus* »... Il est vrai qu'on retrouve presque toujours « couillons », au pluriel, sauf quand il s'agit du terme d'injure familier. Nous y verrons plutôt une synecdoque commode. La « connexion » avec le « brocard de droit » n'est pas claire, et la plaisanterie entière, qui n'est pas bien forte, est plutôt dans le goût de Thuasne que de Villon.

25. H. Lang, dans *Symposium*, t. IX, 1955.

26. Foulet donne un autre texte :

(L. 6)   Pour obvier a ces dangiers,   (L. 41)
                Mon mieulx est, ce croy, de fouïr.
                Adieu ! Je m'en vois a Angiers :
                Puisqu'el ne me veult impartir
                Sa grace, il me convient partir...

Pour cette strophe, nous n'avons que les textes de ABF. Nous sommes d'accord avec Burger, p. 12, pour garder la leçon de BF à L. 42. A L. 44, B donne « Sa grace ne la me departir », qui est un vers faux. Les copistes de AF ont refait le vers ; Foulet accepte leur leçon, et la répétition fâcheuse de « fouïr » que A substitue à « partir » dans L. 42. Le texte de Foulet n'est pas mauvais, en ce sens qu'il souligne lourdement l'intention de parodie (la répétition fâcheuse, le jeu gratuit sur « con-vient ») et qu'il garde les deux expressions légales qui font l'armature guindée du passage, « obvier a ces dangiers » et « impartir sa grace ». Il perd, pourtant, la pointe érotique de L. 44, qui tourne sur l'acception technique dans le jargon d'amour du mot « grace ». Dans le droit, on peut bien « impartir » sa grace ; mais seulement dans l'amour peut-on la « departir ». Il s'agit donc d'une plaisanterie exactement semblable à celle de L. 18, « Voyant celle devant mes yeulx » (que nous avons expliquée plus haut, Iʳᵉ partie, livre II, n. 19) et aux multiples négations de la strophe 2 du *Testament*, où un terme légal cède, par l'équivoque, à un terme érotique, *e.g.* « Je ne suis son serf... ne sa biche » (12).

Le sens érotique de l'expression « departir sa grace » est parfaitement clair dans l'exemple suivant des *Cent Nouvelles Nouvelles* (éd. cit., p. 230) où nous reconnaîtrons aussi des usages obscènes des mots « conquerre » et « largement » : « Ceste vaillant preude femme mariée à ung, tout oultre nozamys, avoit plusieurs serviteurs en amours, pourchassans, et desirans *sa grace*, qui n'estoit pas trop difficile de conquerre, tant estoit doulce et piteable celle qui *la* povait et vouloit *departir* largement par tout où bon et mieulx luy sembloit. »

Nous n'hésitons pas à supprimer le mot « me » de L. 44 dans B, avec Bijvanck, ce qui — à la lumière de notre exemple — donne un sens très satisfaisant.

27. Le mot « souillon » n'acquiert son sens moderne qu'au xvⁱⁱᵉ siècle, semble-t-il. Au xvⁱᵉ siècle, le mot ne veut pas dire « servant de cuisine », puisqu'on précisait encore « souillon de cuisine » (voir LITTRÉ, sous ce mot). D'ailleurs, notre vers en donne le premier exemple connu, à croire B. & W., qui donnent « vers 1500 » comme date de sa première apparition dans les textes (s.m. Souiller). Le mot est sans doute populaire et non-poétique, et garde encore le sens propre du latin *suculus*. Mais cf. aussi les nuances que donne LITTRÉ, sous les mots Souillard et Souiller, qui sont tout à fait à propos dans notre texte : « souiller » pouvait avoir une acception érotique d'*accoupler* (« Les pourceaux souillent (couvrent la truie) », *Moyen de parvenir*) ; et, s.m. Souillon, le sens de *torchon*, avec un exemple de M. Régnier.

Pour l'ambiguïté syntaxique du mot « de », qui indique souvent chez Villon l'agent d'une action, voir 884 : « De luy soyent mes pechiez abolus » ; 1 241 : « De voz filles si vous feist approuchier » ; V. 1 : « Rencontré soit de bestes feu getans » ; V. 31 : « Et du dieu Mars soit pugny a oultrance » ; V. 34 : « Prince porté soit des serfs Eolus » ; 1 774-5, le refrain de VII, « Bien recueully debouté de chascun », etc.

28. Donné par LITTRÉ, s.m. Haineux.

29. Voir LITTRÉ, sous les mots Brosser, Brossé, Brossée. « Brosser » est un terme de chasse ; dans le sens de « battre », « malmener », il est familier.

Le sens propre du mot « brosse » dans notre texte est *broussaille*. Pour le sens érotique, voir DELVAU, *op. cit.*, s.m. Cracher, qui enregistre l'expression « Cracher dans les broussailles » pour « éjaculer ... sur les poils de la motte ». C'est le sens encore en anglais du mot « bush ». Aujourd'hui, le mot « brosse », au sens moderne, veut dire « pénis » dans l'argot érotique ; autrefois on disait « balai » ou « escouvillon ». Cf. le latin *peniculus*. Dans le nom « Roussillon » il y a peut-être aussi un jeu sur le mot « roussiner », s'accoupler, en parlant d'un cheval, et sur « rouscailler », faire l'amour. Dans la liste des « couillons » que Panurge adresse à Frère Jean, dans le *Tiers Livre* (ch. 26), on lit :

C. masculinant
C. roussinant

Voir le glossaire « Erotica Verba », donné par DE l'AULNAYE à la suite de l'édition de Rabelais publiée en 1820 par Desoer, et repris dans l'édition de Ledentu, Paris, 1838.

30. Pour l'association de la loque et du membre viril, voir aussi 1 112, et le legs d'un « tabard ».

31. Il y a, dans l'expression « l'esguillon d'amours », un triple jeu. Le mot « esguillon » a d'abord le sens propre de « verge de métal », ou « instrument pour piquer les bœufs » : c'est l'arme du dieu d'Amours. De là vient le sens dans le jargon érotique, où l' « esguillon d'amours » est le pénis. Mais aussi, le mot avait une acception métaphorique bien connue d'excitation, sensation vive au corps, désir vif de l'esprit. C'est-à-dire que le mot « esguillon » pouvait indiquer soit la cause de l'excitation, soit son résultat. Voir ces vers de MAROT dans « Leander et Hero » (*Œuvres*, éd. Jannet, t. III, p. 252) :

O Leander, qui tant souffris, si est ce
Qu'après avoir veu la demy deesse
Tu ne voulois soubz l'aguillon d'aymer
Couvertement ta vie consommer...

et plus loin, p. 255 :

> Desir d'amour qui l'aguillonne et poinct
> Le feit parler à sa dame en ce poinct...

Voir aussi le titre du traité de Gerson cité par THUASNE (III, 485) : *L'Esguillon d'amour divine*, et, dans un sens bien plus concret, le texte qu'il donne (II, 323) de Renaud de Louhans, qui joue aussi sur l'instrument et le résultat de l'excitation :

> La charnel delectacion
> Porte le poignant aguillon
> Qui, quant le charnel delit passe,
> Le cuer des hommes point et casse,
> Et me semble qu'el est pareille
> A la mouche qu'on dit aveille
> Qui l'aiguillon et le miel porte...

Pour « agu », vif, alerte, gai, leste, voir IX, 6-10 :

> *Filles amans jeunes gens et nouveaulx*
> *Danceurs saulteurs faisans les piez de veaux*
> *Vifz comme dars agus comme aguillon*
> *Gousiers tintans cler comme cascaveaux*
> *Le lesserez la le povre Villon*
>
>   (Texte de Foulet, sans la ponctuation).

Le mot « esmerillonné » avait à l'époque les sens que lui donne toujours Littré ; voir COQUILLART, II, 122, et ces vers (II, 98) qui décrivent une coureuse :

> ...Grosse, courte, bien entassée,
> Toujours une fesse troussée,
> Le becq ouvert, l'ueil enraillé,
> Pour bien chasser à la pipée
> Et prendre quelq'un au caillé,
> Petit musequin esveillé,
> Preste à donne l'eschantillon
> A quelque grobis esmaillé,
> Contrefaisant l'esmerillon.
> Et puis quant on a l'esguillon
> Et que on se sent de l'estincelle,
> On fait comme le papillon
> Qui se brusle à la chandelle.

On voit bien que « se sentir de l'estincelle » équivaut à « avoir l'esguillon », c'est-à-dire être en érection. Voir plus loin, p. 432-3, n. 12. Pour « esmerillon » dans le jargon d'amour courtois, voir Roger de COLLERYE, p. 21.

LIVRE III

LA FORME
DU TESTAMENT

CHAPITRE I *

LA PHILOSOPHIE DU TRAVAIL

1. Le *Testament*, pourquoi fut-il écrit ? Certes, pour répondre à une telle question, il nous faudra savoir ce qu'on veut dire par « le *Testament* », il nous faudra une idée claire de l'objet dont on cherche le but. Identifier cet objet, le distinguer de tant d'autres objets qu'il n'est pas et puis le caractériser — fût-ce sommairement ou tacitement, en isolant l'émotion qu'il nous donne — cela veut dire sans doute reconnaître sa forme.

Cependant notre question est équivoque. En demandant du poème « pourquoi fut-il écrit », il se peut que nous cherchions ou les causes lointaines de sa création, ou les occasions immédiates qui la provoquèrent, ou bien la fin de l'œuvre, sa raison, l'intention peut-être inconsciente qui la suscita. De même, en parlant de la « forme » du *Testament* qu'il faudra reconnaître afin de fixer son but, il se peut que nous ayons en vue la configuration unique de l'œuvre, née des conditions uniques qui déterminèrent sa formation ; ou bien ce qu'il contient d'une forme qui n'est pas uniquement la sienne, mais qui est possédée par d'autres objets semblables — d'après notre idée d'eux — et qui existe peut-être ailleurs sur une autre échelle.

Déjà en disant « le *Testament* » nous observons ces distinctions. Avec ce mot, qui est à la fois un nom et un titre, nous nous référons à une œuvre unique — le poème de Villon — et à un genre de compositions en vers, les « testaments » satiriques. Ce poème-ci, qui est l'exemple d'un genre poétique, pourrait être vu aussi comme un document légal, un « testament » juridique, à la forme duquel il se réfère, par la sienne. Cette référence signale un rapport complexe entre le poème, le genre, et le document, sans l'expliquer, quant à ses origines et quant à ses buts.

Un lecteur d'autrefois aurait lu, au-dessus du poème, les mots « Le grant testament Villon », c'est-à-dire « Le plus grand des deux testaments qu'écrivit Villon » [1]. On le voit, ce « titre » suppose la forme et peut-être aussi le but du poème. Aujourd'hui nous lisons *Le Testament*, titre qui nomme un seul ouvrage dans toute son unicité mystérieuse. Ainsi en est-il pour le poème de Dante qui appartient au genre

---

* Les notes relatives à ce chapitre sont réunies p. 393-399.

de la « commedia », mais qui est devenu *La Commedia*, et, bientôt après, *La Divina Commedia* [2]. Ainsi en est-il d'ailleurs de la collection qui s'appelle *Divers Jeux rustiques et autres œuvres poétiques*, dont le titre nomme le genre à la fois du livre (c'est le mélange) et des poèmes qu'il réunit [3]. Ainsi en est-il enfin pour des titres modernes, qui veulent indiquer à la fois la nature des pièces poétiques et leur sujet apparent, tels que *Les Fleurs du mal*, *Illuminations*, *Alcools*.

Si pour nous le titre *Testament* retranche le poème de Villon de tout autre objet, pour lui il aurait eu surtout la fonction inverse. Il s'ensuit que la « forme » du poème dans l'esprit de Villon aurait été autre que ce que nous chercherions à définir sous ce nom, non point la configuration unique qu'il prend pour s'écarter des autres objets créés, mais plutôt la courbe consacrée qu'il recrée pour se conformer à tout ce qui existe déjà. Si pour nous l'occasion de l'œuvre et son but se confondent dans une interrogation unique, pour Villon ces « causes » du poème sont rigoureusement distinctes. Il insiste sur cette distinction, comme d'autres poètes de son époque, en soulignant au début du poème, par le moyen d'une narration dramatique et chargée d'émotion, l'occasion de sa création — c'est l'expérience de Mehun et les leçons du « travail » — et en laissant tomber la plus grande partie de son ouvrage dans une gratuité apparente, où la notion d'un but cède, pour nous, à l'attrait d'un mystère.

Au demeurant, Villon a bien réussi la division de son œuvre, quant à sa genèse et sa fonction. Plutôt qu'une division, en fait, il faut parler d'un écartèlement. Si par l'étude et la réflexion nous sommes capables de démêler dans l'organisation de son poème l'apport du document légal qui s'appelle un « testament » ; et si, après des recherches et encore de la réflexion nous pouvons y entrevoir le reflet d'une tradition lyrique qui découle des troubadours et d'une tradition philosophique qui remonte à Platon ; toutefois, nous ne parvenons pas à concevoir le *Testament* entier comme un seul ouvrage, issu d'une seule idée, recélant une seule forme et une seule intention raisonnable. Pour nous le *Testament* est un mélange, un recueil de morceaux choisis. Notre idée du poème entier est formée d'après l'idée ou l'expérience que nous donnent certaines de ses parties. C'est-à-dire que nous ne lisons pas ces parties en fonction de l'ensemble qui les inclut. Nous pensons que les morceaux épars que nous lisons — ballades ou strophes pathétiques — sont supérieures par leur qualité au poème entier qu'ils constituent.

Il est probable que depuis l'époque de Rabelais, personne n'a préféré lire le *Testament* en entier plutôt que les perles qu'il renferme. En partie, la faute en est imputable à l'évolution de la langue et des mœurs, qui rend certains passages du poème plus inaccessibles que d'autres. En partie, la faute en est à Villon, qui a préféré cajoler ses lecteurs au lieu de risquer de les rebuter en les instruisant trop ouvertement de ses buts. Les apparences, dans son poème, sont très apparentes. Son désordre, l'absence de suite dans les idées, l'allure primesautière de la voix, la violence des retournements — cela séduit et convainc le lecteur au lieu de le rendre perplexe. La confusion, au fond, nous rassure. Que Villon ait pu chercher à créer une confusion apparente qui rassure, pour des raisons précises qu'il n'inventa pas et qu'il aurait pu formuler d'une autre façon qu'en écrivant un poème, nous sommes loin de le concevoir. Depuis son époque, il est vrai, nous avons appris à mieux apprécier l'idée et la fonction d'un désordre artistique. Mais depuis son époque aussi, nous avons pris des habitudes de lecture qui justifient toute confusion et toute apparence dans la littérature, sans avoir recours à des notions désuètes de forme ou d'intention littéraire. Force nous sera de mettre quelques unes de ces habitudes de côté, avant de considérer la forme et ensuite le but du *Testament* comme Villon aurait pu les concevoir.

La forme apparemment incohérente du *Testament* ne choquerait pas un lecteur de « Fenêtres » ou des « 19 poèmes élastiques ». Il verrait dans ce qui semble une juxtaposition fortuite des thèmes, des objets, ou des styles, la révélation directe d'une réalité plus profonde et plus réelle que celle que nous livrent la logique, la conscience, et les sens éveillés. Un lecteur des *Illuminations* ou d'*Alcools* n'éprouverait pas le besoin de chercher dans le poème de Villon une forme qui ne soit pas celle, tout apparente, du poème lui-même. Il verrait en Villon un créateur de formes nouvelles, qui a réussi à tirer de l'inconnu et de l'insondé une forme inédite, unique, sans référence ultérieure, et par là-même une forme belle et vraie. Pourquoi expliquer le *Testament*, demanderait-il ? Il s'impose par sa vérité de découverte et de création originale. Un lecteur des *Fleurs du mal* verrait peut-être dans le poème de Villon la reconquête d'une réalité foncièrement mystérieuse, dont la clef a été perdue. Sa forme serait justement inaccessible autrement que dans la forme concrète, la musique des vers, qui se donne immédiatement à l'hypocrite lecteur. Enfin, tout lecteur moderne y verrait l'expression d'une personnalité, la révélation d'un homme, le journal d'un poète. La forme du poème serait évidemment le contour de sa voix, l'effusion de sa parole, qu'elle soit réfléchie ou non, le tableau que donne cette voix d'une vie et d'un milieu. Révéler la réalité fondamentale de l'inconscient, créer de nouvelles formes, mouler le visage du mystère, s'exprimer librement, décrire la vie telle qu'on la vit — de tels buts suffisent, pour le lecteur moderne, à justifier n'importe quelle incohérence apparente dans la forme d'une poésie. Que Villon ait pu concevoir, à sa façon, quelques uns de ces buts, on peut au moins le supposer. Qu'ils lui eussent suffi, cela est au moins douteux.

Il y a plus : le lecteur moderne a été souverainement leurré par la prose. Un poème existe pour nous dans le temps plutôt comme un récit que comme un accord musical. Un mot suit l'autre, un vers précède le suivant, nous cherchons sa logique et sa forme dans sa suite. Nous lisons un poème comme si nous écoutions parler une voix, nous imaginons un personnage derrière la page. Le temps poétique s'identifie au temps intérieur d'une conscience, un poème est doué automa-

tiquement de la logique de nos propres pensées, où la séquence et la
conséquence ne se distinguent pas. La question de la forme du *Testament* a toujours été posée ainsi : on retrace la suite de ses sujets
apparents afin de discerner un minimum de vraisemblance psychologique. Puisque la contiguïté fortuite des sujets dans un poème, tout
en relevant d'une psychologie préalable, semble créer une logique
nouvelle, nous croyons y lire à la fois une confession et un roman
d'aventures, l'improvisation d'un individu et la présentation d'une
réalité universelle. La preuve en est que le *Testament* ne nous
semble pas posséder une structure soutenue, qui puisse nous aimanter,
fixer notre attention pendant une lecture passionnée du poème entier.
Il est probable que peu de lecteurs, depuis l'époque de Rabelais,
aient terminé en une seule séance la lecture du *Testament* avec un intérêt qui, loin de céder, s'accroît au fur et à mesure qu'on s'avance
dans le drame du poème. En tant que témoignage d'une vie, le poème
semble retracer une chute. Comme pour les *Confessions* de Rousseau,
c'est surtout le début que nous lisons, où se trouvent réunis les
moments lyriques de l'ouvrage, et nous l'abandonnons quand commence le récit des événements d'une signification générale moins
marquée, le détail d'une vie désormais privée de tout devenir lyrique,
les mille petites vengeances et commérages d'un homme persécuté.
En tant que roman picaresque, le poème semble se perdre dans un
fatras de répétitions, d'incidents mineurs et d'épuisements de formules qui, à la première rencontre, nous divertissent. Comme pour
Don Quichotte, dont la renommée est fondée sur les découvertes du
premier volume, la deuxième partie de l'ouvrage peut nous sembler
prolixe et obscure, trop abstraite dans sa conception, trop concrète
dans son exécution. Pour prendre des exemples qui seront plus à
propos, combien d'entre nous ne lisent, du *Roman de la rose,*
que les vers si frais et si mouvementés de Guillaume de Lorris ?
Combien d'entre ceux qui abordent l'œuvre de Rabelais ne lisent que
Gargantua et *Pantagruel ?* L'habitude de la prose nous a fait identifier
le plan d'un ouvrage littéraire à son mouvement linéaire. Elle nous a
fait négliger tout dessein qui n'est pas un destin [4]. Le récit d'une vie, ou
le débit d'une voix reconnaissable, sont les seules formes objectives
qu'un ouvrage littéraire est censé pouvoir représenter. Autrement sa
forme, pour nous, est à la fois abstraite et unique.

La valeur du *poème* en tant qu'unité d'expérience poétique a connu
de grandes variations depuis l'époque de Villon. Au XVIᵉ siècle, le poème
a souvent cédé à l'image ou au *concetto ;* pendant que le langage
s'éloignait de plus en plus de la vie des objets, c'est-à-dire d'un rapport
analogique avec le monde perçu, le *vers* est devenu l'unité d'expérience
poétique. Plus tard, le poème a retrouvé son importance à côté de
l'espèce de métaphore musicale et suggestive que nous appelons
symbole. Et de nos jours, « poème » n'est plus le nom d'une forme
mais d'une qualité du langage, la *parole* elle-même étant devenue
l'unité de poésie. Nous ne pouvons nous empêcher, donc, de trouver

satisfaisant le *Testament* du point de vue formel, puisque la forme que nous y cherchons, dans n'importe quel vers, c'est un certain rapport du langage au monde des objets, une qualité concrète de la parole qui tient compte de la particularité des choses perçues, qui vit toujours dans un devenir qu'il ne cherche pas à nier.

Finalement, il suffit qu'un poème nous semble vrai pour que nous renoncions à l'interroger au sujet de son but. Sa valeur de témoignage lui vaut une authenticité de document. Le désordre apparent du *Testament* semble reproduire le désordre que nous reconnaissons dans notre vie. Son émotion tout évidente, sa violence, sa grossièreté, sa souffrance, son rire, ses revendications, semblent jaillir du cœur de ce que nous connaissons. Dans cette vie et cette connaissance, nous accordons la même primauté à l'expérience immédiate que nous croyons déceler dans le poème de Villon. La lecture traditionnelle de la strophe 12 témoigne parfaitement des velléités de refus qui ont voilé, dans l'expérience des lecteurs, l'importance que Villon a pu accorder à la réflexion, à l'étude de livres difficiles ou abstraits, à la science, à la raison, à la philosophie ; bref, à tout savoir qui ne soit pas accessible à tout homme par la seule expérience, et qui ait pu conférer une structure consciente, intellectuelle, voire spéculative, à une œuvre de poésie.

Dire la vérité de la vérité, ne fût-ce que de la nôtre, nous semble une tâche honorable pour la poésie. Mais cette notion aurait été étrangère à la pensée de Villon, pour laquelle le langage a des pouvoirs bien limités, la vérité étant capable de parler elle-même, sans emprunter la voix des hommes, et pour laquelle chacun n'a pas sa propre vérité. En discernant surtout dans le *Testament* une vérité de témoignage qui recouvre et qui justifie la gratuité des vers, nous oublions que c'est ce poème, parmi d'autres, qui nous a légué la vérité que nous prétendons maintenant y découvrir. Par de puissants mécanismes littéraires, le *Testament* nous a fourni la perspective dans laquelle nous le lisons. Nous oublions aussi, en écoutant cette voix plausible, en lisant ce témoignage spontané et véridique, que nous lisons des vers d'une facture difficile et d'une discipline tout artificielle, dont la mesure régulière témoigne d'une structure abstraite et invisible, d'une logique et d'une intention rationnelle, derrière nos expériences les plus incohérentes. C'est le sens du *nombre*, où qu'il se trouve.

Si la forme et les buts du *Testament* ne donnent pas d'inquiétudes au lecteur de notre époque, c'est que celui-ci est le lecteur moyen sensuel. Ayant perdu un sens précis de ce qu'il peut s'attendre à voir, en tant que forme, sous la plume de tel écrivain, ce qu'il a en commun avec celui-ci n'étant plus certain, le lecteur est prêt à lire et à comprendre n'importe quoi. Les classes littéraires étant dissoutes, le profil social des ouvrages étant tombé en mépris, nous ne savons plus au juste de quelle culture livresque tel ou tel autre poème est né. Tout au plus tâchons-nous de reconstituer artificieusement la culture qui donnait naissance au poème et le milieu auquel il était destiné. Mais cette érudition factice et de seconde main, nous pensons au fond qu'elle est inutile, puisque les ouvrages du passé que nous lisons encore sont justement ces ouvrages-là que nous tenons pour « universels » dans leur inspiration comme dans leur public. Ici encore, Villon a pourvu admirablement à la survivance de ses propres ouvrages, en créant une confusion efficace autour de sa propre personne, comme autour du rang social et de la culture de ses lecteurs. Nous pensons le connaître, d'après sa voix : c'est un brigand qui fut aussi bachelier, un mauvais garnement et un Maître ès arts, un misérable orphelin et un familier des grands, un jeune et un vieux, un sensuel et un maître esprit, bref un pauvre hère et un très grand poète. Et ce portrait bizarre, n'a-t-il pas la vertu de nous assurer que notre ignorance et notre confusion ne sont pas une infirmité ? Que la grande poésie s'adresse aussi bien à nous qu'aux plus intelligents et qu'aux plus lettrés ? On ne s'étonnerait pas de trouver dans le *Testament* n'importe quelle forme rigoureuse et secrète, d'y découvrir des desseins cachés et des philosophies ésotériques, comme on ne s'étonnerait pas de n'y trouver qu'un galimatias interminable. Naissant de la vie, par la bouche d'un auteur impossible, s'adressant à tous, le *Testament* n'a plus que la forme autonome de l'auréole qu'il s'est créée.

Les rapports entre poésie et philosophie, et entre poésie et pensée, sont problématiques à toute époque. La poésie moderne nous a habitués à ce paradoxe : qu'une spéculation formelle, qui se sert d'une logique et d'une rhétorique conventionnelles, s'efforce de justifier une poésie qui rit au nez de la pensée conceptuelle, de la logique et des conventions. Il peut y avoir, par exemple, une philosophie de l'expression, une doctrine de l'improvisation, un manifeste du surréalisme. Ce sont des philosophies que nous appelons des esthétiques, en passant sur ce paradoxe gênant. La philosophie de l'art en tant que tel date du XVIe siècle ; à l'époque de Villon, on eût trouvé inconcevable une philosophie de l'art qui ne fût aussi une morale et une métaphysique. D'autre part, toute poésie suppose un certain point de vue sur le langage, qu'il soit inconscient ou hérité, et sur l'univers dont il parle. Chez Villon, nous trouverons que ce point de vue est incarné dans une pensée consciente, formulée, et cohérente, quoique peu systématique, qui — étant un élan de l'être autant qu'une explication du monde — débouche dans la poétique, c'est-à-dire exige la création des poèmes.

Dans le *Testament*, Villon parle très rarement un langage que nous reconnaissions pour philosophique. Pourtant nous avons pu reconnaître, dans les soubresauts d'une voix et dans les péripéties d'une fable envoûtante, des indices que Villon possède une pensée générale qui est élaborée, consciente et efficace. Cette pensée, en dépit des apparences, est entrée dans son œuvre poétique. Quel rôle y joue-t-elle ? Le lecteur moderne, habitué à la pluralité des esthétiques, dirait que le *Testament* a été créé selon ses propres principes d'ordre, auxquels il se réfère par sa forme, qui peut très bien être une absence de forme reconnaissable. Cela est sans doute vrai. Mais gardons-nous de greffer sur cet aperçu des préjugés paradoxaux, de ne voir dans le *Testament* qu'un désordre joyeux créé d'après un sobre système, une anarchie apparente fondée sur des principes révolutionnaires, ou une anarchie réelle qui exprime un mépris des systèmes, ou une nostalgie de l'innocence primitive ou enfantine, ou encore une croyance honnête en un univers insensé. Une pensée vigoureuse et claire a informé l'emploi de chaque mot du *Testament*. De plus, une philosophie connue a fourni non seulement l'idée du poème, mais les idées du poème aussi. Celle-là fait partie, en outre, de celles-ci. C'est-à-dire que le *Testament* parle, quoique sournoisement, de lui-même et de ses buts.

Savoir l'écouter, c'est nous habituer à voir sa forme. Déjà nous avons pu discerner sa forme lyrique, d'après la tradition des troubadours, qui justifie la naissance de la parole parmi les objets de l'expérience concrète, qui révèle ainsi la nature de l'homme. Déjà nous avons pu tracer les grandes lignes de sa forme dramatique, l'évolution des personnages dans le temps poétique. Ces formes sont seulement les éléments d'une forme générale, qui les inclut, avec d'autres. Nous ne la trouverons pas en résolvant la confusion apparente et la complexité de l'œuvre, mais en tâchant de nous en rendre compte. C'est ce que fait la philosophie qui a dicté l'œuvre. N'étant ni fixe ni simple, ni dogme ni foi, elle requiert pour être évoquée le concours d'un grand nombre de voix. Cette évocation se fait moyennant l'ordonnance d'un « legs », la composition soigneuse d'un héritage, avec toutes les pièces, toutes les leçons, tous les objets, toutes les voix qui conviennent. Dans le *Roman de la rose*, la même évocation se déroule en classe, pour ainsi dire, où le héros est instruit progressivement sur une réalité complexe par les divers professeurs compétents, savoir Raison, Nature, Malebouche, Ami, la Vieille... Dans le *Testament*, la discussion en tant que telle, qui se déroule parmi les diverses voix qui s'expriment en ballades, sera appuyée de démonstrations concrètes. Tantôt les faits ont une valeur dramatique, comme les faits de Mehun, et suscitent la discussion ; tantôt ils relèvent de la discussion, en illustration. Finalement, tous ces mots et tous ces faits, toutes les leçons qu'ils recèlent, seront légués au monde et au lecteur, et le don scellé par un acte de sacrifice.

2.   Les rapports et la disposition des vingt pièces lyriques parmi les quelque 2 000 vers du *Testament* constituent un des problèmes les plus difficiles que pose la lecture du poème. Du fait qu'elles sont composées en formes fixes, rondeaux ou ballades, ces pièces se réfèrent d'elles-mêmes à des idées générales et traditionnelles qui ont trait à la forme des choses, comme nous l'avons vu en parlant du rondeau « Au retour », et de la ballade pour « saluer » la Vierge. Nous y reviendrons dans notre chapitre de conclusion. Cependant, il est difficile de savoir comment ces pièces peuvent renvoyer à des questions connues

autrement que par la forme. La mère qui prie, nous l'avons vu, parle parfois un langage liturgique, et elle suppose les vérités qu'il recèle. Mais nous avons de la peine à voir comment ces vérités et ce langage seraient mis en question par la ballade. Rien dans celle-ci n'explique leur rapport avec la composition du *Testament*, et avec les autres vérités — qu'elles soient abstraites, concrètes, ou expérimentales — qu'il contient. Nous trouverons plus loin que la ballade pour Robert d'Estouteville, « Au point du jour... », est la seule à parler ouvertement de la forme et du but d'une poésie. Des indications très minces, dans la ballade « Or y pensez... » — l'emploi de quelques images éloquentes — nous ont permis de tracer une parenté générique entre l'activité des filles de joie et la création d'un poème. Et puisque celle qui prononce cette ballade s'est dépeinte comme l'image vivante des personnages d'une ballade précédente, celle des « neiges d'antan », nous avons pu conclure que la composition d'un poème, tout autant que le sacrifice amoureux que fait son héros, est la participation d'un poète au destin de toute créature. La ballade du « bordeau ou tenons nostre estat » analyse dans le détail la face sociale de ce destin, en en donnant un cas typique et en soulevant la question de son caractère moral.

D'autres ballades — celles surtout qui ne parlent pas d'amour — semblent n'avoir rien à voir avec des questions générales ou philosophiques. Disons-le plus clairement : de la plupart des ballades du *Testament*, comme celle qui est écrite en vieux français, ou « Les contrediz Franc Gontier », ou l'« oroison » pour Jehan Cotart, ne subsiste que leur visage pittoresque, grotesque, gai et sensuel. Elles *sont*, comme des êtres chéris. Elles s'imposent. Nous les aimons, mais elles n'ont pas de « sens ». Elles ont la valeur d'un témoignage délicieux, d'une espèce de constat vivant. Les raisons de cet échec — c'est-à-dire de cet appauvrissement — sont deux, à notre avis. Il va falloir les explorer avant d'entrevoir la forme du *Testament* et ceux parmi ses buts qui auraient pu être conscients.

Premièrement, nous pourrons hasarder que ces poèmes ont été extraordinairement opaques — ce qui ne veut pas dire obscurs — pour leurs premiers lecteurs. Ce n'est pas que Villon ait voulu déguiser le rapport de ses ballades avec les problèmes traditionnels de la philosophie. Dans chaque ballade, une espèce de pudeur semble écarter toute mention des idées en cause, pour ne retenir au premier plan que la situation dramatique, personnelle et concrète qui donnerait lieu à la réflexion. Si on les lit ensemble, on est amené à interpréter cette impression de pudeur comme un procédé littéraire relevant d'une poétique, d'une part, et d'autre part comme un scepticisme foncier chez le poète. Villon ménage ses lecteurs, comme nous avons eu l'occasion de le remarquer : il les entraîne vers la réflexion. Il sait que les premières réactions de la plupart d'entre eux seront irréfléchies. A partir des faits visibles, en pédagogue expert, il nous rappelle ce que nous avons oublié, il nous enseigne ce que nous ignorons. Mais aussi, la présence dans le *Testament* de tant de points

de vue divers et de tant de problèmes apparemment disparates, l'écart
soigneusement maintenu entre la conception d'un problème et sa démonstration concrète, cet écart et cette disparate évoquent fatalement
le portrait d'un esprit lucide, critique et détaché qui, en connaissance
de cause, refuse d'adhérer à une pensée exclusive ou étroite, et aux
abstractions en tant que telles. Que ce scepticisme puisse aussi exprimer un syncrétisme voulu — que cette diversité critique puisse
servir de principe créateur — nous le verrons bientôt.

La deuxième raison de l'opacité des ballades du *Testament* est
notre éloignement indiscutable du langage — c'est-à-dire non seulement de la pensée, mais de l'espèce de pensée — en lequel elles ont
été conçues. Ces poèmes devaient baigner autrefois dans une conscience
commune que nous avons perdue. En tant qu'ensemble de suppositions
générales, cette conscience devait justement relier des faits muets à
des idées qui leur donnaient un sens, soit pour éclaircir les faits,
soit pour affirmer, ébranler, ou former les idées. En tant que fait
de langage, cette conscience douait certaines paroles d'une précise
résonance philosophique, dont nous n'entendons même plus le bour-
donnement. Il ne s'agit pas de cette interpénétration globale de la
Vérité et de la parole, comme du Paradis et de la peinture, que nous
avons analysée dans la ballade de Nostre Dame ; mais d'un fait de
culture plus vulgaire. Avant de nous lancer dans l'étude d'autres
ballades du *Testament,* qui éclairent sa forme et son but, il nous
conviendra d'évoquer sommairement quelques uns des rapports entre
la parole vulgaire et la réalité philosophique, qui vivaient dans la
langue de Villon.

Or chaque fois que nous voyons Thibault d'Aussigny dans le *Testament,* Villon nous dit que c'est un avare. La lésine de l'évêque tient
une place d'honneur dans la deuxième strophe, à côté de sa pédérastie :

> *Large ou estroit moult me fut chiche...*   (15)

Plus tard, quand Villon le range avec son suppôt le « maistre
robart », il devient un « lombart » ; le nom de l'usurier et du riche est
joint à un jeu astucieux sur les habitudes « lombaires » de l'évêque.
Là, il s'appelle aussi « Tacque Thibault » ; le nom entier l'assimile à un
célèbre mignon, mais le prénom injurieux nous rappelle encore que
Thibault est « tacquin », c'est-à-dire avaricieux, que c'est un lésineur
sordide et mesquin[5]. A la fin du poème, nous l'avons vu, Villon souligne
de nouveau sur un ton à la fois désinvolte et brutal que ce « chien »,
pendant « mains soirs et mains matins », l'a fait « chier dur ». En
étudiant l'apport de ces mentions dans la tradition littéraire et philosophique qui remonte à Alain de Lisle, nous avons noté que la perversion anti-naturelle de l'évêque s'exprimait aussi bien par son avarice
que par son homosexualité. En étudiant l'expérience de Mehun, nous
avons constaté l'apport des faits concrets dans l'apprentissage du
réel que fit Villon dans la « prison » d'où le roi Louis l'a tiré. Quel
est le rapport entre ces souffrances physiques, le « travail » de Villon

conçu comme étant causé par l'avarice de Thibault, et une philosophie générale de Nature ?

Ce rapport, Jean de Mehun l'avait expliqué dans le détail. En écrivant le vers

Large ou estroit moult me fut chiche

Villon pouvait supposer dans l'esprit de ses lecteurs la présence d'un autre texte vivant. C'est Raison qui, dans le *Roman de la rose*, situe l'avarice parmi les maintes espèces d'amour que le poème essaye d'évaluer selon les critères d'un Amour suprême. S'étant opposée vigoureusement à l'amour cérémoniel et charnel que nous appelons « courtois », Raison propose à l'Amant un amour chaste et sentimental, l'amitié. L'ennemi de cet amour, poursuit-elle c'est la fausse amitié qui est fondée sur l'amour du gain. Au cours de son « sermon », Raison est amenée à définir l'avarice de plusieurs façons. Du point de vue chrétien, par exemple, un abîme sépare Dieu du « lombart », leur haine est mutuelle, de même que dans les vers de Villon que nous connaissons :

Je les ayme tout d'ung tenant   (751)
Ainsi que fait Dieu le lombart...

Pour ce qui est des « entasseeurs », comme les appelle Raison,

Certes Deu n'aiment ne ne doutent,   (5 121)
Quant teus deniers en tresor boutent
E plus qu'il n'est mestiers les gardent
Quant les povres dehors regardent
De freit trembler, de fain perir :
Deus le leur savra bien merir.

Dieu, de sa part, et pour ces raisons, n'aime pas les avares non plus :

Deus het avers, les vilains natres,   (5 249)
E les danne come idolatres,
Les chaitis sers desmesurez,
Poereus e maleürez.

En second lieu, du point de vue de la morale séculière, les avaricieux ont gaspillé leur liberté humaine, sont devenus les esclaves de leurs propres richesses :

Tant sont d'avarice lié,   (5 158)
Qu'il ont leur naturel franchise
A vil servitude soumise,
Qu'il sont tuit serf a leur deniers,
Qu'il tienent clos en leur greniers.

Ainsi l'avare, nourri d'illusions, renverse de force les données évidentes de Raison. L'on ne possède, selon elle, dans un paradoxe apparent, que pour se déposséder :

L'aveirs n'est preuz fors pour despendre.   (5 167)

Voulant à tout prix prendre les mots à la lettre, à l'instar de son propre nom, qui est celui de son obsession, l'avare pense que l' « avoir »

est pour avoir, et tombe ainsi dans des paradoxes véritables, devant
soutenir

> Qu'aveirs n'est preuz fors pour repondre.   (5 170)

Enfin, pris dans ces illogismes, les avares deviennent les victimes
de leurs propres biens, qui se vengent sur eux. Ayant accumulé des
richesses pour se mettre à l'abri de toute souffrance, l'avare finit par
se créer des tortures morales : ce sont les « travaux d'aquerre », la
peur d'être volé, et la grande « douleur dou laissier ». « Malement »,
conclut Raison, « s'en vont decevant » (5 204).

Du point de vue philosophique, ensuite, les avares comme les
usuriers détournent les richesses de leur fonction naturelle, ils les
dénaturent. Car leur nature est, dans l'image que nous connaissons
déjà, de « courir » dehors, en plein jour, en tout pays, comme les
« neiges d'antan ». Si elles sont tenues à l'intérieur, leur « tresor »
devient une « prison » :

> Aus richeces font grant laidure   (5 183)
> Quant il leur tolent leur nature.
> Leur nature est qu'eus deivent courre
> Pour genz aidier e pour secourre,
> Senz estre a usure prestees ;
> A ce les a Deus aprestees :
> Or les ont en prison repostes.

Deux pensées retiendront l'attention ici. D'abord, le monde étant
créé, selon les mots du *Timée* que Jean de Mehun cite ailleurs, par un
débordement de la bonté du Créateur, les richesses terrestres sont un
membre vivant ainsi qu'un témoignage direct de la divine largesse.
Leur vie sur terre, ce que Jean de Mehun appelle ici leur « nature », est
ce même mouvement fluide qui les a créées. Faire « courir » son argent,
cela veut dire participer aux mouvements créateurs qui existent
toujours dans une création divine, partager donc, dans une certaine
mesure, la fertilité et la bonté du Créateur.

Deuxièmement, l'usage du mot « courre » suggère que dépenser
son argent est une activité érotique autant que la procréation. Jean
de Mehun reprendra de suite cette suggestion, en faisant des richesses
un personnage féminin, Pecune, une « dame e reïne franche » (5 206).
Dans une série d'images érotiques qui appartiennent au jargon obscène,
Pecune devient un cheval qu'on « chevauche » et qui « court ». En
psychologue, Jean de Mehun remarque que l'acte de dépenser son
argent donne un plaisir exquis qui n'est pas sans rapport avec celui de
l'acte d'amour. En outre, ses images arrivent à confondre l'avare et
l'impuissant, d'une part, le prodigue et l'amant inépuisable de l'autre.
Pecune reste vierge et tyrannique, tenue auprès de son maître l'avaricieux ; mais à la mort de celui-ci, elle échoit fatalement à ceux que
Villon appelle les « hoirs Michault Qui fut nommé le Bon Fouterre »
(922-3) :

> Mais, senz faille, ele demourra   (5 217)
> A cui que seit quant cil mourra

> Qui ne l'osait pas assaillir
> Ne faire courre ne saillir.
> Mais li vaillant ome l'assaillent
> E la chevauchent e poursaillent,
> E tant aus esperons la batent
> Qu'il s'en aaisent e esbatent
> Par le cueur qu'il ont large e ample.

De là, l'image de Jean de Mehun prend l'essor. En évoquant une transformation artistique non moins remarquable, celle que firent Dédale et Icare, et en équivoquant sur les deux sens du verbe « voler » — qui, en jargon érotique, voulait dire faire l'amour — Jean de Mehun fait en sorte que les richesses devenues Dame Pecune, devenue elle-même jument, s'envolent maintenant en cheval ailé de leur prison par le monde entier :

> A Dedalus prennent essemple,   (5 226)
> Qui fist eles a Ycarus,
> Quant, par art e non par us,
> Tindrent par l'air veie comune ;
> Tout autel font cil a Pecune,
> Qu'il li font eles pour voler,
> Qu'ainz se lairaient afoler
> Qu'il n'en eüssent los e pris.
> Ne veulent pas estre repris
> De la grant ardure e dou vice
> A la couveiteuse Avarice...

Quel lecteur de Villon, ayant lu l'histoire de Dame Pecune, ne l'aurait pas en tête en lisant un poème qui oppose un stérile avare à un héros d'amour ? Celui-là se cache dans son « tresor », son labyrinthe d'idolâtre ; celui-ci gaspille ses richesses en léguant à tous, dans un ample « testament » et dans un poème généreux, en plein jour, tout ce qu'il possède ainsi que ce qu'il ne possède point. Dès l'abord, nous avons pu constater que les strophes 12 à 33 du *Testament* recélaient un niveau de références à valeur philosophique. Mais certaines paroles, dans n'importe quel contexte ou même hors de tout contexte, avaient pour le lecteur de Villon un sens général qui entre forcément dans les faits qui sont au premier plan. Ainsi en est-il du mot « large », qui est à la fois une équivoque obscène, une règle de conduite séculière, et une notion métaphysique. En effet, la présence d'une notion morale ou cosmologique dans les faits les plus vulgaires, Villon nous la signale dès le début du poème, par le fait d'employer le mot « evesque » de deux façons contradictoires. Les faits prouvent que Thibault est un débauché. Mais le mot qui désigne son office rappelle la notion de l'homme qu'il n'est pas, tant en matière de générosité qu'en matière de mœurs ; voici comment saint Paul la définit :

Oportet enim Episcopum sine crimine esse, sicut Dei dispensatorem ; non superbum, non iracundum, non vinolentum, non percussorem, non turpis lucri cupidum : sed hospitalem, benignum, sobrium, justum, sanctum, continentem, amplectentem eum, qui secundum doctrinam est, fidelem sermonem : ut potens sit exhortari in doctrina sana, et eos, qui contradicunt arguere.

(Ad Titum, 1/7-9)

Si Villon n'a pas donné lui-même l'explication abstraite des faits qu'il présente, c'est parce que Jean de Mehun l'avait déjà fait. Plus qu'aucun poète moderne, Villon pouvait compter sur la culture de ses lecteurs. Même si ces derniers ne connaissaient pas le *Roman de la rose* ou le *De consolatione* de Boèce — fait impensable — le poète pouvait compter sur l'évidence des faits, sur les richesses connues de la langue, et sur des habitudes de lecture qui mènent les yeux des lecteurs au-delà des faits concrets, par la voie des mots équivoques, à des vérités invisibles. Au lieu d'une analyse qui remonte jusqu'à la psychologie unique de l'auteur, à sa biographie spirituelle ou à sa pensée originale, la forme de leur expérience du poème devait être une pénétration progressive des faits et de la langue qui les présente, fondée sur l'attente d'un sens général *déjà connu.*

Les faits de la vie d'un certain Françoys Villon, tels qu'il nous les raconte, ont un rapport avec le problème de la forme de toute expérience. De même que l'avarice de l'évêque Thibault devait soulever des notions générales de morale et de métaphysique, ainsi la pauvreté de Françoys Villon aurait eu, pour ses lecteurs, un sens philosophique précis. Notre problème, c'est de pénétrer les apparences de désordre dans le *Testament* afin de percevoir la vérité de sa forme. Le problème du jeune Villon, d'après la strophe 12, était de dissiper certains nuages de sentiment et d'apparence verbale afin de fonder une expérience indiscutable du réel. Il l'a fait, de son chef, mais non sans le concours des événements apparemment fortuits qui, l'ayant soumis à « travail », ouvrirent ses yeux à la forme véritable des choses. La forme de cette leçon était, nous le savons, celle d'une chute « en bas lieu », dans la « prison » d'un évêque à Mehun. Cet apprentissage du réel, Jean de Mehun nous enseigne qu'il est la forme de toute expérience, et nous le donne comme paradigme, pour ainsi dire.

En parlant de l'avarice, Raison avait déjà prouvé que richesse n'est pas richesse, mais pauvreté, en jouant sur le mot « povre ». L'honnête ouvrier est véritablement riche, ayant « soufisance », plus riche même que les usuriers puissants :

> Car usurier, bien le t'afiche,   (5 067)
> Ne pourraient pas estre riche,
> Ainz sont tuit povre e soufraiteus,
> Tant sont aver e couveiteus.

Cette mise en valeur d'une intérieure opposition de sens dans le mot « povre » a été préparée plus haut par le même jeu sur le mot « riche » :

> Si ne fait pas richece riche   (4 975)
> Celui qui en tresor la fiche,
> Car soufisance seulement
> Fait ome vivre richement ;

> Car teus n'a pas vaillant deus miches
> Qui est plus a aise e plus riches
> Que teus a cent muis de froment...

Encore plus haut, Raison a donné le cadre concret à cette leçon générale, en jouant sur le mot « profit ». Le riche homme, qui a fondé ses amitiés sur l'amour de l'argent, ne connaît le prix de ses amis qu'au moment où Fortune le fait « cheoir » de sa prospérité et où « aversité » dessille ses yeux, si bien qu'il distingue enfin le vrai du faux :

> E Fortune la mescheanz,   (4 949)
> Quant sus les omes est cheanz,
> Si les fait, par son meschoeir
> Trestouz si clerement voeir
> Qu'el leur fait leur amis trouver,
> E par esperiment prouver
> Qu'il valent meauz que nul aveir
> Qu'il peüssent ou monde aveir :
> Donc leur profite aversité
> Plus que ne fait prosperité,
> Car par cete ont il ignorance
> E par aversité science.

De cette épreuve, de cet « esperiment », sort l'homme qui, du fait d'être déchu, n'est plus déçu, c'est

> ...li povres, qui par tel preuve   (4 961)
> Les fins amis des faus espreuve...

Plus loin, ce sera justement Amis qui reprendra la leçon de Raison, et qui en donnera l'illustration concrète dans le récit de ses propres infortunes. L'esquisse générale de Raison sera déployée dans le détail, pour devenir le modèle de toute éducation morale, d'une part, et de chaque expérience constitutive d'une éducation, de l'autre. Amis semble d'abord parler d'un autre point de vue que Raison :

> Riens ne peut tant ome grever   (7 974)
> Come choeir en povreté...

Mais Raison possédait bien ce point de vue aussi : c'est celui du Riche qui entretient ses amitiés et ses liaisons par « fole largece ». Pour sa pauvreté, dit Amis, l'on est haï : ce fait il l'a « par esperiment trouvé », même en sa « propre personne » (7 994-5), et il nous raconte l'aventure. Tous les amis achetés par Amis s'enfuirent, quand ils le virent « De Fortune envers abatu » (8 041). De cette chute, pourtant, Fortune le récompensa en lui préparant un collyre si puissant que sa vue, maintenant guérie, perça les apparences trompeuses des choses :

> Car entour mei si trés cler vi,   (8 046)
> Tant m'oinst les eauz d'un fin colire
> Qu'el m'ot fait bastir e confire
> Si tost come Povreté vint...

> Que lins, se ses eauz i meïst (8 053)
> Ce que je vi pas ne veïst...

Le « lins », rappelons-le, c'est le lynx, dont Amis nous enseignera bientôt que, selon Boèce, il pouvait percer de sa vue le beau corps d'Alcibiade — l'Archipiades de la ballade « Dictes moy ou... » — pour scruter les réalités mortelles de ses entrailles. Ici aussi, c'est ce qu'Amis appellera plus tard les « luisanz superfices » (8 939) qui cèdent aux yeux du « povre ». Non seulement il reconnaît son seul vrai ami entre « Plus de quatre cenz e cinquante » amis faux (8 052), mais encore il reconnaît la tricherie des faux mendiants par la sienne, exactement opposée. Lui, ayant honte de sa nouvelle condition, la cache :

> Que sa mesaise dire n'ose, (8 094)
> Ainz seufre e s'enclot e se cache,
> Que nus sa povreté ne sache,
> E montre le plus bel defores.

Les mendiants, en revanche, ceux qui feignent d'être infirmes,

> ...se vont par tout embatant, (8 101)
> Par douces paroles flatant,
> E le plus lait dehors demontrent
> A trestouz ceus qui les encontrent,
> E le plus bel dedenz reponent,
> Pour deceveir ceus qui leur donent ;
> E vont disant que povre sont,
> E les grasses pitances ont,
> E les granz deniers en tresor.

La leçon finale de toutes ces nouvelles connaissances d'Amis, qu'on pourrait aussi bien maintenant appeler « le Povre », c'est qu'il reconnaît la fragilité de toute forme mortelle, et la valeur souveraine de l'image, de la forme, ou de l'idée durable. Ses richesses l'avaient fui, lui laissant comme seul don de reconnaître son seul ami, c'est l'Amant. Amis tient à lui enseigner de suite que lui aussi, l'unique ami, disparaîtra un jour :

> Mais pour ce que vous me perdreiz (8 128)
> Quant a corporel compaignie,
> En cete terriene vie,
> Quant li darreniers jourz vendra,
> Que Mort des cors son dreit prendra...

Pourtant, des deux amis Mort ne prendra que les corps

> E toutes les apartenances (8 135)
> De par les corporeus substances...

Ce qu'Amis sait maintenant de façon certaine, c'est que la vision de son ami restera toujours dans son cœur :

> Se sai je bien certainement (8 141)
> Que, se leial amour ne ment,
> Si vous vivez e je mouraie,

> Toujourz en vostre cueur vivraie ;
> E se devant mei mouriez,
> Toujourz ou mien revivriez
> Emprès vostre mort par memoire...

Ainsi la leçon de Raison complète celle qu'a reçue et que donne à
son tour Amis. L' « aversité » mène à la fois à la lucidité — une connaissance juste de la valeur des choses sensibles — et à la souffrance.
Le pauvre ne distingue guère l'une de l'autre. Car l'absence de son bien
comme de ses biens, c'est-à-dire la présence inoubliable dans le cœur
d'une connaissance mortelle, amène une souffrance infernale. Comme
exemple de la survivance d'une amitié par-delà la mort, Amis cite
l'histoire de Theseüs, qui est allé chercher son ami Pirithoüs aux
enfers :

> Tant le querait, tant le sivait,   (8 151)
> Car cil dedenz son cueur vivait,
> Que vis en enfer l'ala querre,
> Tant l'ot amé vivant seur terre.

Que ce soit par la perte de ses richesses, par la perte de ses quatre
cent-cinquante amis faux, ou par la perte du seul loyal bien-aimé,
l'absence de la chose aimée, qui s'appelle « Povreté », amène plus de
souffrances et de tourments au vivant que n'en souffre le mort aux
enfers. Theseüs était donc plus malheureux que son ami mort, et Amis
ne peut que conclure ainsi :

> E Povreté fait pis que Mort,   (8 155)
> Car ame e cors tourmente e mort
> Tant con l'uns o l'autre demeure,
> Non pas, senz plus, une seule eure ;
> E leur ajouste a dannement,
> Larrecin, e parjurement,
> Avec toutes autres durtez,
> Don chascuns est griement hurtez ;
> Ce que Mort ne veaut mie faire,
> Anceis les en fait touz retraire,
> E si leur fait en son venir
> Tous temporeus tormenz fenir...

Les tourments de Povreté mènent directement à ceux du crime —
« Necessité fait gens mesprendre » dira Villon (167) — notion que nous
aurons à reprendre lors de notre discussion de la « mort » du Pauvre
Villon. Pour cela, Amis ajoute le mot de « Salemon », pour qui évidemment Povreté et Crime ne sont pas une seule chose, mais plutôt
cause et conséquence :

> Il dit, e bien i prenez garde :   (8 173)
> « Beaus fiz, de povreté te garde
> Touz les jours que tu as a vivre. »
> E la cause rent en son livre :
> « Car, en cete vie terrestre,
> Meauz vient mourir que povres estre. »

Par la voix d'Amis, nous écoutons Ovide et une morale païenne, que les Ecritures Saintes semblent ici appuyer. Villon a reconnu ceci : c'est Diomedès qui explique à Alixandre, par une sentence équivoque, qu' « en grant povreté... Ne gist pas grande loyauté » (150-152). Le « cuer » de Villon démentira formellement le mot de Salemon, « Meauz vient mourir que povres estre » :

> Mieulx vault vivre soubz gros bureau   (286)
> Povre qu'avoir esté seigneur
> Et pourir soubz riche tombeau...

Et le « povre mercerot de Rennes, » plus loin, en disant

> Mais que j'aye fait mes estrenes   (419)
> Honneste mort ne me desplaist,

corrigera le dicton chrétien

> Honneste mort vault plus que vivre en vergongne [6].

Il n'y a aucun désaccord sur le sens des mots « large » et « chiche » ; l'avare est détesté par tout le monde, et pour de bonnes raisons. Mais les mots « povre » et « riche » sont au centre d'une discussion complexe sur la valeur des biens matériels en tant que tels. Amis et Raison sont d'accord pour reconnaître que la pauvreté est un malheur et l'avarice un crime. Raison la stoïcienne leur préfère l'aurea mediocritas qui s'appelle « soufisance » ; Amis l'ovidien préfère de considérables richesses dépensées sagement pour acheter amis et amours. Pourtant, tous deux reconnaissent d'une part que la chute en « adversité » est une expérience indispensable pour acquérir la « science » des apparences et de la vérité qu'elles cachent aux yeux du riche — et d'autre part, que cette vérité porte sur la fragilité de tout objet corporel, sur la valeur supérieure des objets conçus, et sur la valeur suprême de la vie de l'esprit.

C'est dire que Raison et Amis sont tous deux, au fond, chrétiens. Dépenser ses biens, pour l'un comme pour l'autre, c'est imiter la largesse du Créateur. Tous deux reconnaissent aussi que toutes ces questions sont, en fin de compte, subordonnées à des questions plus hautes qui sont la valeur de la vie devant le fait inéluctable de la mort, et la forme du salut. Cette subordination, Villon la reconnaît aussi :

> (39)   Je congnois que povres et riches   (305)
>   Sages et folz prestres et laiz
>   Nobles villains larges et chiches...
>   Mort saisit sans excepcion.   (312)

Mais cet accord ne clôt pas la discussion ; au contraire. Si nous savons une chose de Villon maintenant, c'est que l'expérience de Mehun, l'adversité du « bas lieu » et du « travail » conséquent, ont ouvert ses yeux sur le contexte entier de cette discussion. La deuxième partie de son « testament » nous montrera non seulement l'homme qui imite dans toute la mesure de son possible la largesse fertile de son Créateur, mais l'homme qui sait, jusqu'à la dernière finesse, distinguer ses vrais amis des faux. La figure de Françoys Villon, toute concrète à nos yeux, est aussi celle du « povre ». Le « povre » Villon est pétri d'une expérience des notions vénérables. L'Expérience exemplaire qu'il nous raconte, comme Amis, en sa « propre personne », ce qu'il a « par esperiment trouvé » dans la première partie du poème, est celle dont nous avons besoin pour comprendre la deuxième partie. Munis de cette expérience et de quelques unes de ces notions, abordons sans plus la ballade que Villon a appelée « les contrediz Franc Gontier ».

3.   D'abord, lisons le don que le Pauvre Villon, avec sa générosité habituelle, lègue à Maître Andry Courault, quitte à reprendre par la suite les conditions du don.

BALLADE

Sur mol duvet assis ung gras chanoine   (1 473)
Lez ung brasier en chambre bien natee
A son coté gisant dame Sidoine
Blanche tendre polie et attintee
Boire ypocras a jour et a nuytee
Rire jouer mignonner et baisier
Et nu a nu pour mieulx des corps s'aisier
Les vy tous deux par un trou de mortaise
Lors je congneus que pour dueil appaisier
Il n'est tresor que de vivre a son aise

Se Franc Gontier et sa compaigne Helaine
Eussent ceste doulce vie hantee
D'oignons civotz qui causent forte alaine
N'acontassent une bise tostee   (1 486)
Tout leur mathon ne toute leur potee
Ne prise ung ail je le dy sans noysier
S'ilz se vantent couchier soubz le rosier
Lequel vault mieulx lict costoyé de chaise
Qu'en dites vous faut il a ce musier
Il n'est tresor que de vivre a son aise

De gros pain bis vivent d'orge et d'avoine   (1 493)
Et boivent eaue tout au long de l'anee
Tous les oyseaulx d'icy en Bibiloine
A tel escot une seule journee
Ne me tendroient non une matinee
Or s'esbate de par Dieu Franc Gontier
Helaine o luy soubz le bel esglantier
Se bien leur est cause n'ay qu'il me poise
Mais quoy que soit du laboureux mestier
Il n'est tresor que de vivre a son aise

> *Prince jugiez pour tous nous accorder*
> *Quant est de moy mais qu'a nul ne desplaise*
> *Petit enfant j'ay oy recorder*
> *Il n'est tresor que de vivre a son aise* [7]

D'emblée le lecteur est séduit par la somptuosité des vers, leur musique, leur naturel. Si bien qu'il oublie dès l'abord que le poème a pour sujet le luxe, et son attitude envers lui. De ce point de vue, tous les vers du poème n'ont pas un attrait égal. C'est la première strophe qui est la plus sensuelle. Elle a la valeur, dans le poème entier, d'une démonstration. Il est typique de l'art de Villon que cette démonstration se fait à notre endroit, nous séduit, nous implique, nous convainc, non pas par la raison et une argumentation abstraite — Villon aurait pu évoquer plus sommairement et plus sèchement la proverbiale « vie de chanoine » — mais en nous faisant éprouver la vérité de ses prémisses, avant même qu'il ne dévoile les abstractions qui sont en cause. Ce n'est pas un hasard si ce poème nous rappelle par maint tour de phrase la ballade de Margot, qui le suit de près dans le *Testament*.

En pédagogue et en poète, Villon prépare le terrain dans l'esprit de ses lecteurs pour l'emploi de certains mots qu'il entend douer d'un sens concret qu'on ne discutera pas puisqu'on vient de l'éprouver. Ainsi en était-il de « *ce* bordeau ou tenons nostre estat », comme de « *ceste* foy » où l'on veut « vivre et mourir ». Voici encore une vie, dont il fallait apprendre la nature en la vivant : la première strophe entière nous prépare à comprendre les mots « *ceste* doulce vie ». L'évocation toute concrète des premiers vers sert à l'établissement du syllogisme de la seconde strophe :

1. « Se *Franc Gontier et sa compaigne... Eussent ceste doulce vie hantée* » ; et

2. Si « *ceste vie* » est en vérité aussi séduisante que je viens de vous prouver ; alors il s'ensuit

3. Que *Gontier et Helaine* « *N'acontassent* » leur ancienne vie « *une bise tostee* ». Q.E.D.

En rhéteur et en philosophe, Villon nous a introduits *in medias res*, pour donner à la scène toute sa puissance ainsi que pour démontrer comment « par esperiment » la raison tire ses preuves les plus belles. Les huit premiers vers sont une seule phrase qui a été soigneusement renversée, si bien que nous voyons en premier lieu le drame charnel qui justifie la parole, et en dernier lieu celui qui le vit et qui maintenant nous parle. L'effet de ce tour élégant, que connaissent bien les poètes de la Pléiade, c'est de postuler concrètement l'existence de la scène, de la présenter sans la médiation des yeux qui la voient, de la conscience qui constate son existence, et de la voix qui en parle. D'abord nous voyons l'homme et puis la femme, de près, immobiles, figés comme par le cliché, « assis », « gisant » ; ensuite nous discernons autour d'eux la pièce et ses meubles, c'est la chambre « bien natée » ;

puis la scène s'anime ; une fois reconnus pour tels, ces objets vivants
se mettent à suivre leurs mouvements caractéristiques dont la logique
physiologique amène l'acte d'amour : « boire... rire jouer mignonner
et baisier ». L'œil se retire peu à peu, prend ses distances, s'enfile par
un « trou de mortaise », se joint à l'œil du spectateur jusque-là insoupçonné, enfin par un dernier recul saisit celui-ci de dos, collé au trou
et à son alléchant spectacle. Ce n'est qu'alors que Villon se retourne
vers nous pour s'excuser de son indiscrétion et pour en expliquer le
résultat : « Lors je *congneus*... »

Entraînés par la démonstration jusqu'à la voix et la conscience de
Villon, nous écoutons celui-ci raisonner avec nous dans la deuxième
strophe. Son argumentation syllogistique veut opposer ce que nous
venons de voir à une autre scène tout aussi concrète que nous
sommes supposés avoir déjà vue. Même si nous ne connaissons pas
le poème de Philippe de Vitry, lui qui a surpris de façon semblable
Franc Gontier et Helaine au bord d'un ruisseau, Villon trouvera de son
intérêt de nous en rappeler les détails et l'atmosphère. Etrange manière de raisonner, dira-t-on : Villon n'aurait-il pas mieux fait, afin de
nous convaincre de la supériorité de la vie du chanoine, de nous
laisser oublier la vie de Franc Gontier, de poursuivre pendant vingt
vers encore l'évocation si luxueuse de la première strophe ? Toutefois,
ayant opposé les deux vies, au milieu du poème, Villon nous pose la
question que nous connaissons de la ballade de Margot : « Lequel vault
mieulx ? » Dans la troisième strophe, délaissant le raisonnement, il
nous rappelle encore plus concrètement la vie de Franc Gontier, et au
lieu de l'opposer à la vie du chanoine, la dénigre en faisant état de ses
goûts personnels.

Quel est en vérité l'argument du poème ? Mettons que nous ne
connaissions pas le texte de Philippe de Vitry, ni les strophes qui précèdent notre ballade dans le *Testament*. Il semble que Villon oppose
le confort de la vie de la ville aux prétendus appas de la vie aux
champs. Aux fleurs, aux oiseaux chantants, à l'amour sur l'herbe, à
une nourriture saine mais grossière, Villon oppose la fleur chaude
du « brasier », le rire et le ramage des amants grisés, la chair nue sur
« mol duvet », les boissons épicées et aphrodisiaques. Le fait est net :
si Gontier et Helaine pouvaient goûter la vie du chanoine, ils compteraient pour nuls les plaisirs champêtres. Conclusion : la ville a
inventé des raffinements de plaisir que le rustique ignore ; et en fait
de plaisirs, ce n'est que par ignorance que nous préférons les moindres,
et par incapacité de nous en procurer d'autres que nous nous conten-
tons de notre sort. Qui peut en douter ?

Comment celui qui nous parle sait-il tout cela ? A-t-il « ceste doulce
vie hantee » et doit-il pour cette raison la préférer à l'autre ? Pour le
présent, il est aussi loin lui-même de mener la « vie de chanoine »
que l'est Franc Gontier. Nous l'avons vu nous-même qui la « vy » de
dehors, par un trou, tremblant peut-être de froid et de désir, exclu
de tels plaisirs sauf par la connaissance qu'il a d'eux. Il se peut que,

depuis « lors », il ait lui-même vécu une telle vie. Au moins ne prise-
t-il pas l'autre, et il avait bien démontré que ce mépris pourrait logiquement naître du fait d'avoir fréquenté Dame Sidoine. Autrement,
tout ce qu'il veut dire de lui-même et de l'espèce de vie qu'il mène,
c'est qu'il possède la science du proverbe dont il a fait son refrain :
« Il n'est tresor que de vivre a son aise ». Et aussi, qu'il l'a appris à
un moment et dans un contexte précis : la vérité de la maxime vaut
spécifiquement « pour dueil appaisier ». Villon rappelle que le
plaisir des sens apaise toute inquiétude, donne l'oubli de toute misère,
et surtout celle du pauvre qu'il est. Et il prouve ainsi qu'il n'est pas
lui-même leurré par le luxe.

L'argument du poème semble donc porter sur deux vérités, dont
nous sommes déjà convaincus : savoir, qu'il y a une hiérarchie des
plaisirs, d'abord, et que la vie aisée en ville domine en cette matière
la vie rurale ; ensuite, que celui qui nous parle a pris son parti, et n'a
pas de peine à afficher une préférence. Le « Prince » de l'envoi, alors,
de quoi aura-t-il à juger ? Quel est le différend sur lequel il lui faudra
« tous nous accorder » ? Quel pourrait être l'accord, quand il n'y a
en jeu que des préférences personnelles ? *De gestibus non dispu-
tandum* — c'est un proverbe du Moyen Age ; Villon nous assure à
toute occasion qu'il ne cherche pas querelle, qu'il n'y a aucune question
de principes ici qui le pousse à l'acharnement : « je le dy sans
noysier, » « Se bien leur est cause n'ay qu'il me poise, » « mais qu'a
nul ne desplaise... »

De telles considérations nous amènent à une belle impasse, et
triviale. Ces questions de confort et de goût sont, pour l'esprit, ce
qu'étaient pour les sens les premières réactions extasiées devant le
texte luxueux. N'y a-t-il, pour les transcender, aucune attitude supérieure qui puisse survoler le poème entier, pour ainsi dire ? Son cadre
pittoresque nous en donne le modèle, en s'élargissant progressivement
jusqu'à la troisième strophe, où le lecteur, qui n'a cessé de reculer
depuis la première vue intime du corps du chanoine, prend l'air avec
Villon pour survoler le paysage « d'icy en Babiloine », escorté d'une
escouade d'oiseaux babillards, et discerne, en s'éloignant, très loin
en dessous, très petits

...Franc Gontier
Helaine o luy soubz le bel esglantier... [8]

C'est avec eux que commençait le raisonnemnent de la deuxième
strophe, devant l'étouffoir de Sidoine. Se peut-il que leurs noms suffisent, à qui connaît déjà leur histoire, pour soulever des questions
plus générales que Villon n'a pas traitées autrement ?

Nous donnons en note le beau poème de Philippe de Vitry que tout
lecteur de Villon autrefois devait connaître[9]. Grand compositeur, humaniste ami de Pétrarque, et homme d'Eglise — il était évêque de Meaux
— Philippe de Vitry donna, dans ce texte, la première églogue française. Nous ne connaissons aucun poème français avant le sien qui

emploie le cadre rustique pour une discussion raffinée de mœurs, selon l'exemple de Virgile, et qui évoque la vie pastorale sans aucun rappel des conventions courtoises — c'est-à-dire sans mépris — et sans pour cela tomber dans l'imitation formelle et dans l'érudition voyante.

Sans doute reconnaît-on, pourtant, la forme de la tradition provençale : c'est la description visuelle du cadre concret, dans les premières strophes, qui donne lieu, dans les dernières, à l'enregistrement par l'ouïe de ce qu'on y disait. Le poète n'intervient qu'à la fin, pour tirer une conclusion morale de ce qu'il a vu, et ensuite entendu :

> Lors je dy : « Las ! serf de court ne vault maille
> Mais Franc Gontier vault en or jame pure ».

D'emblée on voit que le poème de Villon, loin de s'opposer point par point à celui de Philippe de Vitry, et sur le même terrain, renverse ses données et corrige sa forme. Car, chez Villon, la distinction entre auteur moraliste et personnage expérimenté a disparu. Si Villon avait voulu discuter avec Philippe de Vitry les questions qu'il soulevait, alors il aurait fait parler, dans la deuxième strophe, le « gras chanoine » qu'il venait de décrire dans son habitat. Au lieu d'intervenir verbalement à la fin par une sentence, fruit de réflexions sur une scène dont il n'est qu'un spectateur incorporel, Villon intervient au début par une *perception* qui porte sur lui-même et le chanoine à la fois :

> *Lors je congneus que pour dueil appaisier*
> *Il n'est tresor que de vivre a son aise.*

Pour sa part, Philippe de Vitry n'a pas « connu » la vie de Franc Gontier ; et Gontier lui-même se vante de son ignorance de la ville :

> « Ne sçay », dit-il, « que sont pilliers de marbre,
> Pommeaux luisans, murs vestus de paincture... ».

Celui qui nous présente de façon si pimpante la vie du chanoine, et qui en parle dans la deuxième strophe, celui-là *connaît les deux vies*, et au lieu de les comparer, peut parler des deux par rapport à autre chose. Conclusion : il est inutile d'ergoter sur des questions morales sans en avoir l'expérience. On ne croit pas le dire de l'homme qui n'a pas éprouvé la tentation.

Philippe de Vitry et son poème mis à part, nous connaissons les raisons générales de cette présence de Villon dans ses propres ballades. Depuis le début du *Testament*, Villon travaille à se rendre personnage ; depuis la « double-ballade » et le vers-clef, « De moy povre je vueil parler » (657), il est devenu Le Pauvre Villon, personnage célèbre par son expérience — son travail — ainsi que par sa parole. La figure du « povre » Villon a une fonction générale au même titre que celle du « franc » Gontier, de la « grosse » Margot, ou de la « belle » Hëaulmière... peut-être aussi de « tacque » Thibault. C'est un des faits que Villon souligne dans les deux strophes qui précèdent notre ballade, sans doute pour prévenir une interprétation personnelle du poème.

Là, Philippe de Vitry est oublié, de même que son poème en tant que poème. Nous sommes dans un pays fabuleux, celui de la littérature et du mythe, où des personnages littéraires ont une existence réelle :

(142)   *Item a maistre Andry Courault*   (1 457)
                Les contrediz Franc Gontier mande
                Quant du tirant seant en hault
                A cestuy la riens ne demande
                Le saige ne veult que contende
                Contre puissant povre homme las
                Affin que ses fillez ne tende
                Et qu'il ne trebuche en ses las

                Gontier ne crains il n'a nuls hommes
                Et mieulx que moy n'est herité
                Mais en ce debat cy nous sommes
                Car il loue sa povreté
                Estre povre yver et esté
                Et a felicité repute
                Ce que tiens a maleureté
                Lequel a tort or en discute [10]

Comme Marot l'a noté, il n'est pas clair de savoir si « Les contrediz Franc Gontier » est le titre d'un autre ouvrage, qui répond ou qui s'oppose au « Dit de Franc Gontier » ; ou bien le nom du document de procédure que Villon rédige en ballade, et qu'il envoie à « maistre » Courault [11]. En tout cas, l'allusion au « tirant seant en hault » vise clairement le poème de Pierre d'Ailly, Evêque de Cambray, pendant du poème de Philippe de Vitry et tout aussi célèbre, qui méprise la vie de cour [12]. Villon rend ici patent, si on ne l'a pas saisi déjà en lisant sa ballade, que la version qu'il donne des « diz » de Franc Gontier est délibérément fausse. Les poèmes des deux évêques où il est question de lui, si « opposés » qu'ils soient dans leur point de vue littéraire, n'ont qu'un seul sujet. Ce sujet, Villon le méconnaît ouvertement ; il en brouille les données. C'est sa manière de « contredire » les deux poèmes, de s'en moquer, de les surpasser. La mention ici du « saige » aurait pu nous en avertir, lui dont la citation précédente, à la strophe 27, avait provoqué un mensonge ouvert de la part de Villon.

Or il est tout bonnement faux de dire que Gontier

        ...loue sa povreté   (1 468)
        Estre povre yver et esté
        Et a felicité repute
        Ce que tiens a maleureté...

Egalement faux de prétendre que le sujet des poèmes sur Franc Gontier est la « povreté » et le confort. Soutenir que ces poèmes donnent lieu à un tel « debat », c'est les lire de façon triviale, et méconnaître leur but explicite. En fait, Gontier loue sa liberté. Il est « franc » comme Villon est « povre ». Il a pris le parti de Raison, dans le *Roman de la rose* ; il vit en « soufisance » et n'a besoin de rien :

> Labour me paist en joieuse franchise ;
> Moult j'ame Helayne et elle moy sans faille,
> Et c'est assez...

Gontier n'est ni indigent, ni misérable, ni asservi, ni malade, ni solitaire, ni stérile, ni — à vrai dire — clairvoyant. Il oppose sa vie non pas à la vie bourgeoise et sensuelle d'un chanoine, mais à la vie aristocratique et débauchée de la cour ; il compare sa « vie seüre » à la servitude de la peur, de la fausseté, des appétits, et de la fortune politique. Car, en fin de compte, le poème de Philippe de Vitry — et bien plus ouvertement de celui de Pierre d'Ailly — est d'une moralité platement chrétienne. Les appas de la chair — savoir « convoitise », « ambicion » et « lescherie gloute » — y apparaissent clairement comme des maillons d'une chaîne de servitude à laquelle Gontier échappe par sa vie simple, fruste et dévote.

Qu'est-ce que Villon reproche à ce poème, qu'il a aimé sans doute au point qu'il a voulu le prendre en main pour lui infliger une belle correction ? Retournons au texte de la ballade elle-même. Du poème de Philippe de Vitry, et des strophes qui précèdent notre ballade, nous avons appris que Villon n'est pas « franc » avec ses lecteurs, qu'il pratique des ruses et des stratagèmes, bref tous les « beaux semblants » de la vie de cour. Il traite son sujet de biais. Et il biaise le plus en feignant à tout moment d'user de bonne foi. Ainsi il accuse chez Philippe de Vitry un manque de réalisme. Sa vision de Franc Gontier est littéralement idyllique ; elle n'a rien à voir avec les réalités actuelles de la vie paysanne [13]. C'est précisément de la littérature. Si l'on veut traiter des questions morales, ne faut-il pas en choisir de vraies ? En fait, la scène de Franc Gontier relève non simplement de la littérature, mais de la fable et du passé lointain. Quand Villon raconte que Franc Gontier et Helaine « boivent eaue tout au long de l'anee » et oppose cette pratique bizarre à la possibilité de « Boire ypocras a jour et a nuytee », il a en tête moins les vers de Philippe de Vitry que ces vers de Jean de Mehun :

> E de l'eve simple bevaient,   (8 378)
> Senz querre piment ne claré ;
> N'onques ne burent vin paré...

Philippe de Vitry et Villon ont bu à une même source. L'innocence benoîte de Franc Gontier est celle de l'Age d'or, telle qu'Amis le décrit, d'après les *Métamorphoses* d'Ovide, quelques vers après avoir évoqué le voyage de Theseüs aux enfers. Ce faisant, Amis ébauche une véritable histoire de Povreté :

> Jadis, au tens des prumiers peres   (8 355)
> E de noz prumeraines meres,
> Si con la letre le tesmoigne,
> Par cui nous savons la besoigne,
> Furent amours leiaus e fines,
> Senz couveitise e senz rapines...

L'on connaît le reste, qu'Amis raconte dans un détail que nous rappellent explicitement plusieurs vers de Philippe de Vitry. Il s'agit d'un des plus fertiles lieux communs de la poésie européenne. L'on connaît moins bien l'usage qu'Amis en fait. Après avoir évoqué la vie des « prumiers peres », leur nourriture de « pomes, peires, noiz e chastaignes », leur boisson et leurs abris, Amis arrive à leurs amours, au printemps et à Flora, déesse des fleurs. L'absence de tout servage dans l'amour d'alors l'amène à parler du mariage moderne comme exemple d'un tel servage. Presque exactement mille vers plus loin, avec un contrôle magistral, Amis revient à l'Age d'or, à Ovide, et à Franc Gontier :

> Pour ce, compainz, li ancien,   (9 493)
> Senz servitude e senz lien,
> Paisiblement, senz vilenie,
> S'entreportaient compaignie...
> Riche estaient tuit egaument,   (9 521)
> Et s'entramaient leiaument.
> Ainsinc paisiblement vivaient,
> Car naturelment s'entramaient,
> Les simples genz de bone vie.

De là Amis remonte encore d'un degré vers son premier propos, en retraçant la chute de l'homme de sa première innocence et la genèse de Povreté, signe même de l'Age de fer. Vint d'abord « Baraz », ensuite Péché, Orgueil, « Couveitise e Avarice »

> Si firent saillir Povreté   (9 535)
> D'enfer, ou tant avait esté
> Que nus de li riens ne savait,
> N'onques en terre esté n'avait...

On voit l'argument d'Amis, dans son dessein généreux. Puisqu'on ne vit plus aux temps de l'innocence, il faut reconnaître le vice des hommes. La civilisation a inventé des moyens efficaces pour se conduire parmi eux ; les femmes étant ce qu'elles sont, il faut en user afin de gagner leur amour et le garder. Les moyens étant coûteux, il faut que l'Amant soit aisé. Car indigence équivaut à impuissance. C'était aussi la conclusion de Villon, bien avant le poème de Gontier :

> *Les mons ne bougent de leurs lieux*   (127)
> *Pour ung povre n'avant n'arriere.*

C'était aussi la conclusion du « saige », que répète Villon avant la ballade :

> *...Le saige ne veult que contende*   (1 461)
> *Contre puissant povre homme las...*

Gontier est un homme impossible ; il n'est pas tenté par ce qu'il n'a pas, ainsi ce n'est qu'une ombre de vertu chez lui que de n'en rien vouloir. Villon opposera à sa figure celle du Pauvre Villon, l'homme sensuel et clairvoyant de la ballade, bref l'homme réel. Si le poème de l'évêque de Meaux ignore la nature de l'homme il ignore

dans une mesure égale la nature du monde qu'il habite. Gontier semble
vivre dans un pays sans saisons, sans hiver ; mais depuis l'Age d'or,
Dieu a inventé les saisons, et aux mois de plaisir succèdent des mois
de souffrance et de misère. Cette réalité Villon la met bien en valeur
avant son poème, en prêtant à Gontier l'argument qu'il aurait dû
tenir s'il avait été un homme réel :

> Car il loue sa povreté   (1 468)
> Estre povre yver et esté...

Et il la souligne dans sa ballade même, où le « brasier » des premiers vers suggère que toute la scène, et les raisonnements qui la
suivent, et peut-être la ballade entière, ont lieu en hiver. C'est d'un
ton d'incrédule que Villon nous rapporte que Gontier et Helaine

> De gros pain bis vivent...
> Et boivent eaue tout au long de l'anee...

Deux conclusions sont possibles : ou ils vivent dans ce que Jean
de Mehun appelle « printens pardurable » (8 406), avant la venue de
Povreté des enfers ; ou bien ils sont des aliénés.

La naïveté de Gontier est celle de son créateur. Villon aurait bien ri
de l'un et de l'autre à entendre

> ...Gontier en abatant son arbre
> Dieu mercier de sa vie seüre...

Les coups brutaux de la hache font contrepoint aux mots de Gontier ;
et l'arbre fier, qui devait marquer un heureux contraste avec
les « pilliers de marbre » de l'éphémère luxe de la cour — comme
l'amour « soubz feuille vert » est censé s'opposer à « traïson tissue
Soubz beau semblant » — ce beau chêne cède à sa fortune pendant
que le bûcheron, insensible, chante sa « vie seüre ». Le pauvre
Gontier ! Il ne sait pas ce qu'il dit en disant, « Ne sçay... que sont
pilliers de marbre ». Comment l'Evêque de Meaux peut-il ignorer que,
dans le monde de la nature d'aujourd'hui, tout cède, rien n'est sûr [14] ?

Dans sa ballade, Villon a mis en relief l'innocence de l'Evêque de
Meaux par son propre réalisme, sa participation par l'expérience aux
faits qu'il raconte, sa vision de l'homme tenté par ce qu'il n'a pas.
N'ayant jamais été pauvre, Philippe de Vitry n'a jamais acquis par la
souffrance une expérience de la mortalité des sensibles. Il n'a jamais
connu le « dueil » qu'apaise une vie de confort. Son poème n'est alors
qu'une belle fantaisie ; sa moralité et ses prétentions philosophiques
sont un jeu trivial. Et celà, Villon le remarque par le fait même qu'il
réduit à des questions triviales de goût personnel et de confort matériel le « debat » entier que provoque Franc Gontier.

Pourtant, son intention n'est pas seulement de ridiculiser le « dit »
de Philippe de Vitry ; car ce poème veut soulever des questions importantes. Il pèche par manque de précision réaliste, d'une part, et par
manque de largeur de vue philosophique, de l'autre. Villon veut plutôt
le corriger, le refaire, le rendre efficace tout en s'en moquant. D'abord

il supplée à la vision fautive de la nature de l'homme chez l'humaniste en donnant son portrait quelque peu cynique de lui-même et de ses préférences. Cette leçon, il l'a prouvée sans contredit en nous faisant éprouver le même amour du luxe, la même sensualité triviale, la même difficulté à franchir l'impasse des sens, qu'il connaît lui-même. C'est le côté positif de son enseignement, qui porte sur une réalité misérable. Mais aux tourments de désir que connaît le pauvre répond, comme nous savons, une appréciation plus juste de la valeur des biens terrestres par rapport aux biens spirituels. Cette connaissance négative, qui comporte un élan vers l'esprit, sera la leçon ironique du poème. Elle se fait par l'instrument efficace dont Philippe de Vitry n'a pas daigné se servir, savoir : le refrain équivoque d'un poème à forme fixe.

Quel est le sens de la maxime, « Il n'est tresor que de vivre a son aise » ? Ayant quatre contextes, le refrain a quatre usages différents. Dans la première strophe, sa vérité est utile et strictement limitée, c'est une vérité concrète. Par l'expérience des yeux, Villon apprit que « vivre a son aise » sert bien dans le cas où il faut « dueil appaisier ». Au lieu d'une expérience des sens, le refrain devient dans la seconde strophe un objet de réflexion. Villon nous demande d'abord de juger entre les deux conforts en question, « couchier soubz le rosier » ou un lit en ville :

> Lequel vault mieulx lict costoyé de chaise
> Qu'en dites vous faut il a ce musier

A la question « lequel vault mieulx », on est tenté de donner la réponse que Villon donne à la même question dans la ballade de Margot : « L'ung vault l'autre... » Les questions rhétoriques « Qu'en dites vous » et « faut il a ce musier » supposent une réponse triviale au problème trivial, réponse qui ne demande aucune réflexion. Mais en vraies questions, elles s'opposent à cette solution facile et demandent plutôt une vraie réflexion sur un problème profond :

> Qu'en dites vous faut il a ce musier :
> Il n'est tresor que de vivre a son aise.

Dans la troisième strophe, le refrain devient une vérité universelle, ayant été « connue » par Villon et méditée par nous. Comme d'ordinaire chez Villon, le refrain ici puise des forces nouvelles dans une équivoque précédente. Pour comparer la vie des champs à la vie de la ville, Villon a surtout comparé l'amour aux champs à l'amour en ville. L'une des comparaisons représente l'autre, et en est la somme. Ainsi, en faisant survenir son refrain au vers, « Mais quoy que soit du laboureux mestier », Villon oppose sa vérité non seulement à la valeur de la vie agricole, mais aussi à l'amour charnel en tant que tel, où qu'il se fasse. Car les mots « laboureux mestier », par des calembours bien connus de Villon, indiquent à la fois la vie du cultivateur et le désir sexuel [15].

Finalement, dans l'envoi, le refrain devient un dicton, que Villon a entendu répéter par tous depuis l'enfance ; il devient, en somme, des mots. Qu'est-ce qu'ils veulent dire, ces mots ? La phrase a plusieurs nuances, qui dépendent surtout du sens qu'on donne au mot « aise ». « Vivre a son aise » pourrait vouloir dire « vivre commodément », c'est-à-dire vivre tranquille, vivre agréablement ; mais il ne peut pas dire « vivre richement », avec toutes les commodités, sens pour lequel il aurait fallu mettre « ses aises ». Au demeurant, l'usage du possessif « son » suggère les sens que nous lirons surtout dans la deuxième strophe : « vivre comme l'on veut », « vivre librement », « vivre à son idée ». En ce sens, il est clair que Franc Gontier « vit à son aise » et qu'en fait, à la question « Lequel vaut mieulx », il faut donner la réponse que l'on sait. Finalement, « vivre à son aise » pourrait vouloir dire « vivre sans travailler, sans se peiner » ; c'est le sens trivial du refrain à la troisième strophe [16].

Le fait qu'à la troisième strophe, « vivre a son aise » s'oppose à l'amour aussi bien qu'à l'agriculture, nous amène aux questions des valeurs relatives, et aux premiers mots du refrain. Car cette maxime semble estimer « vivre a son aise » par-dessus tout autre bien. Le mot « tresor » indique aussi bien le lieu où l'on garde ses richesses que son contenu. Mais le mot a aussi une large extension métaphorique, aux richesses spirituelles et sentimentales. Prenons « vivre a son aise » dans n'importe lequel de ses sens, et demandons-nous ensuite : cette maxime, *est-elle vraie* ? Du point de vue de Franc Gontier, et de Philippe de Vitry, la réponse est déjà donnée : dans son refrain, Villon résume la leçon banale et mondaine de l'autre poème, en feignant que ce soit sa propre réplique à la prétendue morale de Gontier, savoir « Il n'est trésor que de vivre en misère ». Mais d'un autre point de vue, qui devrait être celui d'un évêque, d'un chanoine, et de tout chrétien averti, le refrain est évidement faux. Il est un trésor qui vaut mille fois « vivre a son aise » : c'est la Vie Eternelle, c'est le Salut.

Le refrain de Villon est donc un non-sens qui met en valeur l'impasse d'une pensée traditionnelle, tout autant que la phrase « n'en quel pays », qu'il a accrochée à la question « Dictes moy ou... ». Il est aussi le pendant cynique de proverbes bien connus tels que « Il n'est richesse que de science et santé », « Il n'est pauvreté que d'ignorance et maladie ». Mais il en est aussi le revers ironique. On aurait pu saisir cette ironie en prenant au sérieux le tableau proverbial de la première strophe, dont le protagoniste est un religieux ; ou bien en scrutant de près sa première phrase « Sur mol duvet assis... ». Car ce lit « mol » renvoie à la strophe 82 du *Testament*, où l'on a vu le « riche ensevely En feu *non pas en couche molle* » ; et à la strophe 26, où l'on a appris que les « bonnes mœurs » de la société d'aujourd'hui mènent à « maison et *couche molle* » et de là à l'enfer.

« Faut il a ce musier » ? Etrange question, qui aurait été inutile dans toute autre société, dans tout autre poème. Le fait étonnant, c'est que la réalité de l'homme et de son univers est devenue tellement complexe qu'on oublie facilement les vérités souveraines. Depuis l'Age d'or, la nature composée de l'homme — de ses désirs, de ses pouvoirs, de ses connaissances — est devenue une vérité plus imposante que sa fragilité. L'Evêque de Meaux en a été séduit ; le chanoine et le populaire, quant à eux, ont épousé une vision limitée, exprimée par les paroles simplistes que Villon « petit enfant » a « oy recorder ». A celui qui garde une largeur de vue qui puisse mettre cette complexité à sa place, dans un univers encore plus complexe, sans la mépriser et sans la méconnaître ; qui puisse faire montre de cette largeur de vue afin d'y amener autrui, il faudrait toutes les ressources du poète : allusions littéraires, démonstrations concrètes, tours rhétoriques, raisonnements, ironies, équivoques, dans le cadre d'une tradition et d'une forme fixe. La vraie interpénétration du sens des choses et des choses elles-mêmes ne se traduit pas autrement.

4. L'absence de franchise, la duplicité apparente chez Villon, dans sa manière de traiter des questions philosophiques, se révèle donc comme étant une double franchise. Le « titre » même des « Contrediz Franc Gontier » l'annonce. Il s'agit d'un poème et d'un document légal ; son but est de rendre ridicule le « dit » de Gontier et de le rendre immortel. De plus, le moyen de cette entreprise est double ; il s'agit de faits et d'idées, il faut mettre en question les faits en question. Autrement dit, la présentation littéraire de certains faits, dans un poème, est un moyen de les postuler d'après une idée générale. Toute création littéraire agit de même, par le fait qu'elle crée des faits avec des mots. Poser des questions ouvertement dans un poème au sujet des faits du même poème est un moyen d'interroger les faits pour déterminer leur sens, d'interroger le fait d'écrire pour déterminer sa valeur, et de mettre en cause, enfin, le rapport des faits avec l'idée générale selon laquelle ils ont été conçus.

Villon suppose que tout acte et tout objet possède son sens, est vrai. Cette vérité n'est pas toujours évidente, il faut la chercher par la réflexion et l'étude. Ainsi, en lisant le poème de Philippe de Vitry, Villon l'a réduit à sa vérité et nous a présenté celle-ci, en la mettant à sa place dans un plan de vérité plus étendu. Sa « correction » du poème de Philippe de Vitry, par le fait qu'il l'inclut dans le sien — tout comme sa correction, dans le *Lais*, du congé d'amour, en la personne de la « celle » méchante et creuse — ne peut nous paraître que comme une critique et un châtiment. Mais pour Villon, sa manière de lire ce poème l'a rendu utile, dans la présentation de la vérité entière. Aux procédés didactiques qu'emploient les Evêques de Meaux et de Cambrai, Villon a substitué la pédagogie par l'éristique. La vérité étant à la fois unique et équivoque, aucun autre procédé n'est capable de saisir son caractère. Villon entend la philosophie dans le sens radical du mot qui la désigne, comme un élan vers le haut plutôt qu'un système ou qu'un dogme qui fige tout d'en haut. Les questions qui expriment et charrient chez lui cet élan, sont franches et explicites. Pour savoir les écouter, il nous faut supposer qu'il y a une vérité qu'atteignent la réflexion et la controverse, et que cette vérité s'exprime à sa façon dans tout objet. Supposer cela veut dire lire les poèmes de Villon avec la même générosité qu'il a accordée aux poèmes qu'il lisait, et à nous, à qui il les a légués.

Le sujet de la ballade de Franc Gontier est la nature double de l'homme, exprimée par un refrain équivoque qui expose tantôt sa volupté, tantôt son salut. Cette dualité est déjà visible, à l'œil attentif, dans le mot « chanoine »; elle est soulignée par l'expression « ung *gras* chanoine »; elle est déployée pleinement dans les limites fixes du seul vers

Sur mol duvet assis   ung gras chanoine.

Ce que Villon voit lucidement chez lui-même, et ce qu'il trouve chez Philippe de Vitry, il le suppose également chez nous, ses lecteurs ; aussi son poème s'adresse-t-il à nos sens autant qu'à notre esprit. Il est aussi bien un poème qu'un document légal. Et en cela, il ressemble par sa forme au grand dossier-poème qui s'appelle *Le Testament*. Si les vers

De gros pain bis vivent d'orge et d'avoine
Et boivent eaue tout au long de l'anee

se réfèrent au poème de Philippe de Vitry et au *Roman de la rose*, et ainsi à Ovide et à un contexte philosophique ancien, ils renvoient aussi aux premiers mots d'un même procès :

Peu m'a d'une petite miche   (13)
Et de froide eaue tout ung esté...

Nous avons déjà vu — et la ballade de Franc Gontier le confirme — que l'avoué du *Testament* dépose, comme pièce de résistance, si l'on peut dire, le sens équivoque et chagrin du mot « povre ». Mais le sujet des deux poèmes n'est pas le même : plutôt, l'un inclut l'autre, le suppose, et s'appuie sur sa démonstration comme sur un acquis.

De même, dans plusieurs ballades du *Testament,* le sens du poème dépend du sens du refrain. Nous appuyons sur celui-ci et le poème s'ouvre, tourne sur lui-même, et nous donne accès à une vérité spacieuse qu'on aurait pu deviner, mais qu'on n'a pas *perçue* dans son visage pittoresque. Rappelons la troisième ballade de la première série lyrique, écrite en vieux français, dont le refrain est l'adage vénérable, « Autant en emporte ly vens ». Le poème *dit* éloquemment ce que tout le monde sait déjà, savoir que « Princes a mort sont destinez » (409) ; mais son refrain *prouve* que, si les hommes périssent dans les tempêtes du temps, aucun vent n'ébranle la permanence de leur langage. Que Villon ait voulu laisser des « fautes » de grammaire dans sa reconstitution de l'ancienne langue — qu'il connaissait parfaitement sans doute — cela ne peut qu'attirer davantage notre attention sur sa structure originelle, et sur sa résistance à l'usure du temps. On se rappelle aussi la « double-ballade » au refrain « Bien est eureux qui riens n'y a » ; ses listes d'amoureux, qui passent des plus preux de tous les âges jusqu'à « moy povre », ne suffisent-elles pas à démontrer qu'il n'y a *personne* qui « riens n'y a » ?

La présence d'interrogations directes à côté du refrain équivoque dans plusieurs poèmes atteste la complexité des problèmes que soulève Villon, assure la mise en question des faits que la présentation poétique devait déjà mettre en cause, et ainsi sert directement ses buts pédagogiques. Dans la ballade des neiges d'antan, le refrain équivoque est aussi une question qui répond à la vieille question inutile, « ubi sunt... ? » et à une troisième question qui traitait déjà de trivial le problème traditionnel, « Dictes moy ou *n'en quel pays*... » Dans le poème suivant, la question du refrain, « Mais ou est le preux Charlemaigne » est elle-même frappée d'inutilité, une fois qu'on a compris que le corps politique du « preux » est toujours présent dans les corps naturels des héritiers de son vaste empire. Son « chier sang royal » coule aujourd'hui dans les veines du « feu Dauphin » Louis XI, et chacun des princes de la ballade — tous récemment décédés — est présent dans son fils ou son successeur, depuis « le *tiers* Calixte Dernier decedé de ce *nom*... » jusqu'au « bon roy d'Espaigne Duquel je ne sçay pas le *nom* ». Le langage ici importe peu — Villon s'en moque d'ailleurs en entassant des proverbes et en constatant leur inutilité : « D'en plus parler je me desiste » (373) — aussi a-t-on l'habitude de négliger ce poème comme étant terne et exsangue [17]. En revanche, c'est l'assemblage de *noms* dans la troisième ballade qui, comme nous l'avons vu, donne le démenti à son propre refrain : ce sont les anonymes mais permanents seigneurs « de Dijon Salins et Doles », ou « de France ly roy tres nobles », ou bien cet « emperieres au poing dorez » qu'on ne saura identifier. Ainsi, la suite des trois ballades est un tout ; chaque poème ne gagne son plein sens que dans l'analogie qu'il aide à établir entre la forme de la nature, celle des institutions, et celle de la parole, chacune desquelles possède une force qui forme et une variété infinie de formes particulières.

Les questions de la ballade de Franc Gontier sont encore plus proches de celles qui introduisent la ballade du « bordeau » :

> *S'ilz se vantent couchier soubz le rosier*
> *Lequel vault mieulx lict costoyé de chaise*
> *Qu'en dites vous faut il a ce musier*
>
> *Se j'ayme et sers la belle de bon hait*
> *M'en devez vous tenir ne vil ne sot...*
> *Lequel vault mieulx...*

Ces questions mettent directement en cause certaines idées toutes faites de la moralité bourgeoise. Dans le poème de Gontier, la présentation des faits est grandement compliquée par leur origine littéraire. Villon a dû prendre un ton harcelant afin de souligner qu'il se trouve dans un « debat » et que les « faits » ici représentent une interprétation de ses données. Dans le poème de Margot, les faits sont choquants en eux-mêmes, et auraient pu susciter la discussion. Aussi la question est-elle plus discrète, et fait contraste avec la scène violente qu'elle introduit. Dans les deux poèmes, on notera que les questions ont pour fonction de mettre en valeur la nature équivoque du refrain ; dans le poème de Gontier, c'est par leur place ; dans le poème de Margot, c'est par le vocabulaire. Dans les deux, les questions explicites ont pour effet d'introduire aussitôt que possible la voix du poète. Dans le premier, il est aussi le personnage principal ; dans le second, ce personnage est son sosie. En outre, le fait de questionner rehausse artificieusement l'éclat verbal du poème, nous rappelle qu'on nous parle par la parole, ne nous laisse pas oublier, dans notre plaisir, les devoirs qu'apporte la lecture. Et cet effet dramatique de la question explicite, ce geste propédeutique à la fois ouvert et sournois, fait partie de la constatation générale des poèmes à l'endroit du langage. Un poème parlé, qui prend conscience de lui-même, est doublement une œuvre créée. Parler est une activité créatrice au même titre que faire l'amour, que ce soit aux champs ou dans un « bordeau ». Chez l'homme, qui a une double nature, à la différence des oiseaux, chaque création a sa propre saison ; l'homme est fertile toute l'année. N'est-il pas significatif, alors, que ces deux poèmes interrogatifs, si évidemment parlés, soient tous deux — comme le *Lais* et comme le *Testament* d'ailleurs — des poèmes d'hiver ?

Finalement, les interrogations du *Testament* donnent à la voix du poème un ton fringant, gaillard, espiègle et leste. L'effet dramatique et sentimental, dans la création d'un personnage aimable, est celui que l'on sait. Mais *l'idée* de ces soubresauts qui, ayant présenté les faits, les mettent immédiatement en question, c'est d'affirmer la difficulté qu'on a à discerner le vrai dans l'amas d'apparences équivoques qui l'expriment — de voir la permanence de la force qui forme, ou la vraie variété et le principe de plénitude qui recèle le foisonnement des formes. Dans les ballades de Gontier et de Margot, la vérité n'est pas évidente, éclatante, immédiate. Tout au contraire : elle est de nature équivoque, et notre nature étant aussi équivoque, nous ne sommes point en mesure de voir quoi que ce soit de façon claire. Pris par les yeux dans les pièges innombrables des apparences, nous devons tâtonner, nous retourner maintes fois, et tendre l'esprit de nouveau dans l'effort de se souvenir, ou d'apprendre. De là vient le besoin, chez un poète, d'un effort pédagogique. Et quand il semble parler de lui-même, quand il est son propre héros « povre », alors ses manœuvres pédagogiques — ses questions — serviront à dessiner l'apprenti autant que le maître. Ainsi, aux strophes 12 et 13, le poète nous a enseigné la hiérarchie des connaissances par le fait même qu'il trace le cours de sa propre éducation, d'une façon artificieuse, apte à la fois à reproduire une hiérarchie fixe, et à nous émouvoir. Suivre dans le détail les questions que pose Villon dans les ballades, les prendre au sérieux, tâcher d'y répondre en tenant compte des faits qui les illustrent, cela suppose une espèce d'entraînement — la séduction des sens et des passions — et en impose une autre, qui est une *préparation*. Tout le monde sait qu'il est plus facile de laisser emporter cela par le vent, et de se contenter du pittoresque.

Chose curieuse, alors, la ressemblance de leur pittoresque étant mise de côté, les ballades de Franc Gontier et de la Grosse Margot ne s'accordent pas. Quand on suit leurs équivoques jusqu'au bout, on les voit s'écarter, on se sent écartelé. La ballade de Franc Gontier se moque des moralisateurs impertinents et d'une fade moralité au nom d'une science concrète et d'un Salut transcendant. La ballade de Margot traite la moralité courtoise de confuse et son langage d'aveugle, tout en proposant l'activité érotique soutenue comme base et comme critérium de la valeur des institutions. Le premier poème suppose la vérité de l'autre. La vie du « bordeau » est nommée dans le poème de Franc Gontier avec les mots « laboureux mestier ». En aucun sens, le héros du bordeau ne vit « a son aise ». La frénésie, le travail, la misère, la fécondité, et l'harmonie naturelle de son métier rappellent plutôt la vie du cultivateur. Et en fait, certaines allusions agricoles dans le poème de Margot nous permettent de voir le « bordeau » comme l'équivalent, en ville, de la ferme, aussi bien que la contrepartie burlesque, dans les bas-fonds, de la cour. Quelle que soit pourtant la valeur de cette vie, la ballade de Franc Gontier nous apprend qu'il y a un trésor trivial qui ne la vaut pas — c'est « vivre a son aise » — et aussi un Trésor et une Vie qui la surpassent infiniment :

> *Mais quoy que soit du laboureux mestier*
> *Il n'est tresor que de vivre a son aise.*

Or ces deux ballades font partie d'un groupe de quatre ballades dans le corps des 100 strophes de legs satiriques qui constituent le volet séculier du *Testament*. Ces ballades sont disposées de façon à s'enchevêtrer systématiquement. La parenté des ballades de Franc Gontier et de la Grosse Margot est patente : nous venons de voir qu'elles s'opposent et se complètent par le sens, comme elles se ressemblent par le style et s'écartent par l'intention. Dans le groupe de quatre, celles-ci sont rangées à cheval sur deux autres pièces qui sont elles aussi d'une parenté évidente par la forme et par le sens, mais qui n'ont à première vue aucun rapport avec les deux ballades interrogatives. Ce sont d'abord la ballade des « langues envieuses » — ou, par l'équivoque orthographique, des « langues enuyeuses » — une des magnifiques listes de Villon, dans l'ordre des ballades en jargon, qui est un exorcisme violent dans les formes ; et ensuite la ballade au refrain, « Il n'est bon bec que de Paris », qui est, elle aussi, une liste, mais a la valeur d'une invocation et d'un garant. L'ordre des ballades est le suivant :

> B. des « langues envieuses »
> B. de Franc Gontier
> B. du « bon bec »
> B. de la grosse Margot.

Cette disposition n'est pas absolue, en ce sens que ces ballades ont toutes des liens entre elles qui croisent et qui confondent une telle symétrie. Le refrain de la ballade de Gontier et celui de la ballade qui

la suit, par exemple, ont un rapport visible ; notre lecture du second
sera déterminée par notre lecture du premier :

> Il n'est tresor que de vivre a son aise
> Il n'est bon bec que de Paris.

De même une parenté formelle, quelque faible qu'elle soit, s'établit
entre la ballade des « langues envieuses » et celle qui la suit, par le
fait que Villon appelle celle-ci un « contredit », et celle-là un « recipe »
de cuisine (v. 1 421). La Grosse Margot est manifestement un exemple-
type des « filles » amoureuses qui sont les légataires de cette partie du
Testament, et dont on apprend qu'elles ont « bon bec ». De tels liens
dramatiques assurent la vraisemblance et la continuité du poème.
Mais cette unité sentimentale et superficielle, comme nous l'a appris
l'étude des strophes 12 à 33, n'est nullement incompatible avec un
dessein raisonné qui reproduit un ordre objectif, de la façon dont
chaque strophe animée du poème recèle exactement la même structure
numérique.

En vérité, les cent strophes des legs recouvrent, dans leur séquence
apparemment arbitraire, trois groupes de pièces disposées avec la
même symétrie que nous venons de déceler dans les quatre ballades
centrales. Cette règle semble à première vue ne pas dépendre d'une
organisation semblable des cent huitains. Le premier et le troisième
groupe sont jalonnés par deux des rondeaux du Testament, savoir le
« lay » au refrain « Mort », et la « bergeronnette » « Au retour ». Le
troisième rondeau du poème, que Villon appelle un « verset », prend
place dans son « epitaphe », qui se range avec les ballades pour en
assurer la disposition symétrique, un peu comme, dans le premier
volet du poème, la ballade des femmes de la deuxième série lyrique
est prononcée par la Belle Hëaulmière. Nous donnons ici le groupement des pièces, quitte à revenir plus loin sur leur rapport avec les
huitains :

1.   B. de Nostre Dame
        B. « Faulse beauté... »
        (Rondeau, « Mort »)
        B. en « oroison » pour Jehan Cotart
        B. donnée à Robert d'Estouteville

2.   B. des « langues envieuses »
        B. de Franc Gontier
        B. de « bon bec »
        B. de la Grosse Margot

3.   B. en « leçon », « Car ou soies... »
        (Rondeau, « Au retour »)
        Epitaphe et « verset », « Repos eternel »
        B. qui « crie mercis »
        B. finale, « du Pauvre Villon »

Si nous ne cherchions que la forme particulière du Testament, son
visage et son pittoresque, le tableau ci-dessus donnerait à celle-ci un

certain relief [18]. Mais pour établir le but du poème, il nous faudra comprendre aussi la manière dont cette forme se réfère à la forme générale et objective des choses, c'est-à-dire à la structure de la vérité. Les ballades de Franc Gontier et de la Grosse Margot semblent se contredire ; nous venons de voir pourtant que dans un schéma plus large, cette contradiction est résolue, sans que la complexité de leurs rapports soit réduite pour autant ou que leurs vérités constitutives soient atteintes. La vision totale du premier volet du poème se constituait peu à peu par un libre jeu de deux principes organisateurs, de deux hiérarchies qui, d'un certain point de vue, s'opposaient avec acharnement. En est-il de même ici, et faut-il voir dans le mouvement zigzaguant des pièces lyriques une seule recherche ?

Le cas est clair pour le troisième groupe de pièces, dont les éléments, comme ceux du deuxième, s'enchaînent deux à deux. La ballade en leçon, au refrain « Tout aux tavernes et aux filles », est adressée par le Pauvre Villon à ses amis et camarades, dont elle donne l'énumération par métiers. La ballade où il « crie a toutes gens mercis » est encore plus ouvertement une liste qui inclut cette fois et alliés et ennemis. En revanche, l'Epitaphe et la dernière ballade décrivent le Pauvre Villon objectivement, à la troisième personne, comme s'il était déjà mort, sans aucune référence à ses amis et adversaires. La première le décrit physiquement, esquisse sa carrière criminelle et rappelle sa mort honteuse, tandis que la deuxième le décrit mythologiquement, évoque sa poésie et ses amours héroïques, et raconte sa mort glorieuse. Dans chaque série, le deuxième poème tourne en burlesque le vraisemblable ou le pathétique du premier. La « leçon » et l'Epitaphe sont les derniers legs d'un vrai testament, tandis que les ballades finales terminent et résument à la fois un poème, un testament satirique, et une entreprise littéraire.

Le premier groupe de quatre ballades renferme un dessein semblable, mais de loin plus important : nous aurons intérêt à nous y arrêter. Nous avons déjà noté que la première ballade, celle que Villon lègue à sa mère pour « saluer nostre maistresse », est la seule ballade du Testament qui comporte un langage abstrait à valeur philosophique ou théologique. En effet, les autres ballades de ce groupe offrent à leur façon une discussion — la plus ouverte qu'on trouve chez Villon — des buts et de la forme du poème entier. La ballade de Nostre Dame, par sa forme hiérarchique comme par son langage liturgique, nous révèle la face la plus cohérente du premier volet du poème — c'est-à-dire la structure rigide de la « foy » et l'esthétique du « paradis paint ». Elle sera complétée, comme nous verrons, par la ballade en « oroison » pour Jehan Cotart, qui explique et justifie l'autre face, plus incohérente, du Testament. Ces deux prières qui ont trait à la forme du poème, s'enchaînent avec deux ballades d'amour, qui sont à la même place dans leur groupe que sont, dans le leur, les ballades de Gontier et de Margot. La ballade « Faulse beauté » et son répondant, prononcé par Robert d'Estouteville, traitent de l'amour courtois ou sentimental, tandis que les deux qui suivent parlent de l'amour bourgeois et naturel. La ballade sur la « Faulse beauté » emploie les artifices, la rhétorique, l'affectation guindée du style « faux », pour inculper ce style, et l'espèce d'amour qui en use, de « rigueur » et de stérilité. Elle s'oppose à la ballade récitée par d'Estouteville à sa jeune épouse, véritable épithalame et somme du vrai amour, chantée à l'aube après une nuit conjugale. Ces deux ballades représentent les deux *buts* du *Testament*, l'un satirique, l'autre créateur.

Ce qui gêne, dans le dessein de ce groupe, c'est l' « oroison » pour Jehan Cotart. N'y a-t-il pas une disproportion flagrante entre l'une prière et l'autre, l'une toute sérieuse, même pieuse, l'autre burlesque, entièrement concrète, et triviale ? Comme pour la ballade de Franc Gontier, les questions générales qui sont en cause, le sens et l'intention du poème n'apparaissent pas à la surface du texte. Mais si la ballade de Nostre Dame montre une esthétique « classique » de l'interpénétration des faits et des idées, celle pour Jehan Cotart devrait logiquement montrer l'esthétique inverse, celle qui domine dans la plus grande partie du *Testament*, celle qui, par sa difficulté et son opacité, fait qu'on se tend vers l'autre. Cette deuxième esthétique — celle de la confusion, de la pédagogie, de l'éristique, de l'interrogation ; celle d'un « povre » — nous l'avons vue en œuvre dans le poème de Franc Gontier. La ballade de Jehan Cotart nous en expliquera la théorie.

BALLADE

Pere Noé qui plantastes la vigne   (1 238)
Vous aussi Loth qui beustes ou rochier
Par tel party qu'amours qui gens engine
De voz filles si vous feist approuchier
Pas ne le dy pour le vous reprouchier
Archetriclin qui bien sceustes cest art
Tous trois vous pry que vous vueillez perchier
L'ame du bon feu maistre Jehan Cotart

Jadis extraict il fut de vostre ligne
Luy buvoit du meilleur et plus chier
E ne deust il avoir vaillant ung pigne
Certes sur tous c'estoit ung. bon archier
On ne luy sceut pot des mains arrachier
De bien boire ne fut oncques fetart
Nobles seigneurs ne souffrez empeschier
L'ame du bon feu maistre Jehan Cotart

Comme homme beu qui chancelle et trepigne
L'ay veu souvent quant il s'alloit couchier
Et une fois il se feist une bigne
Bien m'en souvient a l'estal d'ung bouchier
Brief on n'eust sceu en ce monde serchier
Meilleur pyon pour boire tost et tart
Faictes entrer quant vous orrez huchier
L'ame du bon feu maistre Jehan Cotart

> *Prince il n'eust sceu jusqu'a terre crachier*
> *Tousjours crioit haro la gorge m'art*
> *Et si ne sceust oncq sa seuf estanchier*
> *L'ame du bon feu maistre Jehan Cotart* [19]

A la première lecture — même à la troisième — on est séduit par le pittoresque de la chanson bachique et par la gratuité du portrait. On se débat, on se remue inutilement pour trouver la raison d'un tel poème qui puisse l'expliquer autrement que par des occasions, telles la camaraderie, l'amitié, le désir de peindre, l'amour du vin et de la poésie... En fait, Villon a poussé la gratuité du portrait jusqu'au bout. Pourquoi, parmi tant de détails possibles, choisit-il de nous raconter le suivant :

> *Et une fois il se feist une bigne*
> *Bien m'en souvient a l'estal d'ung bouchier...?*

Pourquoi « l'estal *d'ung bouchier* » ? Quel est le sens de cet épisode ? D'une part, la gratuité plus que parfaite et la minutie absurde des vers donnent de la vraisemblance à la figure de Cotart et à l'amitié loyale du poète. D'autre part, la « bigne » et « l'estal d'ung bouchier » nous disent on ne peut plus clairement que Jehan Cotart, tel qu'on s'en souvient, habite le monde *de la chair*. Qui est-ce, le « il » qui « se feist une bigne » ? Le nom « Jehan Cotart » désigne l'union temporaire d'une âme et de la chair, union qui est maintenant dissoute. Dans chaque strophe Villon se souvient de cet être provisoirement uni ; dans chaque refrain il reconnaît sa dissolution en ses parties constitutives.

Pendant qu'il parle, l'âme qui était pour un moment celle de « maistre Jehan Cotart », l'être qui n'existe plus et qu'il faut nommer « le bon feu maistre Jehan Cotart », cette âme poursuit sa carrière, s'envole comme un oiseau vers sa première demeure. Ayant quitté la « prison » de Fortune, elle arrivera bientôt à la « maison » de Dieu, selon les formules du rondeau ; elle sera « Au retour ». A l'entre-temps, pour le voyage, Villon lui souhaite bonne route et bonne arrivée, et s'efforce de lui procurer bonne réception. Il s'adresse en ce but aux trois saints collègues de Cotart, deux de *l'Ancien Testament*, un du *Nouveau*. En s'adressant à eux, Villon est obligé de faire les mêmes confusions que dénoue son refrain. Les noms « Noé », « Loth » et « Archetriclin » désignent maintenant les seules âmes des êtres composés qu'ils furent ; par exemple, celle du « Pere Noé », aux cieux, qui, pendant son séjour dans la chair, « planta(stes) la vigne ». L'objet de chaque invocation n'est donc pas la même entité que le sujet de chaque phrase. C'est seulement par l'équivoque qu'exprime le relatif personnel « qui » que nous comprenons le rapport de l'âme éternelle avec la personne historique. Ainsi chacune des trois invocations marque un seul fait : à savoir, que l'âme en question fut une fois enlisée dans la matière — les mots « beust *ou rochier* », c'est-à-dire dans la caverne, exprimant parfaitement cette habitation matérielle provisoire — dont elle est maintenant revenue.

En parlant de Jehan Cotart dans la deuxième strophe, Villon recherche cette même confusion. Nous lisons

> ...*L'ame du bon feu maistre Jehan Cotart*
> *Jadis il fut extraict de vostre ligne*
> *Luy qui buvoit du meilleur et plus chier...*

Le « il » de la phrase « Jadis il fut » se réfère premièrement à l'être uni qui *était*, sa vie durant, un descendant du premier ivrogne, le « *Pere* Noé ». Mais le mot se réfère aussi à l'âme du bon buveur qui « fut », une fois, « extraict » d'une « ligne » d'âmes, qu'on voit maintenant perchées là-haut comme autant de pigeons sur une poutre. Cet « il » qui est à la fois « Jehan Cotart » et son âme, est repris par le vers suivant, qui le désigne comme « Luy qui buvoit », longtemps, pendant sa vie entière, « du meilleur et plus chier ». Faut-il comprendre que c'est l'âme de Cotart qui était ivrogne ?

Quelle est la vraie origine de l'ivrognerie de Cotart ? En parlant de son âme, Villon ne faisait que lui souhaiter un heureux retour à domicile ; en parlant de son être uni, Villon évoquait son ivresse « quant il s'alloit couchier ». Mais dans l'envoi, il renverse ces associations :

> *Prince il n'eust sceu jusqu'a terre crachier*
> *Tousjours crioit haro la gorge m'art...*

Des détails si concrets ne laissent pas de doute qu'il s'agit d'un corps animé. Et puis, nous lisons

> *Et si ne sceust oncq sa seuf estanchier*
> *L'ame du bon feu maistre Jehan Cotart.*

C'est ici l'âme de Cotart qui avait soif, et qui « ne sceust oncq », pendant son union avec un corps, se soûler complètement, bien que, dans l'espace et dans le temps — « en ce monde », « tost et tart » — on n'eût trouvé buveur plus acharné. De quoi avait-elle soif, et était-elle à cet égard représentative de toute âme, dont elle n'est que le « meilleur pyon » ?

Le portrait de Cotart le résume dans son ivrognerie. Enlisé dans son vice, soucieux de rien d'autre, il vivait dans une espèce de stupeur, perdu comme Loth dans sa noire caverne, qu'amour « engigne ». Son unique savoir, c'était « cest art » de boire qu'avait aussi Archetriclin, l'art d'avoir toujours « du meilleur et plus chier » dans son pot quand on n'a « vaillant une pigne » dans sa poche. On commence à comprendre que le portrait de Jehan Cotart est en vérité le portrait de son âme ; que l'ivrognerie et l'oubli de l'un est l'image de l'ivrognerie et de l'oubli de l'autre, aussi bien que son résultat. Voyons la troisième strophe : étant sorti de sa maison le matin, Cotart, qui boit « tost et tart », s'est grisé de bonne heure. La même nuit, il rentre lentement chez lui, ayant oublié la route ; « Comme homme beu qui chancelle et trepigne », il trace sur le pavé avec son unique « art » cette même « ligne » dont il « fut extraict », zigzaguant, tâtonnant à droite et à gauche, la ligne même de la « vigne » qui est celle de sa carrière. Il arrive enfin, à demi-mort, traîné peut-être par Villon qui l'a « veu » tomber, devant la porte de son hôtel... Mais Villon nous fait entendre clairement que ce voyage pénible représente et annonce le voyage qui ramène son âme soûlée à sa propre résidence. Car la strophe se termine non pas en montrant Cotart devant le portail, depuis longtemps ver- rouillé, de son hôtel, mais l'âme de Cotart arrivée devant le portail du Paradis et criant qu'on lui ouvre :

> Faictes entrer quant vous orrez huchier
> L'ame du bon feu maistre Jehan Cotart.

Villon a dramatisé dans le portrait de son ami un détail capital de la philosophie néo-platonicienne, telle que Macrobe et Boèce l'avaient léguée à son époque. Dans des textes que tout homme lettré devait connaître — Macrobe est le seul philosophe que cite Villon directement, à part Aristote et Averroès — la descente de l'âme dans le corps à la naissance de l'homme est comparée à une ivresse progressive [20]. L'âme, assoiffée de matière, boit avec elle l'oubli de sa première vie, de sa demeure primitive, et des vérités dont elle avait l'habitude. Pendant son séjour terrestre, ivre de matière, oublieuse et aveugle, elle cherche obstinément à se rappeler les vérités de son origine, à démêler dans son noir cachot les traces d'anciennes connaissances, à trouver la voie qui la ramènera de son exil vers sa vraie demeure dans le Bien. Dans le fouillis d'une carrière matérielle et dans l'obsession de sa soif, l'âme n'a pas perdu sa nostalgie de clarté et de paix ; mais pour trouver le bon chemin il lui faut un énorme effort de mémoire et de constance. Boèce avait résumé son dilemme par une phrase suc- cincte, que nous donnons dans la traduction de Jean de Mehun. Après avoir constaté que « la couvoitise du vray bien est entee naturel- ment es pensees des hommes, mes erreur desvoiable les en retrait e les maine aus faulz biens », Philosophie énumère quelques-uns des faux biens et les caractérise. Ensuite elle « retourne » à son sujet, qui est le retour :

> Mais je retourne aus estudez [i.e. aux efforts] des hommes, des quiex
> li courage requiert toutevois le souverain bien, ja soit ce que il le re-
> quiere par occurcie remembrance, mais il ne scet par quel sentier il y
> retourt, si comme hom yvrez qui ne scet retourner a son ostel [21].

Sur le plan formel d'une ballade traditionnelle, Villon a déroulé l'histoire entière de l'âme de Cotart. Le refrain évoque son retour là-haut, tandis que la descente du style et du contenu qu'observent les strophes — des trois âmes illustres dans le Paradis jusqu'à l'humble corps de l'homme qui ne sut « jusqu'a terre crachier » — évoque le mouvement descendant qui a porté l'âme vers la terre autrefois. Sur le plan dramatique de la ballade, Villon a eu bien raison de faire cette « oroison » en faveur de son ami, puisque Cotart, tel qu'on le voit ici, n'a pas été philosophe, il n'a pas cherché à éviter les pièges de la chair et à se préparer un retour. Sur le plan philosophique, où l'ivrogne

Cotart est l'image aussi bien que l'exemple-type de toute âme habitant un corps, Villon suggère que l'oubli lui est au moins aussi naturel que le souvenir. Savoir et mémoire, dans cette vie, sont plutôt des postulats ironiques : ils sont remplacés ici-bas par des équivalents corporels. Si bien que, quand l'ami de Cotart dit « bien m'en souvient », il se réfère à l'image la plus concrète du poème ; et son verbe « savoir », qui revient dans chaque strophe et deux fois dans l'envoi, veut dire *pouvoir*, indique une science concrète — par exemple celle de « serchier Meilleur pyon » — et s'emploie quatre fois sur cinq au négatif.

Bilan plutôt décourageant, dira-t-on ; pour Cotart, oui, mais non pas pour Villon, qui a « su » se souvenir non seulement de la figure de son ami, mais aussi des textes de Macrobe et de Boèce, de la forme traditionnelle d'une ballade et des histoires bibliques dans leur ordre chronologique. Peut-on oublier que cet ordre possède une valeur sotériologique, que ces mentions sont les repères d'une Voie, que l' « art » d'Archetriclin pâlit à côté de celui de son illustre invité aux noces de Cana, qui dit de lui-même « Ego sum vitis vera » (*Jean*, 15/1), et qui sut changer de l'eau en « du meilleur et plus chier » ? « *Cest* art » d'Archetriclin fait seulement distinguer le vrai vin de la vinasse ; mais il y en a un autre :

Omnis homo primum bonum vinum ponit : et cum inebriati fuerint, tunc id quod deterius est : tu autem servasti bonum vinum usque adhuc.

(*Jean*, 2/10)

Il y a un art de « réserver » et de « servir », dans lequel Villon est un maître. Doit-on oublier, enfin, qu'il a commencé son *Testament* dans une ivresse de lucidité, ayant bu « toutes (ses) hontes » et « de froide eaue tout ung esté » ; et qu'en le terminant, « Ung traict but de vin morillon » ?

La forme et le but du *Testament* deviennent de plus en plus brouillés à partir des premières strophes. En entrant dans sa matière, Villon semble s'enivrer ; il perd le fil du discours, il divague, il s'égare dans le pittoresque de tout un monde d'appas sensuels. La ballade de Jehan Cotart nous apprend que ce mouvement incertain et tâtonnant est aussi la recherche obstinée — par l'interrogation, la confrontation, le retour et le détour — à laquelle l'âme aveugle se livre pour retrouver sa voie. La ballade est à la fois la démonstration et l'explication de la forme du *Testament*. En la lisant, nous suivons la même route que Cotart qui rentre en trébuchant, la même que son âme qui gagne entre-temps sa demeure primitive, la même que le Pauvre Villon qui poursuit son « testament ». Perdus dans la vérité immédiate des sens, séduits par le visage du poème, nous ne suivons que lentement et qu'avec peine les quelques traces ironiques, les quelques souvenirs livresques, les témoignages incertains d'un dessein total et intelligible que nous n'avons plus sous les yeux. Et le sujet du poème n'est ni cette intelligence, ni ce visage de notre monde ouvert, mais les rapports équivoques et dynamiques qui les relient.

De ces rapports, il faut se souvenir ; Villon nous y aidera. Il s'est souvenu de son ami Cotart, et Cotart lui-même incarne le souvenir et nous y amène. Son portrait, comme son visage réel, comme le visage de n'importe quel objet, témoigne de son origine. On ne peut même parler de Cotart sans l'évoquer, sans s'en souvenir ; car il s'appelle maintenant « le bon feu maistre Jehan Cotart », et ce nom, comme celui de la « belle et bonne de jadis », comme celui de « l'Amant remys et regnyé », comme celui de « monnoye qu'on descrie » ou des « neiges d'antan », ne sert qu'à signaler ce qu'il n'est plus. *Le nom nous aide à envisager une conjonction, maintenant disparue, de la Valeur et de la matière.* Prenons par exemple « le Pauvre Villon ». Peut-on oublier que pendant notre lecture de la ballade de Jehan Cotart, comme du *Testament* entier, l'âme du Pauvre Villon est en train de faire exactement le même voyage que fait l'âme de Cotart pendant que nous lisons la seule « oroison » ? A la fin de notre lecture nous apprendrons que Villon aussi vient de « partir » de « ce monde », que son corps héroïque n'est pas encore enterré, que la voix que nous écoutons est celle d'un mort.

Nous y reviendrons. A présent, il nous convient de nous rappeler que la carrière errante de Cotart est narrée dans les trois strophes et l'envoi d'un poème à forme fixe, cette même forme qui servait à évoquer la vieille femme pieuse, la Mère de Dieu et leur univers figé. Les deux poèmes sont exactement complémentaires. Le premier évoque l'étendue de la vérité invisible telle que le Verbe de Dieu nous l'a révélée. Le second évoque la substance même de la réalité visible dans laquelle nous sommes incarcérés, et l'effort de notre raison à démêler son sens. Le premier nous donne le sens des Ecritures Saintes ; le second nous en donne la lettre, et démontre l'activité raisonnable qui conduit de l'un à l'autre. Le premier dépeint l'homme dans sa servitude volontaire à une puissance et à un salut qui se meuvent d'en haut dans un monde rigide. Le second étale les mouvements actifs de création, de connaissance et de salut qui s'affirment parmi nos velléités d'oubli. Enfin, à leur façon, les deux ballades ont pour sujet l'amour : la première évoque l'amour réciproque qui relie le Seigneur et son vassal, amour qui s'appelle « foy » ; la seconde parle de l'art, de l'amour de la matière et de la science, du vin et de la poésie.

La ballade de Jehan Cotart n'est pas seulement le portrait d'un cher ivrogne ; le *Testament* n'est pas seulement l'histoire des péripéties de la carrière errante du Pauvre Villon. Ils sont tous deux des créations. Les histoires personnelles qu'ils renferment et qui suivent leur « ligne », leur « art » qui est leur forme, constituent une fiction pédagogique. La création d'une telle fiction selon une telle forme a aussi un but. Ce but, Villon l'aura décelé dans toute création humaine. La ballade ouvertement pédagogique que prononce Robert d'Estouteville à son épouse nous le livrera.

5. Or tout se tient. Chaque lecteur du *Testament* a pu constater cela à propos du poème et de son expérience de lecture. Le *Testament* est, sans aucun doute, *un*. Même si cette unité ne se prête pas à l'analyse, même si elle échappe à la vue, comme certaines étoiles, pour être scrutée trop directement, on la sent, on la connaît. Sans qu'on puisse en douter, ni expliquer pourquoi, le *Testament* se tient debout, se tient ensemble, vit et continue de vivre. Chaque lecteur du poème autrefois, avec un esprit sensible, aurait eu ce même sentiment à propos de tout objet et de l'univers des objets. Un des ressorts de l'activité philosophique, comme le dit Aristote, a été l'émerveillement de l'homme réfléchi devant le fait indiscutable de l'unité des choses, sentiment qui le poussait à en chercher la cause et le but [22]. Cette recherche n'est pas perdue parmi nous, mais le sentiment qui l'aurait provoquée autrefois est devenu rare. Cette *expérience* de l'unité, et par conséquent l'émotion motrice de ces recherches émerveillées, nous ne les puisons aujourd'hui que dans l'art.

Les personnages du poème de Villon ne sont pas étrangers à cette émotion, comme Villon lui-même n'était pas insensible à l'unité de son poème. Le poème est leur monde, aussi quelques-uns d'entre eux s'interrogent-ils au sujet de sa cause et de son but, et notamment les personnages des ballades. Leur porte-parole à tous est le philosophe Robert d'Estouteville, celui que Villon nomme « Le seigneur qui sert saint Cristofle », le patron des portefaix et des pèlerins. Le refrain de sa ballade exprime parfaitement le sujet de ses spéculations :

> *Et c'est la fin pour quoy sommes ensemble.*   (1 385)

L'envergure de cette spéculation varie selon la référence des mots « (nous) sommes », qui change de strophe en strophe, exactement à la manière d'un autre refrain que nous aurons à évoquer plus loin :

> *(XIV)   Mais priez Dieu que* tous nous *vueille absouldre*   (10)

Dans la fiction de la ballade, c'est Robert d'Estouteville qui parle à sa jeune épouse, Ambroise de Lore, dont le nom est donné en acrostiche. Il parle, on le comprend aisément, pour tous les époux du monde et pour tous les amants. En parlant de lui-même et de sa femme, il parle aussi pour tous les personnages du *Testament*. On comprend en outre qu'il parle pour nous tous, c'est-à-dire pour la communauté des hommes. Enfin, nous voyons par là qu'il parle, dans une tradition qui remonte aux premières exégèses du *Cantique des cantiques* (et sans doute plus loin) de l'union conjugale de l'âme et du corps ; qu'il *est* l'âme qui parle à *son* corps, comme, ailleurs, nous entendons se disputer ce ménage malheureux du « cuer » et du corps de Villon.

Ce n'est pas notre intention ici d'analyser cette ballade, dont nous donnons le texte en note [23]. Il nous faudra plutôt résumer de façon simplifiée la philosophie à laquelle elle se réfère, directement et indirectement. Il nous suffira de remarquer que d'Estouteville explique et illustre « la fin pour quoy sommes ensemble » de trois points de vue, qu'il expose dans les trois strophes selon la hiérarchie ascendante que nous connaissons par l'étude des strophes 12-13. Il commence en évoquant la nature animale, le « desir » des êtres inconscients et de l'homme en tant que le plus beau des animaux : c'est la leçon d' « amours », qu'il « escript en son volume », c'est-à-dire le livre du monde créé ; c'est, à notre idée, l'un des plus beaux moments de l'œuvre de Villon. Dans la deuxième strophe, « la fin » de l'union de l'être et des êtres est décrite d'après la leçon de « Raison », c'est-à-dire la science morale. Enfin, dans la troisième strophe, d'Estouteville donne le précis d'une philosophie de Nature, qui l'oblige à des actions conséquentes qui sont celles que « Dieu » lui « ordonne ». L'envoi achève l'union de ces trois causes d'unité. Ayant prêché la création, les mots de Robert d'Estouteville semblent parler d'eux-mêmes quand ils répètent pour la dernière fois

> *Et c'est la fin pour quoy sommes ensemble.*

Ce n'est pas notre intention — disons-le une fois pour toutes — de présenter en Villon un philosophe systématique. Ce n'est pas non plus notre désir de fausser, tout en la simplifiant, l'œuvre des philosophes de l'Ecole de Chartres. Nous sommes heureux de renvoyer à plusieurs travaux savants qui, depuis 1938, ont renouvelé l'étude de leurs idées [24]. Il nous importe uniquement ici d'expliquer comment cette philosophie a pu fournir à quelques poètes, dont Villon, une poétique.

Il y a eu, dans la philosophie en Occident, deux méthodes principales pour explorer et pour élucider l'unité à la fois patente et mystérieuse du monde visible. L'une de ces méthodes, c'est de décortiquer ce monde, en partant des faits connus ou des vérités évidentes, afin d'arriver, par des procédés d'analyse logique, à sa réalité sous-jacente, son être continu, que les traducteurs latins des textes grecs ont nommé sa « substance ». C'est la méthode qu'inventa Aristote. L'autre, c'est de supposer la création de ce monde, de commencer avec ce seul créateur et ses matériaux pour avancer logiquement vers ce qu'on sait être le résultat de son travail. Cela veut dire narrer l'histoire de la création, afin de voir comment elle a pu être agencée. Ce fut l'idée de Platon, qu'il réalisa dans le *Timée*. Or, l'une et l'autre de ces entreprises, il faut le souligner, dépendent du langage. Analyser la création ou refaire la création ne peuvent être faits qu'avec le concours d'une logique linguistique ou d'un pouvoir créateur linguistique.

Par un hasard curieux, le *Timée*, seul des ouvrages de Platon, parvint au xiiᵉ siècle, dans une adaptation latine. Par un autre hasard, seuls étaient connus les ouvrages d'Aristote qui ne contredisaient pas ouvertement le *Timée*, et qui ne critiquaient pas les méthodes et les prémisses de Platon. De plus, certains livres systématiques d'autres auteurs — Macrobe, le Pseudo-Denys, Boèce et Cicéron, pour n'en citer que les plus marquants — semblaient appuyer l'autorité du *Timée* en raccordant des éléments de son idée, déjà développés par

Plotin, avec des doctrines analogues d'Aristote, notamment celle de la forme et de la matière (l'hylomorphisme). Cet éventail bigarré, qui s'était ouvert à travers les siècles autour de l'œuvre variée et difficile d'un seul homme, s'est fermé, au XIIᵉ siècle, sur un seul ouvrage [25].

L'autorité du *Timée* fut confirmée par une autre voie. L'analyse du monde uni peut partir de l'évidence des sens et des données de la raison. Platon a supposé plutôt un monde créé, donc un dieu créateur et un processus de création selon une idée et des principes. Pour ceux qui étudiaient le *Timée* à Chartres, ces suppositions, loin d'être des hypothèses soit logiques soit simplement utiles, étaient des vérités de révélation, exposées dans un livre écrit de la main de Dieu : la *Genèse*. Il leur semblait que Platon, utilisant les méthodes de la dialectique, de la recherche raisonnée, et de la création littéraire — c'est-à-dire une conjonction de philosophie et de poésie — était parvenu à une connaissance scientifique des mêmes principes d'ordre, dans le monde créé, dont Dieu avait révélé directement le sens. Non seulement ils étaient libres alors d'appliquer les préceptes du néoplatonisme et la logique d'Aristote à l'élucidation des vérités de la Foi, selon l'exemple de saint Augustin, et de commenter *in extenso* le *Timée* ; mais en outre ils se sentaient encouragés à imiter ce livre, à composer eux-mêmes des œuvres mythologiques et poétiques qui narraient la création.

Seulement, cette « création » s'entendait de deux manières. Il y avait eu, d'une part, une « Création » originelle. Mais celle-ci est aussi le modèle d'une « création » continue. Car le monde créé est vivant, selon le *Timée*, selon la *Genèse*, et selon toute l'évidence scientifique. Non seulement il est uni, mais il continue d'être et d'être uni. Expliquer son existence et sa Création originelle veut dire aussi expliquer comment il fut créé continu et vivant, car une création fut créée par l'autre. En même temps que tout se tient, tout bouge, tout est animé. La forme de cette animation est une recréation continue et régulière, selon les règles du devenir. Expliquer la Création de ces règles veut dire les étaler. Mais étant donné l'analogie d'une Création avec l'autre, celle qui se fait chaque jour, étant donné l'unité du Créateur et donc de la force créatrice, il s'ensuit qu'étudier les règles de la création naturelle amène une connaissance de la constitution première du monde. On conçoit ainsi l'intérêt philosophique d'une œuvre poétique. Créer un poème, c'est donner un exemple concret des processus qui maintiennent l'être du monde uni ; c'est imiter la Création unique de ce monde. C'est aussi étudier, d'une façon des plus directes, l'unité du monde créé comme de chaque objet créé. La philosophie de la création des poèmes, la poétique, est donc l'accès à la métaphysique. Demander comment il faut composer un poème équivaut à demander comment tout se tient.

Or on n'imagine pas que Dieu intervienne chaque fois qu'un poème est écrit, ou qu'une médaille est frappée, ou qu'un enfant est né. Le monde vivant, objet de la Création originelle, possède comme toute autre créature une âme, responsable de ses mouvements et principe de sa vie mouvementée. Cette idée d'une force intermédiaire entre Dieu et le monde créé, intimement liée à la vie de celui-ci, était connue aux philosophes de Chartres par plusieurs sources. L'*anima mundi* et l'*entelechia* des néo-platoniciens, le *vigor naturalis* et l'*ignis artificiosus* des stoïciens, furent fondus par eux, peu à peu, dans la seule figure de *Natura*, la Nature ; l'œuvre d'Alain de Lisle acheva cette fusion. Ils donnaient à Nature la responsabilité entière de cette création dérivée qui continue et qui règle les mouvements du monde vivant. Exposer ses règles par le fait de les suivre, les suivre par le fait de les exposer — cette activité prenait place dans leurs études à côté des travaux logiques ou théologiques.

Selon leur idée, en gros, la Création originelle s'était faite par l'imposition sur une matière unique et indifférenciée des formes des choses à créer, formes qui résidaient en tant qu'idées dans l'esprit du Créateur. Ainsi fut créée aussi Nature, avec ses forces, comme l'instrument d'une création secondaire. Nature dispose, à son tour, de certains instruments dans son travail de gestion et de renouvellement. Ce sont — selon les images qui furent par la suite universellement répandues — un « marteau », une « enclume », et une série de coins ou matrices, qui portent les impressions de toutes les formes créées, avec lesquels elle « empreint » ces formes sur le « métal » de la matière, et « forge » ainsi de nouveaux êtres. Possédant ces « formes » typiques, Nature n'a pas besoin de recourir à Dieu chaque fois que la manutention du monde vivant requiert la création d'un objet. En revanche, elle ne « forge » aucun nouvel être sans le concours direct des êtres déjà existants. Les matrices des formes d'origine divine existent en de nombreux exemplaires ; en fait chaque être possède le sien. Quand elle « forge », Nature n'a qu'à ordonner aux divers êtres qu'elle gouverne de « forger ». Cette activité unique requiert dans son exercice des moyens qui sont très variés, mais qui se ressemblent par le fonctionnement, comme par le but et par l'origine lointaine. Ce sont, par exemple, chez les amants les organes génitaux, chez le cultivateur la charrue qui sillonne le champ, chez le monnayeur le coin et l'argent, chez le scribe la plume qui griffe la page, chez le rossignol le gosier qui module sa chanson, chez le poète la raison qui module la sienne.

Repartons de l'homme pour redire cela en termes propres. L'homme se trouve, dans l'idée des Chartrains, au centre d'une vaste hiérarchie de formes créées et créatrices. Il se trouve également au sommet de la hiérarchie des formes terrestres, seul entre elles à posséder la raison. Chaque espèce possède les instruments nécessaires à son propre renouvellement, et chaque espèce partage les forces naturelles qui assurent sa continuité. L'homme seul, doué de la raison, peut créer en se servant des autres êtres et de tous les matériaux que lui offre la terre. Ces pouvoirs spéciaux vont de pair avec des responsabilités spéciales. Si les autres êtres et le monde terrestre tout entier sont en quelque sorte à sa disposition, il a en conséquence un devoir envers leur ordre, il doit combler leurs déficiences, stimuler leur mouvement créateur, réparer les dégâts et les délabrements d'un monde qui vieillit, et ainsi maintenir en ordre et en être la totalité des formes, étonnamment variées, qui s'enchaînent dans le dessein entier. L'homme est la clef de voûte de la création ; s'il manque à ses devoirs, le tout risque de s'effondrer.

Pour la première fois, en Occident, le monde extérieur à la conscience humaine devint en lui-même, pour lui-même, un champ d'études et d'activités non seulement émerveillées ou justifiables, mais obligatoires, et sans qu'on oubliât pour autant les limites de ce monde, sa dépendance ontologique, et les devoirs de l'homme qui n'engagent ni sa raison ni son pouvoir, mais son âme éternelle. A la même époque, ces devoirs furent l'unique objet d'un mouvement opposé, un renouveau de l'élan mystique qui voulait atteindre à la connaissance du Créateur en renonçant à tout ce qui n'était que sa création, en désavouant toute activité qui ne visât ce but directement. De ce mouvement saint Bernard de Clairvaux était l'animateur principal. Ainsi, les philosophes de Chartres prirent part à une dialectique chrétienne, où s'opposaient non seulement deux pensées, mais deux façons de vivre inconciliables, sans que le but de la vie fût mis en question. Les connaissances de la chair et de la raison, selon les Chartrains, ne sont pas incompatibles avec une connaissance ultime. Au contraire, la création incarne certaines qualités du Créateur, et la connaissance de l'une peut amener une connaissance de l'Autre. Dieu étant sage — selon le *Timée* et selon la *Genèse* — son œuvre est logique et parfaitement réglée. Dieu étant généreux, son œuvre est féconde et variée. Dieu étant beau, son œuvre est belle. Aimer cette beauté, imiter cette générosité en exerçant cette fécondité, connaître cette sagesse et observer ses règles, cela veut dire devenir comme Dieu, dans la mesure du possible. Le monde que gouverne Nature est donc doué d'un sens moral : il est bon, il nous donne les moyens de le devenir aussi. Etudier son ordre afin de s'y conformer amène une refonte de nos mœurs, une transformation de l'homme. Etudier cet ordre dans un poème, par exemple, et ensuite le recréer dans un poème d'après le modèle de l'autre Création, c'est un mouvement vers cette transformation. La poétique est donc l'accès à la morale, et, dans un sens limité, au salut.

Ce fut le mérite de Jean de Mehun de reconnaître dans cette philosophie, par-delà les mouvements tumultueux de pensée de son propre siècle, un système de pensée et d'activité qui débouche sur la poésie, ainsi qu'une spéculation qui prend la poétique comme point de départ. Aussi l'incorpora-t-il dans un poème dont le succès immédiat et durable a voilé l'efficacité. Car il trouva son succès initial sans doute auprès de ceux dont le tempérament, l'adresse et la pensée les inclinaient à la création poétique. Si l'œuvre de Jean de Mehun explique l'impératif d'une activité poétique, si elle donne un exemple éclatant de sa réussite, elle offre en même temps la justification d'une poésie *chrétienne.* Car écrire un poème, c'est se mêler bien plus évidemment de ce monde que de l'autre, et nous avons vu, depuis la poésie de Jaufré Rudel, quel souci a hanté les poètes de justifier la parole profane. De plus, l'exemple de Jean de Mehun justifiait, en même temps qu'il stimulait, deux couleurs d'inspiration poétique. Il encourageait d'une part la veine de ceux qui étaient doués pour l'expérience concrète, et dont le sens du langage favorisait un échange fertile entre les mots et les choses. Ceux-là, s'ils avaient compris, et s'ils étaient capables, pouvaient désormais faire entrer dans un seul poème chrétien toute la variété bouillonnante de teintes, de tons, de voix, de heurts, de glissements à laquelle ils étaient sensibles, en s'en réjouissant. D'autre part, à ceux dont les expériences étaient pétries de réflexion et la pensée nourrie de devenir, l'exemple de Jean de Mehun encourageait la recherche et la démonstration, dans la *forme* d'un seul poème, des rapports variés et complexes qui assurent l'unité d'une seule vie. C'est-à-dire que ceux-là pouvaient entreprendre des poèmes philosophiques, comme le *Testament,* qui n'étaient pas pour autant abstraits ou didactiques.

Evitons à tout prix de confondre cette découverte avec ses vulgarisations, d'écouter seulement ses critiques jaloux ou innocents ; ne manquons pas de distinguer les platitudes et les imitations creuses qu'elle engendrait des œuvres nouvelles qu'elle inspirait chez ceux dont l'intelligence était à sa mesure. Toute idée complexe se prête à des simplifications, comme nous venons de le montrer, ainsi qu'à des suites fructueuses ; l'idée simple ne se prête qu'au dévouement. Une des difficultés qui ont grevé l'étude de la poésie autour de Villon est celle que nous avons à trier les œuvres qui ont été conçues de celles qui sont nées, comme spontanément, de la corruption d'une idée. La valeur des œuvres n'est pas en cause dans cette distinction, mais leur nature et leur intérêt. Un des intérêts de la lecture du *Testament,* à notre avis, c'est de voir cette distinction s'ouvrir comme un abîme, de pouvoir désormais la remarquer, enfin de la voir marquée par Villon lui-même à chaque occasion où sa poésie prend conscience de ses origines — par exemple, dans les ballades des neiges d'antan et de Franc Gontier. Villon a créé son poème selon une idée ; ce qui permet de ne pas en douter, ce n'est pas l'unité de son ouvrage, mais la nature de cette unité, qui reflète par la forme d'autres unités d'après une tradition de pensée et d'effort, selon laquelle la création du poème est nécessaire et sa forme comblée de multiples intelligences.

Tel est aussi l'ouvrage du poète et philosophe Robert d'Estouteville. Ses vers musicaux incluent et accordent dans une seule progression harmonique les éléments du tout dont il est conscient. Celui qui reconnaît les trois styles des trois strophes, les trois connaissances et leurs trois sphères, ne peut pas se méprendre sur l'apport des derniers vers. Une seule fin relie entre elles les activités de la chair, de la raison, et de la nature entière, dans sa lutte contre « fortune », c'est-à-dire la loi du hasard. Une seule fécondité charrie « ensemble »

chaque être et ses différentes fonctions de son origine vers leur « fin ».
D'Estouteville arrive au sommet de son exposé hiérarchique à
ces vers :

> Si ne pers pas la graine que je sume   (1 398)
> En vostre champ quant le fruit me ressemble
> Dieu m'ordonne que le fouÿsse et fume
> Et c'est la fin pour quoy sommes ensemble

Ces métaphores ne désignent pas la seule activité sexuelle des deux
amants : cela a été évoqué à la première strophe, comme il convenait.
Ces vers parlent plutôt de toute l'activité fertile de l'homme, dans son
cadre le plus large : l'amour conjugal, sous sa forme parfaite, en donne
l'image. Ils témoignent aussi d'un « ensemble » de connaissances chez
celui qui parle, où nous distinguons surtout la science agricole, la
philosophie naturelle (qui enseigne la continuité des formes créées, et
les devoirs de l'homme, imposés par Dieu, confirmés par sa parole),
et l'analogie objective des moyens créateurs. Au demeurant, ces vers
supposent toutes les connaissances qui les précèdent dans le poème, et
leur ordonnance dans un autre poème, comme dans la nature, qui les
dépasse de loin.

Mais il y a plus. Si le « fruit » de l'activité créatrice « ressemble »
à son créateur, c'est parce qu'une forme a été empreinte sur la matière.
Cette forme et cette ressemblance pourront et devront être morales
aussi bien que physiques. Car le poème entier est une éducation pour
la jeune épouse à qui il est adressé. Il lui enseigne ses devoirs envers
la nature en étalant les principes de son ordre, savoir sa beauté, sa
fécondité et son harmonie, qualités qui devront être celles de la femme
aussi bien que du mariage. C'est seulement lorsqu'elle sera formée selon les principes naturels, qui sont connus par son époux, qu'elle pourra entreprendre sa propre œuvre de production. Par suite de cette
nuit conjugale, elle enfantera. Mais en outre, par suite de cette éducation verbale, elle deviendra elle-même une force naturelle. Ces principes et ces paroles sont la « graine » que son mari « sume » dans son
être — de même qu'«amours» les «escript en son volume» — comme
il les « re-sume » pour elle dans son envoi, pour qu'elle « ressemble »
désormais davantage à la nature [26]. Le « dueil » du mari cédera au
« doulx oeil » de son épouse, qui déjoue ainsi la « malice » de
« fortune »

> Ne mais ne mains que le vent fait la plume...   (1 397)

Comme le vent d'été propice au vanneur « rabat » et enlève « la
plume », c'est-à-dire la paille, et laisse la bonne graine tomber à la terre,
ainsi la jeune épouse saura enlever la tare infertile, la hargne de son
mari, qui empêcherait sa graine d'agir dans son corps, et dans le corps
de Nature : c'est la logique naturelle qu'exprime, dans le vers suivant,
le mot « Si » (« et dans ces conditions ») :

> Si ne pers pas la graine que je sume   (1 398)
> En vostre champ... [27].

Ces vers de la troisième strophe du poème sont la réfutation des vers de la première strophe de la ballade de Franc Gontier, où le « dueil » du pauvre est « appais(é) » par une vie de confort.

Le fruit de d'Estouteville lui ressemblera en tant qu'homme. Il portera aussi la forme particulière de son visage et de son esprit. Cette forme est donnée également par le fruit de la page qui est le poème. La propager est un devoir envers la nature, qu'on accomplit par l'emploi de connaissances scientifiques et par l'exercice d'un pouvoir dérivé de Dieu. L'exemple de cette œuvre instruit d'autres hommes dans ces mêmes connaissances, et les incite à exercer eux-mêmes ces pouvoirs. C'est le but du *Testament*, c'est « la fin pour quoy sommes ensemble », mais ce n'est pas la fin ultime de l'homme, qui, elle, n'est pas dans la nature. De cette fin, Villon a su parler aussi, dans la première ballade de ce premier groupe de quatre pièces dans la deuxième partie de son deuxième poème : c'est, dans les mots de la vieille qui prie, « avoir les cieulx ». Ses connaissances à lui sont plus vastes que celles de d'Estouteville, qui est une de ses créations, et que celles de la mère : elles enveloppent dans une conscience autrement complexe la philosophie de Nature, qui justifie son œuvre et lui donne une forme, et la structure de la « foy », qui limite cette œuvre. A cette structure il donne, dans son exposé, une place relativement mineure, la qualifiant, en tant que connaissance, d'étroite, de partielle et de rigide, par rapport à la vérité totale.

La forme du *Testament* dépend des rapports inhérents à ces diverses vérités. Pour saisir ces rapports, il nous faut pénétrer les apparences de désordre — c'est-à-dire l'absence de tout rapport significatif — qui recèlent la vérité de chaque objet poétique, que ce soit un mot, un vers, une strophe, ou une ballade. Comme le « povre » qui s'appelle « Villon », nous apprenons par l'expérience à reconnaître non pas la signification abstraite de l'objet, qui existe sans l'objet comme le sens fixe d'un simple symbole, qui se passe de sa vie propre et de notre expérience de lui. Nous apprenons plutôt la valeur de l'objet en soi, ses rapports avec d'autres objets semblables, sa place dans le dessein total qui l'inclut. Dans ce dessein, la valeur suprême de l'objet est sa fécondité, c'est-à-dire la mesure dans laquelle il contribue à animer le tout et à maintenir son économie, la façon selon laquelle il réussit à donner une nouvelle vie au « problème » philosophique traditionnel, le degré auquel il ranime notre conscience de la tradition et des devoirs humains qui sont l'objet de son enseignement. Chaque partie du *Testament* ne prend son plein sens que dans le contexte poétique et dans le contexte de vérités qui dépend de sa vérité à elle, et qui la limite. Ainsi en est-il de tout objet naturel.

L'étonnant pour nous c'est sans doute que Villon ait su discerner dans le monde de la nature une complexité, une valeur, une variété, une signification, et un devoir si grands — sans rien exclure en s'appuyant sur la simplicité des schémas qui ignorent le fluide, l'équivoque, ou l'insondable de la vie — et qu'il ait su néanmoins reconnaître la dépendance de ce monde, ses limites absolues, sa finitude, sa misère. Villon nous explique, au début du *Testament*, la raison de cela. Il parle d'en bas de son expérience à Mehun. Là il a appris la primauté de ses devoirs envers Nature et, sans doute faut-il comprendre aussi, envers ceux qui les avaient enseignés avant lui.

Son devoir premier, c'était de réagir, dans sa liberté, contre les forces qui menaçaient Nature. C'était d'aimer, d'imiter, et d'augmenter sa variété pullulante, de devenir comme Elle, et ce faisant d'enseigner et de propager le même devoir. La variété et la confusion apparentes du *Testament* révèlent l'unité et l'ordre, sans cesser pour autant d'être ce qu'elles sont. Les vingt pièces lyriques du poème reproduisent cette profusion et ce désordre ; mais elles forment en même temps un seul dessein coordonné qui n'est pas seulement celui du *Testament*, témoin leur disposition dans une hiérarchie tripartite. Nous voulons bien y voir la fameuse répartition des trois styles dont parle la rhétorique tant ancienne que moyenâgeuse. Mais cette formule elle-même, autant que les ballades du *Testament* qui la suivent, renvoie à autre chose, à un ordre supérieur qu'elle exprime comme toute formule semblable. L'ordre et l'unité qu'expriment les ballades du *Testament* ne sont pas apparents ; mais ils ne sont pas ailleurs. Le style abrupt, la ligne zigzaguante, les manœuvres détournées, les formes équivoques, les doubles-fonds — ce sont les mouvements naturels d'une recherche, les divers tours d'une pédagogie, mais aussi la matière même de l'une et de l'autre, dont ils épousent la forme. Cette matière est d'une complexité étourdissante, celle de Nature ; mais elle a aussi sa logique, sa structure interne, son dynamisme, et son sens moral, ceux de Nature. Le langage est capable de les reproduire ; aussi Villon s'efforcera de les imprimer par le langage sur la matière de sa société chaotique. Car un certain nombre de ces vingt pièces lyriques sont léguées, parmi bien d'autres legs qui constituent un seul héritage. C'est-à-dire que ces pièces, disposées dans le poème, seront de nouveau disposées dans le monde des hommes et des objets. Le « testament » de Villon agit comme une matrice, il laisse l'empreinte de sa forme, qui sera une réforme, sur chaque homme et sur chaque lieu dont il parle : bref, sur Paris entier.

NOTES DU CHAPITRE I

1. Pour ce qui est des mss., A ne donne pas de titre, C donne « Le Testament Villon », modifié ensuite en « Le Grand Testament Villon », F donne « Le testament second de maistre François Villon », et I, la première édition, met « Cy commence le grant codicille et testament maistre François Villon ». La plupart des éditions imprimées du XVe et du XVIe siècle, jusqu'à celle de Marot, sont intitulées : « Le grant Testament Maistre Françoys Villon et le petit ». Voir la note quelque peu inexacte de FOULET, dans l'introduction de son édition, p. XIX, qui appelle *Testament* et *Lais* les « titres primitifs » des deux poèmes. En fait, ces œuvres n'avaient pas de titres, dans le sens moderne.

2. Pour le « titre » de la *Divina Commedia*, voir l'explication de Dante dans la lettre à Can Grande : « Libri titulus est : " Incipit Comedia Dantis Alighierii, florentini natione, non moribus ". Ad cuius notitiam sciendum est quod comedia dicitur a " comos " villa et " oda " quod est cantus, unde comedia quasi " villanus cantus ". Et est comedia genus quoddam poetice narrationis ab omnibus aliis differens... ». Et plus loin : « Et hoc patet quod Comedia dicitur presens opus » (Epistola XIII, 10, dans *Le Opere di Dante, Testo critico della Società Dantesca*, 2e éd., éd. M. Barbi *et al.*, Firenze, 1960 ; p. 405-6.)

Cf. aussi J.-P. JACOBSEN, *Essai sur les origines de la comédie en France au Moyen Age*, Paris, Champion, 1910, p. 6-7. Dante « a été appelé lui-même *insignis comicus, comicus noster* ».

3. J. DU BELLAY, *Divers jeux rustiques*, éd. V.-L. Saulnier, Genève, Lille, Droz, Giard (T.L.F.), 1947, p. XIX-XX.

4. Aucune édition moderne de Rabelais ne donne *Pantagruel* avant *Gargantua*, bien que ce dernier fût composé et publié deux ans après l'autre. De même, aucun éditeur moderne ne met les *Antiquités de Rome* après les *Regrets* de Du Bellay, bien qu'il n'y ait aucune évidence réelle que ceux-là aient été composés avant ceux-ci, et en dépit de certaines indications que l'auteur a publié les *Antiquités* deux mois après les *Regrets*. Il est curieux de constater que dans les premières éditions de Villon, c'est le *Testament* qui vient en tête, et le *Lais* qui est rejeté à la fin. Marot fut le premier à les donner dans l'ordre actuel.

5. Voir B. & W., s.m. Taquin, qui donnent la date 1442 (Martin le Franc). « Avaricieux » est « le seul sens du mot jusqu'au XVIIe s. (cf. dès 1411 *arlot, tacain... qui veult dire... garçon truant*) ».

Comme l'on sait, le mot *lumbus* a eu, déjà en latin classique, et plus tard dans le latin ecclésiastique, le sens d'*organes génitaux*.

6. Cette sentence sert de refrain dans le *Breviaire des nobles* d'Alain CHARTIER (*Œuvres*, éd. du Chesne, Paris, 1617, p. 586). Cf. *Ecclesiasticus* 30/17 : « Melior est mors quam vita amara... ».

7. Texte de Foulet, sans la ponctuation. Relevons de nouveau les variantes, pour 1496, de A, « tel estat », et de C, « tel escolle ». Nous gardons, avec Foulet, la leçon de FI. Le mot « escot » semble avoir eu à l'époque des sens variés. Chez COQUILLART (II, 58) on trouve « parler par escot », c'est-à-dire parler à tour de rôle, chacun à son tour. Nous rapprocherions notre vers plutôt de ces vers du *Testament de Taste-vin*, où « escot » est employé dans le sens de *festin* :

> Je laisse à mes enfans ainsnez
> Mes grans boteilles et mes potz ;
> Leurs vies leur sont assignez
> A suyvre banquetz et escotz...

> (*Recueil de Poésies françoises...*, éd. A. de Montaiglon, t. III, p. 80).

Dans 1 493 nous avons mis la leçon de C, qui est la plus claire (voir Lecoy, *art. cit.*). Burger (p. 25) veut que dans 1 486 on corrige « n'acontassent » de A en « n'açonçassent », en alléguant un verbe « aconcier », parer, et les vers de Philippe de Vitry où il est dit que l' « escaillongne » de Franc Gontier était « froyee Sur crouste bise ». L'hypothèse est astucieuse et séduisante, à bien des égards. Si nous ne sommes pas entièrement convaincu c'est parce que : 1) le seul exemple du verbe « aconcier » que trouve Burger est de Pontus de Tyard, et il nous semble un italianisme. Dans cet exemple, d'ailleurs, le mot apparaît comme adjectif. A-t-il vraiment existé en français comme verbe ? 2) la logique des vers nous semble faible, dans la leçon que propose Burger. Il faudrait y voir un argument semblable à celui de la strophe 83 :

> Se du ladre eust veu le doit ardre   (817)
> Ja n'en eust requis refrigere

C'est-à-dire qu'il faudrait supposer une constatation préalable, de la sorte suivante : « Je dis que ni Gontier ni Helaine n'ont jamais hanté la vie en ville ». Alors, la preuve continuerait, « Car, s'ils eussent hanté cette douce vie, ils ne feraient pas ce qu'ils font dans le texte en question. » Autrement, l'argument serait celui-ci : « Si Gontier et Helaine avaient hanté la bonne vie, ils ne pareraient pas leur gros pain d'oignons », ce qui ne prouve rien : le fait d'avoir connu une vie meilleure ne veut pas dire qu'on puisse se la procurer. Ce qui est en cause dans le poème, ce n'est pas ce qu'on ferait si on le pouvait mais ce qu'on *pense* des deux vies, c'est-à-dire la valeur qu'on y discerne. Pour nous, les vers 1 485-6 sont en parallèle avec les vers 1 487-8, et le mot « n'acontassent » annonce le mot « ne prise » : « Qu'ils compteraient cela pour nul, cela est prouvé par le fait que moi, je ne le prise **point** ».

D'ailleurs, la leçon que donne Foulet *inclut* le sens du vers que propose Burger. Comme d'ordinaire, Villon joue sur le sens littéral d'une expression proverbiale. On dit communément, « cela ne vaut une tostée », ainsi Gautier et Helaine « n'acontassent » *pour rien* « d'oignons cyvotz ». D'autre part, s'ils avaient connu la bonne vie, ils jugeraient bien que ces mêmes oignons *ne valent pas* le pain du sandwich qu'ils en font dans les vers de Philippe de Vitry. Exactement de même, dans le vers parallèle, Villon « ne prise un ail », *en rien*, la nourriture des bergers ; mais cet « ail » est littéralement en cause aussi, et fait partie de cette nourriture comme la décrit Philippe de Vitry. Villon s'écrie, en fait, « Je ne prise un ail leur ail ! »

Pour qu'on accepte la correction « açonçassent », il faudrait au moins qu'on trouve un emploi pareil d'un verbe français « açonçier » à l'époque de Villon. Les copistes ne le connaissaient pas, semble-t-il, s'ils l'avaient sous les yeux.

8. Le jeu sur *babil*-« Babiloine » est bien dans le goût de Villon. Ici, il se réfère précisément au vers de Philippe de Vitry où il est dit que, pendant le repas des bergers, « oisillon harpoient Pour resbaudir et le dru et la drue ». *Babiller, babil, babillard* sont tous des mots connus à l'époque. Faut-il comprendre aussi une confusion de « Babiloine » et *Babel* ? Voir 2 007, « d'icy a Roussillon ». Ce tour signifie, « jusqu'au chef-lieu du pays de... »

9.   Soubz feuille vert, sur herbe delitable,
            Lez ru bruiant et prez clere fontaine,
            Trouvay fichee une borde portable.
            Ilec mengeoit Gontier o dame Helayne
            Fromage frais, laict, burre, fromaigee,
            Craime, matton, pomme, nois, prune, poire,
            Aulx et oignons, escaillongne froyee
            Sur crouste bise, au gros sel, pour mieulx boire.

            Au goumer beurent et oisillon harpoient
            Pour resbaudir et le dru et la drue,
            Qui par amours après s'entrebaisoient
            Et bouche et nez, polie et bien barbue.
            Quant orent prins le doulx mès de nature,
            Tantost Gontier, haiche au col, ou boys entre ;
            Et dame Helayne si met toute sa cure
            A ce buer qui queuvre dos et ventre.

J'oy Gontier én abatant son arbre
Dieu mercier de sa vie seüre :
« Ne sçay », dit-il, « que sont pilliers de marbre,
Pommeaux luisans, murs vestus de paincture ;
Je n'ay paour de traïson tissue
Soubz beau semblant, ne qu'empoisonné soye
En vaisseau d'or. Je n'ay la teste nue
Devant thirant, ne genoil qui s'i ploye.

« Verge d'uissier jamais ne me deboute,
Car jusques la ne m'esprend convoitise,
Ambicion, ne lescherie gloute.
Labour me paist en joieuse franchise ;
Moult j'ame Helayne et elle moy sans faille,
Et c'est assez. De tombel n'avons cure. »
Lors je dy : « Las ! serf de court ne vault maille,
Mais Franc Gontier vault en or jame pure. »

(Texte de A. PIAGET, *Romania* 27, 1898, p. 63-4).

Pour titre, l'édition de 1591 donne : « Combien est heureuse la vie de celuy
qui fait sa demeure aux champs, par Philippes de Vitriac, evesque de Meaux ».

10. Texte de Foulet, sauf pour 1 472, où nous avons mis « discute », la leçon
de tous les mss., pour « dispute ».

11. Voir la note curieuse — la seule intervention de ce genre qu'il fasse dans
son édition — que met Marot au-dessus de la strophe 142 : « Clement Marot aux
lecteurs : Du temps de Villon (lecteurs) fut faicte une petite œuvre intitulee, Les
dictz de Franc Gontier, la ou la vie pastouralle est estimee : & pour y contredire
fut faicte une autre œuvre intitulee, Les contredictz Franc Gontier, dont le
soubgect est prins sur ung tyrant, & auquel œuvre la vie de quelque grant seigneur
d'icelluy temps est taxee : mais Villon plus sagement, & sans parler des grans
seigneurs, feit d'autres contredictz de Franc Gontier, parlant seulement d'ung
Chanoyne, comme verrez cy apres » (p. 79).
Marot connaissait-il les œuvres de Philippe de Vitry et de Pierre d'Ailly ? En
tout cas, il a bien vu que le sujet du premier n'est pas la vie « povre », mais la vie
aux champs, et il souligne ce fait pour mettre en valeur l'argument de Villon.
Marot laisse en suspens la question capitale : « Les contredictz Franc Gontier »
que Villon lègue à Andry Courault est-il le poème de Pierre d'Ailly, ou plutôt sa
propre ballade ?
L'usage du verbe « contredire » par Marot soulève une autre question, car
le sens du mot « contrediz » n'est pas si évident qu'on le croirait. Les deux usages
chez Villon du verbe « contredire » (683, 1 185) ont le sens de *s'y opposer, mettre
obstacles à*... BURGER, s.m. Contrediz, traduit, « réponse contradictoire », ce qui
souligne l'équivoque au lieu de la dissiper, étant donné que le mot « réponse »
désigne à la fois l'acte de répondre et la chose qu'on répond (de même que
« contradictoire » peut dire « ce qui contredit » ou plutôt « ce qui se contredit »).
S'agit-il d'une objection ou d'une réfutation, d'un acte ou d'un argument ? Le
« contraire » qu'on dit, est-il dans la forme même de la réponse, ou dans le
fond ?
Qu'il s'agisse d'un « contredit », c'est-à-dire d'un document légal, cela est
suggéré par le fait que le poème est envoyé à un « maistre » : selon THUASNE (III,
389), Andry Courault était le procureur du roi René d'Anjou. Villon lui « mande »
son « contredit » pour qu'il institue un procès « contre » Franc Gontier. En revanche, Villon refuse sagement dans la deuxième partie de la strophe, comme le
remarque Marot, de faire de même envers le « tyrant », protagoniste de l'autre
poème :

Le saige ne veult que contende
Contre puissant povre homme las...

Les exemples de Littré ne laissent aucun doute qu'à l'époque le mot
« contredit » veut dire aussi *obstacle, résistance, objection*, tant verbal que
concret. Dans l'exemple suivant, Coquillart joue, comme Villon, sur le terme figuré et le terme légal : il se trouve dans *L'Enqueste d'entre la simple et la rusé*, le
procès-verbal d'un prétendu procès entre deux femmes trompées, où le langage
de procédure est parodié :

Elle alla de vie à trespas
Et laissa des biens ung grant tas
Sans hoirs, heritiers, ou parens.
Entre lesquelz ce gorgias
Demoura, tout seul sur les rens ;
Et fut doncques, par ces moyens,
Sans y mettre aulcuns contredictz,
Comme les aultres *biens vacans,*
In bonis hereditariis.

(II, 127-8)

Pour tout dire, le « titre », « Les contrediz Franc Gontier » est un tour spirituel. Le mot « contrediz » joue à la fois sur le « titre » de Philippe de Vitry, « Le dit Franc Gontier » ; sur le document de procédure qui s'appelle un « contredit » (au singulier) ; et (au pluriel) sur le mot « contrediz » pour oppositions, obstacles, objections, qu'on trouve dans les locutions « sans contrediz », « mettre contredictz » etc. Cf. le titre *Anticlaudianus,* qui « ne signifie pas une réfutation... mais une sorte de pendant au poème de Claudien... » (CURTIUS, p. 145).

12. Pour le poème de Pierre d'Ailly, voir A. PIAGET, *ibid,* p. 64-5. On trouvera plus facilement ce texte et celui de Philippe de Vitry dans l'anthologie de B. WOLEDGE, *The Penguin Book of French Verse,* t. I, *To the Fifteenth Century,* p. 216-20.

13. Pour ces réalités, voir THUASNE, III, 394.

D'ailleurs, que Villon fût conscient du fait que Franc Gontier ne vit pas dans l'indigence, ne fait pas de doute. Ailleurs il évoque la vie idéale du paysan, et ajoute que l'on vit « en soufisance » :

...Laboure fauche champs et prez   (1 709)
Sers et pense chevaux et mulles
S'aucunement tu n'es lettrez
Assez auras se prens en grez...

14. Soyons justes envers Philippe de Vitry, qui était sans doute conscient du paradoxe. Son poème vise à démontrer, en fait, que la vie dans la nature, aussi éphémère qu'elle puisse être, aussi sujette aux catastrophes et aux misères imprévisibles, est plus « seüre » que la vie de la cour, qui se voue à la fortune et à ses « lois ».

15. Pour « mestier », qui en ancien français voulait dire *besoin, nécessité, désire impérieux,* etc., voir L. 182-4, où Villon joue ouvertement sur les deux sens, et plus loin, ch. II, p. 408. A l'époque, le membre de l'homme était nommé communément « le laboureur de nature » ; voir *Pantagruel,* ch. 1.

16. Le sens premier de l'expression « a son aise » devait être « comme l'on veut », « à sa guise ». Témoins ces deux exemples de l'époque, qui ont trait tous deux à l'amour :

Il n'est homme, tant soit vil ne asservy
Qu'il ne faille qu'il soit d'aucun servy,
Ou, autrement, jamais il n'avroit bien.
S'il a gouge qui le serve *a son aise*
Et est wihot, ce qu'a Dieu ja ne plaise,
Que ly chault, mes qu'il n'en sache rien ?

(« Les Coquards », pub. par A. PIAGET, dans *Romania* 47, 1921, p. 182, strophe 12.)

A relever l'usage technique du verbe « servir » :

Assés m'est se j'accolle et baise...
Quant est a moy, ou demourant,
Je ne veul aimer qu'*a mon aise.*

(Michault TAILLEVENT, *Le Congié d'amour,* cité dans P. CHAMPION, *Histoire poétique du XVᵉ siècle,* Paris, Champion, 1923, 2 vol., t. I, p. 325.)

Que notre expression ait pu avoir plusieurs autres nuances, dont celle de « vivre tranquille », « vivre en suffisance », cela est suggéré par le *Dictionnaire comique* de LEROUX, s.m. Nager, où l'auteur emploie notre locution pour traduire l'expression « Nager entre deux eaux » : « Manière de parler métaphorique. C'est tenir le milieu entre la richesse et la pauvreté, vivre à son aise, tranquillement, avoir de quoi mener une vie douce, n'être ni trop élevé, ni trop abaissé. C'est aussi se ménager entre deux partis, ne s'attacher à aucun. »

17. Sur cette ballade on peut consulter l'article de J. Fox dans *Modern Language Review* 55, 1960, p. 414-7.

18. Cf. le dessein quelque peu semblable qui règle, dans la *Vita nuova*, le placement des 31 pièces lyriques (expliqué dans SINGLETON, *Vita nuova*, ch. 4, p. 78-9 sqq.)

19. Texte de Foulet, sans la ponctuation. Dans 1 241, il faut sans doute comprendre le mot « approuchier » dans le sens que donne THUASNE (III, 336), qui traduit, « Vous fit accoupler avec vos filles ». Notons en passant qu'il faut traduire aussi « Amours vous fit approcher *par* vos filles » ; dans l'état où il était, Loth ne pouvait guère faire le premier pas, et ce sont ses filles qui sont allées vers lui.
BURGER, p. 24, veut qu'on corrige la leçon de C à 1 244, « que vous vueillez prescher », afin de lire « que vous vueillez *pescher*. » « On a quelque peine à croire que Villon ait pu employer *percher*, sans complément de lieu, pour dire " mettre au ciel "... » Mais le mot « percher » est un terme métaphorique bien connu pour *loger* : c'est ainsi que le Few traduit notre passage (s.m. Pertica). Voici un exemple — intransitif il est vrai — avec un « complément de lieu » bien abstrait :

> Je n'oy plus rien, mais sourd comme une buche
> Suis devenu ; les ennuys où je perche
> Me pourvoyent pas en une bien grant huche...

(Jean MESCHINOT, éd. Gourcuff, p. 20).

En tout cas, notre explication du poème rend patent qu'il ne s'agit pas de l'âme comparée à un poisson qu'on pêche, mais de l'image encore plus ancienne de l'âme comparée à l'oiseau qui vole. Et « pêcher des âmes » est une métaphore qui ne peut avoir trait qu'aux vivants : il est trop tard pour « pêcher » l'âme de feu Cotart. La troisième strophe du poème rend explicite, au demeurant, l'analogie entre l'hôtel de Cotart et le logis de son âme, ce que Villon appelle plus tard, dans le rondeau « Au retour », la « maison » de Dieu. La leçon de Aif, qu'accueille Foulet, est parfaite. La correction de Marot, « qu'o » pour « que » des mss., ne nous semble pas s'imposer.

20. Voici le texte du *In Somnium Scipionis* qui gît derrière notre ballade : « Anima ergo cum trahitur ad corpus, in hac prima sui productione silvestrem tumultum id est ὕλην influentem sibi incipit experiri. et hoc est quod Plato notavit in Phædone animam in corpus trahi nova ebrietate trepidantem, volens novum potum materialis aluvionis intellegi quo delibuta et gravata deducitur. arcani huius indicium est et Crater Liberi patris ille sidereus in regione quæ inter Cancrum est et Leonem locatus, ebrietatem illic primum descensuris animis evenire silva influente significans, unde et comes ebrietatis oblivio illic animis incipit iam latenter obreprere. nam si animæ memoriam rerum divinarum, quarum in cælo erant consciæ, ad corpora usque deferrent, nulla inter homines foret de divinitate dissensio : sed oblivionem quidem omnes descendendo hauriunt, aliæ vero magis, minus aliæ. et ideo in terris verum cum non omnibus liqueat, tamen opinantur omnes, quia opinionis ortus est memoriæ defectus. hi tamen hoc magis inveniunt qui minus oblivionis hauserunt, quia facile reminiscuntur quod illic ante cognoverint. hinc est quod quæ apud Latinos lectio, apud Græcos vocatur repetita cognitio, quia, cum vera discimus, ea recognoscimus quæ naturaliter noveramus, prius quam materialis influxio in corpus venientes animas ebriaret. hæc est autem hyle, quæ omne corpus mundi quod ubicumque cernimus ideis impressa formavit. sed altissima et purissima pars eius, qua vel sustenantur divina vel constant, nectar vocatur et creditur esse potus deorum, inferior vero atque turbidior potus animarum... ».

(*ed. cit.*, L. I, ch. 12, 7-11, p. 49-50).

21. *Li Livres de confort*, p. 206-7 (*De Consolatione*, L. III, pr. 2).

22. *Meta*. A 2, 982b.

23.   *Au poinct du jour que l'esprevier s'esbat*   (1 378)
                Meu de plaisir et par noble coustume
                Bruit la maulvis et de joye s'esbat
                Reçoit son per et se joinct a sa plume
                Offrir vous vueil a ce desir m'alume
                Ioyeusement ce qu'aux amans bon semble
                Sachiez qu'amour l'escript en son volume
                Et c'est la fin pour quoy sommes ensemble

                Dame serez de mon cuer sans debat
                Entierement jusques mort me consume
                Lorier souef qui pour mon droit combat
                Olivier franc m'ostant toute amertume
                Raison ne veult que je desacoustume
                Et en ce vueil avec elle m'assemble
                De vous servir mais que m'y acoustume
                Et c'est la fin pour quoy sommes ensemble

                Et qui plus est quant dueil sur moy s'embat
                Par fortune qui souvent si se fume
                Vostre doulx oeil sa malice rabat
                Ne mais ne mains que le vent fait la plume
                Si ne pers pas la graine que je sume
                En vostre champ quant le fruit me ressemble
                Dieu m'ordonne que le fouŷsse et fume
                Et c'est la fin pour quoy sommes ensemble

                Princesse oyez ce que cy vous resume
                Que le mien cuer du vostre desassemble
                Ja ne sera tant de vous en presume
                Et c'est la fin pour quoy sommes ensemble

(Texte de Foulet, sans la ponctuation, majuscules, et caractères noirs signalant l'acrostiche.) Pour les difficultés de 1 397, voir plus loin, n. 27.

24. La nouvelle étude du néo-platonisme de l'Ecole de Chartres fut inaugurée par J.-M. PARENT en 1938, dans le volume que nous avons déjà cité, *La Doctrine de la création dans l'Ecole de Chartres*, qui inclut en appendice les gloses sur le *Timée* de Guillaume de Conches, et d'autres textes inédits. L'ampleur et l'intérêt du sujet furent ensuite illustrés par R. KLIBANSKI dans *The Continuity of the Platonic Tradition during the Middle Ages*, London, Warburg Inst., 1939. Depuis on a eu, de M.-D. CHENU, *La Théologie au douzième siècle*, Paris, Vrin, 1957, Etudes de philosophie médiévale, XLV) ; aussi E. GARIN, *Studi sul platonismo medievale*, Firenze, Le Monnier, 1958 ; T. GREGORY, *Anima mundi, La filosofia di Gugliemo di Conches*, Firenze, 1955 ; du même auteur, *Platonismo medievale, studi e ricerche*, Roma, 1958 (Istituto storico italiano per il Medio Evo, Studi storici, fasc. 26-7) ; et « L'Idea della natura nella scuola de Chartres », dans *Giornale critica della filosofia italiana*, Anno 31, Terza Seria, t. VI, 1952, p. 433-42 ; G. RAYNAUD DE LAGE, *Alain de Lille, poète du XIIe siècle*, Paris, Vrin, 1951.

Nous avons trouvé utile de consulter aussi les études suivantes : R. KLIBANSKY, « The School of Chartres », dans *12th Century Europe and the Foundations of Modern Society*, éd. Clagett, Post, et Reynolds, Madison, University of Wisconsin Press 1961 ; P. DELHAYE, « La Place de l'éthique parmi les disciplines scientifiques au XIIe siècle », dans *Miscellanea A. Janssen*, Louvain, 1948, t. I, p. 29-44 ; « L'Enseignement de la philosophie morale au XIIe siècle », dans *Medieval Studies* II, 1949, p. 77-99, du même auteur ; R. McKEON, « Poetry and Philosophy in the Twelfth Century », dans *Critics and Criticism*, éd. R. Crane, Chicago, University of Chicago Press, 1952, p. 297 sqq. ; M. de GANDILLAC, « Le Platonisme au XIIe-XIIIe siècles », dans *Actes du Congrès Budé*, Poitiers, 1953 : F. van STEENBERGHEN, *The Philosophical Movement in the 13th Century*, Edinburgh, Nelson, 1955, ch. I ; P.O. KRISTELLER, *The Classics and Renaissance Thought*, Cambridge, Mass., Harvard University Press, 1955, ch. 1 et 3 ; F. COPLESTON, *A. History of Philosophy*, Newman Press, 1957, t. II, ch. 16.

Nous avons profité également d'une lecture de certaines pages d'études maintenant classiques, de E. Gilson, C.H. Haskins, M. de Wulf, E. Bréhier, H.-O.

Tayler et d'autres, ainsi que des études plus spécialisées sur les philosophes de l'époque, Alain de Lisle, Bernard Silvestris, Jean de Salisbury, et sur le *Roman de la rose*. La liste ci-dessus ne vise que des travaux plus ou moins récents.

25. Le *Timée*, tel qu'on le lisait à Chartres, était en plus une œuvre estropiée. on ne possédait à l'époque que la traduction avec commentaire de Chalcidius, qui omet la toute dernière partie de l'ouvrage. L'édition la plus récente de cette version du *Timée* est de J.-H. Waszink (1962), dans le *Corpus platonicum medii œvi*, édité par R. Klibansky depuis 1939 au Warburg Institute, Londres.

26. Cette image agricole pour l'enseignement moral est classique, et devait être familière aux lecteurs de Villon. Voir plus loin, ch. 2, p. 430, le texte de Georges Chastellain ; et le *De Consolatione* de Boèce, L. III, M. 1 : « Qui veult semer un champ plantereuz, il le delivre avant des espines et trenche a la faus les esglentiers et les chardons et les buissons et la fuchiere pour ce que li blez y viengne pesans de espiz et de grain... Aussi tu, regardans premierement les faulz biens, commence a retraire toy de leur amour greveuse et pesant ; et li vrai bien entreront aprés en ton courage. » (*Li Livres de confort*, p. 206.)

27. Les dictionnaires n'enregistrent pas un sens de « plume », menue paille. Pourtant, les divers usages du verbe « plumer » pour « enlever l'écorce d'un fruit, d'un légume », sont bien connus (on se souvient de Françoise dans *Combray*, qui « plumait les asperges ».) Cette leçon hypothétique est tellement satisfaisante dans le contexte que nous n'hésitons pas, quant à nous, à l'adopter : elle fait le raccord logique qui manque autrement entre la vertu de l'épouse, sa fécondité, et la fécondité de Nature. Comment comprendre autrement que l'acte défensif qui « rabat » la « malice » de Fortune — c'est-à-dire qui en pare le coup ; il s'agit sans doute d'une métaphore guerrière — est aussi un acte fertile ? Le mot « rabat », qui possède diverses acceptions techniques dans l'agriculture, comme l'on sait, ne s'oppose pas à cette leçon.

Comme d'habitude, c'est le rapport entre les deux choses comparées qui en établit la similitude chez Villon, non pas l'inverse. L'effet de l'œil sur la malice de Fortune est semblable à l'effet du vent sur la plume. Dans le sens normal de ce mot, les deux choses qui sont jointes par l'analogie n'ont en commun que le fait d'être rabattues, ce qui semble invraisemblable au lecteur moderne, habitué à la métaphore créée, qui dépend de la similitude découverte et totale, et du rapport subjectif constaté. Ainsi Burger (p. 25) nous propose la leçon unique de C, « Ne plus ne moins que le vent fait la fume » : « L'image de C est de beaucoup la plus adéquate : le vent rabat la fumée, mais emporte la plume et la malice de Fortune se compare mieux à l'âcreté de la fumée qu'à la douceur de la plume. » A nous, il semble que le copiste de C met « fume » à la rime parce qu'il vient de mettre « plus », et tient à éviter l'assonance. (FI donnent aussi « ne plus ne moins » ; A donne « ne mais ne mains » ; avant d'écrire « plus », pourtant, C avait mis un mot qu'il a ensuite raturé, que Foulet lit « mais » et que nous lisons plutôt « mes ».) Ajoutons que l'idée de l'âcreté de Fortune chez l'amant avait déjà été introduite dans la deuxième strophe (« m'ostant toute amertume », 1389) où elle est mieux en place. Mais avant qu'on puisse écarter définitivement cette variante, il nous faudrait des exemples de l'emploi technique que nous supposons du mot « plume ». S'il faut réduire la comparaison à une espèce d'ornement, alors, pour nous, une leçon vaut l'autre.

CHAPITRE II *

" L'INDUSTRIE DES LAYS "

(L. 11)　　*Item a maistre Ythier Marchant*　　　　(L. 81)
　　　　　Auquel je me sens tres tenu
　　　　　Laisse mon branc d'acier tranchant
　　　　　Ou a maistre Jehan le Cornu
　　　　　Qui est en gaige detenu
　　　　　Pour un escot huit solz montant
　　　　　Si vueil selon le contenu
　　　　　Qu'ont leur livre en le rachetant

1. Depuis Marot, on répète que nous perdons à ne pas saisir « l'industrie » de tels vers, c'est-à-dire leur adresse, leur virtuosité, leur vraie façon, leur astuce [1]. Sans aucun doute cela est vrai. Pour comprendre pleinement l'ingéniosité de Villon, a dit Marot, « il fauldroit avoir esté de son temps a Paris, et avoir congneu les lieux, les choses et les hommes dont il parle » [2]. S'adressant aux « jeunes poetes », Marot eut ses raisons pour détacher, dans l'œuvre de Villon, un corps qui périssait lentement, et une âme qui ne cessait de s'embellir. Il leur faisait une leçon de style. Il n'y avait aucune utilité pour l'apprenti, en 1533 du moins, à imiter un style qui « preigne son soubgect sur telles choses basses et particulieres », d'autant plus que ce style était inimitable. De l'autre face des « lays », c'est-à-dire de leur but ou de leur conception, Marot ne souffle mot. La raison en est, en partie, que le style ou les styles de Villon, et l'établissement de son texte, l'intéressaient uniquement dans l'avant-propos « aux lecteurs » de son édition. C'est aussi que personne ne parlait par écrit de ces questions à l'époque, bien que la conversation littéraire pût les toucher, comme à toute époque.

Depuis Marot, nous avons gagné d'un côté ce que nous avons perdu de l'autre. Le temps a décanté « l'industrie des lays ». Quantité de nuances, de railleries, d'allusions piquantes, ont été déposées dans un compact fond de bouteille, où elles sont plus accessibles aux historiens et aux curieux. De sorte que nous pouvons mieux goûter aujourd'hui le sens de cette « industrie » en tant que telle. Que cette séparation se faisait déjà au temps de Marot, le témoigne admirablement son expression « telles choses basses et particulieres », qui rend compte, sans mépris, d'une idée de style. (Le mot « bas » n'avait pas un sens pé-

* Les notes relatives à ce chapitre sont réunies p. 432-438.

joratif dans la langue de Marot, mais désignait une condition sociale, une infériorité physique, une infirmité etc., bref plusieurs des nuances que Villon aurait pu apercevoir dans le mot « povre »)[3]. Ce qui nous éloigne des « lays » de Villon est la difficulté même que nous éprouvons à lire n'importe quel vers de lui et qui vient de notre ignorance de sa langue. C'est une connaissance immédiate des mille nuances de sens et de sentiment qui font la vie d'une langue vivante, que nous avons perdue surtout depuis le temps de Marot. La langue française n'a pas seulement évolué depuis cette époque-là. Elle a aussi changé de direction, vers l'abstrait et vers l'articulation logique. Si la *notion* d'une « industrie des lays » nous est accessible, l'idée motrice de cette « industrie » est difficile à saisir, à sentir, à distinguer avec certitude d'autres idées poétiques, comme l'a fait Marot. L'évolution du mot « industrie » en est le meilleur indice.

Partant l'essentiel pour nous n'est pas de connaître au préalable des personnes telles que « maistre Ythier Marchant » ou « maistre Jehan le Cornu », mais de comprendre leur langage et leur fonction dans le poème que nous lisons. Prenons comme prémisse première que ce sont de vrais hommes que Villon a pu connaître ; le sens de son entreprise en dépend. Mais acceptons que le fait de les inclure dans un ouvrage poétique en fait des personnages littéraires qui jouent dans le poème le rôle de toute autre fiction utile. Au demeurant, ces hommes entrent dans le poème de Villon par leurs noms, qui sont le lien entre leur personne et le langage. Mettons donc, deuxièmement, que Villon a choisi précisément ces hommes-ci — parmi tant d'autres qu'il aurait pu choisir, et pour d'autres raisons sans doute — à cause de leurs noms, qui ont un sens. Le fait que nous ne décelons pas ce sens accuse notre ignorance bien plus qu'il n'ébranle l'hypothèse. Il est clair par exemple que « maistre Ythier Marchant » est un commerçant et un grand amoureux, dans les deux sens de son nom de famille, qui dérivent des deux mots « marchand » et « marcher » ; et que « maistre Jehan le Cornu » est un homme difforme, un laid bossu, un sot, et en plus le roi des « cornards »[4]. De bien d'autres noms, plus opaques, les rimes et les plaisanteries de Villon marqueront l'intérêt. Ainsi on connaîtra mieux « Jehan Marceau » quand Villon aura fait rimer son nom avec « bon morceau ». Et on devinera, dans un huitain où il est représenté comme étant dépouvu et affamé, que « Girart Gossoin » est un personnage « gossé », c'est-à-dire *cossu*[5].

A ces prémisses nous pouvons maintenant en joindre une troisième: que Villon songeait à être lu par un public plus vaste que le groupe d'amis et d'associés qui auraient tout compris de ses astuces. Il n'y a aucune raison de refuser à Villon une ambition, appuyée par un sens de ses propres dons, qu'on discerne plus vite chez de moindres talents. Il a dû reconnaître, en fait, que ses poèmes seraient lus par des personnes qui ne comprendraient pas leur intention, qui ne posséderaient pas les connaissances auxquelles il souhaitait, au moyen de ces poèmes, de les amener. Il s'ensuit qu'il a écrit pour un public varié, de divers milieux et d'éducations diverses, y compris la postérité. Ce n'est pas en dépit de ses intentions que nous parvenons aujourd'hui à aimer ses poèmes. Mettons donc que Villon a su nous donner, dans chaque « lays » — comme il convient d'ailleurs dans un vrai testament — ce qu'il nous faut pour situer le personnage en question et pour comprendre l'essentiel du don. La plupart du temps, ce sera la nature du legs qui marquera le personnage, et non celui-ci qui détiendra dans le secret de sa personne la clef d'une énigme.

Finalement, il nous semble que le sens de chaque legs — comme de « l'industrie des lays » — n'apparaîtra pleinement que dans le contexte du poème qui l'inclut. Chaque legs a son propre sens et sa propre unité, qu'il convient parfois de réchampir par l'analyse. Mais il a aussi sa situation dans une suite, dans un contexte qui justifie cette suite, enfin dans un dessein global qui donne à chaque élément du poème une direction et un but. Par conséquent, nous serons amenés à distinguer radicalement les legs du *Lais* de ceux du *Testament*, qui relèvent d'une autre intention, et qui concourent à un effet plus ambitieux. En tant que preuve, il suffit de remarquer qu'ayant inclus le *Lais* dans le *Testament*, comme une de ses voix — un peu comme Jean de Mehun a inclus le poème de Guillaume de Lorris dans le sien — Villon renchérit explicitement sur plusieurs de ses premiers legs, afin de marquer en précision la nouvelle envergure de son propos.

2.   Dans le *Lais*, les legs proprement dits détiennent une place qui semble à première vue plus importante que dans le *Testament*. Ils ont pour eux 26 des 40 strophes du premier poème, tandis que dans l'autre cette proportion n'est semblable que si l'on s'en tient au nombre des strophes que Villon leur destine, savoir 100 sur 185. A considérer la longueur des deux poèmes, les legs du *Testament* ne constituent que le tiers de l'ouvrage, tandis que dans le *Lais*, comme ce « titre » le suggère, ils sont l'intérêt principal et en constituent les deux tiers. Dans le *Lais*, pourtant, les strophes des « Item » sont enchâssées dans une espèce d'anneau magique, elles sont entourées par des démonstrations stylistiques qui les modifient et les rehaussent, en les douant surtout d'une valeur littéraire. En revanche, Villon termine son *Testament* toujours « dictant » ses legs, qui s'enchaînent sans médiation littéraire avec la réalité non poétique dans laquelle le poème se précipite à sa fin, sans qu'on revoie le poète à sa table. La ballade finale du *Testament*, comme nous l'avons remarqué, est due, selon la fiction, à une autre main.

Etant donné l'importance relative dans le dessein du poème des legs du *Lais*, on ne peut qu'être frappé par leur trivialité en tant que dons, en tant qu'actions réelles ou supposées qui passeront dans le monde hors du poème. Nous lisons pour la plupart d'entre eux des plaisanteries éparses, au lieu de suivre une entreprise satirique soutenue. L'importance de ces strophes est surtout linguistique, stylistique, personnelle et littéraire. Leur apport objectif apparent est plutôt le moyen que le but d'une revendication qui ne dépasse pas les « bornes », comme dit Villon, d'un monde poétique dont la reconstitution est l'objet du poème.

Nous savons, dès la deuxième strophe du poème, quel en est le but en matière de style : c'est de « brisier La tres amoureuse prison » (L. 14-15) du style fade, galant et entièrement abstrait des congés d'amour. Dans les strophes 3 à 8, Villon « brise » ce style pour le parodier, en entassant ses divers éléments rhétoriques hors de leur vrai ordre, en dévoilant ainsi leur inutilité et leur ridicule. Ensuite, il nous propose un tout autre style, plutôt il fait *tabula rasa* des styles littéraires et nous offre la langue parlée, sans parures, comme une matière informe sur laquelle doit se poser l'empreinte de n'importe quel style. Les 26 strophes qui suivent sont autant de démonstrations des diverses formes que peut endosser cette matière première. Ainsi, elles n'ont presque aucune suite logique : le désordre des manuscrits atteste la ligne nécessairement brisée de cette recherche, qui refuse toute organisation préalable comme étant suspecte [6]. Ce « style » abrupt, saccadé, malicieux, sans préjugés, semble indiquer d'un ample geste la vaste réalité bosselée et nerveuse qui s'étend des portes de la « prison » jusqu'à l'horizon du langage.

Partout Villon soumet sa langue aux épreuves de souplesse, en lui imposant une ou plusieurs tâches à la fois. Prenons à titre d'exemple les vers suivants :

(L. 13)   *Et a maistre Robert Valee*   (L. 97)
      Povre clerjot en parlement
      Qui n'entent ne mont ne vallee
      J'ordonne principalement
      Qu'on luy baille legierement
      Mes brayes estans aux Trumillieres
      Pour coeffer plus honnestement
      S'amye Jehanne de Millieres

      Pour ce qu'il est de lieu honneste
      Fault qu'il soit mieulx recompensé
      Car le Saint Esperit l'admoneste   (101)
      Obstant ce qu'il est insensé
      Pour ce je me suis pourpensé
      Puis qu'il n'a sens ne qu'une aulmoire
      A recouvrer sur Maupensé
      Qu'on lui baille l'art de memoire

      Item pour assigner la vie
      Du dessusdit maistre Robert
      Pour Dieu n'y ayez point d'envie
      Mes parens vendez mon haubert
      Et que l'argent ou la plus part
      Soit emploié dedans ces Pasques
      A acheter a ce poupart
      Une fenestre empres saint Jacques [7]

A partir du jeu sur son nom de famille, on reconnaît sans doute les multiples plaisanteries obscènes aux dépens de ce « maistre rob(a)rt » [8]. Mais ne voit-on pas aussi comment cette voix traînante, bavarde, ânonnante, redondante, a mis trois strophes entières pour réduire à son néant trivial celui qu'elle ne cesse d'appeler un « poupart » et un écervelé insignifiant ? Cette disproportion généreuse est une véritable création de style. Elle sera renversée par une autre, dix strophes plus loin, quand Villon emploiera deux strophes pour s'épancher en larmoyant sur trois personnages dignes de sa pitié :

(L. 25)   *Item je laisse en pitié*   (L. 193)
       A trois petits enfans tous nus
       Nommez en ce present traictié
       Povres orphelins impourveus
       Tous deschaussiez tous desvestus
       Et desnuez comme le ver
       J'ordonne qu'ils soient pourveus
       Au moins pour passer cest yver

       Premierement Colin Laurens
       Girart Gossoin et Jehan Marceau   (202)
       Despourveus de biens de parens
       Qui n'ont vaillant l'ance d'ung seau
       Chascun de mes biens ung fesseau
       Ou quatre blans s'ilz l'ayment mieulx
       Ilz mengeront maint bon morceau
       Les enfans quant je seray vieulx [9]

La syntaxe du testateur est brisée de sanglots. Le verbe de sa première phrase, « je laisse », ne trouve son complément direct que vers la fin de la strophe suivante, après onze vers d'incises et de parenthèses émues. Le lecteur attentif n'a pas de peine à dévider le refrain de cette chanson : les « orphelins » en question sont « *im*pourveus », « *des*chaussiez », « *des*vestus », « *des*nuez », « *des*pourveus »... Tandis que Robert Vallée fut pendu par une longue corde de menues plaisanteries, les trois « orphelins » sont embobelinés par un seul lourd tour d'esprit. Nous jugerons bien que Villon joue le pince-sans-rire quand, après avoir insisté sur l'indigence des « orphelins », il laisse (enfin) « ung *fesse*au » à ceux qui n'ont même pas « l'ance d'ung seau» («lance d'un sot » ? « d'un saut » ? « d'un sceau » ?) ou bien « quatre blans », c'est-à-dire pratiquement rien [10].

Qui sont-ils ces personnages ? On ne saurait le dire d'après la lettre du texte, sauf qu'ils sont simples et lamentables dans un sens ou dans un autre. Ce qui est clair, c'est d'abord que l'emphase et la syntaxe spéciales — c'est-à-dire le style conscient et volontaire des deux strophes — servent à confondre de vraies personnes avec des caricatures. Nous voyons celles-là à travers celles-ci. Le style burlesque a fourni une plaisanterie que le poète, à son tour, a su rendre utile, en la tournant vers des individus de qui on pourrait aussi parler en dehors d'un poème. Ici, comme dans l'usage des équivoques obscènes, le *Lais* réalise la découverte instinctive — comme d'un jeune talent — qui deviendra, lors du *Testament,* l'un des ressorts d'une poétique méditée. Car la parole ici retrouve ses origines, elle commence à fouiller parmi ses propres racines pour retrouver les sentiments, les événements, les visages qui lui donnent vie, chaque jour, partout ; sa source originelle ne sera mise en cause que plus tard. Villon affirme ici la véritable utilité du langage, non pas dans le devoir de s'exprimer, mais dans l'expression d'un devoir des hommes envers le déroulement de leurs affaires, y compris leur poésie. Que le langage possède la propriété de remettre en ordre tout ce qu'il touche, Villon le démontre par le fait de faire entrer des noms de particuliers à nous inconnus dans un huitain en octosyllabes, c'est-à-dire d'insérer des êtres réels dans une fiction. Plus que ces personnages douteux, pourtant, le style contourné de ces strophes met en valeur la voix qui nous en parle. Car le premier but de ces legs, c'est de refaire la *persona* du poète, moyennant la création d'un langage poétique qui lui permet de choisir son style, suivant les exigences d'un propos utile. C'est le sens littéral, dont les appendices goguenards traînent en dessous de la surface, qui doit nous intéresser, plus que les gros poissons qu'il arrive à piquer de son venin [11].

Qui est-il ce nouveau poète, et quels sont ses masques ? Le premier legs annonce que c'est un fourbe, qui saura prendre tous les tons requis et toutes les attitudes :

(L. 9)   *Premierement ou nom du Pere*   (L. 65)
                        Du Filz et du Saint Esperit
                        Et de sa glorieuse Mere
                        Par qui grace riens ne perit
                        Je laisse de par Dieu mon bruit
                        A maistre Guillaume Villon
                        Qui en l'onneur de son nom bruit
                        Mes tentes et mon pavillon

Villon joue le chevalier pieux, riche et digne, qui pourtant affecte des polissonneries ; ou est-ce plutôt le polisson qui se donne des airs de grand seigneur ? Car le mot « bruit » veut dire le plaisir d'amour en jargon érotique ; la « tente » c'est le pénis, et l'action de le tendre ; et le « pavillon » est un des noms consacrés pour le sexe de la femme [12]. C'est sur ce même jeu que le « bien renommé Villon » nous quitte à la fin de son poème :

                        Il n'a tente ne pavillon   (L. 317)
                        Qu'il n'ait laissié a ses amis...

Ce jeu, où les appartenances de la guerre féodale sont tournées en ridicule, n'est qu'un seul entre plusieurs systèmes de plaisanteries où ce mauvais plaisant tient à jouter. Il y a aussi les jeux sur les noms des tavernes, des rues, des villes, des hôtels ; il y a les jeux obscènes gratuits, sur le « con-cierge de Gouvieulx » (L. 269), le « ta-con pour esmouchier » légué à ce « bouchier » qui s'appelle « Trou-vé » (L. 161,

163), les « chausses semelees » et le « bonnet » qu'il donne à « Fournier » (L. 157-8) [13]. Le nouveau poète-chevalier est ivre de mots.

Cet « escollier » n'est pas seulement celui qui donne ; c'est aussi celui qui voit clair autour de lui. Ainsi, chez lui le verbe « laisser » équivaut parfois à « laisser faire », « abandonner » ; et Villon ne donne que ce qu'on possède ou ce qu'on fait déjà. Ainsi en est-il pour son « barbier » à qui il « laisse » « Les rongneures de mes cheveulx » (L. 241-2). Ainsi en est-il pour les religieux, qui n'ont besoin de rien :

(L. 32)   *Item je laisse aux mendians*   (L. 249)
              Aux Filles Dieu et aux Beguines
              Savoureux morceaulx et frians
              Flaons chappons et grasses gelines...

Ainsi Villon peut-il laisser aux « gisans soubz les estaux » faire très précisément ce qu'ils font déjà, c'est

              ...Trembler a chiere renfrongniee   (L. 237)
              Megres velus et morfondus...

Le don en question est une prise de vue linguistique, qui parvient à faire entrer dans la langue poétique une espèce de teint verbal des choses. C'est le sens, à notre avis, des nombreuses références dans le *Lais* aux vêtements et aux revêtements : la peau du monde visible, dans tout son concret, devient le champ de tir d'une poésie, pour ainsi dire.

La plupart du temps, c'est par la moquerie que ces objets et ces tableaux entrent dans le *Lais*. A ces mêmes « gisans soubz les estaux » (L. 235) Villon laisse « une grongniee », un coup de poing, « sur l'œil », c'est-à-dire sur l'anus. De même, un peu plus haut, Villon laisse aux « pijons qui sont en l'essoine » (L. 229) — ce sont ou des prisonniers, ou bien des amants — son « mirouër bel et ydoine », c'est-à-dire son cul, en même temps que la « grace » de leur « geolliere » (L. 229-32) [14]. Le moqueur, le polisson, le clairvoyant, connaît tous les milieux, son langage peut les atteindre tous et y relever le piquant ou le mordant, qui relèvent en revanche son langage. Le trait le plus saillant de la personne que crée Villon est donné par cette indépendance de son langage, partout en contact avec le monde perçu, mais nulle part prisonnier d'un point de vue unique. Au lieu d'être possédé par un style, le nouveau poète les possède tous. Il n'a pas de voix, pas d'intonation unie et personnelle, sauf celle que lui donne l'usage tour à tour de toutes les voix qu'il connaît. Leste et libre, la voix du poète se faufile partout. Le rire qui marque son détachement des choses est le signe même de son pouvoir sur elles.

Après avoir « brisé » le langage qui le détenait au secret de ses ironies intérieures, le rire a maintenant une fonction positive. C'est de réjouir et d'aiguilloner ceux qui l'aiment ; c'est de narguer ceux qui ne l'aiment pas. Villon ne nous laisse pas oublier que son *Lais* « se passe » en hiver. L'argent pour « maistre Robert » sera employé « dedans ces Pasques » ; Jacques Raguier, à « la Pomme de Pin », mettra « au feu la plante » ; Fournier portera ses « chausses » « durant ces gelees » ;

les trois orphelins seront « pourveus Au moins pour passer cest yver » ;
les « gisans » sont « gelez murdris et enfondus ». Chaque plaisanterie
sur le chaud et le froid, sur les vêtements et les chaussures, porte ses
nuances érotiques. Le rire, comme l'amour, fait fonction, en hiver, de
chauffage central. Le nouveau poète du *Lais* est un personnage aphrodisiaque. A la stérilité et à l'immobilité de la « morte saison », il oppose
le mouvement joyeux, moqueur, obscène et désordonné de sa propre
voix. Cette voix n'est donc pas uniquement la voix du langage lui-
même, ni du langage concret ; c'est aussi la voix de l'érotisme, qui
s'affirme, en dessous de toutes les conventions, au centre de l'expérience et de la mythologie populaire.

Parfois l'érotisme de Villon est parfaitement ouvert ; sa banalité,
l'absence de calcul, l'absence même de secret, marquent ces mêmes
qualités chez la personne qui reçoit le « legs » érotique. Par exemple,
voici Perrenet Marchant : son nom, prononcé à la mode parisienne,
est déjà une moquerie.

> *(L. 23)*   *Item a Perrenet Mairchant*   (L. 177)
> *Qu'on dit le bastairt de la bairre*
> *Pour ce qu'il est tres bon mairchant*
> *Luy laisse trois gluyons de fuerre*
> *Pour estendre dessus la terre*
> *A faire l'amoureux mestier*
> *Ou il luy fauldra sa vie querre*
> *Car il ne scet autre mestier*

Le jeu sur « mestier » = métier et « mestier » = besoin est des
plus communs, aussi Marchant ne manquera pas de le comprendre.
La syntaxe équivoque du troisième vers, qui pourrait expliquer soit le
legs du quatrième soit le sobriquet du deuxième, nous laisse comprendre que ce n'est pas la bâtardise qui est signifiée par la « barre » qui
orne son écu, et que celle-ci est plutôt l'emblème phallique de Perrenet.

Ailleurs, le « bien renommé Villon » prendra sur lui les peines et
les récompenses des aventures burlesques en amour, au lieu de les
assigner. Il dramatise, dans sa personne, les histoires et les situations
que la langue populaire connaît déjà. Un des masques du nouveau
Villon, c'est qu'il peut devenir son propre personnage, et jouer de
vieilles comédies dans son propre poème. Nous l'avons déjà vu, à la
fin du *Lais,* qui joue la farce de l'amant épuisé, là où elle fusionne
de façon utile avec le vieux trope du poète épuisé par son travail
de composition [15] :

> *(L. 39)*   *Puis que mon sens fut a repos*   (L. 305)
> *Et l'entendement demeslé*
> *Je cuidé finer mon propos*
> *Mais mon ancre estoit gelé*   (308)
> *Et mon cierge trouvé soufflé*
> *De feu je n'eusse peu finer*
> *Si m'endormis tout enmouflé*
> *Et ne peus autrement finer* [16]

Voici le poète dans sa chambre froide une nuit d'hiver ; c'est le renversement burlesque des conclusions des églogues de Virgile, où les bergers se taisent quand viennent les ombres d'un beau soir d'été. Mais on reconnaît aussi l'ensemble de plaisanteries qu'a légué à tout enfant d'aujourd'hui une chanson du XVIIIe siècle :

> Elle : Au clair de la lune
> Mon ami Pierrot,
> Prête-moi ta plume
> Pour écrire un mot.
>
> Lui : Ma chandelle est morte
> Je n'ai plus de feu ;
> Ouvre-moi ta porte
> Pour l'amour de Dieu [17].

Ici l'épuisement du poète-amant reproduit un thème central de son dessein poétique. D'autres petites comédies, dans les 26 strophes des legs, n'ont pas cette importance (on pensera, par exemple, à la strophe 24). On ne les croira ni littéralement ni métaphoriquement. Elles sont plutôt des spécimens du nouveau pouvoir linguistique du poète.

Prenons à titre d'exemple la strophe que nous avons citée au début, c'est le premier des legs satiriques. Maintenant nous sommes en état de distinguer mieux la partie du legs qui est notre héritage, et celle qui revenait autrefois à Ythier Marchant, Jehan Cornu, et leurs amis. Au « marchant » Villon lègue (toujours en chevalier) son « branc d'acier tranchant », en expliquant par une locution banale qu'il se sent très obligé (« tenu ») envers lui — tellement obligé en fait que ce legs pourrait aussi bien aller au « cornu ». Quel est ce legs ? Il s'agit de l'arme du chevalier, de son épée, sa lance, sa dague, bref son membre viril, employé « à scier » [18]. Villon a dû le laisser à quelque taverne (ayant bu sa chemise) « en gaige » pour un « escot » de huit sous... Mais on comprend aussi qu'il l'a laissé « en cage », c'est-à-dire pris dans le sexe d'une femme, dont les faveurs lui ont coûté huit sous « montant » [19]. L'histoire du chevalier qui a laissé son arme à la taverne recouvre donc l'histoire du galant qui a perdu son membre au bordel. Marchant et Cornu pourront bien recevoir ce legs, qui est « selon le con-tenu », s'ils veulent bien payer l'« escot », la rançon, et le racheter.

Ce legs assez innocent, en fin de compte, n'a ici que la valeur d'une bourde. L'établissement d'un deuxième sens obscène en dessous des formules testamentaires sert surtout à bafouer celles-ci, ainsi à les rendre de nouveau utiles. Au lieu d'être la cible de telles plaisanteries, qu'il suscite par un langage guindé dont il semble ignorer l'ironie et l'absurdité inhérentes, le chevalier blessé en amour en devient l'auteur. Il a repris en main sa langue, qui deviendra son arme, son « branc d'acier tranchant ». Cette tâche littéraire, Villon n'aura pas à la refaire dans son *Testament*, où la fiction du chevalier sera délaissée, où la *persona* du poète ne sera plus en question, où, enfin, des plaisanteries éparses et des obscénités gratuites céderont à une entreprise soutenue.

3. L'expression de Marot, « l'industrie des lays », peut être comprise de deux façons. Elle se réfère d'une part à la composition des huitains des legs, à l'adresse magistrale avec laquelle chaque unité et la suite entière ont été tissées. D'autre part, elle peut signaler l'œuvre astucieuse que Villon entreprend par le moyen des legs, c'est-à-dire une opération plutôt qu'une propriété des huitains. Dans le *Lais*, la fonction et la nature des legs ne se distinguent guère. Dans le *Testament* elles s'écartent quelque peu. L'habileté et l'intelligence dont ces legs font étalage sont un des moyens de leur opération, et un exemple frappant de l'espèce d'ordre dont ils visent l'instauration. Cet ordre est de loin plus complexe que celui que nous entrevoyons dans le *Lais*, à tel point que nous avons affaire à deux « industries » et à deux poétiques. Entre les deux poèmes est survenue une expérience de « travail », qui a transformé chez Villon le sens de son métier. De nouveaux outils poétiques lui ont été donnés, sans doute par la découverte de l'œuvre de Deschamps. Mais Villon situe son « travail » et la naissance de son nouveau poème à « Mehun ». Comme chez Dante la rencontre avec Virgile dans la « selva oscura » signale une nouvelle lecture de son œuvre, de même le drame de l'incarcération et de la libération dans la ville natale de Jean de Mehun signale chez Villon une nouvelle lecture du *Roman de la rose*[20].

Ce poème a 21 780 vers ; le *Testament* n'en comporte que 2 017[21]. Néanmoins l'œuvre de Jean de Mehun a fourni à Villon le modèle d'un long poème qui observe dans son organisation à la fois la « nature » des personnages — leur drame — et la nature elle-même, qui se manifeste chez eux, dans leurs natures spécifiques, dans leur langue et leurs actes, dans le théâtre qui les entoure et leur donne vie. Villon aussi, dans son poème, a su garder cet ordre double, qui est celui que nous voyons autour de nous, mais aussi celui que nous pourrons connaître. C'est-à-dire que son poème reflète à la fois le désordre que nous sommes, et l'ordre dans lequel, en le mirant, nous pourrons savoir nous fondre plus parfaitement. C'est l'ordre et l'entreprise que le poète du *Lais* ne connaissait pas encore. Les cent strophes de son riche héritage nous les ont transmis, dans une forme achevée et de nature synthétique que notre langage d'analyse et de déploiement ne peut que fausser. Le lecteur trouvera, dans un appendice, le plan entier de cet héritage, dont nous nous bornerons ici à donner quelques traits saillants.

Tout en respectant l'évolution spontanée d'une voix réelle, ces strophes recèlent également plusieurs structures hiérarchiques et numérologiques. Cette évolution reflète la fluidité et le devenir qui sont le propre du monde naturel considéré d'en bas vers le haut. Ces structures reproduisent en revanche les lois inébranlables et l'ordre fixe à travers lesquels tout être cherche son destin. Elles témoignent aussi d'un monde créé d'en haut, par contraste avec le flot de création secondaire qui emporte les créatures vers leur Créateur. La présence simultanée de deux systèmes organisateurs nous est déjà familière par suite de notre examen des ballades léguées, qui suivent à la fois un ordre linéaire et un ordre systématique. La suite des ballades et celle des huitains des legs s'engrènent, de la façon que nous verrons. Les huitains eux-mêmes sont divisés en deux groupes inégaux, suivant le modèle du *Testament* entier, dans une proportion de 2 à 5. La strophe 85, où Villon invoque la Trinité et la « doue » de son âme, est une strophe d'introduction (comme la première strophe du *Testament*, le premier alinéa de la *Vita nuova*, ou le premier *canto* de la *Divina Commedia*) qui ne compte pas dans la numérotation du groupe le plus grand où elle se trouve. Comme la première ballade du *Testament* survient à la strophe 41, de même le premier groupe des legs se termine après quarante-et-une strophes avec la ballade pour Jehan Cotart [22]. Ce premier groupe ne comporte que deux ballades, la première « pour saluer nostre maistresse », la deuxième « pour m'acquitter Envers amours » ; et le « lay », « Mort j'appelle de ta rigueur ». Le deuxième groupe, des soixante strophes 126 à 185, qui inclut les autres pièces léguées, est suivi des deux ballades de conclusion.

Cette organisation des strophes en deux parties, pourtant, recouvre deux systèmes d'organisation à trois. Dans le premier, les strophes sont groupées 41-41-19 ; dans le second, elles sont disposées 41-19-41. Ce télescopage, qui a son sens numérologique, a été rendu nécessaire par les multiples agencements que Villon suit tous à la fois. La ballade de la Grosse Margot, par exemple, se trouve dans une des sections de 41 strophes en tant que pièce donnée ; dans une autre par son contenu social, qui la place parmi les strophes qui traitent de la racaille, des malades, des morts, et de Villon mort ; et dans une subdivision de 22 strophes, entre les deux groupes de 19, qui traite des filles.

L'ordre des legs eux-mêmes n'est pas facile à déterminer. Ils semblent suivre en partie une hiérarchie descendante d'après la condition sociale des héritiers ; du moins est-il clair qu'on arrive à la fin dans les bas-fonds. L'ordre traditionnel d'un testament est également respecté, comme l'on sait [23]. Les hommes et les femmes sont traités séparément. Et une étude approfondie révèlerait sans doute des traces de hiérarchies morales et fertiles, comme dans la ballade des neiges d'antan. Les pièces lyriques aussi sont agencées d'après des hiérarchies descendantes, hiérarchies de style, de sujet philosophique et de cadre social, avec des enchevêtrements et des retournements qui en assurent la vraisemblance, la continuité et l'équivoque réelle. Il est clair, par exemple, que Villon commence dans le style liturgique d'une prière, et qu'il termine dans le style burlesque et grivois. La ballade de Margot, au milieu, se range par son sujet et son style avec le deuxième groupe de quatre ballades, tandis que son niveau social et le sexe de l'héritière font qu'elle se range entre la ballade de « bon bec » et la ballade pour les « compaings de galle ».

Le lecteur suivra mieux de telles complexités en méditant le plan entier. Expliquer dans le menu détail l'entière « industrie des lays » dépasse le cadre de notre étude et la compétence de son auteur. La décrire de façon sommaire fausserait l'idée même de ces strophes en passant sur mainte ingéniosité et sur maint repli équivoque et significatif. Mieux que le plan entier, mieux que la somme des détails qui le constituent, la « nature » des legs nous aide à apprécier l'intelligence poétique de Villon, c'est-à-dire l'intelligence en laquelle il semble avoir vécu avec la création. Elle se voit en acte dans les parties infimes de son œuvre, aussi bien que dans les grandes lignes de son dessein, de même que le nombre, qui est présent de façon significative aussi bien dans les 64 syllabes de chaque huitain que dans les 185 strophes du poème. Cette intelligence se donne deux tâches principales dans les legs proprement dits : à savoir, rendre justice, et propager la fertilité. Rappelons que c'est la tâche des ballades d'étaler les principes de l'un et de l'autre, par les moyens divers, dans chaque pièce, qui mènent à la réflexion ; et dans l'ensemble des pièces, par une discussion pédagogique qui emploie des questions, des confrontations, des disputes, et une inculcation directe par la prière, l'exorcisme, ou l'invocation.

Les 41 premières strophes de legs se suivent presque sans interruption. C'est là où nous verrons le mieux fonctionner la nouvelle justice de Villon, son « industrie » dans les deux sens, par rapport à l'entreprise du *Lais*. Les strophes 85 à 125 sont divisées en deux parties. La première, de dix strophes, s'adresse à la famille et aux proches de Villon, et contient les trois pièces lyriques. Au « lay », « Mort j'appelle de ta rigueur », succèdent non moins de 31 strophes de legs sans répit, jusqu'à la ballade pour Jehan Cotart. C'est la suite la plus longue des legs, et la partie la plus dense et concrète, la plus « basse et particuliere » du *Testament*. Le seul groupe de legs qui puisse y être comparé pour la longueur, c'est celui qui suit, de 14 strophes, soit moins de la moitié. En fait, on se trouve ici au milieu juste du poème, dans le creux d'une courbe lyrique qui est une de ses formes, une sorte de crescendo à l'envers. Villon est ici plongé au plus fort de ses affaires. Peu à peu, avec un rythme de plus en plus marqué, il allégera son propos de pièces lyriques, sans délaisser son commerce avec le concret et le particulier, si bien qu'il terminera le poème dans le lyrisme et le grivois.

Et sans doute voudrait-il que nous le voyions ici absorbé dans une nouvelle espèce de lyrisme comme dans une tâche lyrique qui n'est pas uniquement celle de la poésie, mais dans laquelle le poème lui-même a plongé en ce moment. Villon prend soin de préciser que chaque legs nouveau n'est qu'un mouvement dans une entreprise *continue* de justice. C'est l'apport de l'inclusion du *Lais* et de ses legs dans le nouveau poème. Loin de révoquer son premier poème, Villon le prend comme point de départ. Il affirme et soutient chacun de ses premiers actes comme étant une démarche légitime vers une œuvre qu'il est en état maintenant de parfaire. Comme représentant du plan objectif qui est

le champ de cette œuvre — comme son titulaire, pourrait-on dire —
Villon a choisi son ami imbécile Perrenet Marchant, « le bast*air*t de
la b*air*re ». Déjà, dans le *Lais*, Villon a joué sur son nom de famille
et a tenu à soutenir son activité amoureuse. Dans les strophes de la
première partie du *Testament* où Villon rappelle son premier poème
et le redresse, en nous assurant qu'il est bien le même personnage qui
s'y ébauchait, voici de nouveau Perrenet Marchant et Villon qui tient
à le soutenir dans son unique « mestier ». « L'amant remys et regnié »
vient lui-même de quitter le « ranc » des amoureux, d'abandonner le
parti des amants et son « plumail », et d'enregistrer son « amour »
pour les amants pervertis qui gèrent l'évêché à Mehun. « Dieu
mercy », disait-il, je suis encore un « jeune coquart » qui garde bonne
« memoire » de ces affaires-là, bien que Tacque Thibault soit parvenu
à me casser la voix et la figure. Outre ses amours, l'Amant a mémoire
d'autres choses :

(75)   Si me souvient bien Dieu mercis   (753)
              Que je feis a mon partement
              Certains laiz l'an cinquante six ...

(76)   Pour les revoquer ne le dis   (761)
              Et y courust toute ma terre
              De pitié ne suis refroidis
              Envers le bastaird de la bairre
              Parmi ses trois gluyons de fuerre
              Je luy donne mes vieilles nates
              Bonnes seront pour tenir serre
              Et soy soustenir sur les pates

Depuis « cinquante six », Marchant n'a pas quitté ses bottes de
paille. Il est toujours à la besogne, bien qu'il vieillisse, et Villon
lui lègue de quoi donner prise à ses membres défaillants — aussi bien
que ses « vieilles » fesses (l'ancien français disait *naches* pour le latin
nates) bel et bien « parmi » (au milieu de) ses « trois gluyons ». Marchant est toujours là, nous assure Villon, et moi aussi. L'œuvre se
poursuit. Un peu plus tard, en effet, quand il s'agit de porter l'une des
premières ballades à « (s)a chiere rose », Villon choisira comme mes-
sager celui dont la personne sera une injure plus efficace que la pièce
qu'il porte :

(93)   Ceste ballade luy envoye   (934)
              Qui se termine tout par R
              Qui luy portera que je voye
              Ce sera Pernet de la Bairre
              Pourveu s'il rencontre en son erre
              Ma damoiselle au nez tortu
              Il luy dira sans plus enquerre
              Orde pillarde dont viens tu [24]

Et voici de nouveau Perrenet dans le groupe de 31 strophes que
nous lisons :

(108)   De rechief donne a Perrenet   (1 094)
              J'entens le bastairt de la bairre

> *Pour ce qu'il est beau filz et net*
> *En son escu en lieu de bairre*
> *Trois dez plombez de bonne cairre*
> *Et ung beau joly jeu de cairtes*
> *Mais quoy s'on l'oyt vecir ne poirre*
> *En oultre aura les fievres quairtes*

Ayant joué autrefois sur son nom de famille et sur son sobriquet, Villon tourne maintenant ses plaisanteries autour de son nom de baptême. Ce « marchant » est un « père-net », aussi Villon l'appelle un « beau filz et net » — ou faut-il comprendre « beau filz ainé » ? Puisqu'il est si vaillant ouvrier en amour, ce n'est que juste si son « escu », qui porte jusqu'ici le signe ou de son origine ou de son « mestier », devienne une espèce d'enseigne qui publie son caractère. On a compris déjà que Perrenet « jouait aux barres », dans tous les sens du mot[25]. Maintenant on apprend son adresse en d'autres jeux, y compris sa virtuosité en fait de ventosités. Il y a sans doute d'autres jeux ici, des jeux de mots, avec lesquels Villon désigne ceux, moins innocents, de son ami[26]. Au moins est-il clair que Villon se constitue héraut et maître d'armoiries ; que son huitain *est* le blason de Perrenet Marchant, que Villon a armorié d'après la nouvelle vérité de son caractère.

Autant qu'on puisse juger, le sujet de ces 31 strophes est la justice, ecclésiastique et civile. Voici nommés « mon advocat » (1022), « mon procureur » (1030), un « sergent » (1071), les « Unze Vingtz Sergens » (1086), un « cappitaine » et ses « archiers » (1126-7), le « scelleur » de « l'eveschié » (1198), un « promoteur » (1215) et de nouveau — c'est Jehan Cotart — « Mon procureur en court d'eglise » (1231). Parfois, Villon se mêle directement à cette justice. C'est ainsi qu'au « promoteur » il lègue la corde :

> *(123)*   *Item donne a maistre Françoys*   (1 214)
> *Promoteur de la Vacquerie*
> *Ung hault gorgerin d'escossoys*
> *Toutesfois sans orfaverie*
> *Car quant receut chevallerie*
> *Il maugrea Dieu et saint George*
> *Parler n'en oit qui ne s'en rie*
> *Comme enragié a plaine gorge*

La syntaxe libre des premiers vers nous laisse comprendre que Mᵉ Françoys de la Vacquerie est le « promoteur d'une cour qui est une « vacquerie » ; mais aussi, qu'il est « françoys » au même titre qu'un « Françoys » né de Paris « emprès Ponthoise ». Pourtant, quand ce bourgeois « receut chevallerie » — c'est-à-dire quand il a été bien daubé dans une rixe — il a juré comme un écossais, en pestant « Dieu et saint George »[27]. Pour cela, le « hault gorgerin » que Villon lui lègue pour écot sera « d'escossoys », pour qu'il ne se « cosse » plus la tête... De cet homme, de cette affaire, et de ce legs — dont le bruit évidemment court la ville — tous les gens s'en rient, en appuyant de leur violence, « a plaine gorge », le don qui égorgera Mᵉ Françoys. « Qu'il

soit pendu ! » crie donc Villon aussi, en juge de l'avocat. Sa justice renverse le sens et les procédés de la justice des institutions, en vertu,
faut-il comprendre, d'une justice qui lui est supérieure. Le mystère qui
entoure ici les raisons de la condamnation de Françoys de la Vacquerie
confère à celles-ci une certaine dignité, et au juge Villon une intelligence de ses règles et des faits humains, pour laquelle nous sommes
invités à le suivre.

Parfois la justice de Villon semble seconder la justice des institutions et de la police civile :

> *(109)*   *Item ne vueil plus que Cholet*   (1 102)
> *Dolle tranche douve ne boise*
> *Relie broc ne tonnelet*
> *Mais tous ses houstilz changier voise*
> *A une espee lyonnoise*
> *Et retiengne le hutinet*
> *Combien qu'il n'ayme bruyt ne noise*
> *Si luy plaist il ung tantinet*

Villon invite ce Cholet à abandonner d'urgence la vie civile, à troquer ses outils d'artisan contre une bonne épée afin de garder la paix
et de réprimer les désordres, les querelles, les rixes de la ville (« retiengne le hutinet »)[28]. Cholet va « changier » complètement de métier : de
faiseur de bruit qu'il était, il deviendra celui qui restreint les tapages.
Et ceci, sans doute, avec violence. Heureusement, nous assure Villon,
Cholet aime lui-même quereller au degré nécessaire, « ung tantinet ».
Le mot-clef ici, c'est le verbe « changier ». Le legs de Villon rajuste le
métier de son ami pour le conformer à son vrai caractère — Cholet
s'ennuyait à mourir sans doute dans la boutique du tonnelier — il fait
fondre les divers outils en une seule lame, et substitue un bruit aux
deux autres. Ici encore, il fait montre d'une intelligence et d'une volonté hautaine (« ne vueil plus que... ») qui s'identifient à sa maîtrise
verbale, et qui signalent des connaissances d'un ordre supérieur aux
nôtres. La difficulté même de ces legs renvoie à une « industrie » invisible et certaine, qui n'est pas celle du seul Villon.

Sa certitude devient le plus inquiétante dans les legs où Villon
semble travailler dans une juridiction personnelle, où sa haute justice
est constituée par une basse justice de petites vengeances. Tel est, par
exemple, le legs trivial qui anéantit Robinet Trouscaille :

> *(114)*   *Item a Robinet Trouscaille*   (1 142)
> *Qui en service c'est bien fait*
> *A pié ne va comme une caille*
> *Mais sur roncin gras et reffait*
> *Je lui donne de mon buffet*
> *Une jatte qu'emprunter n'ose*
> *Si aura mesnage parfait*
> *Plus ne luy failloit autre chose*[29]

Au lieu de « trousser » une « caille », Trouscaille se promène « en
service », perché lui-même comme un oiseau sur l'énorme monture

qui fait montre des aises de son maître. Villon tient à parfaire son
« mesnage » en lui donnant librement ce que Robinet n'ose pas emprunter, « une jatte ». On ne peut que conjecturer les jeux qui font le
sel de ces vers. Nous supposons d'abord une locution proverbiale qui
désigne l'homme timide : « Il n'ose emprunter une jatte ». Le mot
« caille » avait plusieurs acceptions érotiques, et d'abord celle de prostituée [30]. Plusieurs jeux de mots nous suggèrent qu'il faut voir dans ce
tableau Mme Trouscaille aussi, ou du moins la compagne de Robinet.
« Service » désigne l'amour, et le « roncin gras et refait » qu'il chevauche décrit donc sa vaste amie, qui le rapetisse. Avec la « jatte » que
Villon lui donne, ce riche homme pourra parfaire son « mesnage »,
c'est-à-dire son « service » de table. Ayant reçu *gratis* ce qu'il n'osait
demander, ayant ainsi perdu l'emblème de sa timidité, n'aura-t-il
pas enfin un « mesnage » plus équilibré [31] ? Ceci n'est qu'une hypothèse. Il y aurait sans doute des sens figurés du mot « jatte » —
comme d'ailleurs du mot « buffet », qui veut dire « soufflet de ménage » et « gifle » aussi bien que « meuble de cuisine » — qui préci-
seraient l'idée du legs [32].

Quoi qu'il en soit, la nature de cette menue justice ne diffère pas
de celle de la haute. L'astuce de chaque legs comporte une structure
tripartite qui assure son opération. Il y a d'abord, sur trois ou quatre
vers, la dénomination de l'héritier et les jeux auxquels il donne lieu,
lesquels servent, avec d'autres traits, à le caractériser. Ensuite vient le
don de Villon, dans toute sa spécificité concrète, en deux vers ou trois.
Enfin, en sentence, un ou deux vers décrivent le résultat éventuel du
don, le nouvel état des choses, ou le trait final qui transforme un
enchaînement de plaisanteries en une seule astuce achevée et close.
Cette structure a aussi son sens esthétique. A la prise de vue d'une
tranche de vie, Villon ajoute quelque chose de son cru, il l'orne d'un
objet ou d'une action qui s'attache désormais à la réalité préexistante.
Au décor parisien Villon ajoute sa propre décoration : le tableau de
Robinet Trouscaille sur son « roncin », que connaît chaque piéton parisien, a été orné d'une « jatte ». Trouscaille l'a-t-il maintenant sous le
bras ? La porte-t-il renversée en guise de chapeau ? L'a-t-il reçue à la
figure comme un « buffet » ? Villon conclut qu'en tout cas le don est
fait, ce coin de Paris a été « parfait », en donnant à tous la satisfaction
d'avoir vu souder ensemble objet et tableau en 64 syllabes.

Le proverbe qui gît derrière l'astuce est connu dans le cas du
legs au « scelleur » de « l'eveschié ». Il nous aidera à comprendre
que la justice de Villon est une justice poétique, c'est-à-dire créatrice,
qui laisse son empreinte partout :

> (121)   *Item pour ce que le scelleur*   (1 198)
> *Maint estront de mouche a maschié*
> *Donne car homme est de valeur*
> *Son seau d'avantage crachié*
> *Et qu'il ait le poulce escachié*
> *Pour tout empreindre a une voye*

J'entens celuy de l'eveschié
Car les autres Dieu les pourvoye

Il est douteux que Villon ait inventé l'expression « estront de mouche » pour la cire — « mouche » est le nom commun de l'abeille à l'époque, comme l'on sait — mais il est responsable de cette belle musique « maint-mouche-maschier », et d'avoir mis en valeur le calembour du verbe « macher », c'est-à-dire *écraser* (que nous conservons dans les mots *mâchurer* et *mâchefer*) qui est le sens propre de la phrase, et du verbe « maschier », mâcher avec les dents [33]. A cet homme qui aura laissé l'empreinte de ses dents et le goût de sa bave sur tout acte officiel de l'Eveschié, et qui n'en finira jamais, Villon laisse l'impossible, « tout empreindre d'une voye ». Car le proverbe disait bien

En ung coup tout n'est pas empraint
Qui trop embrasse, mal estraint [34].

Il faut comprendre que le « scelleur » est aussi le « celeur », c'est-à-dire celui qui *cache* avec un *cachet* (nous dirions aujourd'hui qu'il *cachette*) ce qui explique pourquoi il aura « le poulce *escachié* », c'est-à-dire écrasé, aplati, comme de la cire sous son propre cachet. Si son « seau » est grand, son pauvre membre sera maintenant en mesure de l'empreindre facilement, ayant exactement la largeur d'un « poulce escachié », qui était une mesure commune [35]. Villon remarque que cet homme, à force d'avoir « maschié » et « crachié », est devenu une espèce d'automate, un grotesque, dont le bras se termine non par une main, mais par un énorme sceau. Sous prétexte d'alléger son travail, Villon l'écrase d'injures obscènes. Voilà pour lui ; quant aux autres « scelleurs » ou « celeurs », ceux de la justice, de la pègre, ou de l'amour, que « Dieu les pourvoye ». Ce n'est qu'à l'évêché, où Dieu est absent, qu'il faut que Villon intervienne pour rendre justice.

Ainsi le « mâche-merde » devient une machine à cacheter ; Villon l'a bien mordu. Mais il a laissé de ce fait sa propre empreinte burlesque sur la matière de sa langue, il a créé par des équivoques un cas spécial qui observe le proverbe populaire, le ranime et, en même temps, déjoue sa sagesse, en tirant de ses termes figurés le sens littéral. Si la justice que rend Villon va dans le sens du grotesque, la poésie qu'il en tire va dans le sens de l'idéal. Ses héritiers deviennent des « véritiers », si l'on peut dire ; ils ressemblent ouvertement désormais à ce qu'ils sont dans leur vérité secrète, tout comme le « dit » de Franc Gontier devient, sous la plume de Villon, ce qu'il est vraiment. Tout comme il a interprété le poème de Philippe de Vitry, de même il interprète la réalité parisienne, et lui lègue son portrait. Ainsi il interprète sa propre langue, et tire au clair le sens littéral de ses dictons commodes. Dans la langue de Villon, comme dans le monde qu'il recrée, il devient possible pour une fois de « tout empreindre a une voye ».

Cette langue recèle certaines harmonies significatives dont Villon tient à jouer, qui ont la même force qu'un sens littéral devenu proverbe banal. C'est une de ses manières d'orner et d'embellir la capitale. Prenons par exemple le legs symphonique à Denis Hyncelin :

> *(98)*   *Item donne a sire Denis*   (1 014)
> *Hyncelin esleu de Paris*
> *Quatorze muys de vin d'Aulnis*
> *Prins sur Turgis a mes perilz*
> *S'il en buvoit tant que peris*
> *En fust son sens et sa raison*
> *Qu'on mette de l'eaue es barilz*
> *Vin pert mainte bonne maison* 36

A part ces sonneries, et les jeux tel que celui sur « peris En fust » (fût), les rimes elles-mêmes semblent donner un sens plus qu'esthétique. Il faut prononcer « Paris » à la mode parisienne, et observer la faible distinction qu'il y a, dans la position initiale, entre « p » et « b ». Alors on lit une suite d'homonymes, « Pairis - perilz - peris - bairilz », à laquelle le mot « pert » du dernier vers met un point d'exclamation. L'oreille est étonnée, mais l'esprit aussi ; n'est-on pas tenté de comprendre que Paris est la ville des « perilz », des « peris », et des « barilz » tout ensemble ? Nommer l'un, c'est les nommer tous, c'est relever cette identité secrète dans les mots qui confirme la vérité éclatante des faits.

Ce n'est pas seulement les apparences des personnes, de leurs dictons et de leurs mots, qui sont ainsi déchirées par la satire de Villon, pour laisser voir leur nature — comme Archipiades, dans la ballade des neiges d'antan, que nous avons vue « E dehors e dedenz tout outre » 37. Le Pauvre Villon, depuis sa chute au village de Mehun, possède des yeux de lynx. Comme le plan entier des legs doit mettre en valeur certaines des complexités les plus marquantes de la nature entière, de même chaque legs marquera la participation des objets singuliers dans ce plan. Villon tient à dévoiler, sous les « luisanz superfices » de chaque humble accessoire de la vie quotidienne, sa nature érotique, sa manière de partager la fécondité de Nature, qui est l'autre nom de la vraie justice. Moyennant une nouvelle disposition de ces objets, qui ont été ainsi ouverts, Villon propose de seconder leur opération, de faciliter leurs contributions directes et indirectes à la nature qui les gouverne. En un mot, Villon les fera « courir » ; et, avec eux, les hommes à qui il les lègue.

L'érotisme de Villon dans ces strophes est parfois tout ouvert. Dans le *Lais* déjà il gardait cette distinction entre érotisme populaire ou banal et érotisme secret, qui relève d'un langage et de connaissances ésotériques. Ici cependant, l'érotisme ouvert ne sera pas pour autant banal, et n'aura pas moins de force que les jeux couverts. Certains objets — les aphrodisiaques, les épices, les organes sexuels — n'ont pas besoin d'une « ouverture » pour révéler leur fonction. Il suffit que Villon en recommande l'usage à ceux qui s'en chargent, ou qu'il les y incite par une évocation alléchante qui est elle-même, à la lire, aphrodisiaque :

> *(111)*   *Item a l'orfevre de bois*   (1 118)
> *Donne cent clouz queues et testes*
> *De gingembre sarrazinois*

> *Non pas pour acomplir ses boites*   (1 121)
> *Mais pour conjoindre culz et coetes*
> *Et couldre jambons et andoulles*
> *Tant que le lait en monte aux tetes*
> *Et le sang en devalle aux coulles* [38]

Si cette strophe n'a pas besoin d'une longue glose, c'est que ses termes sont de ceux qui ont survécu de tout un arsenal de vocables érotiques dont disposait Villon. On notera du moins la félicité de la structure tripartite du legs, à travers laquelle l'excitation s'accroît peu à peu, pendant que le jeu devient de plus en plus ouvert et de plus en plus sérieux. Certains mécanismes physiologiques et psychologiques sont mis en œuvre dès le premier vers, mais n'atteignent leur plein effet — chez le lecteur comme dans la strophe — qu'à son comble où, dans un mouvement irrésistible, ce legs « monte », hésite, et « devalle » à sa fin. A partir de la minutie obscure des « cent clouz queues et testes », Villon nous a ouvert l'anatomie humaine de fond en comble; il a stimulé les liens fluides qui maintiennent son unité et sa vie. C'est la nature même que nous voyons, que nous sentons en acte, dans notre corps qui est l'image de la terre fertile. Voilà en termes propres ce qui arrive dans le « bordeau ou tenons nostre estat » quand Margot « monte sur » son ami. Voilà, en image, le système des artères terrestres, dans lesquelles coulent, fondues, les neiges d'antan.

L'image piquante des « clouz » pour « couldre » « culz », « coetes » et « coulles » nous rappelle que Villon joue sur le métier de « l'orfevre de bois », et confectionne lui-même un magnifique ouvrage d'orfèvrerie, qui remplacera avantageusement les « boites » de l'artisan. Et cela nous rappelle le legs à Cholet, le tonnelier... Y a-t-il un contenu érotique à ce legs aussi, qui semblait traiter de la justice ? Villon aura en fait des moyens couverts pour avancer la cause de la fécondité avec autant d'efficacité que dans le legs ouvertement aphrodisiaque. Prenons à titre d'exemple son legs à Jehan Raguier :

> *(105)*   *Item a Jehan Raguier je donne*   (1 070)
> *Qui est sergent voire des douze*
> *Tant qu'il vivra ainsi l'ordonne*
> *Tous les jours une tallemouse*
> *Pour bouter et fourrer sa mouse*
> *Prinse a la table de Bailly*
> *A Maubué sa gorge arrouse*
> *Car au mengier n'a pas failly*

Cette « tallemouse » qu'aura Raguier « tous les jours » et « tant qu'il vivra » est une pâtisserie fine et difficile à faire, et on comprendra que ce « bailly » est un riche qui peut bien se l'offrir. Raguier pour sa part est un mauvais glouton qui, pendant le repas, ne s'arrête pas même le temps de boire les vins vieux qui garnissent « la table » de son hôte. Par conséquent, il lui faudra « arroser sa gorge », comme on disait, de ce qu'on appelle de nos jours « Château la Pompe », dans la

rue, après son dessert nourrissant [39]. Scrutons de plus près cette
« tallemouse ». Certaines locutions semblent attester qu'une « tallemouse » est une gifle, un soufflet, un « buffet » ; pourtant, le mot ne
nous importe pas autant que la chose [40]. C'est une petite pâtisserie
creuse, de la taille du poing, en forme de tricorne, avec, au bout, une
ouverture qui laisse apercevoir qu'elle est remplie de fromage blanc [41].
Mets délicat, en fait, à donner au « sergent » « Pour bouter et fourrer
sa mouse », mais qui représente, par sa forme et son contenu, un
autre objet qui en diffère de façon violente : c'est le sexe du brave [42].
Entre la pâtisserie mignonne et l'organe qu'elle suggère, il y a exactement la même distance burlesque qu'entre l'invité correct qui hume
son vin chez Bailly, et le « sergent » costaud qui « arrose sa gorge » à
la fontaine publique de « mal-bu(é) ». C'est de cette même distance
que témoigne, en équivoque, le vers qui décrit l'objet du don. D'une
part, nous lisons que ce mets sera « bouté soubz le nez », comme
Villon le dit ailleurs (407), et « mouse » veut dire « museau ». D'autre
part, une « mouse » est, dans le langage populaire, une jeune fille ; et
« bouter » et « fourrer » nomment l'acte d'amour, non sans violence [43].

Si le mot « tallemouse » voulait dire « pénis » ou non à l'époque,
nous ne le savons pas. Il s'agit ici d'une équivoque objective, d'un
calembour concret. Que la friandise en question était emplie de *fromage*, cela rend probante son assimilation à l'autre [44]. Quel est le don
que fait Villon à Jehan Raguier ? Est-ce, tous les jours de la vie, une
« prinse » — c'est-à-dire un *rapt* (Villon parle de « la *prinse* d'Helaine »
à V. 6) — chez Bailly ? « prinse » d'une pâtisserie à « mengier » ?
« prinse » d'une jeune fille à « angier » ? La strophe arrive à confondre
l'un des régals planureux avec l'autre, mais c'est surtout la « plenté »
elle-même, la plénitude, que Villon recommande à son ami par le
moyen d'une espèce de talisman verbal. Il seconde son activité sexuelle,
il le fortifie d'un repas nourrissant, d'une belle bourde, et de l'encouragement de son amitié compréhensive. Raguier et Villon sortent de
chez Bailly bras dessus bras dessous, plus gaillards, plus aimables,
liés par leur pacte avec la vérité et la nature. « Ainsi l'ordonne », dit
Villon, et nous avons vu comment le mot peut confondre une com-
mande avec une disposition, dans une seule déposition légale.

Nous sommes mieux capables maintenant de saisir le sens d'autres
legs du *Testament* qui discernent dans d'humbles objets leur forme et
leur fonction sexuelle, et qui les disposent en conséquence comme
autant de talismans. Voici le legs à Jehan le Lou :

(110)	Item je donne a Jehan le Lou	(1 110)
	Homme de bien et bon marchant	
	Pour ce qu'il est linget et flou	
	Et que Cholet est mal serchant	
	Ung beau petit chiennet couchant	
	Qui ne laira poullaille en voye	
	Le long tabart est bien cachant	(1 116)
	Pour les mussier qu'on ne les voye [45]	

Ce qui est en cause, c'est la prouesse sexuelle de celui de qui le nom indique la férocité. Et pourtant, ce loup n'est qu'un « homme de bien », qui n'est pas bien doué pour la chasse. S'il est (comme Perrenet et Ythier) un « bon marchant », son compagnon Cholet — à la différence de Raguier, ce bon « *sergent* » trapu et viril — est « mal *serchant* »[46]. En plus, Jehan le Lou a le membre aussi faible et mol que le « haillon » du Pauvre Villon mourant ; il est précisément « *linget* » et « flou ». Il lui faut donc non seulement un bon nez pour la chasse, mais aussi de quoi pointer son arme, la braquer sur l'oiseau à descendre — bref, il lui faut un pointer, un braque, un chien d'arrêt, « Ung beau petit chiennet *couchant* ». Pour compléter le costume de son ami — et pour achever la décoration du legs — Villon ajoutera « Le long tabart » qu'il lui a légué jadis, aussi « bien cachant » que Cholet est « mal serchant », « Pour *les* mussier qu'on ne *les* voye ». Villon est tenu à la discrétion, dans les deux sens. Cette peau de mouton pour le loup cachera aussi bien la « poullaille » qui n'est plus « en voye » que le « beau petit chiennet » qui se met en pointe par trop ouvertement dans n'importe quel autre vêtement, de façon à trahir les intentions de son maître avant qu'il ne les accomplisse.

Pourquoi Cholet est-il « mal serchant » ? Relisons la strophe qui le concerne, et qui précède celle que nous venons de lire. Quand Cholet s'en va changer « tous ses houstilz » contre l' « espee lyonnoise », il doit quand même en garder un : c'est le deuxième sens du vers, « Et retiengne le hutinet ». Car le « hutinet » est, aussi bien qu'une petite rixe, un petit marteau de tonnelier ; et « hutiner » dans la langue libre voulait dire frapper et taper avec le membre qui lui ressemble, en faisant le bon bruit d'amour[47]. Cholet n'aime pas les querelles, avons-nous vu ; il « n'ayme bruyt... ne noise ». Mais si, pourtant, ils lui plaisent « ung *tente*-inet », il tolère bien la lutte du lit, à la rigueur. Loin de mépriser l'ancien métier de Cholet, Villon le comprend et l'estime. Il recèle à ses yeux perçants un secret mouvement érotique qui n'a qu'à être lâché par la ville entière, et qui le sera quand Cholet sera libéré de son atelier pour courir les rues. Comme de coutume, Villon a déjà libéré ce mouvement à sa façon, en imitant dans son vers le « bruit » du tonnelier, en en faisant une belle musique de chambre :

> ...*Dolle tranche douve ne boise*   (1 103)
> *Relie broc ne tonnelet...*

Les gestes de l'artisan qui « boise » deviennent autant d'euphémismes pour l'acte d'amour, et Villon devient comme Cholet un « orfevre de *bois* », c'est-à-dire de la chair d'amour.

La strophe de Villon fait entrer le « bruit » rythmique et créateur du tonnelier dans une hiérarchie de bruits qui inclut la dispute, la justice, l'amour et la poésie. Le battement de l'artisan, la batterie en ville, battre monnaie ou, de sa main, la joue d'un sot, ce sont autant de mouvements d'une seule batte, celle de Nature-forgeron qui « ouvre » la matière pour en extraire ses formes infinies, et qui imite elle-même un Dieu démiurge. Plus clairement même que les legs de la basse justice de Villon, la strophe sur Cholet et son rôle dans la police civile montre que, pour Villon, justice et fertilité se confondent. Une seule phrase impérative, telle « Et retiengne le hutinet », est capable de forger, par un double battement intérieur, cette unique vérité, dans le langage et chez ceux qui l'entendent. Pour faire cela, Villon n'a eu qu'à exploiter les ressources cachées de sa langue. Le legs à Cholet est tout autant, sinon plus, un legs au lecteur.

Un langage qui veut appuyer à la fois la justice et la fertilité court les plus grands risques en parlant des religieux. En fait, dans les cinq strophes, parmi les 31 legs qui traitent des frères et des sœurs, Villon est amené à prendre une position ambivalente. D'abord (strophe 116) il leur fait « oblacion » — comme il le leur a « laissé » dans le *Lais* — de tout ce qu'ils ont déjà, à savoir des mets succulents et équivoques ; et après le repas, dans le lit, « parler de con-templacion ». Comme Raguier, on le voit, ces moines et sœurs des ordres mendiants sont d'excellents serviteurs de Nature, et Villon ne peut que les approuver de ce point de vue. Ce point de vue est également celui de leurs maîtres ecclésiastiques, et donc doublement méritoire :

> *...Mais on doit honnorer ce qu'a*   (1 180)
> *Honnoré l'eglise de Dieu*

conclut Villon, bien satisfait. Et pourtant, d'un autre point de vue, ce sont des personnes exécrables, qui sont loin de professer ou de suivre une philosophie de Nature. Au contraire, ils ont choisi une autre voie pour gagner le Paradis, à en croire leurs paroles, et leur conduite actuelle n'est qu'une hypocrisie dégoûtante. Villon est exactement dans la situation de Jehan de Poullieu :

> *(118)*   *Quoy que maistre Jehan de Poullieu*   (1 174)
> *En voulsist dire et reliqua*
> *Contraint et en publique lieu*
> *Honteusement s'en revoqua....*

Tout ce que Jehan de Poullieu a voulu dire contre les ordres mendiants (plus ce qu'il n'osait dire, « et reliqua »), ce qui était de la vérité pure, il a dû le soumettre à une autre loi que celle de la vérité visible et, avec honte, en faire rétractation publique, « s'en revoqua ». Ce mot nous rappelle que Villon, quant à lui, a qualifié son « testament » d' « irrevocable » (80). Les mots latins « et reliqua » nous renvoient aux vers où Villon tait sagement la vérité sur Tacque Thibault, en disant

> *...quant j'en ay memoire*   (741)
> *Je prie pour luy et reliqua...*

Enfin, la structure et le vocabulaire de la phrase sur Jehan de Poullieu rappellent la phrase où Villon atteste que ce dilemme est le sien :

> *...Je vous diray j'ay tort et honte*   (31)
> *Quoi qu'il m'ait fait a Dieu remis*

Villon saura adapter à son cas les leçons acquises de ses devanciers, il saura tout dire sans rien compromettre :

(118)　　　...*Maistre Jehan de Mehun s'en moqua*　　　(1 178)
　　　　　　De leur façon si fist Mathieu
　　　　　　Mais on doit honnorer ce qu'a
　　　　　　Honnoré l'eglise de Dieu

Villon s'explique de deux façons. D'abord, par de subtiles équivoques il souligne le contresens honteux qui règle la vie des « beaulx peres ». S'ils se réjouissent, comme ceux de la strophe 32 qui « Bons vins ont souvent embrochiez », Villon ne leur en veut pas. Ce n'est pas lui qui leur « donne » de telles joies, mais chacun de leurs humbles fils, et Dieu lui-même, qui ainsi les « guer-donne » de leurs travaux :

(117)　　　*Si ne suis je pas qui leur donne*　　　(1 166)
　　　　　　Mais de tous enffans sont les meres
　　　　　　Et Dieu qui ainsi les guerdonne
　　　　　　Pour qui seuffrent paines ameres
　　　　　　Il faut qu'ilz vivent les beaulx peres
　　　　　　Et mesmement ceulx de Paris
　　　　　　S'ilz font plaisir a nos commeres
　　　　　　Ilz ayment ainsi leurs maris

Pourquoi faut-il qu'ils vivent, même ceux de Paris ? C'est d'abord que « Pèris » est la ville des pères. Mais prononcé de cette façon, ce nom révèle une prétention outrée, par un calembour que Villon nous a préparé à reconnaître. Car les beaux pères veulent avoir toutes les joies des deux vies, de celle qu'on mène sur terre et de celle qu'on a aux cieux :

　　　　　　Il faut qu'ils vivent les beaulx peres
　　　　　　Et mesmement ceulx de péris

c'est-à-dire même ceux qui sont morts.

Mais Villon souligne aussi ses intentions positives envers les frères et les pères qui « ouvrent » dans la forge de Nature, par un legs à leur représentant, comme son nom l'indique, c'est le « frere baude » :

(120)　　　*Item je donne a frere Baude*　　　(1 190)
　　　　　　Demourant en l'ostel des Carmes
　　　　　　Portant chiere hardie et baude
　　　　　　Une sallade et deux guysarmes
　　　　　　Que Detusca et ses gens d'armes
　　　　　　Ne lui riblent sa caige vert
　　　　　　Viel est s'il ne se rent aux armes
　　　　　　C'est bien le deable de Vauvert [48]

Villon lègue à ce « gent d'armes » de quoi défendre son amie — c'est sa « caige verte », par synecdoque — contre les violences d'autres « gens d'armes ». Il est bien assez « viel » pour « se rendre aux armes », c'est-à-dire abandonner l'amour, mais assez fort toujours pour « se rendre aux armes », c'est-à-dire se battre. La malice en est bien estompée, Villon ne dira ouvertement du « frere baude » que ce que tout

le monde dit déjà, que « c'est » en fait « le deable de Vauvert »[49].
L'astuce du legs, c'est que le poète se conforme sagement aux astuces
reçues, si l'on peut dire, après avoir expliqué les risques qu'il y a à faire
autrement.

La satire, chez Villon, n'est jamais gratuite. Rien dans son *Testament*, rien dans son « testament » propre, ne brigue une réforme sociale ou politique qui bouleverse ou qui balaie les structures existantes.
Le personnage du Pauvre Villon, comme nous avons pu le constater en
lisant la première partie de son œuvre, est un être foncièrement indépendant. Villon est au-delà de la société et des questions sociales en
tant que telles. Comme son point de vue ne s'identifie ni à celui de
sa mère ni à celui de Robert d'Estouteville, mais les comprend dans
une vision plus vaste et plus irisée, de même il s'occupe des hommes
et de Paris parce qu'ils habitent une grande voûte dont lui Villon est
plus conscient, et à laquelle renvoie chacun de leurs mouvements et
chacune de leurs couleurs. Que les legs du *Testament* ont surtout un
but naturel et créateur, Villon nous le démontre dans les premières
strophes de la série de 31, qui fixent dès l'entrée en matière le but et
le ton de son héritage. Nous aurons intérêt à les étudier de près.

4.   *...Mais d'autre dueil et perte amere*   (831)
                       Je me tais et ainsi commence

dit Villon à la fin de la strophe 84, marquant clairement une division
entre deux fonctions de la parole. Sa strophe d'introduction dispose
de son âme, dans la mesure du possible. Elle se détache par ce fait
des autres strophes de l'héritage de Villon, qui ne concernent que les
« biens » corporels du moribond et le monde naturel. Suivant la
tradition testamentaire, et pour marquer cette distinction — qui
reprend dans un autre registre celle des vers que nous venons de lire
— Villon écrit la deuxième strophe pour disposer de son corps, qui
sera bientôt « au retour » dans la terre comme son âme le sera aux
cieux :

     (86)   *...Toute chose se par trop n'erre*   (847)
                      Voulentiers en son lieu retourne

Le mot « lieu » ici veut dire *origine*, comme ailleurs chez Villon ;
et déjà, dans la phrase équivoque, « se par trop n'erre », résonne un
écho sinistre de ce que nous apprendrons, à la fin de cette section, par
l'exemple de Jehan Cotart[50]. Ce n'est pas un hasard si Villon a jalonné
le chemin de son héritage avec des références à ce « retour ». Le voici
mentionné dans la première strophe des cent ; le rondeau « Mort » le
rappellera bientôt par sa forme et par son vocabulaire (« ravie »,
« assouvie », « vie », « devie ») ; la ballade de Cotart qui, tout chancelant, « Voulentiers en son lieu retourne » termine la première section
de 41 strophes ; le rondeau « Au retour » termine la deuxième ; et
tout à la fin du poème on voit le Pauvre Villon prendre son viatique,
« de vin morillon », quand il « *voult* partir ».

Après la strophe d'introduction, quatre strophes nous mènent —
par les legs à son « plus que pere » et à celle que Villon ne nomme
autrement que sa « povre » mère — à la première ballade de l'héritage,
celle pour la « Dame du ciel ». Encore quatre strophes sur « ma chiere
rose » introduisent la seconde ballade, « pour m'acquitter Envers
amours plus qu'envers elle » (926-7) ; c'est le poème « Qui se termine
tout par R (erre) » (935) et que Perrenet Marchant sera chargé de
livrer à domicile. Une strophe encore présente le premier rondeau du
Testament, et clôt la première suite de 10 strophes, en le léguant au
dernier des familiers et au premier des amis de Villon, Ythier
Marchant :

> (94) Item a maistre Ythier Marchant   (970)
>   Auquel mon branc laissai jadis
>   Donne mais qu'il le mette en chant
>   Ce lay contenant des vers dix
>   Et au luz ung de profundis
>   Pour ses anciennes amours
>   Desquelles le nom je ne dis
>   Car il me hairoit a tous jours

Marchant a été le premier héritier du *Lais* aussi, après Guillaume
Villon et la misérable « celle ». Villon rappelle la vieille histoire de
son « branc » laissé « en gaige », avant de se tourner vers de nouvelles
équivoques [51].

Deux syntaxes sont possibles : on comprend ou que Villon, ayant
laissé autrefois son « branc » à Marchant, lui « donne » maintenant
un « lay » et un « de profundis » à chanter « au luz » ; ou bien que
Villon lui donne seulement ce nouveau « lay », pourvu qu'il « le mette
en chant » et pourvu aussi qu'il « mette... au luz » un « de profundis »
que Villon n'a pas besoin de lui donner. Dans ce cas « mar-chant »
chantera deux litanies funèbres « pour « (ses) amours décomposés »,
comme dira Baudelaire (« Une Charogne »). Dans l'autre, Villon lui
ayant donné son petit poème, lui montre au son du luth le « de
profundis » c'est-à-dire son *cul*, dans le jargon du temps, « pour
ses anciennes amours » [52]. Cette expression pourrait vouloir dire que
ces « amours » sont mortes ; en ce cas, le « de profundis » est une
musique funéraire. Mais le vers suivant, qui parle d'un seul « nom »
que Villon taira, révèle que les « anciennes amours » sont en vérité une
vieille femme, qui pour toute chanson amoureuse « au luz » mérite
précisément un chant de mort ; en ce cas, l'unique « nom » de ses
« amours » serait « folie », « ordure » ou « honte ».

Les 31 strophes de legs satiriques commencent donc parmi les rica-
nements et le son du glas. Villon a rappelé spécifiquement le premier
legs à Marchant et en a pris ses distances. L'amour de Marchant — à
qui était destiné éventuellement le « branc » que Villon laissait à son
ami — a bien vieilli depuis le temps « jadis » où ce don se fit. L'expression « anciennes amours » se réfère donc au *Lais* et à l'épisode de l'épée
laissée en « gaige » au bordel. En continuant maintenant ses facéties

dans son « testament », en reprenant l'œuvre de justice d'alors, Villon
reprendra de même l'histoire burlesque, en la développant pour qu'elle
corresponde à ses nouvelles intentions. Autrefois, Marchant fut associé
à Jehan le Cornu dans cette histoire du « branc d'acier tranchant ». Ici,
Villon sépare les deux hommes afin de séparer ainsi, dans l'histoire
qu'ils vécurent, la paille légère du grain sombre, le ricanement du
funèbre. Après le « de profundis » pour les « anciennes amours » et le
rondeau « Mort », voici la nouvelle histoire d'un jardin :

> (95)   *Item a maistre Jehan Cornu*   (990)
>   *Autre nouveau laiz lui vueil faire*
>   *Car il m'a tous jours secouru*
>   *A mon grant besoing et affaire*
>   *Pour ce le jardin luy transfere*
>   *Que maistre Pierre Bobignon*
>   *M'arenta en faisant refaire*
>   *L'uys et redrecier le pignon*
>
>   *Par faulte d'ung uys j'y perdis*
>   *Ung grez et ung manche de houe*
>   *Alors huit faulcons non pas dix*
>   *N'y eussent pas prins une aloue*
>   *L'hostel est seur mais qu'on le cloue*
>   *Pour enseigne y mis ung havet*
>   *Qui que l'ait prins point ne m'en loue*
>   *Sanglante nuyt et bas chevet*

Pour la seule et unique fois dans le *Testament*, à notre connaissance, Villon réussit à déployer à travers seize vers une histoire
équivoque ; seule la fin du *Lais* pourrait y être comparée, quant à
l'adresse. Dans ces deux strophes de legs à Jehan Cornu, nous lisons
l'histoire d'un jardin délabré, déserté même des oiseaux, entièrement
en friche, où Villon a perdu tous ses outils de jardinage et l'enseigne
de la maison dans une rixe ou un vol. Mais en dessous de ces « luisanz
superfices » nous lisons une histoire scabreuse qui tourne autour du
cas extraordinaire connu en médecine sous le nom de *penis captivus*.
Bien plus, on reconnaît dans cette histoire exactement le même épisode fabuleux, la même comédie proverbiale, que joua Villon avec Marchant et Cornu à la strophe 11 du *Lais* [53]. C'est la comédie du membre
pris dans le sexe d'une femme méchante, anecdote connue aujourd'hui
des étudiants par la chanson grivoise qui s'appelle « Le gendarme de
Redon ». Nous donnons en note le texte de cette chanson [54].

Puisque Jehan Cornu l'a toujours pourvu dans son « besoing »
amoureux — le seul digne d'être appelé « grand » — Villon lui rendra
en don le « jardin » — c'est-à-dire le sexe d'une femme et par synecdoque, la femme elle-même — que le maquereau « Bobignon » lui a
procuré pour une certaine somme (« M'arenta »). En lui donnant,
pourtant, Villon fera remettre en ordre « L'uys » (le vagin) et redresser
« le pignon » (le clitoris) ; car, quand il l'a eu lui-même, le tout était
en désordre et bien dangereux [55]. Nous lisons à la surface du texte que

le jardin manquait de porte, « Par *faulte* d'ung uys... » Mais nous comprendrons aussi que par la *faute* de ce vagin mal construit, Villon y a perdu son membre, qu'il désigne par deux instruments agricoles qui lui ressemblent, le « grez » à aiguiser et le « manche de houe » [56]. Rien ne pouvait égaler la méchanceté et la force de cette femme ; car à cette époque (« alors »), telle était la puissance amoureuse de Villon que huit « faul-cons », même dix, n'auraient pas pu prendre dans tel jardin son « aloue », c'est-à-dire son alouette, son pénis [57]. Le corps des bâtiments, y compris le « jardin », est maintenant sûr, on peut s'y aventurer sans risque — à condition toutefois qu'il soit fermé (« mais qu'on le cloue ») à tout jamais, et pourvu qu'on « cloue » la porte. Comme « enseigne » — pour marquer la nature de cet endroit — Villon y a laissé « ung havet », autre instrument agricole qui désigne son membre. Mais on comprend aussi que Villon a posé sur cet « ostel », comme indication de sa valeur, l'instrument chirurgical qui a dû être employé pour le tirer de là, car le « havet » est spécifiquement le croc dont se sert le cultivateur pour tirer les racines d'un champ en friche [58]. Ce fut, on le comprend, une « sanglante nuyt » dans le sens littéral de la locution banale. Celui qui a ensuite décroché cette enseigne — ou celui qui a par la suite « pris » cet hôtel et jardin — celui-là n'est pas près de féliciter le locataire précédent, qui n'a lui-même aucune raison de se féliciter de l' « affaire ». On comprend enfin que, quelle que soit cette femme au jardin ruineux qui a « prins » l'alouette de Villon, elle n'a pas eu sujet de le remercier non plus [59].

Or aucune de ces équivoques verbales n'est de l'invention de Villon. Elles sont toutes des lieux communs du jargon érotique de son temps, et se retrouvent éparses dans d'autres textes poétiques. L'idée de Villon, c'était de les réunir dans une équivoque continue ; mais aussi de s'en servir dans un contexte qui tire au clair leur sens caché, qui les fasse témoigner d'un état général des choses et d'un impératif moral. Villon fait de l'équivoque obscène une affaire sérieuse, sans pour autant ébranler son comique. Ce fut la découverte du *Lais*, où Villon démontrait la force poétique de l'expression « aller a Angiers ». Depuis lors, cette découverte a revêtu un sens plus profond, pour un poète de Nature. Le sens de ce passage n'est constitué ni par la seule histoire du jardin, ni par la seule comédie saugrenue, ni par leur valeur de spécimen d'un style fécond ; mais par les deux contes ensemble, par le fait de leur union, par leurs rapports équivoques, et par leur situation dans le *Testament*. Dans l'entreprise poétique de Villon, dans son travail pédagogique, dans la ligne de sa recherche inquiète, et dans la vision de Nature, ces deux strophes jouent un rôle utile autant que les strophes consacrées à l'évêque Thibault ou la ballade qui décrit la mort du Pauvre Villon.

Dans le *Lais*, le but des bourdes obscènes était essentiellement littéraire : c'était de libérer le langage poétique de certaines contraintes qui le gênaient aux entournures ; de se moquer d'une poésie qui avait perdu le sens du concret et de sa logique originelle ; de créer une voix poétique qui puisse entreprendre des tâches valables par des moyens littéraires ; de ranimer et de railler un milieu poétique stérile, en éparpillant les échantillons d'un nouveau lyrisme. Dans le *Testament*, ces moyens et ce but font corps solide avec une entreprise plus vaste, qui prend son origine dans une vision nouvelle du rôle de la littérature et de toute activité semblable dans la vie de la nature. Ce fut la leçon de Mehun, dont le « travail » valait à l'artiste Villon une connaissance habilitante : savoir, un sens du visage intérieur de l'objet. Dans d'autres legs de cette première section de son travail poétique, Villon s'est efforcé de dévoiler, en dessous de leurs apparences inanimées, la vie naturelle des hommes, des objets, des dictons, ou des mots, en appuyant sur ses « lubres sentemens » ; et de stimuler cette vie par des moyens puissamment aphrodisiaques. Dans les deux strophes sur le « jardin » de Pierre Bobignon, qui introduisent l'œuvre entière, nous lisons non seulement un spécimen particulièrement réussi de ce procédé ; mais aussi son explication.

Dans le contexte du poème entier, le sens général de l'épisode est patent. Tout au début, nous avons appris que l'origine de la parole que nous lisons est une stérilité perverse et un désordre tenace, que Villon a *subis* dans la personne d'un seul homme d'Eglise. Cette stérilité et ce désordre éloignent les hommes de l'ordre naturel dont ils sont responsables, et menacent ainsi la structure continue du monde créé. De cette menace, Villon a donné au début du *Testament* un tableau saisissant : de l'évêque Thibault d'Aussigny, à la première strophe, Villon disait

> *...S'evesque il est seignant les rues*   (7)
> *Qu'il soit le mien je le regny*

et on devait voir Thibault *signant* les rues, du signe de la croix, mais aussi les *saignant* à mort. Tout de suite après, Villon a désigné ces forces malignes et cet ordre divin par des termes agricoles et politiques qui étaient en même temps des métaphores érotiques :

> *...Soubz luy ne tiens s'il n'est en friche...*   (10)
> *Je ne suis son serf ne sa biche...*   (12)

En fait, toutes les terres de Thibault d'Aussigny sont « en friche », aussi bien Villon n'en pourrait tenir d'autres. De la dernière ballade du poème, pourtant, nous avons appris que le Pauvre Villon a pour métier héroïque de courir toutes les terres « d'icy a Roussillon » (2 007), de féconder partout, de cultiver de son membre — que le jargon de l'époque nommait « le laboureur de nature » — toutes les friches broussailleuses et infertiles, de remettre en branle tout objet doué d'une virtualité féconde. Et en plusieurs endroits au milieu du *Testament*, nous avons appris que le vocabulaire de l'agriculture, qui explique métaphoriquement les divers mouvements de l'amour sexuel, a en réalité la fonction d'insérer ceux-ci dans un seul mouvement de génération continue, qui s'appelle Nature — ce que fait de même le vocabulaire dont Villon se sert tout autant, à savoir celui de la forge, des matrices ou cachets, et de la monnaie.

Mettons de côté le sens en équivoque du mot « jardin », que nous connaissons par ailleurs de la tirade de la Belle Hëaulmière (508). Tout comme le « bordeau » de Margot, le « jardin » de Pierre Bobignon est un *locus* de fertilité au milieu de la ville, quelques pouces de terrain qui reproduisent, dans un lieu enclos, les conditions et les mécanismes de la grande nature. En ceci il ressemble au *Testament*. Or dans ce « jardin », que Villon a fait sien, il a été la victime d'une force antinaturelle impitoyable, tout autant que dans la « dure prison » de Thibault. Dans son legs, Villon prend sa vengeance. Il publie la malignité du « jardin » en question ; il exige qu'on le close définitivement si l'on veut qu'il soit tout à fait sûr ; et dans l'entre-temps, il le refait, le rebâtit, le remet en ordre, et le « transfere » par testament à la généralité des cocus. Ces procédés, menés à bien dans deux strophes à deux sens, donnent en miniature l'image de l'entreprise poétique et philosophique que Villon a héritée de Jean de Mehun et d'Alain de Lisle.

Car, dans un contexte bien plus large que son poème, « jardin » veut dire Nature. Depuis la *Genèse,* en fait, le jardin est le nom du monde créé, demeure de l'homme. Dans le langage chrétien, le mot « jardin » a un sens aussi large que le mot « prison ». A l'époque de Villon, et dans les arts, l'image du jardin avait reçu un développement spécial. Depuis le *Roman de la rose,* le jardin ou « vergier » est aussi bien l'image de Nature que le *locus* de l'amour sentimental et de la poésie ; on se rappelle que la grande anthologie que publia Verard au début du xvie siècle, et qui comprend certaines pièces de Villon, s'intitule *Le Jardin de plaisance.* Depuis les commentaires du *Cantique des cantiques,* contemporains à l'œuvre philosophique de l'Ecole de Chartres, le *hortus conclusus* a été pris comme la demeure de l'Eglise du Christ. Quelque trente ans avant la composition du *Testament,* Jan van Eyck avait peint un tel jardin « en friche » comme emblème du désordre naturel qui s'oppose aussi bien à l'ancienne Loi qu'à la Grâce nouvelle [60]. Et l'on sait que, jusqu'à la fin de la Renaissance, le jardin a été pris, en dehors de ses significations théologiques ou sentimentales, comme le modèle du « royaume » politique : Shakespeare par exemple s'en sert ainsi en plusieurs endroits [61].

Ce qui nous intéresse ici, pourtant, c'est l'apport pour une poétique de l'image du jardin et des métaphores agricoles. Or dans le poème de Villon, des soucis naturalistes propres à son époque concourent avec ce qui était sans doute l'expérience du poète pour faire de la ville de Paris l'image à la fois de l'état politique et de la vie naturelle des hommes [62]. (Rappelons que pour Villon la « nature » ne commence pas aux portes de la cité, mais inclut et ville et champs et friches dans une seule unité complexe.) Si Paris est la ville des « péris », d'un point de vue, il est aussi bien celle des « paris », des *engendrés* (du verbe « parir », 794). De plusieurs endroits dans Paris, en plus, Villon a fait l'image de la ville entière, le « bordeau ou tenons

nostre estat» en est un. Le «jardin» de Pierre Bobignon en est un autre.
Ce que raconte Villon de ce jardin parisien, et ce qu'il en fait, sont
l'explication directe de ce qu'il a souffert et de ce qu'il entreprend
dans la nature. Ces deux strophes de legs, en outre, donnent l'exemple
de ce qu'il entreprend dans les 100 strophes de son héritage, et ainsi
indirectement dans le monde parisien, et dans le monde naturel dont
Paris est l'image. Ayant perdu ses instruments agricoles, Villon travaille avec la parole pour tout refaire et tout redresser. Ses mots,
comme un « havet » et une « houe », labourent le cœur humain. Ses
legs taillent, bêchent, binent, et sèment le jardin désordonné et dangereux de la ville : « Dieu m'ordonne que le fouÿsse et fume »,
comme le dira Robert d'Estouteville.

Cette analogie de la poésie avec l'agriculture — toutes deux maintenant en ordre le beau jardin de France — est connue d'autres poètes
à l'époque. Nous la trouvons, par exemple, dans une prose de George
Chastellain, une des « excusacions » que les poètes les plus intelligents
de l'époque ont parfois été contraints de faire envers leur public
courtois, et qui sont des sources précieuses pour l'étude de leur
poétique [63]. Voici « Entendement » qui explique les mobiles et les
moyens de la satire du poète :

> Dame, qui emprendroit à faire d'une terre arbuste, d'une espaisse
> forest, terre pour semer grains, ne convendroit-il avoir divers engins
> de fer pour tirer dehors et essarter les racines, et puis, icelles tirées à
> diverses labeurs, replanier la terre arrière, et remettre en disposition
> arable ? certes sy feroit. Pareillement est-il droit-cy, dame. L'acteur
> perçoit aujourd'hui la terre françoise estre arbuste, durement pleine de
> superfluités nemoreuses, non bien cultivées et moins encore proufitables
> à commune salut. Sy a quis ses crocs de fer et havès, pour aller quérir
> les racines dommageuses qui empeschent la semoison, et les faire
> mourir et sécher au ventre de la terre qui les produit, affin que la noble
> semence y vienne qui y est dû de nature. Sy ne le peut faire que par fer,
> parce que le fer rude et rigoureuse matière est tout propre à la
> rigueur de l'ouvrage, et que vaincre et rompre convient fort par fort.
> Qui est la chose, dame, qui plus s'aguise que le fer ? ne qui est la chose
> qui plus perçant soit, ne plus aguë que parole ? L'acteur doncques,
> faindant parler familièrement avecques François, non pas par con-
> tention, ne repreuve, mais par argumentation proufitable, tendant à
> salut, et considérant eux non avoir occasion juste, ne titre honneste
> d'eux animer en contraire de ce prince le duc, ne de lui monstrer, ne
> procurer ce que lui procurent et monstrent, est allé quérir ses crocs de
> fer trenchans, ses havès pointus et parfons, pour tirer dehors le fons
> de leur cœur les racines mauvaises qui y croissent, et dont les arbres et
> ramures qui ennaissent, sont ombragés de mort et de malédiction qui s'y
> embûchent, que pitié est, quand si noble terre n'est arée et disposée au
> fruit tel que nature y demande [64].

Ne manquons pas d'apprécier la force du mot « engin » dans la
phrase « divers engins de fer pour tirer dehors et essarter les racines ».
Il s'agit, dans la lettre du texte, de machines agricoles ; le mot veut dire
aussi *intelligence* et plus précisément « industrie » ; mais dans le

jargon érotique, il désigne le membre géniteur de l'homme [65]. « L'industrie des lays » est une science agricole. Pour mordante qu'elle soit
parfois, la satire de Villon a un but créateur. Elle ne touche Paris que
pour le retoucher ; elle ne nomme ses habitants que pour affirmer leur
nature. C'est ce que Villon avoue lui-même de façon sentencieuse vers
la fin de son travail, dans le legs pour Noel Jolis :

> *(152)*   *Item et a Noel Jolis*   (1 636)
> *Autre chose je ne luy donne*
> *Fors plain poing d'osiers frez cueillis*
> *En mon jardin je l'abandonne*
> *Chastoy est une belle aulmosne....*

Villon ne parle pas aux Parisiens « par contention, ne repreuve,
mais par argumentation proufitable, tendant à salut... » Nous connaissons maintenant la forme de cette « argumentation » et du labour
satirique des legs qui prépare le lecteur à l'entendre. Les ballades du
Testament sont semées parmi les strophes de legs comme des graines
dans une terre « arée et disposée au fruit tel que nature y demande ».
La parole tranchante des legs a fait fonction de « havet », c'est « l'industrie » de Villon ; la parole bien autrement formelle et féconde des
ballades agit comme « la noble semance... qui y est dû de nature »,
c'est la science de Villon qui est également son « industrie ».

> *Si ne pers pas la graine que je sume*
> *En vostre champ quant le fruit me ressemble...*

Par le « testament » de Villon, la ville de « Paris » sera réformée
d'après une image plus parfaite de la nature. Et le lecteur de son
Testament, lui aussi, sera transformé par ce même travail comme tout
autre « parisien ». Le résultat sera la multiplication de l'image de
Villon, la procréation de sa propre forme, dans le cœur des lecteurs.
Mais aussi, le lecteur devient lui-même en lisant plus naturel — c'est-
à-dire plus près de Nature et de ses lois. Le « fruit » d'une lecture du
Testament n'est pas seulement de concevoir dans notre cœur la figure
du Pauvre Villon, mais de la prendre nous-mêmes. Chaque legs que
fait Villon est donc un tout petit mouvement dans le sens de notre
salut.

NOTES DU CHAPITRE II

1. Voir Huguet, sous le mot Industrie.

2. Marot, p. A iv, V°.

3. Huguet et Littré, sous le mot Bas.

4. Pour « marchant », voir Thuasne, II, 44 ; le sens moderne du mot « marcher » date de l'époque de Villon (voir B. & W., sous ce mot). Pour « cornu », voir Littré, qui n'enregistre pas pourtant le sens de « cocu ». Coquillart (II, 59) parle de « consequences cornues ».

5. Le Lais, strophe 26. Pour « gossé », voir Godefroy, sous ce mot. B. & W. donnent aussi « se gosser », se bourrer de mets, mot que le grand Few n'enregistre pas.

6. Voir Foulet, p. 101-2 ; et, pour l'étude magistrale des mss. du Lais le livre de Bijvanck.

7. Dans L. 107, nous sommes d'accord avec Burger (p. 12) pour garder l'article (leçon de CFI).

8. L'essentiel a été donné par Champion, II, 357-9, et Thuasne, II, 22-7.

9. A L. 193 nous suivons avec Burger (p. 13 la) leçon de BFI contre celle de C qu'adopte Foulet. A L. 202, nous retenons l'orthographe de A. Foulet (p. 102) : « et manque dans A C ; ces deux mss. feraient-ils Gossoin (A) ou Gossuin (C) de trois syllabes ? » Les plaisanteries de Villon ont pu souffrir d'une sélection parmi les variantes des noms de ses héritiers qui vise plutôt l'orthographe « véritable », établie d'après des pièces d'archives, que la forme burlesque du nom. Il n'y a aucune raison de croire que Villon n'ait pas lui-même faussé les noms de ses personnages dans un sens voulu, comme l'ont fait d'ailleurs les scribes à certains endroits (voir plus loin, n. 29). En outre, l'orthographe des noms propres n'était pas sûre à l'époque ; les greffiers officiels ont pu se tromper aussi bien que les copistes des mss. poétiques. Nous posons pour principe qu'il faut choisir la forme la plus comique du nom parmi celles que donnent les variantes, compte tenu toujours des données philologiques.

10. Si en fait le vers « Ilz mengeront maint bon morceau » équivalait à l'expression populaire « Ils mangeront les pissenlits par les racines », comme l'affirme Thuasne (II, 50), il n'y aurait eu pour le public d'alors aucune obscurité dans ces vers, qu'on connût ou non les personnages en question.

11. C'est le mérite de Théophile Gautier d'avoir parfaitement saisi ce sens, tout en ignorant le sens « par antiphrase » qu'on y découvre depuis. Ce tour, d'ailleurs, n'est presque jamais employé par Villon. Les commentateurs l'ont néanmoins trouvé utile pour expliquer maint vers dont le sens autrement nous échappe (e.g. Thuasne, II, 44, 964 ; Champion, II, 152 et passim). Voir Les Grotesques, éd. cit., p. 11-3.

12. Pour « bruit », voir plus haut, p. 40, n. 4. Pour « tente », voir Godefroy, sous ce mot ; pour « pavillon », le rondeau suivant de Charles d'Orléans (II, 303-4) :

> Quant je fus prins ou pavillon
> De ma dame, tresgente et belle,
> Je me brulé a la chandelle
> Ainsi que fait le papillon.

> Je rougiz comme vermillon
> Aussi flambant que une estincelle
> Quand je fuz (prins ou pavillon).
> Se j'eusse esté esmerillon
> Ou que j'eusse eu aussi bonne aille,
> Je me feusse gardé de celle
> Qui me bailla de l'aguillon
> Quant je fuz (prins ou pavillon.)

« Papillon » et « pavillon » sont étymologiquement le même mot ; voir B. & W. sous les deux mots ; et l'exemple de Coquillart, donné plus haut, p. 341, n. 31.

13. Pour « tacon », membre viril, voir ces vers de Pierre Chastellain :

> Quant les *tacons* furent trouvés
> Neccessité les controuva
> Car le soulliés semble estre ouvrés
> Du *tacon* quant bien au trou va...

(Le Temps perdu, Bibl. Nat. ms. fr., n.a. 6 217, f. 3 r°.)

(Un texte vicieux de ce poème a été donné par Jules PETIT, dans son édition de *Le Pas de la mort*, par Pierre Michault, Bruxelles, 1869, p. LXIII-LXXX.) Voir aussi *Œuvres de Rabelais*, Paris, Ledentu, 1837, dans l'index « Erotica Verba » (que nous désignons désormais comme « E.V. »), sous le mot Rataconniculer : « Ce verbe signifie au propre rapiécer, raccommoder. Le mot *tacon* signifie du vieux cuir, une pièce mise à un soulier. Ainsi le nom propre de *Taconnet* convient à merveille au rôle qu'il jouait avec tant de naturel... ».

Pour « esmouchier », voir le célèbre épisode dans *Pantagruel*, ch. 15. Pour les associations érotiques du mot « bouchier », voir le dicton recueilli par OUDIN : « Il est boucher, il aime à taster la chair. — d'un qui touche volontiers la gorge des filles ou des femmes. » L. THOMAS a expliqué le sens obscène des « chausses semelées » (p. 18-21). « Bonnet » désigne une femme, comme dans la vieille locution équivoque, « C'est bonnet blanc, blanc bonnet », qui veut dire « C'est autant l'un que l'autre », mais aussi, « Toute femme est amoureuse ».

14. Sur « miroir » = cul, et « œil » = anus, voir E.V., sous ces mots. Pour « essoine », voir plus haut, p. 82. Le sens érotique du mot « grace » est évident : voir le texte des *Cent Nouvelles Nouvelles* cité plus haut, p. 340, n. 26.

15. Sur ce trope, voir CURTIUS, p. 111.

16. A.L. 308, nous suivons, comme BURGER (p. 13), la démonstration probante d'A. PIAGET, *Romania* 27, 1898, p. 582-607.

17. Nous avons pris notre texte, en fait, dans un recueil pour enfants, *Chansons de l'âge d'or*, Paris, Casterman, 1957, en lui restituant la forme dialoguée qu'il devait comporter primitivement.

18. Depuis la publication des notes de Schwob à son édition du *Parnasse satyrique du XVe siècle*, on a expliqué le « branc d'acier » comme étant un jeu de mots scatologique sur « bran » (excrément) « à chier ». Que ce sens ne soit en vérité qu'un accessoire du deuxième sens de ces mots a été suggéré par L. THOMAS (p. 13-4). Nous en compléterons la preuve plus loin, n. 53.

19. A noter l'usage dans un contexte érotique du mot « escot » dans les ballades de la Grosse Margot (1 605) et de Franc Gontier (1 496). Pour le sens érotique du mot « cage », voir 1 195 et le commentaire de THUASNE (II, 320-1). « Monter » une femme est un euphémisme des plus connus (voir 1 617, chez Margot), et il y a probablement aussi des jeux sur « huit sols » (sous).

20. L'association de la ville de Mehun et de l'auteur du *Roman de la rose* était connue par Villon d'après ces vers-ci du *Roman* :

> Puis vendra Johans Chopinel   (10 565)
> Au cueur joli, au cors inel,
> Qui naistra seur Leire a Meün.

21. Le numérotage des vers du *Testament* est tout aussi arbitraire que celui des huitains. Par exemple, les éditeurs modernes comptent dans leurs numérotations les refrains des trois rondeaux du *Testament*, bien que Villon ait dit

explicitement qu'il ne le faisait pas. Nous nous référons à 973, où Villon appelle le rondeau «Mort...» « Ce lay contenant des vers *dix*.» Les éditeurs lui en donnent douze. Notre chiffre, 2 017 — qui n'est guère plus sûr d'ailleurs que le chiffre traditionnel, à savoir 2 023 — suppose trois rondeaux de dix vers chacun. Le chiffre 21 780 est celui de l'éditeur Langlois.

22. Le chiffre 40 est un des chiffres organisateurs les plus connus au Moyen Age. La *Vita nuova* compte 41 parties, ainsi que le *Commento* de Lorenzo dei Medici, qui imite l'ouvrage de Dante ; « La Retenue d'Amours » de Charles d'Orléans compte 40 strophes plus une « lettre » ; etc.

23. Pour les formes traditionnelles du testament, tant légal que satirique, voir la monographie de RICE. On peut consulter aussi l'étude de G.-A. BRUNELLI, «Villon e i " Testamenti " » (dans *François Villon*, Milano, Marzorati, 1961) qui reprend et complète certaines des recherches de Rice.

24. Sur la locution burlesque, « Orde paillarde dont viens tu », voir les remarques très fines de FOULET dans *Romania*, 68, 1944-5, p. 87-97.

25. Pour « jouer aux barres », voir LITTRÉ, sous le mot Barre, surtout les vers cités de Charles d'Orléans.

26. On remarquera au moins le jeu sur la locution « de bonne carre », c'est-à-dire *solide*, et le mot argotique *caire*, pour argent, « fric », qu'emploie Coquillard deux fois dans l'expression « mince de caire » ; THUASNE (III, 676) donne les références (I, 145 et 172) dans son « Glossaire du jargon ». Se peut-il que ce legs joue aussi sur l'expression « donner de faux dés », qu'enregistre LEROUX, (s.m. Dé), pour « tromper, dupper, en donner à garder » ?

27. C'est l'interprétation de CHAMPION (I, 240-2), que reprend Thuasne sans le citer et sans rien y ajouter. Il faudrait supposer une locution burlesque, « recevoir chevalerie » pour être roué de coups, que nous n'avons pu retrouver ailleurs. Voir l'article de D. LEGGE, « On Villon's *Testament*, CXXIII », *Mod. Lang. Rev.* 44, 1949, p. 199-206, qui relève certaines erreurs dans l'interprétation de Champion (saint George n'est pas le patron des Ecossais, mais plutôt de ceux qui se sentent menacés à la *gorge*), mais ne parvient pas, à notre avis, à en trouver une qui soit plus satisfaisante.

28. Voir NERI, p. 84, qui traduit, « che " *reprima* i disturbatori della pubblica quiete " ».

29. 1 142 Trassecaille F, Trouscaille AC, Troussecaille I. L'on voit comment I a saisi la plaisanterie et la rend explicite. Foulet met « Trascaille », pour des raisons qu'il ne donne pas. Pourtant, l'accord de AC devait être probant. De même Champion et Thuasne, sur la foi sans doute des pièces d'archives. Ainsi la plaisanterie a été enterrée. Pour le même jeu sur la rue Troussevache, voir L. 165-8.

30. Voir E.V., sous ce mot ; pour d'autres tels oiseaux, voir 1 052, 1 115.

31. « Mesnage » et « parfaire » avaient tous deux des sens érotiques. On les trouve réunis dans ce passage des *Cent Nouvelles Nouvelles*, p. 236 : « Ma foy, dist-il, c'est ung très mauvais mesnagier ! Il vous est bien venu que je suis venu pour vous secourir, et luy aider et parfaire ce qui n'est pas bien en sa puissance d'achever. » Voir aussi GODEFROY, s.m. Parfection (consommation d'un mariage) ; et les jeux sur le sens mystique du mot dans Charles d'ORLÉANS, I, 159.

32. Pour « buffet », voir B. & W. sous ce mot.

33. Voir B. & W. sous les mots Mâchefer, Mâcher et Mâchure.

34. Thuasne a relevé ce proverbe chez COQUILLART (I, 196), mais ne donne que l'un des deux vers en question.

35. THUASNE, II, 324. Il s'agit d' « une mesure employée dans le commerce des tissus... »

36. 1 015 Hynselin A, Hyncelin C, Heinsselin F, Hesselin I. ACF sont d'accord sur la prononciation, semble-t-il, et AC sur l'orthographe. Faut-il y voir un jeu sur « insolent » ?

37. *Roman de la rose*, 8 956 ; pour le texte entier, voir plus haut, p. 79.

38. Nous sommes d'accord avec Burger (p. 23) pour lire, à 1 121, « acomplir », la leçon de FA, pour « acoupler », C, que donne Foulet. Toutefois, cette leçon n'est guère plus « cocasse » que l'autre ; le verbe « acomplir », dans le jargon érotique, équivaut à « acoupler » (E.V., sous ce mot), et possède en plus la syllabe qui confère à quantité de mots un sous-entendu grivois à l'époque.
Brunelli (*op. cit.*, p. 148-9) : « Les " sermons joyeux " de l'époque nous font comprendre qu'aux vers 1 122 et 1 123 on parle des femmes et des hommes, et que les " effets physiologiques " des vers 1 124 et 1 125 sont tout simplement les effets naturels qui suivent, dans une femme, la naissance de son enfant ». Malheureusement, les textes que cite G.A. Brunelli ne prouvent rien au sujet du vers 1 125 ; mais le sens qu'il voit dans 1 124 y est certainement, en tant qu'accessoire. Le « lait » en question semble monter aux « tetes », ayant quitté les « coulles », où il se retrouve après neuf mois.

39. Pour la locution « arroser sa gorge », voir Leroux, sous le mot Gorge. Pour la construction « prinse a », cf. 1 130 et aussi 1 017, 1 138.

40. Pour « tallemouse », voir Godefroy, sous le mot, et Thuasne, II, 294.

41. Voir la recette et la description de la « tallemouse » que donne le *Grand Dictionnaire Universel* de P. Larousse.

42. La syntaxe de la phrase est équivoque. Faut-il comprendre que Raguier aura la pâtisserie afin de « bouter et fourrer » sa figure dedans ? Ou devra-t-il plutôt « bouter et fourrer » la pâtisserie dans sa « mouse » ? C'est-à-dire, est-ce que le mot « pour » indique l'endroit ou le moyen de l'action des deux verbes ? Tous les deux démontrent la même ambivalence. « Bouter », verbe extrêmement commun à l'époque, veut dire principalement *mettre*, ou *jeter* ; on « boute » son épée à travers le corps d'un adversaire ; mais aussi, le verbe est employé comme terme de vénerie pour *lancer une bête* avec des armes et des chiens. « Fourrer », comme l'on sait, pourra dire *couvrir de*, ou *introduire* quelque chose *dans* un lieu creux ou caché, comme un « four » ou un « fourreau » (voir Littré). Villon joue ailleurs sur l'un et l'autre de ces mots. On comprend principalement que Raguier va « bouter et fourrer » la « tallemouse » *dans* sa « mouse ».

43. Pour « mouse », jeune fille, voir Godefroy, sous ce mot. « Bouter » a donné lieu à de nombreuses équivoques, *e.g.* « boutique » pour la nature de la femme (Leroux, sous ce mot).

44. Voir la locution ancienne, sur une jeune fille qui se laisse déflorer, « Elle a laissé son chat aller au fromage » (E.V., sous le mot Chat), et plus loin, n. 56, le texte de Jehan Regnier.

45. Nous suivons, à 1116, la leçon de C qu'appuie habilement Burger (p. 20). « Est » pourrait bien être une graphie pour « ait », comme à 662, bien que cette interprétation ne s'impose pas. La leçon de Foulet (« Ung long tabart et bien cachant ») a la vertu d'être moins obscure, et de retenir, sous-entendue, la référence à L. 189-90. Se peut-il que « Le long tabart » soit le nom d'un article d'habillement courant, comme nous disons « le gilet » ou « le veston » ?

46. Le mot « mal » dans la langue de Villon s'emploie aussi bien comme adjectif que comme adverbe. Thuasne a montré (II, 44-5) que l'épithète « bon marchant » est un titre banal ; il peut en outre avoir une valeur obscène. En fait, le mot « loup » est un des noms anciens du membre de l'homme (voir le dicton équivoque recueilli par Leroux, et par d'autres, « Elle a vu le loup », à propos d'une jeune fille qui s'est laissée dépuceler), ce qui explique les huitains suivants, 112-113, sur les « six hures de lou », une « viande » qui est, selon Villon, « bonne a porter en *tente* »... Le « piège » en question (1138) reprend l'histoire des strophes 95-96, que nous expliquons plus loin ; et les « peaulx » où l'on « se fourre » se rattachent aux équivoques de 1025 (« fourreau ») et de 1074 (« fourrer sa mouse »).

47. Pour « hutinet »-marteau voir Foulet, *Glossaire,* sous ce mot ; et Neri, p. 84. Pour « hutiner », faire l'amour, voir E.V., sous ce mot.

48. « Sallade » et « guysarmes », comme tous les noms des pièces d'armures, étaient équivoques. Pour « guysarmes », voir Champion, II, 153 ; « sallade » semble être l'équivalent du « gorgerin » légué à François de la Vacquerie, c'est-à-dire la corde. Voir Leroux, sous ce mot.

49. Cette locution est des plus banales ; voir CHAMPION, I, 211.

50. Le verbe « erre » est à la première ou à la troisième personne. On lit donc, « Si je ne me trompe pas », ou bien « S'il ne va pas trop loin », ou bien « S'il ne se perd pas dans l'erreur ».

51. Le mot « con-tenant » renvoie au mot « con-tenu » de la strophe 11 du *Lais*. La phrase « le mette en chant » contient deux jeux : « chanter » veut dire faire l'amour, comme dans les expressions « chanter la basse chanson », ou « chanter à contrepoint » (COQUILLART, II, 270) ; de même le verbe « mettre ». En plus, les mots « le mette » semble avoir eu une signification spéciale : voir LEROUX, s.m. Mettre : « *Le mettre*. Mot libre, pour chevaucher, faire le déduit, se divertir avec une femme. Ce mot est équivoque et malicieux, car une personne laisse-t-elle tomber son busque ou son gant ? on dit, *Mademoiselle voulez-vous que je vous le mette ?* ». Villon joue sur cette expression dans 1631, où il s'agit de la « publique escolle Ou l'escollier *le maistre* enseigne ». La syntaxe et l'agencement des vers nous laissent comprendre le « branc » comme objet de la phrase « le mette en chant ». Le mot « dix » en outre, comme dans 1000, semble se référer à la strophe 11 du *Lais*, mais nous ne comprenons pas très bien ce jeu. Le mot « luz » devait signifier une femme.

52. Pour le sens libre des mots « de profundis », voir cette strophe du *Champion des dames* :

> (Que) diras tu de Calfurnie
> Qui son cul au juge monstra
> Dit l'aultre plein de vilenie
> Pourquoy puis la femme n'entra
> En jugement pro ne contra
> Ne sçay s'elle avoit plaisans dis
> Mais si mal sa robe escontra
> Que monstra son de profundis.
>
> (*ed. cit.*, fol. s VIII, V°)

Dans *l'editio princeps*, un joli bois montre la scène. Les étudiants chantent encore aujourd'hui la chanson, « De profundis morpionibus ».

53. Aucune suggestion dans l'une ou l'autre strophe n'appuie l'interprétation qui ferait de « branc » un jeu scatologique sur « bran ». On a allégué, en manière de preuve, la strophe 99 du *Testament*, où Villon donne à son « advocat » Guillaume Charru-au

> ...*Quoy que Marchant ot pour estat*   (1 024)
> *Mon branc je me taiz du fourreau...*

(leçon de C). « Il serait naïf d'objecter que Villon ne peut pas donner deux fois le même objet, quand on sait l'équivoque qu'il fait sur le mot : *Je me taiz du fourreau*, ajoute-t-il pour ne laisser aucun doute ». (BURGER, p. 23). Or, le « fourreau » ici désigne l'instrument qui reçoit le « branc », aussi bien que celui hors duquel on le tire. Que l'excrément n'y entre pas semble prouvé par le fait que la plaisanterie entière, avec tous les mots requis, peut bien être montée sans que le mot « branc » s'y trouve. Témoin ces vers d'une *Repue Franche* :

> Je m'avisé que, soubz ma cotte,
> Avois une *espée* qui bien *trenche* :
> Je la *lairray*, qu'on ne me l'oste,
> *En gaige* de la repeue franche.
>   L'espée estoit toute *d'acier*
> Il ne s'en failloit que le fer ;
> Mais l'hoste la me fist machier
> *Fourreau* et tout, sans fricasser...
>
> (*Villon*, éd. Jannet, p. 184-5)

Le mot « fer » est un jeu sur le « faire » qui équivaut à « le mettre ». Et le « fourreau » ici semble se référer, comme peut-être chez Villon d'ailleurs, au prépuce et sa « fourrure ». Faut-il voir également, comme à 1 199, un jeu sur « machier » ? Toutefois, on ne peut pas écarter entièrement la possibilité d'un jeu accessoire quoique peu amusant sur « branc » — « bran ».

54. « Le Gendarme de Redon » :
1. Il était un gendarme, gendarme de Redon, (*bis*)
Qui n'avait pas l'audace de p'loter les nichons.
Et ron, et ron, ma lurette
Et ron, et ron, ma luron.
2. Qui n'avait pas l'audace de p'loter les nichons, (*bis*)
Ell' lui dit : « Grand Jean-Foutre, commenc' par les talons »
Et ron etc.
3. Ell' lui dit : « Grand Jean-Foutre, commenc' par les talons (*bis*)
Et tu remonteras de la cuisse au cuisson ».
Et ron etc.
4. Et tu remonteras de la cuisse au cuisson (*bis*)
Mais la garc' qu'était chaude, mit d'la poix à son con.
Et ron etc.
5. Mais la garc' qu'était chaude, mit d'la poix à son con (*bis*)
Et quand il y arriva, il s'colla les roustons.
Et ron etc.
6. Et quand il y arriva, il s'colla les roustons. (*bis*)
« Si tu veux les ravoir, faut payer la rançon. »
Et ron etc.
7. « Si tu veux les ravoir, faut payer la rançon (*bis*)
Cent écus pour ta pine, autant pour chaqu' rouston.
Et ron etc.
8. « Cent écus pour ta pine, autant pour chaqu' rouston. (*bis*)
Et si tu n' les pay' pas, nous te les couperons !
Et ron etc.
9. « Et si tu n' les pay' pas, nous te les couperons. (*bis*)
Ell' serviront d'enseigne à la porte d'un boxon. »
Et ron etc.
10. Ell' serviront d'enseigne à la port' d'un boxon, (*bis*)
Et les passants diront : « Voilà les couilles d'un con ! »
Et ron etc.

> (Notre texte est d'un recueil de *Chansons Estu-diantes*, in-4°, sans indication d'édition. Nous devons de connaître cette chanson à l'obligeance de M. Frédéric Deloffre.)

55. « Uys » pour vagin, est classique ; voir la strophe 136, où il y a exactement le même jeu :

> ...Je donne la tour de Billy (1 348)
> Pourveu s'uys y a ne fenestre
> Qui soit ne debout ne en estre
> Qu'il mette *tres bien tout a point...*

et la chanson de 1 782, « Ouvrez vostre huys Guillemette ». Il est curieux de voir que l'édition de Marot porte, à 997, « L'huys de derriere, et le pignon » (p. 58). « L'huys de derriere » est le nom classique de l'anus, par contraste à « l'huys de devant ».

Pour « pignon » — jeu sur « pine » comme sur la forme de l'objet — voir Coquillart II, 184-5, et E.V., sous ce mot, qui le donne pour « membre viril ».

56. Pour le même jeu sur « faulte », voir 184 : « Par faulte d'ung peu de chevance ».

Pour « grez », les glossaires donnent « pavé » à l'unanimité, sans citer aucun texte. Or que ferait ce « pavé » dans le « jardin » de Bobignon ? Il s'agit en fait d'un outil agricole, une pierre à aiguiser la faux, que les cultivateurs portent encore aujourd'hui suspendue à la ceinture dans une espèce de gaine remplie d'eau dont le nom propre est *coffin* et que les patois nomment — en se servant du mot obscène dont Villon use dans 1 122 — une *coëte*, petite queue (sur ce mot voir L. Thomas, p. 31-4). Voici un texte pleinement équivoque de Jehan Regnier où on le retrouve, parmi d'autres équivoques que nous reconnaissons :

Endurer, endurer my fault
Alloit cryant ung grant jarfault
Qui des cailloux faisoit muser
Pour les gecter a ung assault
Qui fut failly par le deffault

D'ung chat qui devoit procurer
Que pierre et *grès* a escurer
Feussent fromage mol et chault ;
Mais le rat dit qu'il ne luy chault
Et a ce se vint opposer...

(Les Fortunes..., p. 26-7)

Le Few (t.16, s.m. Greot) donne plusieurs exemples des patois en ce sens.

57. « Faulcon » et « aloue » ont les mêmes sens équivoques que « chat » et « rat ». L'alouette est l'oiseau qui « vole » bien haut pour « chanter », avec un essor rythmé et une chute soudaine. Voir, de Christine de PISAN, deux « jeux à vendre » : « Je vous vens l'aloue volant » (cité dans BOSSUAT, *La Poésie lyrique en France au XVe siècle*, p. 77) et « Je vous vens l'aloe qui vole », dans A. MARY, *Fleur de la poésie française*, Garnier, 1951, p. 522.)
Pour « faulcon », voir *Le Jardin de plaisance*, fol. CXXVIII, str. 39, où le « mauvys » (mau-vit) remplace l' « aloue ».

58. Pour « havet », voir plus loin, p. 430. Les glossaires donnent « crochet », sans plus, et il est vrai que le mot désignait d'autres outils que celui qui se trouverait dans un « jardin ». Voir GODEFROY, sous ce mot.

59. Cf. la glose de FOULET : « Quel que soit celui qui se sera emparé de mon hôtel, qu'il se dispense de m'en remercier ! Car il n'aura que bas chevet et une chienne de nuit, » et sa remarque : « Ces subjonctifs sans *que* et sans sujet exprimé ont causé plus d'une difficulté aux copistes et aux éditeurs de Villon ». (*Romania* 42, 1913, p. 499-500.)

60. PANOFSKY, I, 133-4.

61. Voir, *e.g.*, *Richard II*, III, 4 ; et *Hamlet*, I, 2 :
How weary, stale, flat, and unprofitable
Seem to me all the uses of this world.
Fie on't ! O fie ! 'tis an unweeded garden,
That grows to seed ; things rank and gross in nature
Possess it merely...

62. En fait, le Paris de l'époque n'était pas sans appuyer de sa forme une telle comparaison : il comportait trois parties distinctes, comme trois « états » : la Montagne (L'Université) ; la Cité ; et la Ville.

63. Nous pensons surtout à l' « Excusacion envers les Dames », d'Alain CHARTIER, au sujet de *La Belle Dame sans mercy* (éd. Piaget, p. 37-44), et à la « Complainte du livre du Champion des Dames a maistre Martin le Franc son acteur », publié par Gaston PARIS dans *Romania* 16, 1887, p. 423 sqq.

64. Georges CHASTELLAIN, *Œuvres poétiques*, éd. K. de Lettenhove, 8 vol., Bruxelles, 1863-6, t. VI, p. 96 : « Sur vérité mal prise ».

65. Voir B. & W., E.V., et LEROUX, sous ce mot ; et le *Parnasse satyrique*, p. 161 : « Tendre l'engin... » (cité plus haut, p. 133, n. 15).

CHAPITRE III

LA MORT DU PAUVRE VILLON

1. Devenir comme Villon, ainsi que son *Testament* nous y invite, cela veut dire s'approcher du devenir lui-même de plusieurs façons. Au cours de son poème, cependant, il subit son propre devenir : il fleurit, fructifie, et meurt en graine. A quel Villon faut-il ressembler ? Au cours de ce devenir, il met tant de masques, nous propose tant de visages, prend tant de voix, qu'on ne saisit pas facilement l'image d'un seul être. En outre, comment peut-on croire que le fait de prendre sur nous une telle variété de formes, même pour un bref instant de lecture, puisse nous mettre en contact avec un seul principe, que ce soit celui de la diversité ou celui du changement ? Plus inquiétant encore, le Villon que nous croyons discerner dans le *Testament* est d'une ambivalence morale foncière. La fin du poème nous présente le Pauvre Villon, héros d'amour, qui a maîtrisé la variété et le devenir pour en devenir le champion et le porte-parole. Le début du poème évoque un pauvre hère qui est loin d'être héroïque, ayant souffert comme un voyou dans le cachot d'un évêque tout un été. On peut aimer un tel être ; mais doit-on l'imiter ?

Si l'héritage de Villon, par une subtile pédagogie et une « industrie » charnue, nous propose une morale fondée sur le mouvement orgueilleux, sur la bigarrure splendide, et sur la métamorphose continue qu'incarne le monde perçu, le début de son œuvre parle plutôt d'une morale traditionnelle fondée sur l'introspection, la souffrance, l'humilité et la révélation. Ces deux morales sont exprimées par la forme des deux hiérarchies qui dominent dans la première partie du poème : celle qui court vers le haut, et celle qui détermine tout d'en haut. L'expérience de Mehun, et la strophe 12 qui en rend compte, nous ont appris que ces deux morales, dans le cadre d'une seule vie, ne sont pas contradictoires, mais qu'elles se complètent. Le cadre du *Testament* nous fait comprendre comment et pourquoi elles coexistent dans le personnage impossible du « pauvre » Villon ; et comment cette fiction grotesque et aimable peut être à la fois un modèle à suivre, et l'image de l'homme qui cherche la forme de son salut. La figure du Pauvre Villon incarne notre dilemme. Saisir ceci, dans sa complexité réelle, c'est déjà imiter Villon.

Au cours du *Testament*, la morale des 33 premières strophes se perd de vue. Nous la voyons pour la dernière fois en tant que telle

* Les notes relatives à ce chapitre sont réunies p. 461-464.

dans la ballade de la vieille qui « salue » la « Dame du ciel ». Ce
salut, dans le poème, sonne comme un adieu. Villon reviendra vers
la fin à des méditations auxquelles les premières strophes, dans la
« fable » du poème, l'ont amené aussi. Ce sont les strophes où Villon
fait son legs « Aux trespassez » (1768) avant de nommer ses exécu-
teurs et « crier mercis » aux vivants. Là, comme nous le verrons
bientôt, ces réflexions lugubres ont un autre sens. De même, le coupable et le prisonnier des premières strophes se perd de vue au cours
de l'entreprise naturelle qui est le fruit de son emprisonnement. Il
n'est pas pour autant oublié. Mainte suggestion dans la dernière
ballade nous rappelle que le Pauvre Villon est ausssi Françoys Villon,
martyr en amour, et que celui qui jura « sur son couillon » est le
même personnage qui écrivit un « testament » lors de sa libération
à Mehun.

La dernière ballade du poème nous rappelle l'atmosphère morale
des premières strophes d'une façon encore plus directe. Cette ballade
affirme des dualités frappantes : le Pauvre Villon s'y présente à la
fois comme chasseur et chassé, comme martyr souffrant et martyr
glorieux, épuisé et aussi inépuisable. Ces dualités sont celles du mot
« travail », et de l'expérience de Mehun. En plus, cette ballade introduit dans le poème entier une nouvelle voix, celle du témoin spirituel qui décrit la mort de son patron. Comme l'acrostiche des ballades de Margot ou de la vieille qui prie — et à l'encontre de la dernière strophe du *Lais* — cette ballade accrochée à la fin du *Testament*
semble affirmer que le personnage qu'elle dépeint n'est pas à
confondre avec le poète qui l'a créé, et que la conscience supérieure
de celui-ci comprend à la fois le « testament » du Pauvre Villon et
une ballade qui en parle, dans un troisième ouvrage, *Le Testament*.
Cette conscience comprend autre chose encore. En dessous des mots
spirituels qui décrivent à la fois le pauvre martyr qui souffre « mallement » et le héros d'amour qui s'affirme « mâle-ment », on trouve
un troisième tableau où ce même personnage meurt « Mal-ment » :

> ...*Qui plus en mourant mallement*   (2 014)
> *L'espoignoit d'amours l'esguillon*
> *Plus agu que le ranguillon*
> *D'un baudrier luy faisoit sentir*
> *C'est de quoy nous esmerveillon*
> *Quant de ce monde voult partir*

L'adverbe « mallement » peut modifier soit le participe « mourant »
soit le verbe « espoignoit ». Ainsi on lit que le Pauvre Villon eut
une mauvaise fin. Car, comme des critiques modernes l'ont bien
vu, ces vers décrivent un fait physiologique connu qui accompagne
la pendaison. Au moment du supplice, les membres du pendu sont
subitement congestionnés, et le pénis notamment est sujet à l'érection
et à l'orgasme [1]. Ce fait est connu par le folklore — qui explique, par
les éjaculations laissées au pied de l'échafaud, la naissance de la man-
dragore — aussi bien que dans la littérature, où il inspira à de Sade
un bel épisode de *Justine* [2]. Il n'a donc rien d'ésotérique, mais

complète une hiérarchie tripartite de sens équivoques, en résolvant, dans un tableau saugrenu, la contradiction apparente des autres leçons.

Celui qui projette sa propre fin se voit donc justicié. La figure du criminel est à ajouter à celle du souffrant et du vaillant. Les trois morts sont décrites dans les mêmes mots. Depuis le début du poème, la criminalité de Villon n'a jamais eu un contenu anecdotique. Si elle n'a pas été au premier plan, pourtant, il n'empêche qu'un fil de suggestions semblables à celles qu'on vient de voir retient, sous les yeux du lecteur, la notion du crime et le fait que Villon s'y mêle. Puisque cette notion fut soulevée au début du poème, où elle était étroitement liée avec des considérations morales traditionnelles, on pourrait dire que la criminalité devient, au cours de la partie « naturelle » de l'ouvrage, le signe des considérations morales naguère délaissées, et, en outre, le signe de la présence en justice du Pauvre Villon.

La vie du Pauvre Villon se déroule aussi bien sous la justice des hommes que dans celle de Nature. Son « Epitaphe » burlesque le démontre par une suggestion un peu moins discrète :

(178)   Cy gist et dort en ce sollier   (1 884)
              Qu'amours occist de son raillon
              Ung povre petit escollier
              Qui fut nommé Françoys Villon
              Oncques de terre n'eut sillon
              Il donna tout chascun le scet
              Tables tresteaulx pain corbeillon
              Amen dictes en ce verset   (1 891)

              Repos eternel donne a cil
              Sire et clarté perpetuelle
              Qui vaillant plat ne escuelle
              N'eust onc ne ung brin de percil   (1 895)
              Il fut rez chief barbe et sourcil
              Comme ung navet qu'on ret ou pelle
                  Repos eternel donne a cil

              Rigueur le transmit en exil
              Et luy frappa au cul la pelle
              Non obstant qu'il dit j'en appelle
              Qui n'est pas terme trop subtil
                  Repos eternel donne a cil[3]

Autant le langage du témoin anonyme de la dernière ballade est espiègle et équivoque, autant celui du Pauvre Villon qui dicte son épitaphe est larmoyant et franc, presque vulgaire. Son image de lui-même est sombre et subjective, pleine de nargue, comme il convient. On reconnaît quand même, étendu sous ce jour noir, le même personnage que nous voyons debout, par les yeux d'un adorateur, dans la ballade finale. On reconnaît surtout la même fusion impossible de traits burlesques, qui affirme la continuité du *Lais* avec les deux parties du *Testament*. Villon se concède le titre d'« escollier » pour

la première fois depuis le deuxième vers du *Lais,* ainsi que son prénom. Ailleurs il n'est que « le bien renommé Villon » (L. 314) ou,
dans le *Testament,* le « pauvre Villon » (1811, 1997). Sa privation
(« Il donna tout... ») rappelle la dernière strophe du *Lais,* son martyre
(« Qu'amours occist... ») renvoie aux premières et annonce la ballade
finale ; sa liberté (« Oncques de terre n'eut sillon ») nous remet en
esprit la deuxième strophe du *Testament.*

Notons la répartition des traits dans le huitain préliminaire, qui
nomme le défunt, et le « verset », qui plaide pour lui. Dans le huitain,
c'est un misérable, un « povre petit escollier », un bourgeois qui liquide ses affaires. Avec une modestie louable, Villon ne fait aucune
mention ici de son activité fertilisante et héroïque : l'ami auteur de
la dernière ballade lui rendra ce service. Mais dans le « verset » il devient pitoyable, se présente surtout en victime, et adresse un appel
à la justice supérieure. Si, dans le huitain, il souligne qu'« Il donna
tout », dans le « verset » il demande que son « Sire » lui « donne » en
revanche le « repos eternel », pour trois raisons distinctes, dont
rendent compte les trois nuances du mot « cil ». Dans les quatre
premiers vers du verset, les dons de « repos » et de « clarté » récom-
penseront, après la mort, sa destitution absolue pendant la vie. Dans
les deux vers suivants, qui ramènent le refrain, Villon semble continuer le détail de son indigence. Il n'eut rien, même pas de poils à
son corps, il ressemble à un légume prêt pour la marmite... Mais
notons la répétition du verbe « rere » et l'ambiguïté de son premier
emploi. Puisqu'il est mort, Villon se décrit au passé simple, « Il fut
rez... », c'est-à-dire qu'il était toujours rasé, qu'il n'avait pas de poil ;
mais on lit aussi, *il a été rasé.* De même, il était, toute sa vie, « comme
un navet » ; mais nous comprenons par une autre syntaxe qu'« Il fut
rez... comme un navet qu'on ret » au seul moment de sa mort. Ainsi
ces vers décrivent un état continu et aussi une action unique et humiliante. En dessous de la description d'un misérable gît le récit de la
« toilette » subie par le prisonnier en justice [4]. Finalement, sous les
métaphores générales « Rigueur » et « exil » — qui s'appliquaient
aussi bien à l'amour qu'au droit proprement dit — comme sous la
locution burlesque « luy frappa au cul la pelle », on reconnaît la
vraie prison et le vrai exil. De même, sous le sarcasme des deux
derniers vers, on reconnaît des allusions macabres. Le rire morne de
l'épitaphe tourne sur le mot « terme », qui indique à la fois le mot
que cite Villon, le plaid entier, et la fin du plaid, de l'appel, du poème,
et du pauvre sujet [5].

Bref, l'épitaphe et son « verset » suggèrent, à leur façon aussi,
une équivalence entre l'indigence du pauvre, la souffrance de l'amant
rejeté, et la mort en justice. L'alopécie à laquelle font allusion les
vers au milieu du « verset », par exemple, et qui fait une preuve bouffonne de la pauvreté absolue de Villon, fut prise à l'époque comme
provenant des excès de la débauche ; mais elle dépeint aussi la tenue
obligatoire du prisonnier [6]. Le sens de cette équivalence va très loin ;
la forme du « verset » en témoigne. N'oublions pas que ce rondeau,

suit après onze strophes le rondeau « Au retour », où nous lisions les vers que voici :

> ...*Plaise a Dieu que l'ame ravie*   (1 793)
> *En soit lassus en sa maison*
> *Au retour*

Ici on ne se laisse pas tromper par le pittoresque et par le burlesque. C'est bien *l'âme* de Villon qui seule sera reçue dans la « maison » de Dieu, ayant quitté la « dure prison » de fortune. Dans le « verset » de l'épitaphe, pourtant, Villon se sert de la même ironie dont il a usé dans la ballade pour Jehan Cotart. Ces vers si parfaitement concrets accusent la présence *dans le corps* d'une âme qui, bientôt, n'y sera plus. Quand on lit « Repos eternel donne a cil », le mot « cil » chaque fois ne peut désigner que *l'âme* de « cil » qui est dépeint par les vers qui précèdent. Seulement à la fin du petit poème l'ironie est-elle percée par une lueur de « clarté ». Les deux vers

> ...*Et luy frappa au cul la pelle*   (1 900)
> *Non obstant qu'il dit j'en appelle*

juxtaposent le « cul » de Villon à son col, à la gorge, à la langue, à l'intelligence raisonnable qui est bien capable d'en appeler. C'est à lui enfin, à l'esprit raisonnable de Villon, doué de la parole et de l'angoisse, que le mot « cil » se réfère, et à qui sera donné « repos eternel ». C'est « cil » qui nous parle ici. L'autre membre de Villon, qui « fut rez... comme un navet », est celui qui « gist et dort en ce sollier », selon le huitain. Quand il dit, « Rigueur *le* transmit en exil », de qui parle Villon ? De son corps, peut-être, que nomme le vers suivant ; de son être uni aussi, sans doute, dont rend compte l'Epitaphe entière ; mais enfin, et certainement, de son âme qui fut « transmi(se) » en l' « exil » du corps misérable et qui appelle, par son poème, de cette sentence [7].

Cet appel juridique à la cour suprême est censé faire pour le Pauvre Villon ce que fait, plus haut, l' « oroison » pour son ami Cotart, et ce que fait, pour l'amie morte, le premier rondeau du poème, « Mort j'appelle de ta rigueur ». Mais par sa forme, il s'apparente plutôt au rondeau eschatologique « Au retour » qu'à la ballade épistémologique sur l'ivrogne qui cherche son hôtel. Les trois rondeaux mettent en valeur la structure de l' « exil », son « terme », le « repos eternel » qui y succède, et la fonction en justice du langage. La ballade démontre la perte, dans le corps, de la « clarté perpetuelle » et donne l'exemple, dans le *Testament*, du langage tâtonnant, équivoque, interrogatoire, qui cherche à la reposséder.

On comprend mieux maintenant pourquoi, au début du *Testament*, Villon refusait de se disculper des crimes obscurs qui le firent enfermer à Mehun, et des accusations dont il semble vouloir se libérer dans les strophes 12 à 33. Il se jugerait à mourir « comme ung homme inique », disait-il à la strophe 16, si « le bien publique » devait en profiter. Mais il omet de dire, comme il aurait pu, là et ailleurs, qu'il est

en effet innocent. On comprend mieux aussi pourquoi Villon s'associe
volontiers aux filles, au milieu et à la fin du poème ; pourquoi il adresse
« Une leçon de mon escolle » (1 664) aux apaches, aux paillasses et aux
paillards, en les appelant ses « compaings de galle » (1 720) ; et pourquoi
un si grand nombre de ses héritiers et amis sont, d'après ce qu'on peut
en savoir, des êtres louches. Partout dans le *Testament*, Villon estompe
les distinctions commodes entre le voleur et l'homme de bien, entre le
juge et le pirate, entre les sergents et les coupables. D'une part, dans
le monde à l'envers, où la richesse définit la vertu, ces distinctions
n'ont plus de sens ; Alixandre est autant un « larron » que Diomedès.
D'autre part, dans le monde du devenir, tout homme peut commencer
dans la vertu, comme Villon, et finir dans le crime. En ce sens, chacun
de nous « est » vertueux, « est » criminel. Ainsi, toutes les filles du
monde furent une fois d'honnêtes vierges :

> *(61)*   *Honnestes si furent vraiement*   (593)
> *Sans avoir reproches ne blasmes*
> *Si est vray qu'au commencement*
> *Une chascune de ces femmes*
> *Lors prindrent ains qu'eussent diffames*
> *L'une ung clerc ung lay l'autre ung moine*
> *Pour estaindre d'amours les flammes*
> *Plus chauldes que feu saint Antoine*

Pour tout dire, dans le monde de la nature ces distinctions n'ont
aucune valeur. Comme l'ont bien compris ces filles — quoique de façon
obscure, comme la Belle Hëaulmière — il existe des devoirs envers la
continuité du monde créé qui définissent une morale nouvelle. Selon
cette morale, la Grosse Margot et son ami sont à juger plus vertueux,
moins vils et moins sots, que les précieux et les cagots de la cour,
ou que les faquins pervertis de l'évêché. Selon leur idée, pourtant,
selon l'idée de leur justice et de leur langue, cette vie naturelle se
confond entièrement avec la vie criminelle. Villon ne méprise pas
cette confusion ; il a su la rendre utile, comme tant d'autres [8]. Car il
a vu que, dans l'état où nous sommes, le crime seul pourrait réconcilier la vie dans la nature et la vie sous la justice humaine. C'est le
sens des vers de la ballade finale qui décrivent les trois morts de
Villon. Son poème entier baigne dans la lumière équivoque de cette
résolution, de ce dilemme. Dans le *Testament*, le crime est l'image
principale pour la vie.

2.   L'homme vit en « exil » : donc le crime est la condition de
l'homme. Comment comprendre autrement que la composition du
Testament fut nécessaire ? Il y a dans l'homme et dans la nature elle-
même, faut-il en conclure, une résistance aux forces qui assurent sa
floraison et sa continuité. Ces forces s'opposent aussi bien à l'œuvre
de Nature — que ce soit à l'évêché d'Orléans ou à la prévôté de Paris
— qu'à l'œuvre de son poète. Pourquoi fallait-il que Villon employât des

ruses pour nous amener à la vision de Nature qui est la sienne ? Pourquoi devait-il se charger de la transformation de la ville de Paris par la
parole s'il n'y avait, chez ses lecteurs, un refus obscur de la connaissance et de la fécondité ? Pourquoi s'occupe-t-il de notre salut, en nous
invitant à nous transformer à son image, quand l'Eglise du Christ s'en
occupe déjà ?

Le personnage du Pauvre Villon que Villon a créé, et dont il donne
le « testament » dans son *Testament*, est un Janus. S'il ressemble par
son visage héroïque et savant à celui qu'il faut imiter, il donne avec
son visage misérable, criminel, grimaçant, le portrait de ce que nous
sommes et de l'état qu'il nous faut délaisser. Mais Villon ne nous donne
nulle part, dans la personne de sa créature, l'image du salut que nous
propose l'Eglise. Jamais on ne voit, en Villon, l'homme vertueux selon
la morale la plus pure, la plus exaltante, la plus ancienne du christianisme. Seule sa pauvreté atteste une vertu évangélique. Si, en de rares
endroits, il semble pieux, il n'est jamais pur ni droit ni saint ni benoît
ni, à vrai dire, humble. Or Villon n'est pas sans avoir conscience de ces
vertus. Il est bien capable de les recommander à autrui, d'inculper
leur absence chez ceux qui les prêchent, ou de les évoquer de façon
dramatique dans la personne des humbles, comme sa mère, ou des
savants comme Robert d'Estouteville. Quel est le rapport dans le
Testament de ces deux vertus, ces deux saluts, ces deux consciences ?

Nous avons dû soulever cette question ailleurs, surtout en parlant
du rapport complémentaire qui unit la ballade pour Nostre Dame à
l' « oroison » pour Jehan Cotart. Sous une autre forme, nous l'avons
discernée aussi dans les dix strophes de 2 à 11, où s'opposent les institutions ecclésiastiques et civiles, et les deux espèces de vies qu'elles
proposent. Nous l'avons vue, enfin, dans les strophes parallèles 12 et
13, en tant qu'espèces de savoir et d'expérience. L'Eglise et l'Etat, la
théologie et la philosophie : leurs rapports avaient été, depuis le
XIIe siècle et bien avant, le sujet de vives polémiques. Quant à sa
loyauté envers les institutions, Villon a pris très tôt son parti. Il eut
ses raisons pour discerner dans le roi l'image du Christ, plutôt que
dans les maîtres de son Eglise ; et chez Louis XI le modèle d'une
action chrétienne et naturelle à la fois, plutôt que chez l'évêque
Thibault. La réputation du « feu Dauphin », d'ailleurs, n'était pas sans
appuyer cette réconciliation de celle que trouve Villon dans le crime [9].

Après l'histoire de Mehun, Villon s'est détourné des préoccupations
morales et théologiques dont les strophes 12 à 33 donnent le tableau,
en disant :

> (34)   *Laissons le moustier ou il est*   (265)
> *Parlons de chose plus plaisante*
> *Ceste matiere a tous ne plaist*
> *Ennuyeuse est et desplaisante...*

Villon prend désormais toute occasion de dire qu'il n'est pas théologien, s'il le fut jamais. Tout de suite après, en citant les « davitiques

dis » dans un argument naturel à propos du « lieu » équivoque d'un
« seigneur », il ajoute ces mots pour délimiter sa compétence et le
cadre de son argument :

(37)   ...*Quant du surplus je m'en desmetz*   (293)
                Il n'appartient a moy pecheur
                Aux theologiens le remetz
                Car c'est office de prescheur [10]

Plus tard, dans le beau passage de cinq strophes qui fait charnière
entre les deux parties du poème — c'est son faux « commancement »
— Villon cite un verset des Ecritures pour appuyer une interprétation
dogmatique qui, sans cet appui, pourrait paraître osée. Avant la venue
du Sauveur, dit-il, tous les humains pourrissaient en enfer — sauf,
ajoute-t-il avec la précision d'un docteur, les « patriarches et pro-
phetes » qui — selon sa « concepcion » bien pondérée — « Oncques
n'eurent grant chault aux fesses » (805-8) [11]. Et comme il arrive même
aux plus doctes, voici une voix harcelante qui l'interpelle, et l'oblige
à donner la « parabolle » des Ecritures dont la citation était en réalité
le but de cette manœuvre :

(82)   *Qui me diroit qui vous fait metre*   (809)
                Si tres avant ceste parolle
                Qui n'estes en theologie maistre
                A vous est presumpcion folle...

La science du *Testament* — de son auteur, de son héros — est une
science philosophique et naturelle. Villon suppose les rapports entre
elle et la science de la « theologie » (trois syllabes). Il parle, rappelons-
le, pour Nature. Afin de préciser la parenté de Nature avec la théologie
en tant que mode de savoir, on ne peut faire mieux que citer ses
propres paroles, telles qu'Alain de Lisle les transcrit dans le *De
planctu naturae* :

> Auctorem theologicæ consule facultatis, cujus fidelitati, potius quam
> mearum rationum firmitati, dare debes assensum. Juxta enim fidele
> ejus testimonium, homo mea actione nascitur, Dei auctoritate renascitur.
> Per me, a non esse vocatur ad esse ; per ipsum, ab esse in melius esse
> perducitur. Per me enim homo procreatur ad mortem, per ipsum re-
> creatur ad vitam. Sed ab hoc secundæ nativitatis mysterio professionis
> meæ mysterium ablegatur ; nec talis nativitas tali indiget obstretice ;
> sed potius ego Natura hujus nativitatis naturam ignoro... Nec mirum,
> si in his theologia suam mihi familiaritatem non exhibet, quoniam in
> plerisque non adversa sed diversa sentimus. Ego ratione fidem, ipsa
> fide comparat rationnem. Ego scio ut credam ; illa credit ut sciat. Ego
> consentio, sciens, sed sentiens, illa sentit consentiens. Ego vix visibilia
> video ; illa incomprehensibilia comprehendit in speculo. Ego vix minima
> metior intellectu ; illa immensa ratione metitur. Ego quasi bestialiter
> in terra deambulo ; illa vero cælo militat in secreto.
>
>   (p. 455-6)

On ne demandera pas à Villon la science de cette « seconde naissance », ni de la « bonne ville » que le Christ d'Esmaus, une fois, lui
« monstra ». Sa « bonne ville » est une autre.

Pour reconnaître la place de cette science, pourtant, comme le fait Nature, il ne faut pas être « en theologie maistre ». Villon sait bien qu'il existe ce deuxième salut, et, en plus, un Sauveur. Il le dit dans la première strophe — vrai morceau de bravoure, vraie offrande — de son faux « commancement » :

(80)	Ou nom de Dieu Pere eternel	(793)
	Et du Filz que vierge pairit	
	Dieu au Pere coeternel	
	Ensemble et le Saint Esperit	
	Qui sauva ce qu'Adam perit	
	Et du pery paire les cieulx	
	Qui bien ce croit peu ne merit	
	Gens mors estre faiz petiz dieux	

Que la strophe tourne court et finisse en se riant du bout des dents, cela accuse son sérieux au lieu de l'ébranler. Le Christ est le second Adam. Avant sa venue, tous les hommes étaient « morts » dans les deux sens, c'est-à-dire morts aux deux vies :

| (81) | Mors estoient et corps et ames | (801) |
| | En dampnee perdicion... | |

Mais Villon reconnaît aussi qu'aujourd'hui le salut qu'a apporté le Christ trouve chez les hommes une résistance qui ressemble sur le plan théologique à l'ivresse persistante de Jehan Cotart. Elle s'appelle aussi bien le péché que la mort. Quand Villon parle pour chaque chrétien, il la reconnaît chez lui-même :

(14)	...Combien qu'en pechié soye mort	(109)
	Dieu vit et sa misericorde	
	Se conscience me remort	
	Par sa grace pardon m'acorde	

Cet aveu, cette « conscience », se situe dans le passé de Villon. Depuis, il ne lui a pas toujours été facile de distinguer cette mort de la criminalité, ni de la mort active qui est une perversion diabolique des desseins de Nature. Les résistances au salut naturel et au salut du Christ se confondaient avec des crimes envers Nature et envers la « misericorde » du Dieu vivant, dans le cœur d'un seul homme et dans une seule expérience, que connut Villon à Mehun. Cet homme, cette expérience, bref ces noires confusions, président aux premières strophes du Testament. Villon écrira 2 000 vers pour les dénouer et les combattre. Dans cette lutte, il aura de puissants alliés : ses « compaings de galle », notamment, mais aussi ses devanciers à qui il demande secours, dont Jean de Mehun, Macrobe, Alain de Lisle, Alain Chartier, Philippe de Vitry, Deschamps, et les autres. La strophe 13 témoigne qu'à un certain moment, il put compter sur le Christ aussi pour un enseignement théologique. Dans l'œuvre de salut naturel qu'il entreprend, et qui ne méconnait point l'importance de l'autre « naissance », en sera-t-il de même ?

Le Christ n'apparaît dans le Testament proprement dit que comme Roi et comme Juge, bien au-delà des termes de l'entreprise naturelle

du poème. Une fois il a pu cheminer avec les « pelerins d'Esmaus »
pour les « conforter », et Villon aussi. Ces époques sont révolues. Au
début du poème, à la strophe 3, il est « Jhesus le roy de paradis », qui
vengera les souffrances de Villon sur Thibault, évêque de son Eglise.
A la strophe 33, il est « le doulx Jhesus Crist », le juge miséricordieux
qui saura récompenser les bons frères de leurs souffrances dans cette
vie. A la strophe 80, c'est Lui qui « du pery paire les cieulx », après
leur mort. Dans la ballade de la vieille, son irruption dans le monde de
la chair se situe nettement au passé ; elle assurera à l'avenir l'entrée
en Paradis de la femme pieuse et pécheresse. Vers la fin du poème
encore, il est de nouveau le « doulx Jhesus » qui seul pourra « absouldre » les âmes pécheresses même des vertueux, des « Hayneurs d'avarice l'inique » (1 771). Seule la libération à Mehun atteste la présence
actuelle, parmi les institutions de l'Etat, d'une Justice divine. Elle
n'apparaît que rarement, aussi la strophe 11 lui donne-t-elle la valeur
d'un événement allégorique. Cette libération « ouvrist » à Villon une
activité à la fois naturelle et chrétienne dans le monde-prison, bien plus
qu'elle n'affirma la valeur ou l'efficacité du Salut transcendant.

Bref, rien dans le *Testament* n'atteste le profit ou la valeur qu'apporte pendant cette vie le Salut du Christ, ni une connaissance
théologique du sens de ce fait. Tout ce qui concerne le monde créé, y
compris sa limitation par ses déficiences innées et par le monde incréé,
c'est l'affaire de Nature et de sa philosophie. La justice du Créateur
étant insondable et celle des hommes étant manifestement pervertie,
le criminel étant plus vertueux que l'évêque, l'Eglise étant en contradiction voyante avec elle-même — témoin le cas des Ordres Mendiants
— il faut conclure que la structure de la Foi, *pour vraie qu'elle soit*,
est inutile à sauver l'homme. Le Christ n'offre actuellement aucun
« confort », et aucun appui *continu* — comme sa Mère, d'ailleurs, qui
est réduite dans le *Testament* à ses fonctions politiques et naturelles.
Il n'est que l'espoir d'une Justice finale.

Le Pauvre Villon a donc beau reconnaître qu'il existe un « tresor »
qui vaut mille fois « vivre a son aise », et employer cette vérité pour
« contredire » le « dit » charmant et creux de Philippe de Vitry ;
cette reconnaissance ne lui vaut rien en elle-même. Pour la faire valoir,
pour la faire « courir », il faut insérer cette « parole gelée » dans un
travail philosophique, dans un poème pédagogique, dans une entreprise naturelle qui suit la voie obscure, à moitié perdue, mais encore
possible, d'un autre salut. La structure de la Foi, malheureusement,
n'offre pas d'alternative valable. C'est ce que constate Villon avec
tristesse, nous semble-t-il, mais non sans fierté, vers la fin de son héritage. Après la ballade de Franc Gontier, Villon arrive, dans sa fertile
hiérarchie ascendante, aux « villotieres » (1 511), et donne, dans sa
ballade « de bon bec », un spécimen de leur langage fécond et varié. A
la strophe 145, immédiatement après, il évoque leur conversation et
l'assimile aux « jugemens » de Macrobe, tout en l'opposant au langage
liturgique qu'on entendrait « En ces moustiers en ces eglises » où il

les voit mener leur beau caquet naturel. Continuant, il fait ses legs aux bonnes sœurs de Montmartre (str. 146), aux « chamberieres » (str. 147), aux « filles de bien » (str. 148), aux « povres filles » (str. 149), enfin à la Grosse Margot. Après la ballade qu'il lui consacre, voici cinq strophes encadrées par la figure de Marion l'Idolle et sa « publique escolle » :

(151)   *Item a Marion l'Idolle*   (1 628)
           Et la grant Jehanne de Bretaigne
           Donne tenir publique escolle
           Ou l'escollier le maistre enseigne
           Lieu n'est ou ce marchié ne tiengne
           Si non a la grisle de Mehun
           De quoy je dis fy de l'enseigne
           Puis que l'ouvraige est si commun [12]

A l'école de Mehun, Villon a appris la vraie valeur de la prostituée et de son « ouvraige » naturel et universel. De cette leçon, il va maintenant rendre compte à son tour aux « enfans perdus » :

(155)   *Item riens aux enfans trouvez*   (1 660)
           Mais les perdus faut que consolle
           Si doivent estre retrouvez
           Par droit sur Marion l'Idolle
           Une leçon de mon escolle
           Leur liray qui ne dure guere
           Teste n'ayant dure ne folle
           Escoutent car c'est la derniere [13]

La « leçon » de Villon a un curieux rapport — rapport souterrain, dirait-on presque — avec la « leçon » de la Belle Hëaulmière à ses jeunes sœurs. Dans les deux cas, la ballade qui renferme les conseils du personnage fait partie d'un discours dramatique, où l'auteur se présente parmi ses auditeurs, parlant leur langage et partageant leur sort. Cette ballade et ce discours sont difficiles à tous les points de vue : les analyser dans le détail nous entraînerait hors de notre sujet. C'est l'idée de cette « leçon » qui nous intéresse ici. Or Villon vient de renverser, quatre strophes plus haut, dans la ballade de Margot, certaines données commodes de la moralité bourgeoise. C'est pour cela maintenant que, par une contrariété burlesque et entêtée, il refuse un legs pieux aux « enfans trouvez » que recueille le chapitre de Notre-Dame, et se tourne plutôt vers ceux qui représentent la triste condition de tous. Il ne s'agit pas d'un simple jeu d'oppositions ; Villon tire d'une phrase banale, qui relève de la chronique, un sens moral et métaphysique. Même les « enfans trouvez » sont « perdus ». On comprend mieux cela après avoir lu la ballade suivante. Même si nous ne sommes pas convaincus du fait qu'en nommant les métiers douteux ou criminels, Villon désigne en images l'espèce humaine entière, nous ne pouvons méconnaître que cette hiérarchie ascendante suppose les « états » supérieurs qu'elle ne nomme pas. Nous verrons bientôt, après la ballade, quand Villon en vient aux « trespassez » de toutes les conditions, qu'il n'aura pas autre chose à leur dire que ces avis incertains aux « compaings de galle ».

Pourquoi faut-il que Villon « consolle » les enfants perdus, et quelle serait cette consolation ? S'il n'est pas clair de le savoir, la raison en est, justement, que Villon tombe ici dans leur langage, ce qui est le seul moyen efficace de les désigner tous, de leur parler franc dans la fiction, et de les caractériser pour le lecteur bon bourgeois qui ne s'y reconnaît pas. Partant, Villon tombe dans le jargon, le vrai jargon, où les phrases et les mots bien connus se mêlent inexplicablement aux locutions secrètes et incompréhensibles [14]. On est loin ici des ballades en jargon, de ces répertoires monstrueux dont le sens et la fonction sont d'être impénétrables. Le « jargon et jobelin » de Villon est une démonstration diabolique. Il y a, dans la « leçon » de Villon aux enfants perdus, juste assez de cette atmosphère pour que Villon puisse en faire une « leçon » linguistique. Les illogismes et le secret de ces phrases devaient avoir, sur leurs premiers lecteurs bourgeois, l'effet inverse de celui qu'ont sur nous les plus obscurs des legs. Tandis que ceux-ci nous témoignent la présence, derrière le langage, d'une intelligence supérieure, et devant lui le monde concret d'où la parole est sortie, ceux-là démontraient sans doute la décomposition terrifiante de la clarté et de la raison qui devaient être le propre de l'homme et de son langage. Le jargon, dans ces vers, est le signe linguistique de la condition criminelle de l'homme. Rendant compte parfaitement du concret et de ses lois, il se refuse aux données d'un salut prêché, aux fondements nécessairement abstraits d'une théologie [15].

La « leçon » de ces trois strophes et de la ballade, dans le contexte des deux saluts et des deux morts, est d'une étonnante sobriété. Dans l'état actuel des hommes et de leur justice, le crime n'a pas deux issues :

(157)   *Ce n'est pas ung jeu de trois mailles*   (1 676)
          Ou va corps et peut estre l'ame
          Qui pert riens n'y sont repentailles
          Qu'on n'en meure a honte et diffame
          Et qui gaigne n'a pas a femme
          Dido la royne de Cartage
          L'homme est donc bien fol et infame
          Qui pour si peu couche tel gage

Qu'on y perde, qu'on y gagne, aucune vie solide et morale — aucune vie « seüre », comme dirait Franc Gontier — ne peut être fondée sur la quête d'un « profit » matériel. La ballade expliquera dans le détail cette vérité. Qu'on fasse n'importe quel métier, y compris les sordides et les louches, un courant inéluctable de dépenses et d'usure emporte le profit. Faut-il y préférer le recueillement et l'ascèse ?

L'éloquence de Villon dans sa ballade, comme celle de la Belle Héaulmière dans la sienne, relève du catalogue et de la réitération inutile. La « leçon » de la Belle, qui était loin d'être abstraite, gisait naturellement dans des calembours et des images. De même la « consolation » qu'offre Villon se dégage d'un puissant tour de style :

BALLADE

Car ou soies porteur de bulles   (1 692)
Pipeur ou hasardeur de dez
Tailleur de faulx coings et te brusles
Comme ceulx qui sont eschaudez
Traistres parjurs de foy vuidez
Soies larron ravis ou pilles
Ou en va l'acquest que cuidez
Tout aux tavernes et aux filles

Ryme raille cymballe luttes
Comme fol fainctif eshontez
Farce broulle joue des fleustes
Fais es villes et es citez
Farces jeux et moralitez
Gaigne au berlanc au glic aux quilles
Aussi bien va or escoutez
Tout aux tavernes et aux filles

De telz ordures te reculles
Laboure fauche champs et prez
Sers et pense chevaux et mulles
S'aucunement tu n'es lettrez
Assez auras se prens en grez
Mais se chanvre broyes ou tilles
Ne tens ton labour qu'as ouvrez
Tout aux tavernes et aux filles

Chausses pourpoins esguilletez
Robes et toutes vos drappilles
Ains que vous fassiez pis portez
Tout aux tavernes et aux filles [16]

On est pris, en lisant, de claustrophobie : quoi qu'on fasse dans la vie, le résultat est le même. Le style concourt à cet effet. Car les vers des strophes avec leurs listes brillantes, qui embrassent d'énormes espaces moraux et de vastes étendues physiques, ces innombrables métiers qui se font « es villes et es citez », aux « champs et prez », comprenant de longs pèlerinages, des travaux qui occupent les saisons, des représentations ambulantes et des jeux frénétiques — tout cet univers immense et bouillonnant est coulé par l'entonnoir d'un seul refrain dans les intérieurs étroits des « tavernes » et des « filles ». Voici anticipée la réponse que donnera Villon aux fades moralités et aux réflexions rebattues qu'on fait dans le charnier des Innocents. A l'homme pieux, qui s'attriste devant les os des grands seigneurs et dames, et murmure « Tout passe par là... », Villon répond en scrutant l'universalité des vivants bourrés dans leurs chaudes boîtes, et entonne, « Tout passe par là ! »

Nous lisons, dans le refrain, l'équivoque sur laquelle est fondée la dualité des saluts. « *Tout* — aux tavernes et aux filles » : tout et rien, la nature et la débauche, une seule condition et une variété infinie de

formes, un monde uni qui vole en éclats. Cette équivoque recèle un
devenir qui est un destin : la Pauvreté, nom du monde mortel depuis
l'Age d'or mène infailliblement au crime, ce fut la leçon d'Amis dans
le *Roman de la rose*. Le style de notre ballade insiste sur ce que toute
activité humaine, dans la frénésie joyeuse de son mouvement, se fait
« en exil ». La grande nature est une prison. Ce dilemme, dans la
ballade, s'exprime dans le menu détail de sa grammaire. Les verbes
changent souvent de nombre, pour mieux nous inculper tous. Ceux de
la première strophe sont évidemment au subjonctif ; mais ceux de la
deuxième strophe peuvent être lus aussi bien au subjonctif qu'à l'impératif. Et la confusion est la plus grande, la plus significative, à la troisième strophe, où certains verbes peuvent être compris au subjonctif,
à l'indicatif, à l'impératif, et à l'interrogatif : par exemple, celui du premier vers, « De telz ordures te recules », ou celui, négatif, de l'avant
dernier :

> *Ne tens ton labour qu'as ouvrez*
> *Tout aux tavernes et aux filles*

On comprend que les éditeurs aient eu du mal à ponctuer ces vers [17].
Car la condition de l'homme s'y confond avec sa liberté, son besoin
catégorique avec sa joie et sa misère.

D'un autre point de vue, les métiers que Villon vient d'énumérer,
aussi bien que les « tavernes » et les « filles », ne sont qu' « ordures ».
Les biens matériels qui sont leur objet, ce que Villon appelle
« l'acquest », coule d'entre les mains. Villon recommande-t-il la repentance et la renonciation ? Il n'en est rien ; il conseillera seulement
d'éviter la mort en justice, si possible, et la morsure du vent qui
« noircist » les « gens » — les « pairis » — qui finissent mal :

> *(159)*   *...Eschevez le c'est ung mal mors*   (1 724)
> *Passez vous au mieulx que pourrez*
> *Et pour Dieu soiez tous recors*
> *Qu'une fois viendra que mourrez*

C'est la *lucidité* que recommande Villon, la mémoire de la situation
totale de l'homme, dans laquelle personne n'échappe au crime et à
ses tourments. C'est cette conscience ample et lucide des vraies conditions dans lesquelles on fait le métier d'homme, que Villon peut offrir
comme « consolation » aux « enfans perdus ».

Devant les « trespassez », Villon n'aura rien d'utile à ajouter. Mais
ce qu'il *omet*, c'est la leçon facile de pénitence et de retraite qu'on
aurait pu tirer d'une telle méditation. Les riches — non plus que les
pauvres de la ballade, non plus que tous les « enfans perdus » — ne
tirent aucun profit stable, aucune joie permanente, de biens et d'activités qui sont, par leur nature, transitoires. Le cimetière n'est pas la
taverne, tout y est silence :

> *(161)*   *Icy n'y a ne ris ne jeu*   (1 736)
> *Que leur valut avoir chevances*
> *N'en grans liz de parement jeu*

> *Engloutir vins en grosses pances*
> *Mener joye festes et dances*
> *Et de ce prest estre a toute heure*
> *Toutes faillent telles plaisances*
> *Et la coulpe si en demeure* [18]

Ce qui est en question, ce n'est pas la valeur au fond dérisoire des biens terrestres. Au lieu de tirer cette morale, Villon préfère remarquer l'inutilité de ces biens dans le contexte de l'autre salut, celui de l'âme éternelle selon les doctrines de l'Eglise : « Que *leur* valut... ». Aux plaisirs on est « prest... a toute heure », mais on n'est jamais prêt à mourir. Ainsi les divers mouvements de « toute heure » s'opposent à l'unique « coulpe » qui « si en demeure », c'est-à-dire la tâche que laisse un tel abandon sur la seule partie de l'homme qui ne meurt pas [19]. Cette « coulpe » est aussi naturelle à l'homme que les plaisirs auxquels il se livre. On ne s'en défait pas pendant cette vie. Aucun salut, aucune pureté n'est possible maintenant à ceux qui tiennent à rester à la fois naturels et vertueux. De là le seul legs que puisse faire Villon aux « trespassez » de toutes les conditions jusqu'aux plus nobles : « Aient esté seigneurs ou dames... » (1 762). Il le fait vers la fin des cinq strophes qu'il leur consacre :

> *Plaise au doulx Jhesus les absouldre* (1 767)

De là aussi le fait que Villon « communique » ce même legs aux hommes d'Etat et du droit, immédiatement après. Dans cette vie, dans le système de la Foi et parmi ses serviteurs en justice, tant ecclésiastique que civile, il n'y a aucune absolution. En conséquence, dit-il,

> *...De Dieu et de saint Dominique* (1 774)
> *Soient absols* quant seront mors

La preuve n'est pas encore rivée. La leçon se prolonge logiquement. Car, parmi les métiers suspects que vient d'énumérer Villon, parmi les « plaisirs » et les jeux des riches, comment ne pas inclure la poésie ? La complexité de la « leçon » morale de Villon est assurée par le fait qu'il nous la livre *dans un poème*. Il s'en rend compte. Cette partie de son héritage et ces réflexions sur la nature qui est une prison, la vie qui est une mort, se terminent avec un legs qui est, à notre avis, le plus intime et le plus probant de son œuvre :

> *(166)*   *Item riens a Jacquet Cardon* (1 776)
> *Car je n'ay riens pour luy d'honneste*
> *Non pas que le gette habandon*
> *Sinon ceste bergeronnette*
> *S'elle eust le chant Marionnette*
> *Fait pour Marion la Peautarde*
> *Ou d'ouvrez vostre huys Guillemette*
> *Elle allast bien a la moustarde*

Ce « riens » pour son ami Cardon, qui ne mérite « riens... d'honneste », cette « bergeronnette » triviale et obscène, est le rondeau « Au retour ».

Bien sûr, on discernera dans le personnage bouffon « Le Pauvre Villon » encore une plaisanterie irrévérencieuse et ironique. On reconnaîtra aussi dans le poète et le pédagogue Villon ce scepticisme foncier qui refuse à toute pensée sa valeur autonome, qui recouvre tout dessin net d'un coloris vulgaire, qui confond avec une lucidité impitoyable le vrai et le faux. Et on verra, sans doute, dans le heurt volontairement outré du huitain et du rondeau, le mépris de soi violent et inlassable que veut témoigner la voix du poète, avec une violence ultérieure. Mais dans le contexte immédiat de son poème, cette violence est aussi le terme d'un raisonnement moral et poétique. Le poème légué à Cardon est en lui-même — son sens mis de côté — un rien, une bagatelle méprisable, une des nombreuses « plaisances » qui « faillent », ne laissant que, sur l'âme, la tâche durable de la « coulpe ». A y prendre plaisir nous-mêmes, nous nous jugeons coupables. Et dans le contexte de Nature, ce poème est, tout autant que la chanson obscène « Ouvrez vostre huys Guillemette », une participation directe à la fécondité de Nature et à la prolifération de ses formes, en tant que poème, en tant que legs. Mais cet objet vil et équivoque, « Esguisé comme une pelote », possède une propriété spéciale, qui est celle aussi de l'être qui le conçut : savoir, qu'il se rend compte de sa propre valeur dans la situation totale de l'homme, et nous l'enseigne. Il possède la lucidité. Car ce rondeau qui « allast bien a la moustarde » est celui qui affirme la compétence du langage humain dans les procédures de la Justice divine. La poésie, seule parmi les activités naturelles de l'homme, *atteste* qu'elle est tout et rien, rien et tout.

Quant au poète, et aux autres criminels, ses « compaings de galle », c'est-à-dire ses lecteurs, ils sont morts :

(159)   *A vous parle compaings de galle*   (1 720)
               Mal des ames et bien du corps
               Gardez vous tous de ce mau hasle
               Qui noircist les gens quant sont mors...

Dans le contexte de l'autre naissance, ils sont morts depuis longtemps. A ces deux morts, il n'y a qu'un seul remède, c'est la Grâce qu'on n'aura qu'après la vie. Dans le *Testament*, la mort, comme le crime, est l'image donnée par Villon pour la vie. Ainsi la mort en justice est l'image de la vie naturelle. Villon la substitue, à la fin du poème, au tableau de l'agonie corporelle (strophes 40-41) qui introduisait les poèmes à thème « ubi sunt... » Ailleurs, Villon tire au clair cette image et la développe, dans la ballade connue autrefois comme « l'Epitaphe Villon », et aujourd'hui comme « la Ballade des pendus ». Là, comme l'on sait, Villon parle pour tous les pendus ; et dans la fiction du poème, un pendu parle pour tous les « freres humains ». Cette confusion, ici explicite, résume de façon crue tout ce que Villon a voulu dire de façon plus nuancée dans son grand poème. Elle explique la résistance tenace et naturelle au salut du Christ, qui rassemble dans une seule catégorie toutes les conditions sociales, tous les métiers, toutes les moralités :

(XIV)   ...Nous sommes mors ame ne nous harie   (19)
Mais priez Dieu que tous nous vueille absouldre

Le sens progressivement élargi du mot « tous » dans le refrain rend
compte de l'image du vers précédent, et de son ambiguïté. Car le verbe
« harie » est à l'indicatif et aussi au subjonctif, et correspond aux
deux sens du mot « ame » : nous, les pendus en justice, sommes
morts, que personne ne nous moleste, car nous n'avons plus d'âme.
Nous, tous les êtres humains, sommes morts, et aucune âme ne nous
tourmente ; que personne donc ne nous harcèle. Dans le *Testament*,
comme plus clairement ici, la mort est une propriété de l'homme.

3.   Au cœur de « Paris », ville des morts, nous écoutons la voix d'un
défunt. Villon sait qu'il est mort autant que tous les « *freres* humains »,
autant que tous les engendrés de « Paris ». Le « mau hasle » dont il
menace les « compaings de galle » que nous sommes a déjà teinté sa figure, et ce vent qui « noircist les gens quant sont morts » a déjà noirci
Villon, comme le vent qui « autant en emporte » a déjà emporté sa jeunesse. A la fin du *Lais* il se voyait déjà « Sec et noir comme escouvillon ». Au milieu de ses réminiscences, à la strophe 23 du *Testament*,
il se peint également en noir, « Triste failly plus noir que meure »,
où le mot « meure » comporte une résonance sinistre, reprise aux vers
313 et 1 679. L'on se rappelle enfin comment, avant de transcrire son
« epitaphe », il ordonne qu'on « tire » son « estature » aux murs de
Sainte-Avoye, dont le nom est celui de la destitution (str. 76), et que ce
soit « d'ancre » afin de se conformer à ses vraies couleurs. L'épitaphe
elle-même sera écrite, précise-t-il dans la strophe suivante,

De charbon ou de pierre noire   (1 880)

Le visage moral de Villon est opaque, impénétrable par la clarté,
aussi terne et terrestre que le plomb ; il fait contrepartie esthétique
au « cler vis traictiz » (499) de la Belle Hëaulmière jeune, tout imbibé
de lumière [20].

Celui qui voit ainsi tout en noir porte sa mort dans la voix aussi
bien que sur la figure. L'auteur du *Testament*, tout autant que celui qui
nous y parle, est décédé depuis longtemps. Nous écoutons la voix d'un
mort qui fut mort avant de mourir. Son décès fut d'une espèce unique.
Aucun autre n'eût été capable de réconcilier, dans sa propre figure, la
nécessité des deux saluts, et de nous en léguer l'image. Revenons à la
dernière ballade, où cette mort est dépeinte :

AUTRE BALLADE

Icy se clost le testament   (1 996)
Et finist du Pauvre Villon
Venez a son enterrement
Quant vous orrez le cairrillon
Vestus rouge com vermillon
Car en amours mourut mairtir
Ce jura il sur son couillon
Quant de ce monde voult pairtir...

La dernière ballade « a lieu », dans la fiction du poème, entre la mort et l'enterrement de son héros. C'est la portée des vers 1 998-9. L'âme de Villon n'est pas encore « au retour » aux cieux. Son corps qui « Voulentiers en son lieu retourne » (848) et qu'il avait légué à la terre, n'a pas encore gagné sa dernière demeure. Le langage de la ballade finale, qui qualifie d'autre manière le langage du poème entier qui le précède, pose une pierre tombale sur son devenir. Jusqu'ici, le « testament » du Pauvre Villon évoluait dans un temps moral, dans la fiction d'une voix vivante et d'une conscience continue. La ballade finale avère que cette évolution avait déjà touché à son terme, que le « testament » de Villon était un fait accompli, un corps unique, une œuvre unique achevée, pendant que sa fiction nous leurrait. Son poème, qui était sa vie, n'est maintenant que son monument. Villon est hors de la nature. Son poème est hors de la vie, et ne peut changer désormais qu'en s'effritant comme les pierres... ou en fondant dans nos bouches comme une « parole gelée ». La vie, par contre, est avec nous. Le devenir organique et la vie du langage sont maintenant la propriété de l'inconnu qui parle, de ce survivant, et de nous, à qui il s'adresse directement (« Venez... quant vous orrez... »). Par sa mort autant que par sa vie, le poème de Villon atteste les vérités du devenir, et nos devoirs à leur endroit.

Par la parole de son poème, nous écoutions la voix d'un homme à la fois vivant et mort. A le relire, nous ne pourrons plus échapper à la conscience de ce paradoxe. La dernière ballade nous oblige constamment à nous en rendre compte. Elle affirme aussi, comme nous le savons, que la mort du Pauvre Villon, autant que son poème, fut une œuvre volontaire et composée. Villon mourut en « martir »; le rouge vif que nous porterons à son enterrement est son dernier embellissement du décor parisien. Il dira à tout le monde que ce « témoin » saint est mort dans le salut chrétien. Mais il mourut aussi martyr « en amours », épuisé par son œuvre vertueuse dans le salut naturel. Cette double sainteté, le Pauvre Villon la « jura » avant de « partir », « sur son couillon ». Mais il jura aussi qu'il *voulut* mourir, que sa mort était pour des raisons obscures une mort volontaire, qu'il l'a choisie. Cette notion de volonté, c'est entendu, pourrait expliquer sa mort en amour : Villon aurait voulu immoler ses propres forces fécondes à l'unique fécondité qui le fit naître. Mais elle n'explique pas encore sa mort en justice. La troisième strophe de la ballade — la plus spirituelle, la plus significative — en attestant de façon voilée que le Pauvre Villon est mort justicié, prouve que Villon *a tenu sa parole*. A la fin du poème, nous apprenons qu'il a rempli la promesse qu'il nous a faite au début :

(16)   *Se pour ma mort le bien publique*   (121)
                  D'aucune chose vaulsist mieulx
                  A mourir comme ung homme inique
                  Je me jujasse ainsi m'aist Dieux...

La dernière ballade témoigne en fait que le Pauvre Villon mourut
« comme ung homme inique » ; et que cette mort était voulue, était
en quelque sorte une mort orgueilleuse et impérative. Il faut comprendre que « le bien publique » en a profité. Mais quel profit pouvait-
il y avoir dans la mort d'un homme tellement aimable, tellement fécond, de qui nous avions tant appris, qui entreprenait par la parole
au moment de sa mort une vaste œuvre de réformation morale et naturelle ? Dans les grandes lignes, on le voit, mais sur une échelle réduite,
ces considérations perplexes sont la matière de la conversation
qu'eurent, certain dimanche matin, deux pèlerins qui cheminaient vers
la ville d'Emmaüs...

Pourquoi fallait-il que le Pauvre Villon mourût *dans* le poème de
Villon ? Le mot « testament », au premier vers de la ballade, nous
l'explique. On a beau parler d'une œuvre de régénération qu'entreprenait Villon ; d'une réformation morale, d'une redistribution des
biens, et des bourdes aphrodisiaques qui aiguillonnent et appuient,
dans les legs parisiens, l'activité et la conscience naturelles des
hommes. Ce sont autant de mots, les nôtres, les siens. Qu'est-ce qui
nous assure que les legs de Villon se réaliseront ? Et pourquoi son
poème-héritage a-t-il eu un public à travers les siècles ? Qu'est-ce qui a
assuré le *succès* du *Testament* dans les deux sens du mot ? Nous citerons ici le texte biblique qui répond à ces questions, par le fait de
combler le mot « testament » et la notion d'un testament du plein sens
que Villon y connut :

Ubi enim testamentum est, mors necesse est intercedat testatoris.

Un « testament » n'existe que par la mort du testateur. La « disposition » que vise celui-ci n'est, avant sa mort, qu'une « disposition »
verbale, une liste. A sa mort, poursuit saint Paul, son « testament »
devient une loi :

Testamentum enim in mortuis confirmatum est : alioquin nondum valet,
dum vivit qui testatus est. Unde nec primum quidem sine sanguine
dedicatum est.

(*Ad Hebræos*, 9/16-18)

Pour qu'un testament ait validité et efficacité, il faut que le sang
coule. Et ce sacrifice violent de la vie du testateur a un autre sens :

Et omnia pene in sanguine secundum legem mundantur : et sine san-
guinis effusione non fit remissio.

(9/22)

Avec ces mots, saint Paul explique la nécessité de la mort du Christ.
Il présente la notion du *sacrifice* qui réconcilie les deux justices, humaine et divine — cette notion que le Christ lui-même a dû « monstrer » aux pèlerins d'Esmaus — et qui fait, d'une mort humiliante et
injuste, un triomphe divin. Pour le faire, saint Paul a repris un mot du
Christ à propos de son propre « testament » :

Hic est enim sanguis meus novi testamenti, qui pro multis effundetur
in remissionem peccatorum.

(*Matt.* 26/28)

Le « novum testamentum » est le « testament » du Christ, qu'il dicta « de derniere voulenté Seul pour tout et irrevocable » — c'était la croyance universelle à l'époque de Villon [21]. Ce « testament » du Christ nécessita sa mort, pour qu'il devînt la nouvelle Loi. Cette mort, en plus, devait être celle d' « ung homme inique », une mort honteuse dans la violence de la justice, pour que le sang du sacrifice procurât une purification et une nouvelle Grâce. Ce drame, Villon l'a mis en scène dans les strophes 12 à 33 de son *Testament*. On commence à comprendre pourquoi. Ces strophes à part, le Christ n'apparaît lui-même dans le poème que comme Roi et comme Juge transcendant et inabordable. Son royaume est séparé du nôtre par un gouffre qui est infranchissable sauf par la parole, laquelle parvient à ces hauteurs sous forme de prière ; par sa Vérité splendide, qui transparaît ici-bas dans la matière de l'art ; et par une intervention miraculeuse dans les cérémonies de la Foi, celles par exemple qui font d'un « Dauphin » un prince à l'image du Christ.

Si le Christ n'est plus sur terre, il y a laissé du moins son Eglise, son *Testament*, son image, et — chose plus importante pour le poète chrétien — le drame de sa Passion. Ce drame a fourni à Villon la forme de son entreprise, autant que les œuvres de l'Ecole de Chartres ou des troubadours. Cette forme, nous la voyons pour la première fois dans l'expérience de Mehun, qui comporte une incarcération avec souffrance, et une libération avec joie. Le rapprochement de ce double événement avec le drame du Christ a été fait à la strophe 11. Son double sens dans l'éducation d'un poète a été exploré à la strophe 12 et dans le mot « travail ». Les strophes 13 et 33 montraient la forme des événements saints derrière les faits d'une vie profane et derrière les propos d'un poème (« Ce que j'ay escript est escript », 264). Enfin, la structure double de ces événements est celle du *Testament* entier, où, après avoir confessé les dilemmes de la mortalité, dans 84 strophes, Villon se consacre à leur résolution. On peut donc dire que le Christ est partout présent dans le *Testament*, qui à chaque instant renvoie à la vie du Fils de Dieu. Celui-ci est présent aussi dans la figure de son héros, qui souffre et qui meurt comme Lui, « comme ung homme inique », en laissant, confirmée par son sacrifice, la loi de sa parole.

Le Pauvre Villon est le Christ burlesque. Et puisque le burlesque chez Villon est le ressort du rire, puisque le rire est aphrodisiaque et le rire de Villon grivois, le burlesque est une des réponses du poète à ses devoirs naturels. La pédagogie en est une autre, ainsi que la continuation des formes traditionnelles ; la correction des mœurs et l'excitation des forces fécondes en est une troisième. Ce sont les divers moyens qu'emploie le poète de Nature pour nous procurer son salut. Le Pauvre Villon est aussi le Christ naturel, c'est à ce titre qu'il faut l'imiter. La preuve de cette association est donnée par la « double ballade ». Sa liste de poètes, de sages, de lois et de prophètes qui tombèrent sous le coup d'une femme fatale s'arrête sur un exemple du *Nouveau Testament*, comme les invocations de l' « oroison » pour Cotart s'arrêtent sur Archetriclin, en associant le Christ aux buveurs illustres. Le dernier des grands sacrifices en amour sous l'ancienne Loi fut celui de saint Jehan Baptiste :

> *...Herodes pas ne sont sornetes*   (653)
> *Saint Jehan Baptiste en decola*
> *Pour dances saulx et chansonnetes*
> *Bien est eureux qui riens n'y a*

« Pas ne sont sornetes » puisqu'il s'agit pour une fois de l'autorité des Evangiles. Comment oublier que le sacrifice que subit saint Jehan Baptiste en annonce et en prépare un autre, le premier de la nouvelle Loi ? Dans la liste de Villon, c'est le Christ qui devrait suivre comme le premier des amants et le neuvième du poème, comme sa Mère siégeait à la fin de la liste des femmes fatales de la ballade « Dictes moy ou... » Mais au lieu du Christ, on voit un autre qui saisit sa place par un saut burlesque :

> *De moy povre je vueil parler...*   (657)

Ce « moy povre » unit, dans sa personne, la condition de tous et une mission unique, le besoin de la grâce et la possession d'une vertu naturelle.

Rabelais verra dans le Christ un nouveau Pan, un dieu de la fertilité [22]. Villon y voit plutôt le patron du sacrifice en amour qui assure la permanence de notre forme. Le Christ, comme le Pauvre Villon, comme Narcisse ou Buridan à leur façon, s'est plongé dans le fleuve des neiges d'antan, d'où il renaquit. Et puisque le Christ est Dieu et son amour divin, « la forme » ainsi éternisée était la « forme » de notre salut, que l'on voit reproduite dans la forme de sa Passion, donc dans la forme du *Testament* de Villon. N'oublions pas que le Christ était un poète considérable et un grand metteur en scène. Villon l'a imité sur ce point et sur bien d'autres : on n'a qu'à rappeler son association avec les prostituées, ou son indépendance sociale, ou le fait qu'il commence sa mission « En l'an de mon trentiesme aage » (1) [23]. Imiter le Pauvre Villon à notre tour veut dire faire une *imitatio Christi* dans le cadre naturel. Imiter le Pauvre Villon, ou Villon lui-même, dans leurs œuvres de création secondaire — se lancer dans la création de nouvelles formes et dans l'étude de cette création — c'est entamer, dans la mesure de notre possible, une *imitatio Dei*.

Le Pauvre Villon se sacrifie pour nous à la fin du poème. Plus vertueux qu'autrui, plus naturel que nous tous, il a toujours été mort néanmoins dans la structure du salut divin. L'équivoque subsiste jusqu'au dernier vers du poème. Est-ce le Pauvre Villon qui nous parle dans la dernière ballade ? En quelle mesure « le Pauvre Villon » dont le « testament » est inclus dans *Le Testament* peut-il être identifié avec le Villon qui créa le tout ? Quoi qu'il en soit, pour que le « tes-

tament » du Pauvre Villon devînt loi, celui-ci devait mourir. Et pour
que le *Testament* de Villon devînt loi aussi, sa mort était nécessaire
dans la même mesure. On comprend mieux maintenant pourquoi,
selon les biographes et la légende, François Villon disparut définitivement en janvier 1462 (v. st.). S'il avait continué à vivre dans le milieu
de la « bonne ville » qu'il nous « monstra » — la ville de « Paris »,
la ville de Nature — « Et pourveut du don d'esperance », son *Testament*
ne serait pas entré de sitôt en vigueur.

NOTES DU CHAPITRE III

1. Voir la note de L. SPITZER, dans *Romania* 65, 1939, p. 101-3.

2. Il s'agit de l'épisode de « Roland » ; voir l'édition de J.-J. PAUVERT, préface de G. Bataille (*Œuvres complètes de Sade*, t. II, 1960), p. 304 sqq. et surtout p. 336-8.

Cette anecdote est toujours vivante ; voir la conversation des vagabonds philosophes d'*En attendant Godot*, de S. BECKETT :

« (Estragon). — On attend.
(Vladinur). — Oui, mais en attendant.
(E.). — Si on se pendait ?
(V.). — Ce serait un moyen de bander.
(E., *aguiché*). — On bande ?
(V.). — Avec tout ce qui s'ensuit. Là où ça tombe il pousse des mandragores. C'est pour çà qu'elles crient quand on les arrache. Tu ne savais pas çà ?
(E.). — Pendons-nous tout de suite. »

(Editions de Minuit, 1952, p. 259)

Voir aussi The Naked Lunch, de W. Burroughs, Olympia Press, 1959, *passim*.

3. Ce texte pose plusieurs problèmes :

1) Nous avons pris parti plus haut pour l'unité du huitain et du « verset », et contre le numérotage du huitain. Nous n'avons pas voulu détacher l'un de l'autre en imprimant soit le huitain (Thuasne) soit le rondeau en lettres majuscules.

2) Faut-il mettre un espace entre les vers 1 895 et 1 896, et faire du rondeau une pièce à trois parties comme le fait la première édition ? Nous ne croyons pas, mais la question est inquiétante.

3) Faut-il imprimer le refrain entier, ou seulement le mot « Repos » ? Nous sommes d'accord avec les éditeurs pour répéter le vers entier, suivant le principe établi par G. RAYNAUD, dans son Introduction au volume *Rondeaux et autres poésies du XVᵉ siècle* (S.A.T.F., 1899, p. XLI, XLVI-XLVII). Ce problème se pose aussi pour les deux rondeaux « Mort » et « Au retour ».

4) 1891 : *Gallans dictes* .... A
Au moins dictes I
Pour dieu dictes C
Amen dictes .... F
Amans dictes .... (Thuasne)

La leçon de F est la plus satisfaisante pour la syntaxe et pour le sens. NERI (p. 127) la préfère aussi, et remarque qu'elle explique les autres variantes, même celle de I : BURGER (p. 28) en tombe d'accord. Mais tous deux ponctuent le vers d'une façon qui rend suspects le mouvement et la syntaxe, en faisant du mot « Amen » une exclamation de Villon, et en faisant du rondeau qui suit l'objet du verbe « dictes » (ainsi également dans le *Lexique* de BURGER, s.m. Verset). Neri, visiblement gêné, imprime le mot en grosses majuscules italiques, suivi d'une virgule, tandis que Burger le fait suivre d'un point d'exclamation. La leçon de Foulet, qui suit A, ainsi que la correction astucieuse de Thuasne, supposent de même que l'objet du verbe « dictes » n'est pas exprimé. A nous il semble évident que l'épitaphe demande au passant de « dire " amen " » au moyen de « ce verset », ou en le récitant. Le mot « verset » peut se référer soit au poème qui suit, soit à son premier vers, qui est le premier « verset » de la Messe des morts. Ainsi le huitain reprend son unité, et le vers son mouvement naturel. Pour les leçons, voir FOULET, *Romania* 42, 1913, p. 502.

5) 1895 : *N'ot onc ny ung brain* .... A
N'eust onc ne ung brin I
N'eust oncques ne ung brain ...... CF
N'eut oncques n'ung brain .... (Foulet)

Nous avons suivi I. L'absence d'élision du -e dans « ne » devant une voyelle est justifiée par le vers précédent, où nous suivons la leçon des mss. contre Foulet, qui donne « ni ». Les mss. sont donc unanimes sur le mouvement de notre vers, qui souligne *staccato*, avec de petits « brins » de mots, la privation absolue du défunt. Il est tout aussi vraisemblable de prononcer « oncques » monosyllabe que de faire l'élision en lisant les deux mots « ne ung ».
Autrement, nous suivons Foulet, sans la ponctuation.

4. Foulet, p. 127.

5. Pour « rigueur » et « exile », voir 948, et la note de Foulet, p. 127. Pour « terme », plaid, assise, voir Littré, sous ce mot, dans la section historique, surtout l'exemple cité de Du Cange. D'autres exemples que donne Littré laissent deviner un sens de « façon d'agir », « manière ».

6. Thuasne, III, 524.

7. Le sens théologique du mot « exil » synonyme de « prison » dans l'usage que nous avons expliqué plus haut (IIᵉ partie, livre I, ch. III, n. 9), n'est nullement ésotérique à l'époque. Villon l'aurait connu du *Roman de la rose*, par exemple :

> Que, quant plus tost definera,
> Plus tost en paradis ira,
> Quant il lerra l'essil present...
>
> (5 040, dans la citation de Littré, s.m. Exil).

Littré donne ce sens du mot dans le corps de son article comme étant du « langage mystique ».

8. Pour Jean de Mehun, on se le rappelle, toute moralité tombait sous l'impératif d'un seul mouvement involontaire : c'est la *fuite* devant la mort, notion qui donne, au cours du *Roman de la rose*, l'image principale pour la vie naturelle sur terre. Villon y préfère, pour exprimer le même mouvement, le mot « courir ». Avec ce mot il désigne le mouvement de l'eau (963) et, métaphoriquement, de la monnaie (539) et de « malle destresse » (871) ; il nomme ainsi le métier des « escumeurs » (134) et des filles (581), et évoque ainsi l'énergie fringante du proxénète (1 595).

9. Sur la réputation de Louis xi, voir C. Petit-Dutaillis, dans Lavisse, *Histoire de France*, t. IV, IIᵉ partie, p. 322-3. Le bruit courait, à la mort de Charles vii, que Louis avait empoisonné son père. De telles histoires, avec le souvenir de ses exploits militaires de jadis, sont à la source de la remarque de Villon à 59-60 :

> Quant de proesse il en a trop
> De force aussi par m'ame voire...

10. Pour l'interprétation de ces vers, voir M. Roques, « Fils d'ange », dans *Bulletin de l'Académie royale de langue et de littérature françaises de Belgique*, t. 26, fasc. 2, 1948 ; réimprimé dans *Etudes de littérature française*, Lille, Genève, Giard, Droz, 1949, p. 67-74.

11. Nous avons profité, ici et ailleurs, des remarques très fines de P. Demarolle, dans un ouvrage inédit conservé à la Bibliothèque universitaire de Dijon, que nous avons plaisir à signaler : *L'Esprit de Villon*, Mémoire composé en vue du diplôme d'études supérieures de lettres modernes, Université de Dijon, 1962 ; p. 39 : « Villon sait que chaque catégorie sociale, chaque corporation, chaque individu use de " formules de remplissage " particulières. Il lui suffit de les choisir avec discernement pour jouer le rôle du personnage qu'il veut parodier. »

12. Pour l'interprétation, voir Foulet, *Romania* 68, 1944-5, p. 104-16, qui se ravise sur le texte de l'édition : elle donne à 1 632 la leçon de C, introduite il y a par Longnon en 1911. Il n'y a aucune « antiphrase », comme l'ont cru Thuasne et F. Desonay : « *Tenir* du v. 1 632 est un verbe neutre, et son sujet, *marchié*, ne signifie pas commerce où l'on achète et vend, mais accord conclu entre le maître et l'élève. » Foulet cite Littré, s.m. Tenir, sens 52 : « Subsister sans aucun changement ni altération en parlant d'un traité, d'une convention, d'un marché. » « Mais cette notion de durée persistante qui, selon Littré, est impliquée dans ce sens de *tenir*, ne doit pas nécessairement être interprétée à la rigueur. En fait, elle peut se réduire à l'occasion à fort peu de chose, si bien que " il n'est lieu où

ce marché ne tiengne " pourrait en venir à signifier " Il n'est lieu où cet accord ne se conclue. " Nous aurions l'intransitif correspondant à l'actif " tenir un marché ", que Littré enregistre sous le n° 26 et qu'il traduit par " exécuter un marché "... Quant au mot *marché*, il suggère volontiers aujourd'hui, quoique non exclusivement, l'échange d'une marchandise contre une rémunération, soit en espèces, soit en nature. Dans la langue d'autrefois l'acception en était plus étendue. Il s'employait couramment pour désigner " toute espèce de convention " ».

L'on voit que Villon joue sur deux expressions et sur deux sens de chaque mot : « un marché qui tient » et « tenir un marché », dont le modèle vient d'être donné par le vers 1 630 : « tenir publique escolle ».

13. Texte de FOULET, sauf pour le vers 1 666, où nous admettons la leçon de I, le participe « n'ayant », contre la leçon « n'ayent » de CFA ; d'ailleurs il nous semble que celui-ci n'est qu'une variante orthographique de celui-là.

Le choix est important : le mouvement et le sens de la strophe en dépendent. Si nous lisons, avec les éditeurs, « n'ayent », au subjonctif-impératif, alors le vers 1 666 se lit avec le suivant, la conjuration négative « n'ayent » annonce la conjuration positive, « Escoutent » — ce qui est un peu gênant — et il faut s'arrêter après le vers 1665, avant de lire les deux vers indépendants, ce que les éditeurs reconnaissent tous par le fait de mettre un point après le mot « guere ». Mais pour nous le vers 1 665 est étroitement lié au suivant par un raisonnement et par le calembour sur « dure » qui le justifie. « Cette leçon d'école ne *dure* guère... parce que ceux à qui elle s'adresse n'ont pas la tête *dure*, une leçon succincte leur suffit ». Alors le dernier vers, avec son sombre avertissement, se détache pour mieux s'imposer, en position proverbiale. Si ce n'était pas ainsi, la strophe serait un émincé, du point de vue rythmique. Et pourquoi Villon dirait-il que sa leçon « ne dure guere » ? Quelle est son attitude envers les « enfans perdus » ? Croit-il qu'en fait ils ont la tête dure, et prend-il alors un ton condescendant ? Nous ne le croyons pas. S'il abrège sa leçon, ce n'est pas parce que ses auditeurs sont bêtes, mais parce qu'ils ne le sont point.

« Avoir la tête dure » est d'ailleurs une locution métaphorique courante, sur laquelle Villon joue dans XI, 21-7, où l'attitude de « Cuer » envers « Corps » est semblable à celle que nous croyons discerner dans la strophe 155 :

> J'en ay le dueil ; toy, le mal et douleur,
> Se feusses ung povre ydiot et folet,
> Encore eusses de t'excuser couleur :
> Si n'as tu soing, tout t'est ung, bel ou let.
> Ou la teste as plus dure qu'ung jalet,
> Ou mieulx te plaist qu'onneur ceste meschance !
> Que respondras a ceste consequence ?

(Texte de FOULET, avec sa ponctuation)

A 1 665, Thuasne met la leçon de C, « lairay » (qu'il donne « larray »), qu'on avait écartée longtemps avant (voir FOULET dans *Mod. Lang. Notes* 17, 1912, p. 61). BURGER la propose de nouveau (p. 27), mais son argument nous semble sans bien-fondé : « Villon feignant d'être à l'article de la mort (T. 728 sqq., 785 sqq., etc.) *liray* n'est guère plausible, malgré *Escoutent* du vers 1 667. » Mais il ne saurait être question de lire notre passage en fonction du vraisemblable d'une fiction délaissée. Et encore, il n'est pas certain qu'alors Villon feignait d'être « à l'article de la mort ». En revanche, on ne peut pas douter que depuis, il nous a « lu » presque mille vers de « leçons », de ballades, de huitains énergétiques ; qu'il demande à 1 667 et de nouveau à 1 684 qu'on « l'écoute », une « derniere » fois ; et que IFA s'accordent sur ses intentions précises. Tous les autres legs avec « laisser » sont au présent. Et « liray » reprend spirituellement le sens précis de « leçon », en adoucissant la nuance morale ou doctrinaire de ce mot.

14. Il s'agit surtout des phrases « aller a Montpipeau » et « aller a Rueil », « voler avec des dés pipés » et « voler en détroussant », que le Dr. R. Guillon a expliquées le premier, selon ZIWÈS, I, 212-13. Les expressions « Mes clers pres prenans comme glus », « pour s'esbatre », « le rappeau », « le perdit », et le nom « Colin Cayeux », devaient avoir aussi, pour le lecteur bourgeois, une résonance qui lui valait des frémissements. Voir les explications de THUASNE, III, 443 sqq.

15. Le désordre apparent du *Testament* qui, pendant un siècle, nous a attirés vers son centre inarticulé dans l'âme du poète — ce même désordre devait être pour le lecteur du XVe siècle (dans la mesure où il y eût été sensible) une source d'effroi, le précipitant vers l'ordre réel du poème, vers les lois inébranlables du

langage et de la nature dont il faisait l'étalage. La confusion qui nous charme a pu paraître autrefois comme la forme même de la perversion d'un monde à l'envers. On ne peut mieux faire, pour étudier l'évolution de la conscience du langage à l'époque, que comparer la conjuration diabolique de « Salatins » dans le *Miracle de Théophile*, le jargon de Villon, le jargon de Pathelin, qui « ne parle pas crestïen », et les jargons de Panurge, au ch. 9 de *Pantagruel* (« Parlez vous christian, mon amy », lui demande « Epistemon », « ou langaige patelinoys ? »). D'ailleurs, si la Sorbonne considérait le grec comme une langue hérétique, à l'époque de la fondation du Collège de France, ce n'est pas uniquement parce qu'il permettait l'étude du texte primitif des Evangiles. (Voir L. LEMONNIER dans LAVISSE, *Histoire de France*, t. V, Ire partie, p. 292).

16. Texte de FOULET, sans la ponctuation. Pour l'explication, voir le commentaire remarquable de THUASNE, III, 450-80 ; et l'article de FOULET, *Romania* 46, 1920, p. 383-6, où il justifie le numérotage des strophes 156-9.

17. Voir, par exemple, THUASNE, III, 479, et BURGER, p. 27.

18. Texte de FOULET ; mais à 1 737, nous lisons « valut », la leçon de C, avec THUASNE (III, 484-5). Cf. les vers du *Specule des pecheurs* de Jean Castel, cités par THUASNE, III, 496 :

> Que leur valut *mundi potencia*,
> *Mala* aussi *concupiscencia*,
> Grande famile et volupté charnelle,
> Puisque de la sont en paine eternelle ?

Les variantes (« vault avoir », I ; « vault il avoir », A ; F manque) proviennent, à notre avis, d'une curieuse indécision syntaxique. Car on peut lire le mot « avoir » comme substantif, synonyme de « chevances », de même que le mot « jeu » de 1 738, qui est autrement le participe passé du verbe *gésir* : ainsi, « Que leur valut avoir, chevances, ni jeu en grans liz... » Avec cette leçon, le présent « vaut il », que donne Foulet, est parfaitement possible, compte tenu de l'équivoque que l'on sait dans le mot « leur » : « que vaut maintenant, à ces squelettes, toutes les richesses et tous les plaisirs ? »

Notons en tout cas que Villon n'en tire pas la leçon commode que donne Jean Castel, mais se borne à remarquer que la « coulpe » en reste. Il y a aussi une « mercy ».

19. Pour le sens du mot « coulpe », voir THUASNE, III, 485 : « Villon, comme l'eût fait un théologien... fait la distinction de la " coulpe " et du " peché ". Le " peché " est la transgression de la loi religieuse (*Test.* 484) ; la " coulpe " est la souillure du " peché " qui fait perdre la grâce. (*Test.* 1 008) ».

20. La « noirceur » du corps de Villon a une signification ontologique : son corps, comme le plomb, se situe au plus bas sur l'échelle de la matière créée ; il est matérialité pure, impénétrable à la lumière, sans luminosité, sans couleur, inerte et grossier. Voir DE BRUYNE, *L'Esthétique du Moyen Age*, p. 70 sqq. L'association du personnage « Villon » avec le noir a aussi un sens typique dans la psychologie astrologique. Villon est un « saturnien », un solitaire, un contemplatif, un introspectif, un misérable. Son héros, « le Pauvre Villon », est par contre un « jovial » à certains égards. Voir E. PANOFSKY, *Studies in Iconology*, Harper, 1962, p. 209-10, et Villon à XI, 31-2 :

> Dont vient ce mal ? — Il vient de mon malheur
> Quant Saturne me feist mon fardelet...

21. RICE, p. 12-4.

22. Voir le *Quart Livre*, ch. 28 ; et le dicton du ch. 7 « Si Dieu y eust pissé », expliqué dans la « Briefve Declaration ».

23. *Luc*, 3/23.

CONCLUSION

LA PAROLE DE VILLON

1. L'antiquité n'avait pas légué à Villon une poétique cohérente. Villon en a eu une, mais aucun écrit théorique ne l'a léguée à nous non plus. Son époque hérita des auteurs latins une rhétorique, qui fut élaborée dans des manuels et illustrée par des œuvres nombreuses. Son époque hérita aussi, des rhéteurs latins et des Pères de l'Eglise, un souci esthétique. Dans la philosophie il trouva un développement spéculatif de grand intérêt. L'esthétique et la rhétorique encadrent à l'époque la poétique, sans la toucher. Ni l'une ni l'autre n'offre une philosophie du langage qui donne lieu à une théorie de l'origine, de la forme et de la fonction du poème, et des poèmes. Les philosophes de Chartres tentèrent la formulation d'une poétique en latin et dans des poèmes. Cet effort fut repris en français par les élèves de Jean Dorat. Ni la poétique de Chartres ni celle de la Pléiade ne furent systématiques. Dans le premier cas la théorie valait plus que la pratique, dans le second ce fut l'inverse.

En matière de poésie, les rapports entre théorie et pratique sont plus qu'incertains. La poésie française du XIIe au XVe siècle n'a pas eu de théoricien. Elle a eu pourtant des maîtres et des théories. On est tenté de voir en celles-ci un reflet des théories tacites de la rhétorique tant enseignée que pratiquée des poètes qui écrivaient en latin. Il y est, sans doute, méconnaissable. Villon vécut dans une société bilingue. Mais le français et sa poésie avaient leurs propres lois. On ne peut les trouver qu'en étudiant les poèmes qu'elles gouvernaient. La langue et les lettres françaises ont eu aussi leur évolution propre. On ne peut la comprendre qu'en étudiant les lois et les poèmes qui y présidèrent.

Villon vécut à un moment de grand renouvellement dans les arts. En musique, on a vu naître l'*ars nova* selon Gilles Binchois, Guillaume Dufay et John Dunstable. En peinture, rappelons les découvertes du Maître des *Heures de Rohan,* du Maître de Flémalle, des frères Van Eyck, de Rogier van der Weyden. L'art graphique est né du développement du bois gravé en Allemagne et, pendant la vie de Villon, de l'imprimerie. A ce moment, certains efforts furent entrepris pour transformer le langage poétique. Ce fut l'œuvre des poètes de métier. Certains visent à son épuration, et au retour à une tradition dépassée.

D'autres s'efforcent de l'enrichir, et de le guinder à la dignité du latin de l'époque.

Les poètes que nous lisons aujourd'hui sont ceux qui profitèrent des innovations, sans y céder, de ceux que nous considérons comme les médiocres, sans les lire. Villon, Charles d'Orléans, Alain Chartier, sont des poètes essentiellement conservateurs. Ce n'est pas par réaction aux mouvements de réforme et de découverte dans l'art de leur époque. C'est qu'ils furent plus sensibles que leurs confrères aux structures inhérentes et traditionnelles de la langue et de la pensée du poème français. Leur remaniement de ces structures est signe de vie. Le faible intérêt qu'ils montrèrent pour l'imitation des modèles latins et italiens témoigne, plutôt qu'une ignorance de ces modèles, la force et la cohérence de ces structures. La poésie française de ces siècles est une poésie originale. Elle est née d'une pensée vivante, d'une musique savante, d'une langue parlée. En cela, elle imite l'idée de la poésie grecque mieux que les poètes du XVIᵉ siècle n'imitèrent ses formes. Des reflets de la rhétorique ancienne sont ce qui doit nous intéresser le moins en la lisant.

2.   Certaines habitudes formelles ont été héritées par Villon de la poésie provençale. Nous en avons parlé brièvement en citant le seul Jaufré Rudel. D'autres habitudes, et une pensée plus rigoureuse, lui sont parvenues de la tradition de poésie en langue d'oïl. Puisons, pour des exemples, dans les anthologies afin d'être sûrs d'avoir un texte à la fois typique et réussi. Voici une « chanson de toile » très connue du XIIᵉ siècle :

> Trois sereurs seur rive mer
> chantent cler
> la jonete fu brunete
> de brun ami j'aati
> je suis brune
> s'avrai brun ami ausi
> Trois sereurs seur rive mer
> chantent cler
> la mainee apele
> Robin son ami
> prise m'avez el bois ramé
> reportez m'i
> Trois sereurs seur rive mer
> chantent cler
> l'ainnee dit
> on doit bien jone dame amer
> et s'amour garder
> cil qui l'a [1]

Ce poème a deux structures, l'une à deux éléments et l'autre à trois. Les quatre vers qui changent dans chacune des trois parties du poème s'opposent aux deux vers qui reviennent inchangés. Ce « refrain » lui-même est une phrase à trois membres, qui dépeint une scène concrète à deux éléments, les sœurs et la mer. De ces deux éléments surgit un troisième qui les unit, la chanson des jeunes filles. De même, de la scène concrète que donne le « refrain » surgissent les quatre vers de chaque partie du poème qu'on pourrait appeler son corps.

Le poème entier est le chant des sœurs. Leurs chansons, dans le poème, représentent celui-ci et donnent l'image de sa naissance. Quelle est l'origine du poème ? Les jeunes filles, pourquoi chantent-elles ? Si leur chant s'élève dans une scène concrète, mystérieusement, il ne naît pas dans le silence. Au contraire, il s'oppose à un autre chant et se mêle à lui : le chant de la mer. Leur mélodie fait contrepoint aux coups brutaux, inlassables, réguliers des vagues sur la « rive mer ». Ce chant de la mer est présent dans le poème. La répétition inchangée et régulière du refrain, qui en parle, le représente. Les vers qui donnent naissance à la chanson des sœurs s'opposent donc à son devenir. Les vers qui évoquent cette opposition l'analysent aussi. Le chant des sœurs est « cler » — est en langage clair, pourrait-on dire. Son articulation, sa logique, sa syntaxe, sa mélodie raisonnée, s'opposent au langage brouillé de la mer, qui est sans logique, sans forme, sans raison, bref sans signification. Le poème, comme une conscience, inclut les deux langages et les deux chants, et rend compte de leurs rapports. Son langage se rend compte de soi, il vit. En ceci, il s'oppose aussi à la mer et à son langage. Le poème, comme une âme, a trois parties. En ceci également il s'oppose à la mer. Les trois sœurs chantent face à la mer qui ne les entend pas et n'est pas capable de changer.

Les trois sœurs pourraient représenter les trois âges d'un seul être. Par leurs propos, en outre, elles représentent trois niveaux de développement moral. Chaque partie du poème marque cette distinction. Chaque chanson qui sort du refrain est elle-même divisée en deux parties. La première nomme une sœur et la situe dans le devenir. La seconde donne la chanson qui sort d'elle. Notre poème naît donc trois fois dans chacune de ses trois parties. A la hiérarchie d'âges qui est donnée par la première partie de chaque chanson correspond une hiérarchie de pensées morales. La première sœur, « la jonete », ne pense pas à la morale, elle rêve couleurs. « La mainee » ne pense qu'à la justice qu'elle exige, en donnant ses raisons. « L'ainnee » ne souhaite plus rien, ne demande plus rien, mais constate (« dit ») qu'il existe un idéal de conduite et un devoir (« doit ») à son égard.

Le langage des sœurs est conforme à leur pensée et à leurs âges. La première ne dit rien, elle songe ; la seconde « apele » en justice ; la troisième « dit » posément. De même, la première ne parle que du présent et de l'avenir, de l'être et de l'avoir. La seconde parle du passé et ressent un impératif conséquent dans le présent pour le futur. La troisième est hors du temps et de ses drames, elle emploie des infinitifs pour évoquer des règles et des conditions fixes. La première suppose une généralité concrète, « brun ami ». La seconde est en contact avec le concret spécifique, possesseur et possédée, c'est « Robin son ami ». La troisième n'a rien que ses idées abstraites, « on » et « cil qui ». Ces hiérarchies sont résumées dans trois logiques. La « jonete » se sert d'une logique entièrement concrète, entièrement à souhait, celle des enfants et des rêves, où manque la majeure : « je suis brune... s'avrai brun ami... ». La moyenne suppose la logique complexe de la justice, qui raisonne à propos d'actes réels accomplis dans l'espace selon des lois connues. Elle est la seule à évoquer un mouvement hors de la « rive mer », et un lieu qui s'oppose à sa simplicité : « *el* bois ramé *re*portez m'*i* ». La troisième sœur possède à fond une logique des choses invisibles, et des liens qui les unissent entre elles et à l'homme.

Trois langages, trois réalités, trois chansons dans un seul chant, face à la mer. Ces langages ont un rapport dynamique inhérent, qui n'est pas la seule juxtaposition dans le devenir, dans le temps moral, ou dans l'espace poétique, où ils se suivent. Dans la réalité totale du poème, ils se complètent et s'éclairent mutuellement. Les trois sœurs racontent une seule histoire d'amour. Le rêve de la plus jeune est brisé par la violence d'un rapt, dont l'injustice est corrigée par le langage, et résolue dans une morale de permanence dont le langage fournit les règles. Voici une seule expérience articulée, qui s'achève pourtant dans un isolement mystérieux. Les sœurs sont seules, aucun homme n'erre sur leur rivage. L'amour conjugal vit dans un horizon de leur langage, sur le rivage du désir, de la justice, de la morale. De cet échec, seule l' « ainnee » est consciente, ayant passé par les expériences des sœurs plus jeunes, ayant gagné une vue de la vertu face à la nécessité. Cette conscience ironique vit dans sa dernière phrase, « cil qui l'a », qui hésite entre la constatation et l'hypothèse, entre la joie et le scepticisme. C'est sa demeure. Face à ce possible — problème pour la sœur moyenne, image de la sœur immédiate — les trois sœurs s'unissent pour présenter les liens sûrs, permanents, satisfaisants, de la famille. Leur chant coordonné remplit l'oreille, domine le choc sourd et prévisible de la houle, assouplit et apprivoise son rythme. Ainsi, le mètre du refrain — sept syllabes plus trois — est repris par « la jonete », qui y est la plus sensible, et progressivement transformé par ses aînées. Par la seule d'entre elles qui soit terre-à-terre, les sœurs s'enchaînent à ce mètre mâle. A l'autre bout de leurs facultés, elles s'en écartent et s'y opposent.

Les trois langages du poème exposent trois fonctions du langage. Le « refrain », qui représente le poème entier, en donne un quatrième. Le rêve du concret, la justice et son accomplissement, la morale et son enseignement, sont inclus dans l'acte lyrique de trois qui « chantent cler ». De même, ce chant réunit les sœurs et la « rive mer ». Au lieu de tamiser le réel pour ne retenir qu'un grain doré de poésie, cette quatrième fonction du langage, fonction lyrique, accepte et affirme le tout. L'accepter est facile. Rien dans ce tout n'est inacceptable, pour qui le reconnaît. L'affirmer est plus ardu. Il exige une connaissance de sa forme, qui répond de ce qu'on ne peut pas affirmer. Le mystère, l'indicible, l'inconnu sont pris dans les replis heureux d'une seule forme. Ce qu'on ne connaît que par la souffrance et par la peur de souffrir, cela est affirmé par la forme totale. Connaître ce qu'il y a de clair, cela jette déjà de la clarté dans l'inconnaissable. Ainsi la sœur moyenne, au milieu des choses, « prise » par leur violence, connaît le sombre « bois ramé », la *selva oscura,* aussi bien que le rivage « cler » et simple, et les voies qui les relient. Il s'agit de deux esthétiques, qui se distinguent surtout en ceci, que l'une d'elles reconnaît et inclut l'autre.

Entre le pullulement des formes et les lois de la forme, une certaine médiation est possible. La sœur moyenne « apele » Robin. Ce cri désespéré n'est sans doute pas entendu. Néanmoins il réussit à nommer, à rendre compte d'un drame particulier, aussi bien que des lois de la passion et de la raison qui le règlent. Et cela dans un cadre plus généreux. Cette vision d'un tout, cette intuition de sa forme, cette connaissance de ses plis et replis, sont caractéristiques de la poésie en langue d'oïl. Elles sont marquées par la tension d'une structure formelle à deux avec un mouvement formel à trois. En Provence, cette structure pouvait paraître plus accueillante à la conscience et à ses pouvoirs d'invention. Paradoxalement, cet intérêt pour la structure de l'opposition servira à justifier lors de l'époque de Villon une poésie plus pessimiste. Elle se rabattra sur la poétique de la sœur moyenne, et rejettera en nostalgie, en connaissance, ou en effort le mouvement à trois de la chanson de toile.

A l'entre-temps, ce mouvement se prêtait à l'abstraction. Il profitait d'un regain de science musicale pour regagner le concret. Voici une ballade de Guillaume de Machaut pour laquelle nous avons la musique :

> De toutes fleurs n'avoit et de tous fruis
> En mon vergier fors une seule rose
> Gasté estoit li surplus et destruis
> Par Fortune qui durement s'oppose
>   Contre ceste douce fleur
> Pour amatir sa couleur et s'odeur
> Mais se cueillir la voi ou tresbuchier
> Autre après li jamais avoir ne quier
>
> Ha Fortune qui es gouffres et puis
> Pour engloutir tout homme qui croire ose
> Ta fausse loi ou rien de bien ne truis
> Ne de seür trop est decevans chose
>   Ton ris ta joie t'honneur
> Ne sont que pleur tristece et deshonneur
> Se ti faus tour font ma rose sechier
> Autre après li jamais avoir ne quier
>
> Mais vraiement imaginer ne puis
> Que la vertu où ma rose est enclose
> Viegne par toi et par tes faus conduis
> Ainz est drois dons natureus si suppose
>   Que tu n'avras ja vigueur

D'aniantir son pris et sa valeur
Lai la moi donc qu'ailleurs n'en mon vergier
Autre après li jamais avoir ne quier [2]

Le concret est regagné aussi par une réduction emblématique. Le royaume des sens (« douce », « couleur », « odeur ») est représenté par le jardin. Les objets particuliers et aimables qui l'habitent sont désignés par un seul, préexcellent. Cette réduction esthétique et imposée est représentée par une destruction hasardeuse et subie. Le choix d'une forme supérieure à aimer est tout autant le résultat d'une survivance unique et fortuite. Contre ce paradoxe angoissant, le poète réagit dans la deuxième strophe, en parlant. Cette opposition entre voix et situation concrète est expliquée par le refrain. La volonté et le désir du poète (« quier ») s'opposent à la substitution du nombre indifférencié (« Autre », c'est-à-dire « li surplus ») à la précellence de l'objet singulier (« li », c'est-à-dire « une seule rose »).

Les brumes de la « rive mer » ont envahi le « vergier » d'amour. Nous aimons, forcément, ce qui nous reste à aimer. Et le reste, disparu, disparaît derechef. Notre amour se crée un amour, il naît de la pitié et de la perte. Dans la deuxième strophe, le poète dénonce ce dilemme tout en justifiant sa résolution. Du royaume du concret, nous avançons, précédés par la parole, dans celui des lois. Celle de Fortune, tout en étant invincible, est « fausse ». Dans le « vergier », à son centre peut-être, il y a un « puis ». On y tombe, dans ce vide, dans cette bouche sans paroles, en voulant y « croire ». Etant non seulement un vide, mais un vide vers le bas, la Fortune renverse les valeurs du monde visible qui pousse, comme « toutes fleurs », vers le haut. « Ris », « joie », et « honneur », dans sa langue creuse ont le sens inverse. Aux yeux de celui qui aime ce qui lui reste, pourtant, cela n'est pas évident. La loi et la langue de Fortune sont une loi et une langue. Elles contrefont les vraies. A les scruter par la raison, on ne « treuve » pas les valeurs de la vraie langue et de la vraie loi, savoir : quelque chose de « bien » et de « seür ». Fortune est « decevans » en ceci, qu'on l'aime et qu'au fond elle n'est pas aimable. On ne peut pas l'aimer et y croire à la fois. On cultive son jardin, on y accueille Fortune et ses « toutes fleurs », ses « tous fruits ». Dans l'instant printanier de la passion, les « faus tour » de la « fausse loi » sont — c'est évident après — peu évidents. Le paradoxe du refrain en recouvre un autre : savoir, que la vérité de la Vérité n'est pas son évidence.

On la découvre pourtant. On y met d'autres facultés que celles des sens et de la raison. Il faut, pour la saisir, « vraiement imaginer ». Avec cette faculté, on gagne les suprêmes réalités invisibles, comme, par exemple, la « vertu » par laquelle la rose est « enclose » comme par une cloche de verre. On voit, de l'unique rose, non pas son nombre, mais son éclat, l'origine de celui-ci, donc le « pris » et la « valeur » qui sont venus l'habiter. Cet objet, qui était un objet dans la première strophe, et dans la deuxième strophe un objet de spéculation, devient enfin l'objet d'un « don », qui lui permet d'être imaginé. Car le mot

« rose » a trois sens. Il apparaît trois fois dans le poème, une fois dans chaque contexte. Ces sens correspondent à trois plans de réalité dans l'objet, et aux trois facultés qui les atteignent. Le plan qu'on « imagine », et qui permet de « supposer » autre chose, est un « drois dons natureus ». Il provient de la justice et de la générosité de nature. Il est, en outre, un don direct, sans condition, qui répond à une virtualité innée. Cela est suggéré par les deux sens du mot « don », les deux sens du mot « natureus » — de Nature, et naturel — et par l'étymologie du mot « drois » (directus). Ces mots constituent ici une loi et une langue qui s'opposent à la « fausse loi », aux « faus tour », aux « faus conduis » de Fortune. Mais cette opposition est « vraiment » une supériorité, non pas une lutte. Les trois plans de vérité dans une rose sont aussi trois étages. Fortune et Nature ne s'y combattent pas de plain-pied.

La rose vivra-t-elle ? La réponse n'est pas évidente. Elle dépend du sens qu'on donne au mot et à la chose. L'argument de la dernière strophe reconnaît cela. L'avant-dernier vers conjure Fortune de « la » laisser au poète. Ce « lai » répondrait aussi à la violence d'un rapt, qui interrompit un rêve de plénitude (« toutes fleurs... et... tous fruis »). Le langage du poème comble une brèche dans la structure de la justice. Mais quelle est cette « la » que Fortune pourra épargner, abandonner, et léguer au poète ? Imaginons que la « valeur » de la rose ne lui « viegne » pas par les « faus conduis » (chemins ou voies, aussi bien qu'actions) de Fortune. Elle n'y est donc pas sujette. N'ayant pas donné naissance à cette valeur, Fortune ne peut pas l'« aniantir »[3]. « Autant vaut », conclut l'Amant, « que tu me laisses la jouissance sensible de ma rose ; puisqu'en tout état de cause, j'en garderai la connaissance et l'image ». Les derniers vers du poème veulent substituer une plénitude *dans l'objet* à la plénitude, visée aux premiers vers, *des objets* — une plénitude verticale à une plénitude horizontale, pourrait-on dire. A la fin du poème, la mort de la « seule rose » est tout aussi imminente qu'au début. C'est nous qui avons changé, avec le point de vue du poète. Cette mort, nous ne la regretterons plus. Combler une brèche dans la structure de la justice veut dire opérer, en même temps, une guérison chez celui qui en a souffert.

Et ce triomphe invisible est une œuvre musicale. Des exigences du chant ont fait disparaître les trois voix qui, dans la chanson de toile, marquaient les trois langages et les trois états moraux. Seules demeurent deux voix : celle des trois strophes, et celle qui parle à Fortune dans les strophes 2 et 3. Dans le premier poème, le chant des sœurs était porté par trois véhicules linguistiques. Ici, le chant est devenu le véhicule unique des trois langages, qui sont son sujet. Trois voix dramatiques et trois psychologies ont été remplacées par une notation subtile. Le royaume du concret est charrié dans la première strophe par un vocabulaire des sens. Celui de la raison et ses lois est représenté dans la deuxième par la parole parlée et l'usage de tours rhétoriques, apostrophe et similitude (« Ha Fortune qui est gouffre et puis... »), énumérations et renversements artificiels, le langage du parquet. Les forces et les règles suprêmes des choses sont évoquées dans la troisième par un vocabulaire spéculatif. Mais un seul mouvement, une seule ligne mélodique, sert à désigner ces trois intentions du langage. Il est *dit* que Fortune « durement s'oppose » à une autre volonté. Mais nous ne l'entendons pas.

Ces réductions, emblématiques et musicales, sont accompagnées par une transposition des thèmes formels dans un autre registre. Le drame immédiat est effacé par une présence mélodieuse. L'élément heurtant est devenu une formule de résolution, c'est-à-dire que le refrain clôt la strophe. Le devenir est figé dans une prise de conscience, le heurt du connu et de l'inconnaissable a été incarné dans des thèmes philosophiques et dans des systèmes d'images (la fleur, le jardin, la lutte de Fortune et de Nature). Le mystère qui brouillait les rapports du chant et des objets est devenu le domaine de l'art. La scène qui présente ce mystère et son sens mystérieux est une composition. La culture est au premier plan. Ouvertement, le poète qui aime la Création s'intéresse à la création, au créer, à ses lois et problèmes.

Ainsi le poème qu'il crée n'est, non plus que la rose, sujet à la seule Fortune. Comme la rose, il possède trois « étages » de vérité. Ses trois strophes démontrent ceci graphiquement, sur la page. En même temps, elles expliquent et représentent cette complexité. Celle-ci, pourtant, est visible dans n'importe quelle strophe, dans n'importe quel mot. Relisons la première strophe. Le vergier et sa rose sont un vergier et une rose, comme on les aime cet été. Ils sont aussi un objet de connaissance, toute l'année, à la lumière de la deuxième strophe. Ils sont merveilleux, impérissables, de pures formes et forces, éclairés par la troisième strophe. Ainsi chaque partie du poème se lit en fonction d'elle-même, et en outre en fonction des deux autres parties. De même le mot « rose ». Le poème a trois couches de réalité en profondeur, pour ainsi dire, aussi bien que trois parties articulées. Mais le poème a aussi un quatrième plan de vérité plus superficiel que son premier « sens », subtil au point d'être invisible, flottant au-dessus de la page. C'est sa musique qui est sa lettre. C'est la partie du poème qui se donne aux sens, qui existe dans le temps, qui est sujette à Fortune, qui périt. Nous ne la lisons pas. Nous ne lisons, du poème, que son âme à trois membres. Pour toute musique nous goûtons, du poème, non pas sa Fortune, mais son Art.

Parler d'une « rose » dans un poème veut dire parler du poème et de la poésie. Non point par un symbolisme à déchiffrer, directement, mais par des moyens indirects et naturels. Parler de la rose c'est, en vérité, parler de n'importe quel objet, en le considérant, non pas comme n'importe quel objet, mais comme unique, comme Objet. Le poème qui parle de la complexité de l'objet-Objet doit la reproduire. Il sera donc à son tour un objet. D'ailleurs, reproduire veut dire créer, et il n'y a pas deux façons de créer. De même, il n'y a pas deux sortes d'objets. Le poème possède la même vertu que la rose, et en parle aussi, à sa façon. Ce n'est pas que le poème parle mieux que la rose de sa propre complexité et de ses origines. C'est que le poète sait mieux que d'autres écouter la rose et reproduire sa voix. Nous pensons que le poème se distingue de la rose en ceci qu'il a une « matière », qu'il parle précisément d'autre chose que de lui-même. Mais la rose a également sa « matière », que nous ne voyons plus. Tous deux, en parlant du tout auquel ils appartiennent et dont ils reproduisent la forme, parlent aussi d'eux-mêmes.

Chose curieuse, le poète lui aussi est un objet. En parlant d'une rose, dans un poème, il déploie sa propre complexité qui inclut une prise de conscience de celle-ci. Aussi bien qu'objet, le poète est un créateur d'objets. De même, la belle rose est l'organe génital de la Rose. Sa survivance, dans le verger, assure la survivance de l'espèce du même nom. La « vertu » de la rose considérée comme cette rose-ci — c'est-à-dire « son pris et sa valeur » — est unique, la chose singulière ne peut pas être remplacée. D'où la tristesse du poème, le regret qu'il y aurait à ne pas voir incarnée cette « valeur » ici, maintenant. Mais cette « vertu » est aussi la fécondité de la rose, et se retrouvera l'année prochaine dans une autre, sur la même branche. D'où la fierté du poème, l'orgueil de son art fini, à voir incarner cette « valeur », ici, maintenant. Le poète qui comprend un objet et en fait un autre est accablé par ce coup de sa propre fragilité. Devoir créer est un signe de faiblesse. Créer, sans le devoir, est une faiblesse, pour certains un péché.

Parler de soi en tant qu'objet dans un poème, comme fait Guillaume de Machaut, c'est accueillir ce dilemme. Parler de soi en tant que poète et pécheur, c'est l'accuser, dans son détail anatomique. La parole chrétienne, autrement dit la liturgie, a fait de cet acte un drame apte à être associé aux traditions formelles de la poésie en langue d'oïl. Cette parole voit dans le dilemme du poète la lutte du chrétien. Voici, à ce propos, un poème bien connu de Rutebeuf :

Lessier m'estuet le rimoier
Quar je me doi moult esmaier
Quant tenu l'ai si longuement
Bien me doit le cuer lermoier
C'onques ne me poi amoier
A Dieu servir parfetement
Ainz ai mis mon entendement
En geu et en esbatement
Qu'ainz ne daignai nés saumoier
Se por moi n'est au jugement
Cele ou Diex prist aombrement
Mau marchié pris au paumoier

Tart serai més au repentir
Las moi c'onques ne sot sentir
Mes fols cuers quels est repentance
N'a bien fere lui assentir
Comment oseroie tentir
Quant nés li juste avront doutance

J'ai toz jors engressié ma pance
D'autrui chatel d'autrui substance
Ci a bon clerc au miex mentir
Se je di c'est par ignorance
Que je ne sai qu'est penitance
Ce ne me puet pas garantir

Garantir las en quel maniere
Ne me fist Diex bonté entiere
Qui me dona sens et savoir
Et me fist a sa forme fiere
Encore me fist bonté plus chiere
Que por moi vout mort recevoir
Sens me dona de decevoir
L'anemi qui me veut avoir
Et metre en sa chartre premiere
La dont nus ne se peut ravoir
Por priere ne por avoir
N'en voi nul qui reviegne arriere

J'ai fet au cors sa volenté
J'ai fet rimes et s'ai chanté
Sor les uns por aus autres plere
Dont anemis m'a enchanté
Et m'ame mise en orfenté
Por mener a felon repere
Se cele en qui toz biens resclere
Ne prent en cure mon afere
De male rente m'a renté
Mes cuers ou tant truis de contraire
Fisicien n'apoticaire
Ne me pueent doner santé

Je sai une fisiciene
Que a Lions ne a Viane
Ne tant comme li siecles dure
N'a si bone serurgiene
N'est plaie tant soit anciene
Qu'ele ne netoie et escure
Puis qu'ele i veut metre sa cure
Ele espurja de vie obscure
La beneoite Egypciene
A Dieu la rendi nete et pure
Si com c'est voirs si praingne en cure
Ma lasse d'ame crestiene

Puis que morir voi foible et fort
Comment prendrai en moi confort
Que de mort me puisse desfendre
N'en voi nul tant ait grant esfort
Que des piez n'ost le contrefort
Si fet le cors a terre estendre

> Que puis je fors la mort atendre
> La mort ne lest ne dur ne tendre
> Por avoir que l'en li aport
> Et quant li cors est mis en cendre
> Si covient a Dieu reson rendre
> De quanques fist dusqu'a la mort
>
> Or ai tant fet que ne puis més
> Si me covient lessier en pés
> Diex doinst que ce ne soit trop tart
> Toz jors ai acreü mon fés
> Et oi dire a clers et a lés
> Com plus couve li feus plus art
> Je cuidai engingner Renart
> Or n'i valent engin ne art
> Qu'asseür est en son palés
> Por cest siecle qui se depart
> M'en covient partir d'autre part
> Qui que l'envie je le lés [4]

« A monde nouveau langue nouvelle », dit Giraudoux dans sa dernière pièce. Ce poème est aussi mort qu'un revenant. Pour retrouver sa vie, repartons de faits visibles. Notons l'usage au cours du poème d'un langage disparate. Voici des locutions proverbiales, fades peut-être mais toujours utiles : « com plus couve li feus plus art », « cele en qui toz biens resclere », « foible et fort », « ne dur ne tendre », « n'i valent engin ne art »... Et voici à leur côté des tours saisissants, qui semblent particuliers au poète : « nés li juste avront doutance », « engressié ma pance D'autrui chatel », « de male rente m'a renté », « Que des piez n'ost le contrefort »... De même, dans une seule strophe, une phraséologie du repentir toute banale s'enchaîne avec le langage unique d'un poète pénitent :

> J'ai fet au cors sa volenté
> J'ai fet rimes et s'ai chanté
> Sor les uns por aus autres plere
> Dont anemis m'a enchanté...

Les deux voix du poème s'entrelacent et se confondent. Ce sont une voix publique et une voix privée. Est-ce celle-ci, acerbe, passionnée, sincère, qui donne au poème sa vie ? Ou celle-là, en lui prêtant un coloris social et pittoresque ? Ou bien est-ce le rapport des deux voix, le drame de leur fusionnement, qui dote le poème de son sens, de son intérêt, de sa valeur ?

Consciemment, le poète est tombé dans une contradiction absurde. Il dit au premier vers qu'il lui faut cesser d'écrire des vers. Il en écrit quatre-vingt-quatre pour laisser entendre qu'il se tait. Il condamne la poésie dans un poème éloquent qui nous en convainc. Ce fait signale une fonction du langage poétique que le poème ne nomme pas, et une situation, également passée sous silence, qui explique la contradiction manifeste. A la différence des poèmes que nous avons lus en langue d'oc et en langue d'oïl, ce poème ne donne aucune indication concrète de ses origines. Nous n'y voyons aucun drame particulier dans une scène objective. Nous ne savons ni en quel mois nous sommes, ni quel temps il fait, ni où se trouve le poète, ni les faits qui l'obligent à écrire. Le langage et la forme laissent une impression de gratuité, quant aux faits qui existent avant et après la composition du poème. Allusion est faite à certains faits « historiques » — savoir, à la naissance et à la mort du Sauveur — mais leur rapport au poème en tant que poème n'est pas marqué.

Les deux titres donnés par les manuscrits témoignent qu'à l'époque il était susceptible de deux interprétations distinctes. Ce sont « La mort Rutebeuf » et « La repentance Rutebeuf »[5]. Le premier pourrait signaler la « mort » du poète dans le péché, ou bien sa « mort » projetée à l'égard du monde de la chair, ou bien sa « mort » physique. Dans tous ces sens, ce titre ne désigne que la matière présumée de la pièce en vers qui suit. Il témoigne de la gêne causée par la gratuité du poème, qu'il semble vouloir doter d'un drame. En fait, rien dans le poème ne dit que celui qui parle va mourir. L'autre titre est plus intéressant. Tout en donnant au poème une origine et une matière, il nomme aussi l'objet que nous lisons. Le mot « repentance » a aussi un sens verbal, qui donne au poème une situation rituelle. Celle-ci explique son origine et justifie les contradictions qui constituent son art.

Cette situation rituelle, d'ailleurs, est nommée par le poème :

> Se je di c'est par ignorance
> Que je ne sai qu'est penitance
> Ce ne me puet pas garantir ...

La pénitence est un des sept Sacrements. Elle comporte trois phases distinctes. Il y a d'abord la contrition, drame intérieur de clairvoyance et de résolution qui marque une coupure définitive dans la vie spirituelle du pécheur. Vient ensuite la confession, suivie de l'absolution, drame linguistique dans lequel le pécheur s'accuse. Enfin, la pénitence proprement dite fait amende des torts infligés à la justice de Dieu, par une suite d'actions imposées. L'on voit que le poème de Rutebeuf représente la deuxième de ces phases. La situation concrète qui encadre ces paroles n'a pas besoin d'être évoquée. Le drame qui les provoqua n'a précisément aucune expression dans les objets concrets, étant par définition spirituel. En fait de temps, ce drame est par définition dépassé au moment où nous entendons les premiers mots du pénitent. Le poème suppose, sans la mentionner dans le détail, une structure d'obligations qui contraint le poète à parler, une dernière fois, pour renier une façon de parler en montrant ce que c'est.

Faire montre de son art, pourtant, implique nécessairement son ignorance dans un autre domaine. Rutebeuf répète plusieurs fois un savant aveu d'incapacité :

> C'onques ne me poi amoier ...
> ... c'onques ne sot sentir ...
> Qu'ainz ne daignai nés saumoier ...

Cet état d'incapacité et d'ignorance se situe maintenant au passé. A un certain moment, il y en a eu prise de conscience, si bien que cette situation est devenue l'objet de formules verbales. Dans le présent, à l'égard de ce passé, s'affirme un devoir :

> Quar je me doi moult esmaier...
> Bien me doit le cuer lermoier ...

De ce devoir naît une contrainte pour l'avenir, renversement qui établit une contradiction avec la vie passée et sa morale :

> Lessier m'estuet le rimoier ...

Cette contradiction est double. Le mot « rimoier » a deux sens, « écrire un poème » et « faire métier de poète ». A Rutebeuf il faut « rimoier » afin de ne plus « rimoier »[6]. Le mot « lessier » est également équivoque. Il veut dire à la fois « cesser » et « abandonner », « quitter » et « léguer ». Il faut à Rutebeuf « lessier » la poésie avant qu'il puisse la « lessier ». Ce mot est le premier et le dernier du poème. Ayant *dit* dans le premiers vers qu'il lui faut « lessier » la poésie, Rutebeuf ne le *fait* qu'au dernier : « ... je le lés », en ayant fait, de ce dilemme, un de ses plus beaux poèmes. Le poème agit comme médiateur entre deux états moraux, deux langages, deux temps dramatiques, et — pourrait-on dire — entre deux réalités.

Les deux états moraux sont représentés par les mots « repentance » et « repentir ». Autant que le mot « penitance », nom d'une action morale et aussi d'un sacrement rituel, ils désignent un sentiment séculier de regret envers le passé, et une résolution religieuse pour l'avenir. Ce sentiment et cette résolution — bref ce sacrement — divisent l'état où l'entendement est mis « En geu et en esbatement » de l'état où l'homme entier s'efforce « A Dieu servir parfetement ». D'autres rimes de la première strophe relient les deux langages, séculier et religieux, entre lesquels le poème s'interpose. A « rimoier » répond « saumoier ». Dans le contexte invisible, ce mot a un sens rituel. Autrefois Rutebeuf ne daignait même pas « dire des psaumes ». A l'avenir, il répètera dûment les sept psaumes pénitentiels qui accompagnent et préparent la réconciliation. Ici, l'« entendement » de l'auteur est toujours employé « en esbatement ». En rimant si doucement il fait toujours « au cors sa volenté ». D'autre part, il a déjà commencé à « saumoier », et les sept strophes de son poème représentent la structure verbale du sacrement. Son poème plein de charme et de grâce dépeint une situation séculière et invite à l'amour de l'objet. En même temps, il accuse la futilité de cet amour et représente le procès-verbal d'un sacrement, la confession. La confession, en fait, est la seule partie du sacrement qui fasse, d'une évocation concrète, par la parole, de la vie du péché, un acte religieux. Notre poème est une représentation artistique de ce drame.

Le drame du confessionnal est le seul moment où la parole profane, dans son désordre et son hasard, devienne une parole sacramentelle. Ce drame représente dans notre poème l'acte de la poésie qui relie deux fonctions de la parole, et les deux réalités qu'elle sert. Doit-on s'étonner alors que le poème ait pour « sujet » la médiation ? C'est la médiation la plus grande qui soit :

> Se por moi n'est au jugement
> Cele ou Diex prist aombrement
> Mau marchié pris au paumoier...

Le corps de la Vierge, autrefois, relia deux réalités. Son sein abrita ce mystère. Ayant « prist aombrement », Dieu « vout » aussi « mort recevoir ». Ainsi fut fondée une religion, qui relie régulièrement, par les sept sacrements, les deux réalités. Depuis, la Médiatrice est intervenue de nouveau en ce sens :

> Ele espurja de vie obscure
> La beneoite Egypciene ...

De même, en créant l'être qui nous parle, Dieu est intervenu dans les affaires du bas monde. Il a modelé l'aspect de cet homme « a sa forme fiere » et lui « dona sens et savoir », de pure bonté. Ce dernier don eut une condition spéciale, qui devait gouverner son usage :

> Sens me dona de decevoir
> L'anemi qui me veut avoir
> Et metre en sa chartre premiere ...

Mais le protagoniste a détourné ce don de son but, il a « mis » son « entendement » ailleurs. Son âme est, par conséquent, « mise en orfenté ». Elle risque de n'être arrachée d'ici que pour tomber dans une autre prison, la « chartre premiere » du diable... Son cas rappelle exactement celui de l'évêque Théophile. Rutebeuf avait donné son drame ailleurs. Lui aussi fut « enchanté » par les appas de la chair, et ne fut sauvé d'« orfenté » qu'au dernier moment, par l'intervention d'une Médiatrice. Notre poème évoque partout sa figure[7]. Entre la Vierge et le poète, le poème s'interpose. Il explique le cas de celui-ci, il le relie à d'autres, plus illustres, il demande à la « fisiciene » qui ouvrit son corps à Dieu d'intervenir auprès de Lui pour le poète :

> Si com c'est voirs si praingne en cure
> Ma lasse d'ame crestiene ...

Nous comprendrons, du premier vers, que la vérité du poème se porte garante de l'intervention de la Vierge. Les deux hémistiches sont parallèles. Le premier affirme à l'indicatif, vers le haut, la vérité de son propre langage médiateur. Le second requiert, comme une conséquence, au subjonctif, une intercession vers le bas.

Notre poème ne reconnaît pas à la parole une fonction autonome de création secondaire. A le croire, il n'y a aucune poésie « naturelle ». Toute poésie relève de l'isolement de l'homme, d'une part, et de son élan vers ce qu'il n'est pas, de l'autre. Cette ambivalence n'a pas de demeure. Elle n'a qu'un drame, un dynamisme, une fonction et une émotion propre, qui sont exactement exprimés par ceux de la Vierge. Un seul mot dit cette précarité de la poésie, qui tend toujours à se dissoudre dans d'autres réalités : le verbe « fere ». Ce mot revient neuf fois au cours de notre poème, dans toutes ses références. Il est introduit dans la deuxième strophe, dans une formule qui nomme la vie que l'auteur n'a pas vécue, c'est « bien fere ». Dans la quatrième strophe, qui nomme sa maladie mortelle, le mot assimile la création des objets à l'assentiment aux objets :

> J'ai fet au cors sa volenté
> J'ai fet rimes et s'ai chanté ...

La troisième strophe offre, de la création, une vision plus optimiste. Dieu « fist » au poète une « bonté », et le « fist », c'est-à-dire le créa, d'après le modèle de sa propre « forme » supérieure. De même Rutebeuf a fait son poème d'après le modèle d'une parole supérieure, qu'il appelle le « saumoier ». Ainsi le modèle de son acte créateur était l'acte divin. Néanmoins, sa création n'a aucun statut propre. Elle ne peut tendre vers la valeur qu'en se niant. Elle ne peut transcender ses propres origines matérielles qu'en dénigrant, méprisant, détestant celles-ci. Elle ne peut survivre qu'en criant sa fragilité dérisoire :

> Or ai tant *fet* que ne puis mes
> Si me covient *lessier* en pés ...

Tout comme son créateur, le poème doit prendre fin. Il n'accomplit son destin qu'en mourant au monde. L'objet n'est lui-même qu'une fois fini ; ainsi le poème, qui parle, doit reconnaître ses propres limites étroites. Il se cantonne dans sa misère en réalisant la plénitude de sa forme. La vie du poète, qui réunit l' « esbatement » au « rimoier » et le « rimoier » au « saumoier », est l'image de la vie du poème. Elles se complètent et s'éclairent mutuellement. Le portrait apparemment personnel du poète, le drame de sa conversion, l'état de « repentance », représentent la forme du poème, tout en lui donnant un corps. De même, chaque poème marque une frontière franchie dans la vie du poète, qui réalise sa mort de poète en écrivant 84 vers solennels. Ainsi acquiert-il la « forme fiere » qui lui était donnée. Dans cette forme, la vie de l'homme, comme de tout objet, a un sens. Ce sens est connu. Dans la nouvelle forme, il est reconnu.

3. Les poèmes de Villon sont nés d'une pensée poétique rigoureuse et complexe. Elle s'était élaborée pendant plusieurs siècles de recherches et d'efforts novateurs. Elle fut incarnée dans une tradition presque entièrement autonome. Pour faire ressortir cette pensée, il ne suffit pas d'étudier les poèmes « de son époque ». Car il y a eu deux poésies. L'une est née de cette pensée, elle est enracinée dans sa tradition. Pour elle, toute la tradition est présente. L'autre en est née sans conscience, ce qui ne veut pas dire sans âme. Nous ne savons pas encore distinguer l'une de l'autre. Se faire une idée toute provisoire

de la poétique de Villon permettrait de remonter le courant vers ceux qui ont partagé ses suppositions, ses intérêts, son sérieux, pour ensuite revenir, enrichis, vers lui.

Certains thèmes et certaines suppositions chers à Villon peuvent être dégagés de notre étude de ses poèmes. Comme Rutebeuf, par exemple, Villon justifie sa poésie par le fait de l'assimiler à une autre forme de la parole plus évidemment légitime. Veut-il dire par là que, sans cette assimilation, la poésie est impuissante et ignoble ? Ou dit-il que la poésie ressemble déjà à un langage sacré et qu'elle a normalement une fonction religieuse ? La réponse irait loin vers une définition des données de sa pensée. On ne sera jamais sûr de savoir si Villon a « connu » les œuvres de Rutebeuf. Il est autrement certain qu'ils ont connu tous deux quelque chose que nous ne connaissons plus. De cette connaissance, leur poésie a profité.

Comme la chanson de toile des trois sœurs, les poèmes de Villon unissent une structure à deux à une structure à trois, que ce soit le *Testament*, chacun de ses huitains, ou le rondeau « Au retour ». Chez lui comme ailleurs, cette tension formelle reflète les deux faces de sa conscience et de son expérience, qui suivent elles-mêmes les deux versants de la réalité où il vit. Son langage poétique se conforme aux trois parties des hiérarchies dont il est conscient, forcément, comme le langage des poèmes de Guillaume de Machaut, et de Dante. En même temps, ce langage triple nous livre un drame concret et personnel, qui respecte les lois de tout drame et de toute personne. Il existe aussi un Drame et une Personne par excellence, dans la conscience du poète, dans son univers, et dans la langue qui nomme l'un et l'autre. Ainsi, comme Rutebeuf, Villon doit se sacrifier pour que sa parole ait vie. Le poète meurt, dans la honte, pour que son poème lui survive en témoignage. Ainsi son poème, comme celui de Rutebeuf, se calque sur la structure numérologique de la parole sacrée. Et ainsi son *Testament* — comme les *Regrets* de Du Bellay — enclôt une structure dans celle d'une entreprise séculière et d'une expérience propre.

Villon semble avoir pensé que le langage est un objet naturel, une seconde nature, si l'on peut dire. En tant que tel, il reflète l'organisation du monde créé, y compris celle de l'homme. De cette idée, plusieurs autres s'ensuivent. L'une, c'est qu'en manœuvrant la parole, le poète intervient en analogie et directement dans le monde des objets. Il vise avec les mots le modèle d'une réforme des structures créées. Avec un poème, le *Testament* par exemple, il réalise cette réforme parmi les hommes, leurs institutions, et leurs possessions. Mais il s'ensuit aussi que les manœuvres du poète sont strictement délimitées. Le remaniement des mots et des formes, par exemple, doit suivre les lois des formes. Le poète ne peut qu'apprendre celles-ci, non pas les inventer. La conscience poétique peut remanier, réorganiser, rétablir ce qui existe déjà. Elle ne peut rien créer de ses propres forces, ni selon ses propres idées. D'ailleurs « ses propres idées » ne peuvent être que des idées apprises. A prendre cette liberté suprême pour une contrainte, on se méprend sur l'étendue, la complexité, et l'intérêt des choses à apprendre. L'idée du poème à faire est faite d'après les idées qui circulent littéralement depuis toujours. Ces idées ne sont autre chose que les idées de toutes les formes déjà créées dans la nature.

On ne peut pas faire ce qu'on veut du langage. De ce fait découlent les principes de composition qui, plus qu'autre chose, éloignent la poésie de Villon de la nôtre. Il convient de nous y arrêter un peu. A vrai dire, il n'y a pas de métaphores dans la poésie de Villon. A son époque, il semble avoir été inconcevable qu'un poète puisse créer une analogie, une comparaison, une similitude, qui éclaire et rachète le monde perçu à nos yeux. D'ailleurs il n'en est pas besoin. A ce titre seul, la poésie de Villon n'est pas « originale ». Ses vers les plus saisissants se révèlent, à l'étude, comme étant des reprises ou des déformations rituelles de dictons et de locutions banales. Ce que le poète fait de son propre chef, c'est de ranimer ainsi des métaphores cachées, des comparaisons innées, des similitudes oubliées, qui gisent déjà au fond de sa langue. *Au lieu de créer des métaphores il présente des équivoques.* Sa science des équivoques latentes ne se distingue pas de sa science de l'équivoque foncière des objets créés et du monde des apparences.

La présentation des équivoques a un sens plus profond, qui dépasse la composition poétique. Prenons à titre d'exemple le vers suivant de la fin du *Lais*, que nous avons étudié sous un autre jour :

Sec et noir comme escouvillon...   (316)

La phrase entière était sans doute proverbiale. Mais quelle est sa force dans un poème ? Nous dirions aujourd'hui que le poète « fait comparaison » entre lui-même et un balai de four. En vérité, le mot « comme » n'entraîne pas cette « comparaison » des deux objets. Le vers veut dire « Je " suis " aussi sec et aussi noir que l' " est " un escouvillon ». Si ces objets paraissent ensemble, ce n'est pas parce qu'ils se ressemblent globalement, ni parce que le poète voit, ou crée, ou devine, une ressemblance secrète et nouvelle — comme Baudelaire le ferait, par exemple, en écrivant « L'homme et la mer ». L'homme et le balai participent tous deux dans les catégories objectives du « sec » et du « noir ». En plus, le balai de four a un usage qui le met dans une des catégories où se trouve aussi le pénis de l'homme. Cette « équivoque » de l'objet qui « est » un balai mais qui « est » aussi une verge qui frotte, est confirmée par des équivoques verbales. La « comparaison » de l'homme et du balai existait, objectivement, et dans le langage, avant la composition de notre vers. De même, en écrivant, au début du *Lais*, que l'époque avant Noël est la « morte saison », Villon n'invente rien. Et si la phrase se retrouve un siècle plus tard sous la plume de Remy Belleau, dans *La Bergerie*, ce n'est pas qu'il imite Villon [8].

Prenons un deuxième exemple, que nous connaissons aussi :

Esguisez comme une pelote...   (94)

Ici, la « comparaison » proverbiale a été déformée. Maintenant elle insiste sur le fait que la « pelote » participe à deux catégories apparemment contradictoires, celles du « rond » et du « esguisé ». Cette contradiction seule fait entrer la « pelote » dans la catégorie des objets « lubres » où se trouvent aussi les « sentemens » de Villon. L'objet lui-même, qui est indéfini, n'entre pas en jeu, ni de son propre chef, ni de celui du poète. Pour lui, il importe peu de savoir si ces « catégories » existent réellement, ou seulement en esprit. Elles existent, selon l'évidence de chaque mot, dans le langage. Et le langage représente l'ensemble naturel qui l'inclut.

Voici encore un exemple. La Belle Hëaulmière se voit avec ses sœurs, ce sont des

...povres vielles sotes   (526)
Assises bas a crouppetons
Tout en ung tas comme pelotes
A petit feu de chenevotes
Tost allumees tost estaintes...

Les vieilles ne sont « comme » des pelotes que parce qu'elles sont « a crouppetons Tout en ung tas ». Puisque le mot « tas » est équivoque, la « comparaison » semble complexe et éloquente. Chaque femme « a crouppetons » est « tassée », comme nous disons, à cause du froid. Elle est, de forme, aussi ronde que le sont des pelotes. Mais les femmes ensemble sont groupées « en ung tas », chacune est aussi près de ses sœurs accroupies que le sont des pelotes « en ung tas ». De même, la « comparaison » entre le « petit feu » et la vie des vieilles est fondée sur une métaphore ancienne (le « feu » d'amour) ; sur une banale métaphore descriptive, que Villon vient de nous présenter (« les yeulx *estains* », 510) et qu'il ranime ici ; et sur une ambiguïté syntaxique (les mots « allumees » et « estaintes », qui se réfèrent en principe aux « chenevotes », peuvent aussi bien se rapporter aux « povres vielles sotes »). Tout ce que Villon fait ici est justifié par ce qui existe déjà — naturellement — dans sa langue. Il existe, de ces rapports naturels et précis entre objets un nombre à la fois fixe et vaste. Toute « invention » verbale est, au fond, une trouvaille. « La nature a lieu, on n'y ajoutera pas ». Le délaissement de ce point de vue sur le langage, au XVIᵉ siècle, a entraîné des conséquences révolutionnaires pour la poésie française. De cette révolution, où la métaphore remplaça l'équivoque comme outil poétique, nous avons écrit ailleurs, et y renvoyons le lecteur [9].

Tenir la parole pour naturelle veut dire aussi qu'on se fie au langage. Rien dans le langage n'est absurde, gratuit, ou trivial, à connaître sa raison. Il possède ses apparences, comme tout objet. Pour retrouver sa vérité, on n'est pas obligé de les nier, d'épurer la parole.

En plus, le langage en lequel on se fie est le langage qu'on parle. Il est multiforme, flexible, aimable comme la nature. La poésie de Villon est toujours en contact avec ce langage, qui inclut certaines rhétoriques en apparence artificielles. On cessa de s'y fier dès qu'on eut commencé à apprendre le grec. Dans un autre sens, la poésie française, par ses rapports avec la musique, a toujours été un langage artificiel. La versification, pour Villon, est une manière de regagner directement le concret du langage, et d'en respecter les lois. Sa parole est un avatar prévu de la parole parlée. Celle-ci présente sa vérité, comme une pièce, et la joue. Ainsi la parole de Villon est foncièrement dramatique. Une voix nous parle toujours. Elle dialogue avec la main qui rédige des huitains octosyllabes, des ballades rimées, ou des rondeaux. De même, dans cette voix, nous écoutons dialoguer des habitudes banales et des capacités profondes de la langue.

Tenir la parole pour naturelle veut dire, enfin, que le poète ne s'y révèle que par sa façon d'en respecter la nature. Le langage, comme la nature, a lieu. Si on s'en écarte, par le fait d'inventer des mots, de créer des métaphores, de façonner des formes inédites, ou d'imiter un style étranger, on ne se révèle pas. On dévoile plutôt une force anti-naturelle et anti-linguistique qui nous habite. Villon a été tenté par cette virtualité négative du langage, comme nous le savons. Son pessimisme esthétique l'a amené à incorporer certains côtés suspects de la parole parlée dans la parole poétique. Mais là aussi son individualité se trahit par une vision plus large et plus nuancée de la réalité que recrée la parole. Rien dans l'individu, qu'il soit ou non un poète, n'est inédit. L'individualité s'exprime à contrecœur, si l'on peut dire. On la découvre dans une nouvelle combinaison de choses déjà connues et de mots déjà dits. Le poète se distingue des autres hommes, dans sa poésie, par son savoir de ce qui est connu et dit. Villon et Charles d'Orléans se vantent de leur savoir comme Ronsard et Du Bellay se vantent de leur pouvoir.

Notre ignorance de ce que Villon aurait su nous empêche d'évaluer au juste son œuvre. Parfois, nos habitudes de lecture masquent ses connaissances les plus élémentaires. Nous sommes sensibles au côté dramatique de ses poèmes ; l'importance suprême de leur forme nous échappe. Nous ne reconnaissons plus les formes des choses et du langage que mime sa parole. De même, nous lisons un poème en fonction des parties qui le constituent. Pour Villon, qui lisait les parties en fonction du tout, la forme totale de l'œuvre donne sens et valeur à toutes ses parties. Nous ne savons plus avoir une intuition du tout avant d'en lire les membres. De même, nous lisons trop souvent avec des loupes et des aide-mémoire que nous fournit l'histoire. Certaines pages de l'étude qu'on vient de lire suggèrent que l'histoire littéraire de l'époque a été écrite après une lecture peu attentive des œuvres. N'y voyant pas clair, cette lecture ne pouvait qu'être parfois peu sympathique. En fait, la poésie de Villon s'éloigne de nous, en même temps que nous nous éloignons de la poésie. A cette distance, les distinctions s'effacent. Dans l'état actuel de nos connaissances, il n'est pas possible de définir la poétique de Villon. Il est à la fois trop tôt et trop tard. Pour lui, toute définition suppose une distinction préalable : « C'est a mau rat mau chat » (1 624). Pour nous tous les chats sont gris. Nous ne savons plus ce qu'il faudrait distinguer, dans ses mots et ses idées, de ce que nous y voyons déjà. A titre d'exemple, prenons les mots « Villon » et « poésie », qui pour nous se recouvrent au lieu de se compléter et de s'éclairer mutuellement.

NOTES DE LA CONCLUSION

1. Notre texte est tiré de I.-M. Cluzel et L. Pressouyre, *Les Origines de la poésie lyrique d'oïl et les premiers trouvères*, Paris, Nizet, 1962, p. 16, qui l'ont pris eux-mêmes de K. Bartsch, *Altfranzösische Romanzen und Pastourellen*, Leipzig, 1870, p. 19. Nous en avons ôté la ponctuation, qui est d'ailleurs fautive.

2. Notre texte est tiré de l'excellente anthologie de B. Woledge, *The Penguin Book of French Verse*, t. I, « To the Fifteenth Century », Penguin Books, 1961, p. 220-1, sans la ponctuation.

Dans l'édition de Chichmaref, les strophes 2 et 3 sont interverties, sans aucune indication, malgré l'évidence du texte, ce qui fait de notre ballade un nonsens. Ainsi, au vers 11 de ce texte, le poète parle à « toy » sans que l'on sache qu'il parle, ni à qui, l'apostrophe ne survenant qu'au vers 17.

L'orthographe, dans l'édition de Woledge, a été très légèrement modernisée.

Il existe un bel enregistrement de la musique de cette ballade, que nous recommandons au lecteur, par le Collegium Musicum de l'Université d'Illinois (U.S.A.), dirigé par G. Hunter, sur Westminster XWN 18 166, « Guillaume de Machaut, motets, ballades, virelais, rondeaux ». Malheureusement, la première strophe seule y est chantée.

3. Le mot « aniantir » dans notre texte est une heureuse correction de Chichmaref. Les mss. portent « d'amanrir son pris... », ce qui donne un vers faux.

Il n'est pas sans intérêt de noter que Guillaume de Machaut connut les ravages de la grande peste de 1348, qui anéantit plus d'un quart de la population de l'Europe.

4. Notre texte est tiré de l'éd. Faral-Bastin, I, 475-8, sauf pour le vers 28, où nous retenons la leçon de A, « forme fiere », pour « forme chiere » de CDR. A est reconnu par les éditeurs pour le meilleur ms., et ils le suivent presque partout ailleurs. « Fiere » ici donne un texte plus intéressant ; nous l'entendons dans un sens idéal.

Nous avons, comme ailleurs, débarrassé le texte de sa ponctuation sentimentale et prosaïque. Certains vers de ce poème se trouvent dans les anthologies, mais presque toujours arrachés à leur contexte et réduits ainsi à une valeur pathétique. Il nous semble évident que le sens de chaque vers dépend de la forme du poème, et que celle-ci dépend du fait qu'il consiste en 7 strophes de 12 vers chacune, formant un tout. Voir, par exemple, le « poème » de 5 strophes — sans aucune indication de sa mutilation, d'ailleurs — que donne A. Mary, dans son anthologie, pour l'ensemble très valable, *La Fleur de la poésie française depuis les origines jusqu'à la fin du XVᵉ siècle*, Paris, Garnier, 1951, p. 354-9.

5. Voir les remarques de Faral et Bastin, p. 573 : « Aucun de ces titres n'est authentique : chacun d'eux ne représente que l'interprétation d'un scribe ou d'un chef d'atelier ».

6. Comparer la deuxième strophe de *La Belle Dame sans mercy*, que nous avons citée ailleurs, qui encadre ce même vocabulaire dans un drame séculier :

Si disoie : « Il fault que je cesse
De ditter et de rimoier...

7. Comparer le vocabulaire de Théophile dans *Le Miracle de Théophile* (II, 196 : « C'est la proiere que Theophiles dist devant Nostre Dame », v. 444 sqq.) :

En vostre douz servise
Fu ja m'entente mise,
Més trop tost fui temptez.
Par celui qui atise
Le mal et le bien brise
Sui trop fort enchantez.
Car me desenchantez,

Que vostre volentez
Est plaine de franchise,
Ou de granz orfentez
Sera mes cors rentez
Devant la fort justice.

La ponctuation des éditeurs est fâcheuse, elle supprime la voix brisée du suppliant et le rend raisonneur.

8.   Bref, l'extreme rigueur de la morte saison
               Tenoit clos & couvert chacun en sa maison.

> *(La Bergerie, 2ᵉ journée,* éd. A. Gouverneur,
> *Œuvres complètes de Remy Belleau,* Paris.
> Franck, Bibliothèque Elzévirienne, 1867, p. 273.)

La locution « clos & couvert » se trouve également chez Villon (L. 150).

9. Notre citation est de Mallarmé, dans « La Musique et les lettres ».
Voir nos articles sous la rubrique « Pour ceux qui aiment la poésie » dans *La Caravelle* (Cambridge, Mass.) 6-9, print. 1960-hiv. 1961 ; surtout la comparaison des poèmes de Charles d'Orléans et de Ronsard, dans les nᵒˢ 8 et 9.
La locution familière « se mettre tout en un tas » est enregistrée par le *Dictionnaire de l'Académie* en 1694 : « On dit familièrement qu'une personne se met tout en un tas, pour dire qu'elle s'accroupit, se met toute en un peloton. » (Cité par F. Deloffre, *Marivaux et le Marivaudage,* Paris, Les Belles Lettres, 1955, p. 291.)

APPENDICE

L'HÉRITAGE DE VILLON

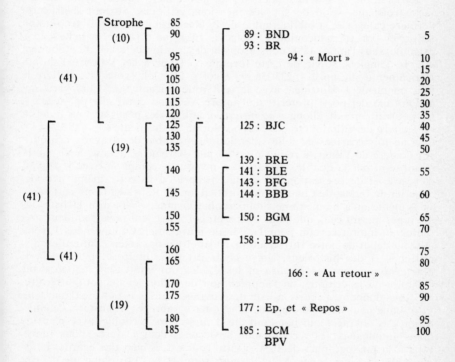

SIGLES

BND Ballade pour Nostre Dame
BR   B. en R
BJC B. pour Jehan Cotart
BRE B. pour R. d'Estouteville
BLE B. des langues envieuses
BFG B. de Franc Gontier

BBB Ballade de bon bec
BGM B. de Grosse Margot
BBD B. de bonne doctrine
Ep.   Epitaphe
BCM B. pour crier mercis
BPV B. du Pauvre Villon

BIBLIOGRAPHIE

Il existe déjà une bibliographie sur Villon, établie par P. Morabito, et imprimée à la suite de l'ouvrage de G. A. Brunelli, cité ci-dessous. Cette bibliographie, qui s'arrête à 1960, est assez complète. Pourtant, de ses quelque 625 articles, une bonne partie est constituée par des éditions anciennes ou de luxe, des adaptations, des traductions, de doubles mentions — ici l'édition, là son introduction ; ici la première édition d'un ouvrage, là la troisième — ou de simples mentions critiques. Surtout dans cette dernière catégorie, la bibliographie de P. Morabito est à la fois trop ambitieuse et par trop incomplète. Sous la rubrique « Opere critiche », par exemple, sous l'année 1851, nous lisons la description détaillée d'un ouvrage d'E. H. Langlois, suivie de cette formule : « L'opera del Villon è valutata criticamente alle pp. 174, 225-256 nel I vol. ». Plus loin, voici cité le livre le plus connu de J. Huizinga, avec la remarque suivante : « Alcuni versi del Villon, uno dei poeti preferiti dall'autore, vengono citati alle pp. segg... ». On pourrait, en fait, allonger *ad infinitum* la liste des pages de tous auteurs où l'œuvre de Villon a été citée ou « valutata criticamente ».

Une fois écartées de telles mentions, l'ensemble des travaux critiques sur l'œuvre de Villon se réduit à un *corpus* extrêmement mince. Ni par la quantité ni par la qualité, en outre, on ne peut le comparer avec le travail d'exégèse et de re-création qui a été entrepris, dans cette même période, au sujet de Dante, de Chaucer, de Chrétien, ou de Rabelais. Nous ne tenons nous-même qu'à donner une bibliographie vivante, c'est-à-dire la liste des ouvrages, parmi ceux que nous avons pu consulter, qui nous semblent présenter un intérêt certain pour l'étude de notre sujet. Comme nous l'avons noté au début de notre Introduction, ce sujet n'a pas retenu l'attention des critiques et des historiens. Notre choix est donc limité et personnel ; il écarte notamment les *curiosa* et les études qui intéressent à bon droit l'histoire de la critique, de l'appréciation de Villon, et du goût littéraire.

Nous donnons d'abord la liste des ouvrages qui nous ont été d'une telle utilité que nous avons été amené à les citer en abrégé ; et ensuite, l'énumération des ouvrages qui nous ont été d'un secours véritable, avec d'autres dont l'intelligence les recommande au lecteur. Pour le reste, nous renvoyons à la bibliographie de P. Morabito (qui est, à bien des égards, indispensable) et à nos notes. Nous ne nous sommes pas cru obligé de décrire les répertoires ou dictionnaires bien connus de Cotgrave, Godefroy, Leroux, Littré, Oudin, Palsgrave, Richelet, Robert, von Wartburg (le Few), etc.

I. OUVRAGES CITÉS EN ABRÉGÉ

B. & W. — Bloch (O.), Wartburg (W. von), *Dictionnaire étymologique de la langue française*, 3ᵉ édition refondue par W. von Wartburg, Paris, Presses Universitaires de France, 1960.

Baude — *Les Vers de Maître Henri Baude, poète du* XVᵉ *siècle*, recueillis et publiés avec les actes qui concernent sa vie par M. J. Quicherat, Paris, Aubry, 1856.

Belle Dame sans mercy (*la*) — CHARTIER (Alain), *La Belle Dame sans mercy et les poésies lyriques*, édition publiée par A Piaget, lexique établi par R.-L. Wagner, 2ᵉ éd., Lille et Genève, Giard et Droz, 1949 (Textes littéraires français).

BIJVANCK — BIJVANCK (W.G.C.), *Spécimen d'un essai critique sur les œuvres de F. Villon.* « *Le Petit Testament* », Leyde, De Breuck et Smits, 1882.

BLOCH — BLOCH (M.), *La Société féodale, La formation des liens de dépendance*, Paris, Albin Michel, 1939 (l'Evolution de l'humanité).

BURGER — BURGER (A.), *Lexique de la langue de Villon*, précédé de notes critiques pour l'établissement du texte, Genève et Paris, Droz et Minard, 1957.

CHAMPION — CHAMPION (P.), *François Villon, sa vie et son temps*, 2ᵉ édition avec un nouvel avant-propos, 2 vol., Paris, Champion, 1933.

Charles d'ORLÉANS — *Charles d'Orléans : Poésies*, éditées par P. Champion, 2 vol., Paris, Champion, 1923-27. (Classiques français du Moyen Age.)

Congié d'Amour (*Le*) — Poème anonyme tiré du ms. 3 523 de la Bibliothèque de l'Arsenal, publié par J.-W. GOSSNER, « Two Medieval French Congés d'Amour », dans *Symposium* 9, 1955, p. 106-14.

COQUILLART — *Œuvres de Coquillart*, nouvelle édition, revue et annotée par M. Charles d'Héricault, 2 vol., Paris, Jannet, 1857 (Bibliothèque Elzévirienne).

CURTIUS — CURTIUS (E.-R.), *La Littérature européenne et le Moyen Age latin*, traduit de l'allemand par J. Bréjoux, Paris, P.U.F., 1956.

DE BRUYNE — DE BRUYNE (E.), *Etudes d'esthétique médiévale*, 3 vol., Bruges, Editions « De Tempel », 1946.

DESCHAMPS — *Œuvres complètes d'Eustache Deschamps*, publiées... par le Marquis de Queux de Saint-Hilaire et Gaston Raynaud, 11 vol., Paris, 1878-1903 (Société des anciens textes français).

E.V. — Index « Erotica Verba » [par S. de l'Aulnay] dans *Œuvres de François Rabelais*, 3 vol., Paris, Desoer, 1820 ; également dans Ledentu, 1837.

FOULET — *François Villon : Œuvres*, éditées par A. Longnon, 4ᵉ édition revue par L. Foulet, Paris, Champion, 1932 (Classiques français du Moyen Age).

GANSHOF — GANSHOF (F.L.), *Qu'est-ce que la féodalité ?* 2ᵉ édition, Bruxelles, Office de Publicité, 1947.

GUNN — GUNN (A.M.F.), *The Mirror of Love, A Reinterpretation of* « *The Romance of the Rose* », Lubbock, Texas, Texas Tech Press, 1951.

JAUFRÉ RUDEL — *Les Chansons de Jaufré Rudel*, éditées par A. Jeanroy, Paris, Champion, 1924 (Classiques français du Moyen Age).

Livres de confort (*Li*) — (*Li Livres de confort de Philosophie*), « Boethius' De Consolation by Jean de Mehun », éd. V.L. Dedeck-Héry, dans *Medieval Studies* 14, 1952, p. 165-275.

MAROT — *Les Œuvres de François Villon de Paris*, revues et remises en leur entier par Clément Marot, valet de chambre du Roy, Paris, Galiot du Pré, 1533.

MOLINET — *Les Faictz et dictz de Jean Molinet*, pub. par N. Dupize, 3 vol., Paris (Société des anciens textes français).

NERI — *Le Poesie di François Villon*, commento di F. Neri, 3ᵉ édition, Torino, Chiantore, 1950 (première édition, 1923).

ORESME — *Maistre Nicholas Oresme, Le Livre de Ethiques d'Aristote*, published from the text of Ms. 2 902, Bibl. Royale de Belgique, with a critical introduction and notes by A.D. Menut, New York, Stechert, 1940.

PANOFSKY — PANOFSKY (E.), *Early Netherlandish Painting, its Origins and Character*, 2 vol., Cambridge, Mass., Harvard University Press, 1958.

Parnasse Satyrique (*Le*) — *Le Parnasse satyrique du quinzième siècle, anthologie de pièces libres*, publiée par Marcel Schwob, Paris, H. Welter, 1905.

RICE — RICE (W.H.), *The European Ancestory of Villon's Satirical Testaments*, New York, the Corporate Press, 1941 (Syracuse University Monographs 1).

Roger de COLLERYE — *Œuvres de Roger de Collerye*, nouvelle édition avec une préface et des notes par M. Charles d'Héricault, Paris, Jannet, 1855 (Bibliothèque Elzévirienne).

Roman de la rose (Le) — Guillaume de Lorris et Jean de Mehun : *Le Roman de la rose*, publié d'après les mss. par E. Langlois, 5 vol., Paris, Firmin Didot et Honoré Champion, 1914-1924 (Société des anciens textes français).

RUTEBEUF — *Œuvres complètes de Rutebeuf*, publiées par E. Faral et J. Bastin, 2 vol., Paris, Picard, 1960.

SICILIANO — SICILIANO (I.), *François Villon et les thèmes poétiques du Moyen Age*, Paris, Armand Colin, 1934.

SINGLETON I — SINGLETON (C.S.), *Commedia, Elements of Structure*, Cambridge, Mass., Harvard University Press, 1954 (Dante studies, 1.)

SINGLETON, *Vita nuova* — SINGLETON (C.S.), *An Essay on the Vita Nuova*, Cambridge, Mass., Harvard University Press, 1949.

THUASNE — *François Villon, Œuvres*, édition critique avec notices et glossaire par Louis Thuasne, 3 vol., Paris, Picard, 1923.

ZIWÈS — ZIWÈS (A.), en collaboration avec Anne de Bercy, *Le Jargon de Mᵉ François Villon*, 2 vol., Paris, Editions Marcel Puget, 1954.

II. AUTRES OUVRAGES ET ÉDITIONS UTILES

BRUNELLI (G.A.), *François Villon*, con bibliografia e indici a cura di P. Morabito, Milano, Marzorati, 1961.

BURGER (A.), « L'Epître de Villon à Marie d'Orléans », dans *Mélanges Istvàn Frank*, Saarbrücken, Universitët des Saarlandes, 1957, p. 91-9.

―――― « L'entroubli de Villon (*Lais*, huitains XXXV-XL) », dans *Romania* 79, 1958, p. 485-95.

Cent Nouvelles Nouvelles (Les), nouvelle édition... avec des notes et une introduction par P.-L. Jacob, Paris, Delahays, 1858.

CHARLIER (G.), « Notes sur Villon... », dans *Archivum Romanicum* 4, 1920, p. 506-24.

COHEN (G.), *Recueil de farces françaises inédites du* XVᵉ *siècle*, publiées pour la première fois avec une Introduction, des Notes, des Indices, et un Glossaire, par Gustave Cohen, Cambridge, Mass., the Medieval Academy of America, 1949.

CONS (L.), *Etat présent des études sur Villon*, Paris, les Belles Lettres, 1936.

[DELVAU (A.)] *Dictionnaire érotique moderne*, par un professeur de langue verte, Bâle, Karl Schmidt, 1864.

DROZ (E.), JEANROY (A.), *Deux manuscrits de François Villon* (Bibliothèque Nationale, fonds français 1 661 et 20 041) reproduits en phototypie avec une notice sur les manuscrits du poète, par A. Jeanroy et E. Droz, Paris, Droz, 1932 (Documents artistiques du XVᵉ siècle, t. VI).

EDELMAN (N.), « A Scriptural Key to Villon's Testament », dans *Modern Language Notes* 72, 1957, p. 345-51.

FORMEY (J.-H.-S.), de LAURIÈRE (E.), Le DUCHAT, *Œuvres de François Villon*, avec les remarques de diverses personnes, La Haye, Adrien Moetjens, 1742.

FOULET (L.), « Notes sur le texte de Villon », dans *Romania* 42, 1913, p. 490-516.

―――― « Pour le commentaire de Villon, La belle leçon aux enfans perdus », dans *Romania* 46, 1929, p. 383-6.

―――― « Notes sur le texte de Villon », *ibid*, p. 386-92.

―――― « Pour le commentaire de Villon. Notes sur le vocabulaire », dans *Romania* 47, 1921, p. 508-8.

―――― « Villon et le duc de Bourbon », dans *Mélanges A. Thomas*, Paris, Champion, 1927, p. 165-171.

―――― « Villon et Charles d'Orléans » dans *Medieval Studies in Memory of Gertrude Shoepperle Loomis*, Paris, Champion, 1927, p. 355-80.

―――― « Nouvelles notes sur le texte de Villon », dans *Romania* 56, 1930, p. 389-410.

―――― « Villon et la scolastique », dans *Romania* 65, 1939, p. 457-77.

―――― « Sur François Villon », dans *Romania* 68, 1944-5, p. 43-151.

—— « François Villon », dans BÉDIER (J.), HAZARD (P.), *Histoire de la littérature française*, Paris, Larousse, 1923, t. I, p. 107-8 ; et dans l'édition de 1949, t. I, p. 144-54.

—— « *Petite Syntaxe de l'ancien français* », 3ᵉ édition revue, Paris, Champion, 1930 (Classiques français du Moyen Age.)

FOX (J.), *The Poetry of Villon*, London, Nelson and Sons, 1962.

FRAPPIER (J.), « Pour le commentaire de Villon, *Testament* v. 751-2, " Je les ayme tout d'un tenant/Ainsi que fait Dieu le Lombart " », dans *Romania* 80, 1959, p. 191-207.

FRIEDMAN (L.J.), « The " Ubi sunt ", the " Regrets " and " Effictio " », dans *Modern Language Notes* 72, 1957, p. 499-505.

GAUTIER (T.), « François Villon » dans *La France littéraire* 11, 1834, p. 39-75 ; réimprimé dans *Les Grotesques*, Paris, Desessart, 1844, p. 1-59.

GILSON (E.), *Les Idées et les lettres*, 2ᵉ édition, Paris, Vrin, 1955.

GREEN (F.C.), « Marot's Preface to his Edition of Villon's Works », dans *Modern Philology* 22, 1924-25, p. 69-77.

KINNELL (G.), *The Poems of François Villon*, A New Translation with an Introduction by Galway Kinnel, New York, The New American Library, 1965 Signet Books).

LEWICKA (H.), *La Langue et le style du théâtre comique français des* XVᵉ *et* XVIᵉ *siècles*, Paris, Klincksieck, 1960.

MAURIN (M.), « La Poétique de Chastellain et la " Grande Rhétorique " », dans *Publications of the Modern Language Association of America* 74 (4), p. 482-4.

MAZENOD (L.), *Fac-similé intégral de l'un des trois exemplaires connus de l'édition princeps du Grand et du Petit Testament...* Collection « Les livres célèbres », créée et présentée par Lucien Mazenod, avec une introduction, « Le Villon de 1489 », par J. Guignard, Paris, Mazenod, 1957.

MORABITO (P.), *Bibliografia Villioniana*, publié à la suite de G.A. BRUNELLI, *François Villon*, cité ci-dessus.

POIRION (D.), *Le Poète et le prince, l'évolution du lyrisme courtois de Guillaume de Machaut à Charles d'Orléans*, Paris, Presses Universitaires de France, 1965.

POUND (E.), « Montcorbier, alias Villon », dans *The Spirit of Romance*, London, Dent, 1910 ; nouvelle édition « Completely revised », Peter Owen, London, 1952.

PROMPSAULT (J.-H.-R.), *Œuvres de Maistre François Villon*, corrigées et complétées d'après plusieurs manuscrits qui n'étoient pas connus... Paris, Imprimerie de Béthune, 1832.

ROQUES (M.), « Pour le commentaire de Villon, " Montpipeau et Rueil " (Test. 1 671-2) », dans *Romania* 43, 1914, p. 102-5.

—— « La Vielle sous le banc », dans *Romania* 52, 1926 p. 119.

—— « Fils d'Ange. Glose au " Testament " de Villon », dans *Bulletin de l'Académie royale de langue et de littérature françaises de Belgique*, 26 (2), 1948.

—— « Les Pieds blancs (Villon, Lais, IV, 29) », dans *Mélanges E. Hoepffner*, Paris, Les Belles Lettres, 1949.

—— « Les Pieds blancs » dans *Romania* 73, 1952, p. 391-2.

RYCHNER (J.), « Pour le " Testament " de Villon (vers 553-55 et 685) », dans *Romania* 74, 1953, p. 383-9.

SPITZER (L.), « Etude a-historique d'un texte : Ballade des Dames du temps jadis », dans *Modern Language Quarterly* 1, 1940, p. 7-22.

STEWART (D.M.), « The Status of the Versions of Villon's *Testament* » dans *Studies in Medieval French Presented to Alfred Ewert*, Oxford, 1961, p. 150 sqq.

SWOBODA (K.), *L'Esthétique d'Aristote*, Brno, 1927.

THOMAS (L.), *Les Dernières Leçons de Marcel Schwob sur François Villon*, Paris, Editions de Psyché, 1906.

WAGNER (R.-L.), « Villon, *le Testament* (Commentaire aux vers 157-8) », dans *Mélanges R. Guiette*, Anvers, De Nederlandiche Boekandel, 1961, p. 165-76.

INDEX

Ne figurent dans notre index que les mots, noms et matières qui figurent dans le corps de notre étude. En revanche, nous avons relevé dans les notes toute mention de tels mots, noms et matières, exception faite pour les simples renvois. Nous ne donnons ni le nom des auteurs des études ou d'éditions modernes, ni le titre des ouvrages de référence. Quelques noms que nous n'avons mentionnés qu'en passant ont été omis. Des mots de Villon que nous traitons, on ne trouvera ici qu'un choix restreint : notre index ne peut servir de glossaire.

A quelques exceptions près (*LE ROMAN DE LA ROSE, LE TESTAMENT, LE LAIS*) nous donnons le titre d'un ouvrage sous le nom de l'auteur. Les livres de la Bible ont été réunis sous les rubriques *TESTAMENT (ANCIEN)* et *TESTAMENT (NOUVEAU)*, dans l'ordre traditionnel. Ainsi, pour trouver l'*Epistola ad Hebraeos* on cherchera le nom PAUL (saint) dans l'article *TESTAMENT (NOUVEAU)*. Les poèmes de Villon qui prennent place dans son *TESTAMENT* ont été groupés par genre dans cet article, suivant l'ordre qu'il leur a donné. D'autres poèmes de Villon, à part *LE LAIS*, se trouveront sous le nom du genre, c'est-à-dire « ballades » ou « quatrain ».

Comme dans le corps de l'ouvrage, nous tenons à respecter l'orthographe des noms propres que donnent les manuscrits de Villon, chaque fois qu'il y a quelques intérêt à le faire. Ainsi nous écrivons « Mehun », « Theophilus », « Esbaillart » ; mais à côté de « Jehanneton », « Jehan Baptiste » et « Nostre Dame » on trouvera « Jeanne d'Arc », « Jean de Mehun » et « Christ ».

TABLE DES MATIÈRES

Vu, le 30 juin 1966,
Le Doyen de la Faculté des Lettres
et Sciences Humaines
de l'Université de Paris-Sorbonne,
Signé : Marcel DURRY

Vu
et permis d'imprimer :
Le Recteur de l'Académie de Paris,
Signé : Jean ROCHE

1054
IMPRIMERIE CHIRAT
SAINT-JUST-LA-PENDUE (LOIRE)
DÉPOT LÉGAL 1967 : N° 601